KB057541

자율학습시
비상구
미니완자로
53

중등 과학 2

원소 기호 익히기

과학을 공부하려면 원소 기호를 꼭 외워야 해요.
자주 나오는 원소 기호는 꼭 기억해 둡시다!

원소 이름	원소 기호	원소 이름	원소 기호
수소	H	염소	Cl
헬륨	He	칼륨(포타슘)	K
리튬	Li	칼슘	Ca
탄소	C	망가니즈	Mn
질소	N	철	Fe
산소	O	구리	Cu
플루오린	F	아연	Zn
네온	Ne	스트론튬	Sr
나트륨(소듐)	Na	납	Pb
마그네슘	Mg	은	Ag
알루미늄	Al	아이오딘	I
규소	Si	바륨	Ba
인	P	금	Au
황	S	수은	Hg

원소 기호 테스트 ❶

원소 이름	원소 기호	원소 이름	원소 기호	원소 이름	원소 기호
수소		마그네슘		구리	
헬륨		알루미늄		아연	
리튬		규소		스트론튬	
탄소		인		납	
질소		황		은	
산소		염소		아이오딘	
플루오린		칼륨		바륨	
네온		칼슘		금	
나트륨		철		수은	

원소 기호 테스트 ❷

원소 기호	원소 이름	원소 기호	원소 이름	원소 기호	원소 이름
H		Mg		Cu	
He		Al		Zn	
Li		Si		Sr	
C		P		Pb	
N		S		Ag	
O		Cl		I	
F		K		Ba	
Ne		Ca		Au	
Na		Fe		Hg	

[I-02 원자와 분자]에서 관련 개념을 확인하세요!

이온식 익히기

 원소 기호를 외웠다면 이온식은 그렇게 어렵지 않아요.
양이온과 음이온으로 구분해서 기억해 둡시다!

양이온		음이온	
이온 이름	이온식	이온 이름	이온식
수소 이온	H^+	플루오린화 이온	F^-
리튬 이온	Li^+	염화 이온	Cl^-
나트륨 이온	Na^+	아이오딘화 이온	I^-
칼륨 이온	K^+	수산화 이온	OH^-
은 이온	Ag^+	질산 이온	NO_3^-
암모늄 이온	NH_4^+	산화 이온	O^{2-}
철 이온	Fe^{2+}	황화 이온	S^{2-}
칼슘 이온	Ca^{2+}	탄산 이온	CO_3^{2-}
구리 이온	Cu^{2+}	황산 이온	SO_4^{2-}
마그네슘 이온	Mg^{2+}		
납 이온	Pb^{2+}		
바륨 이온	Ba^{2+}		
아연 이온	Zn^{2+}		
알루미늄 이온	Al^{3+}		

이온식 테스트 ❶

이온 이름	이온식	이온 이름	이온식	이온 이름	이온식
수소 이온		구리 이온		아이오딘화 이온	
리튬 이온		마그네슘 이온		수산화 이온	
나트륨 이온		납 이온		질산 이온	
칼륨 이온		바륨 이온		산화 이온	
은 이온		아연 이온		황화 이온	
암모늄 이온		알루미늄 이온		탄산 이온	
철 이온		플루오린화 이온		황산 이온	
칼슘 이온		염화 이온			

이온식 테스트 ❷

이온식	이온 이름	이온식	이온 이름	이온식	이온 이름
H^+		Cu^{2+}		I^-	
Li^+		Mg^{2+}		OH^-	
Na^+		Pb^{2+}		NO_3^-	
K^+		Ba^{2+}		O^{2-}	
Ag^+		Zn^{2+}		S^{2-}	
NH_4^+		Al^{3+}		CO_3^{2-}	
Fe^{2+}		F^-		SO_4^{2-}	
Ca^{2+}		Cl^-			

[I-03. 이온]에서 관련 개념을 확인하세요!

01 원소

족보 1 물질의 기본 성분에 대한 학자들의 생각

- 탈레스 : 모든 물질의 근원은 물이다.
- 아리스토텔레스 : 만물은 물, 불, 흙, 공기의 4가지 기본 성분으로 되어 있고, 이들이 조합하여 여러 물질이 만들어진다.
- 보일 : 원소는 물질을 이루는 기본 성분으로, 더 이상 분해되지 않는 단순한 물질이다.
- 라부아지에 : 실험을 통해 물이 수소와 산소로 분해되는 것을 확인하여, 물이 (❶   )가 아님을 증명하였다.

족보 2 라부아지에의 물 분해 실험

[과정] 오른쪽 그림과 같이 주철관을 가열하면서 주철관 안으로 물을 통과시킨다.

[결과]
- 물이 분해되어 발생한 (❷   )가 주철관을 녹슬게 하였다.
- 냉각수를 통과한 물질에서는 (❸   )가 얻어졌다.

[정리] 물은 수소와 산소로 분해되므로 원소가 아니다.

족보 3 원소의 특징

- 더 이상 다른 물질로 분해되지 않으면서 물질을 이루는 기본 (❹   )이다.
- 현재까지 알려진 원소의 종류는 120여 가지이다.
- 90여 가지는 자연에서 발견된 것이고, 그 밖의 원소는 인공적으로 만든 것이다.

족보 4 원소의 이용

수소	우주 왕복선의 연료	헬륨	비행선의 충전 기체
(❺)	물질의 연소, 생물의 호흡	구리	전선
철	기계, 건축 재료	규소	반도체 소자
금	장신구의 재료	질소	과자 봉지의 충전제

답 ❶ 원소 ❷ 수소 ❸ 산소 ❹ 성분 ❺ 산소

족보 5 불꽃 반응 실험

- 실험 방법이 쉽고 간단하다.
- 물질에 포함된 금속 원소를 확인할 수 있다.

금속 원소	리튬	나트륨	칼륨	구리	칼슘	스트론튬	바륨
불꽃 반응 색	빨간색	(❻)	보라색	청록색	(❼)	(❽)	황록색

- 물질의 양이 적어도 금속 원소를 확인할 수 있다.

족보 6 여러 가지 물질의 불꽃 반응 색 구분하기

물질의 종류가 달라도 같은 금속 원소가 포함되어 있으면 불꽃 반응 색이 같다.

- 염화 나트륨, 질산 나트륨 – 노란색
- 염화 구리(Ⅱ), 황산 구리(Ⅱ) – (❾   )
- 염화 칼슘, 질산 칼슘 – 주황색
- 질산 칼륨, 황산 칼륨 – (❿   )

족보 7 스펙트럼의 종류

연속 스펙트럼	(⓫) 스펙트럼
햇빛을 분광기로 관찰할 때 나타나는 연속적인 색의 띠	금속 원소의 불꽃을 분광기로 관찰할 때 특정 부분에만 나타나는 밝은 색 선의 띠

족보 8 선 스펙트럼 분석

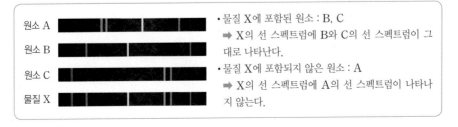

- 물질 X에 포함된 원소 : B, C
  ➡ X의 선 스펙트럼에 B와 C의 선 스펙트럼이 그대로 나타난다.
- 물질 X에 포함되지 않은 원소 : A
  ➡ X의 선 스펙트럼에 A의 선 스펙트럼이 나타나지 않는다.

02 원자와 분자

족보 1 원자의 구조와 특징

- (**①**   )전하를 띤다.
- 원자의 중심에 위치한다.
- (**②**   )전하를 띤다.
- 원자핵 주위에서 움직이고 있다.

- 원자는 전기적으로 (**③**   )이다. ➡ 원자핵의 (+)전하량과 전자의 총 (−)전하량이 같다.
- 원자핵과 전자의 크기는 원자에 비해 매우 작다. ➡ 원자 내부의 대부분은 빈 공간이다.
- 원자핵은 전자에 비해 질량이 매우 크다. ➡ 원자핵이 원자 질량의 대부분을 차지한다.
- 원자의 종류에 따라 원자핵의 전하량과 전자 수가 다르다.

족보 2 원자 모형

원자	리튬	탄소	산소
원자 모형	+3	+6	+8
원자핵의 전하량	+3	(**④**)	+8
전자 수(개)	3	6	(**⑤**)

족보 3 분자

- 독립된 입자로 존재하여 물질의 (**⑥**   )을 나타내는 가장 작은 입자이다.
- 원자가 결합하여 이루어진다.
- 결합하는 원자의 종류와 수에 따라 분자의 종류가 달라진다.
- 분자가 원자로 나누어지면 물질의 성질을 잃는다.

I. 물질의 구성

정답 ⑥ 성질 ⑤ 8 ④ +6 ③ 중성 ② (−) ① (+)

족보 **4** **원소 기호를 나타내는 방법**

• 원소 이름의 알파벳에서 첫 글자를 (**❼**　　　　)로 나타낸다.
• 첫 글자가 같을 때는 중간 글자를 선택하여 소문자로 함께 나타낸다.

원소 이름	원소 기호	원소 이름	원소 기호	원소 이름	원소 기호
수소	H	염소	Cl	칼슘	Ca
산소	O	황	S	마그네슘	Mg
(**❽**　　)	C	나트륨(소듐)	Na	철	(**❾**　　)
헬륨	He	칼륨(포타슘)	K	구리	Cu

족보 **5** **분자식에서 알 수 있는 사실**

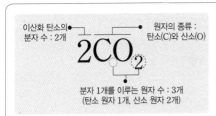

이산화 탄소의
분자 수 : 2개

원자의 종류 :
탄소(C)와 산소(O)

2CO₂

분자 1개를 이루는 원자 수 : 3개
(탄소 원자 1개, 산소 원자 2개)

• 탄소 원자의 총개수 : $2 \times 1 = 2$개
• 산소 원자의 총개수 : $2 \times 2 = 4$개
• 분자식을 이루는 원자의 총개수 :
  $2 \times 3 = $ (**❿**　　　　)개

족보 **6** **여러 가지 분자 모형과 분자식**

분자	수소	염화 수소	산소	오존	암모니아
분자 모형	H H	H Cl	O O	O O O	H N H H
분자식	H_2	HCl	O_2	O_3	(**⓫**　　)
분자	일산화 탄소	이산화 탄소	물	과산화 수소	메테인
분자 모형	C O	O C O	H O H	O O H H	H C H H H
분자식	CO	(**⓬**　　)	H_2O	H_2O_2	(**⓭**　　)

3 이온

족보 1 이온

양이온	음이온
원자가 전자를 잃어서 (+)전하를 띠는 입자 ➡ (+)전하량 (❶　　　) (−)전하량	원자가 전자를 얻어서 (−)전하를 띠는 입자 ➡ (+)전하량 (❷　　　) (−)전하량

원자 → 전자를 잃음 → 양이온

원자 → 전자를 얻음 → 음이온

족보 2 이온 형성 과정의 모형 해석하기

A 원자 → A 이온 + ⊖

• A 원자는 전자 1개를 잃어 양이온이 된다.
➡ A ⟶ (❸　　　)+⊖

B 원자 + ⊖⊖ → B 이온

• B 원자는 전자 2개를 얻어 음이온이 된다.
➡ B+2⊖ ⟶ (❹　　　)

족보 3 여러 가지 이온의 이름과 이온식

양이온				음이온			
수소 이온	H^+	구리 이온	Cu^{2+}	염화 이온	Cl^-	(❺　　　)	O^{2-}
칼륨 이온	K^+	마그네슘 이온	Mg^{2+}	플루오린화 이온	F^-	황화 이온	S^{2-}
나트륨 이온	Na^+	납 이온	Pb^{2+}	아이오딘화 이온	I^-	황산 이온	SO_4^{2-}
리튬 이온	Li^+	칼슘 이온	Ca^{2+}	수산화 이온	OH^-	탄산 이온	CO_3^{2-}
암모늄 이온	NH_4^+	알루미늄 이온	Al^{3+}	질산 이온	NO_3^-		

I. 물질의 구성

족보 4 이온의 전하 확인

파란색 성분은 (−)극으로 이동한다. ➡ 파란색
성분은 (**6**   ) 이온(Cu^{2+})이다.

보라색 성분은 (+)극으로 이동한다. ➡ 보라색
성분은 (**7**   ) 이온(MnO_4^-)이다.

이동 방향	(−)극	(+)극
이온	Cu^{2+}, K^+	MnO_4^-, SO_4^{2-}, NO_3^-

족보 5 앙금 생성 반응의 모형 해석하기

염화 나트륨 수용액   질산 은 수용액   혼합 용액

- 은 이온(Ag^+)과 염화 이온(Cl^-)이 반응하여 흰색 앙금인 (**8**   )이 생성된다.
- 나트륨 이온(Na^+)과 질산 이온(NO_3^-)은 반응에 참여하지 않는다.
- 세 용액에는 이온이 들어 있으므로 모두 전류가 흐른다.

족보 6 앙금을 생성하는 물질

수용액	앙금 생성 반응
질산 은+염화 나트륨	$Ag^+ + Cl^- \longrightarrow AgCl\downarrow$ (흰색)
질산 납+아이오딘화 칼륨	$Pb^{2+} + 2I^- \longrightarrow PbI_2\downarrow$ (**9**)
염화 칼슘+탄산 나트륨	$Ca^{2+} + CO_3^{2-} \longrightarrow CaCO_3\downarrow$ (흰색)
질산 바륨+황산 칼륨	$Ba^{2+} + SO_4^{2-} \longrightarrow BaSO_4\downarrow$ (흰색)
염화 구리(Ⅱ)+황화 나트륨	$Cu^{2+} + S^{2-} \longrightarrow CuS\downarrow$ (**10**)

1 전기의 발생

족보 1 원자의 구조

↑ 원자의 구조

• 원자핵 (A) : (+)전하를 띤다.
• (❶   ) (B) : (−)전하를 띤다.
• 보통의 원자는 (+)전하의 양과 (−)전하의 양이 같으므로 전기를 띠지 않는다.

족보 2 대전과 마찰 전기

• 물체가 전기를 띠는 현상을 대전이라고 한다.
• 전기를 띤 물체를 (❷   )라고 한다.
• 서로 다른 물체끼리 마찰시키면 전자가 한 물체에서 다른 물체로 이동하여 물체가 전기를 띠게 된다.

족보 3 마찰 후 물체가 띠는 전하의 종류

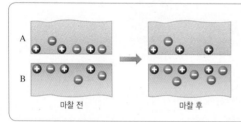

마찰 전   마찰 후

• A에서 B로 이동하는 것 : (❸   )
• 전자를 잃은 물체 : A
  ➡ (+)전하로 대전
• 전자를 얻은 물체 : B
  ➡ (−)전하로 대전
• A와 B 사이에 작용하는 전기력 : 인력

족보 4 전기력의 종류

• (❹   ) : 서로 같은 종류의 전하를 띠는 물체 사이에 작용하는 밀어내는 힘
• 인력 : 서로 다른 종류의 전하를 띠는 물체 사이에 작용하는 끌어당기는 힘

[A가 (+)전하를 띠고 있을 때]

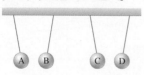

• A와 B 사이에 인력 작용 ➡ 서로 다른 전하를 띤다.
• B와 C 사이에 척력 작용 ➡ 서로 같은 전하를 띤다.
• D가 띠는 전하의 종류 : (❺   )

답 ❶ 전자 ❷ 대전체 ❸ 전자 ❹ 척력 ❺ (+)전하

[(+)대전체를 가까이 할 때]

금속 막대

A   B

금속 막대 내부의 전자의 이동 방향	B → A
A 부분이 띠는 전하의 종류	(−)전하
B 부분이 띠는 전하의 종류	(+)전하
(+)대전체와 금속 막대 사이에 작용하는 전기력	(**6**)

[(−)대전체를 가까이 할 때]

금속 막대

C   D

금속 막대 내부의 전자의 이동 방향	(**7**)
C 부분이 띠는 전하의 종류	(+)전하
D 부분이 띠는 전하의 종류	(−)전하
(−)대전체와 금속 막대 사이에 작용하는 전기력	인력

족보 **6** 정전기 유도에 의한 물체의 대전

[(−)전하를 띠는 플라스틱 막대를 금속 막대에 가까이 할 때]

플라스틱 막대   금속 막대
A   B   C   D
고무풍선

• A~D에 대전되는 전하의 종류

A	B	C	D
(−)전하	(+)전하	(−)전하	(+)전하

• 금속 막대와 고무풍선 사이에 작용하는 전기력 : (**8**   )

족보 **7** 검전기의 대전

• 대전되지 않은 검전기의 금속판에 대전체를 가까이 하면 검전기의 금속박이 (**9**   ).
• 금속판 : 대전체와 다른 종류의 전하로 대전
• 금속박 : 대전체와 같은 종류의 전하로 대전
• 검전기로 알 수 있는 사실 : 물체의 대전 여부, 물체에 대전된 전하의 양, 물체에 대전된 전하의 종류

(+)대전체   전자 이동

02 전류, 전압, 저항

족보 1 전자의 이동 방향과 전류의 방향

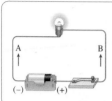

- 전자의 이동 방향 : A
  ➡ 전지의 (−)극에서 (+)극으로 이동
- 전류의 방향 : B
  ➡ 전지의 (+)극에서 (−)극으로 흐름

} 서로 (❶   ) 방향

족보 2 전류가 흐르지 않을 때와 흐를 때 전자의 운동

전류가 흐르지 않을 때	전류가 흐를 때
원자 전자	원자 전자
• 전류가 흐르지 않을 때 전자들은 무질서하게 운동한다.	• 전류가 흐를 때 전자들은 전지의 (−)극 → (+)극 쪽으로 일정하게 이동한다. • A에 연결된 전지의 극 : (❷)극 • B에 연결된 전지의 극 : (❸)극 • 전자의 이동 방향 : A → B • 전류의 방향 : B → A

족보 3 물의 흐름과 전기 회로의 비교

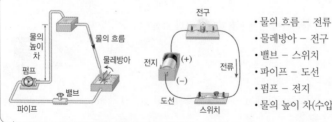

- 물의 흐름 − 전류
- 물레방아 − 전구
- 밸브 − 스위치
- 파이프 − 도선
- 펌프 − 전지
- 물의 높이 차(수압) − 전압

정답 ❶ 반대 ❷ (−) ❸ (+)

족보 4 전류계와 전압계

- 전기 회로에 전류계는 (❹)로 연결하고, 전압계는 (❺)로 연결한다.
- (+)단자는 전지의 (+)극 쪽에 연결하고, (−)단자는 전지의 (−)극 쪽에 연결한다.
- 값을 예상할 수 없는 경우, (−)단자 중 최댓값이 가장 (❻) 단자부터 연결한다.

[전류계의 눈금 읽기]

- 회로에 연결한 (−)단자에 해당하는 눈금을 읽는다.
- 50 mA에 연결한 경우 : 35 mA
- 500 mA에 연결한 경우 : 350 mA=0.35 A
- 5 A에 연결한 경우 : 3.5 A

족보 5 도선의 길이와 단면적에 따른 저항의 크기

- 도선의 재질이 같을 때 도선이 길고, 좁을수록 저항이 (❼).
- A와 B의 비교 : 단면적이 같으므로 길이가 더 긴 B의 저항이 크다. ➡ A<B
- A와 C의 비교 : 길이가 같으므로 단면적이 더 좁은 A의 저항이 크다. ➡ C<A

족보 6 옴의 법칙을 적용하여 전류, 전압, 저항 구하기

- 옴의 법칙 : 전류의 세기(I)는 전압(V)에 비례하고 저항 (R)에 반비례한다.

$$I=\frac{V}{R},\ V=IR,\ R=\frac{V}{I}$$

전류 구하기	전압 구하기	저항 구하기

$I=\dfrac{V}{R}=\dfrac{3\text{ V}}{6\ \Omega}=0.5\text{ A}$	$V=IR=2\text{ A}\times5\ \Omega=10\text{ V}$	$R=\dfrac{V}{I}=\dfrac{6\text{ V}}{3\text{ A}}=2\ \Omega$

정답 ❹ 직렬 ❺ 병렬 ❻ 큰 ❼ 크다

02. 전류, 전압, 저항

15

족보 **7** 전류와 전압 그래프를 이용하여 저항의 크기 비교

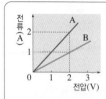

- 기울기 $=\dfrac{전류}{전압}=\dfrac{1}{(⑧\qquad)}$
- $R_A=\dfrac{V}{I}=\dfrac{2\,\mathrm{V}}{2\,\mathrm{A}}=1\,\Omega$
- $R_B=\dfrac{V}{I}=\dfrac{2\,\mathrm{V}}{1\,\mathrm{A}}=2\,\Omega$

저항의 비 $R_A:R_B=1:2$
➡ 기울기가 클수록 저항이 작다.

- 기울기 $=\dfrac{전압}{전류}=$ 저항
- $R_A=\dfrac{V}{I}=\dfrac{2\,\mathrm{V}}{2\,\mathrm{A}}=1\,\Omega$
- $R_B=\dfrac{V}{I}=\dfrac{1\,\mathrm{V}}{2\,\mathrm{A}}=\dfrac{1}{2}\,\Omega$

저항의 비 $R_A:R_B=2:1$
➡ 기울기가 클수록 저항이 크다.

족보 **8** 저항의 직렬연결에서 전류, 전압, 저항

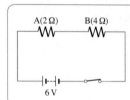

- 전압이 저항에 비례하여 나누어 걸린다.
➡ $V_A:V_B=R_A:R_B=1:2$이므로 $V_A=2\,\mathrm{V}$, $V_B=4\,\mathrm{V}$
- $I_A=\dfrac{V_A}{R_A}=\dfrac{2\,\mathrm{V}}{2\,\Omega}=1\,\mathrm{A}$, $I_B=\dfrac{V_B}{R_B}=\dfrac{4\,\mathrm{V}}{4\,\Omega}=1\,\mathrm{A}$
- 각 저항에 흐르는 전류의 세기는 (⑨　　　).

족보 **9** 저항의 병렬연결에서 전류, 전압, 저항

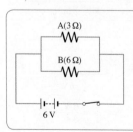

- 각 저항에는 전체 전압과 같은 전압이 걸린다.
➡ $V_A=6\,\mathrm{V}$, $V_B=(⑩\qquad)\,\mathrm{V}$
- $I_A=\dfrac{V_A}{R_A}=\dfrac{6\,\mathrm{V}}{3\,\Omega}=2\,\mathrm{A}$, $I_B=\dfrac{V_B}{R_B}=\dfrac{6\,\mathrm{V}}{6\,\Omega}=1\,\mathrm{A}$
- 저항의 크기에 반비례하여 전체 전류가 각 저항에 나누어 흐른다.

3 전류의 자기 작용

족보 1 자기장

• 자기장 : 자석 주위와 같이 자기력이 작용하는 공간
• 방향 : 자석 주위에 나침반을 놓았을 때 나침반 자침의 N극이 가리키는 방향이다.
• 세기 : 자석의 양 극에 가까울수록 (❶   ).

족보 2 자기력선

• 눈에 보이지 않는 자기장의 모습을 선으로 나타낸 것
• 항상 (❷   )극에서 나와서 (❸   )극으로 들어간다.
• 중간에 끊어지거나 서로 교차하지 않는다.
• 자기력선의 간격이 촘촘할수록 자기장이 (❹   ).

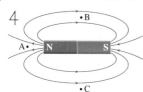

• A~C에 나침반을 놓았을 때 나침반 자침의 N극 방향

A	B	C
서쪽	동쪽	동쪽

• 자기장의 세기 : A>B>C

족보 3 직선, 원형 도선 주위의 자기장

• 전류가 흐르는 도선 주위에도 자기장이 생긴다.

구분	직선 도선	원형 도선
모양	직선 도선을 중심으로 동심원 모양의 자기장	도선 중심에는 직선 모양으로, 도선에 가까울수록 동심원 모양의 자기장
방향과 세기	• 오른손의 엄지손가락을 전류의 방향과 일치시키고 나머지 네 손가락으로 도선을 감아쥘 때, 네 손가락이 가리키는 방향이 자기장의 방향이다. • 전류의 방향과 세기가 달라지면 자기장의 방향과 세기도 달라진다.	

족보 4 코일 주위의 자기장

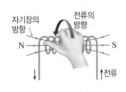

모양	코일의 내부는 직선 모양으로, 외부는 막대자석 주위의 자기장과 비슷한 모양
방향과 세기	• 오른손의 네 손가락을 (**5**)의 방향으로 감아쥘 때, 엄지손가락이 가리키는 방향이 자기장의 방향이다. • 전류의 방향과 세기가 달라지면 자기장의 방향과 세기도 달라진다.

족보 5 전류가 흐르는 도선이 받는 힘의 방향 찾기

• 오른손의 엄지손가락과 나머지 네 손가락이 수직이 되도록 편다.
• 엄지손가락 : 전류의 방향
• 네 손가락 : 자기장의 방향
• 손바닥 : 도선이 받는 힘의 방향

• 전류 : 왼쪽
• 자기장 : 아래쪽
• 힘 : (**6**) 방향

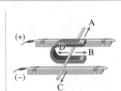

• 전류 : 앞쪽
• 자기장 : 아래쪽
• 힘 : (**7**) 방향

족보 6 전동기의 회전 원리

• AB 부분 : (**8**)으로 힘 작용
• CD 부분 : 아래쪽으로 힘 작용
• 코일의 회전 방향 : 시계 방향
• 코일은 정류자에 의해 계속 시계 방향으로 회전

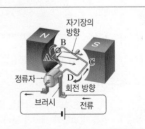

II. 전기와 자기

정답 **5** 전류 **6** A **7** B **8** 위쪽

01 지구

족보 1 에라토스테네스의 지구 크기 측정

원리	원에서 호의 길이는 중심각의 크기에 비례한다.
가정	• 지구는 완전한 구형이다. • 지구로 들어오는 햇빛은 평행하다.
측정한 값	• 알렉산드리아와 시에네 사이의 거리(925 km) ➡ 호의 길이 • 알렉산드리아에 세운 막대 끝과 그림자 끝이 이루는 각도 (7.2 °) ➡ 중심각과 (❶)으로 같음
지구의 크기	$2\pi R : 360° = 925\ \text{km} : 7.2°$ $\therefore 2\pi R(\text{지구 둘레}) = \dfrac{360° \times 925\ \text{km}}{7.2°} = 46250\ \text{km}$

• 에라토스테네스의 측정값이 실제 지구 크기와 차이 나는 까닭 : 지구가 완전한 구형이 아니며, 알렉산드리아와 시에네 사이의 거리 측정이 정확하지 않았기 때문

족보 2 위도 차를 이용한 지구 크기 측정

• (❷   )가 같은 두 지역의 (❸   )를 이용한다.

> • 호의 길이 : A와 B 사이의 거리
> • 중심각 : A의 위도 − B의 위도
> • 지구의 크기
> $2\pi R : 360° = \text{A와 B 사이의 거리} : (\text{A의 위도} - \text{B의 위도})$
> $\therefore R(\text{지구 반지름}) = \dfrac{360° \times \text{A와 B 사이의 거리}}{2\pi \times (\text{A의 위도} - \text{B의 위도})}$

127°E
A
A의 위도
거리
B
B의 위도

족보 3 천체의 운동 방향과 속도

• 지구는 자전축을 중심으로 하루에 한 바퀴 자전한다. ➡ 천체의 일주 운동 원인
• 지구는 태양을 중심으로 일 년에 한 바퀴 공전한다. ➡ 태양의 연주 운동 원인

구분	방향	속도	구분	방향	속도
지구의 자전	서 → 동	15 °/1시간	지구의 공전	서 → 동	약 1 °/1일
별의 일주 운동	동 → 서	15 °/1시간	태양의 연주 운동	서 → 동	약 1 °/1일

🐛 🐛 🐛 🐛 🐛 🐛 🐛

족보 4 북쪽 하늘 별의 일주 운동

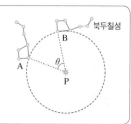

- 별의 일주 운동 : 지구의 자전에 의해 일어나는 겉보기 운동 ➡ 별들은 실제로는 움직이지 않는다.
- 일주 운동의 중심인 별 P : (**④**   )
- 별자리의 회전 방향은 시계 반대 방향(B → A)이다.
- 별은 1시간에 15°씩 회전한다. ➡ 중심각(θ)=15°×관측 시간

족보 5 우리나라에서 관측한 별의 일주 운동 모습

(가)   (나)   (다)   (라)

- (가) : 북쪽 하늘
- (나) : 동쪽 하늘
- (다) : 남쪽 하늘
- (라) : 서쪽 하늘

족보 6 태양의 연주 운동

- 지구의 공전에 의해 일어나는 겉보기 운동 ➡ 태양은 실제로는 움직이지 않는다.
- 별자리는 태양을 기준으로 (**⑤**   )(으)로 이동한다.
- 태양은 별자리를 기준으로 (**⑥**   )(으)로 이동한다.

족보 7 황도 12궁과 계절별 별자리 변화

구분	태양이 지나는 별자리	한밤중에 남쪽 하늘에서 보이는 별자리
8월	게자리	염소자리
10월	처녀자리	(**⑦**)

2 달

1 달의 크기 측정

원리	서로 닮은 두 삼각형에서 대응변의 길이 비는 일정하다.	
측정해야 하는 값	물체의 지름(d), 물체까지의 거리(l)	시지름, d(물체의 지름), D(달의 지름), l 물체까지의 거리, L 달까지의 거리
미리 알아야 하는 값	달까지의 거리(L)	
달의 크기	$d : D = l : L, \quad \therefore D = \dfrac{d \times L}{l}$ ※달의 실제 지름 : 약 3500 km	

2 달의 공전과 위상 변화

- 달의 공전 : 달이 지구를 중심으로 (❶   )(으)로 약 한 달에 한 바퀴씩 도는 운동
- 달의 위상 : 지구에서 볼 때 햇빛을 반사하여 밝게 보이는 달의 모양
- 달의 공전과 위상 변화 : 달이 공전함에 따라 상대적인 위치가 달라져 위상이 변한다.

위치	위상		관측 시기(음력)
A	보이지 않음	○	1일경
B	초승달		2~3일경
C	(❷)		7~8일경
D	보름달	●	15일경
E	하현달		22~23일경
F	(❸)		27~28일경

3 달의 위치와 모양 변화

- 달의 위치는 매일 서 → 동으로 이동한다.
- 달은 하루에 약 (❹   )씩 서쪽에서 동쪽으로 이동한다.
- 달이 뜨는 시각은 매일 약 50분씩 늦어진다.
- 가장 오래 관측할 수 있는 달은 보름달이다.

🍀 🍀 🍀 🍀 🍀 🍀 🍀

족보 4 일식

• 일식 : 지구에서 보았을 때 달이 태양의 전체 또는 일부를 가리는 현상
• 개기 일식 : 달이 태양을 완전히 가리는 현상
• 부분 일식 : 달이 태양의 일부를 가리는 현상

모식도	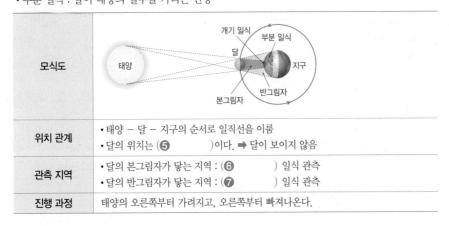
위치 관계	• 태양 − 달 − 지구의 순서로 일직선을 이룸 • 달의 위치는 (❺)이다. ➡ 달이 보이지 않음
관측 지역	• 달의 본그림자가 닿는 지역 : (❻) 일식 관측 • 달의 반그림자가 닿는 지역 : (❼) 일식 관측
진행 과정	태양의 오른쪽부터 가려지고, 오른쪽부터 빠져나온다.

족보 5 월식

• 월식 : 지구에서 보았을 때 달이 지구의 그림자 속에 들어가 전체 또는 일부가 가려지는 현상
• 개기 월식 : 달의 전체가 지구의 본그림자에 가려져 붉게 보이는 현상
• 부분 월식 : 달의 일부가 지구의 본그림자에 가려지는 현상

모식도	(월식 모식도)
위치 관계	• 태양 − 지구 − 달의 순서로 일직선을 이룸 • 달의 위치는 (❽)이다. ➡ 달의 위상은 보름달
관측 지역	지구에서 밤이 되는 모든 지역
진행 과정	달의 (❾)쪽부터 가려지고, (❾)쪽부터 빠져나온다.

정답 ❺ 삭 ❻ 개기 ❼ 부분 ❽ 망 ❾ 왼

3 태양계의 구성

족보 1 행성의 특징

행성	특징
수성	• 태양계 행성 중 태양에 가장 가깝고, 크기가 가장 작다. • 대기가 없어 낮과 밤의 표면 온도 차이가 매우 크다. • 풍화가 거의 일어나지 않아 표면에 운석 구덩이가 많다.
금성	• 태양계 행성 중 크기와 질량이 지구와 가장 비슷하다. • 태양계 행성 중 지구에서 가장 밝게 보인다. • 이산화 탄소로 이루어진 두꺼운 대기가 있어 표면 온도가 매우 (❶)다.
화성	• 토양에 산화철 성분이 많아 붉게 보인다. • 희박한 이산화 탄소 대기가 있고, 계절 변화가 나타난다. • 극지방에 얼음과 드라이아이스로 이루어진 흰색의 (❷)이 있다. • 물이 흘렀던 흔적이 있고, 거대한 화산과 협곡이 있다.
목성	• 태양계 행성 중 크기가 가장 (❸)다. • 주로 수소와 헬륨으로 이루어져 있다. • 적도와 나란한 줄무늬가 있고, 대기의 소용돌이인 대적점이 나타난다. • 희미한 고리가 있고, 갈릴레이 위성을 비롯한 수많은 위성이 있다.
토성	• 태양계 행성 중 크기가 두 번째로 크고, 밀도가 가장 작다. • 표면에 적도와 나란한 줄무늬가 나타난다. • 암석 조각과 얼음으로 이루어진 뚜렷한 (❹)와 수많은 위성이 있다.
천왕성	• 대기에 메테인이 포함되어 청록색으로 보인다. • 자전축이 공전 궤도면과 거의 나란하여 누운 채로 자전한다. • 희미한 고리와 여러 개의 위성이 있다.
해왕성	• 천왕성과 성분이 비슷하며, 파란색을 띤다. • 대기의 소용돌이인 커다란 검은 점(대흑점)이 나타나기도 한다. • 희미한 고리와 여러 개의 위성이 있다.

족보 2 내행성과 외행성

• 내행성과 외행성 : 지구 공전 궤도를 기준으로 행성의 공전 궤도를 비교하여 구분한다.

구분	내행성	외행성
행성	수성, 금성	화성, 목성, 토성, 천왕성, 해왕성
공전 궤도	지구 공전 궤도 안쪽에서 공전	지구 공전 궤도 바깥쪽에서 공전

족보 3 지구형 행성과 목성형 행성

- 지구형 행성과 목성형 행성 : 행성의 물리적 특성을 기준으로 구분한다.

구분	행성	질량	반지름	평균 밀도	위성 수	고리	표면 상태
지구형 행성	수성, 금성, 지구, 화성	작다	작다	크다	없거나 적다	없다	단단한 암석
목성형 행성	목성, 토성, 천왕성, 해왕성	크다	크다	작다	많다	있다	(❺)

족보 4 태양의 특징

- 태양 : 태양계에서 유일하게 스스로 빛을 내는 천체
- 태양의 표면 : 눈에 보이는 태양의 둥근 표면을 광구라고 한다.

흑점	• 크기와 모양이 불규칙한 어두운색의 무늬로, 주변보다 온도가 (❻)서 어둡게 보인다. • 흑점의 위치는 지속적으로 변한다. ➡ 태양이 자전하기 때문
쌀알 무늬	쌀알을 뿌려 놓은 것 같은 작고 밝은 무늬로, 태양 내부의 대류 현상에 의해 생긴다.

- 태양의 대기 : 평소에는 광구가 너무 밝아 잘 보이지 않고, 개기 일식 때 볼 수 있다.

채층	광구 바로 위쪽에 있는 붉은색의 얇은 대기층
코로나	채층 위로 멀리 뻗어있는 진주색 대기층 ➡ 온도가 매우 높음
홍염	광구에서부터 대기로 고온의 기체가 솟아오르는 현상
(❼)	흑점 주변에서 일어나는 폭발로, 많은 양의 에너지가 한꺼번에 방출되는 현상

족보 5 태양 활동과 영향

태양의 활동이 활발해지면 태양의 표면과 대기에 변화가 나타나고, 지구도 영향을 받아 다양한 현상이 일어난다.

태양의 변화	지구가 받는 영향
• 흑점 수 (❽) • 코로나의 크기가 커짐 • 홍염, 플레어가 자주 발생 • 태양풍이 강해짐	• 자기 폭풍 및 델린저 현상 발생 • 지피에스(GPS) 수신 방해 • 인공위성 및 송전 시설 고장 • 오로라 발생 빈도 (❾)

01 광합성

족보 **1** 광합성

• 광합성 : 식물이 빛에너지를 이용하여 이산화 탄소와 물을 원료로 양분을 만드는 과정

$$\text{이산화 탄소} + \text{물} \xrightarrow{\text{빛에너지}} \text{포도당} + (\text{❶} \qquad)$$

• 광합성이 일어나는 장소 : (❷   )
• 광합성이 일어나는 시기 : 빛이 있을 때(낮)

족보 **2** 광합성에 필요한 요소와 광합성으로 만들어지는 물질

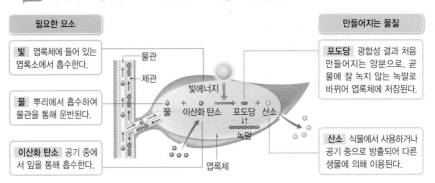

필요한 요소

빛 엽록체에 들어 있는 엽록소에서 흡수한다.

물 뿌리에서 흡수하여 물관을 통해 운반된다.

이산화 탄소 공기 중에서 잎을 통해 흡수한다.

만들어지는 물질

포도당 광합성 결과 처음 만들어지는 양분으로, 곧 물에 잘 녹지 않는 녹말로 바뀌어 엽록체에 저장된다.

산소 식물에서 사용하거나 공기 중으로 방출되어 다른 생물에 의해 이용된다.

족보 **3** 광합성에 영향을 미치는 환경 요인

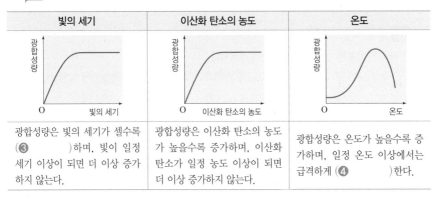

빛의 세기	이산화 탄소의 농도	온도
광합성량은 빛의 세기가 셀수록 (❸)하며, 빛이 일정 세기 이상이 되면 더 이상 증가하지 않는다.	광합성량은 이산화 탄소의 농도가 높을수록 증가하며, 이산화 탄소가 일정 농도 이상이 되면 더 이상 증가하지 않는다.	광합성량은 온도가 높을수록 증가하며, 일정 온도 이상에서는 급격하게 (❹)한다.

족보 4 잎의 구조와 기공

표피 세포	• 엽록체가 없어 색깔을 띠지 않고 투명하다. ➡ 광합성이 일어나지 않는다.
공변세포	• 엽록체가 있어 초록색을 띤다. ➡ 광합성이 일어난다. • 안쪽 세포벽이 바깥쪽 세포벽보다 두꺼워 진하게 보인다.
(❶)	• 잎의 표피에 있는 작은 구멍으로, (❷) 2개가 둘러싸고 있다. • 일반적으로 잎의 앞면보다 뒷면에 더 많다. • 산소와 이산화 탄소, 수증기 등과 같은 기체가 드나드는 통로 역할을 한다.

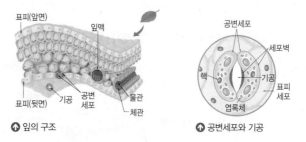

↑ 잎의 구조   ↑ 공변세포와 기공

족보 5 증산 작용

• 식물체 속의 물이 수증기로 변하여 잎의 기공을 통해 공기 중으로 빠져나가는 현상
• 뿌리에서 흡수한 물이 잎까지 이동하는 원동력이 된다.
• 식물 내부의 물을 밖으로 내보내어 수분량을 조절한다.
• 물이 증발하면서 주변의 열을 흡수하므로, 식물과 주변의 온도를 낮춘다.

족보 6 증산 작용의 조절

• 증산 작용은 기공이 열리고 닫힘에 따라 조절된다.
• 기공은 주로 낮에 열리고 밤에 닫히므로, 증산 작용은 (❸)에 활발하게 일어난다.

족보 7 증산 작용이 잘 일어나는 환경 조건

햇빛	온도	습도	바람
강할 때	높을 때	(❹) 때	잘 불 때

02 식물의 호흡

족보 1 호흡

• 호흡 : 세포에서 양분을 분해하여 생명 활동에 필요한 에너지를 얻는 과정

$$포도당 + (① \qquad) \longrightarrow (② \qquad) + 물 + 에너지$$

• 식물체를 구성하는 모든 살아 있는 세포에서 낮과 밤에 관계없이 항상 일어난다.

족보 2 호흡에 필요한 물질과 생성되는 요소

필요한 물질	• 포도당 : 광합성으로 만들어진 양분 • 산소 : 광합성으로 생성되거나 공기 중에서 흡수한다.
생성되는 요소	• 이산화 탄소 : 광합성에 이용되거나 공기 중으로 방출한다. • 에너지 : 싹을 틔우고, 꽃을 피우고, 열매를 맺는 등의 생명 활동에 이용한다.

족보 3 호흡으로 생성되는 기체 확인

빈 페트병 A와 B 중 A에만 시금치를 넣고 밀봉하여 어두운 곳에 놓아두었다가 각 페트병 속의 공기를 석회수에 통과시킨다.
• 페트병 A의 공기를 통과시킨 석회수만 뿌옇게 변한다. ➡ 시금치의 호흡으로 이산화 탄소가 방출되었기 때문
• 빛이 없을 때 식물은 광합성을 하지 않고 호흡만 하며, 식물의 호흡 결과 이산화 탄소가 생성된다.

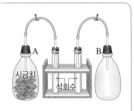

족보 4 식물의 기체 교환

구분	낮	밤
광합성과 호흡	광합성량 > 호흡량	호흡만 일어난다.
기체 교환	(③) 흡수, (④) 방출	(⑤) 흡수, (⑥) 방출

족보 5 광합성과 호흡

구분	광합성	호흡
과정	이산화 탄소 + 물 ⇄ 포도당 + 산소 광합성(빛에너지 흡수) / 호흡(에너지 생성)	
양분과 에너지	양분을 만들어 에너지 저장	양분을 분해하여 에너지 생성
일어나는 장소	엽록체가 있는 세포	모든 살아 있는 세포
일어나는 시기	빛이 있을 때(낮)	항상
기체 출입	이산화 탄소 흡수, 산소 방출	산소 흡수, 이산화 탄소 방출

족보 6 광합성과 호흡의 관계

- 빛을 비춘 경우 : (가)보다 (나)에서 촛불이 더 오래 켜져 있다.
  ➡ 식물이 광합성을 하여(광합성량>호흡량) 이산화 탄소를 흡수하고, 산소를 방출하기 때문
- 빛을 차단한 경우 : (❶   )보다 (❷   )에서 촛불이 더 빨리 꺼진다. ➡ 식물이 호흡만 하여 산소를 흡수하고, 이산화 탄소를 방출하기 때문

(가)   (나)

족보 7 광합성으로 만든 양분의 사용

생성	엽록체에서 광합성으로 만들어진 포도당은 잎에서 사용되거나 일부가 녹말로 바뀌어 저장된다.

⬇

이동	물에 잘 녹지 않는 녹말은 주로 물에 잘 녹는 (❸)으로 바뀌어 밤에 (❹)을 통해 각 기관으로 운반된다.

⬇

사용	• 호흡으로 생명 활동에 필요한 에너지를 얻는 데 사용된다. • 식물의 몸을 구성하는 성분이 되어 식물이 생장하는 데 사용된다. • 사용하고 남은 양분은 다양한 물질로 바뀌어 뿌리, 줄기, 열매, 씨 등에 저장된다. 예 녹말(고구마, 감자), 포도당(양파, 포도), 단백질(콩), 지방(땅콩, 깨), 설탕(사탕수수)

정답 ❶ 설탕 ❷ 체관 ❸ (나) ❹ (가) ❶ 광합성

01 소화

족보 1 동물 몸의 구성 단계

> (❶   ) → 조직 → 기관 → (❷   ) → 개체

근육 세포 근육 조직

위

소화계 사람

상피 세포 상피 조직

세포 조직 기관 기관계 개체

세포	생물의 몸을 구성하는 기본 단위 예 근육 세포, 상피 세포, 신경 세포, 혈구
조직	모양과 기능이 비슷한 세포가 모인 단계 예 근육 조직, 상피 조직, 신경 조직, 결합 조직
기관	여러 조직이 모여 고유한 모양과 기능을 갖춘 단계 예 위, 폐, 간, 심장, 콩팥, 소장, 방광
기관계	관련된 기능을 하는 몇 개의 기관이 모여 유기적 기능을 수행하는 단계 예 • (❸) : 양분을 소화하여 흡수한다. • 순환계 : 여러 가지 물질을 온몸으로 운반한다. • (❹) : 기체를 교환한다. • 배설계 : 노폐물을 걸러 몸 밖으로 내보낸다.
개체	여러 기관계가 모여 이루어진 독립된 생물체

족보 2 에너지원으로 이용되는 영양소(3대 영양소)

구분	기능과 특징	많이 들어 있는 음식물
(❺)	• 주로 에너지원으로 이용된다. • 남은 것은 지방으로 바뀌어 저장된다. • 종류 : 녹말, 엿당, 설탕, 포도당 등	밥, 국수, 빵, 고구마, 감자
(❻)	• 주로 몸을 구성하며, 에너지원으로도 이용된다. • 몸의 기능을 조절한다.	살코기, 생선, 달걀, 두부, 콩
지방	• 몸을 구성하거나 에너지원으로 이용된다.	땅콩, 깨, 참기름, 버터

정답 ❶ 세포 ❷ 기관계 ❸ 소화계 ❹ 호흡계 ❺ 탄수화물 ❻ 단백질

족보 3 에너지원으로 이용되지 않는 영양소

구분	기능과 특징	많이 들어 있는 음식물
(❶)	• 뼈, 이, 혈액 등을 구성하며, 몸의 기능을 조절한다. • 종류 : 나트륨, 철, 칼슘, 칼륨, 마그네슘, 인 등	멸치, 버섯, 다시마, 우유
바이타민	• 적은 양으로 몸의 기능을 조절한다. • 부족하면 괴혈병과 같은 결핍증이 나타난다.	과일, 채소
(❷)	• 몸의 구성 성분 중 가장 많다. ➡ 약 60 %～70 % • 영양소와 노폐물 등 여러 가지 물질을 운반한다. • 체온 조절에 도움을 준다.	—

족보 4 영양소 검출

영양소	검출 용액	색깔 변화
녹말	아이오딘－아이오딘화 칼륨 용액	청람색
포도당	(❸) 용액 + 가열	황적색
단백질	5 % 수산화 나트륨 수용액 + 1 % 황산 구리(Ⅱ) 수용액	보라색
지방	수단 Ⅲ 용액	선홍색

족보 5 소화계

• 소화 : 음식물 속의 크기가 큰 영양소를 크기가 작은 영양소로 분해하는 과정 ➡ 영양소를 세포로 흡수하여 이용하려면 영양소의 크기가 세포막을 통과할 수 있을 만큼 작아야 한다.

• 소화계 : 입 – 식도 – 위 – 소장 – 대장 – 항문으로 연결된 소화관과 간, 쓸개, 이자 등으로 이루어져 있다. ➡ 음식물은 소화관을 따라 이동하며, 간, 쓸개, 이자 등에는 음식물이 직접 지나가지 않는다.

• (❹   ) : 크기가 큰 영양소를 크기가 작은 영양소로 분해하는 물질 ➡ 각각의 (❹   )는 특정 영양소만 분해하며, 체온 범위에서 가장 활발하게 작용한다.

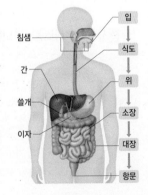

침샘 / 간 / 쓸개 / 이자 / 입 / 식도 / 위 / 소장 / 대장 / 항문

입, 위, 소장에서의 소화

입	• 침 속의 (❶)가 녹말을 엿당으로 분해한다.
위	• 위액 속의 (❷)이 염산의 도움을 받아 단백질을 분해한다. • 염산은 (❷)의 작용을 돕고, 음식물에 섞여 있는 세균을 제거하는(살균) 작용을 한다.
소장	• 쓸개즙 : (❸)에서 생성되어 쓸개에 저장되었다가 소장으로 분비되어 지방의 소화를 돕는다. • 이자액 : 아밀레이스(녹말 분해), 트립신(단백질 분해), 라이페이스(지방 분해)가 들어 있다. • 소장의 소화 효소 : 탄수화물 소화 효소(엿당을 포도당으로 분해)와 단백질 소화 효소(단백질의 중간 산물을 아미노산으로 분해)가 있다.

족보 7 녹말, 단백질, 지방의 소화 과정

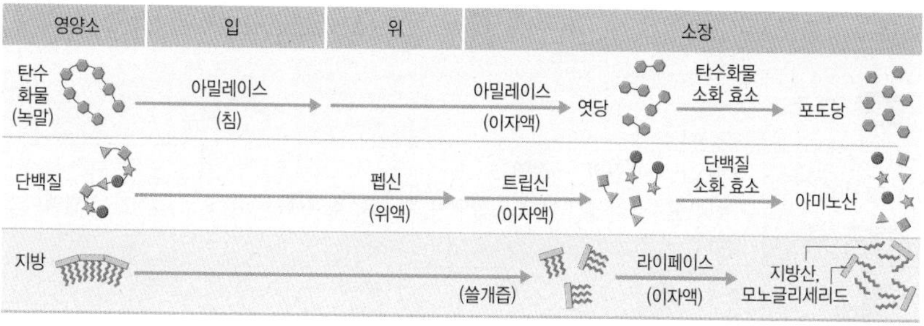

영양소	입	위	소장

탄수화물(녹말) → 아밀레이스 (침) → 아밀레이스 (이자액) → 엿당 → 탄수화물 소화 효소 → 포도당

단백질 → 펩신 (위액) → 트립신 (이자액) → 단백질 소화 효소 → 아미노산

지방 → (쓸개즙) → 라이페이스 (이자액) → 지방산, 모노글리세리드

족보 8 영양소의 흡수

• 소장 안쪽 벽의 주름과 융털은 영양소와 닿는 소장 안쪽 벽의 표면적을 넓혀 영양소를 효율적으로 흡수할 수 있게 한다.
• 영양소의 흡수

모세혈관
암죽관

수용성 영양소	지용성 영양소
포도당, 아미노산, 무기염류 ➡ 융털의 (❹)으로 흡수	지방산, 모노글리세리드 ➡ 융털의 (❺)으로 흡수

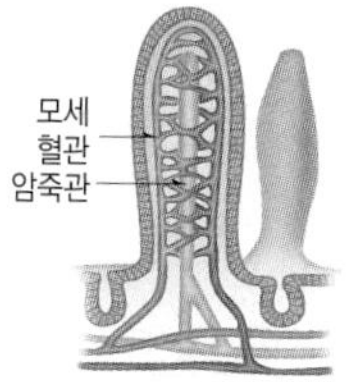

2 순환

족보 1 심장

(❶)	혈액을 심장으로 받아들이는 곳으로, 정맥과 연결되어 있다.
(❷)	혈액을 심장에서 내보내는 곳으로, 동맥과 연결되어 있다. ➡ 심방보다 두껍고 탄력성이 강한 근육으로 이루어져 있어 강하게 수축하여 혈액을 내보내기에 알맞다.
판막	혈액이 거꾸로 흐르는 것을 막는다. ➡ 심장에서 혈액은 심방 → 심실 → 동맥 방향으로만 흐른다.

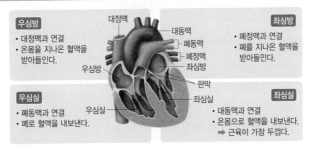

우심방
• 대정맥과 연결
• 온몸을 지나온 혈액을 받아들인다.

우심실
• 폐동맥과 연결
• 폐로 혈액을 내보낸다.

좌심방
• 폐정맥과 연결
• 폐를 지나온 혈액을 받아들인다.

좌심실
• 대동맥과 연결
• 온몸으로 혈액을 내보낸다.
➡ 근육이 가장 두껍다.

대정맥, 대동맥, 폐동맥, 폐정맥, 우심방, 좌심방, 판막, 우심실, 좌심실

족보 2 혈관

혈액이 흐르는 방향	동맥 → 모세 혈관 → 정맥 • 동맥에는 심장에서 나오는 혈액이 흐르고, 정맥에는 심장으로 들어가는 혈액이 흐른다.
혈압	동맥 > (❸) > (❹) • 혈압이 매우 낮은 (❺)에는 판막이 있다.
혈관 벽 두께	동맥 > (❻) > (❼) • 혈관 벽이 두껍고 탄력성이 강한 동맥은 심실에서 나온 혈액의 높은 압력(혈압)을 견딜 수 있다. • 혈관 벽이 매우 얇은 모세 혈관에서는 혈액과 조직 세포 사이에서 물질 교환이 일어난다. 모세 혈관 ⟶ 산소, 영양소 ⟶ 조직 세포 ⟵ 이산화 탄소, 노폐물 ⟵
혈액이 흐르는 속도	동맥 > 정맥 > 모세 혈관 • 모세 혈관은 혈액이 흐르는 속도가 느려 물질 교환에 유리하다.

정답 ❶ 심방 ❷ 심실 ❸ 모세 혈관 ❹ 정맥 ❺ 정맥 ❻ 정맥 ❼ 모세 혈관

V. 동물과 에너지

족보 **3** **혈액**

혈장(액체 성분)		• 물이 주성분이다. • 영양소, 이산화 탄소, 노폐물 등을 운반한다.	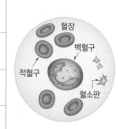
혈구 (세포 성분)	적혈구	• 가운데가 오목한 원반 모양으로, 핵이 없다. • 헤모글로빈이 있어 (❶) 작용을 한다.	
	백혈구	• 모양이 일정하지 않으며, 핵이 있다. • (❷) 작용을 한다.	
	혈소판	• 모양이 일정하지 않으며, 핵이 없다. • 혈액 응고 작용을 한다.	

[혈구의 특징 비교]
• 크기 : 백혈구 > 적혈구 > 혈소판   • 수 : 적혈구 > 혈소판 > 백혈구

족보 **4** **동맥혈과 정맥혈**

구분	동맥혈	정맥혈
산소 포함 정도	산소를 많이 포함한 혈액	산소를 적게 포함한 혈액
흐르는 곳	폐정맥, 좌심방, 좌심실, 대동맥	대정맥, 우심방, 우심실, 폐동맥

족보 **5** **혈액 순환**

• 온몸 순환 : 혈액이 온몸의 모세 혈관을 지나는 동안 조직 세포에 산소와 영양소를 전달하고, 조직 세포에서 이산화 탄소와 노폐물을 받는다. ➡ 동맥혈 → 정맥혈

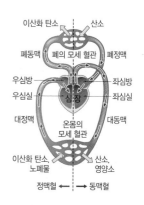

> 좌심실 → (❸   ) → 온몸의 모세 혈관 → 대정맥 →
> 우심방

• 폐순환 : 혈액이 폐의 모세 혈관을 지나는 동안 이산화 탄소를 내보내고 산소를 받는다. ➡ 정맥혈 → 동맥혈

> 우심실 → 폐동맥 → 폐의 모세 혈관 → (❹   ) →
> 좌심방

03 호흡

족보 1 호흡계

• 호흡계에서는 (❶   )를 흡수하고 (❷   )를 배출하는 기능을 담당한다.

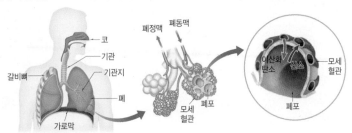

코	• 차고 건조한 공기를 따뜻하고 축축하게 만든다. • 콧속은 가는 털과 끈끈한 액체로 덮여 있어 먼지나 세균 등을 걸러 낸다.
기관, 기관지	• 기관의 안쪽 벽에는 섬모가 있어 먼지나 세균 등을 거른다. • 기관은 두 개의 기관지로 갈라져 좌우 폐와 연결된다. • 기관지는 폐 속에서 더 많은 가지로 갈라져 폐포와 연결된다.
폐	• 가슴 속에 좌우 한 개씩 있다. • 갈비뼈와 가로막으로 둘러싸인 흉강에 들어 있다. • 수많은 폐포로 이루어져 있어 공기와 닿는 표면적이 매우 넓다. ➡ 기체 교환이 효율적으로 일어날 수 있다.
	폐포	• 폐를 구성하는 작은 공기주머니이다. • 표면이 모세 혈관으로 둘러싸여 있다. ➡ 폐포와 모세 혈관 사이에서 산소와 이산 화 탄소가 교환된다.

족보 2 들숨과 날숨의 성분

[과정]
(가) 초록색 BTB 용액에 공기 펌프로 공기(들숨)를 넣는다.
(나) 초록색 BTB 용액에 날숨을 불어넣는다.
[결과]
(나)에서 BTB 용액의 색깔이 (❸   )으로 더 빨리 변한다.
➡ 까닭 : 들숨보다 날숨에 (❹   )가 더 많이 들어 있기 때문

정답 ❶ 산소 ❷ 이산화 탄소 ❸ 노란색 ❹ 이산화 탄소

족보 3 호흡 운동

- 호흡 운동의 원리 : 폐는 (❶   )이 없어 스스로 커지거나 작아지지 못하므로 흉강을 둘러 싸고 있는 갈비뼈와 가로막의 움직임에 의해 호흡 운동이 일어난다.
- 들숨과 날숨이 일어날 때의 몸 상태 비교

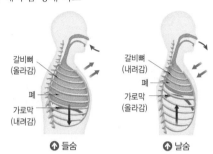

구분	갈비뼈	가로막	흉강 부피	흉강 압력	폐 부피	폐 내부 압력
들숨	올라감	내려감	커짐	(❷)	커짐	낮아짐
날숨	내려감	올라감	작아짐	(❸)	작아짐	높아짐

족보 4 기체 교환

- 기체 교환의 원리 : 기체의 농도 차이에 따른 확산
- 폐와 조직 세포에서의 기체 교환

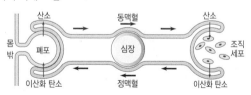

구분		폐에서의 기체 교환	조직 세포에서의 기체 교환
기체 농도	산소	(❹) > (❺)	모세 혈관 > 조직 세포
	이산화 탄소	폐포 < 모세 혈관	모세 혈관 < 조직 세포
기체 교환		폐포 $\xleftrightarrow[\text{이산화 탄소}]{\text{산소}}$ 모세 혈관	모세 혈관 $\xleftrightarrow[\text{이산화 탄소}]{\text{산소}}$ 조직 세포

정답 ❶ 근육 ❷ 낮아짐 ❸ 높아짐 ❹ 폐포 ❺ 모세 혈관

03. 호흡

35

4. 배설

족보 1 노폐물의 생성과 배설

- 배설 : 콩팥에서 오줌을 만들어 요소와 같은 노폐물을 몸 밖으로 내보내는 과정
- 노폐물의 생성과 배설

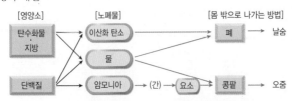

분해되는 영양소	노폐물	몸 밖으로 나가는 방법
탄수화물, 지방, 단백질	이산화 탄소	폐에서 날숨으로 나간다.
탄수화물, 지방, 단백질	(❶)	폐에서 날숨으로 나가거나 콩팥에서 오줌으로 나간다.
단백질	(❷)	독성이 강하므로 간에서 독성이 약한 요소로 바뀐 다음 콩팥에서 오줌으로 나간다.

족보 2 배설계

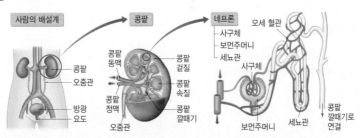

콩팥	• 혈액 속의 노폐물을 걸러 오줌을 만든다. • 콩팥 겉질과 콩팥 속질에 네프론이 있으며, 네프론에서 만들어진 오줌이 콩팥 깔때기에 모인다. • 네프론=(❸)＋보먼주머니＋세뇨관 ➡ 오줌을 만드는 단위
(❹)	콩팥과 방광을 연결하는 긴 관
방광	콩팥에서 만들어진 오줌을 모아 두는 곳
요도	방광에 모인 오줌이 몸 밖으로 나가는 통로

족보 **3** **오줌의 생성 과정**

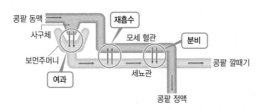

구분	이동 경로	이동 물질
(❶)	사구체 → 보먼주머니	크기가 작은 물질(물, 요소, 포도당, 아미노산, 무기염류 등) ➡ 혈구나 단백질과 같이 크기가 큰 물질은 여과되지 않는다.
(❷)	세뇨관 → 모세 혈관	몸에 필요한 물질(포도당, 아미노산, 물, 무기염류 등) • 포도당, 아미노산 : 전부 재흡수된다. • 물, 무기염류 : 대부분 재흡수된다.
(❸)	모세 혈관 → 세뇨관	미처 여과되지 않은 노폐물의 일부

족보 **4** **혈액, 여과액, 오줌의 성분 비교**

(단위 : %)

구분	혈액	여과액	오줌
단백질	7	0	0
포도당	0.1	0.1	0
요소	0.03	0.03	2

• 단백질 : 여과액에 없다. ➡ 크기가 커서 여과되지 않기 때문
• 포도당 : 여과액에는 있지만 오줌에는 없다. ➡ 여과된 후 전부 재흡수되기 때문
• 요소 : 여과액보다 오줌에서 농도가 크게 높아진다. ➡ 대부분의 물이 재흡수되기 때문

족보 **5** **세포 호흡과 기관계**

• 세포 호흡 과정

영양소 + (❹   ) ———→ 물 + (❺   ) + 에너지

• 세포 호흡과 기관계 : 생명 활동에 필요한 에너지를 얻는 세포 호흡이 잘 일어나려면 소화계, 순환계, 호흡계, 배설계가 유기적으로 작용해야 한다.

04. 똥과 설

정답 ❶ 여과 ❷ 재흡수 ❸ 분비 ❹ 산소 ❺ 이산화 탄소

1 물질의 특성 (1)

족보 1 물질의 분류

(❶)		(❷)	
한 가지 물질로 이루어진 물질		두 가지 이상의 순물질이 섞여 있는 물질	
한 종류의 원소로 이루어진 물질	두 종류 이상의 원소로 이루어진 물질	균일 혼합물	불균일 혼합물
		성분 물질이 고르게 섞여 있는 혼합물	성분 물질이 고르지 않게 섞여 있는 혼합물
㉫ 수소, 산소, 금, 다이아몬드 등	㉫ 물, 설탕, 이산화 탄소 등	㉫ 설탕물, 공기, 합금, 탄산음료 등	㉫ 흙탕물, 암석, 우유, 과일 주스 등

족보 2 물질의 특성

- 다른 물질과 구별되는 그 물질만이 나타내는 고유한 성질이다.
  ㉫ 색깔, 냄새, 맛, 끓는점, 녹는점(어는점), 밀도, 용해도 등
- 물질의 종류에 따라 다르며, 같은 종류의 물질은 양에 관계없이 (❸   )하다.
- 물질의 특성을 비교하면 물질을 구별할 수 있다.
- 순물질은 물질의 특성이 일정하지만, 혼합물은 성분 물질의 혼합 비율에 따라 물질의 특성이 달라진다.
- 물질의 특성을 이용하여 혼합물로부터 순물질을 분리할 수 있다.

족보 3 순물질과 혼합물의 구별

순물질은 끓는점과 녹는점(어는점)이 (❹   )하지만, 혼합물은 일정하지 않다.

고체＋액체 혼합물의 끓는점	고체＋액체 혼합물의 어는점	고체＋고체 혼합물의 녹는점
• 순수한 액체보다 높은 온도에서 끓기 시작한다. • 끓는 동안 온도가 계속 높아진다.	• 순수한 액체보다 낮은 온도에서 얼기 시작한다. • 어는 동안 온도가 계속 낮아진다.	• 각 성분 물질보다 낮은 온도에서 녹기 시작한다. • 녹는 동안 온도가 계속 높아진다.

족보 4 끓는점

- 액체 물질이 끓는 동안 일정하게 유지되는 온도이다.
- 물질의 종류에 따라 다르다. ➡ 물질마다 입자 사이에 잡아당기는 힘이 다르기 때문
- 같은 물질인 경우 물질의 양이 달라지면 끓는점에 도달하는 데 걸리는 시간이 달라질 뿐 끓는점 은 (❺   )하다.
- 외부 압력이 낮아지면 끓는점이 낮아지고, 외부 압력이 높아지면 끓는점이 높아진다.

족보 5 여러 가지 액체 물질의 가열 곡선 해석하기

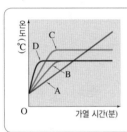

- 끓는점은 B=D<C<A 순이다.
- 가장 먼저 끓기 시작하는 물질은 (❻   )이다.
- B와 D의 끓는점이 같다. ➡ 서로 (❼   ) 물질이다.
- B는 D보다 끓는점에 도달하는 데 걸리는 시간이 더 길다. ➡ B의 질량이 D보다 크다.

족보 6 녹는점과 어는점

- 녹는점은 고체 물질이 녹는 동안 일정하게 유지되는 온도이고, 어는점은 액체 물질이 어는 동안 일정하게 유지되는 온도이다.
- 물질의 종류에 따라 다르며, 같은 종류의 물질은 양에 관계없이 녹는점과 어는점이 일정하다.
- 같은 종류의 물질은 녹는점과 어는점이 (❽   )다.

족보 7 녹는점, 끓는점과 물질의 상태

상태	고체	액체	기체
조건	녹는점보다 낮은 온도	녹는점과 끓는점 사이의 온도	끓는점보다 높은 온도

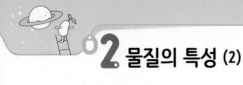

2 물질의 특성 (2)

족보 1 밀도

$$밀도 = \frac{①}{②} \quad (단위 : g/cm^3, g/mL, kg/m^3)$$

• 질량이 같을 때 부피가 클수록 밀도는 작고, 부피가 같을 때 질량이 클수록 밀도는 크다.
• 밀도가 (③　　) 물질은 위로 뜨고, 밀도가 (④　　) 물질은 아래로 가라앉는다.
• 기체의 밀도를 나타낼 때는 온도와 압력을 함께 표시한다.
• 일반적으로 같은 물질인 경우 밀도는 기체＜액체＜고체, 물의 밀도는 기체＜고체＜액체 순이다.

족보 2 밀도 구하는 방법

예제 1 30.0 mL의 액체가 담긴 비커의 질량이 120 g이라면, 이 액체의 밀도는 얼마인지 구하시오.
(단, 빈 비커의 질량은 60 g이다.)

➡ $밀도 = \dfrac{질량}{부피} = \dfrac{(120-60)\,g}{30.0\,mL} = \dfrac{60\,g}{30.0\,mL} = 2.0\,g/mL$

예제 2 오른쪽 그림은 질량이 21 g인 돌멩이의 부피를 측정하는 모습이다.
이 돌멩이의 밀도는 얼마인지 구하시오.

➡ $밀도 = \dfrac{질량}{부피} = \dfrac{21\,g}{(17.0-10.0)\,mL} = (⑤)\,g/mL$

족보 3 부피 - 질량 그래프 해석하기

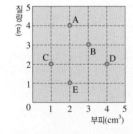

A : $\dfrac{4\,g}{2\,cm^3} = 2\,g/cm^3$ 　　　 B : $\dfrac{3\,g}{3\,cm^3} = 1\,g/cm^3$

C : $\dfrac{2\,g}{1\,cm^3} = 2\,g/cm^3$ 　　　 D : $\dfrac{2\,g}{4\,cm^3} = 0.5\,g/cm^3$

E : $\dfrac{1\,g}{2\,cm^3} = 0.5\,g/cm^3$

• A와 C, D와 E는 밀도가 같다. ➡ 서로 같은 물질이다.
• 물질은 모두 3종류이다. ➡ 밀도는 물질의 특성이다.
• 물에 녹지 않는 고체인 경우 (⑥　　　　)는 물에 가라앉고, (⑦　　　　)는 물에 뜬다. ➡ 물의
밀도(1 g/cm³)보다 크면 가라앉고, 물의 밀도보다 작으면 물 위에 뜬다.

답 ❶ 질량 ❷ 부피 ❸ 작은 ❹ 큰 ❺ 3.0 ❻ 커피 ❼ 작은 A, C ❼ D, E

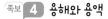

족보 4 용해와 용액

용해 : 한 물질이 다른 물질에 녹아 고르게 섞이는 현상

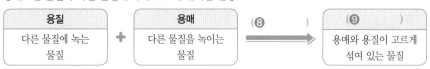

| 용질 | | 용매 | | (⑧   ) | | (⑨   ) |
| 다른 물질에 녹는 물질 | + | 다른 물질을 녹이는 물질 | ⟹ | | | 용매와 용질이 고르게 섞여 있는 물질 |

족보 5 고체의 용해도 곡선 해석하기

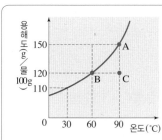

• 고체의 용해도는 일반적으로 온도가 높을수록 증가한다.
• A와 B는 (⑩   ) 용액, C는 불포화 용액이다.
• C를 포화 용액으로 만들려면 온도를 낮추어 B로 만들거나, 용질을 더 녹여 A로 만든다.

예제 90 °C의 물 200 g에 고체를 녹여 포화 용액을 만든 다음 60 °C로 냉각할 때 석출되는 고체의 질량(g)을 구하시오.

➡ 물 200 g에 최대로 녹을 수 있는 고체의 양은 90 °C에서 300 g, 60 °C에서 240 g이므로 석출되는 고체의 양은 300 g − 240 g = 60 g이다.

족보 6 온도와 압력에 따른 기체의 용해도 변화

얼음물   실온의 물   50 °C의 물

• 기포가 가장 많이 발생하는 시험관은 E이고, 가장 적게 발생하는 시험관은 B이다. ➡ 기체의 용해도가 감소하면 기포가 발생한다.
• 기체의 용해도가 가장 큰 시험관은 (⑪   )이고, 가장 작은 시험관은 (⑫   )이다. ➡ 기체의 용해도는 온도가 낮을수록, 압력이 높을수록 증가한다.

02. 물질의 특성 (2)

3 혼합물의 분리 (1)

족보 1 끓는점 차를 이용한 분리 - 증류

증류	• 액체 상태의 혼합물을 가열할 때 끓어 나오는 기체를 냉각하여 순수한 액체를 얻는 방법이다. • 끓는점 차를 이용한 혼합물의 분리 방법이다. • 성분 물질의 끓는점 차가 클수록 분리가 잘 된다.	

증류
장치
	• 액체 상태의 혼합물을 가열하면 끓는점이 (❶)
	  물질이 먼저 끓어 나온다.
	• 끓어 나온 기체 물질은 냉각되어 찬물 속에 들어 있는 시
	  험관에 모인다.
	• 끓임쪽 : 액체 물질이 갑자기 끓어오르는 것을 방지하기
	  위해 넣는다.

족보 2 끓는점 차를 이용한 분리의 예

• 바닷물에서 식수 얻기 : 바닷물을 가열하면 바닷물에 들어 있는 물만 기화하여 수증기가 되고, 이 수증기를 액화하면 순수한 물을 얻을 수 있다.

• 탁한 술에서 맑은 소주 얻기 : 소줏고리에 곡물을 발효하여 만든 술을 넣고 가열하면 끓는점이 낮은 에탄올이 먼저 끓어 나오다가 찬물에 의해 냉각되어 맑은 소주가 된다.

• 물과 에탄올 혼합물의 분리 : 물과 에탄올 혼합물을 가열하면 끓는점이 낮은 (❷   )이 먼저 끓어 나오고, 끓는점이 높은 (❸   )이 나중에 끓어 나온다.

• 원유의 분리 : 원유를 높은 온도로 가열하여 증류탑으로 보내면 끓는점이 (❹   ) 물질일수록 증류탑의 위쪽에서 분리된다.

족보 3 물과 에탄올 혼합물의 가열 곡선 이해하기

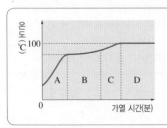

가열 곡선에서 수평한 구간이 두 군데 나타난다. ➡ 끓는점이 낮은 에탄올(78 °C)이 (❺   ) 구간에서 먼저 끓어 나오고, 끓는점이 높은 물(100 °C)이 (❻   ) 구간에서 나중에 끓어 나온다.

족보 4 밀도가 다른 두 고체 혼합물의 분리에 사용하는 액체의 조건

밀도는 두 고체 물질의 (❼   ) 정도이며, 두 고체 물질을 모두 녹이지 않아야 한다.

> 예제 밀도가 $1.4\,g/cm^3$인 고체와 $5.5\,g/cm^3$인 고체가 섞여 있는 혼합물을 분리할 때 사용할 수 있는 액체 물질을 고르시오.(단, 두 고체는 모두 액체 A~E에 녹지 않는다.)
>
> | 액체 | A | B | C | D | E |
> |---|---|---|---|---|---|
> | 밀도(g/cm^3) | 13.6 | 9.6 | 7.0 | 2.8 | 1.0 |
>
> ➡ 액체의 밀도는 $1.4\,g/cm^3$와 $5.5\,g/cm^3$의 중간 정도여야 하므로, (❽   )가 적당하다.

족보 5 분별 깔때기를 이용하여 액체 혼합물 분리하기

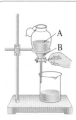

- 서로 섞이지 않고, 밀도가 다른 액체 혼합물은 분별 깔때기를 이용하여 분리할 수 있다.
- 밀도가 작은 물질이 위층, 밀도가 큰 물질이 아래층에 위치한다.
  ➡ 밀도 비교 : A (❾   ) B
- 꼭지를 열어 아래층의 액체를 먼저 분리하고, 밀도가 작은 위층의 액체는 나중에 분리한다.

족보 6 분별 깔때기를 이용한 액체 혼합물의 분리 예

혼합물	물과 식용유	간장과 참기름	물과 에테르	물과 사염화 탄소
위층	식용유	참기름	에테르	(❿)
아래층	물	간장	물	(⓫)

족보 7 밀도 차를 이용한 분리의 예

좋은 볍씨 고르기, 신선한 달걀 고르기, 스타이로폼과 모래 분리, 사금 채취, 바다에 유출된 기름 제거, 원심 분리기로 혈액 분리, 키질로 곡물 분리 등

4 혼합물의 분리 (2)

족보 1 용해도 차를 이용한 분리 – 재결정

• 재결정 : 불순물이 섞여 있는 고체 물질을 용매에 녹인 다음 용액의 온도를 낮추거나 용매를 증발 시켜 순수한 고체 물질을 얻는 방법
• 예 : 순수한 질산 칼륨 분리, 천일염에서 정제 소금 얻기 등

족보 2 재결정으로 순수한 질산 칼륨 분리하기

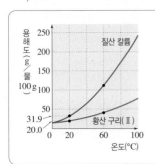

예제 질산 칼륨 50 g과 황산 구리(Ⅱ) 5 g이 섞인 혼합물을 60 °C의 물 100 g에 모두 녹인 후 20 °C로 냉각하여 거름 장치로 걸렀을 때 거름종이 위에 남는 물질의 질량(g)을 구하시오.

➡ 20 °C에서 질산 칼륨의 용해도는 31.9이므로 질산 칼륨 (❶   ) g이 석출되어 거름종이 위에 남는다. 거른 용액에 는 질산 칼륨 31.9 g과 황산 구리(Ⅱ) 5 g이 들어 있다.

족보 3 크로마토그래피

• 물질이 용매를 따라 이동하는 (❷   )가 다른 것을 이용한 분리 방법이다.
• 매우 적은 양의 혼합물이나 성질이 비슷한 혼합물도 쉽게 분리할 수 있다.
• 분리되어 나타나는 성분의 개수는 혼합물에 포함된 성분 물질의 최소 개수이다.
• 예 : 사인펜 잉크의 색소 분리, 운동선수의 도핑 테스트, 단백질 성분 검출 등

족보 4 크로마토그래피 결과 분석하기

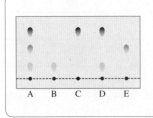

• (❸   )는 순물질로 예상되고, (❹   )는 혼합물 이다.
• A는 B, C, E를 포함하고, D는 B, C를 포함한다. ➡ 올라간 높 이가 같으면 같은 성분이다.
• 용매를 따라 이동하는 속도는 B<E<C이다. ➡ 높이 올라갈수 록 이동 속도가 빠르다.

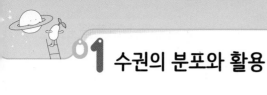

01 수권의 분포와 활용

족보 1 수권의 분포

- 수권 : 지구에 분포하는 모든 물
- 수권의 분포 : 수권을 이루는 물 중 가장 많은 양을 차지하는 것은 (❶　　　　)이고, 담수 중에서 가장 많은 양을 차지하는 것은 (❷　　　　)이다.

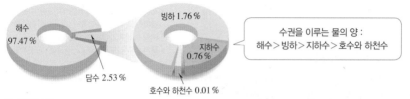

해수 97.47 %

담수 2.53 %

빙하 1.76 %

지하수 0.76 %

호수와 하천수 0.01 %

> 수권을 이루는 물의 양 :
> 해수 > 빙하 > 지하수 > 호수와 하천수

↑ 수권의 분포

족보 2 수자원의 활용

- 쉽게 활용할 수 있는 물 : 담수 중에서 주로 (❸　　　　)를 이용하고, 부족한 경우 지하수를 이용한다. ➡ 해수는 짠맛이 나고, 빙하는 얼어 있어 바로 활용하기 어렵다.
- 수자원 용도 : 우리나라는 수자원을 (❹　　　　)로 가장 많이 활용한다.

생활용수	농업용수	공업용수	유지용수
• 일상생활에 쓰는 물 • 마시는 물, 요리나 세탁할 때 사용	• 농업 활동에 쓰는 물 • 농사를 짓거나, 가축을 키울 때 사용	• 산업 활동에 쓰는 물 • 제품을 만들거나 냉각, 세척할 때 사용	하천이 정상적인 기능을 유지하기 위해 필요한 물

족보 3 수자원의 가치

한정된 양	물 사용량 증가	강수량 변화	수자원 부족
수자원으로 주로 이용하는 물은 수권 전체의 0.77 % 정도에 불과하다.	인구 증가, 산업과 문명 발달에 따른 삶의 질 향상으로 물 사용량이 증가한다.	기후 변화로 홍수나 가뭄이 잦아짐에 따라 수자원의 확보, 관리가 어려워진다.	물 부족 현상이 심화되어 다양한 문제가 생길 수 있다.

족보 4 수자원 관리

- 수자원 확보 : 댐 건설, 지하수 개발, 해수 담수화 등을 통해 수자원을 확보한다.
- 물의 오염 방지 : 생활 하수를 줄이고, 정수 시설을 설치한다.
- 물 절약 : 일상생활에서 물을 절약하는 습관을 들이고, 물을 효율적으로 사용한다.

02 해수의 특성

족보 1 해수의 표층 수온 분포

• 영향을 주는 요인 : (❶   )

• 위도별 해수의 표층 수온 분포

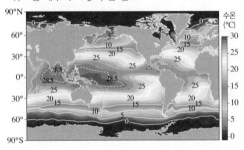

> • 저위도에서 고위도로 갈수록 표층 수온이 낮아진다. ➡ 저위도에서 고위도로 갈수록 태양 에너지가 적게 들어오기 때문
> • 등온선은 위도와 거의 나란하게 나타난다.

족보 2 해수의 연직 수온 분포

• 영향을 주는 요인 : 태양 에너지, (❷   )

• 해수의 층상 구조 : 깊이에 따른 수온 변화를 기준으로 (❸   )개 층으로 구분한다.

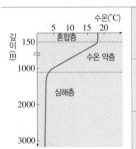	혼합층	• 태양 에너지의 대부분을 흡수하여 수온이 높고, 바람에 의해 해수가 혼합되어 수온이 일정한 층 • 바람이 강할수록 두께가 두꺼워진다.
	수온 약층	• 깊이가 깊어질수록 수온이 급격하게 낮아지는 층 • 따뜻한 물이 위에 있고 차가운 물이 아래에 있어 대류가 잘 일어나지 않는다. ➡ 매우 안정하다.
	심해층	• 태양 에너지가 거의 도달하지 않아 수온이 낮고 일정한 층 • 위도나 계절에 관계없이 수온이 거의 일정하다.

족보 3 위도별 연직 수온 분포

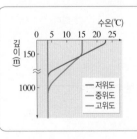

• 저위도 : 표층 수온이 높아 심해층과 수온 차이가 가장 크고, 바람이 약해서 혼합층이 얇다.

• 중위도 : 바람이 강해서 (❹   )이 가장 두껍다.

• 고위도 : 표층 수온이 매우 낮고, 층상 구조가 나타나지 않는다.

Ⅶ. 수권과 해수의 순환

^{족보} **4** 염류와 염분

- 염류 : 해수에 녹아 있는 여러 가지 물질 ➡ 짠맛을 내는 (**❺**   )이 가장 많고, 쓴맛을 내는 염화 마그네슘이 두 번째로 많다.
- 염분 : 해수 (**❻**   ) g에 녹아 있는 염류의 총량을 g 수로 나타낸 것
- 염분의 단위 : psu(실용염분단위), ‰(퍼밀)

⬆ 염분이 35 psu인 해수 1 kg에 녹아 있는 염류의 양

^{족보} **5** 염분의 분포

- 염분에 영향을 주는 요인 : 증발량과 강수량, 담수의 유입량, 해수의 결빙과 해빙 등

염분이 낮은 해역	염분이 높은 해역
• 강수량이 증발량보다 많은 해역 • 담수가 많이 유입되는 해역 • 빙하가 녹는 해역(해빙)	• 증발량이 강수량보다 많은 해역 • 건조한 해역 • 해수가 어는 해역(결빙)

- 위도별 염분 분포

적도 해역	염분 낮음 ➡ 비가 많이 내려 강수량이 증발량보다 많기 때문
중위도 해역	염분 (**❼**) ➡ 건조한 기후로 증발량이 강수량보다 많기 때문
극 해역	염분 낮음 ➡ 빙하가 녹기 때문

- 우리나라 주변 염분 분포

여름철＜겨울철	여름철에 강수량이 더 많기 때문
황해＜동해	황해로 강물이 더 많이 유입되기 때문

^{족보} **6** 염분비 일정 법칙

지역이나 계절에 따라 염분이 달라도 전체 염류에서 각 염류가 차지하는 비율은 항상 (**❽**   ) 하다. ➡ 해수가 오랜 시간 동안 순환하며 골고루 섞였기 때문

❺ 염화 나트륨 ❻ 1000 ❼ 높음 ❽ 일정

3 해수의 순환

족보 1 해류

• 해류 : 일정한 방향으로 나타나는 지속적인 해수의 흐름
• 해류의 발생 원인 : 지속적으로 부는 바람
• 해류의 구분 : 저위도에서 고위도로 흐르는 비교적 따뜻한 해류를 (❶   )라 하고, 고위도 에서 저위도로 흐르는 비교적 차가운 해류를 (❷   )라고 한다.

족보 2 우리나라 주변 해류

난류	쿠로시오 해류(우리나라 주변 난류의 근원), 황해 난류, 동한 난류
한류	북한 한류
조경 수역	• 한류와 난류가 만나는 해역 • 북한 한류와 (❸)가 만나는 동해에 형성 • 영양 염류와 플랑크톤이 풍부하고, 한류성 어종과 난류성 어종이 함께 분포하여 좋은 어장 형성

족보 3 조석

• 조석 : 밀물과 썰물로 해수면의 높이가 주기적으로 변하는 현상
• 조류 : 조석으로 나타나는 주기적인 해수의 흐름
• 만조와 간조 : 밀물로 해수면의 높이가 가장 높아질 때를 만조, 썰물로 해수면의 높이가 가장 낮 아질 때를 간조라고 한다. ➡ 만조와 간조는 하루에 약 (❹   )번씩 일어난다.
• (❺   ) : 만조와 간조 때의 해수면 높이 차
• 사리와 조금 : 한 달 중 조차가 가장 크게 나타나는 시기를 사리, 조차가 가장 작게 나타나는 시기 를 조금이라고 한다. ➡ 사리와 조금은 한 달에 약 2번씩 일어난다.

족보 4 조석의 활용

• 어업 : 간조 때 갯벌에서 조개를 캐거나, 조류를 이용하여 물고기를 잡는다.
• 전기 생산 : 조차(조력 발전)나 조류(조류 발전)를 이용하여 전기를 생산한다.
• 바다 갈라짐 현상 : 조차가 큰 시기에 간조가 되면 특정 지역에서 바닷길이 열린다.

정답 ❶ 난류 ❷ 한류 ❸ 동한 난류 ❹ 2 ❺ 조차

01 열

족보 1 온도와 입자 운동

- 온도 : 물체의 차갑고 뜨거운 정도를 수치로 나타낸 것
- 입자의 운동 : 모든 물질은 눈에 보이지 않는 작은 알갱이인 입자로 이루어져 있으며, 입자들은 끊임없이 운동한다.
- 입자의 운동이 활발할수록 물체의 온도가 (❶   )고, 입자의 운동이 둔할수록 물체의 온도가 (❷   )다.

입자 운동이 둔하다.
➡ 온도가 낮다.

↑ 차가운 물

입자 운동이 활발하다.
➡ 온도가 높다.

↑ 뜨거운 물

족보 2 열의 이동 방법

방법	(❸)	대류	복사
정의	고체에서 입자 운동이 이웃한 입자로 전달되어 열이 이동하는 방법	액체나 기체 상태의 입자가 직접 이동하면서 열이 전달되는 방법	물질의 도움 없이 열이 직접 전달되는 방법
예	• 뜨거운 국에 숟가락을 넣으면 손잡이가 뜨거워진다. • 냄비는 금속으로 만들고, 손잡이는 플라스틱이나 고무로 만든다. 	• 물을 데울 때 냄비 아래쪽만 가열해도 물 전체가 골고루 데워진다. • 에어컨은 위쪽에, 난로는 아래쪽에 설치한다.	• 햇빛을 쬐거나 난로 가까이 있으면 따뜻함을 느낀다. • 토스터나 오븐으로 요리를 할 때는 복사에 의해 열이 전달된다.

족보 3 단열

- 물체와 물체 사이에서 열이 이동하지 못하게 막는 것
- 전도, 대류, 복사에 의한 열의 이동을 모두 막아야 단열이 잘 된다.
- 단열이 잘 될수록 물체의 온도 변화가 (❹   ) 일어난다.

족보 4 단열의 이용

이중벽의 진공 공간
전도와 대류에 의한
열의 이동 막는다.

은도금 된 벽면
복사에 의한 열의 이
동 막는다.

⬆ 보온병의 단열

공기는 전도가 잘
되지 않는 물질이
므로, 이중창은 열
의 전도를 막아 단
열에 효과적이다.

유리
공기

⬆ 이중창의 단열

족보 5 열의 이동과 물체의 온도

• 열은 항상 온도가 (❺   )은 물체에서 온도가 (❻   )은 물체로 이동한다.
• 열을 얻은 물체는 온도가 올라가고 입자의 운동이 활발해진다.
• 열을 잃은 물체는 온도가 내려가고 입자의 운동이 둔해진다.

족보 6 온도가 다른 두 물체 A , B를 접촉시킬 때 입자 운동

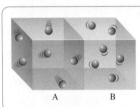

A   B

• 물체 A : 입자 운동이 활발하다. ➡ 고온의 물체
• 물체 B : 입자 운동이 둔하다. ➡ 저온의 물체
• 열의 이동 방향 : (❼   )로 이동한다.
• 두 물체를 접촉시킨 후 : 물체 A의 입자 운동은 둔해지고, 물체 B의 입자 운동은 활발해진다.

족보 7 열평형 그래프 해석하기

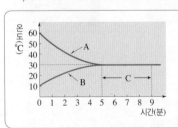

• A는 고온의 물체, B는 저온의 물체
• 열의 이동 방향 : A → B
• 열평형 온도 : 30 ℃
• 외부와 열 출입이 없다면 A가 잃은 열량은 B가 얻은 열량과 같다.
• C는 (❽   ) 상태

VIII. 열과 우리 생활

02 비열과 열팽창

족보 1 열량과 온도 변화

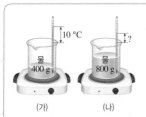

물 400 g (가) 물 800 g (나) 10 °C ?

- 같은 가열 장치를 이용하여 같은 시간 동안 가열하면 가한 열량이 같다.
- 가해 준 열량이 같을 때 물체의 온도 변화는 물체의 질량이 작을수록 크다.
- 같은 시간 동안 가열했을 때 (가)와 (나) 중 (❶   )의 온도가 더 많이 올라간다.

족보 2 비열

- 어떤 물질 1 kg의 온도를 1 °C 높이는 데 필요한 열량

$$비열(kcal/(kg \cdot °C)) = \frac{열량(kcal)}{질량(kg) \times 온도\ 변화(°C)}$$

- 물질의 종류에 따라 비열이 다르다.
- 비열이 큰 물질은 온도가 잘 변하지 않고, 비열이 작은 물질은 온도가 잘 변한다.

족보 3 시간-온도 변화 그래프 해석하기

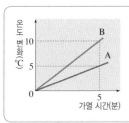

온도 변화(°C) 10 5 0 5 가열 시간(분) B A

- 두 물체 A, B를 같은 세기의 불꽃으로 가열하였다.
  ➡ A, B에 가한 열량이 같다.
- A, B의 질량이 같을 때 비열이 큰 것은?
  ➡ (❷   ) (비열이 클수록 온도 변화가 작다.)
- 질량이 같을 때 A, B의 비열의 비(A : B)는?
  ➡ A : B = 2 : 1 (비열은 온도 변화에 반비례)

족보 4 비열에 의한 현상

- 해안 지역은 내륙 지역보다 기온 변화가 (❸   )다.
- 사람의 몸은 약 70 %가 물로 이루어져 있어 체온이 일정하게 유지된다.
- 육지보다 바다의 비열이 크므로 해안 지역에서 해풍과 육풍이 분다.

02. 비열과 열팽창

족보 5 열팽창

- 물체에 열을 가할 때 물체의 길이 또는 부피가 증가하는 현상
- 열팽창의 원인 : 물체에 열이 가해지면 물체를 구성하는 입자의 운동이 활발해져 입자 사이의 거리가 (❹   )지기 때문
- 열팽창 정도 : 온도 변화가 클수록 많이 팽창하고, 물질의 종류와 상태(고체<액체<기체)에 따라 다르다.

⬆ 고체의 열팽창

족보 6 바이메탈이 휘어지는 방향

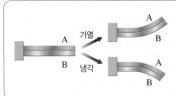

- 열팽창 정도 : A<B
- 가열했을 때 열팽창 정도가 (❺   ) 물질의 길이가 더 많이 늘어난다. ➡ A 쪽으로 휘어진다.
- 냉각했을 때 열팽창 정도가 (❻   ) 물질의 길이가 더 많이 수축한다.➡ B 쪽으로 휘어진다.

족보 7 액체의 열팽창

- 세 종류의 액체를 같은 용기의 같은 높이까지 채운 후 뜨거운 물을 부으면 액체가 열팽창한다.
- 나중 높이 : 물<식용유<에탄올
- 액체의 열팽창 정도 : 물<식용유<에탄올

족보 8 열팽창에 의한 현상과 이용

- 알코올 온도계로 온도를 측정한다.
- 다리나 철로의 이음새에 틈을 만든다.
- 충치 치료에 사용하는 충전재는 치아와 열팽창하는 정도가 비슷한 물질을 사용한다.

큰 ❺ 큰 ❻ 멀어 ❹ 🔑

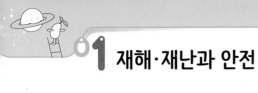

1 재해 · 재난과 안전

족보 1 **재해 · 재난** : 국민의 생명, 신체, 재산과 국가에 피해를 주거나 줄 수 있는 것

구분	(❶) 재해 · 재난	(❷) 재해 · 재난
의미	자연 현상으로 발생하는 재해 · 재난	인간의 부주의나 기술상의 문제 등 인간 활동으로 발생하는 재해 · 재난
예	지진, 태풍, 화산, 홍수, 가뭄, 폭설, 폭염, 황사, 미세먼지 등	화재, 폭발, 붕괴, 환경 오염, 화학 물질 유출, 감염성 질병 확산, 운송 수단 사고 등

족보 2 **자연 재해 · 재난의 피해**

지진	태풍	(❺)
• 산이 무너지거나 땅이 갈라진다. • 도로나 건물이 무너지고 화재가 발생한다. • 대체로 규모가 (❸) 지진일수록 피해가 크다. • 해저에서 지진이 일어나면 지진해일이 발생할 수 있다.	• 강한 바람으로 농작물이나 시설물에 피해를 준다. • 집중 호우를 동반하여 도로를 무너뜨리거나 산사태를 일으킨다. • 태풍이 해안에 접근하는 시기가 만조 시각과 겹치면 (❹)이 발생할 수 있다.	• 화산재가 사람이 사는 지역을 덮친다. • 용암이 흐르면서 마을이나 농작물에 피해를 준다. • 화산 기체가 대기 중으로 퍼지면 항공기 운행이 중단될 수 있다.

족보 3 **사회 재해 · 재난의 원인과 피해**

구분	(❻) 유출	감염성 질병 확산
원인	안전 규정 무시, 작업자의 부주의, 운송 차량 사고, 시설물 노후화 및 결함 등	(❼)의 진화, 모기나 진드기와 같은 매개체 증가, 교통수단 발달, 인구 이동 증가, 무역 증가 등
피해	• 화학 물질이 반응하여 폭발하거나 화재가 발생한다. • 화학 물질이 바다, 토양, 대기 등으로 퍼져 환경이 오염된다. • 피부에 접촉했을 때 수포가 생기거나 호흡했을 때 폐에 손상을 주는 등 각종 질병을 유발한다.	• 특정 지역에 그치지 않고 지구적인 규모로 확산하여 큰 피해를 줄 수 있다. • 야생동물에게만 발생하던 질병이 인간에게 감염되어 새로운 감염성 질병이 나타나기도 한다.

족보 4 자연 재해·재난의 대처 방안

지진	• 땅이 불안정한 지역을 피해 건물을 짓고, 건물을 지을 때 (**⑧**) 설계를 한다. • 내진 설계가 되어 있지 않은 건물에는 내진 구조물을 추가로 설치한다. • 큰 가구는 미리 고정하고, 물건을 낮은 곳으로 옮긴다. • 화재 발생을 방지하기 위해 가스와 전기를 차단한다. • 건물 밖으로 나갈 때는 승강기를 이용하지 말고 (**⑨**)을 이용한다.
(**⑩**)	• 태풍의 이동 경로를 예측하고, 태풍의 예상 진로에 있는 지역에 경보를 내린다. • 해안가에서는 바람막이숲을 조성하거나 제방을 쌓는다. • 창문을 고정하고, 배수구가 막히지 않았는지 확인한다. • 감전의 위험이 있으므로 전기 시설을 만지지 않는다. • 선박을 항구에 결박하고, 운행 중에는 태풍의 이동 경로에서 멀리 대피한다.
화산	• 화산 주변을 관측하고, 인공위성으로 자료를 수집하여 화산 분출을 예측한다. • 화산이 폭발하면 외출을 자제하고, 화산재에 노출되지 않도록 주의한다. • 화산이 폭발할 가능성이 있는 지역에서는 방진 마스크 등 필요한 물품을 미리 준비한다.

족보 5 사회 재해·재난의 대처 방안

화학 물질 유출	• 화학 물질에 직접 노출되지 않도록 주의하고, 최대한 멀리 대피한다. • 유출된 유독가스가 공기보다 밀도가 크면 (**⑪**) 곳으로 대피하고, 공기보다 밀도가 작으면 (**⑫**) 곳으로 대피한다. • 바람이 사고 발생 장소 쪽으로 불면 바람 방향의 반대 방향으로 대피한다. • 바람이 사고 발생 장소에서 불어오면 바람 방향의 (**⑬**) 방향으로 대피한다. • 실내로 대피한 경우 창문을 닫고, 외부 공기와 통하는 에어컨, 환풍기의 작동을 멈춘다. • 화학 물질에 노출되었을 때는 즉시 병원에 가서 진찰받는다.
(**⑭**) 확산	• 증상, 감염 경로 등 해당 질병에 대한 정보를 정확하게 알고 대처한다. • 병원체가 쉽게 증식할 수 없는 환경을 만들고, 확산 경로를 차단한다. • 비누를 사용하여 손을 자주 씻고, 식재료를 깨끗이 씻는다. • 식수는 끓인 물이나 생수를 사용하고, 음식물을 충분히 익혀 먹는다. • 기침을 할 경우 코와 입을 가리고, 기침이 계속되면 마스크를 착용한다. • 설사, 발열 및 호흡기 이상 증상이 나타나면 즉시 의료 기관을 방문한다. • 해외 여행객은 이상 증상이 나타나면 귀국 시 검역관에게 신고한다.

Memo

Memo

· 완벽한 자율학습서 ·

완자

자율학습시
비상구
완자로 53

중등 과학 2

구성과 특징

"내용이 너무 간략해서 이해가 잘 안 돼요."
"내용이 너무 많아서 뭐가 중요한지 모르겠어요~"

과학이 어려운 학생들은 완자 과학으로 공부해요!
완자 과학은 복잡한 내용을 개념 카드로 세분화하고, 풍부한 시각 자료와 함께 구성했어요.
짧은 시간에 개념을 이해하고, 오래 기억할 수 있어요.
선생님 강의처럼 상세한 설명이 주석으로 달려 있어서 선생님이 옆에 계신 듯 혼자서도 쉽게 공부할 수 있어요.
완자 과학은 '내 옆의 선생님'이에요.

내 옆의 선생님 완자
- 교과 내용을 세분화한 개념 카드
- '개념 카드 + 확인 문제' 세트 구성
- 자세한 문제 해설

혼자서도 쉽게
공부할 수 있는
자율학습서

1 '개념 카드 + 확인 문제' 세트 구성

개념 이해는 공부의 첫걸음! 개념 카드를 공부하고, 문제로 바로 확인하면 한 번에 빠르게 이해할 수 있습니다.

📍 복잡한 내용을 개념 카드로 세분화
📍 그림과 도표로 시각화
📍 한눈에 보이는 핵심과 친절한 설명
📍 개념을 바로바로 확인하는 시스템

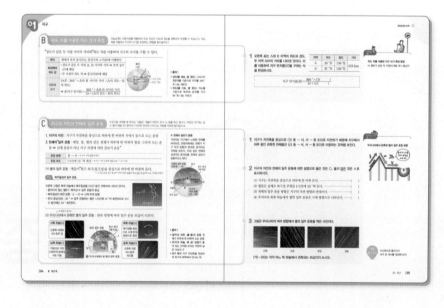

2 실력 향상을 위한 다양한 문제 풀이

문제로 실력 점검! 기출 문제를 분석하여 뽑아낸 다양한 유형의 문제를 풀어 보면서 시험에 대비할 수 있습니다.

- 실력 탄탄 핵심 문제
- 서술형 문제
- 시험 적중 마무리 문제

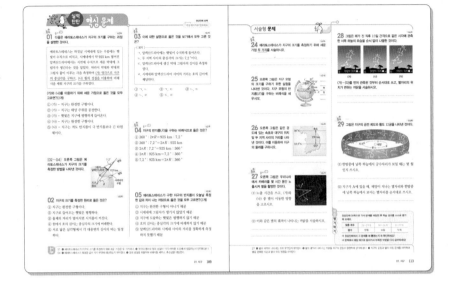

3 또 한권의 책 '정답친해'

더 이상 모르는 문제는 없다! 가려운 곳을 콕 짚어 자세하게 설명했으므로 문제를 완벽하게 이해할 수 있습니다.

- 정확한 답과 친절한 해설
- 중요한 자료는 그림으로 해설
- 상세한 오답 풀이

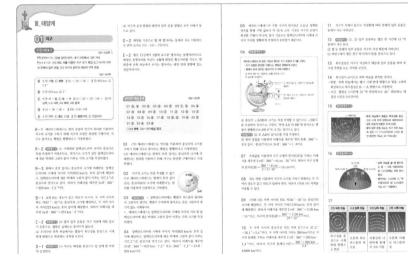

차례

완자와 내 교과서 단원 비교하기

물질의 구성

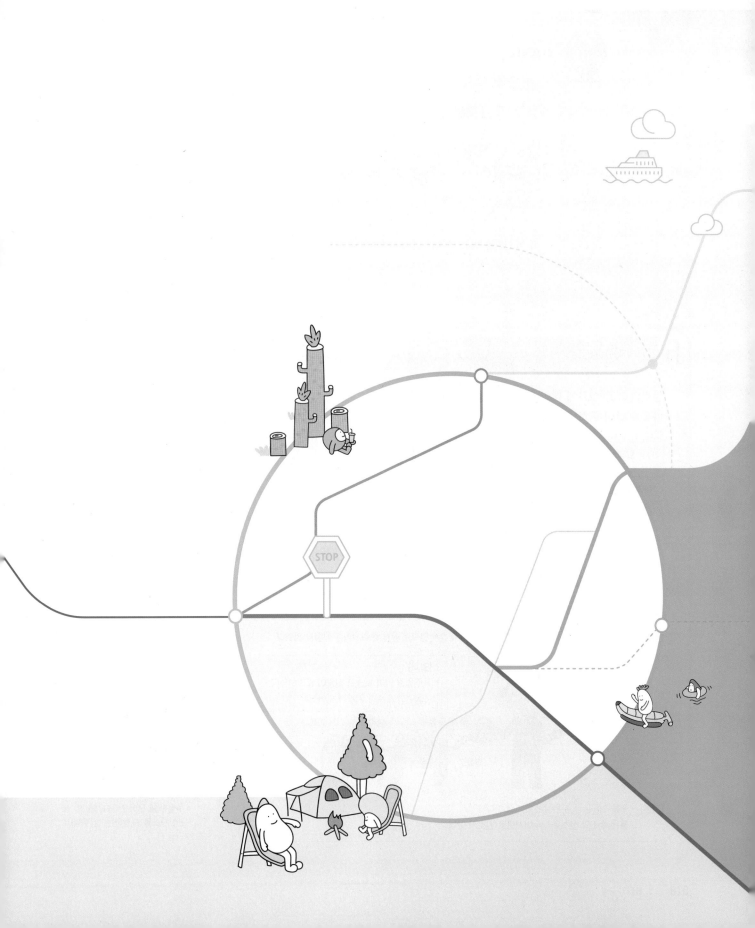

01 원소

다음 만화를 보고 스트론튬의 말풍선을 완성해 보자.

단원 미리보기

>> 이 단원을 학습한 후 내가 쓴 대사를 수정해 보자.

A 물질의 기본 성분에 대한 학자들의 생각

오래전부터 사람들은 물질이 무엇으로 이루어져 있는지 궁금해 하였고, 이를 알아내기 위해 노력했습니다. 물질의 기본 성분에 대한 학자들의 생각을 알아볼까요?

물질의 기본 성분에 대한 학자들의 생각은 다음과 같이 변화되어 왔다.

탈레스	모든 물질의 근원은 물이다.
아리스토텔레스	만물은 물, 불, 흙, 공기의 4가지 기본 성분으로 되어 있고, 이들이 조합하여 여러 물질이 만들어진다.➕
보일	원소는 물질을 이루는 기본 성분으로, 더 이상 분해되지 않는 단순한 물질이다. ➡ 현대적인 원소의 개념을 제시하였다.
라부아지에	실험을 통해 물이 수소와 산소로 분해되는 것을 확인하여, 물이 원소가 아님을 증명하였다. ➡ 아리스토텔레스의 생각이 옳지 않음을 증명하였다.

📖 라부아지에의 물 분해 실험

[과정] 라부아지에는 긴 주철관을 뜨겁게 가열하면서 주철관 안으로 물을 통과시키는 실험을 하였다.

물이 분해되어 발생한 산소가 주철관을 녹슬게 했군.

[결과]
• 주철관 안이 녹슬고 질량이 증가하였다.
• 집기병에 수소 기체가 모아졌다.

물 주철관 냉각수 수소
벽화로

[결론] • 물을 이루는 성분은 수소와 산소이다.
• 물은 수소와 산소로 나누어지므로 원소가 아니다.

➕ **물질의 기본 성분에 대한 아리스토텔레스의 생각**

불
따뜻함   건조함
공기   흙
습함   차가움
물

| 용어 |
• 분해(分 나누다, 解 풀다) 한 종류의 물질을 두 가지 이상의 간단한 물질로 나누는 것
• 라부아지에(Lavoisier, A, L., 1743~1794) 프랑스의 과학자로, 물의 합성과 분해 실험을 통해 물이 원소가 아님을 증명하였다.
• 주철관(鑄 부어 만들다, 鐵 쇠, 管 관) 탄소를 포함하는 철(주철)로 만든 관

이 단원의 개념이 어떻게 구성되어 있는지 살펴보고 빈칸을 완성해 보자.

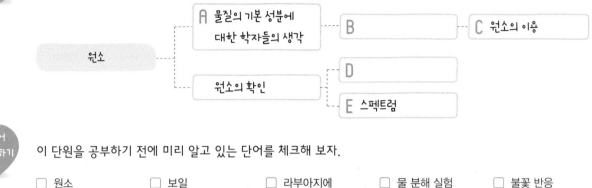

이 단원을 공부하기 전에 미리 알고 있는 단어를 체크해 보자.

☐ 원소　　☐ 보일　　☐ 라부아지에　　☐ 물 분해 실험　　☐ 불꽃 반응

☐ 불꽃 반응 색　　☐ 연속 스펙트럼　　☐ 선 스펙트럼

1 물질의 기본 성분에 대해 다음과 같이 주장한 학자를 보기에서 각각 고르시오.

{ 보기 }

ㄱ. 탈레스　　ㄴ. 아리스토텔레스　　ㄷ. 보일　　ㄹ. 라부아지에

(1) 모든 물질의 근원은 물이다. ·· (　　)

(2) 물은 수소와 산소로 분해되므로 원소가 아니다. ·········· (　　)

(3) 원소는 더 이상 분해되지 않는 단순한 물질이다. ·········· (　　)

(4) 물질은 4가지 원소로 이루어져 있으며, 이들이 조합하여 여러 물질이 만들어진다.

·· (　　)

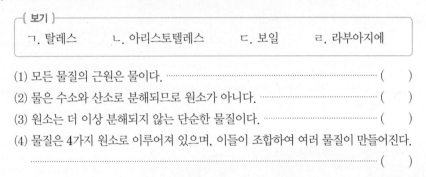

2 라부아지에의 물 분해 실험에 대한 설명으로 옳은 것은 ○, 옳지 <u>않은</u> 것은 ×로 표시하시오.

(1) 물은 수소와 산소로 이루어져 있다. ····························· (　　)

(2) 물을 분해하면 두 종류의 기체가 발생한다. ·················· (　　)

(3) 물이 분해되면 기체가 발생하므로 물은 원소이다. ········· (　　)

(4) 라부아지에는 물 분해 실험을 통해 아리스토텔레스의 생각이 옳지 않음을 증명하였다. ·· (　　)

(5) 라부아지에의 물 분해 실험을 통해 물이 다른 원소로 변할 수 있다는 사실을 알 수 있다. ·· (　　)

01 원소

B 원소

물을 분해하면 수소와 산소로 나누어지지만, 수소와 산소는 더 이상 분해되지 않습니다. 이처럼 다른 물질로 분해되지 않으면서 물질을 이루는 기본 성분을 무엇이라고 할까요?

1. 원소 : 더 이상 다른 물질로 분해되지 않으면서 물질을 이루는 기본 성분

(1) 현재까지 알려진 원소의 종류는 120여 가지이다. ┌ 금, 은, 구리 등과 같이 오래전부터 사용된 것도 있지만, 대부분의 원소는 지난 200여 년 동안 발견되었다.

　　例 수소, 산소, 탄소, 질소, 구리, 철, 은, 금, 알루미늄 등

(2) 90여 가지는 자연에서 발견된 것이고, 그 밖의 원소는 인공적으로 만든 것이다.
　　┌● 플루토늄, 아인슈타이늄 등

2. 물질을 이루는 원소 : 우리 주변의 모든 물질은 원소로 이루어져 있다.

✚ 물질을 이루는 원소

물질	원소
다이아몬드	탄소
연필심	탄소
우리 몸	수소, 탄소, 질소, 산소, 칼륨, 칼슘, 철 등
공기	질소, 산소, 아르곤, 헬륨 등
바닷물	수소, 산소, 염소, 나트륨, 마그네슘, 황 등

물 수소, 산소

설탕 탄소, 수소, 산소

플라스틱 도시락 탄소, 수소, 산소 등

알루미늄 포일 알루미늄

포크 철, 니켈 등

삶은 달걀 탄소, 질소, 수소, 산소, 황

나무젓가락 탄소, 수소, 산소

소금 염소, 나트륨

C 원소의 이용

원소는 종류에 따라 성질이 다르며, 우리는 원소의 다양한 성질을 일상생활에 이용합니다. 일상생활에서 원소의 성질을 이용하는 여러 가지 예에 대해 알아볼까요?

수소
가장 가벼운 원소, 우주 왕복선의 연료로 이용

산소
지구 대기 성분의 약 21 % 차지, 물질 연소와 생물 호흡에 이용

철
지구 중심핵에 가장 많이 존재, 단단하여 기계, 건축 재료로 이용

금
산소나 물과 반응하지 않아 광택을 유지함, 장신구의 재료로 이용

헬륨
공기보다 가볍고 불에 타지 않음, 비행선의 충전 기체로 이용

구리
전기가 잘 통함, 전선에 이용

규소
특정 물질을 첨가하여 반도체 소자에 이용

질소
다른 물질과 거의 반응하지 않음, 과자 봉지의 충전제로 이용

✚ 그 밖의 원소의 이용

- 알루미늄 : 가벼우므로 비행기 동체, 일회용 용기로 이용된다.
- 탄소 : 숯, 다이아몬드의 성분이며, 연필심 등에 이용된다.

| 용어 |
- **소자** 전자 회로 등의 구성 요소가 되는 부품

1 원소에 대한 설명으로 옳은 것은 ○, 옳지 <u>않은</u> 것은 ×로 표시하시오.

(1) 원소는 더 이상 분해할 수 없다. ····································· (   )

(2) 원소의 종류는 셀 수 없이 많다. ····································· (   )

(3) 원소는 자연에서만 발견되며, 인공적으로는 만들 수 없다. ····· (   )

(4) 우리 주변의 모든 물질은 원소로 이루어져 있다. ················ (   )

암기꾹

원소의 특징

난 분해되지 않는다.

원소는 더 이상 분해되지 않는다.

2 원소에 해당하는 것은 ○, 원소가 <u>아닌</u> 것은 ×로 표시하시오.

(1) 금 ························ (   ) (2) 물 ························· (   )

(3) 산소 ····················· (   ) (4) 소금 ······················ (   )

3 한 종류의 원소로 이루어진 물질을 보기에서 모두 고르시오.

{ 보기 }

ㄱ. 설탕   ㄴ. 공기   ㄷ. 바닷물
ㄹ. 다이아몬드   ㅁ. 나무젓가락   ㅂ. 알루미늄 포일

1 원소와 각 원소의 성질 및 이용에 해당하는 것을 모두 선으로 연결하시오.

(1) 산소 •

(2) 질소 •

• ㉠ 지구 대기의 약 21 %를 차지한다.
• ㉡ 다른 물질과 거의 반응하지 않는다.
• ㉢ 과자 봉지의 충전제로 이용된다.
• ㉣ 물질의 연소와 생물의 호흡에 이용된다.

암기TIP

원소의 이용

수타 우동
(수소 – 우주 왕복선)

산 속 연못과 호수
(산소 – 연소, 호흡)

헬로 바비
(헬륨 – 비행선의 충전 기체)

과학책 한 질
(과자 봉지 – 질소)
충전제

2 우리 생활에서 다음과 같이 이용되는 원소의 이름을 각각 쓰시오.

(1) 가장 가벼운 원소로, 우주 왕복선의 연료로 이용된다. ············· (   )

(2) 공기보다 가볍고 불에 타지 않으므로, 비행선의 충전 기체로 이용된다.··· (   )

(3) 산소나 물과 반응하지 않아 광택이 유지되므로, 장신구의 재료로 이용된다.

·· (   )

01 원소

D 불꽃 반응

불꽃놀이를 할 때 다양한 색이 나타나는 것은 폭죽의 성분 중에 다양한 금속 원소가 포함되어 있기 때문입니다. 지금부터 불꽃 반응 색을 이용하여 물질에 포함된 원소의 종류를 알아볼까요?

1. 불꽃 반응 : 일부 금속 원소나 금속 원소를 포함하는 물질을 불꽃에 넣었을 때 금속 원소의 종류에 따라 특정한 불꽃 반응 색이 나타나는 현상[＋]

2. 여러 가지 원소의 불꽃 반응 색

원소	리튬	나트륨	칼륨	구리	칼슘	스트론튬	바륨
불꽃 반응 색	빨간색	노란색	보라색	청록색	주황색	빨간색	황록색

3. 불꽃 반응의 특징

(1) 실험 방법이 쉽고 간단하다.

(2) 물질의 양이 적어도 물질에 포함된 금속 원소를 확인할 수 있다.

(3) 물질의 종류가 달라도 같은 금속 원소가 포함되어 있으면 불꽃 반응 색이 같다.[＋]

　예 염화 나트륨과 질산 나트륨 ➡ 나트륨을 포함하므로 불꽃 반응 색은 모두 노란색이다.

> **✚ 불꽃 반응으로 확인할 수 있는 원소**
> 불꽃 반응으로는 불꽃 반응 색이 나타나는 일부 금속 원소만 확인할 수 있을 뿐, 모든 원소를 확인할 수 있는 것은 아니다.

> **✚ 불꽃 반응 색을 나타내는 원소 확인**
> 염화 나트륨의 불꽃 반응 색이 염소에 의한 것인지 나트륨에 의한 것인지 확인하려면 염소를 포함한 다른 물질과 나트륨을 포함한 다른 물질을 각각 선택하여 불꽃 반응 색을 비교한다.

E 스펙트럼

리튬과 스트론튬은 모두 빨간색의 불꽃 반응 색이 나타납니다. 불꽃 반응 색으로 구별하기 어려운 리튬과 스트론튬을 구별할 수 있는 다른 방법은 없는지 살펴볼까요?

1. 스펙트럼 : 빛을 *분광기에 통과시킬 때 나타나는 여러 가지 색의 띠

연속 스펙트럼	선 스펙트럼[＋]
햇빛을 분광기로 관찰할 때 나타나는 연속적인 색의 띠	금속 원소의 불꽃을 분광기로 관찰할 때 특정 부분에만 나타나는 밝은 색 선의 띠

2. 선 스펙트럼의 특징

(1) 원소의 종류에 따라 선의 색깔, 위치, 개수, 굵기 등이 다르게 나타난다.

(2) 불꽃 반응 색이 비슷한 원소도 구별할 수 있다. 예 리튬과 스트론튬

(3) 물질에 몇 가지 금속 원소가 섞여 있는 경우 각 원소의 선 스펙트럼이 그대로 나타난다.

> **✚ 선 스펙트럼 관찰**
> 금속 원소의 불꽃을 분광기로 관찰하면 선 스펙트럼을 볼 수 있다.

분광기

📖 선 스펙트럼 분석

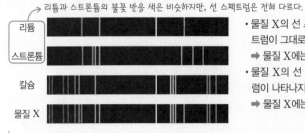

　리튬과 스트론튬의 불꽃 반응 색은 비슷하지만, 선 스펙트럼은 전혀 다르다.

리튬 / 스트론튬 / 칼슘 / 물질 X

- 물질 X의 선 스펙트럼에는 리튬과 칼슘의 선 스펙트럼이 그대로 나타난다.
  ➡ 물질 X에는 리튬과 칼슘이 포함되어 있다.
- 물질 X의 선 스펙트럼에는 스트론튬의 선 스펙트럼이 나타나지 않는다.
  ➡ 물질 X에는 스트론튬이 포함되어 있지 않다.

> | 용어 |
> • 분광기(分 나누다, 光 빛, 器 그릇) 빛의 스펙트럼을 관찰하는 데 이용하는 기구

1 (　　　　)은 일부 금속 원소나 금속 원소를 포함하는 물질을 불꽃에 넣었을 때 금속 원소의 종류에 따라 특정한 불꽃 반응 색이 나타나는 현상이다.

2 표의 (　　) 안에 알맞은 원소의 이름이나 불꽃 반응 색을 쓰시오.

원소	불꽃 반응 색	원소	불꽃 반응 색	원소	불꽃 반응 색
나트륨	㉠(　　　)	리튬	㉡(　　　)	㉢(　　　)	청록색
㉣(　　　)	보라색	스트론튬	㉤(　　　)	바륨	㉥(　　　)

암기TIP

불꽃 반응 색

청개구리야! 빨리 놀(노)아(나)
록　　　　강튬랑　트
　　　　　　　　　　　류

볼(보)까(칼)?
라　륨

3 다음 (　　) 안에 알맞은 말을 쓰시오.

> 염화 칼슘과 질산 칼슘은 공통으로 ㉠(　　　　)을 포함하고 있으므로 불꽃 반응 색은 모두 ㉡(　　　)이 나타난다.

1 다음 (　　) 안에 알맞은 말을 쓰시오.

(1) 햇빛을 분광기로 관찰할 때 나타나는 연속적인 색의 띠를 (　　　) 스펙트럼이라고 한다.

(2) 금속 원소의 불꽃을 분광기로 관찰할 때 특정 부분에만 나타나는 밝은 색 선의 띠를 (　　　) 스펙트럼이라고 한다.

암기꾹

물질에 여러 가지 금속 원소가 섞여 있는 경우의 선 스펙트럼

내 안에 너희들 있다.

물질
원소 A
원소 B

물질의 선 스펙트럼에는 금속 원소의 선 스펙트럼이 모두 합쳐져서 나타난다.

2 스펙트럼에 대한 설명으로 옳은 것은 ○, 옳지 않은 것은 ×로 표시하시오.

(1) 불꽃 반응 색이 비슷한 원소는 선 스펙트럼으로 구별할 수 있다. ……… (　　)

(2) 햇빛의 스펙트럼은 특정 부분에만 나타나는 밝은 색 선의 띠이다. ……… (　　)

(3) 선 스펙트럼은 원소에 따라 선의 색깔, 위치, 개수 등이 다르다. ……… (　　)

(4) 염화 리튬과 염화 스트론튬은 선 스펙트럼을 이용하여 구별할 수 있다. ‥ (　　)

(5) 물질에 몇 가지 금속 원소가 섞여 있으면 각 원소의 선 스펙트럼이 모두 합쳐져서 나타난다. ……………… (　　)

만화 확인하기 10쪽으로 돌아가서 내가 쓴 대사를 점검해 보자.

이 단원에서 물의 전기 분해 실험과 원소의 불꽃 반응 실험은 매우 중요해요. 집중 강의를 통해 실험 과정과 결과를 확인해 볼까요?

탐구 자료 ❶ 물의 전기 분해

관련 개념 | 10쪽 Ⓐ 물질의 기본 성분에 대한 학자들의 생각

목표 물을 분해하여 물이 원소가 아님을 확인한다. ●─ 순수한 물은 전류가 흐르지 않으므로, 전류가 잘 흐르게 하기 위해 넣는다.

과정
① 빨대 2개에 마개를 씌우고 수산화 나트륨을 조금 녹인 물을 가득 채운다.
② 플라스틱 병에 빨대를 뒤집어 세운 다음, 수산화 나트륨을 녹인 물을 약간 더 넣는다.
③ 빨대에 침핀을 꽂은 후 전류를 흘려 주면서 변화를 관찰한다.
④ (−)극의 마개를 빼면서 성냥불을 대어본다.
⑤ (+)극의 마개를 빼면서 불씨만 남은 향불을 대어본다.

마개
수산화 나트륨을 녹인 물
침핀
플라스틱 병

(−) (+)

(−)

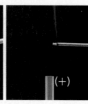
(+)

결과 및 해석
❶ (−)극과 (+)극에서 기체가 발생한다. ➡ 기체 발생량 : (+)극 < (−)극
❷ (−)극 : 성냥불이 '퍽' 하는 소리를 내며 탄다. ➡ 수소 기체 발생
❸ (+)극 : 향불이 다시 타오른다. ➡ 산소 기체 발생

결론 물은 수소와 ⓐ(   )로 분해되므로 물질의 기본 성분인 ⓑ(   )가 아니다.

답 ⓐ 산소 ⓑ 원소

탐구 자료 ❷ 원소의 불꽃 반응

관련 개념 | 14쪽 Ⓓ 불꽃 반응

목표 불꽃 반응을 통해 물질에 포함된 금속 원소를 확인한다.

과정
① 도가니에 솜을 넣고 염화 나트륨을 녹인 에탄올 수용액으로 충분히 적신다.
② 점화기로 과정 ①의 솜에 불을 붙여 불꽃 반응 색을 관찰한다.

염화 나트륨을 녹인 에탄올 수용액
도가니

➡

염화 나트륨의 불꽃 반응 색

③ 과정 ①, ②를 반복하여 준비한 시료의 불꽃 반응 색을 관찰한다.

같은 내용 다른 실험
① 니크롬선을 묽은 염산과 증류수로 씻어 불순물을 제거한다.
② 니크롬선을 토치의 겉불꽃에 넣고 색깔이 나타나지 않을 때까지 가열한다.
③ 니크롬선에 시료를 묻혀 토치의 겉불꽃에 넣고 불꽃 반응 색을 관찰한다. 이때 시료가 바뀔 때마다 과정 ①, ②를 반복한다.
●─ 겉불꽃은 온도가 매우 높고 무색이므로 불꽃 반응 색을 관찰하기 좋다.

불꽃 반응 색
니크롬선

결과 및 해석

시료	염화 나트륨	질산 나트륨	염화 칼륨	질산 칼륨	염화 구리(Ⅱ)	질산 구리(Ⅱ)
불꽃 반응 색	노란색		보라색		청록색	

❶ 나트륨의 불꽃 반응 색은 ⓐ(   )색, 칼륨의 불꽃 반응 색은 ⓑ(   )색, 구리의 불꽃 반응 색은 ⓒ(   )색이다.
❷ 같은 종류의 금속 원소가 포함되어 있으면 불꽃 반응 색이 같다.

결론 불꽃 반응을 통해 물질에 포함된 ⓓ(   )의 종류를 알 수 있다.

답 ⓐ 노란 ⓑ 보라 ⓒ 청록 ⓓ 금속 원소

01 다음은 물질을 이루는 기본 성분에 대한 학자들의 생각을 나타낸 것이다. [10쪽]

> (가) 물질은 4가지의 기본 성분으로 이루어져 있으며, 이들을 조합하면 여러 가지 물질을 만들 수 있다.
> (나) 모든 물질의 근원은 물이다.
> (다) 원소는 물질을 이루는 기본 성분으로, 더 이상 분해되지 않는 단순한 물질이다.

(가)~(다)를 주장한 학자들을 옳게 짝 지은 것은?

	(가)	(나)	(다)
①	탈레스	아리스토텔레스	보일
②	탈레스	보일	아리스토텔레스
③	아리스토텔레스	탈레스	보일
④	아리스토텔레스	보일	탈레스
⑤	보일	탈레스	아리스토텔레스

중요
02 그림과 같이 뜨거운 주철관에 물을 부었더니 주철관 안이 녹슬어 질량이 증가하였고, 집기병에는 수소가 모아졌다. [10쪽]

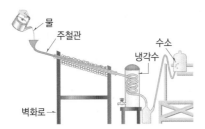

이에 대한 설명으로 옳은 것을 보기에서 모두 고른 것은?

─ 보기 ─
ㄱ. 라부아지에의 물 분해 실험이다.
ㄴ. 물은 주철관 안에서 수소와 산소로 나누어진다.
ㄷ. 물은 물질을 이루는 기본 성분임을 알 수 있다.
ㄹ. 이 실험을 통해 아리스토텔레스의 주장이 옳음을 증명하였다.

① ㄱ, ㄴ ② ㄴ, ㄷ ③ ㄷ, ㄹ
④ ㄱ, ㄴ, ㄷ ⑤ ㄴ, ㄷ, ㄹ

풀이 TIP
03 그림은 물의 전기 분해 실험 장치를 나타낸 것이다. [16쪽]

수산화 나트륨을 조금 녹인 물 — 마개
(+)극
(−)극

이에 대한 설명으로 옳지 <u>않은</u> 것은?

① (+)극에서 발생하는 기체의 부피는 (−)극에서 발생하는 기체의 부피보다 작다.
② (+)극에서 발생하는 기체에 불씨만 남은 향불을 가까이 하면 다시 타오른다.
③ (−)극에서 발생하는 기체에 성냥불을 가까이 하면 '퍽' 소리를 내며 탄다.
④ 물에 수산화 나트륨을 녹이는 까닭은 전류가 흐르는 것을 막기 위해서이다.
⑤ 이 실험에서 물은 수소와 산소로 분해되므로 원소가 아님을 알 수 있다.

중요
04 원소에 대한 설명으로 옳지 <u>않은</u> 것은? [12쪽]

① 더 이상 분해되지 않는다.
② 물질을 이루는 기본 성분이다.
③ 지금까지 알려진 원소는 120여 가지이다.
④ 원소의 종류는 물질의 종류보다 많다.
⑤ 원소 중에는 인공적으로 만든 것도 있다.

05 다음 설명에 해당하지 <u>않는</u> 것은? [12쪽]

> • 물질을 이루는 기본 성분이다.
> • 더 이상 분해할 수 없다.

① 수소 ② 산소 ③ 구리
④ 물 ⑤ 알루미늄

풀이 TIP 03 ❶ 물은 수소와 산소가 결합하여 이루어진 물질임을 안다. ❷ 물에 전류를 흘려 주면 결합해 있던 수소와 산소가 어떻게 되는지 생각해 본다. ❸ (+)극에 모인 기체는 다른 물질이 타는 것을 도와주는 성질이 있고, (−)극에 모인 기체는 스스로 잘 타는 성질이 있음을 알고 답을 찾는다.

06 원소에 해당하는 것을 보기에서 모두 고른 것은? [12쪽]

> **[보기]**
> ㄱ. 물　　　　ㄴ. 소금　　　　ㄷ. 수소
> ㄹ. 설탕　　　ㅁ. 질소　　　　ㅂ. 마그네슘
> ㅅ. 알루미늄　ㅇ. 이산화 탄소

① ㄱ, ㄴ, ㄷ, ㄹ　　　　② ㄱ, ㄹ, ㅁ, ㅇ
③ ㄴ, ㄷ, ㄹ, ㅁ　　　　④ ㄴ, ㄷ, ㅂ, ㅅ
⑤ ㄷ, ㅁ, ㅂ, ㅅ

07 다음은 몇 가지 원소의 특징을 나타낸 것이다. [12쪽]

> (가) 가장 가벼운 원소로, 우주 왕복선의 연료로 이용된다.
> (나) 지구 중심핵에 가장 많이 존재하며, 단단하여 기계, 건축 재료로 이용된다.
> (다) 지구 대기 성분의 약 21 %를 차지하며, 연소와 생물의 호흡에 필요하다.

(가)~(다)에 해당하는 원소를 옳게 짝 지은 것은?

	(가)	(나)	(다)
①	헬륨	수소	산소
②	헬륨	질소	수소
③	산소	철	수소
④	수소	헬륨	질소
⑤	수소	철	산소

08 원소의 이름과 대표적인 이용 예를 옳게 짝 지은 것은? [12쪽]

① 구리 – 전선
② 금 – 비행기 동체
③ 질소 – 장신구의 재료
④ 규소 – 비행선의 충전 기체
⑤ 헬륨 – 과자 봉지의 충전제

09 불꽃 반응에 대한 설명으로 옳지 <u>않은</u> 것은? [14쪽]

① 실험 방법이 쉽고 간단하다.
② 물질 속에 포함된 모든 원소를 구별할 수 있다.
③ 물질의 양이 적어도 불꽃 반응 색을 확인할 수 있다.
④ 같은 종류의 금속 원소가 포함되어 있으면 불꽃 반응 색이 같다.
⑤ 염화 리튬과 염화 스트론튬은 불꽃 반응 실험으로 구별하기 어렵다.

[10~11] 그림은 불꽃 반응 실험을 나타낸 것이다.

묽은 염산　시료　니크롬선　뷰테인 토치

10 풀이 TIP 이 실험에 대한 설명으로 옳은 것은? [16쪽]

① 많은 양의 시료를 사용해야 한다.
② 모든 원소는 독특한 불꽃 반응 색이 나타난다.
③ 시료를 묻힌 니크롬선은 속불꽃에 넣어야 한다.
④ 시료를 바꿀 때마다 니크롬선을 묽은 염산과 증류수로 씻는다.
⑤ 염화 리튬과 염화 나트륨은 같은 불꽃 반응 색이 나타난다.

11 이 실험에서 니크롬선을 묽은 염산과 증류수로 씻는 까닭으로 옳은 것은? [16쪽]

① 니크롬선이 녹스는 것을 막기 위해
② 불꽃 반응 색을 더 진하게 하기 위해
③ 니크롬선에 시료를 많이 묻히기 위해
④ 니크롬선에 묻은 불순물을 제거하기 위해
⑤ 니크롬선의 불꽃 반응 색을 확인하기 위해

 풀이 TIP

10 ❶ 불꽃 반응 색은 일부 금속 원소에 의해 나타남을 안다. ❷ 불꽃 반응의 특징과 실험 방법을 떠올린다. ❸ 같은 금속 원소를 포함하는 물질의 불꽃 반응 색이 같음을 확인한다.

12 다음 물질로 불꽃 반응 실험을 할 때 나타나는 불꽃 반응 색을 <u>잘못</u> 짝 지은 것은?

14쪽

① 염화 리튬 – 빨간색

② 염화 칼슘 – 주황색

③ 질산 바륨 – 보라색

④ 질산 나트륨 – 노란색

⑤ 질산 스트론튬 – 빨간색

13 시약병에 들어 있는 물질을 확인하기 위해 불꽃 반응 실험을 했더니 청록색의 불꽃 반응 색이 나타났다. 이 물질에 포함되어 있는 원소는?

14쪽

① 리튬   ② 바륨   ③ 구리

④ 칼륨   ⑤ 칼슘

14 다음 물질로 불꽃 반응 실험을 할 때 같은 불꽃 반응 색을 나타내는 물질을 모두 고른 것은?

14쪽

(가) 염화 리튬	(나) 염화 칼슘
(다) 질산 칼륨	(라) 질산 칼슘
(마) 질산 나트륨	(바) 염화 바륨

① (가), (나)   ② (나), (다)

③ (다), (라)   ④ (가), (나), (바)

⑤ (다), (라), (마)

15 염화 칼슘으로 불꽃 반응 실험을 했더니 주황색의 불꽃 반응 색이 나타났다. 이 불꽃 반응 색이 염소 때문인지, 칼슘 때문인지 확인하기 위해 추가로 불꽃 반응 실험을 해야 할 물질을 옳게 짝 지은 것은?

14쪽

① 염화 칼륨, 질산 리튬

② 염화 칼륨, 질산 나트륨

③ 염화 나트륨, 질산 칼슘

④ 황산 나트륨, 질산 칼슘

⑤ 질산 칼슘, 황산 구리(Ⅱ)

16 표는 여러 가지 물질의 불꽃 반응 색을 나타낸 것이다.

16쪽

물질	불꽃 반응 색	물질	불꽃 반응 색
질산 나트륨	노란색	질산 바륨	황록색
질산 칼륨	보라색	질산 리튬	빨간색
염화 나트륨	노란색	염화 바륨	황록색
염화 칼슘	(가)	염화 리튬	(나)

(가), (나)의 불꽃 반응 색을 순서대로 옳게 나타낸 것은?

① 노란색, 황록색   ② 황록색, 노란색

③ 보라색, 빨간색   ④ 빨간색, 보라색

⑤ 황록색, 보라색

17 불꽃 반응 실험으로 구별할 수 <u>없는</u> 물질을 옳게 짝 지은 것은?

14쪽

① 염화 칼륨, 질산 칼륨

② 질산 칼슘, 질산 칼륨

③ 염화 나트륨, 염화 칼슘

④ 질산 나트륨, 질산 칼슘

⑤ 염화 바륨, 염화 구리(Ⅱ)

---

15 ❶ 염소를 포함한 다른 물질을 선택하여 불꽃 반응 색을 확인하고, 염화 칼슘의 불꽃 반응 색과 비교한다. ❷ 칼슘을 포함한 다른 물질을 선택하여 불꽃 반응 색을 확인하고, 염화 칼슘의 불꽃 반응 색과 비교한다.   16 각 물질에 포함된 금속 원소의 종류를 확인하고, 같은 금속 원소가 포함된 물질은 불꽃 반응 색이 같음을 안다.

18 스펙트럼에 대한 설명으로 옳은 것은?

[14쪽]

① 햇빛을 분광기로 관찰하면 선 스펙트럼이 나타난다.
② 원소의 종류에 따라 선의 색깔은 다르지만, 선의 위치와 굵기는 같다.
③ 금속 원소의 불꽃을 분광기로 관찰하면 연속 스펙트럼이 나타난다.
④ 불꽃 반응 색이 비슷한 원소는 스펙트럼으로 구별하기 어렵다.
⑤ 나트륨과 칼슘이 섞여 있는 물질의 선 스펙트럼에는 두 원소의 선 스펙트럼이 모두 나타난다.

19 그림은 몇 가지 원소와 물질 (가)의 스펙트럼을 나타낸 것이다.

[14쪽]

이에 대한 설명으로 옳지 <u>않은</u> 것은?

① 모두 선 스펙트럼이다.
② 원소의 종류에 따라 스펙트럼에 나타나는 선의 개수, 위치 등이 다르다.
③ 물질 (가)에는 스트론튬과 리튬이 포함되어 있다.
④ 물질 (가)에는 칼슘이 포함되어 있지 않다.
⑤ 질산 리튬과 질산 스트론튬은 선 스펙트럼으로 구별할 수 없다.

20 그림은 원소 A, B와 물질 (가)~(다)의 선 스펙트럼을 나타낸 것이다.

[14쪽]

(가)~(다) 중 원소 A, B를 모두 포함하는 물질을 모두 고른 것은?

① (가)　　　② (나)　　　③ (다)
④ (가), (다)　　⑤ (나), (다)

21 표는 임의의 원소 A~D의 불꽃 반응 색과 선 스펙트럼을 나타낸 것이다.

[14쪽]

구분	불꽃 반응 색	선 스펙트럼
A	노란색	
B	주황색	
C	빨간색	
D	빨간색	

이에 대한 설명으로 옳은 것을 보기에서 모두 고른 것은?

┌ 보기 ┐
ㄱ. A는 B와 C에 포함되어 있다.
ㄴ. A~D는 모두 다른 종류의 원소이다.
ㄷ. C와 D는 불꽃 반응 색이 같으므로 같은 원소이다.
ㄹ. 선 스펙트럼을 이용하면 불꽃 반응 색이 비슷한 원소를 구별할 수 있다.

① ㄱ, ㄴ　　② ㄱ, ㄷ　　③ ㄱ, ㄹ
④ ㄴ, ㄷ　　⑤ ㄴ, ㄹ

20 ❶ 물질에 원소 A, B가 포함되어 있으면 각 원소의 선 스펙트럼이 모두 나타남을 안다. ❷ 원소 A, B의 선 스펙트럼에서 아래로 점선을 그어 물질 (가)~(다)의 선 스펙트럼에서 선의 위치가 모두 일치하는 것을 찾는다.　**21** 불꽃 반응 색이 비슷해도 선 스펙트럼이 다르면 다른 원소임을 떠올린다.

22 다음은 라부아지에의 물 분해 실험을 나타낸 것이다. [10쪽]

그림과 같이 장치하고 주철관을 가열하면서 주철관 안으로 물을 통과시켰다.

물 / 주철관 / 수소 / 냉각수 / 벽화로

➡ 주철관 안이 녹슬고 질량이 증가하였다.
➡ 냉각수를 통과한 집기병에 수소 기체가 모아졌다.

실험 결과를 바탕으로 물이 원소가 <u>아닌</u> 까닭을 서술하시오.

----

23 다음은 여러 가지 원소와 물질을 나타낸 것이다. [12쪽]

산소, 소금, 설탕, 물, 알루미늄, 구리, 금

원소에 해당하는 것을 모두 고르고, 원소의 구분 기준을 서술하시오.

★중요 24 풀이 TIP 다음 물질로 불꽃 반응 실험을 하였다. [14쪽]

염화 나트륨, 염화 칼륨, 황산 칼륨, 황산 구리(Ⅱ)

같은 불꽃 반응 색이 나타나는 물질의 종류를 모두 고르고, 그 까닭을 서술하시오.

----

25 리튬과 스트론튬으로 불꽃 반응 실험을 하였더니 비슷한 불꽃 반응 색이 나타나서 두 원소를 구별할 수 없었다. [14쪽]

(1) 두 원소의 불꽃 반응 색을 쓰시오.

----

(2) 두 원소를 구별할 수 있는 방법을 서술하시오.

★중요 26 그림은 원소 A~C와 물질 X의 선 스펙트럼을 나타낸 것이다. [14쪽]

원소 A
원소 B
원소 C
물질 X

(1) 물질 X에 포함되어 있는 원소를 모두 고르시오.

----

(2) (1)과 같이 답한 까닭을 서술하시오.

학습 평가하기

정답친해 2쪽으로 가서 문제를 채점한 후 학습 결과를 스스로 평가해 보세요.

맞춘 개수	23~26개	19~22개	0~18개
평가	잘함	보통	부족

➡ 정답친해에서 그 문제를 왜 틀렸는지 꼭 확인하세요!
➡ 본책에서 해당 쪽으로 돌아가서 부족한 부분을 다시 공부하세요!

22 ❶ 물은 수소와 산소가 결합하여 이루어진 물질임을 안다. ❷ 뜨거운 주철관 안으로 물을 통과시키면 물이 수소와 산소로 분해됨을 떠올린다. **24** 일부 금속 원소나 금속 원소를 포함하는 물질을 불꽃에 넣었을 때 불꽃 반응 색이 나타남을 떠올린다.

02 원자와 분자

> 다음 만화를 보고 선생님의 말풍선을 완성해 보자.

- 오존은 산소 원자로 이루어진 물질이란다.
- 오존 주의보를 발령합니다.
- 선생님, 그럼 호흡에도 이용되나요?
- 산소 원자로 이루어진 물질이 모두 호흡에 이용되는 건 아니야.
- 아~ 그렇군요.

>> 이 단원을 학습한 후 내가 쓴 대사를 수정해 보자.

A 원자

숯을 쪼개면 숯 조각이 됩니다. 그렇다면 이 숯 조각을 계속 부수면 어떻게 될까요? 물질을 계속 쪼개다 보면 더 이상 쪼갤 수 없는 입자에 도달하게 됩니다. 이제부터 더 이상 쪼갤 수 없는 입자에 대해 알아볼까요?

1. 원자 : 물질을 이루는 기본 입자[++]

(1) 원자의 구조 : (+)전하를 띠는 원자핵과 (−)전하를 띠는 전자로 이루어져 있다.

└─ 원자핵은 (+)전하를 띠는 양성자와 전하를 띠지 않는 중성자로 이루어져 있다.

원자핵
- (+)전하를 띤다.
- 원자의 중심에 위치한다.
- 원자 질량의 대부분을 차지한다.

전자
- (−)전하를 띤다.
- 원자핵 주위를 움직이고 있다.

(2) 원자의 특징

① 원자는 전기적으로 중성이다. ➡ 원자핵의 (+)전하량과 전자의 총 (−)전하량이 같기 때문

② 원자는 종류에 따라 원자핵의 전하량과 전자의 수가 다르다.

③ 원자는 지름이 10^{-10} m 정도로 매우 작아서 눈에 보이지 않는다.

④ 원자핵과 전자의 크기는 원자에 비해 매우 작다. ➡ 원자 내부는 대부분 빈 공간이다.[+]

⑤ 원자핵은 전자에 비해 질량이 매우 크다. ➡ 원자핵이 원자 질량의 대부분을 차지한다.

2. 원자 모형 : 눈에 보이지 않는 원자를 이해하기 쉽게 모형으로 나타낸 것

└─ 중심에 원자핵을 표시하고, 주위에 전자를 배치한다.

원자	리튬	탄소	산소	나트륨
원자 모형	+3	+6	+8	+11
원자핵의 전하량	+3	+6	+8	+11
전자 수(개)	3	6	8	11

┌─ 미래엔, YBM 교과서에만 나온다.

+ 고대의 원자 개념

- 데모크리토스 : 물질은 더 이상 쪼갤 수 없는 입자로 이루어져 있다.
- 아리스토텔레스 : 물질은 없어질 때까지 계속 쪼개어 나갈 수 있다.

+ 돌턴의 원자설

모든 물질은 더 이상 쪼개지지 않는 입자인 원자로 이루어져 있다.
➡ 현대적인 원자 개념을 확립하는 계기가 되었다.

+ 원자와 원자핵의 크기

원자의 크기를 경기장에 비유하면 원자핵의 크기는 개미 한 마리 정도에 해당한다.

2 mm 개미(원자핵)

◄─── 200 m 경기장(원자) ───►

|용어|

- 전하(電 전기, 荷 담당하다) 전기 현상을 일으키는 원인으로, (+)전하와 (−)전하가 있다.

한눈에
보기

이 단원의 개념이 어떻게 구성되어 있는지 살펴보고 빈칸을 완성해 보자.

원자와 분자 ─┬─ A 원자 ─── B

　　　　　 └─ 원소와 분자의 표현 ── C 원소 기호 ── D

단어
체크하기

이 단원을 공부하기 전에 미리 알고 있는 단어를 체크해 보자.

☐ 원자　　　　☐ 원자핵　　　　☐ 전자　　　　☐ 원자 모형　　　　☐ 분자

☐ 분자 모형　　☐ 원소 기호　　　☐ 베르셀리우스　　☐ 분자식

1 오른쪽 그림은 원자의 구조를 나타낸 것이다. A와 B의 이름을 각각 쓰시오.

암기꾸

원소와 원자의 구분
모든 물질은 기본 입자인 원자로 이루어지며, 원소는 원자의 종류와 관계있다.

• 과일의 **종류** : 사과, 배, 귤 ➡ **원소**의 개념

• 과일의 **개수** : 사과 3개
　　　　　　　　 배 2개　 ➡ **원자**의 개념
　　　　　　　　 귤 4개

2 원자에 대한 설명으로 옳은 것은 ○, 옳지 <u>않은</u> 것은 ×로 표시하시오.

　(1) 원자는 매우 작아서 눈에 보이지 않는다. ……………………………… (　　)

　(2) 원자는 종류에 관계없이 전자의 수가 같다. ………………………… (　　)

　(3) 원자핵은 원자 내부 공간의 대부분을 차지한다. ……………………… (　　)

　(4) 한 원자에서 원자핵의 (+)전하량과 전자의 총 (−)전하량은 같다. ……… (　　)

3 오른쪽 그림은 질소 원자와 네온 원자를 모형으로 나타낸 것이다. 각각 전자를 그려 넣어 원자 모형을 완성하시오.(단, 전자는 ⊖로 표시한다.)

질소　　　　　　　네온

02 원자와 분자

B 분자

블록을 여러 개 쌓으면 다양한 모형을 만들 수 있는 것처럼 원자도 결합하여 새로운 입자를 만들 수 있습니다. 이번에는 원자가 결합하여 만들어진 새로운 입자인 분자에 대해 알아볼까요?

1. 분자 : 독립된 입자로 존재하여 물질의 성질을 나타내는 가장 작은 입자

2. 분자의 특징

(1) 원자가 결합하여 이루어진다.⁺⁺

(2) 결합하는 원자의 종류와 수에 따라 분자의 종류가 달라진다.──● 분자의 수가 원자의 수보다 훨씬 많다.

(3) 원자로 나누어지면 물질의 성질을 잃는다.

3. 분자 모형 : 분자를 이루는 원자의 종류와 수, 배열 상태를 나타낸 모형

(⬤ : 산소 원자, ◯ : 수소 원자, ⬤ : 질소 원자, ◯ : 염소 원자)

분자	산소	물	암모니아	염화 수소
분자 모형				
분자를 이루는 원자의 종류와 수	산소 원자 2개	산소 원자 1개 수소 원자 2개	질소 원자 1개 수소 원자 3개	수소 원자 1개 염소 원자 1개

＋ 원자 1개로 이루어진 분자

헬륨, 아르곤 등은 원자 1개로 이루어져 있지만, 물질의 고유한 성질을 가지고 있으므로 분자이다.

＋ 분자의 생성

• 같은 종류의 원자가 결합한 경우

◯ + ◯ → ◯◯
수소 원자 / 수소 원자 / 수소 분자

• 다른 종류의 원자가 결합한 경우

◯◯ + ⬤ → 물 분자
수소 원자 / 산소 원자 / 물 분자

C 원소 기호

우리가 일상생활에서 여러 가지 기호를 정하여 편리하게 사용하는 것처럼 원소도 기호를 사용하여 나타내면 편리합니다. 물질을 이루는 각각의 원소는 기호로 어떻게 표현하는지 알아볼까요?

1. 원소 기호 : 원소를 나타내는 기호 ──● 세계 공통으로 사용된다.

(1) 현재 사용되는 원소 기호는 베르셀리우스가 제안하였다.⁺

(2) 원소 기호를 나타내는 방법

① 원소 이름의 알파벳에서 첫 글자를 대문자로 나타낸다.

② 첫 글자가 같은 경우 중간 글자를 선택하여 첫 글자 다음에 소문자로 나타낸다.

원소 기호 ➡	C	Ca	Cl	Cu
원소 이름 ➡	Carboneum 탄소	Calcium 칼슘	Chlorum 염소	Cuprum 구리

2. 여러 가지 원소 기호

원소 이름	원소 기호	원소 이름	원소 기호	원소 이름	원소 기호
수소	H	네온	Ne	칼슘	Ca
산소	O	인	P	수은	Hg
질소	N	황	S	금	Au
탄소	C	규소	Si	은	Ag
헬륨	He	나트륨(소듐)	Na	철	Fe
염소	Cl	칼륨(포타슘)	K	구리	Cu
아이오딘	I	마그네슘	Mg	알루미늄	Al
리튬	Li	스트론튬	Sr	바륨	Ba
플루오린	F	납	Pb	망가니즈	Mn

＋ 원소 기호의 변천

중세의 연금술사는 그림으로 나타내었고, 돌턴은 원과 기호를 사용하였으며, 베르셀리우스는 알파벳을 사용하였다.

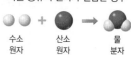

원소 이름	연금술사의 기호	돌턴의 기호
금	☉	Ⓖ
은	☽	Ⓢ
구리	♀	Ⓒ
황	♁	⊕

1 독립된 입자로 존재하여 물질의 성질을 나타내는 가장 작은 입자를 (　　　　)라고 한다.

2 분자에 대한 설명으로 옳은 것은 ○, 옳지 <u>않은</u> 것은 ×로 표시하시오.

(1) 분자는 원자가 결합하여 만들어진다. ································· (　　)

(2) 결합하는 원자의 종류와 수에 따라 분자의 종류가 달라진다. ········· (　　)

(3) 분자가 원자로 나누어지면 물질의 성질을 잃는다. ··············· (　　)

3 오른쪽 그림은 이산화 탄소 분자를 모형으로 나타낸 것이다. 이산화 탄소 분자 1개는 탄소 원자 ㉠(　　　　)개와 산소 원자 ㉡(　　　　)개로 이루어져 있다.(단, 은 탄소 원자, ●은 산소 원자이다.)

분자의 특징

나 성질 있다!

분자는 물질의 성질을 나타내는 가장 작은 입자이다.

1 현재 사용하는 원소 기호를 제안한 학자는 (　　　　)이다.

이름에서 알 수 있는 원소 기호

· 헬륨 ➡ He

· 리튬 ➡ Li

· 네온 ➡ Ne

· 나트륨 ➡ Na

· 알루미늄 ➡ Al

· 구리 ➡ Cu

· 아이오딘 ➡ I

2 원소 기호를 나타내는 방법에 대한 설명으로 옳은 것은 ○, 옳지 <u>않은</u> 것은 ×로 표시하시오.

(1) 원소 기호의 첫 글자는 항상 대문자로 나타낸다. ··············· (　　)

(2) 원소 기호의 두 번째 글자도 대문자로 나타낸다. ··············· (　　)

(3) 원소의 종류가 다르면 원소 기호가 다르다. ··················· (　　)

3 다음 (　　) 안에 알맞은 원소 기호나 원소 이름을 쓰시오.

(1) 수소 ···················· (　　)　(2) (　　) ···················· He

(3) 산소 ···················· (　　)　(4) (　　) ···················· Na

(5) 마그네슘 ·············· (　　)　(6) (　　) ···················· Cl

(7) 칼륨 ···················· (　　)　(8) (　　) ···················· Ca

(9) 철 ······················· (　　)　(10) (　　) ···················· Hg

D 분자식

원소를 기호로 나타낼 수 있는 것처럼 원자들이 결합하여 만들어진 다양한 물질도 원소 기호를 이용하여 나타낼 수 있습니다. 이제부터 분자를 원소 기호로 나타내는 방법을 알아볼까요?

1. 분자식 : 원소 기호를 사용하여 분자를 이루는 원자의 종류와 수를 나타낸 것

└ 화학식 : 원소 기호를 이용하여 물질을 간단히 나타낸 것으로, 분자식은 화학식의 한 종류이다.

분자식을 나타내는 방법

① 분자를 이루는 원자의 종류를 원소 기호로 쓴다.
② 분자 1개를 이루는 원자의 수를 원소 기호의 오른쪽 아래에 작은 숫자로 표시한다.(단, 1은 생략)
③ 분자의 수는 분자식 앞에 숫자로 표시한다.

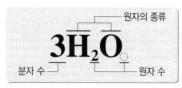

$$3H_2O$$

분자 수 ── 원자 수
원자의 종류 ── 원자 수

⊙ 물 분자 3개

＋ 분자식으로 알 수 있는 것

분자식	$3H_2O$
분자의 종류	물
분자의 수	3개
분자를 이루는 원자의 종류	수소, 산소
분자 1개를 이루는 원자의 수	3개
원자의 총개수	9개

2. 여러 가지 분자 모형과 분자식

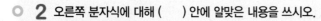
└ 같은 종류의 원자로 이루어진 분자라도 원자의 수가 다르면 서로 다른 물질이다.

분자	수소	염화 수소	산소	오존	암모니아
분자 모형					
분자식	H_2	HCl	O_2	O_3	NH_3
분자	일산화 탄소	이산화 탄소	물	과산화 수소	메테인
분자 모형					
분자식	CO	CO_2	H_2O	H_2O_2	CH_4

＋ 구리와 염화 나트륨의 원소 기호

독립된 분자를 이루지 않고 입자들이 연속해서 규칙적으로 배열된 물질은 원자의 수를 정해서 나타낼 수 없다.
· 구리 : 구리 원자 한 종류만으로 이루어져 있다. ➡ Cu
· 염화 나트륨 : 나트륨과 염소의 개수비가 1 : 1이다. ➡ NaCl

Cu   NaCl

---

1 원소 기호를 사용하여 분자를 이루는 원자의 종류와 수를 나타낸 것을 (   )이라고 한다.

2 오른쪽 분자식에 대해 (   ) 안에 알맞은 내용을 쓰시오.

(1) 분자의 종류 : (   )
(2) 분자의 총개수 : (   )개
(3) 분자를 이루는 원자의 종류 : (   )
(4) 분자 1개를 이루는 원자의 수 : (   )개
(5) 분자를 이루는 원자의 총개수 : (   )개

$$2NH_3$$

암기 꼭

분자식으로 알 수 있는 것

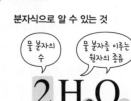

물 분자의 수 / 물 분자를 이루는 원자의 종류

$$2H_2O$$

수소 원자의 수 / 산소 원자의 수 (1은 생략)

3 표의 (   ) 안에 알맞은 분자식을 쓰시오.

분자 모형	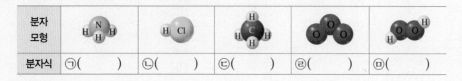				
분자식	㉠( )	㉡( )	㉢( )	㉣( )	㉤( )

만화 확인하기

22쪽으로 돌아가서 내가 쓴 대사를 점검해 보자.

이해 쏙쏙 집중강의

원소 기호와 분자식에 대한 문제는 시험에 자주 출제되는 중요한 내용이에요. 먼저 원소를 기호로 나타내는 방법과 분자를 식으로 표현하는 방법을 알아보고, 유형별 문제를 차근차근 연습해 볼까요?

핵심 자료 ❶ 원소 기호 익히기

[원소 기호를 나타내는 방법]
❶ 원소 이름의 알파벳에서 첫 글자를 **대문자**로 나타낸다.

| 수소 | Hydrogen | ➡ H |
| 탄소 | Carboneum | ➡ C |

❷ 첫 글자가 같을 때는 중간 글자를 택하여 첫 글자 다음에 **소문자**로 나타낸다.

| 헬륨 | Helium | ➡ He |
| 염소 | Chlorum | ➡ Cl |

01 원소를 원소 기호로 나타내시오.

원소 이름		원소 기호
질소	Nitrogen	㉠
나트륨	Natrium	㉡
네온	Neon	㉢
붕소	Boron	㉣
바륨	Barium	㉤
베릴륨	Beryllium	㉥

02 원소를 원소 기호로 나타내시오.

원소 이름	원소 기호	원소 이름	원소 기호
수소	㉠	알루미늄	㉡
탄소	㉢	염소	㉣
산소	㉤	수은	㉥
인	㉦	구리	㉧
칼륨	㉨	칼슘	㉩

03 원소 기호에 해당하는 원소의 이름을 쓰시오.

원소 기호	원소 이름	원소 기호	원소 이름
C	㉠	Mg	㉡
N	㉢	Si	㉣
F	㉤	Fe	㉥
S	㉦	Ag	㉧
I	㉨	Au	㉩

핵심 자료 ❷ 분자식 나타내기

[분자식을 나타내는 방법]
❶ 분자를 이루는 원자의 종류를 원소 기호로 쓴다.
❷ 분자를 이루는 원자의 수를 원소 기호의 오른쪽 아래에 작은 숫자로 쓴다.(단, 1은 생략)
❸ 분자의 수는 분자의 앞에 숫자로 쓴다.
예 암모니아 분자 4개의 분자식

$4NH_3$
- 암모니아 분자의 개수
- 질소와 수소의 원소 기호
- 질소 원자의 개수(1은 생략함)
- 수소 원자의 개수

01 분자를 분자식으로 나타내시오.

분자 이름	분자식	분자 이름	분자식
수소	㉠	염화 수소	㉡
산소	㉢	오존	㉣
일산화 탄소	㉤	이산화 탄소	㉥
물	㉦	과산화 수소	㉧
암모니아	㉨	메테인	㉩

02 분자 모형을 분자식으로 나타내시오.

분자 모형	분자식	분자 모형	분자식
	㉠		㉡
	㉢		㉣

03 분자식에 해당하는 분자의 이름을 쓰시오.

분자식	분자 이름	분자식	분자 이름
O_2	㉠	O_3	㉡
HCl	㉢	NH_3	㉣
CH_4	㉤	H_2	㉥
H_2O	㉦	H_2O_2	㉧
CO	㉨	CO_2	㉩

01 원자에 대한 설명으로 옳지 <u>않은</u> 것은? [22쪽]

① 물질을 이루는 기본 입자이다.

② 원자는 원자핵과 전자로 이루어져 있다.

③ 원자핵은 전자에 비해 질량이 매우 작다.

④ 원자는 전기적으로 중성이다.

⑤ 원자는 종류에 따라 원자핵의 (+)전하량이 다르다.

02 오른쪽 그림은 원자의 구조를 모형으로 나타낸 것이다. 이에 대한 설명으로 옳지 <u>않은</u> 것은? [22쪽] 풀이TIP

① A는 원자핵, B는 전자이다.

② A는 (+)전하를 띠고, B는 (−)전하를 띤다.

③ A는 원자 질량의 대부분을 차지한다.

④ B는 A 주위를 움직이고 있다.

⑤ A의 전하량은 B의 총 전하량보다 많다.

03 표는 원자의 종류에 따른 원자핵의 전하량과 전자 수를 나타낸 것이다. [22쪽] 풀이TIP

원자	헬륨	리튬	탄소	산소	나트륨
원자핵의 전하량	①( )	+3	③( )	+8	⑤( )
전자 수(개)	2	②( )	6	④( )	11

(   ) 안에 들어갈 내용으로 옳은 것은?

① 2　　　　② −3　　　　③ +6

④ 6　　　　⑤ 11

04 오른쪽 그림은 탄소 원자를 모형으로 나타낸 것이다. 이에 대한 설명으로 옳은 것을 보기에서 모두 고른 것은? [22쪽]

{ 보기 }

ㄱ. 원자핵의 전하량은 +6이다.

ㄴ. 전자의 수는 6개이다.

ㄷ. 전자의 총 전하량은 −1이다.

ㄹ. 원자핵과 전자의 전하의 총합은 0이다.

① ㄱ, ㄴ　　　　② ㄴ, ㄷ　　　　③ ㄷ, ㄹ

④ ㄱ, ㄴ, ㄹ　　　　⑤ ㄴ, ㄷ, ㄹ

05 원자가 전기적으로 중성인 까닭은? [22쪽]

① 전자가 (−)전하를 띠기 때문

② 원자핵이 (+)전하를 띠기 때문

③ 전자가 원자핵 주위를 돌고 있기 때문

④ 원자핵과 전자가 강하게 결합하고 있기 때문

⑤ 원자핵의 (+)전하량과 전자의 총 (−)전하량이 같기 때문

06 원자 개념에 대한 학자들의 주장으로 옳은 것을 보기에서 모두 고른 것은? [22쪽]

{ 보기 }

ㄱ. 데모크리토스는 물질이 더 이상 쪼갤 수 없는 입자로 이루어져 있다고 주장하였다.

ㄴ. 아리스토텔레스는 물질을 계속 쪼개면 결국 없어진다고 주장하였다.

ㄷ. 돌턴은 물질은 더 이상 쪼개지지 않는 원자로 이루어져 있다고 주장하였다.

① ㄷ　　　　② ㄱ, ㄴ　　　　③ ㄱ, ㄷ

④ ㄴ, ㄷ　　　　⑤ ㄱ, ㄴ, ㄷ

풀이 TIP　**02** ❶ 원자는 원자핵과 전자로 이루어짐을 안다. ❷ 원자를 이루는 입자의 특징을 생각한다. ❸ 원자는 전기적으로 중성임을 떠올린다. **03** ❶ 원자는 전기적으로 중성임을 안다. ❷ 전자의 총 전하량은 전자의 수×(−1)의 값임을 떠올린다.

07 분자에 대한 설명으로 옳지 <u>않은</u> 것은? [24쪽]

① 물질의 성질을 나타내는 가장 작은 입자이다.
② 원자가 결합하여 이루어진다.
③ 결합하는 원자의 종류와 수에 따라 분자의 종류가 달라진다.
④ 원자로 나누어져도 물질의 성질을 잃지 않는다.
⑤ 같은 종류의 원자로 이루어져 있어도 원자의 수가 다르면 다른 물질이다.

중요
08 풀이TIP 그림은 원자가 결합하여 만들어진 두 종류의 분자를 모형으로 나타낸 것이다. [24쪽]

(가)   (나)

이에 대한 설명으로 옳지 <u>않은</u> 것은?(단, ●은 탄소 원자, ●은 산소 원자이다.)

① (가)와 (나)는 독립된 입자로 존재한다.
② (가)는 일산화 탄소 분자이고, (나)는 이산화 탄소 분자이다.
③ (가)는 탄소 원자 1개와 산소 원자 1개가 결합하여 만들어진다.
④ (나)는 탄소 원자 1개와 산소 원자 2개가 결합하여 만들어진다.
⑤ (가)를 이루는 원자의 종류는 2가지이고, (나)를 이루는 원자의 종류는 3가지이다.

09 다음은 물의 구성 성분에 대한 설명이다. 원소, 원자, 분자 중 ( ) 안에 알맞은 말을 쓰시오. [24쪽]

> 물 ㉠(   )는 수소 ㉡(   ) 2개와 산소 ㉢(   ) 1개로 이루어진다. 따라서 수소와 산소는 물을 이루는 성분 ㉣(   )이다.

10 풀이TIP 원소 기호에 대한 설명으로 옳지 <u>않은</u> 것은? [24쪽]

① 원소의 종류에 따라 원소 기호가 다르다.
② 현재 사용되는 원소 기호는 베르셀리우스가 제안하였다.
③ 첫 글자는 대문자, 두 번째 글자는 소문자로 나타낸다.
④ 항상 두 글자의 알파벳으로 나타낸다.
⑤ 중세의 연금술사들은 그림으로, 돌턴은 원과 기호를 사용하여 원소 기호를 나타내었다.

중요
11 원소의 이름과 원소 기호를 옳게 짝 지은 것은? [24쪽]

① 칼륨 – Ca   ② 수은 – H   ③ 나트륨 – Na
④ 탄소 – Cl   ⑤ 은 – Au

중요
12 표는 여러 가지 원소 기호를 나타낸 것이다. [24쪽]

원소 이름	원소 기호	원소 이름	원소 기호
헬륨	㉠( )	㉡( )	Li
철	㉢( )	㉣( )	O
구리	㉤( )	마그네슘	Mg

( ) 안에 들어갈 원소 기호나 원소 이름으로 옳지 <u>않은</u> 것은?

① ㉠ – He   ② ㉡ – 리튬   ③ ㉢ – F
④ ㉣ – 산소   ⑤ ㉤ – Cu

중요
13 분자의 이름과 분자식을 <u>잘못</u> 짝 지은 것은? [26쪽]

① 질소 – N_2 ② 염화 수소 – HCl
③ 물 – H_2O ④ 암모니아 – NH_3
⑤ 이산화 탄소 – CO

---

08 ❶ 분자의 정의를 떠올린다. ❷ 분자 모형을 통해 분자의 종류, 분자를 이루는 원자의 종류와 수를 파악한다.   10 ❶ 원소 기호의 의미와 특징을 생각한다. ❷ 원소를 기호로 나타내는 방법을 떠올려 답을 찾는다.

14 오른쪽 분자식에 대한 설명으로 옳지 <u>않은</u> 것은? `26쪽`

$$3CO_2$$

① 이산화 탄소의 분자식이다.
② 분자 수는 3개이다.
③ 원자의 총개수는 9개이다.
④ 분자 1개를 이루는 원자의 수는 5개이다.
⑤ 분자를 이루는 원자의 종류는 탄소와 산소이다.

15 다음은 여러 가지 물질의 분자식을 나타낸 것이다. `26쪽`

| (가) $3O_3$ | (나) $2HCl$ | (다) $2NH_3$ |

이에 대한 설명으로 옳지 <u>않은</u> 것은?

① 분자의 수는 (가)가 가장 많다.
② 원자의 총개수는 (나)가 가장 많다.
③ 분자 1개를 이루는 원자의 수는 (다)가 가장 많다.
④ (가)~(다)는 모두 물질의 성질을 나타낸다.
⑤ (가)는 한 종류, (나)와 (다)는 두 종류의 원자로 이루어진 물질이다.

16 분자식과 분자 모형을 <u>잘못</u> 짝 지은 것은? `26쪽`

① O_2 –
② CH_4 –
③ CO_2 –
④ NH_3 –
⑤ H_2O_2 –

17 분자식으로 알 수 있는 사실이 <u>아닌</u> 것은? `26쪽`

① 원자의 총개수
② 분자의 총개수
③ 분자를 이루는 원자의 배열
④ 분자를 이루는 원자의 종류
⑤ 분자 1개를 이루는 원자의 수

18 다음 분자식 중 원자의 총개수가 가장 많은 것은? `26쪽`

① $2HCl$ ② $3N_2$ ③ $2H_2O$
④ $2CH_4$ ⑤ $3CO_2$

19 그림은 몇 가지 물질을 모형으로 나타낸 것이다. `26쪽`

(가)   (나)   (다)   (라)

이에 대한 설명으로 옳지 <u>않은</u> 것은?

① (가)와 (나)는 독립된 입자로 존재한다.
② (가)와 (다)는 한 종류의 원자로 이루어진 물질이다.
③ (나)는 두 종류의 원자로 이루어진 물질이다.
④ (라)는 두 종류의 입자가 연속해서 규칙적으로 배열된 물질이다.
⑤ (다)와 (라)는 물질을 이루는 원자의 종류와 수를 이용하여 분자식으로 나타낼 수 있다.

---

 14 ❶ 분자식의 의미를 떠올린다. ❷ 분자를 이루는 각 원자의 종류와 수를 파악한다. **19** ❶ 물질이 독립된 입자로 존재하는지 또는 입자들이 규칙적으로 배열되어 있는지 확인한다. ❷ 규칙적으로 배열되어 있는 물질의 종류와 특징을 떠올린다.

서술형 문제

20 풀이 **TIP** ［22쪽］
표는 몇 가지 원자의 전자 수를 나타낸 것이다.

구분	리튬	산소	플루오린
전자 수(개)	3	8	9

각 원자 모형을 그림으로 나타내시오.(단, 전자는 ⊖로 표시한다.)

⬆ 리튬   ⬆ 산소   ⬆ 플루오린

중요
21 ［22쪽］
원자를 이루는 원자핵과 전자는 모두 전하를 띠는데, 원자는 전기적으로 중성이다. 그 까닭을 원자핵과 전자의 전하량을 이용하여 서술하시오.

----

22 ［24쪽］
그림은 수소 분자와 메테인 분자를 모형으로 나타낸 것이다.

⬆ 수소   ⬆ 메테인

두 분자를 이루는 원자의 종류와 수를 서술하시오.(단, ◯은 수소 원자, ⬤은 탄소 원자이다.)

중요
23 ［26쪽］
그림은 여러 가지 물질을 분자 모형으로 나타낸 것이다.

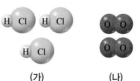

(가)   (나)   (다)

(1) (가)~(다)의 분자 모형을 분자식으로 각각 나타내시오.

----

(2) 분자식으로 분자를 표현했을 때 알 수 있는 사실을 두 가지만 서술하시오.

----

24 ［26쪽］
그림은 물과 과산화 수소를 분자 모형으로 나타낸 것이다.

⬆ 물   ⬆ 과산화 수소

물과 과산화 수소는 모두 수소와 산소로 이루어져 있지만 서로 다른 물질인 까닭을 서술하시오.

학습 평가하기

정답친해 5쪽으로 가서 문제를 채점한 후 학습 결과를 스스로 평가해 보세요.

맞춘 개수	21~24개	17~20개	0~16개
평가	잘함	보통	부족

➜ 정답친해에서 그 문제를 왜 틀렸는지 꼭 확인하세요!
➜ 본책에서 해당 쪽으로 돌아가서 부족한 부분을 다시 공부하세요!

20 ❶ 원자는 원자핵과 전자로 이루어짐을 안다. ❷ 원자는 전기적으로 중성임을 떠올린다. ❸ 원자 모형을 나타낼 때는 원자의 중심에 원자핵을 표시하고, 원자핵 주위에 전자를 배치한다.

이온

만화 완성하기

다음 만화를 보고 질산 이온(NO_3^-)의 말풍선을 완성해 보자.

» 이 단원을 학습한 후 내가 쓴 대사를 수정해 보자.

A 이온

우리가 마시는 이온 음료에는 나트륨이나 염소 등의 이온이 녹아 있고, 휴대 전화에는 리튬 이온 전지를 사용합니다. 이때 말하는 이온이란 무엇일까요? 지금부터 이온이 무엇인지 알아보아요.

이온 : 원자가 전자를 잃거나 얻어서 전하를 띠는 입자 ++

(1) **양이온** : 원자가 전자를 잃어서 (+)전하를 띠는 입자

(2) **음이온** : 원자가 전자를 얻어서 (−)전하를 띠는 입자

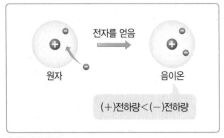

↑ 양이온 형성　　　　↑ 음이온 형성

＋ 이온 형성과 원자핵의 전하량
이온은 원자가 전자를 잃거나 얻어서 형성되므로 원자핵의 전하량은 변하지 않는다.

📖 **이온이 형성될 때 전자의 이동**

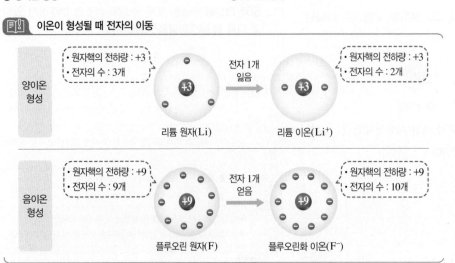

＋ 우리 몸의 이온
우리 몸을 구성하는 체액에는 산소와 이산화 탄소, 영양소 외에도 나트륨 이온, 칼륨 이온, 칼슘 이온 등이 녹아 있다. 이들 이온은 생명을 유지하는 데 중요한 역할을 한다.

이 단원의 개념이 어떻게 구성되어 있는지 살펴보고 빈칸을 완성해 보자.

이온

A 이온 — B — C 이온의 전하 확인

이온의 확인 — D

이 단원을 공부하기 전에 미리 알고 있는 단어를 체크해 보자.

☐ 이온   ☐ 양이온   ☐ 음이온   ☐ 전하   ☐ 앙금
☐ 앙금 생성 반응   ☐ 염화 은   ☐ 아이오딘화 납   ☐ 탄산 칼슘   ☐ 황산 바륨

1 원자가 전자를 잃거나 얻어서 전하를 띠는 입자를 ( )이라고 한다.

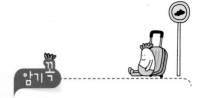

양이온과 음이온

↑ 양이온

↑ 음이온

전자 잃으면 양이온, 전자 얻으면 음이온

2 이온에 대한 설명으로 옳은 것은 ○, 옳지 않은 것은 ×로 표시하시오.

(1) 원자가 전자를 잃으면 음이온이 된다. ········· ( )
(2) 음이온은 (−)전하량이 (+)전하량보다 많다. ······ ( )
(3) 양이온은 (+)전하를 띠고, 음이온은 (−)전하를 띤다. ······ ( )

3 오른쪽 그림은 어떤 원자와 이온을 모형으로 나타낸 것이다. (가)~(다)를 원자, 양이온, 음이온으로 각각 구분하시오.

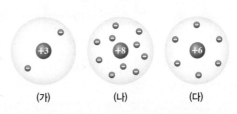
(가)   (나)   (다)

B 이온의 표시와 이름
앞에서 이온이 무엇인지 배웠으니, 이제부터 이온을 표시하는 방법과 여러 가지 이온의 이름과 이온식을 확인해 볼까요?

1. 이온의 표시 방법

구분	양이온	음이온
이온식	원소 기호의 오른쪽 위에 잃거나 얻은 전자 수와 전하의 종류를 함께 표시한다. (단, 1은 생략) 원소 기호 — 잃은 전자 수 Na^+ — 전하의 종류 나트륨 이온	원소 기호 — 얻은 전자 수 S^{2-} — 전하의 종류 황화 이온
이름	원소 이름 뒤에 '~ 이온'을 붙인다. 예 Li^+ : 리튬 이온 　　Ca^{2+} : 칼슘 이온	원소 이름 뒤에 '~화 이온'을 붙인다. 단, 원소 이름이 '소'로 끝나는 경우는 '소'를 뺀다. 예 Cl^- : 염화 이온(염소의 '소' 생략) 　　O^{2-} : 산화 이온(산소의 '소' 생략)

2. 여러 가지 이온의 이온식

양이온				음이온			
이름	이온식	이름	이온식	이름	이온식	이름	이온식
수소 이온	H^+	구리 이온	Cu^{2+}	염화 이온	Cl^-	산화 이온	O^{2-}
칼륨 이온	K^+	마그네슘 이온	Mg^{2+}	플루오린화이온	F^-	황화 이온	S^{2-}
나트륨 이온	Na^+	칼슘 이온	Ca^{2+}	아이오딘화이온	I^-	황산 이온	SO_4^{2-}
은 이온	Ag^+	바륨 이온	Ba^{2+}	수산화 이온	OH^-	탄산 이온	CO_3^{2-}
리튬 이온	Li^+	납 이온	Pb^{2+}	질산 이온	NO_3^-		
암모늄 이온	NH_4^+	알루미늄 이온	Al^{3+}				

+ 이온의 형성을 식으로 나타내기
- 양이온 형성 : 전자를 잃는다.
  $H \longrightarrow H^+ + \ominus$
  $Cu \longrightarrow Cu^{2+} + 2\ominus$
- 음이온 형성 : 전자를 얻는다.
  $Cl + \ominus \longrightarrow Cl^-$
  $O + 2\ominus \longrightarrow O^{2-}$

+ 다원자 이온
암모늄 이온(NH_4^+), 황산 이온(SO_4^{2-}) 등과 같이 여러 개의 원자가 모여서 이루어진 이온을 다원자 이온이라고 한다.

C 이온의 전하 확인
크기가 매우 작고 색을 띠지 않는 이온이 전하를 띠는 것을 눈으로 확인할 수 있을까요? 지금부터 그 방법을 확인해 보아요.

이온의 전하 확인 : 이온이 들어 있는 수용액에 전원 장치를 연결하면 양이온은 (−)극으로, 음이온은 (+)극으로 이동하므로 전류가 흐른다. ➡ 이온이 전하를 띠기 때문

📖 이온의 이동 방향

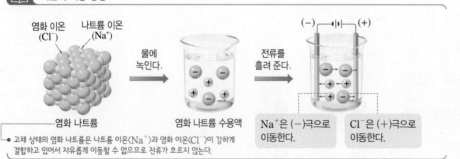

염화 이온(Cl^-)　나트륨 이온(Na^+) / 염화 나트륨 → 물에 녹인다. → 염화 나트륨 수용액 → 전류를 흘려 준다. → (−) (+)

Na^+은 (−)극으로 이동한다.　Cl^-은 (+)극으로 이동한다.

● 고체 상태의 염화 나트륨은 나트륨 이온(Na^+)과 염화 이온(Cl^-)이 강하게 결합하고 있어서 자유롭게 이동할 수 없으므로 전류가 흐르지 않는다.

● 비상 교과서에만 나온다.
+ 전류가 흐르는 물질과 전류가 흐르지 않는 물질
- 염화 나트륨 수용액 : 전류가 흐른다. ➡ 염화 나트륨은 물에 녹아 이온으로 나누어지기 때문
- 설탕 수용액 : 전류가 흐르지 않는다. ➡ 설탕은 물에 녹아 이온으로 나누어지지 않기 때문

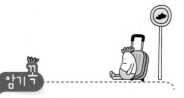

1 수소 이온을 이온식으로 나타내면 ㉠( )이고, O^{2-}의 이름은 ㉡( ) 이온 이다.

2 그림은 원자가 이온이 되는 과정을 모형으로 나타낸 것이다.

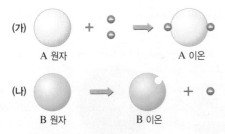

(가) A 원자 + → A 이온

(나) B 원자 → B 이온 +

(가)와 (나)에서 형성된 이온의 이온식을 각각 쓰시오.(단, A와 B는 임의의 원소 기호 이다.)

3 표의 ( ) 안에 알맞은 이온식이나 원소의 이름을 쓰시오.

이름	이온식	이름	이온식
나트륨 이온	㉠( )	㉡( ) 이온	Cu^{2+}
㉢( ) 이온	NH_4^+	염화 이온	㉣( )
황화 이온	㉤( )	㉥( ) 이온	CO_3^{2-}

1 이온의 전하 확인에 대한 설명으로 옳은 것은 ○, 옳지 <u>않은</u> 것은 ×로 표시하시오.

(1) 이온이 들어 있는 수용액은 전류가 흐른다. ·· ( )
(2) 염화 나트륨 수용액과 설탕 수용액은 모두 전류가 흐른다. ························· ( )
(3) 이온이 들어 있는 수용액에 전류를 흘려 주면 이온이 반대 전하를 띤 전극으로 이동한다. ·· ( )

2 다음 ( ) 안에 알맞은 말을 쓰시오.

> 염화 나트륨 수용액에 전원을 연결하면 나트륨 이온은 ㉠( )극으로, 염 화 이온은 ㉡( )극으로 이동하여 전류가 흐른다.

D 앙금 생성 반응

조개의 단단한 껍데기는 바닷물에 녹아 있는 칼슘 이온과 조개의 몸에서 분비된 탄산 이온이 반응하여 만들어진 것입니다. 이와 같은 반응이 일어나는 여러 가지 예를 확인해 볼까요?

1. 앙금 : 양이온과 음이온이 반응하여 생성되는 물에 녹지 않는 물질[+]

2. 앙금 생성 반응 : 서로 다른 두 수용액을 섞었을 때 이온들이 반응하여 앙금을 생성하는 반응 ➡ 수용액에 들어 있는 이온을 확인할 수 있다.

 **앙금 생성 반응 모형**

[염화 나트륨 수용액과 질산 은 수용액][+]

은 이온(Ag^+)과 염화 이온(Cl^-)이 반응하여 흰색 앙금인 염화 은($AgCl$)이 생성된다.

➡ $Ag^+ + Cl^- \longrightarrow AgCl\downarrow$(흰색)[+]

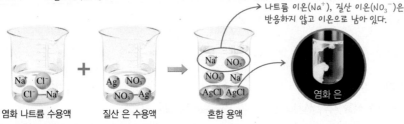

나트륨 이온(Na^+), 질산 이온(NO_3^-)은 반응하지 않고 이온으로 남아 있다.

염화 나트륨 수용액 ｜ 질산 은 수용액 ｜ 혼합 용액 ｜ 염화 은

[아이오딘화 칼륨 수용액과 질산 납 수용액]

납 이온(Pb^{2+})과 아이오딘화 이온(I^-)이 반응하여 노란색 앙금인 아이오딘화 납(PbI_2)이 생성된다.

➡ $Pb^{2+} + 2I^- \longrightarrow PbI_2\downarrow$(노란색)

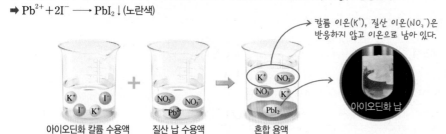

칼륨 이온(K^+), 질산 이온(NO_3^-)은 반응하지 않고 이온으로 남아 있다.

아이오딘화 칼륨 수용액 ｜ 질산 납 수용액 ｜ 혼합 용액 ｜ 아이오딘화 납

3. 여러 가지 앙금 생성 반응

수용액	앙금 생성 반응	
염화 칼슘 수용액 + 탄산 나트륨 수용액	Ca^{2+} + CO_3^{2-} ⟶ $CaCO_3\downarrow$(흰색) 칼슘 이온　탄산 이온　　탄산 칼슘	
질산 바륨 수용액 + 황산 칼륨 수용액	Ba^{2+} + SO_4^{2-} ⟶ $BaSO_4\downarrow$(흰색) 바륨 이온　황산 이온　　황산 바륨	
염화 구리(II) 수용액 + 황화 나트륨 수용액	Cu^{2+} + S^{2-} ⟶ $CuS\downarrow$(검은색) 구리 이온　황화 이온　　황화 구리(II)	

4. 앙금 생성 반응을 이용한 이온의 확인[+]

> 물질 속 특정 금속 양이온의 경우 불꽃 반응으로 확인할 수 있고, 앙금을 생성하는 이온의 경우 앙금 생성 반응으로 확인할 수 있다.

(1) 수돗물 속 염화 이온 : 은 이온을 이용하여 검출 ➡ $Ag^+ + Cl^- \longrightarrow AgCl\downarrow$

(2) 폐수 속 납 이온 : 아이오딘화 이온을 이용하여 검출 ➡ $Pb^{2+} + 2I^- \longrightarrow PbI_2\downarrow$

[+] 앙금을 생성하지 않는 이온

나트륨 이온(Na^+), 칼륨 이온(K^+), 암모늄 이온(NH_4^+), 질산 이온(NO_3^-) 등

[+] 이온이 결합하여 생성된 물질의 이름

양이온과 음이온이 결합하여 생성된 물질은 음이온의 이름을 먼저 읽고 양이온의 이름을 나중에 읽는다.

예 $NaCl$ ➡ 염화 나트륨
　 $AgNO_3$ ➡ 질산 은
　 $AgCl$ ➡ 염화 은

[+] 앙금의 표시

앙금은 물에 녹지 않고 가라앉는다는 의미로 물질의 오른쪽에 ↓ 기호로 표시한다.

[+] 앙금과 관련된 현상의 예

· 조개의 단단한 껍데기나 산호는 탄산 칼슘이 주성분이다.
· 지하수를 보일러 용수로 오래 사용하면 보일러 관 안에 관석(탄산 칼슘)이 생겨 열이 잘 전달되지 않는다.
· 위나 장을 검사하기 위해 X선 촬영을 할 때 마시는 조영제는 황산 바륨이 주성분이다.

앙금의 색깔 외우기
- $\underline{I}$ 포함 노란색
  $Pb\underline{I}_2$
- $\underline{S}$ 포함 검은색
  $Cu\underline{S}$
- 이 외의 앙금은 대부분 흰색
  $AgCl$, $CaCO_3$, $BaSO_4$

1 서로 다른 두 수용액을 섞었을 때 양이온과 음이온이 결합하여 생성되는 물에 녹지 않는 물질을 (　　　)이라고 한다.

2 그림은 염화 나트륨 수용액과 질산 은 수용액의 반응을 모형으로 나타낸 것이다.

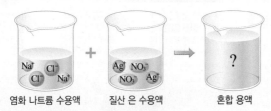

염화 나트륨 수용액　　질산 은 수용액　　혼합 용액

이 반응 결과 생성되는 앙금의 이름을 쓰시오.

3 표는 두 가지 이온이 반응하여 생성되는 앙금과 색깔을 나타낸 것이다. (　　) 안에 알맞은 내용을 쓰시오.

양이온	음이온	앙금	색깔
Ag^+	Cl^-	㉠(　　　)	흰색
Pb^{2+}	I^-	㉡(　　　)	㉢(　　　)
Ca^{2+}	CO_3^{2-}	$CaCO_3$	㉣(　　　)
Ba^{2+}	㉤(　　　)	$BaSO_4$	흰색

4 앙금 생성 반응에 대한 설명으로 옳은 것은 ○, 옳지 않은 것은 ×로 표시하시오.

(1) 서로 다른 수용액을 섞으면 항상 앙금이 생성된다. …………………… (　　　)

(2) 칼슘 이온과 탄산 이온이 반응하면 흰색 앙금이 생성된다. ………… (　　　)

(3) 아이오딘화 납 앙금이 생성되는 반응의 식은 $Pb^{2+} + 2I^- \longrightarrow PbI_2\downarrow$ 이다.

……………………………………………………………………… (　　　)

5 물에 녹지 않는 물질을 보기에서 모두 고르시오.

보기
ㄱ. 염화 은　　　　　ㄴ. 황산 나트륨　　　ㄷ. 황산 바륨
ㄹ. 질산 칼륨　　　　ㅁ. 황화 구리(Ⅱ)　　ㅂ. 염화 칼슘

6 수돗물 속 염화 이온은 ㉠(　　　) 이온과 반응하여 흰색 앙금을 생성하고, 공장 폐수 속 납 이온은 ㉡(　　　) 이온과 반응하여 노란색 앙금을 생성한다.

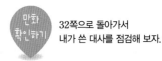

32쪽으로 돌아가서 내가 쓴 대사를 점검해 보자.

이 단원에서 이온의 전하 확인 실험과 앙금 생성 반응 실험은 매우 중요해요. 집중 강의를 통해 실험 과정과 결과를 확인해 볼까요?

탐구 자료 ① 이온의 전하 확인

관련 개념 ㅣ 34쪽 **C** 이온의 전하 확인

목표

이온의 이동을 관찰하여 이온이 전하를 띠고 있음을 확인한다.

과정

① 페트리 접시에 질산 칼륨 수용액을 넣은 후 그림과
  같이 전원 장치를 연결한다. ┌─● 전류가 잘 흐르게 하기 위해 넣는다.
② 페트리 접시 중앙에 황산 구리(Ⅱ) 수용액을 떨어뜨
  린 후 변화를 관찰한다.
③ 과망가니즈산 칼륨 수용액을 이용하여 과정 ①, ②
  를 반복한다.

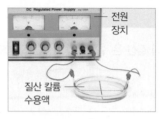

각 수용액에 들어 있는 이온

수용액	양이온	음이온
황산 구리(Ⅱ) ($CuSO_4$)	Cu^{2+} 파란색	SO_4^{2-} 무색
과망가니즈산 칼륨 ($KMnO_4$)	K^+ 무색	MnO_4^- 보라색
질산 칼륨 (KNO_3)	K^+ 무색	NO_3^- 무색

결과 및 해석

파란색 성분은 (−)극으로 이동한다.
➡ 파란색 성분은 (+)전하를 띠는 구리 이온 (Cu^{2+})이다.

보라색 성분은 (+)극으로 이동한다.
➡ 보라색 성분은 (−)전하를 띠는 과망가니즈산 이온(MnO_4^-)이다.

결론

이온이 들어 있는 수용액에 전류를 흘려 주면 ⑦(   )은 (−)극으로, ⓒ(   )은 (+)극으로 이동한다. ➡ 이온은 전하를 띠고 있다.

정답 ⑦ 양이온 ⓒ 음이온

탐구 자료 ② 앙금 생성 반응

관련 개념 ㅣ 36쪽 **D** 앙금 생성 반응

목표

앙금을 생성하는 반응을 이용하여 수용액에 들어 있는 이온을 확인한다.

과정

① 실험지의 첫 번째와 두 번째 줄에 염화 나
  트륨, 염화 칼슘, 질산 칼슘, 질산 나트륨
  수용액을 한 방울씩 떨어뜨린다.
② 첫 번째 가로줄의 수용액 위에 질산 은 수
  용액을 한 방울씩 떨어뜨리고 앙금 생성
  여부를 관찰한다.
③ 두 번째 가로줄의 수용액 위에 탄산 나트
  륨 수용액을 한 방울씩 떨어뜨리고 앙금
  생성 여부를 관찰한다.

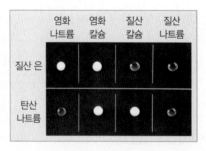

결과 및 해석

수용액	염화 나트륨 (Na^+, Cl^-)	염화 칼슘 (Ca^{2+}, Cl^-)	질산 칼슘 (Ca^{2+}, NO_3^-)	질산 나트륨 (Na^+, NO_3^-)
질산 은(Ag^+, NO_3^-)	흰색 앙금	흰색 앙금	×	×
탄산 나트륨(Na^+, CO_3^{2-})	×	흰색 앙금	흰색 앙금	×

❶ 은 이온과 염화 이온이 반응하면 흰색 앙금인 ⑦(   )이 생성된다.
  ➡ $Ag^+ + Cl^- \longrightarrow AgCl\downarrow$
❷ 칼슘 이온과 탄산 이온이 반응하면 흰색 앙금인 ⓒ(   )이 생성된다.
  ➡ $Ca^{2+} + CO_3^{2-} \longrightarrow CaCO_3\downarrow$

정답 ⑦ 염화 은 ⓒ 탄산 칼슘

01 이온에 대한 설명으로 옳은 것은? `32쪽`

① 원자가 전자를 잃으면 음이온이 된다.

② 원자가 전자를 얻으면 양이온이 된다.

③ 양이온은 (＋)전하량이 (－)전하량보다 많다.

④ 나트륨 원자와 나트륨 이온은 전자 수가 같다.

⑤ 리튬 이온은 리튬 원자보다 원자핵의 전하량이 많다.

02 그림은 임의의 원자 A, B가 이온이 되는 과정을 모형으로 나타낸 것이다. `32쪽`

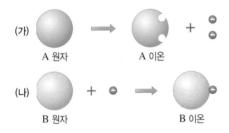

(가) A 원자 → A 이온 +
(나) B 원자 + → B 이온

이에 대한 설명으로 옳은 것은?

① A 이온은 음이온, B 이온은 양이온이다.

② A 이온의 이온식은 A^{2-}이다.

③ A 원자는 A 이온보다 전자가 2개 더 많다.

④ B 원자는 B 이온보다 전자가 1개 더 많다.

⑤ (가)와 (나)에서 이온이 될 때 원자핵의 전하량이 변한다.

03 그림은 두 가지 이온을 모형으로 나타낸 것이다. `32쪽`

(가)   (나)

이에 대한 설명으로 옳지 않은 것은?

① (가)는 양이온, (나)는 음이온이다.

② (가)와 (나)는 전자 수가 같다.

③ (가)와 (나)는 전기적으로 중성이다.

④ (가)는 원자가 전자 1개를 잃어 형성된다.

⑤ (나)는 원자가 전자 1개를 얻어 형성된다.

04 표는 이온 (가)~(라)의 원자핵의 전하량과 전자 수를 나타낸 것이다. `32쪽`

이온	(가)	(나)	(다)	(라)
원자핵의 전하량	+3	+8	+9	+12
전자 수(개)	2	10	10	10

(가)~(라) 중 양이온을 모두 고른 것은?

① (가), (나)   ② (가), (라)   ③ (나), (다)

④ (나), (라)   ⑤ (다), (라)

05 오른쪽 이온식에 대한 설명으로 옳은 것은?(단, 산소 원자의 전자 수는 8개이다.) `34쪽`

$$O^{2-}$$

① 전기적으로 중성이다.

② 산소 이온이라고 읽는다.

③ 산소 원자가 전자 1개를 얻어 형성된 이온이다.

④ 이 이온의 전자 수는 10개이다.

⑤ 원자핵의 (＋)전하량과 전자의 총 (－)전하량이 같다.

06 이온이 형성되는 과정을 식으로 옳게 나타낸 것은? `34쪽`

① $H + \ominus \longrightarrow H^-$

② $Cl \longrightarrow Cl^+ + \ominus$

③ $S + 2\ominus \longrightarrow S^{2-}$

④ $Cu \longrightarrow Cu^+ + \ominus$

⑤ $Ca + 2\ominus \longrightarrow Ca^{2-}$

07 원자 1개가 전자를 가장 많이 잃어서 형성된 이온은? `34쪽`

① K^+ ② F^- ③ S^{2-}

④ Al^{3+} ⑤ Cu^{2+}

  02 ❶ (가)는 전자를 잃는 과정, (나)는 전자를 얻는 과정임을 파악한다. ❷ 각 이온을 이온식으로 표시한다. ❸ 원자와 이온이 가진 원자핵의 전하량과 전자 수를 비교한다. **06** ❶ 각 이온의 이온식을 떠올린다. ❷ 양이온과 음이온이 되는 전하를 확인하여 답을 찾는다.

08
그림은 이온의 형성 과정을 모형으로 나타낸 것이다.

[34쪽]

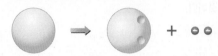

이와 같은 과정으로 이온이 형성되는 것은?

① Na　　　　② H　　　　③ Mg

④ O　　　　⑤ Cl

중요 09
이온식과 이온의 이름을 잘못 짝 지은 것은?

[34쪽]

① Na^+ – 나트륨 이온　　② Ca^{2+} – 칼슘 이온

③ Cl^- – 염소 이온　　④ SO_4^{2-} – 황산 이온

⑤ OH^- – 수산화 이온

중요 10
그림은 염화 나트륨을 물에 녹여 전원을 연결했을 때의 변화를 나타낸 것이다.

[34쪽]

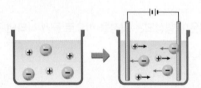

염화 나트륨 수용액에 전류가 흐르는 까닭을 가장 잘 설명한 것은?

① 염화 나트륨이 물에 잘 녹기 때문

② 수용액에서 분자로 존재하기 때문

③ 양이온과 음이온이 서로 끌어당기기 때문

④ 양이온과 음이온이 같은 전하를 띤 전극으로 이동하기 때문

⑤ 양이온과 음이온이 반대 전하를 띤 전극으로 이동하기 때문

11
오른쪽 그림과 같이 질산 칼륨 수용액에 전극을 담갔더니 전구에 불이 켜졌다. 이에 대한 설명으로 옳지 않은 것은?

[34쪽]

① 질산 칼륨 수용액은 전류가 흐른다.

② 질산 칼륨 수용액에는 이온이 들어 있다.

③ 이온이 전하를 띠고 있음을 알 수 있다.

④ 질산 이온은 (−)극, 칼륨 이온은 (+)극으로 이동한다.

⑤ 질산 칼륨 수용액 대신 설탕 수용액을 사용하면 전류가 흐르지 않는다.

[12~13] 그림과 같이 질산 칼륨 수용액을 넣은 페트리 접시에 전원 장치를 연결하고 황산 구리(Ⅱ) 수용액과 과망가니즈산 칼륨 수용액을 떨어뜨렸다.

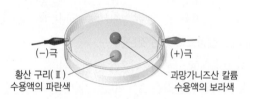

(−)극　　　　　　　　　　　　(+)극

황산 구리(Ⅱ)　　　　　　　과망가니즈산 칼륨
수용액의 파란색　　　　　수용액의 보라색

중요 12
풀이 TIP

이 실험에 대한 설명으로 옳은 것은?

[38쪽]

① 파란색은 (+)극으로 이동한다.

② 보라색은 (−)극으로 이동한다.

③ 질산 이온과 황산 이온은 이동하지 않는다.

④ 양이온은 (−)극으로, 음이온은 (+)극으로 이동한다.

⑤ 질산 칼륨 수용액 대신 증류수를 사용해도 된다.

13
풀이 TIP

(+)극과 (−)극으로 이동하는 이온을 모두 옳게 짝 지은 것은?

[38쪽]

	(+)극	(−)극
①	K^+	Cu^{2+}
②	Cu^{2+}, K^+	SO_4^{2-}, NO_3^-
③	K^+, NO_3^-	Cu^{2+}, MnO_4^-
④	MnO_4^-	SO_4^{2-}
⑤	$SO_4^{2-}, MnO_4^-, NO_3^-$	Cu^{2+}, K^+

풀이 TIP

12~13 ❶ 황산 구리(Ⅱ), 과망가니즈산 칼륨, 질산 칼륨이 이온으로 나누어졌을 때 생성되는 이온을 파악한다. ❷ 이온의 이동 방향을 떠올려 (+)극과 (−)극으로 이동하는 이온을 각각 찾는다. ❸ 이 실험에서 질산 칼륨 수용액의 역할을 생각한다.

14 염화 나트륨 수용액과 질산 은 수용액을 혼합했을 때의 모형을 옳게 나타낸 것은? [36쪽]

15 그림은 질산 납 수용액과 아이오딘화 칼륨 수용액을 혼합했을 때의 반응을 모형으로 나타낸 것이다. [36쪽]

질산 납 수용액   아이오딘화 칼륨 수용액   혼합 용액

이에 대한 설명으로 옳지 <u>않은</u> 것은?

① 노란색 앙금이 생성된다.

② 생성된 앙금은 아이오딘화 납이다.

③ A는 K^+이고, B는 NO_3^-이다.

④ 앙금이 생성되는 반응은 $Pb^{2+}+2I^- \longrightarrow PbI_2\downarrow$ 이다.

⑤ 앙금이 생성된 후 혼합 용액에는 전류가 흐르지 않는다.

16 다음 두 물질의 수용액을 혼합할 때 앙금이 생성되는 경우를 모두 고르면?(2개) [36쪽]

① 염화 칼륨＋질산 칼륨

② 염화 나트륨＋질산 은

③ 질산 바륨＋황산 칼륨

④ 탄산 나트륨＋질산 칼륨

⑤ 황산 구리(Ⅱ)＋염화 나트륨

17 앙금의 이름과 색깔을 옳게 나타낸 것은? [36쪽]

	앙금	색깔
①	염화 은	검은색
②	탄산 칼슘	흰색
③	아이오딘화 납	흰색
④	황화 구리(Ⅱ)	흰색
⑤	황산 바륨	노란색

18 그림과 같이 염화 나트륨, 염화 칼슘, 질산 칼슘 수용액에 탄산 칼륨 수용액을 각각 떨어뜨렸다. [36쪽]

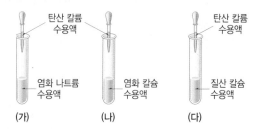

(가)   (나)   (다)

이에 대한 설명으로 옳은 것은?

① (가)에서 흰색 앙금이 생성된다.

② (나)에서는 $K^++Cl^- \longrightarrow KCl\downarrow$ 의 반응이 일어난다.

③ (다)에서 생성된 앙금은 질산 칼륨이다.

④ (나)와 (다)에서 생성된 앙금은 같은 물질이다.

⑤ (다)에서 칼슘 이온은 반응에 참여하지 않는다.

19 염화 칼슘 수용액을 떨어뜨렸을 때 앙금이 생성되는 물질의 수용액을 보기에서 모두 고른 것은? [38쪽]

[보기]
ㄱ. 질산 나트륨   ㄴ. 질산 은
ㄷ. 탄산 나트륨   ㄹ. 질산 바륨

① ㄱ, ㄴ   ② ㄴ, ㄷ   ③ ㄷ, ㄹ

④ ㄱ, ㄴ, ㄷ   ⑤ ㄴ, ㄷ, ㄹ

---

15 ❶ 질산 납 수용액과 아이오딘화 칼륨 수용액에서 앙금을 생성하는 이온을 떠올린다. ❷ 반응에 참여하지 않는 이온 중 A, B를 찾는다. ❸ 수용액에서 전류가 흐를 수 있는 조건을 생각한다.   16 ❶ 물질이 이온으로 나누어졌을 때 생성되는 양이온과 음이온을 써 본다. ❷ 앙금을 생성할 수 있는 양이온과 음이온의 조합을 찾는다.

20 그림은 A 수용액과 탄산 나트륨 수용액의 반응을 모형으로 나타낸 것이다. [36쪽]

A 수용액	탄산 나트륨 수용액	혼합 용액
(가)	(나)	(다)

이에 대한 설명으로 옳지 <u>않은</u> 것은?

① A는 염화 칼슘이다.
② 생성된 앙금은 노란색의 탄산 칼슘이다.
③ 염화 이온과 나트륨 이온은 반응하지 않는다.
④ A 수용액 대신 질산 칼슘 수용액을 사용해도 생성되는 앙금의 종류는 같다.
⑤ (가)~(다) 수용액은 모두 전류가 흐른다.

21 표와 같이 서로 다른 두 가지 수용액을 반응시켰다. [36쪽]

수용액	염화 칼슘	질산 은	황산 나트륨
염화 나트륨	(가)	(나)	(다)
염화 바륨	(라)	(마)	(바)

(가)~(바) 중 앙금이 생성되는 경우를 모두 고른 것은?

① (가), (나), (마) ② (가), (다), (라)
③ (나), (라), (마) ④ (나), (마), (바)
⑤ (다), (라), (마)

22 공장 폐수 속에 들어 있는 금속 이온을 확인하기 위해 아이오딘화 칼륨 수용액을 넣었더니 노란색 앙금이 생성되었다. 이 폐수에 들어 있을 것으로 예상되는 이온은? [36쪽]

① K^+ ② Pb^{2+} ③ Ba^{2+}
④ Na^+ ⑤ Ca^{2+}

23 어떤 물질 X를 확인하기 위해 다음과 같이 실험하였다. [36쪽]

- X 수용액에 탄산 칼륨 수용액을 떨어뜨렸더니 흰색 앙금이 생성되었다.
- X 수용액에 질산 은 수용액을 떨어뜨렸더니 흰색 앙금이 생성되었다.
- X 수용액으로 불꽃 반응 실험을 했더니 주황색의 불꽃 반응 색이 나타났다.

물질 X로 예상되는 것은?

① 질산 칼슘 ② 염화 바륨 ③ 염화 칼슘
④ 염화 나트륨 ⑤ 탄산 나트륨

24 세 가지 양이온이 포함되어 있는 수용액에서 이온을 확인하기 위해 다음과 같은 실험을 하였다. [36쪽]

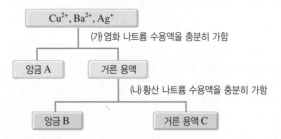

이에 대한 설명으로 옳지 <u>않은</u> 것은?

① 앙금 A는 염화 은이다.
② 앙금 B는 황산 바륨이다.
③ 앙금 A와 B는 흰색이다.
④ 거른 용액 C에 들어 있는 양이온은 2종류이다.
⑤ (나)에서 황산 나트륨 수용액 대신 질산 나트륨 수용액을 사용해도 된다.

23 ❶ 탄산 칼륨 수용액, 질산 은 수용액과 반응하여 앙금을 생성하는 이온을 찾는다. ❷ 주황색의 불꽃 반응 색을 나타내는 원소를 떠올린다. **24** ❶ 염화 나트륨 수용액, 황산 나트륨 수용액과 반응하여 앙금을 생성하는 이온을 찾는다. ❷ 거른 용액 C에는 가해 준 수용액에서 반응하지 않은 이온이 포함되어 있음을 떠올린다.

서술형 문제

중요 풀이 TIP 32쪽

25 그림은 몇 가지 이온을 모형으로 나타낸 것이다.

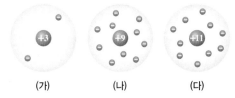

| (가) | (나) | (다) |

(가)~(다) 중 음이온을 고르고, 그 까닭을 서술하시오.

34쪽

26 그림은 마그네슘 원자가 마그네슘 이온으로 되는 과정을 모형으로 나타낸 것이다.

이 모형을 참고하여 마그네슘 원자가 이온이 되는 과정을 전자와 관련지어 서술하시오.

34쪽

27 그림은 이온이 들어 있는 수용액에서 전류의 흐름을 모형으로 나타낸 것이다.

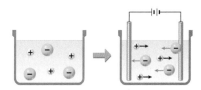

이 모형을 참고하여 질산 칼륨 수용액에 전원을 연결했을 때 전류가 흐르는 까닭을 서술하시오.

중요 풀이 TIP 38쪽

28 그림과 같이 장치하고 질산 칼륨 수용액이 들어 있는 페트리 접시에 파란색의 황산 구리(Ⅱ) 수용액을 떨어뜨렸다.

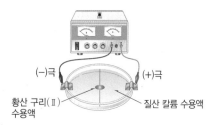

(−)극   (+)극
황산 구리(Ⅱ)   질산 칼륨 수용액
수용액

이 실험에서 파란색의 이동 방향을 쓰고, 그 까닭을 서술하시오.

36쪽

29 그림과 같이 질산 칼륨 수용액을 적신 거름종이 위의 한쪽에는 아이오딘화 칼륨 수용액을, 다른 쪽에는 질산 납 수용액을 떨어뜨린 후 전류를 흘려 주었더니 시간이 지난 후 두 수용액 사이에서 노란색이 나타났다.

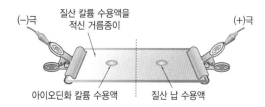

(−)극   질산 칼륨 수용액을   (+)극
적신 거름종이

아이오딘화 칼륨 수용액   질산 납 수용액

이 실험 결과 노란색이 나타난 까닭을 서술하시오.

36쪽

30 수돗물은 염소 소독을 하기 때문에 염화 이온을 포함한다. 수돗물에 들어 있는 염화 이온의 확인 방법을 서술하시오.

----

25 ❶ 각 이온에서 원자핵의 (+)전하량과 전자의 총 (−)전하량을 써 본다. ❷ 원자핵의 (+)전하량과 전자의 총 (−)전하량의 크기를 비교하여 양이온과 음이온을 구별한다. **28** ❶ 황산 구리(Ⅱ)가 이온으로 나누어졌을 때 양이온과 음이온은 무엇인지 떠올린다. ❷ 파란색은 어떤 이온에 의해 나타나는 색인지 찾는다.

01 원소

1. 물질을 이루는 기본 성분에 대한 학자들의 생각

탈레스	모든 물질의 근원은 물이다.
아리스토텔레스	만물은 물, 불, 흙, 공기의 4가지 기본 성분으로 되어 있고, 이들이 조합하여 여러 물질이 만들어진다.
보일	원소는 물질을 이루는 기본 성분으로, 더 이상 분해되지 않는 단순한 물질이다. ➡ 현대적인 원소의 개념 제시
라부아지에	실험을 통해 물이 수소와 산소로 분해되는 것을 확인하여, 물이 원소가 아님을 증명하였다. ➡ 아리스토텔레스의 생각이 옳지 않음 증명

2. 원소 : 더 이상 다른 물질로 분해되지 않으면서 물질을 이루는 기본 성분

(1) 현재까지 알려진 원소의 종류는 120여 가지이다.

　예 수소, 산소, 탄소, 질소, 구리, 철, 은, 금, 알루미늄 등

(2) 90여 가지는 자연에서 발견된 것이고, 그 밖의 원소는 인공적으로 만든 것이다.

(3) 우리 주변의 모든 물질은 원소로 이루어져 있다.

(4) 원소의 이용

수소	산소	철	금
우주 왕복선 연료	물질 연소, 생물 호흡	기계, 건축 재료	장신구 재료
헬륨	구리	규소	질소
비행선 충전 기체	전선	반도체 소자	과자 봉지 충전제

3. 원소를 확인하는 방법

(1) **불꽃 반응** : 일부 금속 원소나 금속 원소를 포함하는 물질을 불꽃에 넣었을 때 금속 원소의 종류에 따라 특정한 불꽃 반응 색이 나타나는 현상

① 여러 가지 원소의 불꽃 반응 색

리튬	나트륨	칼륨	구리	칼슘	스트론튬	바륨
빨간색	노란색	보라색	청록색	주황색	빨간색	황록색

② 불꽃 반응의 특징

- 실험 방법이 쉽고 간단하다.
- 물질의 양이 적어도 물질에 포함된 금속 원소를 확인할 수 있다.
- 물질의 종류가 달라도 같은 금속 원소가 포함되어 있으면 불꽃 반응 색이 같다.

(2) **스펙트럼** : 빛을 분광기에 통과시킬 때 나타나는 여러 가지 색의 띠

① 스펙트럼의 종류 : 연속 스펙트럼, 선 스펙트럼

② 선 스펙트럼의 특징

- 금속 원소의 종류에 따라 선의 색깔, 위치, 굵기, 개수 등이 다르게 나타난다.
- 불꽃 반응 색이 비슷한 원소를 구별할 수 있다.
- 물질에 몇 가지 금속 원소가 섞여 있는 경우 각 원소의 선 스펙트럼이 그대로 나타난다.

02 원자와 분자

1. 원자 : 물질을 이루는 기본 입자

(1) **원자의 구조** : 원자핵과 전자로 이루어져 있다.

원자핵 ── 전자

원자핵	전자
• (+)전하를 띤다. • 원자의 중심에 위치한다. • 원자 질량의 대부분을 차지한다.	• (−)전하를 띤다. • 원자핵 주위를 움직이고 있다.

(2) **원자의 특징**

① 지름이 10^{-10} m 정도로 매우 작아서 눈에 보이지 않는다.

② 원자핵과 전자의 크기는 원자의 크기에 비해 매우 작다. ➡ 원자 내부는 대부분 빈 공간이다.

③ 전기적으로 중성이다. ➡ 원자핵의 (+)전하량과 전자의 총 (−)전하량이 같기 때문

④ 원자의 종류에 따라 원자핵의 전하량과 전자 수가 다르다.

2. 분자 : 독립된 입자로 존재하여 물질의 성질을 나타내는 가장 작은 입자

(1) 원자가 결합하여 이루어진다.

(2) 결합하는 원자의 종류와 수에 따라 분자의 종류가 달라진다.

(3) 원자로 나누어지면 물질의 성질을 잃는다.

3. 원소와 분자의 표현

(1) 원소 기호를 나타내는 방법

원소 이름의 알파벳에서 첫 글자를 대문자로 표현	**Fe**	첫 글자가 같을 때는 중간 글자를 선택하여 소문자로 표현

(2) 여러 가지 원소 기호

원소 이름	원소 기호	원소 이름	원소 기호
수소	H	나트륨(소듐)	Na
산소	O	칼슘	Ca
염소	Cl	구리	Cu

(3) 분자식을 나타내는 방법

방법	예 (물 분자 2개)
① 분자를 이루는 원자의 종류를 원소 기호로 쓴다.	H, O
② 분자를 이루는 원자의 수를 원소 기호의 오른쪽 아래에 작은 숫자로 쓴다.(단, 1은 생략)	H_2O
③ 분자의 개수는 분자식 앞에 숫자로 쓴다.	$2H_2O$

(4) 여러 가지 분자 모형과 분자식

분자	이산화 탄소	물	암모니아	메테인
분자 모형	O C O	O H H	N H H H	C H H H H
분자식	CO_2	H_2O	NH_3	CH_4

03 이온

1. 이온 : 원자가 전자를 잃거나 얻어서 전하를 띠는 입자

(1) 양이온과 음이온

양이온	음이온
원자가 전자를 잃어서 (+) 전하를 띠는 입자	원자가 전자를 얻어서 (−) 전하를 띠는 입자

(2) 이온의 표시와 이름

구분	양이온	음이온
이온의 표시	원소 기호의 오른쪽 위에 잃은 전자 수와 + 기호 표시	원소 기호의 오른쪽 위에 얻은 전자 수와 − 기호 표시
	원소 기호 **Na**$^+$ 전자 1개를 잃음(단, 1은 생략) 나트륨 이온	원소 기호 **S**$^{2-}$ 전자 2개를 얻음 황화 이온
이름	원소 이름 뒤에 '이온'을 붙인다.	원소 이름 뒤에 '화 이온'을 붙인다.(단, 원소 이름 끝의 '소' 생략)

(3) 이온의 전하 확인 : 이온이 들어 있는 수용액에 전원 장치를 연결하면 (+)전하를 띠는 양이온은 (−)극으로, (−)전하를 띠는 음이온은 (+)극으로 이동한다.

➡ 이온이 전하를 띠기 때문

2. 이온의 확인

(1) 앙금 : 양이온과 음이온이 결합하여 생성되는 물에 녹지 않는 물질

(2) 앙금 생성 반응 : 두 수용액을 섞을 때 이온들이 반응하여 앙금을 생성하는 반응

수용액	앙금 생성 반응
질산 은 수용액 + 염화 나트륨 수용액	Ag^+ + Cl^- ⟶ $AgCl\downarrow$ (흰색) 은 이온 염화 이온 염화 은
질산 납 수용액 + 아이오딘화 칼륨 수용액	Pb^{2+} + $2I^-$ ⟶ $PbI_2\downarrow$ (노란색) 납 이온 아이오딘화 이온 아이오딘화 납
염화 칼슘 수용액 + 탄산 나트륨 수용액	Ca^{2+} + CO_3^{2-} ⟶ $CaCO_3\downarrow$ (흰색) 칼슘 이온 탄산 이온 탄산 칼슘
질산 바륨 수용액 + 황산 칼륨 수용액	Ba^{2+} + SO_4^{2-} ⟶ $BaSO_4\downarrow$ (흰색) 바륨 이온 황산 이온 황산 바륨
염화 구리(Ⅱ) 수용액 + 황화 나트륨 수용액	Cu^{2+} + S^{2-} ⟶ $CuS\downarrow$ (검은색) 구리 이온 황화 이온 황화 구리(Ⅱ)

(3) 앙금 생성 반응을 이용한 이온의 확인

① 수돗물 속 염화 이온 : 은 이온을 이용하여 검출

➡ $Ag^+ + Cl^- \longrightarrow AgCl\downarrow$

② 폐수 속 납 이온 : 아이오딘화 이온을 이용하여 검출

➡ $Pb^{2+} + 2I^- \longrightarrow PbI_2\downarrow$

01 원소

1. 불꽃 반응 색과 선 스펙트럼 분석

금속 원소	불꽃 반응 색	선 스펙트럼
스트론튬	❶	
칼슘	❷	
리튬	❸	
물질 X의 선 스펙트럼		

• 물질 X의 선 스펙트럼에는 금속 원소인 (❹   )과 (❺   )이 포함되어 있다.
• 물질에 여러 가지 금속 원소가 섞여 있는 경우 각 원소의 스펙트럼이 모두 (❻   ) 나타난다.

02 원자와 분자

1. 원자의 구조

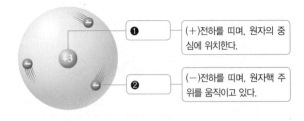

❶   (+)전하를 띠며, 원자의 중심에 위치한다.
❷   (−)전하를 띠며, 원자핵 주위를 움직이고 있다.

2. 원자 모형 분석

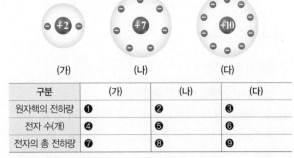

(가)   (나)   (다)

구분	(가)	(나)	(다)
원자핵의 전하량	❶	❷	❸
전자 수(개)	❹	❺	❻
전자의 총 전하량	❼	❽	❾

➡ 원자핵의 (+)전하량과 전자의 총 (−)전하량이 같으므로 원자는 전기적으로 (❿   )이다.

03 이온

1. 이온 형성 과정

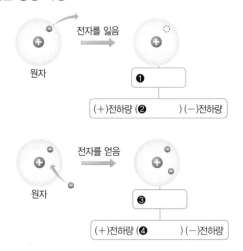

원자 → 전자를 잃음 → ❶
(+)전하량 (❷   ) (−)전하량

원자 → 전자를 얻음 → ❸
(+)전하량 (❹   ) (−)전하량

2. 이온의 전하 확인

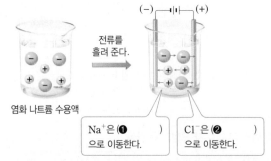

염화 나트륨 수용액 → 전류를 흘려 준다.

Na^+은 (❶   )으로 이동한다.
Cl^-은 (❷   )으로 이동한다.

➡ 이온이 들어 있는 수용액에 전류를 흘려 주면 양이온은 (❸   )극으로, 음이온은 (❹   )극으로 이동한다.

3. 앙금 생성 반응

질산 납 수용액 + 아이오딘화 칼륨 수용액 → 혼합 용액

• 반응하지 않고 남아 있는 이온 : A − (❶   ), B − (❷   )
• 반응하여 앙금을 생성하는 이온 : (❸   ), (❹   )
• 앙금 생성 반응 : (❺   )+2(❻   ) → (❼   )↓

01 원소

01 다음은 물질을 이루는 기본 성분에 대한 학자들의 생각을 나타낸 것이다.

> (가) 원소는 물질을 이루는 기본 성분으로, 더 이상 분해되지 않는 단순한 물질이다.
> (나) 만물은 물, 불, 흙, 공기로 이루어져 있고, 이들이 조합하여 여러 물질이 만들어진다.

(가), (나)를 주장한 학자를 순서대로 옳게 나타낸 것은?

① 보일, 라부아지에
② 보일, 아리스토텔레스
③ 아리스토텔레스, 보일
④ 아리스토텔레스, 라부아지에
⑤ 라부아지에, 아리스토텔레스

02 그림과 같이 뜨거운 주철관에 물을 부었더니 주철관 안이 녹슬고, 집기병에는 수소가 모아졌다.

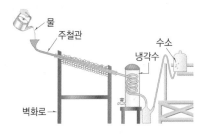

이 실험을 통해 알 수 있는 사실을 모두 고르면?(2개)

① 물은 원소가 아니다.
② 모든 물질의 근원은 물이다.
③ 원소는 다른 물질로 분해될 수 있다.
④ 만물은 4가지의 기본 성분으로 되어 있다.
⑤ 아리스토텔레스의 주장이 옳지 않음을 증명하였다.

03 다음 (   ) 안에 공통으로 들어갈 말로 옳은 것은?

> • 물은 수소와 산소로 분해되므로 (   )가 아니다.
> • 우리 주변의 모든 물질은 (   )로 이루어져 있다.

① 원자   ② 원소   ③ 분자
④ 이온   ⑤ 전자

04 오른쪽 그림은 물의 전기 분해 장치를 나타낸 것이다. 이에 대한 설명으로 옳은 것을 보기에서 모두 고른 것은?

물+수산화 나트륨
(−) (+)
전원 장치

〔 보기 〕
ㄱ. (+)극에서 산소 기체, (−)극에서 수소 기체가 발생한다.
ㄴ. 발생하는 기체의 부피는 수소보다 산소가 많다.
ㄷ. (−)극에서 발생한 기체에 성냥불을 가까이 하면 '퍽' 소리를 내며 탄다.

① ㄱ   ② ㄴ   ③ ㄷ
④ ㄱ, ㄷ   ⑤ ㄴ, ㄷ

05 물질을 이루는 기본 성분만을 옳게 짝 지은 것은?

① 물, 공기   ② 수소, 물
③ 구리, 나트륨   ④ 염화 수소, 알루미늄
⑤ 이산화 탄소, 산소

06 한 종류의 원소로 이루어진 물질은?

① 소금   ② 설탕   ③ 공기
④ 바닷물   ⑤ 알루미늄 포일

07 원소의 이름과 이용 예를 옳게 짝 지은 것은?

① 철 – 과자 봉지의 충전제
② 규소 – 우주 왕복선의 연료
③ 헬륨 – 비행선의 충전 기체
④ 산소 – 건물이나 다리의 철근
⑤ 질소 – 생물의 호흡과 물질의 연소

08 다음 설명에 해당하는 원소는?

> 가장 가벼운 원소로, 우주 왕복선의 연료로 이용된다.

① 수소   ② 산소   ③ 질소
④ 헬륨   ⑤ 염소

09 그림은 불꽃 반응 실험 과정을 나타낸 것이다.

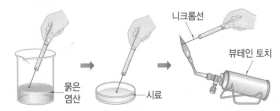

이에 대한 설명으로 옳지 <u>않은</u> 것은?

① 일부 금속 원소를 확인할 수 있다.
② 적은 양의 시료로도 불꽃 반응 색을 확인할 수 있다.
③ 시료를 묻힌 니크롬선은 토치의 속불꽃에 넣고 불꽃 반응 색을 관찰한다.
④ 니크롬선은 묽은 염산과 증류수로 깨끗이 씻어 사용한다.
⑤ 칼슘의 불꽃 반응 색은 주황색이고, 칼륨의 불꽃 반응 색은 보라색이다.

10 다음 물질을 이용하여 불꽃 반응 실험을 할 때 관찰할 수 있는 불꽃 반응 색이 <u>아닌</u> 것은?

| 염화 구리(Ⅱ) | 질산 바륨 | 염화 칼슘 |
| 염화 리튬 | 질산 칼륨 | 황산 구리(Ⅱ) |

① 황록색   ② 주황색   ③ 청록색
④ 노란색   ⑤ 빨간색

11 라벨을 붙이지 않은 질산 칼륨 수용액과 질산 나트륨 수용액을 구별하기 위해 사용하는 방법으로 가장 적당한 것은?

① 냄새를 맡는다.
② 불꽃 반응 실험을 한다.
③ 수용액의 색깔을 비교한다.
④ 손으로 만져 촉감을 비교한다.
⑤ 각 수용액의 질량을 측정하여 비교한다.

12 그림은 두 종류의 스펙트럼을 나타낸 것이다.

(가)   (나)

이에 대한 설명으로 옳은 것을 모두 고르면?(2개)

① (가)는 연속 스펙트럼, (나)는 선 스펙트럼이다.
② (가)는 금속 원소의 불꽃을 관찰할 때 나타난다.
③ (나)는 햇빛을 관찰할 때 나타난다.
④ 불꽃 반응 색이 비슷해도 다른 종류의 원소라면 (가)의 스펙트럼이 다르게 나타난다.
⑤ (나)는 원소의 종류에 따라 선의 색깔, 개수, 위치 등이 다르게 나타난다.

13 그림은 몇 가지 원소와 물질 X의 선 스펙트럼을 나타낸 것이다.

물질 X에 포함되어 있는 원소를 모두 고른 것은?

① 리튬   ② 칼슘
③ 나트륨, 리튬   ④ 나트륨, 칼슘
⑤ 나트륨, 리튬, 칼슘

02 원자와 분자

14 원자의 구조에 대한 설명으로 옳은 것을 모두 고르면?(2개)

① 전자는 원자의 중심에 위치한다.
② 원자핵은 전자 주위를 움직이고 있다.
③ 원자핵은 원자 질량의 대부분을 차지한다.
④ 원자는 종류에 관계없이 전자 수가 일정하다.
⑤ 원자핵의 (+)전하량과 전자의 총 (−)전하량은 같다.

15 오른쪽 그림은 어떤 원자의 모형을 나타낸 것이다. 이에 대한 설명으로 옳지 않은 것은?

① 원자핵의 전하량은 +11이다.
② 전자의 수는 11개이다.
③ 전자의 총 전하량은 −11이다.
④ 전기적으로 중성이다.
⑤ 원자핵의 전하량은 전자의 총 전하량보다 많다.

16 분자에 대한 설명으로 옳은 것은?

① 물질을 이루는 기본 성분이다.
② 물질을 이루는 기본 입자이다.
③ 물질의 성질을 나타내는 가장 작은 입자이다.
④ 원자가 전자를 잃거나 얻어서 형성된다.
⑤ 결합하는 원자의 종류가 같으면 원자의 수가 달라도 같은 성질을 나타낸다.

17 원소의 이름과 원소 기호를 옳게 짝 지은 것을 보기에서 모두 고른 것은?

┌ 보기 ┐
ㄱ. 칼슘 – K   ㄴ. 산소 – H
ㄷ. 나트륨 – Na   ㄹ. 염소 – Cl
ㅁ. 구리 – Cu   ㅂ. 금 – Ag

① ㄱ, ㄴ, ㄹ   ② ㄱ, ㄷ, ㅁ   ③ ㄷ, ㄹ, ㅁ
④ ㄷ, ㅁ, ㅂ   ⑤ ㄹ, ㅁ, ㅂ

18 다음 분자식에 대한 설명으로 옳지 <u>않은</u> 것은?

| (가) $4CO_2$ | (나) $2CH_4$ |

① (가)는 이산화 탄소, (나)는 메테인이다.
② (가)를 이루는 원자의 종류는 두 가지이다.
③ (나)를 이루는 원소는 탄소와 수소이다.
④ 원자의 총개수는 (가)<(나)이다.
⑤ 분자 1개를 이루는 원자 수는 (가)<(나)이다.

19 분자의 분자식과 분자 모형을 옳게 짝 지은 것은?

	분자	분자식	분자 모형
①	물	H_2O	
②	암모니아	NH_4	
③	산소	O_3	
④	염화 수소	HCL	
⑤	일산화 탄소	CO	

03 이온

20 이온에 대한 설명으로 옳지 <u>않은</u> 것은?

① 원자가 전자를 잃거나 얻어서 형성된다.
② 양이온은 (+)전하량이 (−)전하량보다 많다.
③ 음이온은 (+)전하량이 (−)전하량보다 적다.
④ 이온이 형성될 때 전자의 수는 변하지 않는다.
⑤ 원자가 전자를 3개 얻으면 −3의 음이온이 된다.

21 그림은 원자와 이온을 모형으로 나타낸 것이다.

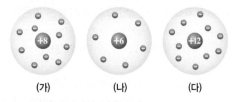

(가)   (나)   (다)

이에 대한 설명으로 옳은 것은?

① (가)와 (나)는 양이온이다.
② (다)는 전기적으로 중성이다.
③ (가)는 원자가 전자를 잃어 형성된다.
④ (나)는 원자가 전자를 얻어 형성된다.
⑤ (다)가 원자일 때 전자 수는 12개이다.

22 그림은 임의의 원자 X가 이온이 되는 과정을 모형으로 나타낸 것이다.

X 원자   X 이온

이에 대한 설명으로 옳지 <u>않은</u> 것은?

① 음이온이 형성된다.
② 원자핵의 전하량은 변하지 않는다.
③ X 원자는 X 이온보다 전자 수가 2개 적다.
④ $X + 2\ominus \longrightarrow X^{2-}$로 나타낼 수 있다.
⑤ 칼슘 원자는 이와 같은 과정으로 이온이 된다.

23 이온식과 이온의 이름을 옳게 짝 지은 것은 보기에서 모두 고른 것은?

┌ 보기 ┐
ㄱ. S^{2-} – 황 이온   ㄴ. Al^{2+} – 알루미늄 이온
ㄷ. Cl^{-} – 염화 이온   ㄹ. O^{2-} – 산화 이온
ㅁ. Cu^{2+} – 구리 이온   ㅂ. NO_3^{2-} – 질산 이온
└────────────┘

① ㄱ, ㄴ, ㄹ   ② ㄴ, ㄷ, ㅁ   ③ ㄷ, ㄹ, ㅁ
④ ㄷ, ㅁ, ㅂ   ⑤ ㄹ, ㅁ, ㅂ

24 오른쪽 이온식에 대한 설명으로 옳지 <u>않은</u> 것은?

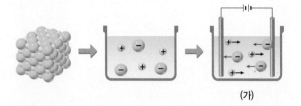

① 마그네슘 이온이다.
② (+)전하를 띠는 입자이다.
③ 마그네슘 원자보다 전자가 2개 많다.
④ 마그네슘 원자가 전자 2개를 잃어 형성된다.
⑤ 원자핵의 전하량이 전자의 총 전하량보다 많다.

25 그림은 염화 나트륨을 물에 녹인 후 전원을 연결했을 때의 변화를 모형으로 나타낸 것이다.

(가)

이에 대한 설명으로 옳은 것을 보기에서 모두 고른 것은?

┌ 보기 ┐
ㄱ. 염화 나트륨은 물에 녹아 이온으로 나누어진다.
ㄴ. 염화 나트륨 수용액은 전류가 흐른다.
ㄷ. (가)에서 나트륨 이온은 (+)극으로, 염화 이온은
　　(−)극으로 이동한다.
└────────────┘

① ㄱ   ② ㄴ   ③ ㄷ
④ ㄱ, ㄴ   ⑤ ㄴ, ㄷ

26 그림과 같이 질산 칼륨 수용액이 담긴 페트리 접시에 전원을 연결하고 페트리 접시 중앙에 노란색 크로뮴산 칼륨 수용액을 떨어뜨렸더니 노란색이 (+)극으로 이동하였다.

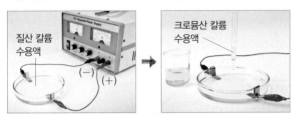

이에 대한 설명으로 옳지 <u>않은</u> 것을 모두 고르면?(2개)

① 노란색 성분은 (−)전하를 띤다.
② 노란색 성분은 크로뮴산 이온이다.
③ 칼륨 이온은 (−)극으로 이동한다.
④ (+)극으로 이동하는 이온은 한 종류이다.
⑤ 질산 칼륨 수용액 대신 증류수를 사용해도 실험 결과는 변하지 않는다.

27 다음과 같이 두 물질의 수용액을 혼합할 때 앙금이 생성되지 <u>않는</u> 경우는?

① 염화 칼륨＋질산 은
② 황산 나트륨＋질산 바륨
③ 황화 나트륨＋염화 구리(Ⅱ)
④ 염화 칼슘＋질산 칼륨
⑤ 질산 칼슘＋탄산 칼륨

28 아이오딘화 칼륨 수용액과 질산 납 수용액을 혼합하면 노란색 앙금이 생성된다. 이 반응을 옳게 나타낸 것은?

① $K^+ + I^- \longrightarrow KI \downarrow$
② $K^+ + NO_3^- \longrightarrow KNO_3 \downarrow$
③ $Pb^{2+} + 2I^- \longrightarrow PbI_2 \downarrow$
④ $Pb^{2+} + 2K^+ \longrightarrow PbK_2 \downarrow$
⑤ $Pb^{2+} + 2NO_3^- \longrightarrow Pb(NO_3)_2 \downarrow$

29 그림은 황산 나트륨 수용액과 염화 바륨 수용액의 반응을 모형으로 나타낸 것이다.

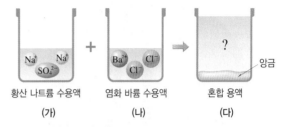

이에 대한 설명으로 옳은 것은?

① 생성된 앙금은 노란색이다.
② 반응 후 나트륨 이온의 수는 감소한다.
③ (나)와 (다) 용액의 불꽃 반응 색은 같다.
④ (다)의 혼합 용액은 전류가 흐르지 않는다.
⑤ (다)에서 $Ba^{2+} + SO_4^{2-} \longrightarrow BaSO_4 \downarrow$ 반응이 일어난다.

30 앙금 생성 반응을 이용하여 이온을 검출할 때 검출하려는 이온과 사용해야 할 시료를 <u>잘못</u> 짝 지은 것은?

	이온	시료
①	Ag^+	염화 나트륨
②	Ba^{2+}	황산 나트륨
③	Ca^{2+}	탄산 칼륨
④	Pb^{2+}	아이오딘화 칼륨
⑤	Cu^{2+}	황산 칼륨

31 미지의 물질 X를 확인하기 위해 다음과 같은 실험을 하였다.

- X 수용액으로 불꽃 반응 실험을 하였더니 청록색의 불꽃 반응 색이 나타났다.
- X 수용액에 염화 칼슘 수용액을 떨어뜨렸더니 흰색 앙금이 생성되었다.

물질 X로 가장 적당한 것은?

① 염화 칼륨   ② 질산 바륨   ③ 질산 구리(Ⅱ)
④ 탄산 구리(Ⅱ)   ⑤ 염화 구리(Ⅱ)

Ⅱ

전기와 자기

01 전기의 발생

만화
완성하기
다음 만화를 보고 여학생의 말풍선을 완성해 보자.

>> 이 단원을 학습한 후 내가 쓴 대사를 수정해 보자.

A 마찰 전기

비닐 포장지와 머리카락이 만나면 머리카락이 비닐에 붙어 잘 떨어지지 않아요. 머리카락이나 비닐에 풀칠을 한 것도 아닌데 두 물체가 딱 붙어 있을 수 있는 까닭은 마찰 전기 때문입니다. 마찰 전기는 왜 생기고, 어떤 특징이 있는지 알아볼까요?

1. 원자의 구조 : (+)전하를 띤 원자핵과 (−)전하를 띤 전자로 이루어져 있다. +

(1) 보통의 원자는 (+)전하의 양과 (−)전하의 양이 같아 전기를 띠지 않는다.

(2) 원자가 전자를 잃거나 얻어 (−)전하의 양이 줄어들거나 늘어나면 전기를 띤다.

2. 대전과 대전체 : 물체가 전기를 띠는 현상을 대전, 전기를 띤 물체를 대전체라고 한다. +

3. 마찰 전기 : 마찰에 의해 물체가 띠는 전기로, 전선을 따라 흐르는 전기와 달리 한곳에 머물러 있으므로 정전기라고도 한다.

(1) 마찰 전기가 생기는 까닭 : 서로 다른 물체끼리 마찰시키면 전자가 한 물체에서 다른 물체로 이동하기 때문이다. +

| 전자를 잃은 물체 | (+)전하의 양 > (−)전하의 양 ➡ (+)전하로 대전 |
| 전자를 얻은 물체 | (+)전하의 양 < (−)전하의 양 ➡ (−)전하로 대전 |

📖 털가죽과 플라스틱 막대의 마찰

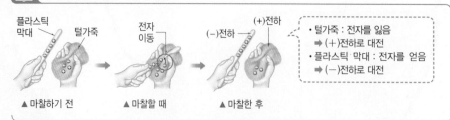

▲ 마찰하기 전   ▲ 마찰할 때   ▲ 마찰한 후

• 털가죽 : 전자를 잃음
➡ (+)전하로 대전
• 플라스틱 막대 : 전자를 얻음
➡ (−)전하로 대전

(2) 마찰 전기에 의한 현상 → 비닐 랩이 그릇에 달라붙는다. 먼지가 먼지떨이에 달라붙는다.

① 머리를 빗을 때 머리카락이 빗에 달라붙는다. ┐ 두 물체끼리 마찰하면 두 물체가 서로 다른 전하를 띠게 되므로 달라붙게 된다.

② 스웨터를 벗을 때 '지지직'하는 소리가 난다. → 전자가 공기 중으로 이동하는 방전 현상이다.

③ 걸을 때 치마가 스타킹에 달라붙는다.

④ 겨울철 금속으로 만든 손잡이를 잡을 때 찌릿함을 느낀다.

+ 원자의 구조

전자는 자유롭게 움직인다.

원자핵은 무거워서 쉽게 움직이지 못한다.

+ 대전체의 방전

대전된 물체를 공기 중에 오래 두면 전기적 성질을 잃게 되는데 이를 방전이라고 한다.

+ 대전되는 순서

물체를 마찰할 때 전자를 잃기 쉬운 것부터 순서대로 나열하면 다음과 같다.

| 털가죽 – 유리 – 명주 – 나무 – 고무 – 플라스틱 |

상대적으로 털가죽은 전자를 잃기 쉽고 플라스틱은 전자를 얻기 쉽다.

| 용어 |

• 전하 (電 전기, 荷 담당하다) 전기적 성질을 나타내는 원인이 되는 것으로, (+)전하와 (−)전하 두 종류가 있다.

한눈에 보기 이 단원의 개념이 어떻게 구성되어 있는지 살펴보고 빈칸을 완성해 보자.

전기의 발생 ─── A 마찰 전기 ─── B

└── C ─── D 검전기

E

단어 체크하기 이 단원을 공부하기 전에 미리 알고 있는 단어를 체크해 보자.

☐ 정전기　　☐ (+)전하　　☐ (−)전하　　☐ 원자　　☐ 원자핵

☐ 전자　　☐ 인력　　☐ 척력

1 다음은 원자의 구조에 대한 설명이다. ( ) 안에 알맞은 말을 고르시오.

원자는 ㉠((+), (−))전하를 띠는 원자핵과 ㉡((+), (−))전하를 띠는 전자로 이루어져 있다. 보통의 원자는 (+)전하의 양과 (−)전하의 양이 같아 전기적으로 ㉢((+)전하를 띤다, 중성이다, (−)전하를 띤다).

암기꾹

마찰할 때 이동하는 것

집사! 너에게 전자를 내어주마

서로 다른 두 물체가 마찰하면 **전자가 이동**한다.

2 마찰 전기에 대한 설명으로 옳은 것은 ○, 옳지 <u>않은</u> 것은 ×로 표시하시오.

(1) 다른 곳으로 흐르지 않고 물체에 머물러 있어 정전기라고도 한다. ………… ( )

(2) 서로 다른 두 물체를 마찰하면 두 물체 사이에 전자와 원자핵이 이동한다.

…………………………………………………………………………… ( )

(3) 마찰 후 전자를 얻은 물체는 (−)전하로, 전자를 잃은 물체는 (+)전하로 대전된다.

…………………………………………………………………………… ( )

3 보기에서 마찰 전기에 의한 현상을 모두 고르시오.

┌ 보기 ┐

ㄱ. 걸을 때 치마가 다리에 달라붙는다.

ㄴ. 병따개가 냉장고의 문에 달라붙는다.

ㄷ. 머리를 빗을 때 머리카락이 빗에 달라붙는다.

B 전기력

머리를 빗으로 빗고 나면 머리카락이 빗에 달라붙어요. 하지만 머리카락과 머리카락 사이는 벌어져서 머리가 민들레 씨처럼 퍼지게 돼요. 언제는 달라붙고, 언제는 멀어지는지 전기를 띠고 있는 물체 사이에 작용하는 힘에 대해 알아보아요.

전기력 : 대전체 사이에 작용하는 힘[+]

같은 전하를 띠는 물체 사이	다른 전하를 띠는 물체 사이
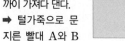	
서로 밀어내는 척력이 작용한다.	서로 끌어당기는 인력이 작용한다.

마찰한 물체 사이에 작용하는 힘

① 빨대 A와 B를 각각 털가죽으로 문지른 다음, B를 A에 가까이 가져다 댄다.
➡ 털가죽으로 문지른 빨대 A와 B는 같은 전하를 띠므로 서로 밀어낸다.

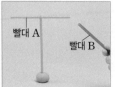
빨대 A
빨대 B

② 빨대 A를 털가죽으로 문지른 다음, A에 털가죽을 가까이 가져다 댄다.
➡ 빨대와 털가죽은 다른 전하를 띠므로 서로 끌어당긴다.

빨대 A
털가죽

털가죽에서 빨대로 전자가 이동하므로 털가죽은 (+)전하, 빨대는 (−)전하를 띤다.

+ 전기력의 크기
전기력은 물체에 대전된 전하의 양이 많을수록, 대전체와 물체의 사이가 가까울수록 크다.

| 용어 |
• **척력** (斥 물리치다, 力 힘) 같은 종류의 전기나 자기를 가진 두 물체를 가까이 할 때 서로 밀어내는 힘
• **인력** (引 끌어당기다, 力 힘) 다른 종류의 전기나 자기를 가진 두 물체를 가까이 할 때 서로 끌어당기는 힘

C 정전기 유도

플라스틱 펜을 옷 사이에 끼고 마찰한 다음 작은 종이 조각에 가까이 하면 종이가 펜 쪽으로 끌려와 달라붙는 것을 볼 수 있어요. 종이에는 마찰 전기가 생기지 않았는데도 펜과 종이 사이에 인력이 작용한 까닭은 무엇인지 알아볼까요?

1. 정전기 유도 : 전기를 띠지 않는 금속 물체에 대전체를 가까이 할 때, 금속의 끝부분이 전하를 띠는 현상[++]

(1) **정전기 유도의 원인** : 금속에 대전체를 가까이 하면 금속 내부의 자유 전자들이 대전체가 띠고 있는 전하의 종류에 따라 밀려나거나 끌어당겨진다.
└ 금속에서 자유롭게 이동하는 전자

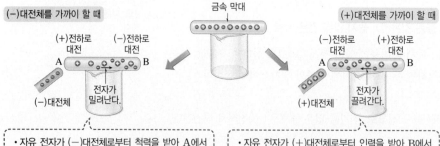

(−)대전체를 가까이 할 때
(+)전하로 대전 (−)전하로 대전
A B
(−)대전체 전자가 밀려난다.

금속 막대

(+)대전체를 가까이 할 때
(−)전하로 대전 (+)전하로 대전
A B
(+)대전체 전자가 끌려간다.

• 자유 전자가 (−)대전체로부터 척력을 받아 A에서 B로 이동한다.
• A 부분은 (+)전하, B 부분은 (−)전하로 대전된다.

• 자유 전자가 (+)대전체로부터 인력을 받아 B에서 A로 이동한다.
• A 부분은 (−)전하, B 부분은 (+)전하로 대전된다.

⬆ 금속 막대에서의 정전기 유도

(2) **유도되는 전하의 종류**

대전체와 가까운 쪽	대전체와 먼 쪽
대전체와 다른 종류의 전하로 대전	대전체와 같은 종류의 전하로 대전

2. 대전체와 금속 사이의 전기력 : 금속에서 대전체와 가까운 쪽이 대전체와 다른 종류의 전하를 띠므로 대전체와 금속 사이에 인력이 작용한다.

+ 금속이 아닌 물체에서의 정전기 유도
종이나 플라스틱과 같이 금속이 아닌 물체에서도 정전기 유도가 일어난다. 고무풍선을 대전시킨 후 종이 조각에 가까이 하면 정전기 유도가 일어나 그림과 같이 종이 조각이 달라붙는다.

고무풍선
종이 조각

+ 생활 속 정전기 유도의 예
• **번개** : 정전기 유도에 의해 구름과 땅 사이에서 전자가 순간적으로 이동하면서 빛을 내는 현상이다.
• **터치스크린** : 화면에 손가락을 대면 정전기 유도에 의해 작동한다.
• **공기 청정기** : 공기 중의 작은 먼지를 정전기 유도를 이용해 끌어당겨 공기를 깨끗하게 한다.
• **복사기** : 정전기 유도를 이용하여 토너의 검은 탄소 가루가 종이에 잘 달라붙게 한다.

암기 TIP

1 다음은 대전체 사이에 작용하는 힘에 대한 설명이다. ( ) 안에 알맞은 말을 쓰시오.

> 대전체 사이에는 ㉠( )이 작용한다. 같은 전하를 띠고 있는 물체 사이에는 서로 밀어내는 힘인 ㉡( )이 작용하고, 다른 전하를 띠고 있는 물체 사이에는 서로 끌어당기는 힘인 ㉢( )이 작용한다.

전기력의 종류
같은 척 하지마!
(전하) 력
우리는 다른 인간이야.
(전하) 력

2 그림에서 전기를 띤 두 물체 사이에 작용하는 전기력의 종류를 각각 쓰시오.

(1) (2) (3)

암기 꼭

1 전기를 띠지 않는 금속 물체에 대전체를 가까이 할 때, 금속의 끝부분이 전하를 띠는 현상을 ( )라고 한다.

유도되는 전하의 종류

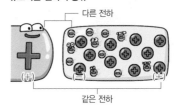

대전체와 가까운 쪽은 대전체와 다른 종류의 전하가 유도된다.

2 오른쪽 그림과 같이 (−)대전체를 대전되지 않은 금속 막대에 가까이 하였다.

금속 막대

(1) 금속 막대에서 자유 전자는 (A → B, B → A) 방향으로 이동한다.
(2) 금속 막대의 A 부분에 유도된 전하의 종류를 쓰시오.
(3) 금속 막대의 B 부분에 유도된 전하의 종류를 쓰시오.
(4) 금속 막대의 A 부분과 (−)대전체 사이에 작용하는 전기력을 쓰시오.

3 그림과 같이 대전되지 않은 금속 막대와 은박 구에 (+)대전체와 (−)대전체를 각각 가까이 하였다. A~D 중 (+)전하로 대전된 부분을 모두 고르시오.

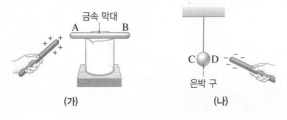

금속 막대

A B

(가)

C D

은박 구

(나)

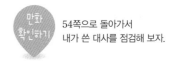

54쪽으로 돌아가서 내가 쓴 대사를 점검해 보자.

D **검전기**

전기를 띤 물체 사이에 작용하는 전기력을 이용하면 물체가 대전되었는지 아닌지 확인할 수 있어요. 이렇게 물체가 대전되었는지 알아보는 기구를 검전기라고 합니다. 검전기의 원리는 무엇인지 알아보아요.

1. 검전기 : 정전기 유도 현상을 이용하여 물체의 대전 여부를 알아보는 기구⁺

2. 검전기의 원리 : 대전되지 않은 검전기의 금속판에 대전체를 가까이 하면 정전기 유도에 의해 금속박이 벌어진다.

＋ 검전기의 구조

- 금속판
- 금속 막대
- 금속박
- 유리병

📖 검전기에 대전체를 가까이 할 때

[(＋)대전체를 가까이 할 때]

(＋)대전체 / 전자 이동

금속박의 전자들이 대전체로부터 인력을 받아 금속판으로 이동한다.
- 금속판 : (−)전하로 대전
- 금속박 : (＋)전하로 대전되어 벌어진다.

[(−)대전체를 가까이 할 때]

(−)대전체 / 전자 이동

금속판의 전자들이 대전체로부터 척력을 받아 금속박으로 이동한다.
- 금속판 : (＋)전하로 대전
- 금속박 : (−)전하로 대전되어 벌어진다.

① 금속판 : 대전체와 다른 종류의 전하로 대전 → 대전체와 가까운 쪽
② 금속박 : 대전체와 같은 종류의 전하로 대전 → 대전체와 먼 쪽

E **검전기로 알 수 있는 사실**

검전기의 금속박이 벌어졌다 오므라들었다 하는 걸 보면 매우 신기해요. 그렇다면 언제 벌어지고 언제 오므라들까요? 검전기에서 금속박의 변화로 대전된 물체에 대해 무엇을 알 수 있는지 알아보아요.

물체의 대전 여부	대전되지 않은 물체 / 벌어지지 않는다.	금속박이 벌어진다.
	대전되지 않은 물체를 가까이 하면 금속박에 변화가 없지만 대전체를 가까이 하면 금속박이 벌어진다.	
물체에 대전된 전하의 양	전하의 양이 적다. / 금속박이 조금 벌어진다.	전하의 양이 많다. / 금속박이 많이 벌어진다.
	물체에 대전된 전하의 양이 많을수록 금속박이 많이 벌어진다.	
물체에 대전된 전하의 종류	(−)대전체  (−)전하로 대전된 검전기⁺ → 금속박이 더 벌어진다. 금속박에 전자가 늘어나 더 강하게 (−) 전하를 띤다.	(＋)대전체  (−)전하로 대전된 검전기 → 금속박이 오므라든다. 금속박에 전자가 줄어들어 척력이 약해진다.
	검전기와 같은 전하를 띤 대전체를 가까이 하면 금속박이 더 벌어지고, 다른 전하를 띤 대전체를 가까이 하면 금속박이 오므라든다.	

＋ 검전기를 대전시키는 방법

• (−)전하로 대전시키기

접지

검전기에 (＋)대전체를 가까이 한 후 금속판에 손가락을 대면 손에 있던 전자가 대전체로부터 인력을 받아 검전기 안으로 들어온다. 따라서 검전기에는 전자가 늘어났으므로 대전체와 손을 멀리 하면 검전기가 전체적으로 (−)전하를 띠게 된다.

• (＋)전하로 대전시키기

접지

검전기에 (−)대전체를 가까이 한 후 금속판에 손가락을 대면 검전기 내부의 전자가 대전체로부터 척력을 받아 손을 통해 검전기 밖으로 나간다. 따라서 검전기에는 전자가 줄어들므로 대전체와 손을 멀리 하면 검전기가 전체적으로 (＋)전하를 띠게 된다.

1 다음은 검전기에 대한 설명이다. ( ) 안에 알맞은 말을 고르시오.

(1) 검전기의 금속판에 (−)대전체를 가까이 하면 금속판은 ㉠((+), (−))전하로 대전되고, 금속박은 ㉡((+), (−))전하로 대전된다.

(2) 검전기에 대전체를 가까이 하면 검전기의 금속박이 대전되어 금속박 사이에 ㉠(인력, 척력)이 작용하므로 금속박이 ㉡(오므라든다, 벌어진다).

검전기 금속박의 변화

전하를 띠지 않을 때   금속박이 전하를 띨 때

➡ 대전체를 가까이 하면 금속박이 서로 같은 전하를 띠게 되므로 벌어진다.

2 오른쪽 그림과 같이 대전되지 않은 검전기의 금속판에 (+)대전체를 가까이 하였다. 이에 대한 설명으로 옳은 것은 ○, 옳지 않은 것은 ×로 표시하시오.

금속판

금속박

(1) 금속판은 (+)전하로 대전된다. ·············· ( )

(2) 금속박은 (−)전하로 대전된다. ·············· ( )

(3) 전자는 금속박에서 금속판으로 이동한다. ······ ( )

1 보기에서 검전기로 알 수 있는 사실을 모두 고르시오.

┌ 보기 ┐
ㄱ. 물체의 대전 여부   ㄴ. 대전체의 전자의 수
ㄷ. 물체에 대전된 전하의 양 비교   ㄹ. 물체에 대전된 전하의 종류

물체에 대전된 전하의 종류

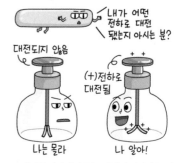

내가 어떤 전하로 대전됐는지 아시는 분?

대전되지 않음

(+)전하로 대전됨

나는 몰라   나 알아!

➡ 대전된 전하의 종류는 대전된 검전기를 이용해야 알아낼 수 있다.

2 대전체에 대전된 전하의 양이 많을수록 금속박이 (많이 / 적게) 벌어진다.

3 오른쪽 그림과 같이 (+)전하로 대전된 검전기에 (+)대전체를 가까이 하였다. 이때 검전기에서 일어나는 현상에 대한 설명에서 ( ) 안에 알맞은 말을 고르시오.

금속판

유리 막대

금속박

(1) 검전기 내부의 전자들이 (+)대전체로부터 ㉠(인력, 척력)을 받아 ㉡(금속판, 금속박) 쪽으로 이동한다.

(2) 금속박에는 전자가 ㉠(늘어나, 줄어들)므로 더 강하게 (+)전하를 띠게 되어 금속박이 ㉡(오므라든다, 더 벌어진다).

이해 쏙쏙 집중 강의

정전기 유도를 확인하는 실험은 시험에 매우 다양한 형태로 출제되는데, 그 원리는 모두 같답니다. 정전기 유도가 일어나면 어떤 변화가 나타나는지 알아볼까요?

핵심 자료 정전기 유도 확인하기

관련 개념 I 56쪽 **C** 정전기 유도

알루미늄 캔에서 정전기 유도

대전되지 않은 알루미늄 캔에 대전체를 가까이 하는 경우

① 알루미늄 캔에 (−)대전체를 가까이 하면 알루미늄 캔 내부의 전자가 척력을 받아 대전체에서 멀어진다.

② 대전체와 가까운 곳은 (+)전하, 먼 곳은 (−)전하를 띠어 캔이 대전체 쪽으로 끌려간다. ➡ 인력 작용

은박 구에서 정전기 유도

대전되지 않은 은박 구에 대전체를 가까이 하는 경우

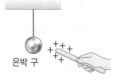

① 은박 구에 (+)대전체를 가까이 하면 은박 구 내부의 전자가 인력을 받아 대전체 쪽으로 끌려온다.

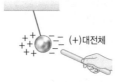

② 대전체와 가까운 곳은 (−)전하, 먼 곳은 (+)전하를 띠어 은박 구가 대전체 쪽으로 끌려간다. ➡ 인력 작용

금속 막대와 은박 구에서 정전기 유도

금속 막대의 한쪽 끝(B)에 은박 구를 놓고 반대쪽(A)에 대전체를 가까이 하는 경우

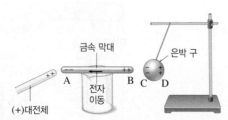

① (+)대전체와의 인력에 의해 금속 막대의 전자가 B → A로 이동한다. 따라서 금속 막대의 A는 (−)전하로, B는 (+)전하로 대전된다. ➡ 정전기 유도
② 금속 막대의 B에 대전된 (+)전하에 의해 은박 구의 C는 (−)전하로, D는 (+)전하로 대전된다. ➡ 정전기 유도
③ 금속 막대의 B와 은박 구의 C가 다른 종류의 전하로 대전되어 은박 구가 금속 막대 쪽으로 끌려간다. ➡ 인력 작용

가까이 한 대전체가 띠고 있는 전하의 종류와 관계없이 ●
B와 C사이에 인력이 작용하므로 은박 구가 끌려온다.

구분	A 부분	B 부분	C 부분	D 부분
(+)대전체를 가까이 할 때	(−)전하	(+)전하	(−)전하	(+)전하
(−)대전체를 가까이 할 때	(+)전하	(−)전하	(+)전하	(−)전하

접촉한 두 은박 구에서 정전기 유도

• 접촉한 두 은박 구 A, B에 (+)대전체를 가까이 한 상태에서 두 은박 구를 떼어 내고 대전체를 멀리 하는 경우

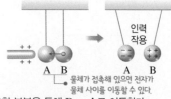

물체가 접촉해 있으면 전자가
물체 사이를 이동할 수 있다.

① 전자는 접촉한 부분을 통해 B → A로 이동한다.
② 두 은박 구를 떼어내고 대전체를 멀리 하면 A는 (−)전하, B는 (+)전하로 대전된다. ➡ A, B 사이에 인력 작용

• A에 (+)대전체를 가까이 한 상태에서 B에 손가락을 댄 후, 손가락과 대전체를 동시에 멀리 하는 경우

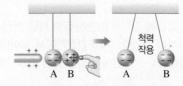

① 손가락의 전자가 (+)전하로 대전된 B로부터 인력을 받아 접촉한 부분을 통해 B로 들어온다.
② 손가락과 대전체를 멀리 하면 A와 B 모두 (−)전하로 대전된다. ➡ A, B 사이에 척력 작용

개념 페이지로 점프해요!

01 오른쪽 그림은 원자의 구조를 나타 낸 것이다. 이에 대한 설명으로 옳은 것은? 54쪽

① A는 원자핵이고, B는 전자이다.

② A는 (+)전하를 띠고, B는 (−)전하를 띤다.

③ B보다는 A가 더 무겁다.

④ 물체들 사이에서 이동이 가능한 것은 B이다.

⑤ 원자는 전기적으로 중성이다.

02 마찰 전기에 대한 설명으로 옳지 <u>않은</u> 것은? 54쪽

① 서로 다른 물체를 마찰할 때 발생한다.

② 마찰한 두 물체는 서로 다른 종류의 전하를 띤다.

③ 마찰에 의해 전자를 얻은 물체는 (−)전하로 대전된다.

④ 한번 대전된 물체는 공기 중에 오래 두어도 전기적 성 질을 유지한다.

⑤ 같은 물체라도 어떤 물체와 마찰하느냐에 따라 대전 되는 전하의 종류가 달라질 수 있다.

03 오른쪽 그림과 같이 털가죽과 플라스틱 막대를 서로 마찰하면 플라 스틱 막대는 (−)전하로, 털가죽은 (+)전하로 대전된다. 이에 대한 설명 으로 옳은 것은? 54쪽

① 털가죽의 전자가 플라스틱 막대로 이동한다.

② 플라스틱 막대의 전자가 털가죽으로 이동한다.

③ 털가죽의 원자핵이 플라스틱 막대로 이동한다.

④ 플라스틱 막대의 (+)전하가 털가죽으로 이동한다.

⑤ 두 물체를 마찰하면 플라스틱 막대에는 (−)전하가 만들어진다.

04 서로 다른 종류의 두 물체 A, B를 마찰하였더니 그림 과 같이 대전되었다. 54쪽

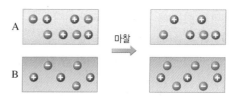

이에 대한 설명으로 옳은 것을 보기에서 모두 고른 것은?

보기

ㄱ. 마찰 후 A와 B 사이에는 척력이 작용한다.

ㄴ. A는 B에 비해 전자를 잃기 어려운 물체이다.

ㄷ. 마찰한 후 B를 공기 중에 오랫동안 놓아 두면 전기 적 성질을 잃는다.

① ㄱ   ② ㄴ   ③ ㄷ

④ ㄱ, ㄷ   ⑤ ㄴ, ㄷ

05 다음은 털가죽과 플라스틱 빨대를 마찰하는 실험이다. 56쪽

(1) 그림 (가)와 같이 털가죽과 빨대 A를 마찰한 후, 털 가죽을 빨대에 가까이 하였다.

(2) 그림 (나)와 같이 빨대 B, C를 각각 털가죽으로 마 찰한 후, 두 빨대를 서로 가까이 하였다.

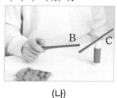

(가)   (나)

이에 대한 설명으로 옳은 것은?(단, 털가죽은 플라스틱보다 전자를 잃기 쉽다.)

① (가)에서 A는 (−)전하를 띤다.

② (가)에서 A는 털가죽으로부터 밀려난다.

③ (나)에서 B, C는 서로 달라붙는다.

④ A와 B는 서로 다른 종류의 전하를 띤다.

⑤ B, C를 서로 마찰한 후 가까이 하면 서로 밀어낸다.

풀이 TIP

03 ❶ 두 물체를 마찰할 때 이동하는 것이 무엇인지 찾는다. ❷ 전자를 잃었을 때와 전자를 얻었을 때 (−)전하와 (+)전하의 양이 어떻게 달라지는지 생각한다.

04 ❶ 마찰 전후 A와 B의 (−)전하와 (+)전하의 양을 비교한다. ❷ A와 B가 띠는 전하의 종류를 파악하고, 두 물체 사이에 어떤 전기력이 작용하는지 찾는다.

06 마찰 전기에 의한 현상으로 옳지 <u>않은</u> 것은? [54쪽]

① 나침반 자침의 N극이 북쪽을 가리킨다.

② 스웨터를 벗을 때 '지지직' 소리가 난다.

③ 머리카락이 플라스틱 빗에 달라붙는다.

④ 손으로 마찰한 먼지떨이에 먼지가 잘 달라붙는다.

⑤ 자동차의 금속 손잡이를 잡을 때 찌릿함을 느낀다.

07 실에 매달린 두 대전체의 모습을 옳게 나타낸 것은? [56쪽]

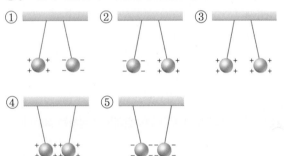

08 오른쪽 그림과 같이 두 고무풍선을 매달고 각각 털가죽으로 문지른 후, 서로 가까이 하였다. 이때 두 고무풍선은 어떻게 되는가?

① 달라붙는다.

② 서로 밀어낸다.

③ 서로 끌어당긴다.

④ 두 고무풍선 모두 오른쪽으로 움직인다.

⑤ 두 고무풍선은 움직이지 않고 제자리에 있다.

고무풍선
털가죽

09 전하를 띠는 가벼운 은박 구 A~D를 천장에 실로 매달았더니 오른쪽 그림과 같았다. 은박 구 A가 (−)전하로 대전되었다면, B~D가 띠는 전하의 종류를 옳게 짝지은 것은? [56쪽]

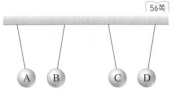

	B	C	D
①	(+)전하	(+)전하	(+)전하
②	(+)전하	(+)전하	(−)전하
③	(+)전하	(−)전하	(−)전하
④	(−)전하	(−)전하	(+)전하
⑤	(−)전하	(+)전하	(−)전하

10 오른쪽 그림과 같이 전기를 띠지 않은 금속 막대에 명주 헝겊으로 문질러 (+)전하를 띠는 유리 막대를 가까이 하였다. 이에 대한 설명으로 옳지 <u>않은</u> 것은? [56쪽]

금속 막대
유리 막대

① 금속 막대의 A 부분은 (−)전하로 대전된다.

② 금속 막대의 B 부분은 (+)전하로 대전된다.

③ 금속 막대에서 A에 있던 (+)전하가 B로 이동한다.

④ 금속 막대에서 B에 있던 전자가 A로 이동한다.

⑤ 유리 막대와 금속 막대 사이에는 인력이 작용한다.

11 오른쪽 그림과 같이 은박 구를 실에 매단 다음 (+)전하로 대전된 플라스틱 막대를 가까이 하였다. 이때 은박 구가 움직이는 모습과 은박 구 표면의 전하 분포로 옳은 것은? [56쪽]

은박 구
플라스틱 막대

풀이 TIP **08** ❶ 고무풍선을 털가죽으로 문지르면 어떤 현상이 나타나는지 생각한다. ❷ 털가죽과 마찰한 두 개의 고무풍선이 띠는 전하는 서로 같은 종류일지, 다른 종류일지 생각한다.   **09** ❶ 두 개의 은박 구가 서로 끌어당기거나 서로 밀어내려면 어떤 전하를 띠어야 하는지 파악한다.

062   Ⅱ. 전기와 자기

12 그림과 같이 전기를 띠지 않은 알루미늄 캔에 (−)대전 체를 가까이 하였다.

알루미늄 캔의 A, B 부분에 대전된 전하의 종류와 알루미늄 캔의 이동 방향을 옳게 짝 지은 것은?

	A	B	이동 방향
①	(+)전하	(−)전하	A →B
②	(+)전하	(−)전하	B →A
③	(−)전하	(+)전하	A →B
④	(−)전하	(+)전하	B →A
⑤	(−)전하	(−)전하	B →A

13 그림과 같이 장치하고 털가죽으로 마찰한 유리 막대를 대전되지 않은 금속 막대에 가까이 하였다.

이에 대한 설명으로 옳지 <u>않은</u> 것은?(단, 털가죽은 유리 막대보다 전자를 잃기 쉬운 물체이다.)

① 고무풍선은 금속 막대로부터 멀어진다.
② 금속 막대의 A 부분은 (−)전하로 대전된다.
③ 금속 막대의 B 부분은 (+)전하로 대전된다.
④ 금속 막대의 B 부분에는 (+)전하의 양이 (−)전하의 양보다 많다.
⑤ 금속 막대 내부에서 자유 전자는 B → A로 이동한다.

14 그림 (가)와 같이 대전되지 않은 두 금속 막대 A, B를 접촉시키고 (−)대전체를 금속 막대 A에 가까이 한 상태에 서, 그림 (나)와 같이 금속 막대 A, B를 떼어 놓은 후 (−)대 전체를 치웠다.

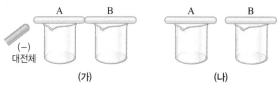

(가)   (나)

(나)에서 A, B가 띠는 전하를 옳게 짝 지은 것은?

	A	B		A	B
①	(+)전하	(−)전하	②	(−)전하	(+)전하
③	(+)전하	(+)전하	④	(−)전하	(−)전하

⑤ A, B 모두 전하를 띠지 않는다.

15 오른쪽 그림과 같이 접촉해 있는 두 은박 구 A, B에 (+)대전체를 가까이 한 상태에서 두 은박 구를 떼어 낸 후 대전체를 치웠다. 두 은박 구의 대전 상태로 옳은 것은?

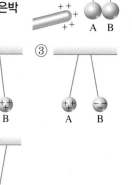

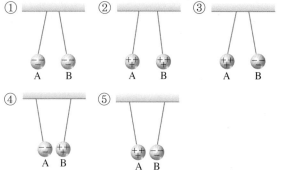

16 정전기 유도 현상을 이용한 예를 보기에서 모두 고르 시오.

보기
ㄱ. 복사기   ㄴ. 공기 청정기
ㄷ. 나침반   ㄹ. 터치스크린

---

12 ❶ 대전체를 가까이 할 때 알루미늄 캔 내부의 전자들이 대전체로부터 어떤 힘을 받아 움직이는지 찾는다. ❷ 전자가 이동하고 난 후 A와 B 부분은 어떤 전하로 대전 되는지 찾는다.   14 ❶ 금속이 접촉된 부분을 통하여 전자가 이동할 수 있다. ❷ 금속을 떼어 내면 더 이상 전자가 이동하지 못하고 그대로 머무르게 된다.

17 오른쪽 그림과 같이 대전되지 않은 검전기의 금속판에 (+)대전체를 가까이 하였다. 이에 대한 설명으로 옳지 않은 것은?

금속판
금속박

① 금속판에는 (−)전하가 유도된다.
② 금속박에는 (+)전하가 유도된다.
③ 금속박의 전자가 금속판으로 이동한다.
④ 두 금속박 사이에는 척력이 작용하여 벌어진다.
⑤ 대전체를 멀리 해도 금속박은 벌어진 상태를 유지한다.

18 오른쪽 그림과 같이 대전되지 않은 검전기의 금속판에 (−)전하로 대전된 플라스틱 막대를 가까이 하였다. 이때 검전기의 금속판과 금속박의 대전 상태를 옳게 나타낸 것은?

플라스틱 막대

 ①   ②   ③

 ④   ⑤

19 오른쪽 그림과 같이 전체가 (+)전하로 대전된 검전기의 금속판에 (+)전하로 대전된 유리 막대를 가까이 하였다. 이때 검전기의 금속박은 어떻게 될까?

금속판
유리 막대
금속박

① 오므라든다.   ② 더 벌어진다.
③ 아무런 변화가 없다.   ④ 벌어지다가 오므라든다.
⑤ 오므라들다가 벌어진다.

20 그림과 같이 장치하고 명주 헝겊으로 문지른 유리 막대를 대전되지 않은 금속 막대에 가까이 하였더니, 대전되지 않은 검전기의 금속박이 벌어졌다.

유리 막대   A   B   금속 구
금속 막대   C
                              금속박
                              D

A~D에 유도되는 전하의 종류를 옳게 짝 지은 것은?(단, 유리 막대는 명주 헝겊보다 전자를 잃기 쉬운 물체이다.)

	A	B	C	D
①	(+)전하	(+)전하	(+)전하	(−)전하
②	(+)전하	(+)전하	(−)전하	(−)전하
③	(+)전하	(−)전하	(+)전하	(−)전하
④	(−)전하	(−)전하	(+)전하	(+)전하
⑤	(−)전하	(+)전하	(−)전하	(+)전하

21 그림 (가)와 같이 검전기의 금속판에 (−)대전체를 가까이 한 상태에서 그림 (나)와 같이 금속판에 손가락을 댄 후, 그림 (다)와 같이 대전체와 손가락을 동시에 치웠다.

금속판
금속박
(가)   (나)   (다)

이에 대한 설명으로 옳은 것은?

① (가)에서 전자들이 금속판으로 이동한다.
② (가)에서 금속박은 (+)전하로 대전되어 벌어진다.
③ (나)에서 금속박은 오므라든다.
④ (나)에서 손가락을 통해 전자가 금속박으로 들어온다.
⑤ (다)의 검전기는 전체가 (−)전하로 대전된 상태이다.

 풀이 TIP
19 ❶ (+)대전체를 가까이 할 때 검전기 내부의 전자가 어떤 힘을 받는지 파악한다. ❷ 전자가 이동하면 금속박의 전하의 양은 어떻게 변하는지 생각한다.
21 ❶ 검전기에 손가락을 대면 검전기 내부의 전자가 손가락을 통하여 이동할 수 있다. ❷ (−)대전체로부터 전기력을 받은 전자들이 어디로 이동할지 생각한다.

22 그림은 서로 다른 두 물체 A와 B를 마찰하기 전후의 모습을 나타낸 것이다. [54쪽]

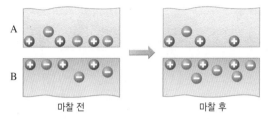

마찰 전   마찰 후

마찰 후 A와 B가 띠게 되는 전하의 종류를 쓰고, 그 까닭을 서술하시오.

----

23 그림 (가)와 같이 빗으로 머리카락을 빗을 때 머리카락이 빗에 달라붙고, (나)와 같이 치마를 입고 걸을 때 치마가 스타킹에 달라붙는다. 이러한 현상이 나타나는 공통적인 까닭을 서술하시오. [54쪽]

(가)   (나)

----

24 플라스틱 빨대 A와 B를 털가죽으로 문지른 후 그림과 같이 B를 A에 가까이 가져갔다. [56쪽]

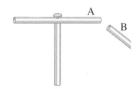

A와 B 사이에 작용하는 힘을 쓰고, 그 까닭을 서술하시오.

----

25 그림과 같이 (+)대전체를 알루미늄 막대에 가까이 하였더니 고무풍선이 밀려났다. [56쪽]

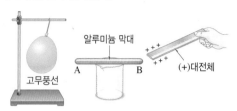

고무풍선   알루미늄 막대   +++   +++   (+)대전체
A   B

(1) 알루미늄 막대 내부의 자유 전자가 이동하는 방향을 쓰고, 그 까닭을 서술하시오.

----

(2) 고무풍선이 띠는 전하의 종류를 쓰고, 그 까닭을 서술하시오.

----

26 그림과 같이 (−)대전체를 대전되지 않은 검전기에 가까이 하였더니 (가)의 금속박이 (나)보다 더 많이 벌어졌다. [58쪽]

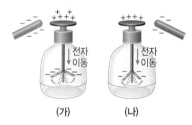

(가)   (나)

금속박이 벌어진 정도에 차이가 생기는 까닭을 서술하시오.

학습 평가하기

정답친해 14쪽으로 가서 문제를 채점한 후 학습 결과를 스스로 평가해 보세요.

맞춘 개수	23~26개	17~22개	0~16개
평가	잘함	보통	부족

→ 정답친해에서 그 문제를 왜 틀렸는지 꼭 확인하세요!
→ 본책에서 해당 쪽으로 돌아가서 부족한 부분을 다시 공부하세요!

23 ❶ 그림에서 서로 다른 두 물체가 달라붙는 것은 전기력이 작용했기 때문이다. ❷ 전기력이 생긴 까닭은 무엇인지 생각한다. 25 ❶ (+)대전체에 의해 알루미늄 막대 내부의 전자들이 어떤 방향으로 움직이는지 찾는다. ❷ 고무풍선이 밀려난 것을 보고 알루미늄 막대와 고무풍선이 띠고 있는 전하의 종류가 같은지 다른지 알 수 있다.

02 전류, 전압, 저항

만화 완성하기

다음 만화를 보고 여학생의 말풍선을 완성해 보자.

단위를 보면 특징이 보여. 전류는 흘러가니까 발 달린 A 모양이야.

그럼 볼트는?
더 빨리 가라고 찔러주는 역할이지.

알겠다 옴은 _____ 하는 역할이니까 저항이구나!

>> 이 단원을 학습한 후 내가 쓴 대사를 수정해 보자.

A 전류와 전압

우리가 전기 기구를 사용하려면 도선에 전류가 흘러야 해요. 전기 기구를 켤 수 있게 해주는 전류는 어떻게 흐르는 걸까요? 전류와 전류를 흐르게 해주는 전압에 대해 알아보아요.

1. 전류 : 전하의 흐름 → 전자들이 이동하면서 전하를 운반한다.

(1) **전류의 방향** : 전자의 이동 방향과 반대 방향⁺

전자의 이동 방향	전류의 방향
전지의 (−)극 → (+)극	전지의 (+)극 → (−)극

↑ 전자의 이동 방향과 전류의 방향

(2) **전류의 흐름에 따른 전자의 운동**

전류가 흐르지 않을 때	전류가 흐를 때
전자 · · · 원자	(−)극에 연결 · · · (+)극에 연결
도선 내부의 전자들이 여러 방향으로 무질서하게 움직인다.	전자들이 전지의 (−)극 → (+)극 쪽으로 일정하게 이동한다.

(3) **전류의 세기(I)**

① 전류의 세기 : 1초 동안 도선의 한 단면을 통과하는 전하의 양⁺

② 단위 : A(암페어), mA(밀리암페어) ➡ 1 A = 1000 mA

2. 전압(V) : 전기 회로에서 전류를 흐르게 하는 능력

(1) 단위 : V(볼트)

(2) **물의 흐름과 전기 회로의 비교** : 펌프로 물을 끌어올리면 물의 높이 차이 때문에 생긴 수압에 의해 물이 흐르듯이 전기 회로에서는 전지의 전압에 의해 전류가 흐른다.

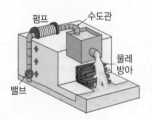
펌프 / 수도관 / 물레방아 / 밸브

(+) 전지 (−) / 전류 / 전구 / 스위치 / 도선

- 물의 흐름 – 전류
- 물레방아 – 전구
- 밸브 – 스위치
- 수도관 – 도선(전선)
- 펌프 – 전지
- 물의 높이 차(수압) – 전압

✚ 전자의 이동 방향과 전류의 방향이 반대인 까닭

과학자들은 전자의 존재를 알기 전에 전류의 방향을 (+)극 → (−)극으로 정하였는데 그 후 전류는 전자의 흐름이고, 전자는 (−)극 → (+)극 방향으로 이동한다는 사실이 밝혀졌다. 그러나 전류의 방향을 그대로 사용하기로 하였고, 이에 따라 전류의 방향과 전자의 이동 방향이 반대가 되었다.

✚ 전류의 세기

1 A는 1초 동안 도선의 한 단면을 6.25×10^{18}개의 전자가 통과할 때의 전류의 세기이다.

한눈에 보기 이 단원의 개념이 어떻게 구성되어 있는지 살펴보고 빈칸을 완성해 보자.

```
                    ┌─ A 전류와 전압                   ┌─ E 저항의 직렬연결
전류, 전압, 저항 ─────┤   B                   D ────────┤ F 저항의 병렬연결
                    └─ C                             └─ G 저항의 연결과 이용
```

 단어 체크하기 이 단원을 공부하기 전에 미리 알고 있는 단어를 체크해 보자.

☐ 전류   ☐ 전지   ☐ 전압   ☐ 저항   ☐ 직렬연결
☐ 병렬연결   ☐ 암페어   ☐ 볼트   ☐ 옴

1 전류에 대한 설명으로 옳은 것은 ○, 옳지 <u>않은</u> 것은 ×로 표시하시오.

(1) 전류의 방향과 전자의 이동 방향은 반대이다. ················· (   )

(2) 전류가 흐르지 않으면 도선 속의 전자는 정지해 있다. ········· (   )

(3) 도선 속에서 전류는 전지의 (+)극에서 (−)극 쪽으로 흐른다. ·········· (   )

암기 TIP

전자의 이동 방향

우린 +한테 끌려

➡ (−)전하를 띠는 전자들은 (+)극을 향해 이동한다.

2 그림은 도선 속에서 전자들이 운동하는 모습을 나타낸 것이다.

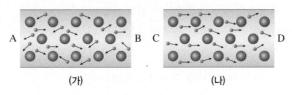

A   B C   D

(가)   (나)

(1) (가)와 (나) 중 전류가 흐르고 있는 도선은 무엇인지 쓰시오.

(2) A~D 중 전지의 (+)극과 연결되어 있는 것을 쓰시오.

3 물의 흐름을 전기 회로에 비유할 때 서로 관계있는 것끼리 연결하시오.

(1) 물레방아   •   • ㉠ 전류

(2) 물의 흐름   •   • ㉡ 전압

(3) 물의 높이 차(수압) •   • ㉢ 전구

02 전류, 전압, 저항

B 전류계와 전압계

전류계와 전압계는 전류의 세기와 전압의 크기를 측정하는 도구입니다. 두 도구는 모양도 비슷하고, 눈금을 읽는 방법도 비슷하지만 어떻게 연결해야 하는지가 달라요. 전류계와 전압계를 비교해 볼까요?

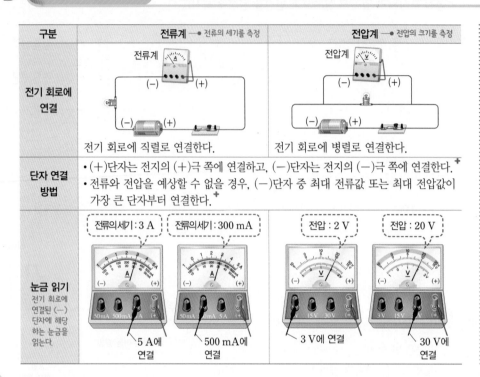

+ (+)단자와 (−)단자를 반대로 연결했을 때
바늘이 0보다 왼쪽으로 회전하므로 전류의 세기나 전압의 크기를 정확히 측정할 수 없다.

+ 최대 전류값 또는 최대 전압값이 작은 (−)단자부터 연결했을 때
예상보다 센 전류가 흐르거나 큰 전압이 걸려 있으면 바늘이 측정할 수 있는 범위를 넘어가므로 정확한 값을 측정할 수 없다.

C 전기 저항

무더운 여름에는 사람들이 선풍기를 들고 다니는 것을 쉽게 볼 수 있어요. 일반적으로 선풍기는 바람의 세기를 조절할 수 있죠. 스위치를 누르면 바람의 세기가 달라지는데 이것은 선풍기의 저항이 달라졌기 때문입니다. 저항은 무엇이고, 왜 생기는지 알아볼까요?

1. 전기 저항(R) : 전기 회로에서 전류가 흐르는 것을 방해하는 정도
(1) 단위 : Ω(옴) ➡ 1 Ω은 1 V의 전압을 걸었을 때 1 A의 전류가 흐르는 도선의 저항이다. +
(2) 전기 저항이 생기는 까닭 : 전류가 흐를 때 전자들이 이동하면서 원자와 충돌하기 때문

2. 전기 저항에 영향을 미치는 요인
(1) 물질의 종류 : 물질마다 원자의 배열 상태가 다르다. ➡ 원자와 전자가 충돌하는 정도가 다르기 때문에 전기 저항이 달라진다. +
(2) 물질의 길이와 단면적 : 물질의 길이가 길수록, 단면적이 좁을수록 전기 저항이 크다.

+ 옴(Ohm, G. S.)
독일의 과학자로 옴의 법칙을 발견하였다. 저항의 단위(Ω)는 이 사람의 이름에서 유래되었다.

+ 물질의 종류에 따른 전기 저항
물질의 길이와 단면적이 같더라도 물질의 종류가 다르면 전기 저항이 다르다.
· 도체 : 저항이 작아 전류가 잘 흐르는 물질
 예 금, 은, 구리 등의 금속
· 절연체 : 저항이 커서 전류가 잘 흐르지 않는 물질
 예 유리, 플라스틱, 종이 등

도선의 길이와 단면적에 따른 전기 저항

[도선의 길이와 전기 저항]

터널이 길수록 빠져나오기 힘든 것처럼 도선의 길이가 길면 전자가 통과하는 데 더 오래 걸리므로 저항이 크다.

[도선의 단면적과 전기 저항]

터널이 넓을수록 빠져나오기 쉬운 것처럼 도선의 단면적이 넓으면 같은 시간 동안 통과하는 전자가 더 많아 저항이 작다.

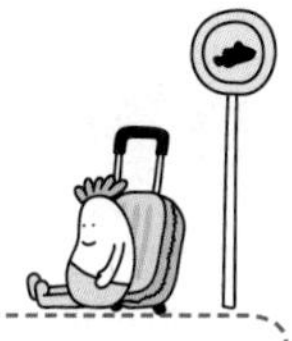

암기 TIP

전류계, 전압계의 연결

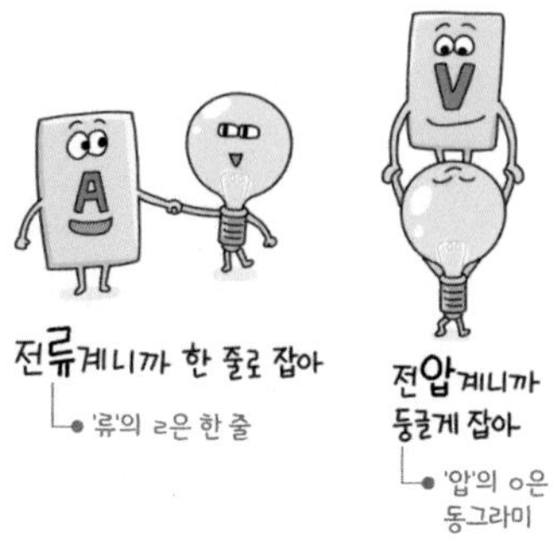
A
V
전류계니까 한 줄로 잡아
'류'의 ㄹ은 한 줄
전압계니까 둥글게 잡아
'압'의 ㅇ은 동그라미

1 전류계와 전압계에 대한 설명으로 옳은 것은 ○, 옳지 <u>않은</u> 것은 ×로 표시하시오.

(1) 전기 회로에 전류계는 직렬로, 전압계는 병렬로 연결한다. ············ (　　)

(2) (+)단자는 전지의 (−)극 쪽에, (−)단자는 (+)극 쪽에 연결한다. ········ (　　)

(3) 전류를 예상할 수 없는 경우 전류계는 가장 작은 (−)단자에 연결한다. ···· (　　)

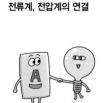

2 오른쪽 그림은 어떤 전기 회로에 전류계가 연결되어 있을 때, 전류계의 눈금을 나타낸 것이다. 이 전기 회로에 흐르는 전류의 세기는 몇 A인지 구하시오.

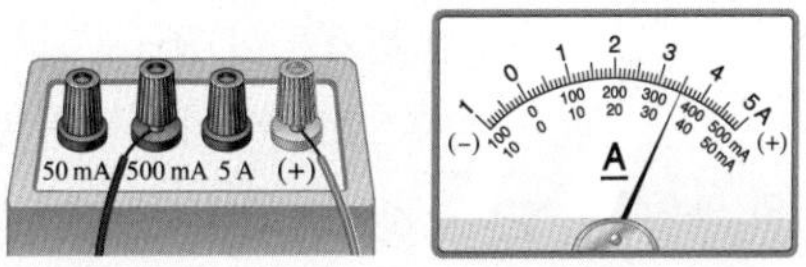
50 mA 500 mA 5 A (+)
(−)
(+)
A

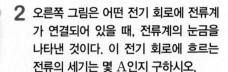

3 오른쪽 그림은 어떤 전기 회로에 전압계가 연결되어 있을 때, 전압계의 눈금을 나타낸 것이다. 이 전기 회로에 걸리는 전압의 크기는 몇 V인지 구하시오.

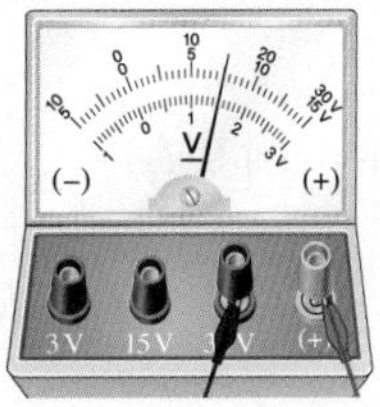
V
(−)
(+)
3 V 15 V 30 V (+)

암기 TIP

길이와 단면적에 따른 전기 저항

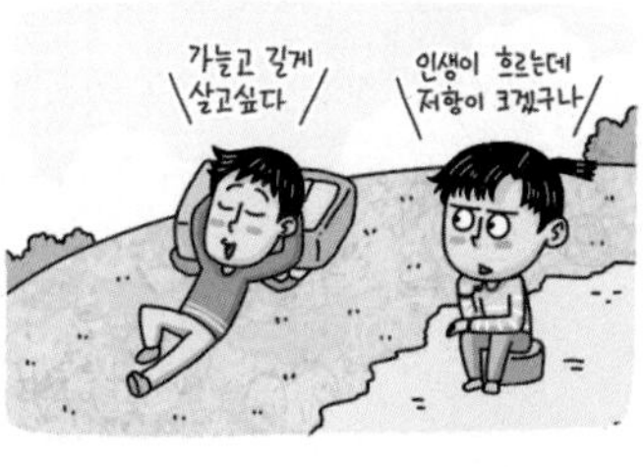
가늘고 길게 살고싶다
인생이 흐르는데 저항이 크겠구나

1 전기 저항에 대한 설명으로 옳은 것은 ○, 옳지 <u>않은</u> 것은 ×로 표시하시오.

(1) 전기 저항은 전류의 흐름을 방해하는 정도이다. ···························· (　　)

(2) 길이와 단면적이 같다면 물질이 달라도 전기 저항은 같다. ················ (　　)

(3) 도선의 단면적이 같을 때 길이가 길수록 전기 저항이 크다. ················ (　　)

(4) 도선의 길이가 같을 때 단면적이 넓을수록 전기 저항이 작다. ·············· (　　)

2 여러 가지 모양의 도선 중 전기 저항이 가장 작은 것을 보기에서 고르시오.(단, 도선의 재질은 모두 같다.)

보기

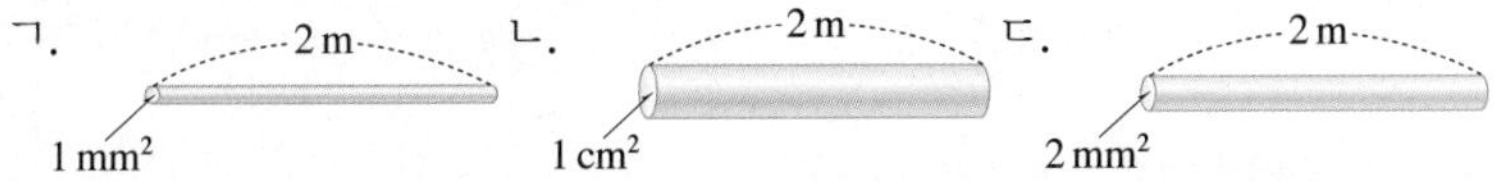
ㄱ.
2 m
1 mm²
ㄴ.
2 m
1 cm²
ㄷ.
2 m
2 mm²

02 전류, 전압, 저항

D 옴의 법칙

물이 떨어지는 높이에 따라 물의 흐름은 어떻게 달라질까요? 물레방아의 크기는 물의 흐름에 어떤 영향을 미칠까요? 마찬가지로 전기 회로에서도 전압과 저항이 달라지면 전류의 세기가 달라질까요? 전류, 전압, 저항은 어떤 관계가 있는지 알아보아요.

1. 전류, 전압, 저항의 관계

전압과 전류의 세기	저항과 전류의 세기[+]
기울기 = $\dfrac{전류}{전압} = \dfrac{1}{저항}$	
• 저항이 일정할 때 전압이 클수록 전류의 세기가 커진다. ➡ 전압과 전류의 세기는 비례한다. (전류의 세기∝전압) • 가로축이 전압일 때 기울기는 저항의 역수를 의미한다.	• 전압이 일정할 때 저항이 클수록 전류의 세기는 약해진다. ➡ 저항과 전류의 세기는 반비례한다. (전류의 세기∝$\dfrac{1}{저항}$)

＋ 저항과 전류의 세기

물질에 따라 저항의 크기는 정해져 있으므로 전류의 세기가 커져도 저항이 작아지지는 않는다.

2. 옴의 법칙 : 전류의 세기(I)는 전압(V)에 비례하고, 저항(R)에 반비례한다.[+]

$$전류의 세기(A) = \dfrac{전압(V)}{저항(\Omega)}$$

옴의 법칙에서 전류의 세기의 단위는 A(암페어)를 사용한다. mA가 아님에 주의한다.

$$\Rightarrow I = \dfrac{V}{R},\ V = IR,\ R = \dfrac{V}{I}$$

＋ 전압과 저항

전류의 세기가 일정할 때 저항이 클수록 전압이 커진다. ➡ 저항과 전압은 비례한다.

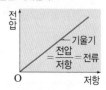

E 저항의 직렬연결

크리스마스 트리의 전구들은 한 줄로 길게 이어져 있는데 전구 하나가 고장이 나면 그 줄은 전부 불이 들어오지 않게 됩니다. 전구들이 직렬로 연결되어 있기 때문이죠. 저항을 직렬로 연결하면 어떤 특징이 있는지 알아보아요.

저항의 직렬연결 : 여러 개의 저항을 한 줄로 연결하는 방법

구분	특징
회로도[+]	
전류의 세기	각 저항에 흐르는 전류의 세기는 회로 전체에 흐르는 전류의 세기와 같다. ➡ $I = I_1 = I_2$ → 저항을 직렬로 연결하면 전류가 흐를 수 있는 길이 하나이므로 각 저항에 흐르는 전류의 세기는 같다.
전압	전체 전압이 각 저항에 비례하여 나누어 걸린다.[+] ➡ $V_1 = IR_1,\ V_2 = IR_2$ → 각각의 저항에 옴의 법칙이 성립한다.
저항	• 저항을 직렬로 연결하면 저항이 길어지는 효과가 있으므로 많이 연결할수록 전체 저항이 증가한다. • 저항 하나의 연결이 끊어지면 회로 전체에 전류가 흐르지 않는다.

＋ 여러 가지 전기 기구의 기호

전기 회로는 기호를 사용하여 간단하게 나타낼 수 있다.

이름	전지	저항	전구
기호	⊣(-) (+)⊢	—⋀⋁⋀—	—◯—

이름	스위치	전류계	전압계
기호	—⸜——	—Ⓐ—	—Ⓥ—

＋ 직렬연결된 저항 R_1과 R_2에 걸리는 전압의 비

직렬연결일 때는 전류의 세기가 같으므로 옴의 법칙에 의해 각 저항에 걸리는 전압은 저항에 비례한다.

$$V_1 : V_2 = I_1 R_1 : I_2 R_2 \\ = IR_1 : IR_2 \\ = R_1 : R_2$$

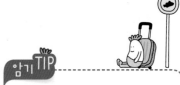
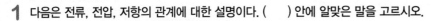

1 다음은 전류, 전압, 저항의 관계에 대한 설명이다. (   ) 안에 알맞은 말을 고르시오.

(1) 저항이 일정할 때 전압이 커질수록 전류의 세기는 (커진다, 작아진다).

(2) 전압이 일정할 때 회로에 연결된 저항이 작을수록 전류의 세기는 (크다, 작다).

(3) 전류의 세기가 일정할 때 회로에 연결된 저항의 크기가 클수록 더 (큰, 작은) 전압이 걸린다.

2 저항이 4 Ω인 니크롬선을 전지에 연결하였더니 전류계의 눈금이 2 A를 가리켰다. 이 니크롬선에 걸리는 전압은 몇 V인지 구하시오.

3 오른쪽 그래프는 어떤 니크롬선에 걸리는 전압과 흐르는 전류의 세기를 나타낸 것이다. 이 니크롬선의 저항은 몇 Ω인지 구하시오.

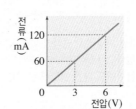

옴의 법칙

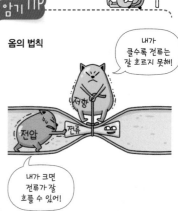

➡ 전류의 세기는 **전압**에 비례하고, **저항**에 **반비례**한다.

66쪽으로 돌아가서 내가 쓴 대사를 점검해 보자.

1 저항의 직렬연결에 대한 설명으로 옳은 것은 ○, 옳지 <u>않은</u> 것은 ×로 표시하시오.

(1) 저항을 많이 연결할수록 전체 저항이 커진다. ┈┈┈┈ (   )

(2) 직렬연결된 저항의 저항값이 클수록 큰 전압이 걸린다. ┈┈ (   )

(3) 직렬연결된 저항에 흐르는 전류의 세기는 각 저항에 반비례한다. ┈ (   )

2 오른쪽 그림과 같이 18 V의 전압에 3 Ω, 6 Ω인 두 저항을 직렬연결하였다. (   ) 안에 알맞은 값을 쓰시오.

(1) 저항의 비는 3 Ω : 6 Ω=1 : 2 이므로 각 저항에 걸리는 전압의 비 $V_{3Ω} : V_{6Ω}=($ $)$이다.

(2) 3 Ω인 저항에 걸리는 전압은 ㉠(   ) V이고, 6 Ω인 저항에 걸리는 전압은 ㉡(   ) V이다.

(3) 3 Ω인 저항에 흐르는 전류의 세기는 (   ) A이다.

(4) 전체 회로에 흐르는 전류의 세기는 (   ) A이다.

저항의 직렬연결

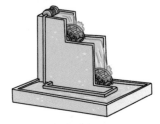

직렬로 연결한 두 물레방아를 지나는 물의 양이 같다.
➡ 저항을 직렬연결하면 전류의 세기가 일정하다.

F **저항의 병렬연결**

교실 천장에는 형광등 여러 개가 달려 있어요. 크리스마스 트리 장식용 전구와는 다르게 형광등 하나가 꺼져도 다른 형광등은 꺼지지 않아요. 형광등은 병렬로 연결되어 있기 때문입니다. 저항을 병렬로 연결하면 어떤 특징을 갖는지 알아볼까요?

저항의 병렬연결 : 여러 개의 저항의 양 끝을 나란히 연결하는 방법

구분	특징
회로도	
전압	각 저항에 걸리는 전압은 회로 전체에 걸리는 전압의 크기와 같다. ➡ $V=V_1=V_2$ — 각 저항의 양 끝이 같은 점에 연결되어 있으므로 전압이 같다.
전류의 세기	저항의 크기에 반비례하여 전체 전류가 각 저항에 나누어 흐른다.[+] ➡ $I_1=\dfrac{V}{R_1}$, $I_2=\dfrac{V}{R_2}$ — 각 저항에 옴의 법칙이 성립한다.
저항	• 저항을 병렬로 연결하면 저항의 단면적이 넓어지는 효과가 있으므로 많이 연결할수록 전체 저항이 감소한다. — 전체 전류의 세기는 증가한다. • 저항 하나의 연결이 끊어져도 다른 저항에는 전류가 계속 흐른다.

+ 병렬연결된 저항 R_1과 R_2에 흐르는 전류의 세기의 비

병렬연결일 때는 전압의 크기가 같으므로 옴의 법칙에 의해 전류의 세기는 저항에 반비례한다.

$$I_1 : I_2 = \frac{V_1}{R_1} : \frac{V_2}{R_2}$$
$$= \frac{V}{R_1} : \frac{V}{R_2}$$
$$= \frac{1}{R_1} : \frac{1}{R_2}$$

6 **저항의 연결과 이용**

우리 생활에는 다양한 전기 기구가 사용돼요. 어떤 경우에 전기 기구들을 직렬로 연결하고, 어떤 경우에 전기 기구들을 병렬로 연결할까요? 직렬연결과 병렬연결의 특징을 이용해 우리 생활에 적용한 예를 알아보아요.

1. 직렬연결의 이용

퓨즈	화재 감지 장치	장식용 전구
과도하게 센 전류가 흐르면 퓨즈가 끊어져 회로에 더 이상 전류가 흐르지 못하도록 한다.	장치 속의 금속이 열을 받아 휘어지면 회로가 연결되어 경보 장치가 작동한다.	모든 전구가 함께 꺼지고 켜지며, 하나가 고장 나면 모든 전구에 불이 들어오지 않는다.

2. 병렬연결의 이용[+]

멀티탭	건물의 전기 배선	가로등
멀티탭에 여러 전기 기구를 함께 연결해도 각 전기 기구에 220 V의 같은 전압이 걸린다.	건물의 전기 배선은 병렬연결이므로 전기 기구를 각각 따로 켜거나 끌 수 있다.	하나의 가로등이 고장 나도 나머지 가로등에 영향을 미치지 않는다.

+ 안전한 전기 사용

가정에서 대부분의 전기 기구는 병렬로 연결하여 사용하므로 한 콘센트에 많은 전기 기구를 동시에 연결하면 전체 저항이 작아져 전체 전류의 세기가 증가한다. 전선에 과도한 전류가 흐르게 되면 화재가 날 위험이 있으므로 주의해야 한다.

1 저항의 병렬연결에 대한 설명으로 옳은 것은 ○, 옳지 <u>않은</u> 것은 ×로 표시하시오.

(1) 각 저항에 걸리는 전압의 크기는 전체 전압의 크기와 같다. ·························· (   )

(2) 저항이 큰 쪽으로 흐르는 전류의 세기가 더 약하다. ························· (   )

(3) 저항을 많이 연결할수록 전체 회로에 흐르는 전류의 세기가 약해진다. ···· (   )

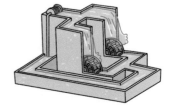

저항의 병렬연결

병렬로 연결한 두 물레방아로 떨어지는 물의 높이 차(수압)가 같다.
➡ 저항을 병렬연결하면 전압의 크기가 일정하다.

2 오른쪽 그림과 같이 18 V의 전압에 3 Ω, 6 Ω인 두 저항을 병렬연결하였다. (   ) 안에 알맞은 값을 쓰시오.

(1) 병렬연결되어 있으므로 3 Ω인 저항에 걸리는 전압은 ㉠(   ) V이고, 6 Ω인 저항에 걸리는 전압은 ㉡(   ) V이다.

(2) 3 Ω인 저항에 흐르는 전류의 세기는 ㉠(   ) A이고, 6 Ω인 저항에 흐르는 전류의 세기는 ㉡(   ) A이다.

(3) 두 저항에 흐르는 전류의 세기의 비 $I_{3\,\Omega} : I_{6\,\Omega} = ($)이다.

3 Ω
6 Ω
18 V

---

1 다음은 퓨즈에 대한 설명이다. (   ) 안에 알맞은 말을 고르시오.

> 건물의 전기 배선은 ㉠(직렬연결, 병렬연결)을 사용하므로 많은 전기 기구를 사용할수록 건물 전체의 회로에 흐르는 전류의 세기가 증가한다. 전기 회로에 과도한 전류가 흐르면 화재가 날 위험성이 커지므로 이를 예방하기 위해 퓨즈를 사용한다. 퓨즈는 과도한 전류가 흐를 때 더 이상 전류가 흐르지 못하도록 전기 회로를 끊어 주는 역할을 하며, 이를 위해 회로에 ㉡(직렬, 병렬)로 연결해야 한다.

전기 기구의 연결

직렬연결일 때는 함께 꺼지고, 켜진다.
병렬연결일 때는 따로 따로 꺼지고, 켜진다.

2 전기 기구의 이용에 대한 설명으로 옳은 것은 ○, 옳지 <u>않은</u> 것은 ×로 표시하시오.

(1) 장식용 전구는 하나가 고장 나면 전체 전구에 불이 켜지지 않는다. ··········· (   )

(2) 건물에 설치된 화재 감지 장치는 경보 장치와 병렬로 연결되어 있다. ······· (   )

(3) 멀티탭에 연결한 전기 기구들은 병렬연결된다. ······························· (   )

(4) 멀티탭에 연결한 전기 기구들에는 같은 전압이 걸린다. ····························· (   )

(5) 가로등 하나가 고장 나면 다른 가로등에 흐르는 전류의 세기가 달라진다. ··· (   )

이해 쏙쏙 집중 강의

전류, 전압, 저항의 관계는 그래프와 함께 시험에 자주 출제되는 중요한 내용이에요. 옴의 법칙을 실험으로 확인해 보고, 그래프를 해석하는 방법을 알아볼까요?

탐구 자료 전류, 전압, 저항의 관계

관련 개념 I 70쪽 D 옴의 법칙

목표 전기 회로에서 전압을 변화시킬 때 전압과 전류의 관계를 알 수 있다.

과정

① 오른쪽 그림과 같이 전원 장치, 전류계, 전압계, 긴 니크롬선을 연결한다.

② 전원 장치를 조절하여 니크롬선에 걸리는 전압을 1.5 V씩 높이면서 전류의 세기를 측정한다.

③ 과정 ①의 회로에서 긴 니크롬선 대신 짧은 니크롬선으로 바꾸어 과정 ②를 반복한다.

결과 및 해석

전압(V)		1.5	3.0	4.5	6.0
전류의 세기(A)	긴 니크롬선	0.1	0.2	0.3	0.4
	짧은 니크롬선	0.2	0.4	0.6	0.8

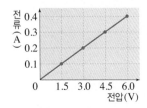

❶ 니크롬선에 걸리는 전압이 2배, 3배, …가 되면 전류의 세기도 2배, 3배, …가 된다.

❷ 전압이 같을 때 짧은 니크롬선에 흐르는 전류의 세기가 긴 니크롬선에 흐르는 전류의 세기보다 더 크다.

└─● 니크롬선의 길이가 길면 저항이 더 크다.

결론

• 저항이 일정할 때 전류의 세기는 전압에 ⊙( )한다.

• 전압이 일정할 때 전류의 세기는 저항에 ⓒ( )한다.

핵심 자료 전압과 전류의 관계 그래프로 저항 비교하기

관련 개념 I 70쪽 D 옴의 법칙

➕ 전압과 전류의 관계를 나타내는 그래프에서는 가로축과 세로축에 따라 기울기가 나타내는 값이 달라지므로 주의해야 한다.

가로축이 전류인 그래프

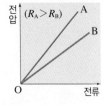

• 기울기 $= \dfrac{\text{세로축}}{\text{가로축}} = \dfrac{\text{전압}}{\text{전류}} = $ 저항 ➡ 기울기가 클수록 저항이 크다.

• 기울기가 큰 A의 저항이 B의 저항보다 크다.

➡ $R_A > R_B$

가로축이 전압인 그래프

• 기울기 $= \dfrac{\text{세로축}}{\text{가로축}} = \dfrac{\text{전류}}{\text{전압}} = \dfrac{1}{\text{저항}}$ ➡ 기울기가 작을수록 저항이 크다.

• 기울기가 큰 C의 저항이 D의 저항보다 작다.

➡ $R_C < R_D$

유제 1 세 종류의 니크롬선 A~C를 각각 회로에 연결하고 전압에 따라 전류의 세기를 측정하였더니 오른쪽 그래프와 같았다.

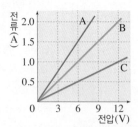

(1) 니크롬선 A~C의 저항의 크기를 등호 또는 부등호를 이용하여 비교하시오.

(2) 니크롬선 A의 저항은 몇 Ω인지 구하시오.

유제 2 오른쪽 그래프는 A와 B 두 니크롬선을 각각 회로에 연결하고 전압에 따라 전류의 세기를 측정한 결과를 나타낸 것이다. 니크롬선 A와 B의 저항의 비를 구하시오.

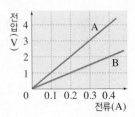

01
오른쪽 그림과 같이 전구를 전지에 연결하였더니 전구에 불이 켜졌다. 이에 대한 설명으로 옳은 것은?

66쪽

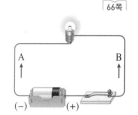

① 원자의 이동 방향은 A이다.
② 전자의 이동 방향은 B이다.
③ 전류의 방향은 전자의 이동 방향과 같다.
④ 전지의 극을 반대로 하면 전류의 방향도 반대가 된다.
⑤ 도선에 전류가 흐르지 않아도 전자는 일정한 방향으로 계속 이동한다.

02
전류에 대한 설명으로 옳은 것은?

66쪽

① 전자는 (+)전하를 띤다.
② 전기의 성질을 띤 입자를 전류라고 한다.
③ 전류는 전지의 (+)극 쪽에서 (−)극 쪽으로 흐른다.
④ 도선을 따라 이동하는 전하의 흐름을 정전기라고 한다.
⑤ 회로를 연결한 후 스위치를 닫으면 전자들이 전지의 (+)극 쪽에서 (−)극 쪽으로 천천히 이동한다.

03
풀이 TIP

그림 (가)는 전기 회로를 나타낸 것이고, 그림 (나)는 도선 속에서 원자와 전자의 운동 상태를 나타낸 것이다.

66쪽

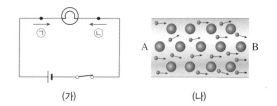

(가)   (나)

이에 대한 설명으로 옳지 않은 것은?

① 전자의 이동 방향은 ㉡이다.
② 이 도선에는 전류가 흐르고 있다.
③ 전류는 A에서 B 방향으로 흐른다.
④ B는 전지의 (+)극 쪽에 연결되어 있다.
⑤ 전류가 흐르지 않으면 전자는 무질서하게 운동한다.

04
풀이 TIP

그림은 도선 속 전자의 움직임을 나타낸 것이다.

66쪽

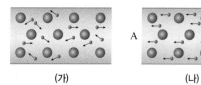

(가)   (나)

이에 대한 설명으로 옳지 않은 것은?

① (가)는 전류가 흐르지 않는 상태이다.
② (가)에서 전자는 불규칙하게 운동한다.
③ (나)에서 전류는 A에서 B 쪽으로 흐른다.
④ (나)에서 A쪽은 전지의 (−)극 쪽에 연결되어 있다.
⑤ (가)와 (나)에서 원자는 모두 이동하지 않는다.

05
그림은 전기 회로와 물의 흐름을 나타낸 것이다.

66쪽

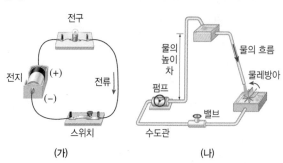

(가)   (나)

(가), (나)에서 역할이 비슷한 것끼리 옳게 짝 지은 것은?

	(가)	(나)		(가)	(나)
①	전지	펌프	②	전구	밸브
③	스위치	물레방아	④	전류	물의 높이 차
⑤	스위치	수도관			

06
전압에 대한 설명으로 옳은 것을 모두 고른 것은?

66쪽

[보기]
ㄱ. 전압은 전기 회로에 전류를 흐르게 하는 능력이다.
ㄴ. 전압의 단위는 A(암페어)이다.
ㄷ. 전자가 이동하면서 원자와 충돌하기 때문에 생긴다.

① ㄱ   ② ㄴ   ③ ㄷ
④ ㄱ, ㄴ   ⑤ ㄴ, ㄷ

 03 ❶ 도선 속을 나타낸 그림에서 무엇이 전자이고, 원자인지 찾는다. ❷ 전자의 이동 방향과 전류의 방향의 특징을 생각한다. 04 ❶ 전류가 흐를 때와 흐르지 않을 때 어떤 차이점이 있는지 생각하여 전류가 흐르는 도선을 찾는다. ❷ 전자의 이동 방향의 특징을 생각한다.

[07~08] 어떤 전기 회로에 그림 (가)와 같이 전류계가 연결되었을 때, 전류계의 눈금판이 그림 (나)와 같았다.

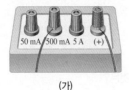
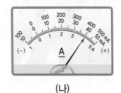

(가)　　　　　　　　(나)

 풀이 TIP
07 전류계에 흐르는 전류의 세기는 몇 A인지 구하시오.

08 전류계의 사용법에 대한 설명으로 옳은 것은?

① 전류계는 회로에 병렬로 연결한다.
② 전류계의 (−)단자는 전지의 (+)극 쪽에 연결한다.
③ 전류의 세기를 예상할 수 없을 때는 (−)단자 중 최댓값이 가장 작은 단자부터 연결한다.
④ (가)에서 500 mA에 연결된 도선을 50 mA에 연결하면, (나)의 눈금이 오른쪽 끝으로 회전한다.
⑤ (가)에서 500 mA에 연결된 도선을 5 A에 연결하면, (나)의 눈금이 오른쪽 끝으로 회전한다.

09 어떤 전기 회로에 그림 (가)와 같이 전압계가 연결되어 있을 때, 전압계의 눈금판이 그림 (나)와 같았다.

(가)　　　　　　　　(나)

이에 대한 설명으로 옳지 않은 것은?

① 이 전기 회로에 걸리는 전압은 25 V이다.
② 전압계는 전기 회로에 병렬로 연결되어 있다.
③ 전압계를 회로에 연결하기 전에 영점을 조정한다.
④ (가)의 (−)단자는 전지의 (−)극 쪽에 연결되어 있다.
⑤ (가)에서 (−)단자를 3 V로 바꾸면 (나)의 눈금이 왼쪽 끝으로 회전하여 (−)값을 가리킨다.

★중요 풀이 TIP
10 전구에 흐르는 전류의 세기와 전구에 걸리는 전압을 측정하려고 한다. 전류계와 전압계를 옳게 연결한 것은?

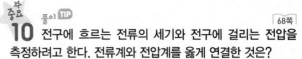
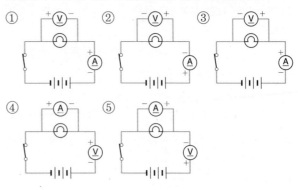

11 그림 (가)와 같은 회로의 전구에 흐르는 전류의 세기를 그림 (나)의 전류계로 측정하려고 한다.

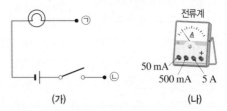

(가)　　　　　　　　(나)

전구에 흐르는 전류의 예상값이 0.3 A 정도라고 할 때, 회로의 ㉠, ㉡은 각각 전류계의 어느 단자에 연결해야 하는가?

	㉠	㉡		㉠	㉡
①	50 mA	(+)단자	②	500 mA	(+)단자
③	5 A	(+)단자	④	(+)단자	500 mA
⑤	(+)단자	5 mA			

12 전기 저항에 대한 설명으로 옳지 않은 것은?

① 전기 저항은 도선의 길이에 반비례한다.
② 전기 회로에서 전류의 흐름을 방해하는 정도를 나타낸다.
③ 길이와 단면적이 같아도 물질마다 전기 저항이 다르다.
④ 전자와 원자의 충돌 때문에 전기 저항이 생긴다.
⑤ 전기 회로에 같은 전압을 걸어 줄 때 물체의 저항이 커지면 전류의 세기는 약해진다.

 풀이 TIP
07 ❶ 전류계의 (−)단자에 연결된 값을 읽는다. ❷ 최댓값이 (−)단자에 연결된 값과 일치하는 눈금판의 눈금을 읽는다. **10** ❶ 전류계와 전압계를 회로에 연결할 때 직렬로 연결하는지 병렬로 연결하는지 생각한다. ❷ (−)단자와 (+)단자는 각각 전지의 어느 극과 연결해야 하는지 생각한다.

076　Ⅱ. 전기와 자기

13 풀이 TIP _{68쪽}
다음과 같은 여러 가지 모양의 도선 중 전기·저항이 가장 큰 것은?(단, 도선의 재질은 모두 같다.)

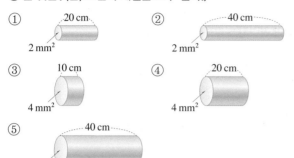

① 20 cm, 2 mm²
② 40 cm, 2 mm²
③ 10 cm, 4 mm²
④ 20 cm, 4 mm²
⑤ 40 cm, 4 mm²

14 오른쪽 그림과 같은 전기 회로에서 니크롬선에 걸리는 전압이 3 V, 전류의 세기가 2 A이다. 이 니크롬선의 저항은? _{70쪽}

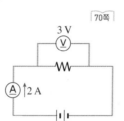

① 1 Ω
② 1.5 Ω
③ 2 Ω
④ 2.5 Ω
⑤ 3 Ω

15 표는 전기 회로 (가), (나), (다)의 전류, 전압, 저항을 나타낸 것이다. _{70쪽}

전기 회로	전류	전압	저항
(가)	㉠( ) A	3 V	2 Ω
(나)	300 mA	㉡( ) V	15 Ω
(다)	10 A	20 V	㉢( ) Ω

㉠~㉢에 알맞은 값을 옳게 짝 지은 것은?

	㉠	㉡	㉢		㉠	㉡	㉢
①	1.5	3	2	②	1.5	4.5	0.5
③	1.5	4.5	2	④	4.5	1.5	0.5
⑤	4.5	3	2				

16 어떤 니크롬선에 흐르는 전류와 전압을 측정하였더니, 전류계와 전압계의 눈금이 그림과 같았다. _{70쪽}

[전류계 눈금] [전압계 눈금]

이 니크롬선의 저항의 크기는?(단, 전류계의 (−)단자는 500 mA, 전압계의 (−)단자는 15 V에 연결되어 있다.)

① 5 Ω
② 10 Ω
③ 15 Ω
④ 20 Ω
⑤ 30 Ω

[17~18] 오른쪽 그래프는 두 니크롬선 A, B에 걸리는 전압과 흐르는 전류의 세기를 나타낸 것이다.

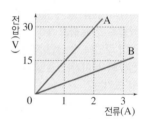

★중요
17 풀이 TIP _{70쪽}
두 니크롬선 A, B의 저항은 각각 몇 Ω인지 구하시오.

★중요
18 위 그래프에 대한 설명으로 옳은 것은? _{70쪽}

① A와 B의 저항의 비 A : B=2 : 1이다.
② 그래프의 기울기는 저항의 역수를 나타낸다.
③ 같은 전압을 걸어 주면 A에 더 센 전류가 흐른다.
④ A, B의 길이가 같다면, 단면적은 A가 B보다 넓다.
⑤ A, B의 단면적이 같다면, 길이는 A가 B보다 길다.

---

13 ❶ 도선의 길이에 따라 저항이 어떻게 달라지는지 생각하고 단면적이 같은 것들끼리 비교한다. ❷ 남은 도선들의 단면적을 비교하여 저항이 가장 큰 도선을 찾는다. 17 ❶ 그래프 위의 한 점을 택해 그 점에서 전류의 세기와 전압의 크기를 읽는다. ❷ 옴의 법칙을 이용하여 저항값을 구한다.

중요
풀이 TIP
19 오른쪽 그래프는 재질이 같은 세 도선 A, B, C에 흐르는 전류의 세기와 걸리는 전압을 나타낸 것이다. 세 도선의 길이가 같을 때, 그래프에 대한 설명으로 옳은 것을 보기에서 모두 고른 것은?

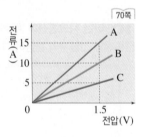

[70쪽]

┌ 보기 ┐
ㄱ. 도선 A의 저항이 가장 크다.
ㄴ. 도선 B의 저항은 0.15 Ω이다.
ㄷ. 도선 C의 단면적이 가장 좁다.
└ ┘

① ㄱ   ② ㄴ   ③ ㄷ
④ ㄱ, ㄴ   ⑤ ㄴ, ㄷ

풀이 TIP
20 오른쪽 그림과 같이 3 Ω인 저항과 값을 알 수 없는 저항 R를 직렬로 연결하고 10 V의 전압을 걸어 주었다. 3 Ω인 저항에 흐르는 전류의 세기가 2 A일 때, 저항 R의 크기는?

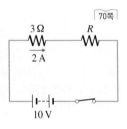

[70쪽]

① 2 Ω   ② 4 Ω   ③ 6 Ω
④ 8 Ω   ⑤ 10 Ω

21 오른쪽 그림과 같이 10 Ω과 20 Ω인 두 저항을 연결하고 6 V의 전압을 걸어 주었더니 전류계에 0.2 A의 전류가 흘렀다. 이에 대한 설명으로 옳지 <u>않은</u> 것은?

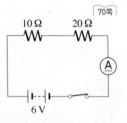

[70쪽]

① 전체 저항은 30 Ω이다.
② 10 Ω에 흐르는 전류의 세기는 0.2 A이다.
③ 10 Ω에 걸리는 전압은 2 V이다.
④ 20 Ω에 걸리는 전압은 10 Ω에 걸리는 전압의 2배이다.
⑤ 10 Ω과 20 Ω에 흐르는 전류의 세기 비는 1 : 2이다.

중요
22 오른쪽 그림과 같이 12 V의 전원에 4 Ω인 저항 2개를 병렬연결하였다. 이때 전류계의 바늘이 가리키는 값은?

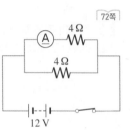

[72쪽]

① 3 A   ② 6 A
③ 8 A   ④ 10 A
⑤ 12 A

23 다음 중 병렬로 연결하여 사용하는 것들을 모두 고른 것은?

[72쪽]

┌ 보기 ┐
ㄱ. 멀티탭   ㄴ. 퓨즈   ㄷ. 가로등
ㄹ. 화재 감지 장치   ㅁ. 텔레비전과 냉장고
└ ┘

① ㄱ, ㄷ   ② ㄴ, ㄹ   ③ ㄱ, ㄷ, ㅁ
④ ㄴ, ㄷ, ㄹ   ⑤ ㄷ, ㄹ, ㅁ

중요
24 오른쪽 그림과 같이 가정용 전기 기구들을 연결하여 사용할 때에 대한 설명으로 옳지 <u>않은</u> 것은?

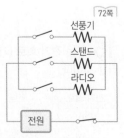

[72쪽]

① 각 전기 기구에는 같은 크기의 전압이 걸린다.
② 각 전기 기구에는 같은 세기의 전류가 흐른다.
③ 한 전기 기구의 스위치를 끄더라도 다른 전기 기구를 사용할 수 있다.
④ 전원에 병렬로 연결하는 전기 기구가 많을수록 전체 저항은 작아진다.
⑤ 한 콘센트에 너무 많은 전기 기구를 연결하여 동시에 사용하면 회로에 흐르는 전체 전류의 세기가 세진다.

 풀이 TIP **19 ❶** 그래프에서 기울기는 무엇을 의미하는지 파악한다. **❷** 도선의 재질과 길이가 같을 때 단면적은 도선의 저항에 어떤 영향을 미치는지 생각한다.   **20 ❶** 저항이 직렬로 연결되어 있을 때 어떤 값이 일정한지 생각한다. **❷** 3 Ω에 걸리는 전압을 구하여 R에 걸리는 전압을 알아낸다. **❸** 옴의 법칙을 이용해 저항값을 계산한다.

078 Ⅱ. 전기와 자기

25 오른쪽 그림과 같은 전기 회로에서 A, B의 방향이 나타내는 것을 다음의 단어를 사용하여 서술하시오.

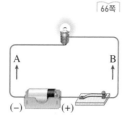

66쪽

A   B

(−)   (+)

전자, 전류, (−)극, (+)극

- -

- -

26 그림은 도선 속 원자와 전자의 모형을 나타낸 것이다.

66쪽

도선에 전류가 흐르고 있는 상태인지 아닌지 쓰고, 그 까닭을 서술하시오.

- -

- -

27 전기 회로에 연결된 어떤 니크롬선에 전류계와 전압계를 연결하였더니, 전류계와 전압계의 눈금이 그림과 같았다. 이때 전류계의 (−)단자는 500 mA, 전압계의 (−)단자는 15 V에 연결되어 있다.

풀이 TIP   70쪽

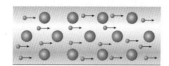

[전류계 눈금]   [전압계 눈금]

이 실험에 사용한 니크롬선의 저항은 몇 Ω인지 풀이 과정과 함께 구하시오.

- -

- -

28 오른쪽 그래프는 두 니크롬선 A, B에 걸리는 전압과 흐르는 전류의 세기를 나타낸 것이다. 두 니크롬선의 재질과 단면적이 같을 때 A와 B의 길이를 비교하고, 그 까닭을 서술하시오.

풀이 TIP   70쪽

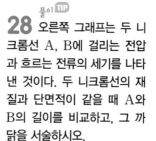

- -

- -

29 그림과 같이 저항이 5 Ω과 10 Ω인 두 니크롬선을 연결한 회로가 있다.

70쪽

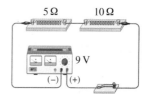

5 Ω   10 Ω

9 V

(−)   (+)

회로 전체에 흐르는 전류의 세기가 0.6 A일 때 5 Ω인 저항에 흐르는 전류의 세기는 몇 A이고, 걸리는 전압은 몇 V인지 풀이 과정과 함께 구하시오.

- -

- -

30 가정에서 전기 기구를 사용할 때, 한 콘센트에 전기 기구를 많이 연결할수록 전체 저항과 콘센트에 흐르는 전류의 세기는 어떻게 변하는지 서술하시오.

72쪽

- -

- -

학습 평가 하기

정답친해 19쪽으로 가서 문제를 채점한 후 학습 결과를 스스로 평가해 보세요.

맞춘 개수	27~30개	21~26개	0~20개
평가	잘함	보통	부족

→ 정답친해에서 그 문제를 왜 틀렸는지 꼭 확인하세요!

→ 본책에서 해당 쪽으로 돌아가서 부족한 부분을 다시 공부하세요!

27 ❶ 최댓값이 (−)단자에 연결된 값과 일치하는 눈금판의 눈금을 읽는다. ❷ 옴의 법칙을 이용해 저항값을 계산한다.   28 ❶ 그래프에서 기울기는 무엇을 의미하는지 파악한다. ❷ 도선의 재질과 단면적이 같을 때 길이는 도선의 저항에 어떤 영향을 미치는지 생각한다.

전류의 자기 작용

 만화 완성하기

다음 만화를 보고 여학생의 말풍선을 완성해 보자.

압정을 떨어뜨렸어! 자석이 있으면 찾기 쉬울 텐데...

이어폰으로 찾아보자!

음악을 들으면 압정이 더 잘 보일까?

이어폰은 _____ 한 물건이잖아. 안에 자석이 들어있을 거야.

>> 이 단원을 학습한 후 내가 쓴 대사를 수정해 보자.

A 자기장

힘은 눈에 보이지 않아서 물체가 변하거나 움직여야만 물체에 힘이 작용했다는 것을 알 수 있죠. 하지만 자석 사이에 작용하는 자기력은 주변에 철가루를 뿌려 보면 자기력이 작용하는 공간을 눈으로 확인할 수 있어요. 자기장이 무엇인지 알아볼까요?

1. 자기장 : 자석 주위와 같이 자기력이 작용하는 공간[+]

(1) **방향** : 자석 주위에 나침반을 놓았을 때 나침반 자침의 N극이 가리키는 방향이다.

(2) **세기** : 자석의 양 극에 가까울수록 세다.

2. 자기력선 : 눈에 보이지 않는 자기장의 모습을 선으로 나타낸 것

(1) 항상 N극에서 나와서 S극으로 들어간다.

(2) 중간에 끊어지거나 서로 교차하지 않는다.

(3) 자기력선의 간격이 촘촘할수록 자기장이 세다.

⬆ 막대자석 주위의 철가루와 나침반

자석 주위에 철가루를 뿌리면 자기장의 모양으로 철가루가 늘어선다.

➕ 자기력

두 자석의 극 사이에 작용하는 힘

• 다른 극(N극과 S극) 사이 : 서로 끌어당기는 힘(인력) 작용

• 같은 극(N극과 N극, S극과 S극) 사이 : 서로 밀어내는 힘(척력) 작용

➕ 막대자석의 두 극 사이에 작용하는 힘과 자기력선

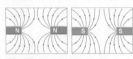

⬆ 같은 극 사이 : 척력 작용

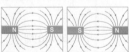

⬆ 다른 극 사이 : 인력 작용

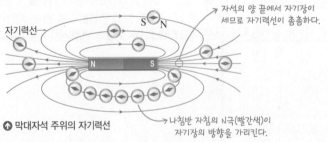

자석의 양 끝에서 자기장이 세므로 자기력선이 촘촘하다.

자기력선 →

⬆ 막대자석 주위의 자기력선

→ 나침반 자침의 N극(빨간색)이 자기장의 방향을 가리킨다.

📖 **두 극 사이의 자기력선**[+]

[N극과 S극]

• 자기력선은 N극에서 나와서 S극으로 들어간다.
• 두 극 사이에 인력이 작용한다.

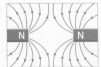

[N극과 N극]

• 자기력선은 두 개의 N극에서 각각 나온다.
• 두 극 사이에 척력이 작용한다.

이 단원의 개념이 어떻게 구성되어 있는지 살펴보고 빈칸을 완성해 보자.

전류의 자기 작용

A 자기장 ─── B 전류가 흐르는 도선 주위의 자기장 ─── C

D ─── E 자기장에서 전류가 흐르는 도선이 받는 힘의 이용

이 단원을 공부하기 전에 미리 알고 있는 단어를 체크해 보자.

☐ 자석   ☐ 자기장   ☐ 자기력   ☐ 코일   ☐ 전자석
☐ 전동기

자기력선의 방향
자석의
Ṅ극에서 Ṅ와서
Ṡ극으로 Ṡ을 들어간다.

1 자기력이 작용하는 공간을 (   )이라 한다.

2 자기장과 자기력선에 대한 설명으로 옳은 것은 ○, 옳지 않은 것은 ×로 표시하시오.

(1) 자기장의 방향은 나침반 자침의 S극이 가리키는 방향이다. ·························· (   )

(2) 자기력선은 중간에 끊어지거나 서로 교차하지 않는다. ························· (   )

(3) 자기력선이 촘촘할수록 자기장의 세기가 약하다. ························· (   )

3 두 자석 사이에 생기는 자기력선의 모양으로 옳은 것은?

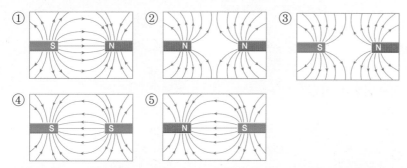

B 전류가 흐르는 도선 주위의 자기장

과학자 외르스테드는 전류가 흐를 때 도선 주변에 놓여 있던 나침반이 돌아가는 것을 발견했어요. 전류가 흐를 때 나침반 바늘이 왜 돌아가고, 어디를 향하는지 알아보아요.

1. 전류가 흐르는 도선 주위의 자기장 : 자기장은 자석의 주위에만 생기는 것이 아니라 전류가 흐르는 도선 주위에도 생긴다.

(1) 자기장의 방향 : 오른손의 엄지손가락을 전류의 방향과 일치시키고 네 손가락으로 도선을 감아쥘 때, 네 손가락이 가리키는 방향

(2) 전류의 방향과 세기가 달라지면 자기장의 방향과 세기도 달라진다.

2. 직선 도선과 원형 도선 주위의 자기장

(1) 직선 도선 주위의 자기장

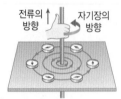

직선 도선을 중심으로 동심원 모양의 자기장이 생긴다.

(2) 원형 도선 주위의 자기장

┌─ 직선 도선을 구부려 놓은 것이다.

원형 도선 중심에는 직선 모양으로, 도선에 가까울수록 동심원 모양으로 자기장이 생긴다.

✚ 도선의 위와 아래에서 자기장의 방향

도선의 위와 아래에는 반대 방향의 자기장이 생기므로 나침반을 놓았을 때 나침반의 자침이 서로 반대 방향을 가리킨다.

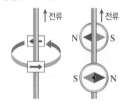

C 코일 주위의 자기장

도선이 한 줄 있을 때보다 여러 도선이 겹쳐 있으면 전류가 흐를 때 더 센 자기장을 만들 수 있겠죠? 그래서 일상생활에서는 도선을 여러 번 감은 코일을 많이 이용합니다. 코일에 전류가 흐를 때는 자기장이 어떻게 생기는지 알아보아요.

1. 코일 주위의 자기장 : 코일은 원통 모양으로 도선을 여러 번 감은 것으로, 원형 도선 여러 개를 겹쳐 놓은 것과 같다.

(1) 자기장의 방향 : 오른손의 네 손가락을 전류의 방향으로 감아쥘 때, 엄지손가락이 가리키는 방향 ➡ 엄지손가락이 가리키는 쪽이 N극이 된다.

(2) 전류의 방향과 세기가 달라지면 자기장의 방향과 세기도 달라진다.

📖 코일 주위의 자기장

코일의 내부는 직선 모양으로, 외부는 막대자석 주위의 자기장과 비슷한 모양으로 생긴다.

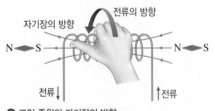

⬆ 코일 주위의 자기장의 방향

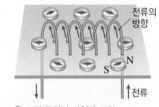

⬆ 코일 주위의 나침반 모양

2. 전자석 : 코일 속에 철심을 넣어 만든 자석

(1) 전류가 흐르는 동안에만 자석의 성질을 띤다.

(2) 전류의 방향이 바뀌면 전자석의 극도 바뀌며, 전류의 세기에 따라 전자석의 세기가 변한다.

(3) 이용 : 자기 부상 열차, 전자석 기중기, 스피커, 전화기, 자기 공명 영상 장치(MRI) 등

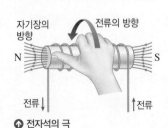

⬆ 전자석의 극

✚ 방위 표시와 자기장의 방향

도선 주위에 놓은 나침반 자침의 N극이 가리키는 방향을 찾을 때는 방위 표시에 주의한다.

예 그림과 같이 전류가 흐르는 코일의 A~C에 나침반을 놓았을 때 나침반 자침의 N극은 A는 남쪽, B는 북쪽, C는 남쪽을 가리킨다.

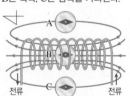

1 오른쪽 그림과 같이 오른손을 이용하여 직선 도선 주위의 자기장 방향을 찾으려고 한다. A와 B가 의미하는 것을 쓰시오.

직선, 원형 도선에서 자기장의 방향 찾기
도선이 한 가닥일 경우 오른손 엄지손가락 하나가 전류의 방향

2 오른쪽 그림과 같이 도선에 화살표 방향으로 전류가 흐르고 있을 때, 나침반 자침의 N극이 가리키는 방향을 각각 쓰시오.(단, 지구 자기장은 무시한다.)

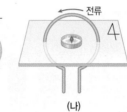

(가)   (나)

1 오른쪽 그림과 같이 오른손을 이용하여 코일 주위의 자기장 방향을 찾으려고 한다. A와 B가 의미하는 것을 쓰시오.

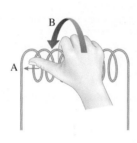

코일에서 자기장의 방향 찾기
도선이 여러 가닥일 경우 오른손 여러(네) 손가락들이 전류의 방향

2 오른쪽 그림과 같이 코일과 전지가 연결된 회로의 A, B 지점에 나침반을 놓았을 때, 나침반 자침의 N극이 가리키는 방향을 각각 쓰시오.(단, 지구 자기장은 무시한다.)

3 전자석을 이용한 예를 보기에서 모두 고르시오.

> **보기**
>
> ㄱ. 전구   ㄴ. 전자석 기중기
>
> ㄷ. 자기 부상 열차   ㄹ. 자기 공명 영상 장치(MRI)

D 자기장에서 전류가 흐르는 도선이 받는 힘

자석이 두 개가 있으면 각각의 자석에 의해 생기는 자기장 때문에 자석 사이에 끌어당기거나 밀어내는 자기력이 작용해요. 이와 마찬가지로 전류가 흐르는 도선과 자석 사이에도 자기력이 작용해요. 어떻게 힘이 작용하는지 알아볼까요?

1. 자기장에서 전류가 흐르는 도선이 받는 힘(자기력) : 자석 사이에 있는 도선에 전류가 흐르면 자석에 의한 자기장과 전류에 의한 자기장이 상호 작용하여 도선은 힘을 받는다.

2. 힘의 방향

(1) 전류와 자기장의 방향에 각각 수직인 방향으로 힘을 받는다.

(2) 전류나 자기장의 방향이 반대가 되면 힘의 방향도 반대가 된다.

📖 **힘의 방향 찾는 방법**

① 오른손의 엄지손가락과 네 손가락이 수직이 되도록 손바닥을 편다.

② 엄지손가락을 전류의 방향, 네 손가락을 자기장의 방향으로 향한다.
  • 엄지손가락 : (+)극 → (−)극
  • 네 손가락 : N극 → S극

③ 도선은 손바닥이 향하는 방향으로 힘을 받는다.

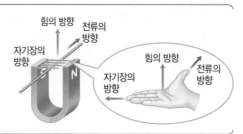

3. 힘의 크기

(1) 전류의 세기가 셀수록, 자기장의 세기가 셀수록 크다.

힘의 크기가 0이다. ●

(2) 전류와 자기장의 방향이 서로 수직일 때 힘의 크기가 가장 크고, 평행일 때 가장 작다. ✛

✛ **전류와 자기장이 이루는 각과 힘의 크기**

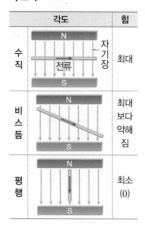

각도		힘
수직		최대
비스듬		최대보다 약해짐
평행		최소 (0)

E 자기장에서 전류가 흐르는 도선이 받는 힘의 이용

전원이 켜지면 움직이는 선풍기, 세탁기, 청소기 등과 같은 전기 기구들은 자기장에서 전류가 흐르는 도선이 받는 힘을 이용한 것들이에요. 전기 기구들이 어떤 원리로 움직이는지 알아보아요.

1. 전동기 : 영구 자석의 N극과 S극 사이에 있는 코일에 전류가 흐를 때 코일이 힘을 받아 회전한다. ✛

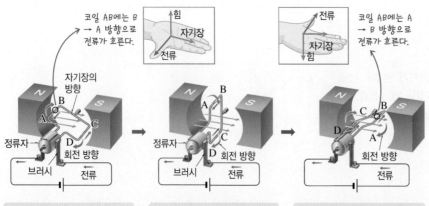

코일 AB에는 B → A 방향으로 전류가 흐른다.

코일 AB에는 A → B 방향으로 전류가 흐른다.

❶ 코일의 AB 부분은 위쪽으로, CD 부분은 아래쪽으로 힘을 받아 시계 방향으로 회전한다.

❷ 코일이 90° 회전하면 정류자의 절연체 부분이 브러시에 닿아 전류가 흐르지 않는다. ✛

❸ 코일에 흐르는 전류의 방향이 ❶과 반대가 되어 힘의 방향도 반대가 되므로 계속 시계 방향으로 회전한다.

2. 전동기의 이용 : 세탁기, 선풍기, 전기 자동차, 엘리베이터, 에스컬레이터 등

✛ **자기장에서 전류가 흐르는 도선이 받는 힘을 이용한 다른 예**

• 전류계, 전압계, 스피커(이어폰) 등

• 스피커의 원리 : 코일에 전류가 흐르면 코일이 힘을 받아 앞뒤 방향으로 흔들리면서 진동판을 진동시켜 소리가 난다.

진동판

코일

자석

✛ **정류자**

회전축이 반 바퀴 돌 때마다 코일에 흐르는 전류의 방향을 바꾸어 주어 코일이 같은 방향으로 계속 회전할 수 있게 해 주는 장치이다.

1 자기장에서 전류가 흐르는 도선이 받는 힘을 알아보기 위해 오른쪽 그림과 같이 펼친 오른손을 사용한다. 빈 칸에 알맞은 말을 각각 쓰시오.

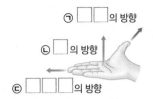

2 오른쪽 그림과 같이 자기장 속에 있는 도선에 화살표 방향으로 전류가 흐를 때, 도선이 받는 힘의 방향은 A~D 중 어느 쪽인지 쓰시오.

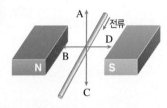

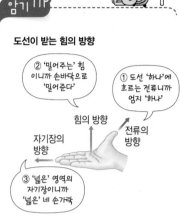

암기 TIP

도선이 받는 힘의 방향

① 도선 '하나'에 흐르는 전류니까 엄지 '하나'

② '밀어주는' 힘이니까 손바닥으로 '밀어준다'

③ '넓은' 영역의 자기장이니까 '넓은' 네 손가락

힘의 방향 / 자기장의 방향 / 전류의 방향

3 전류가 흐르는 도선이 자기장 속에서 받는 힘에 대한 설명으로 옳은 것은 ○, 옳지 않은 것은 ×로 표시하시오.

(1) 자기장의 방향에 관계없이 힘의 방향은 일정하다. ····················· (   )

(2) 도선에 흐르는 전류의 세기가 세질수록 힘은 커진다. ················· (   )

(3) 전류의 방향과 자기장의 방향이 나란할 때 힘이 가장 크다. ·········· (   )

---

1 오른쪽 그림은 전동기의 코일에 전류가 흐르는 모습을 나타낸 것이다. 코일의 AB 부분과 CD 부분이 받는 힘의 방향과 코일의 회전 방향을 각각 고르시오.

(1) AB 부분 : (위쪽 , 아래쪽)

(2) CD 부분 : (위쪽 , 아래쪽)

(3) 회전 방향 : (시계 방향, 반시계 방향)

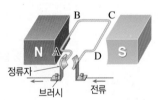

암기 꿀

전동기 코일이 받는 힘의 방향

회전해서 이 위치에 오는 코일은 계속 위쪽으로만 힘을 받는다.

2 전동기 속의 코일이 반 바퀴 회전할 때마다 전류의 방향을 바꾸어 주는 장치를 (   )라고 한다.

3 전류가 흐르는 도선이 자기장 속에서 힘을 받는 원리를 이용한 기구가 <u>아닌</u> 것은?

① 전압계   ② 전류계   ③ 세탁기   ④ 전자석   ⑤ 선풍기

만화 확인하기

80쪽으로 돌아가서 내가 쓴 대사를 점검해 보자.

자기장 속에서 전류가 흐르는 도선이 받는 힘의 방향을 묻는 문제는 다양한 상황으로 출제돼요. 오른손을 이용하면 쉽게 찾을 수 있는 거 알고 있죠? 어떤 실험들이 나오는지 익혀 볼까요?

탐구 자료 자기장 속에서 전류가 흐르는 도선이 받는 힘
관련 개념 | 84쪽 **D** 자기장에서 전류가 흐르는 도선이 받는 힘

목표
자기장에서 전류가 흐르는 도선이 받는 힘에 영향을 미치는 요인을 설명할 수 있다.

과정
① 오른쪽 그림과 같이 말굽 자석의 두 극 사이에 알루미늄 포일을 놓고, 알루미늄 포일에 전류를 흐르게 하여 움직임을 관찰한다.
② 과정 ①에서 전류의 방향을 반대로 하고 실험을 반복한다.
③ 과정 ①에서 말굽 자석의 N극과 S극의 위치를 반대로 하고 실험을 반복한다.

결과 및 해석

과정 ①	과정 ② 전류가 반대	과정 ③ 자기장이 반대
위로 움직인다.	아래로 움직인다.	아래로 움직인다.

결론
• 자기장 속에 놓인 도선에 전류가 흐르면 도선은 ⊙(　　　　)을 받는다.
• 도선에 흐르는 ⓒ(　　　　)의 방향이나 ⓒ(　　　　)의 방향이 반대가 되면 자기장에서 전류가 받는 힘의 방향이 반대가 된다.

답 ⊙ 힘 ⓒ 전류 ⓒ 자기장

핵심 자료 자기장 속에서 전류가 흐르는 도선이 받는 힘의 방향 찾기
관련 개념 | 84쪽 **D** 자기장에서 전류가 흐르는 도선이 받는 힘

자석 사이에 도선이 다양한 형태로 놓였을 때 도선이 받는 힘의 방향을 오른손을 이용하여 찾을 수 있다. 이때 도선의 모양이 달라지더라도 전류의 방향은 자석 사이에 있는 도선 부분만 생각하여 찾는다.

1. 말굽 자석 사이에 놓인 알루미늄 막대

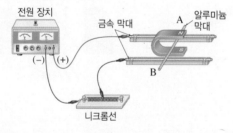

❶ 알루미늄 막대에 흐르는 전류의 방향 찾기
알루미늄 막대 양 끝이 연결되어 있는 전원 장치의 극을 찾는다.
➡ A 부분이 전원 장치의 (+)극에, B 부분이 전원 장치의 (−)극에 연결되어 있으므로 막대에서 전류는 A → B로 흐른다.

❷ 오른손을 이용하여 힘의 방향 찾기
자기장의 방향은 ↓ 방향이므로 오른손을 이용하면 알루미늄 막대는 말굽 자석의 바깥쪽(→)으로 힘을 받는다.

2. 말굽 자석 사이에 놓인 도선 그네

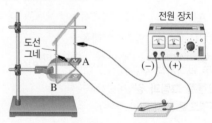

❶ 도선 그네에 흐르는 전류의 방향 찾기
도선 그네 중 말굽 자석 사이를 지나가는 AB 부분에 흐르는 전류의 방향을 찾는다.
➡ A 부분이 전원 장치의 (−)극에, B 부분이 전원 장치의 (+)극에 연결되어 있으므로 막대에서 전류는 B → A로 흐른다.

❷ 오른손을 이용하여 힘의 방향 찾기
자기장의 방향은 ↓ 방향이므로 오른손을 이용하면 도선 그네는 말굽 자석의 안쪽(←)으로 힘을 받는다.

01 자석과 자기장에 대한 설명으로 옳지 않은 것은?

① 자석 주위에는 자기장이 형성된다.
② 나침반 자침의 N극이 가리키는 방향이 자기장의 방향이다.
③ 자석의 N극과 S극 사이에는 서로 끌어당기는 힘이 작용한다.
④ 자기력선은 도중에 끊어지거나 서로 교차하지 않는다.
⑤ 자석의 양 극에서 자기력선은 가장 듬성듬성하다.

02 그림과 같이 막대자석 주위에 나침반을 놓았다.

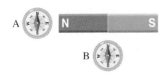

이때 A와 B에서 나침반 자침의 N극이 가리키는 방향을 화살표로 옳게 나타낸 것은?(단, N◀▶S 이고, 지구 자기장은 무시한다.)

	A	B		A	B
①	→	→	②	←	←
③	←	→	④	→	←
⑤	↑	↑			

03 두 막대자석 주위의 자기력선이 오른쪽 그림과 같았다. 이에 대한 설명으로 옳지 않은 것은?

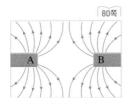

① A와 B는 모두 N극이다.
② 두 극 사이에는 척력이 작용한다.
③ 화살표는 자기장의 방향을 나타낸다.
④ N극과 S극 사이에서 자기력선이 끊어진다.
⑤ 자석의 극에 가까울수록 자기장의 세기가 세진다.

04 그림과 같이 장치하고 알루미늄 막대 주위에 나침반을 놓았다.

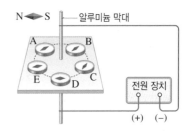

알루미늄 막대에 전류가 흐를 때 나침반 자침의 방향이 옳게 표시된 것은?(단, 지구 자기장은 무시한다.)

① A　　　② B　　　③ C
④ D　　　⑤ E

05 그림과 같이 직선 도선에 전류가 흐를 때 나침반 자침이 가리키는 방향으로 옳은 것은?(단, 지구 자기장은 무시한다.)

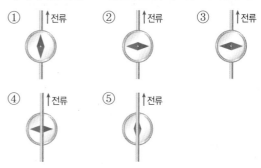

06 오른쪽 그림과 같이 원형 도선 주위에 나침반 A, B, C를 놓고 전류를 흐르게 할 때, 각 나침반 자침의 N극이 가리키는 방향을 옳게 짝 지은 것은?(단, 지구 자기장은 무시한다.)

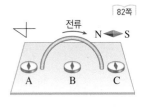

	A	B	C
①	남쪽	북쪽	남쪽
②	남쪽	남쪽	남쪽
③	동쪽	서쪽	동쪽
④	서쪽	동쪽	서쪽
⑤	서쪽	서쪽	동쪽

 03 ❶ 자기력선의 방향을 보고 A와 B가 N극인지 S극인지 파악한다. **❷** 자기장의 세기는 자기력선을 보고 어떻게 알 수 있는지 생각한다. **04 ❶** 전기 회로에서 전류가 흐르는 방향을 찾고, 오른손의 엄지손가락과 일치시킨다. **❷** 도선을 감싸쥐었을 때 네 손가락이 향하는 방향으로 나침반 자침의 N극이 움직인다.

07 오른쪽 그림과 같이 도선에 전류가 흐를 때 나침반 자침의 N극의 움직임을 관찰하는 실험을 하였다. 이에 대한 설명으로 옳지 <u>않은</u> 것은?(단, 지구 자기장은 무시한다.)

① 도선에 전류가 흐르면 도선 주위에 자기장이 생긴다.
② 도선에 전류가 세게 흐를수록 자기장의 세기가 세진다.
③ 자기장은 도선을 중심으로 하는 동심원 모양이다.
④ 자기장의 방향은 나침반 자침의 N극이 가리키는 방향이다.
⑤ 전류의 방향을 반대로 하면 나침반 자침의 N극은 반시계 방향으로 배열된다.

08 코일에 전류가 흐를 때 생기는 자기장과 자기력선의 방향이 옳게 표시된 것은?

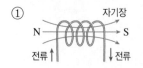 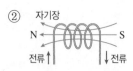

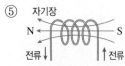

09 오른쪽 그림과 같이 전지가 연결된 코일 안에 자침을 놓고 스위치를 닫아 전류를 흐르게 하였다. 이때 자침의 N극이 가리키는 방향은?(단, 지구 자기장은 무시한다.)

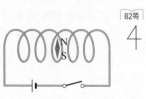

① 동쪽　　② 서쪽　　③ 남쪽
④ 북쪽　　⑤ 움직이지 않는다.

10 그림과 같이 코일의 양쪽 끝에 나침반을 놓고 전류가 흐르게 하였다.

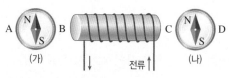

이때 나침반 (가)와 (나)의 자침의 N극이 가리키는 방향을 옳게 짝 지은 것은?(단, 지구 자기장은 무시한다.)

(가)	(나)		(가)	(나)
① A	C	②	A	D
③ B	C	④	B	D
⑤ 정지	정지			

11 전류가 흐르는 코일 주위에 놓인 나침반의 자침이 오른쪽 그림과 같은 방향을 가리켰다. 이때 코일에 흐르는 전류의 방향과 코일 양 끝이 띠는 자극 및 자기장의 방향을 옳게 나타낸 것은?(단, 지구 자기장은 무시한다.)

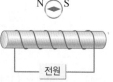

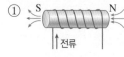 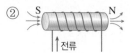

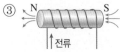 

12 전자석에 대한 설명으로 옳지 <u>않은</u> 것은?

① 전류가 흐를 때에만 자석이 된다.
② 전류의 세기가 셀수록 전자석이 세다.
③ 자기력이 생기지만 N, S극의 구분은 없다.
④ 전류의 방향이 반대가 되면 전자석의 극도 반대가 된다.
⑤ 전자석 기중기, 자기 부상 열차, 스피커 등은 전자석을 이용한다.

09 ❶ 전류의 방향으로 오른손 네 손가락을 향하게 한다. ❷ 엄지손가락으로 자기장의 방향을 찾고, 방위 표시를 보고 동서남북 방향을 찾는다.　**11** ❶ 나침반 자침의 N극이 향하는 방향으로 코일 주변에 생기는 자기장을 먼저 그려 본다. ❷ 코일의 양 끝이 어떤 극을 띠는지 찾고, 오른손을 이용하여 전류의 방향을 찾는다.

13 오른쪽 그림과 같이 전
자석 옆에 막대자석을 놓았다.
전자석과 막대자석 사이에 생
기는 자기력선의 모양을 옳게 나타낸 것은?

풀이 TIP

82쪽

① 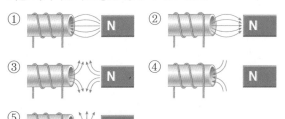 ②

③ ④

⑤

14 오른쪽 그림과 같
이 영구 자석의 N극과 S
극 사이에 놓인 금속 막대
에 전류가 흐르고 있다.
이에 대한 설명으로 옳은
것은?

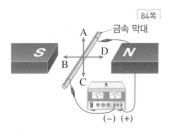

중요

84쪽

① 금속 막대는 B 방향으로 힘을 받는다.
② 전류의 세기가 커지면 금속 막대는 더 큰 힘을 받는다.
③ 전류가 흐르지 않아도 금속 막대는 힘을 받아 움직인다.
④ 더 센 자석을 사용하면 금속 막대는 움직이지 않는다.
⑤ 전류의 방향과 관계없이 금속 막대는 같은 방향으로
   움직인다.

15 그림과 같이 두 개의 전자석 사이에 도선을 놓고 화살
표 방향으로 전류가 흐르게 하였다.

84쪽

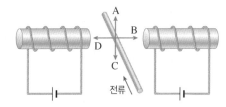

전류가 흐를 때 도선에 작용하는 힘의 방향은?

① A ② B ③ C
④ D ⑤ 움직이지 않는다.

[16~17] 그림은 자기장에서 전류가 받는 힘을 알아보기
위한 실험 장치를 나타낸 것이다.

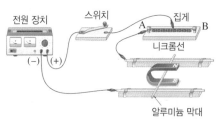

16 스위치를 닫았을 때, 알루미늄 막대가 움직이는 방향
은?

중요
풀이 TIP

84쪽

① 오른쪽 ② 왼쪽 ③ 위쪽
④ 아래쪽 ⑤ 움직이지 않는다.

17 알루미늄 막대의 움직임을 반대 방향으로 하는 방법을
모두 고르면?(2개)

중요

84쪽

① 더 센 말굽 자석으로 바꾼다.
② 전원 장치의 단자를 바꾸어 연결한다.
③ 말굽 자석의 N극와 S극의 위치를 바꾼다.
④ 니크롬선에 연결된 집게를 B 쪽으로 옮긴다.
⑤ 전원 장치의 단자와 말굽 자석의 두 극의 위치를 동시
   에 바꾼다.

18 오른쪽 그림과 같이 가늘
게 자른 알루미늄 포일의 양 끝
을 전지에 연결하고, 말굽 자석
을 설치하였다. 스위치를 닫아서
알루미늄 포일에 전류가 흐르게
할 때, 알루미늄 포일의 움직임
을 옳게 설명한 것은?

84쪽

① 위쪽으로 움직인다.
② 아래쪽으로 움직인다.
③ 위쪽과 아래쪽으로 왕복 운동을 한다.
④ 위쪽으로 움직였다가 다시 제자리로 돌아온다.
⑤ 아래쪽으로 움직였다가 다시 제자리로 돌아온다.

---

13 ❶ 전류의 방향으로 오른손 네 손가락을 일치시키고 코일을 감아쥐고 전자석의 극을 찾는다. ❷ 전자석의 극과 자석의 N극 사이에 어떤 힘이 작용하는지 파악하고 자
기력선을 찾는다. 16 ❶ 알루미늄 막대의 양 끝이 전원 장치의 어느 극에 연결되어 있는지 확인해 전류의 방향을 찾는다. ❷ 오른손을 이용하여 힘의 방향을 찾는다.

19 그림과 같이 ㄷ자형 도선 그네를 말굽 자석의 N극과 S극 사이에 장치하였다.

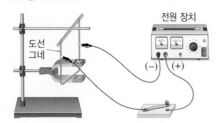

이에 대한 설명으로 옳은 것을 보기에서 모두 고른 것은?

┌ 보기 ┐
ㄱ. 스위치를 닫으면 도선 그네는 말굽 자석 안쪽으로 움직인다.
ㄴ. 말굽 자석의 극을 반대로 하면 도선 그네는 말굽 자석의 바깥쪽으로 움직인다.
ㄷ. 전원 장치의 (+), (−)극을 바꾸어 연결하면 도선 그네는 말굽 자석의 안쪽으로 움직인다.
ㄹ. 전류의 세기를 증가시키면 도선 그네는 말굽 자석의 바깥쪽으로 움직인다.

① ㄱ, ㄴ   ② ㄱ, ㄷ   ③ ㄴ, ㄷ
④ ㄴ, ㄹ   ⑤ ㄷ, ㄹ

20 그림과 같이 자기장 속에 놓인 사각 코일에 화살표 방향으로 전류가 흐르고 있다.

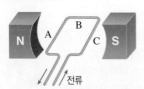

도선 A, B, C가 받는 힘의 방향을 옳게 짝 지은 것은?

	A	B	C
①	위쪽	아래쪽	아래쪽
②	위쪽	아래쪽	힘을 받지 않음
③	위쪽	힘을 받지 않음	아래쪽
④	아래쪽	위쪽	아래쪽
⑤	아래쪽	힘을 받지 않음	위쪽

21 그림 (가)와 같이 에나멜선을 원형으로 감아 전동기를 만들 때, 그림 (나)와 같이 한쪽 끝은 에나멜을 모두 벗겨 내지만 다른 쪽 끝은 에나멜을 절반만 벗겨 낸다.

(가)   (나)

그 까닭으로 옳은 것을 모두 고르면?(2개)

① 에나멜선에 전류가 항상 흐르도록 하기 위해서
② 에나멜선에 전류가 항상 흐르지 않게 하기 위해서
③ 코일을 한 방향으로만 회전시키기 위해서
④ 코일이 받는 힘(자기력)의 크기를 증가시키기 위해서
⑤ 코일이 반 바퀴 회전할 때마다 코일에 흐르는 전류를 차단시키기 위해서

22 오른쪽 그림과 같이 영구 자석 사이에 놓인 직사각형 코일에 화살표 방향으로 전류를 흐르게 하였다. 이에 대한 설명으로 옳지 않은 것은?

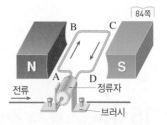

① 도선 AB는 아래쪽으로 힘을 받고, 도선 CD는 위쪽으로 힘을 받는다.
② 직사각형 코일은 시계 방향으로 회전한다.
③ 전류의 방향이 반대가 되면 직사각형 코일은 시계 방향으로 회전한다.
④ 정류자가 없으면 코일은 계속 한쪽 방향으로 회전할 수 없다.
⑤ 이와 같은 원리를 이용한 기구에는 전류계, 전압계, 스피커 등이 있다.

풀이 TIP **20** ❶ A, B, C 부분에 흐르는 전류의 방향을 표시한다. ❷ 오른손을 이용하여 각 부분이 받는 힘의 방향을 찾는다. **22** ❶ 코일의 AB 부분과 CD 부분에 작용하는 힘의 방향을 찾는다. ❷ 힘의 방향을 이용하여 코일이 회전하는 방향을 찾는다.

23 그림과 같이 막대자석의 양 끝에 나침반 A, B를 놓았다. [80쪽]

A와 B에서 나침반 자침의 N극이 가리키는 방향을 서술하시오.(단, 지구 자기장은 무시한다.)

----

24 풀이 TIP 오른쪽 그림과 같이 직선 도선 아래에 나침반을 놓고 도선에 전류가 흐르게 하였더니, 나침반 자침의 N극이 왼쪽을 향하였다. 이때 자침의 N극이 왼쪽을 향하는 까닭을 전류의 방향과 관련지어 서술하시오.(단, 지구 자기장은 무시한다.) [82쪽]

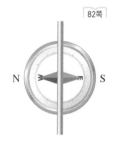

----

25 중요 그림과 같이 장치하고 알루미늄 포일의 움직임을 관찰하였다. [84쪽]

알루미늄 포일이 움직이는 방향에 영향을 주는 요인 두 가지를 서술하시오.

----

26 두 자석의 다른 극을 가까이 한 다음 전류가 흐르는 도선을 오른쪽 그림과 같이 자석 사이에 놓았다. 이때 도선이 받는 힘의 방향을 A~D 중에서 고르고, 그 까닭을 서술하시오. [84쪽]

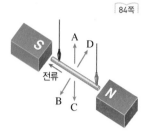

----

27 중요 풀이 TIP 그림과 같이 자기장 속에 사각 코일이 놓여 있다. [84쪽]

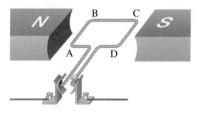

(1) 코일이 시계 방향으로 회전하고 있을 때 코일에 흐르는 전류의 방향을 쓰고, 그 까닭을 서술하시오.

----

(2) 코일이 더 빠르게 회전하기 위한 방법을 두 가지 서술하시오.

학습 평가하기

정답친해 24쪽으로 가서 문제를 채점한 후 학습 결과를 스스로 평가해 보세요.

맞춘 개수	24~27개	18~23개	0~17개
평가	잘함	보통	부족

→ 정답친해에서 그 문제를 왜 틀렸는지 꼭 확인하세요!
→ 본책에서 해당 쪽으로 돌아가서 부족한 부분을 다시 공부하세요!

24 ❶ 나침반 자침의 N극이 향하는 방향이 자기장의 방향이므로 오른손의 네 손가락과 일치시킨다. ❷ 도선을 감싸쥐었을 때 전류의 방향을 찾는다.   27 ❶ 코일의 AB 부분과 CD 부분이 어느 방향으로 힘을 받아야 코일이 시계 방향으로 회전하는지 찾는다. ❷ 오른손을 이용하여 전류의 방향을 찾는다.

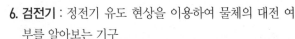

한눈에 보는 대단원

01 전기의 발생

1. 원자의 구조 : 원자는 (+)전하를 띠는 원자핵과 (−)전하를 띠는 전자로 이루어져 있다. ➡ 보통의 원자는 (+)전하의 양과 (−)전하의 양이 같아 전기를 띠지 않는다.

2. 대전과 대전체 : 물체가 전기를 띠는 현상을 대전, 전기를 띤 물체를 대전체라고 한다.

3. 마찰 전기 : 마찰에 의해 물체가 띠는 전기

(1) **마찰 전기가 생기는 까닭** : 서로 다른 물체끼리 마찰시키면 전자가 한 물체에서 다른 물체로 이동하기 때문

전자를 잃은 물체	전자를 얻은 물체
(+)전하로 대전	(−)전하로 대전

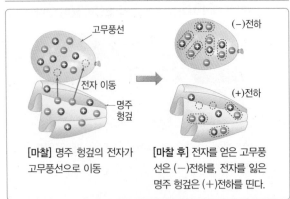

[마찰] 명주 헝겊의 전자가 고무풍선으로 이동

[마찰 후] 전자를 얻은 고무풍선은 (−)전하를, 전자를 잃은 명주 헝겊은 (+)전하를 띤다.

4. 전기력 : 대전체 사이에 작용하는 힘

(1) **척력** : 서로 같은 종류의 전하를 띠는 물체 사이에 작용하는 밀어내는 힘

(2) **인력** : 서로 다른 종류의 전하를 띠는 물체 사이에 작용하는 끌어당기는 힘

5. 정전기 유도 : 대전되지 않은 금속 물체에 대전체를 가까이 할 때, 금속의 끝부분이 전하를 띠는 현상

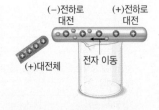

(1) **정전기 유도의 원인** : 금속 내부의 자유 전자들이 대전체로부터 전기력을 받아 밀려나가거나 끌어당겨지기 때문

(2) **유도되는 전하의 종류** : 대전체와 가까운 쪽은 대전체와 다른 종류의 전하로, 대전체와 먼 쪽은 대전체와 같은 종류의 전하로 대전된다.

6. 검전기 : 정전기 유도 현상을 이용하여 물체의 대전 여부를 알아보는 기구

(1) **금속판** : 대전체와 다른 종류의 전하로 대전

(2) **금속박** : 대전체와 같은 종류의 전하로 대전

(3) **검전기로 알 수 있는 사실** : 물체의 대전 여부, 물체에 대전된 전하의 양, 물체에 대전된 전하의 종류

⬆ (+)대전체를 가까이 할 때

02 전류, 전압, 저항

1. 전류 : 전하의 흐름

(1) **전자의 이동 방향** : 전지의 (−)극 → (+)극

(2) **전류의 방향** : 전지의 (+)극 → (−)극

(3) **전류의 흐름에 따른 전자의 운동**

전류가 흐르지 않을 때	전류가 흐를 때
전자 원자	(−)극 (+)극
전자들이 여러 방향으로 무질서하게 이동	전자들이 전지의 (−)극 → (+)극 쪽으로 이동

(4) **전류의 세기(I)** : 1초 동안 도선의 한 단면을 지나는 전하의 양[단위 : A(암페어)]

2. 전압(V) : 전기 회로에서 전류를 흐르게 하는 능력

(1) **단위** : V(볼트)

(2) **물의 흐름과 전기 회로의 비교**

물의 흐름	물의 높이 차(수압)	펌프	수도관	물레방아	밸브
전기 회로	전압	전지	도선	전구	스위치

3. 전류계와 전압계

전류계	전압계
전류계 (−) (+) / 전지 (−) (+) 스위치	전압계 (−) (+) / 전지 (−) (+) 스위치
전기 회로에 직렬로 연결	전기 회로에 병렬로 연결

(1) (+)단자는 전지의 (+)극 쪽에 연결하고, (−)단자는 전지의 (−)극 쪽에 연결한다.

(2) 전류와 전압을 예상할 수 없을 경우, (−)단자 중 최대 전류값 또는 최대 전압값이 가장 큰 단자부터 연결한다.

4. 전기 저항(R) : 전기 회로에서 전류의 흐름을 방해하는 정도[단위 : Ω(옴)]

(1) **저항이 생기는 까닭** : 전류가 흐를 때 전자들이 이동하면서 원자와 충돌하기 때문에 생긴다.

(2) 물질의 종류가 다르면 전기 저항이 다르고 물질의 길이가 길수록, 단면적이 좁을수록 저항이 커진다.

5. 옴의 법칙 : 전류의 세기(I)는 전압(V)에 비례하고, 저항(R)에 반비례한다.

$$전류의 세기 = \frac{전압}{저항} \Rightarrow I = \frac{V}{R}, \ V = IR, \ R = \frac{V}{I}$$

6. 저항의 직렬연결과 병렬연결

구분	직렬연결	병렬연결
효과	여러 개의 저항을 한 줄로 연결 ➡ 저항의 길이가 길어지는 것과 같은 효과	여러 개의 저항의 양 끝을 나란히 연결 ➡ 저항의 굵기가 굵어지는 것과 같은 효과
전기 회로		
특징	각 저항에 흐르는 전류의 세기가 전체 전류와 같다. ➡ $I = I_1 = I_2$	각 저항에 걸리는 전압의 크기가 전체 전압과 같다. ➡ $V = V_1 = V_2$
이용	퓨즈, 장식용 전구 등	멀티탭, 건물 전기 배선 등

03 전류의 자기 작용

1. 자기장 : 자석 주위와 같이 자기력이 작용하는 공간

(1) **방향** : 자석 주위에 나침반을 놓았을 때 나침반 자침의 N극이 가리키는 방향이다.

(2) **세기** : 자석의 양 극에 가까울수록 세다.

2. 자기력선 : 자기장의 모습을 선으로 나타낸 것

(1) 항상 N극에서 나와서 S극으로 들어간다.

(2) 중간에 끊어지거나 서로 교차하지 않는다.

(3) 자기력선의 간격이 촘촘할수록 자기장이 세다.

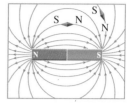

⬆ 막대자석 주위의 자기력선

3. 전류가 흐르는 도선 주위의 자기장

(1) **자기장의 방향**

① 직선 도선과 원형 도선 : 오른손의 엄지손가락을 전류의 방향과 일치시키고 네 손가락으로 도선을 감아쥘 때, 네 손가락이 가리키는 방향

② 코일 : 오른손의 네 손가락을 전류의 방향으로 감아쥘 때, 엄지손가락이 가리키는 방향 ➡ 엄지손가락이 가리키는 쪽이 N극

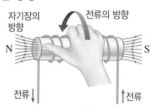

⬆ 코일 주위의 자기장의 방향

(2) 전류의 방향과 세기가 달라지면 자기장의 방향과 세기도 달라진다.

(3) **전자석** : 코일 속에 철심을 넣어 만든 자석으로 전류가 흐를 때만 자석이 된다.

4. 자기장에서 전류가 흐르는 도선이 받는 힘

(1) **힘의 방향** : 오른손을 펴고 엄지손가락을 전류의 방향, 나머지 네 손가락을 자기장의 방향으로 향할 때 손바닥이 향하는 방향이다.

(2) **힘의 크기** : 전류의 세기가 셀수록, 전류의 방향과 자기장의 방향이 수직일수록 크다.

(3) **이용** : 전동기, 전류계, 전압계, 스피커 등

[전동기의 회전 원리]

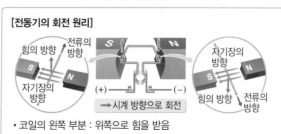

➡ 시계 방향으로 회전

· 코일의 왼쪽 부분 : 위쪽으로 힘을 받음
· 코일의 오른쪽 부분 : 아래쪽으로 힘을 받음

01 전기의 발생

1. 마찰 전기

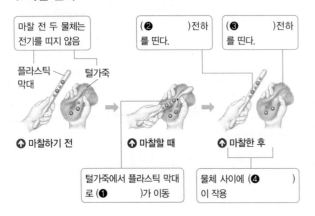

마찰 전 두 물체는 전기를 띠지 않음

플라스틱 막대 / 털가죽

⬆ 마찰하기 전

(❷)전하를 띤다.

(❸)전하를 띤다.

⬆ 마찰할 때

⬆ 마찰한 후

털가죽에서 플라스틱 막대로 (❶)가 이동

물체 사이에 (❹)이 작용

2. 전기력

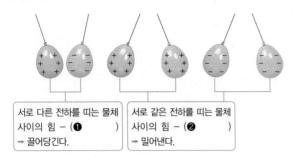

서로 다른 전하를 띠는 물체 사이의 힘 - (❶) ➡ 끌어당긴다.

서로 같은 전하를 띠는 물체 사이의 힘 - (❷) ➡ 밀어낸다.

3. 정전기 유도

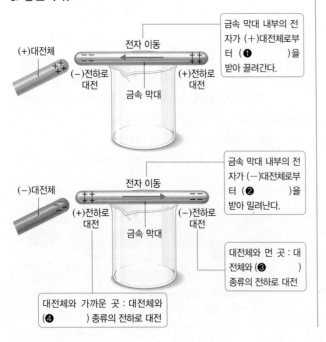

(+)대전체

전자 이동

(-)전하로 대전 / (+)전하로 대전

금속 막대

금속 막대 내부의 전자가 (+)대전체로부터 (❶)을 받아 끌려간다.

(-)대전체

전자 이동

(+)전하로 대전 / (-)전하로 대전

금속 막대

금속 막대 내부의 전자가 (-)대전체로부터 (❷)을 받아 밀려난다.

대전체와 먼 곳 : 대전체와 (❸) 종류의 전하로 대전

대전체와 가까운 곳 : 대전체와 (❹) 종류의 전하로 대전

4. 검전기의 원리

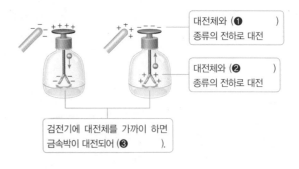

대전체와 (❶) 종류의 전하로 대전

대전체와 (❷) 종류의 전하로 대전

검전기에 대전체를 가까이 하면 금속박이 대전되어 (❸).

02 전류, 전압, 저항

1. 전류의 방향

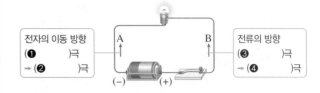

전자의 이동 방향 (❶)극 ➡ (❷)극

전류의 방향 (❸)극 ➡ (❹)극

2. 전류의 흐름에 따른 전자의 운동

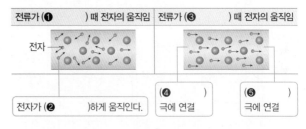

전류가 (❶) 때 전자의 움직임	전류가 (❸) 때 전자의 움직임
전자	

전자가 (❷)하게 움직인다.

(❹)극에 연결

(❺)극에 연결

3. 물의 흐름과 전기 회로의 비교

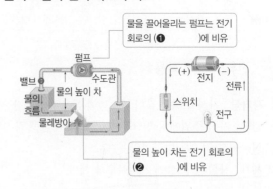

물을 끌어올리는 펌프는 전기 회로의 (❶)에 비유

펌프 / 밸브 / 수도관 / 물의 높이 차 / 물의 흐름 / 물레방아

(+) 전지 (-) / 전류 / 스위치 / 전구

물의 높이 차는 전기 회로의 (❷)에 비유

4. 전류계와 전압계

전류계는 전기 회로에 (❶   )로 연결

전압계는 전기 회로에 (❷   )로 연결

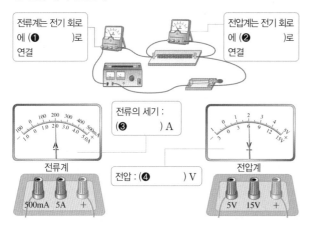

전류의 세기 : (❸   ) A

전류계

500mA 5A +

전압 : (❹   ) V

전압계

5V 15V +

5. 옴의 법칙

전류의 세기는 전압에 (❶   )한다.

$$V = IR$$

기울기$= \dfrac{전류}{전압} = \dfrac{1}{(❷\quad)}$

$R = \dfrac{V}{I} = \dfrac{10\,\text{V}}{2\,\text{A}} = 5\,\Omega$

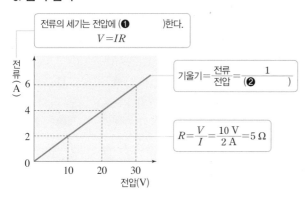

전류(A)

전압(V)

6. 저항의 연결

저항의 (❶   )연결

저항의 (❷   )연결

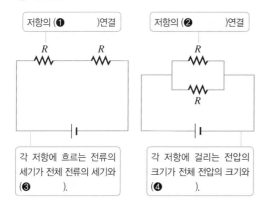

R R

R

R

각 저항에 흐르는 전류의 세기가 전체 전류의 세기와 (❸   ).

각 저항에 걸리는 전압의 크기가 전체 전압의 크기와 (❹   ).

03 전류의 자기 작용

1. 막대자석 주위의 자기력선

자기력선이 촘촘할수록 자기장이 (❶   ).

자기력선

N S

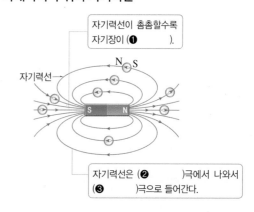

S N

자기력선은 (❷   )극에서 나와서 (❸   )극으로 들어간다.

2. 전류가 흐르는 도선 주위의 자기장

(❶   )의 방향

(❷   )의 방향

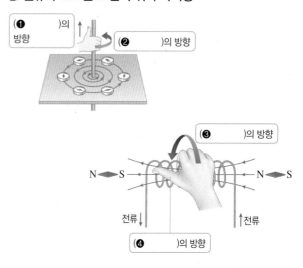

(❸   )의 방향

N ◀▶ S

N ◀▶ S

전류

전류

(❹   )의 방향

3. 자기장 속의 전류가 흐르는 도선이 받는 힘

(❶   )의 방향

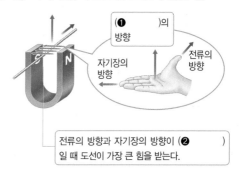

자기장의 방향

전류의 방향

N

전류의 방향과 자기장의 방향이 (❷   )일 때 도선이 가장 큰 힘을 받는다.

01 전기의 발생

01 그림은 두 물체 A와 B를 마찰시키기 전과 후의 모습을 나타낸 것이다.

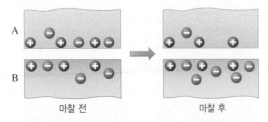

마찰 전   마찰 후

이에 대한 설명으로 옳은 것을 보기에서 모두 고르면?(2개)

① A의 원자가 이동하여 B의 원자 수가 증가한다.
② A의 전자가 B로 이동하여 B는 (−)전하를 띤다.
③ B의 원자핵이 A로 이동하여 A는 (＋)전하를 띤다.
④ 마찰한 후 A와 B 사이에는 인력이 작용한다.
⑤ 날씨가 습한 곳에서 이러한 현상이 더 잘 일어난다.

02 그림과 같이 대전체 A를 금속 막대의 B 부분에 가까이 한 후, (−)전하로 대전된 고무풍선을 금속 막대의 C 부분에 가까이 하였더니, 고무풍선이 금속 막대에 붙었다.

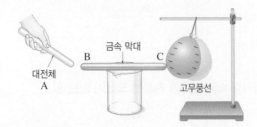

이에 대한 설명으로 옳지 않은 것은?

① 대전체 A는 (＋)전하를 띤다.
② 금속 막대의 B 부분은 (−)전하를 띤다.
③ 금속 막대의 C 부분은 (＋)전하를 띤다.
④ 금속 막대의 B에서 C 쪽으로 전자가 이동한다.
⑤ 금속 막대와 고무풍선 사이에는 전기력이 작용한다.

03 대전된 가벼운 은박 구 A~E를 천장에 실로 매달았더니 그림과 같이 되었다.

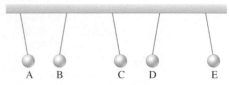

두 개의 은박 구를 골라 가까이 할 때 서로 밀어내는 것끼리 옳게 짝 지은 것은?

① A와 C   ② A와 E   ③ B와 D
④ B와 E   ⑤ C와 D

04 오른쪽 그림과 같이 두 은박 구 A, B를 접촉시켜 놓고 (＋)대전체를 은박 구 B에 접촉한 후 두 은박 구를 떼어 놓았다. 이때 두 은박 구 A와 B가 띠는 전하를 옳게 나타낸 것은?

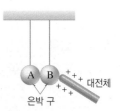

A	B
① − ＋ / − + / − +	− ＋ / − + / − +
③ ＋ ＋ / ＋ + / + +	＋ ＋ / ＋ + / + +
⑤ − − / − − / − −	− − / − − / − −

② A − ＋ / B − ＋
④ A ＋ ＋ / B ＋ ＋

05 검전기에 대한 설명으로 옳지 않은 것은?

① 물체의 대전 여부를 알 수 있다.
② 물체가 띠는 전하의 종류를 알 수 있다.
③ 물체에 대전된 전하의 양을 비교할 수 있다.
④ 물체에 대전된 전하의 양에 관계없이 금속박의 벌어지는 정도는 일정하다.
⑤ 대전체를 중성인 검전기의 금속판에 가까이 하면 금속박은 대전체와 같은 종류의 전하로 대전된다.

06 오른쪽 그림과 같이 전체가 (+)전하로 대전되어 있는 검전기의 금속판에 대전체 A를 가까이 하였더니, 금속박이 오므라들었다. 이에 대한 설명으로 옳은 것은?

① 대전체 A는 (−)전하를 띤다.
② 금속판으로 전자가 이동하였다.
③ 두 금속박 사이에는 인력이 작용한다.
④ 대전체에서 검전기로 전자가 이동하였다.
⑤ 검전기 전체가 전기적으로 중성이 되었다.

02 전류, 전압, 저항

07 그림은 도선 내의 원자와 전자의 모형을 나타낸 것이다.

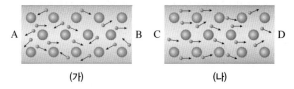

이에 대한 설명으로 옳은 것을 모두 고르면?(2개)

① (가)에서 전자들은 움직이지 않는다.
② (가)는 전류가 흐르지 않을 때의 모형이다.
③ (나)의 D쪽은 전지의 (+)극 쪽에 연결되어 있다.
④ (나)에서 전류는 C에서 D 쪽으로 흐른다.
⑤ 전자가 왼쪽으로 움직이면 전류도 왼쪽으로 흐른다.

08 전압계의 사용법에 대한 설명으로 옳지 <u>않은</u> 것은?

① 측정하고자 하는 회로에 병렬로 연결한다.
② 눈금판에 표시된 최댓값을 넘지 않는 범위 내에서 측정한다.
③ 전압계의 단자를 전지의 극에 반대로 연결하면 바늘이 오른쪽으로 돌아간다.
④ 전압계의 (−)단자는 전지의 (−)극 쪽에 연결한다.
⑤ 전압의 크기를 모르는 경우에는 (−)단자의 최댓값이 가장 큰 것부터 먼저 연결한다.

09 그림과 같이 회로를 구성하고 니크롬선에 흐르는 전류와 걸리는 전압을 측정하려고 한다.

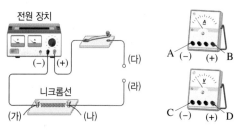

전류계와 전압계의 (+), (−) 단자를 옳게 연결한 것은?

	(가)	(나)	(다)	(라)
①	A	B	C	D
②	B	A	C	D
③	C	D	A	B
④	C	D	B	A
⑤	D	C	B	A

10 오른쪽 그래프는 세 니크롬선 A, B, C에 걸어 준 전압과 니크롬선에 흐르는 전류의 세기 관계를 나타낸 것이다. 이에 대한 설명으로 옳은 것을 보기에서 모두 고른 것은?

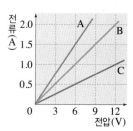

보기 ┤
ㄱ. A의 저항은 2 Ω이다.
ㄴ. 전기 저항이 가장 큰 니크롬선은 C이다.
ㄷ. A, B, C 중 도선으로 사용하기 가장 적합한 것은 C이다.

① ㄱ   ② ㄴ   ③ ㄷ
④ ㄱ, ㄴ   ⑤ ㄴ, ㄷ

11 표는 네 도선 A~D의 양 끝에 걸리는 전압과 도선에 흐르는 전류의 세기를 나타낸 것이다.

도선	A	B	C	D
전압(V)	20	40	30	60
전류(mA)	100	500	600	750

도선의 전기 저항이 가장 큰 것을 고르시오.

12 오른쪽 그림과 같이 회로를 연결하고 니크롬선에 흐르는 전류와 걸리는 전압을 측정하였더니, 전류계와 전압계의 눈금이 각각 그림 (가), (나)와 같았다.

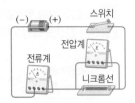

(가)   (나)

이 니크롬선의 전기 저항의 크기는?

① 0.01 Ω   ② 1 Ω   ③ 3 Ω
④ 10 Ω   ⑤ 30 Ω

13 그림은 2 Ω과 3 Ω인 저항을 직렬연결한 회로에 걸리는 전압과 흐르는 전류의 세기를 나타낸 것이다.

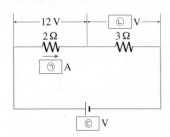

㉠~㉢에 들어갈 알맞은 값을 옳게 짝 지은 것은?

	㉠	㉡	㉢
①	6	12	24
②	6	18	30
③	8	30	12
④	12	24	36
⑤	12	36	48

14 오른쪽 그림과 같이 12 V의 전압에 3 Ω, 6 Ω인 두 저항을 병렬연결하였다. 이에 대한 설명으로 옳지 않은 것은?

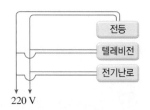

① 3 Ω에 흐르는 전류의 세기는 4 A이다.
② 6 Ω에 흐르는 전류의 세기는 2 A이다.
③ 3 Ω과 6 Ω에 흐르는 전류의 세기의 비는 2 : 1이다.
④ 3 Ω과 6 Ω에 걸리는 전압의 비는 1 : 1이다.
⑤ 회로에 흐르는 전체 전류의 세기는 24 A이다.

15 오른쪽 그림은 가정에서 사용하는 전기 기구의 연결을 나타낸 것이다. 가정의 전기 배선에 대한 설명으로 옳은 것은?

① 각 전기 기구에 흐르는 전류의 세기는 모두 같다.
② 전기 기구를 많이 연결할수록 전체 전류는 증가한다.
③ 각 전기 기구의 저항이 다르므로 걸리는 전압은 모두 다르다.
④ 텔레비전의 플러그를 빼면 전기난로에 흐르는 전류의 세기가 증가한다.
⑤ 새로운 전기 기구를 병렬로 추가하여 연결할수록 각 전기 기구에 걸리는 전압이 낮아진다.

03 전류의 자기 작용

16 막대자석 주위의 자기력선 모양을 옳게 나타낸 것은?

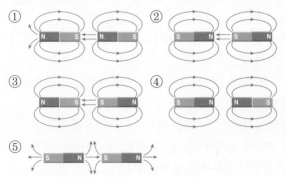

17 직선 도선 주위에 나침반을 놓고 화살표 방향으로 강한 전류가 흐르게 하였다. 나침반 자침의 방향을 옳게 표시한 것을 보기에서 모두 고르시오.(단, 지구 자기장은 무시한다.)

보기

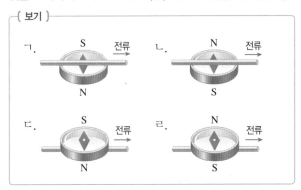

18 코일에 화살표 방향으로 전류가 흐를 때 전자석의 극을 나타낸 것으로 옳지 <u>않은</u> 것은?

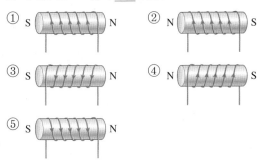

19 그림과 같이 두꺼운 종이에 코일을 감고 양쪽 끝에 자석과 나침반을 놓은 후 전류가 흐르게 하였다.

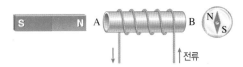

이에 대한 설명으로 옳지 <u>않은</u> 것은?

① 코일의 A 부분은 N극, B 부분은 S극이 된다.
② 나침반 자침의 N극은 왼쪽을 향한다.
③ 코일과 자석 사이에는 인력이 작용한다.
④ 전류가 셀수록 코일에 의한 자기장의 세기가 세다.
⑤ 전류의 방향이 반대로 되면 나침반 자침의 N극은 오른쪽을 향한다.

20 그림과 같이 장치하고 알루미늄 막대가 움직이는 모습을 관찰하였다.

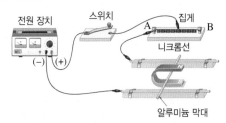

이에 대한 설명으로 옳지 <u>않은</u> 것은?

① 스위치를 닫으면 막대가 오른쪽으로 굴러간다.
② 전원 장치의 (+), (−)단자를 반대로 연결하면 막대가 왼쪽으로 굴러간다.
③ 집게를 A 쪽으로 옮기면 막대의 움직임이 빨라진다.
④ 말굽 자석의 극을 바꾸면 막대의 움직임이 빨라진다.
⑤ 전류계, 전압계 등은 이와 같은 원리를 사용한다.

21 오른쪽 그림은 전동기의 구조를 나타낸 것이다. 이에 대한 설명으로 옳지 <u>않은</u> 것은?

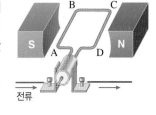

① 도선 BC는 힘을 받지 않는다.
② 도선 AB는 위쪽으로 힘을 받는다.
③ 도선은 반시계 방향으로 회전한다.
④ 전원 장치의 단자를 바꿔서 연결하면 도선의 회전 방향이 반대가 된다.
⑤ 전동기에 걸리는 전압을 높여 주면 도선의 회전 속력이 빨라진다.

22 전류가 흐르는 도선이 자기장 속에서 힘을 받는 원리를 이용한 장치를 보기에서 모두 고른 것은?

보기

ㄱ. 전구   ㄴ. 전동기   ㄷ. 전자석
ㄹ. 선풍기   ㅁ. 자기 공명 영상 장치(MRI)
ㅂ. 엘리베이터

① ㄱ, ㄴ, ㄷ   ② ㄴ, ㄷ, ㄹ   ③ ㄴ, ㄹ, ㅂ
④ ㄷ, ㄹ, ㅁ   ⑤ ㄷ, ㅁ, ㅂ

태양계

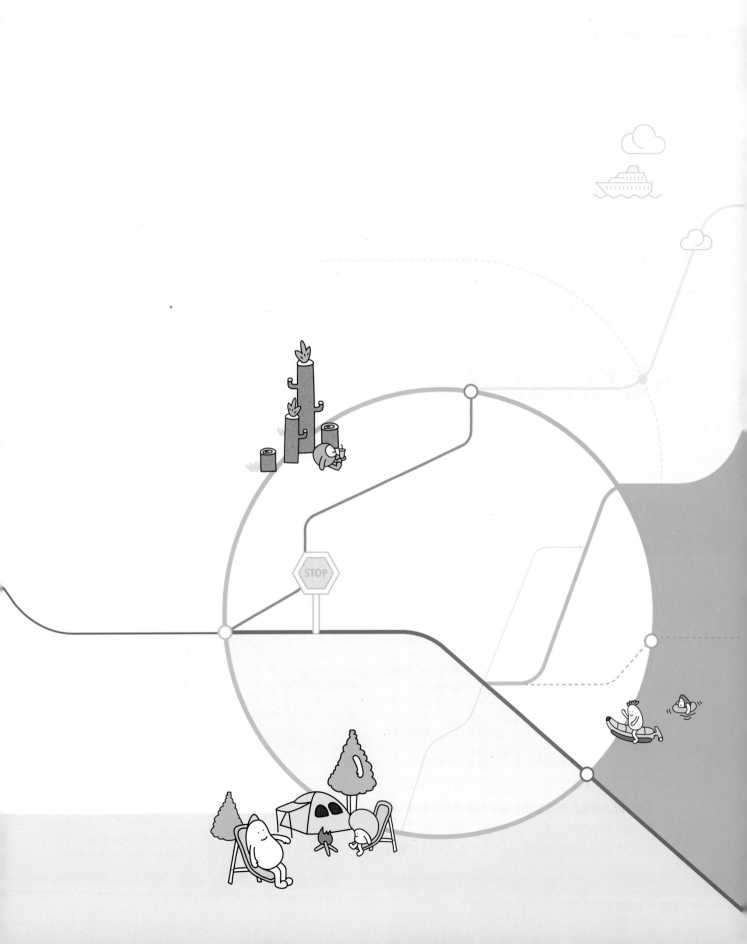

01 지구

단원 미리 보기

만화 완성하기

다음 만화를 보고 지구의 말풍선을 완성해 보자.

≫ 이 단원을 학습한 후 내가 쓴 대사를 수정해 보자.

A 에라토스테네스의 지구 크기 측정

지금으로부터 약 2200년 전 그리스의 과학자 에라토스테네스는 지구의 크기를 최초로 측정했습니다. 직접 볼 수도, 자로 잴 수도 없는 지구의 크기를 어떻게 구했을까요?

1. 원리 : 원에서 호의 길이(l)는 중심각(θ)의 크기에 비례한다.[+]

$$\text{원의 둘레}(2\pi R) : 360\,° = \text{호의 길이}(l) : \text{중심각}(\theta)$$

2. 에라토스테네스가 세운 가정

(1) 지구는 완전한 구형이다. → 원의 성질을 이용하기 위해

(2) 지구로 들어오는 햇빛은 평행하다.[+] → 엇각을 이용하여 중심각을 구하기 위해

3. 측정 과정 : 에라토스테네스는 하짓날 정오에 시에네에는 그림자가 생기지 않지만, 알렉산드리아에서는 그림자가 생긴다는 사실을 이용하여 지구의 크기를 구하였다.
└→ 지구가 둥글기 때문에 나타나는 현상이다.

측정한 값	• 알렉산드리아와 시에네 사이의 거리 : 925 km ➡ 호의 길이(l)에 해당 • 알렉산드리아에 세운 막대와 그림자 끝이 이루는 각도 : 7.2 ° ➡ 중심각(θ)과 엇각으로 같음	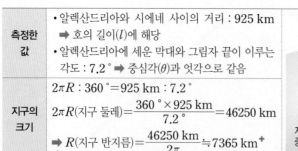 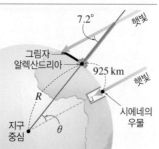
지구의 크기	$2\pi R : 360\,° = 925\ \text{km} : 7.2\,°$ $2\pi R(\text{지구 둘레}) = \dfrac{360\,° \times 925\ \text{km}}{7.2\,°} = 46250\ \text{km}$ ➡ $R(\text{지구 반지름}) = \dfrac{46250\ \text{km}}{2\pi} ≒ 7365\ \text{km}$[+]	

└→ 실제 지구의 둘레는 약 40000 km, 지구의 반지름은 약 6400 km로 에라토스테네스의 측정값보다 작다.

4. 에라토스테네스의 측정값과 실제 지구 크기가 차이 나는 까닭

(1) 실제 지구는 완전한 구형이 아니기 때문이다.

(2) 알렉산드리아와 시에네 사이의 거리 측정이 정확하지 않았기 때문이다.

+ 원의 성질

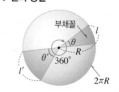

$$l : \theta = l' : \theta'$$
$$l : \theta = 2\pi R : 360\,°$$

+ 엇각의 원리

두 직선 A와 B가 평행하면 θ와 θ'는 엇각으로 크기가 같다.

+ 실제 지구의 모양과 크기

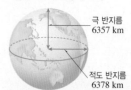

극 반지름 6357 km
적도 반지름 6378 km

실제 지구는 적도 반지름이 극 반지름보다 조금 더 긴 타원체이다.

이 단원의 개념이 어떻게 구성되어 있는지 살펴보고 빈칸을 완성해 보자.

지구

A 에라토스테네스의 지구 크기 측정 ---- B

C

D ---- E 계절별 별자리 변화

이 단원을 공부하기 전에 미리 알고 있는 단어를 체크해 보자.

☐ 원의 성질　　☐ 경도　　☐ 자전　　☐ 자전축　　☐ 일주 운동
☐ 북극성　　☐ 공전　　☐ 별자리　　☐ 황도　　☐ 황도 12궁

1 에라토스테네스는 지구의 크기를 측정하기 위해 지구의 모양은 완전한 ㉠(구, 타원)형이고, 지구로 들어오는 햇빛은 ㉡(평행, 수직)하다는 가정을 세웠다.

암기 TIP

에라토스테네스의 가정

• 원래 지구는 완전하다 구형!
지구는 완전한 구형이다. ➡ 원의 성질을 이용하기 위함

• 엇, 햇빛은 평행하네?
지구로 들어오는 햇빛은 평행하다. ➡ 엇각의 원리를 이용하기 위함

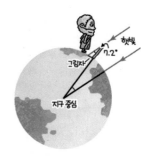

[2~3] 오른쪽 그림은 에라토스테네스가 지구의 크기를 측정한 방법을 나타낸 것이다.

2 이에 대한 설명으로 옳은 것은 ○, 옳지 않은 것은 ×로 표시하시오.

(1) 시에네와 알렉산드리아 사이의 중심각(θ)을 직접 측정하였다. ·· (　　)

(2) 알렉산드리아에 세운 막대와 그림자 끝이 이루는 각은 θ와 엇각으로 크기가 같다.
·· (　　)

(3) 925 km는 중심각이 θ인 부채꼴의 호의 길이에 해당한다. ·········· (　　)

3 그림에 나타난 값을 이용하여 지구 반지름(R)을 구하기 위한 비례식을 완성하시오.

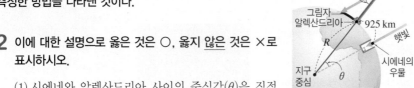

$$2\pi R : 360° = ㉠(\quad) : ㉡(\quad)$$

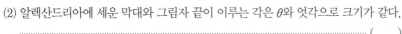

B 위도 차를 이용한 지구 크기 측정

오늘날에는 인공위성을 이용해서 특정 지점의 위도와 경도를 정확하게 측정할 수 있습니다. 위도 차를 이용해서 지구의 크기를 측정하는 방법을 알아볼까요?

•경도가 같은 두 지점 사이의 거리와•위도 차를 이용하여 지구의 크기를 구할 수 있다.

원리	원에서 호의 길이(l)는 중심각의 크기(θ)에 비례한다.
측정해야 하는 값	• 경도가 같은 두 지점 A, B 사이의 거리 ➡ 호의 길이 (l)에 해당 • 두 지점의 위도 차 ➡ 중심각(θ)에 해당
지구의 크기	$2\pi R : 360° =$ A와 B 사이의 거리 : (A의 위도$-$B의 위도) ➡ R(지구 반지름)$= \dfrac{360° \times \text{A와 B 사이의 거리}}{2\pi \times (\text{A의 위도}-\text{B의 위도})}$

| 용어 |
• **경도**(經 세로, 度 정도) 그리니치 천문대를 기준으로 지구를 360°로 나눈 세로선
• **위도**(緯 가로, 度 정도) 적도를 기준으로 북위와 남위를 각각 90°로 나눈 가로선

C 지구의 자전과 천체의 일주 운동

누군가를 격려할 때 우리는 '내일은 내일의 태양이 뜬다.'는 말을 하곤 합니다. 태양은 왜 쉬는 날도 없이 매일 떠오를까요? 이러한 현상이 나타나는 까닭을 자세히 알아봅시다.

1. **지구의 자전** : 지구가 자전축을 중심으로 하루에 한 바퀴씩 서에서 동으로 도는 운동
2. **천체의•일주 운동** : 태양, 달, 별과 같은 천체가 하루에 한 바퀴씩 원을 그리며 도는 운동 ➡ 실제 운동이 아닌 지구 자전에 의한 겉보기 운동[+]

운동 방향	동 → 서 ──• 지구 자전 방향과 반대
운동 속도	1시간에 15°씩 회전 ──• 지구 자전 속도와 같음(360°÷24시간)

(1) **별의 일주 운동** : 별들이•천구 북극(북극성)을 중심으로 하루에 한 바퀴씩 돈다.
└─• 북극성은 천구 북극에 가까이 있어 별들이 북극성을 중심으로 도는 것처럼 보인다.

➕ 천체의 겉보기 운동
자전하는 지구에서 고정된 천체를 바라보면, 관찰자에게는 천체가 지구 자전 방향과 반대로 움직이는 것처럼 보인다. 이와 같은 천체의 상대적인 움직임을 천체의 겉보기 운동이라고 한다.

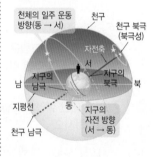

📖 북두칠성의 일주 운동

오른쪽 그림은 북쪽 하늘에서 북두칠성을 2시간 동안 관측하여 나타낸 것이다.
• 움직이지 않는 별(P) : 북극성 ➡ 일주 운동의 중심
• 북두칠성의 회전 방향 : A → B ➡ 시계 반대 방향
• 호의 중심각(θ) : 30° ➡ 일주 운동하는 별은 1시간에 15°씩 회전하므로 2시간 동안에는 30° 회전한다.

북두칠성

┌─• 북반구 중위도
(2) 우리나라에서 관측한 별의 일주 운동 : 관측 방향에 따라 일주 운동 모습이 다르다.

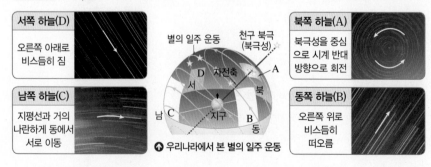

서쪽 하늘(D)	오른쪽 아래로 비스듬히 짐
남쪽 하늘(C)	지평선과 거의 나란하게 동에서 서로 이동
북쪽 하늘(A)	북극성을 중심으로 시계 반대 방향으로 회전
동쪽 하늘(B)	오른쪽 위로 비스듬히 떠오름

⬆ 우리나라에서 본 별의 일주 운동

| 용어 |
• **일주**(日 하루, 週 돌다) 운동 천체가 하루에 한 바퀴 도는 운동
• **천구**(天 하늘, 球 공) 별들이 붙어 있는 것처럼 보이는 무한히 넓은 가상의 구
• **천구 북극** 지구 자전축을 연장하여 천구의 북쪽에서 만나는 점

1 오른쪽 표는 A와 B 지역의 위도와 경도, 두 지역 사이의 거리를 나타낸 것이다. 이를 이용하여 지구 반지름(R)을 구하는 식을 완성하시오.

지역	위도	경도	거리
A	35 °N	130 °E	223 km
B	37 °N	130 °E	

$$지구 반지름(R) = \frac{360°\times ㉠(\qquad)}{2\pi\times ㉡(\qquad)}$$

위도 차를 이용한 지구 크기 측정 방법
➡ 경도가 같은 두 지점의 위도 차＝중심각

1 지구가 자전축을 중심으로 ㉠(동 → 서, 서 → 동)(으)로 자전하기 때문에 지구에서 하루 동안 관측한 천체들은 ㉡(동 → 서, 서 → 동)(으)로 이동하는 것처럼 보인다.

우리나라에서 관측한 별의 일주 운동 방향

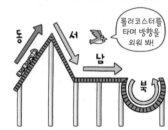

2 지구의 자전과 천체의 일주 운동에 대한 설명으로 옳은 것은 ○, 옳지 <u>않은</u> 것은 ×로 표시하시오.

(1) 지구는 자전축을 중심으로 하루에 한 바퀴 돈다. ·············· ( )
(2) 별들은 실제로 북극성 주위를 1시간에 15 °씩 돈다. ············· ( )
(3) 천체의 일주 운동 방향은 지구의 자전 방향과 반대이다. ········· ( )
(4) 우리나라 북쪽 하늘에서 별의 일주 운동은 시계 방향으로 나타난다. ······· ( )

3 그림은 우리나라의 여러 방향에서 별의 일주 운동을 찍은 사진이다.

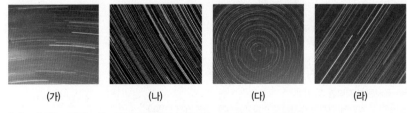

(가)　　　(나)　　　(다)　　　(라)

(가)~(라)는 각각 어느 쪽 하늘에서 관측되는 모습인지 쓰시오.

102쪽으로 돌아가서 내가 쓴 대사를 점검해 보자.

D 지구의 공전과 태양의 연주 운동

오늘의 태양은 어제의 태양과 같은 위치에서 보일까요? 자세히 관찰해 보면, 늘 그 자리에 있는 것 같은 태양의 위치도 매일 조금씩 달라집니다. 태양의 운동을 자세히 알아볼까요?

1. 지구의 공전 : 지구가 태양을 중심으로 일 년에 한 바퀴씩 서에서 동으로 도는 운동

2. 태양의 연주 운동 : 태양이 별자리를 배경으로 이동하여 일 년 후에 처음 위치로 되돌아 오는 운동 ➡ 실제 운동이 아닌 지구 공전에 의한 겉보기 운동

운동 방향⁺	서 → 동 ── 지구 공전 방향과 같음
운동 속도	하루에 약 1°씩 회전 ── 지구 공전 속도와 같음(360°÷365일)

📖 태양과 별자리의 위치 변화

그림은 태양이 진 직후 같은 시각에 서쪽 하늘을 15일 간격으로 관측한 것이다.

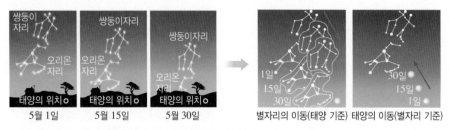

별자리의 이동(태양 기준) 태양의 이동(별자리 기준)

- 태양을 기준으로 할 때 별자리의 위치는 동에서 서로 이동한다.
- 별자리를 기준으로 할 때 태양의 위치는 서에서 동으로 이동한다. ➡ 태양의 연주 운동

✛ 태양의 연주 운동 방향

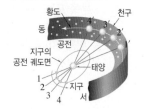

지구가 1 → 2 → 3 → 4로 움직임에 따라 태양은 1' → 2' → 3' → 4'로 움직이는 것처럼 보인다.
➡ 태양의 연주 운동 방향은 지구 공전 방향과 같은 서 → 동이다.

| 용어 |
- **연주(年 해, 週 돌다) 운동** 천체가 1년에 한 바퀴 도는 운동

E 계절별 별자리 변화

밤 9시 무렵에 남쪽 하늘을 관측하면, 봄철에 잘 보이던 처녀자리가 가을철에는 보이지 않는 것을 알 수 있습니다. 계절에 따라 보이는 별자리 변화와, 이러한 변화가 나타나는 까닭을 알아봅시다.

1. 계절별 관측되는 별자리 변화 : 지구가 공전하며 태양이 보이는 위치가 달라짐에 따라 계절별로 밤하늘에 보이는 별자리도 달라진다. └─ 태양의 연주 운동

2. 황도 12궁 : 태양이 연주 운동하며 지나는 길인 황도에 있는 12개의 대표적인 별자리

📖 태양의 연주 운동과 계절별 별자리 변화

10월에 태양이 지나는 별자리   8월에 태양이 지나는 별자리

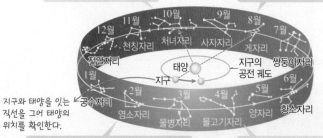

지구와 태양을 잇는 직선을 그어 태양의 위치를 확인한다.

8월 한밤중에 남쪽 하늘에서 보이는 별자리   10월 한밤중에 남쪽 하늘에서 보이는 별자리

- 태양은 연주 운동하며 각 월에 황도 12궁에 표시된 별자리를 지나간다.
- 태양이 지나는 별자리는 보이지 않고, 태양의 반대 방향에 위치한 별자리가 한밤중에 남쪽 하늘에서 보인다.⁺

✛ 지구에서 보이는 별자리

태양과 같은 방향에 있는 별자리, 즉 태양이 지나는 별자리는 태양빛이 밝기 때문에 볼 수 없다. 지구에서 밤인 곳에서 보이는 별자리는 태양의 반대 방향에 위치한 별자리이다. 두 별자리는 반대 방향에 있어 6개월 차이가 난다.

1 지구의 공전과 태양의 연주 운동에 대한 설명으로 옳은 것은 ○, 옳지 <u>않은</u> 것은 ×로 표시하시오.

(1) 지구는 태양을 중심으로 한 달에 한 바퀴씩 돈다. ································ ( )

(2) 태양은 하루에 약 1 °씩 서쪽에서 동쪽으로 연주 운동한다. ············· ( )

(3) 지구의 공전 방향과 태양의 연주 운동 방향은 반대이다. ················· ( )

암기꾹

천체의 운동 방향 비교

지구의 공전	서 → 동
지구의 자전	서 → 동
별의 일주 운동	동 → 서
태양의 연주 운동	서 → 동

2 그림은 해가 진 직후 15일 간격으로 관측한 서쪽 하늘을 순서 없이 나열한 것이다.

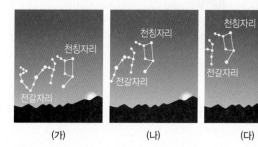

(가)~(다)를 먼저 관측한 것부터 순서대로 나열하시오.

암기꾹

1 태양이 ㉠( ) 운동하며 일 년 동안 지나는 길을 황도라 하고, 황도에 있는 12개의 별자리를 ㉡( )이라고 한다.

계절별 별자리 찾기

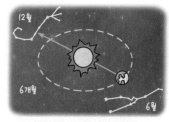

지구와 태양을 잇는 직선을 그었을 때,
• 태양 방향 : 태양이 지나는 별자리
• 태양 반대 방향 : 한밤중에 남쪽 하늘에서 보이는 별자리
• 두 별자리는 6개월 차이

2 그림은 황도 12궁과 지구의 공전 궤도를 나타낸 것이다. ( ) 안에 알맞은 별자리를 쓰시오.

구분	태양이 지나는 별자리	한밤중에 남쪽 하늘에서 보이는 별자리
3월	㉠( )	사자자리
6월	황소자리	㉡( )

시험에 꼭 나오는 에라토스테네스의 지구 크기 측정 방법과 원리를 모형 실험을 통해 자세히 알아봅시다. 또, 계절별 별자리 변화 문제를 유형별로 쉽게 푸는 방법도 알아봅시다.

탐구 자료 지구 모형의 크기 측정   관련 개념 | 102쪽 Ⓐ 에라토스테네스의 지구 크기 측정

목표 에라토스테네스의 지구 크기 측정 원리를 이용하여 지구 모형의 크기를 구할 수 있다.

과정
① 햇빛이 잘 드는 곳에 지구 모형을 놓고, 막대 AA'와 BB'를 지구 모형의 표면에 수직으로 세운다.
② 막대 AA'는 그림자가 생기지 않도록, 막대 BB'는 그림자가 생기도록 조정한다.
③ 줄자로 A와 B 사이의 거리(l)를 측정한다.
④ 막대 BB'의 끝 B'와 그림자의 끝 C를 실로 연결한 후, ∠BB'C(θ')를 측정한다.

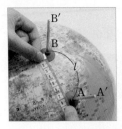
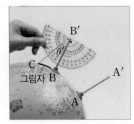

> **주의 TIP**
> • 정확한 측정을 위해 경도가 같은 두 지점을 선택한다.
> • 막대의 그림자 끝이 지구 모형을 벗어나지 않도록 한다.

결과 및 해석
❶ A와 B 사이의 거리(l) : 8 cm, ∠BB'C(θ') : 30°
❷ A와 B 사이의 중심각(θ)은 ∠BB'C(θ')와 ⊙(   )으로 같으므로 30°이다.
❸ 지구 모형의 크기
   $2\pi R : 360° = $ ⓒ(   ) : ⓒ(   )
   R(지구 모형의 반지름)$= \dfrac{8\ \text{cm} \times 360°}{2\pi \times 30°} ≒ 15.3\ \text{cm}$

답 ⊙ 엇각, ⓒ 8 cm, ⓒ 30°

핵심 자료 계절별 별자리 변화 파악하기   관련 개념 | 106쪽 Ⓔ 계절별 별자리 변화

➕ 주어진 조건을 이용하여 태양의 위치를 먼저 파악하면 지구에서 보이는 별자리를 쉽게 찾을 수 있다. 지구에서 볼 때 태양 방향에 있는 별자리가 태양이 지나는 별자리이고, 태양의 반대 방향에 있는 별자리가 한밤중에 남쪽 하늘에서 보이는 별자리이다.

유형 1 태양의 위치를 지정하여 묻는 경우	유형 2 시기를 지정하여 묻는 경우	유형 3 지구의 위치를 지정하여 묻는 경우
태양이 염소자리를 지날 때, 지구에서 한밤중에 남쪽 하늘에서 보이는 별자리는?	2월에 지구에서 한밤중에 남쪽 하늘에서 보이는 별자리는?	지구의 위치가 다음과 같을 때, 지구에서 한밤중에 남쪽 하늘에서 보이는 별자리는?
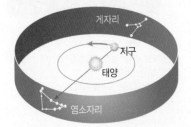	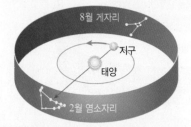	
태양이 염소자리를 지날 때, 한밤중에 남쪽 하늘에서는 태양의 반대 방향에 있는 별자리인 게자리가 보인다.	황도 12궁에서 2월의 별자리는 염소자리이므로 태양은 염소자리를 지난다. 이때 한밤중에 남쪽 하늘에서는 태양의 반대 방향에 있는 별자리(6개월 후의 별자리)인 게자리가 보인다.	지구의 위치가 그림과 같을 때, 태양은 게자리를 지난다. 이때 한밤중에 남쪽 하늘에서는 태양의 반대 방향에 있는 별자리인 염소자리가 보인다.

풀이 TIP

01 다음은 에라토스테네스가 지구의 크기를 구하는 과정을 설명한 것이다. [102쪽]

> 에라토스테네스는 하짓날 시에네에 있는 우물에는 햇빛이 수직으로 비치고, 시에네에서 약 925 km 떨어진 알렉산드리아에서는 지면에 수직으로 세운 막대에 그림자가 생긴다는 것을 알았다. 따라서 막대와 막대의 그림자 끝이 이루는 각을 측정하여 (가) 엇각으로 지구의 중심각을 구하고, (나) 원의 성질을 이용하여 비례식을 세워 지구의 크기를 구하였다.

(가)와 (나)를 이용하기 위해 세운 가정으로 옳은 것을 모두 고르면?(2개)

① (가) – 지구는 완전한 구형이다.
② (가) – 지구는 태양 주위를 공전한다.
③ (가) – 햇빛은 지구에 평행하게 들어온다.
④ (나) – 지구는 완전한 구형이다.
⑤ (나) – 지구는 적도 반지름이 극 반지름보다 긴 타원체이다.

[02~04] 오른쪽 그림은 에라토스테네스가 지구의 크기를 측정한 방법을 나타낸 것이다.

02 지구의 크기를 측정한 원리로 옳은 것은? [102쪽]

① 지구는 완전한 구형이다.
② 지구로 들어오는 햇빛은 평행하다.
③ 물체의 거리가 멀어지면 시지름이 커진다.
④ 원에서 호의 길이는 중심각의 크기에 비례한다.
⑤ 서로 닮은 삼각형에서 각 대응변의 길이의 비는 일정하다.

03 이에 대한 설명으로 옳은 것을 보기에서 모두 고른 것은? [102쪽]

┌ 보기 ┐
ㄱ. 알렉산드리아에는 햇빛이 수직하게 들어온다.
ㄴ. 두 지역 사이의 중심각의 크기는 7.2 °이다.
ㄷ. 알렉산드리아에 생긴 막대 그림자의 길이를 측정하였다.
ㄹ. 시에네와 알렉산드리아 사이의 거리는 호의 길이에 해당한다.

① ㄱ, ㄴ   ② ㄱ, ㄷ   ③ ㄴ, ㄷ
④ ㄴ, ㄹ   ⑤ ㄷ, ㄹ

풀이 TIP

04 지구의 반지름(R)을 구하는 비례식으로 옳은 것은? [102쪽]

① $360 ° : 2\pi R = 925 \text{ km} : 7.2 °$
② $360 ° : 7.2 ° = 2\pi R : 925 \text{ km}$
③ $2\pi R : 7.2 ° = 925 \text{ km} : 360 °$
④ $2\pi R : 925 \text{ km} = 7.2 ° : 360 °$
⑤ $7.2 ° : 925 \text{ km} = 2\pi R : 360 °$

05 에라토스테네스가 구한 지구의 반지름이 오늘날 측정한 값과 차이 나는 까닭으로 옳은 것을 모두 고르면?(2개) [102쪽]

① 지구는 완전한 구형이 아니기 때문
② 시에네에 그림자가 생기지 않았기 때문
③ 지구에 도달하는 햇빛은 평행하지 않기 때문
④ 호의 길이는 중심각의 크기에 비례하지 않기 때문
⑤ 알렉산드리아와 시에네 사이의 거리를 정확하게 측정하지 못했기 때문

풀이 TIP
01 ❶ 에라토스테네스가 지구의 크기를 측정하기 위해 세운 가정은 두 가지이다. ❷ 엇각의 원리와 원의 성질이 각각 어떠한 조건에서 성립하는지 생각해 본다.
04 ❶ 에라토스테네스가 측정한 값이 각각 무엇에 해당하는지 파악한다. ❷ 원의 성질을 이용하여 비례식을 세우고, 측정값을 대입한다.

[06~07] 오른쪽 그림은 에라토스테네스와 같은 방법으로 지구 모형의 크기를 구하는 실험을 나타낸 것이다.

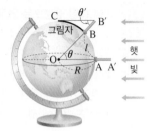

06 이에 대한 설명으로 옳은 것은? `102쪽`

① 두 막대는 모두 그림자가 생기도록 세운다.

② 막대 BB′의 그림자는 모형 밖으로 나가도록 한다.

③ 호 BC의 길이를 직접 측정한다.

④ ∠BB′C의 크기를 직접 측정한다.

⑤ 비례식은 $2\pi R : 360\,° = \theta : l$이다.

07 다음은 실험에서 측정한 값이다. `102쪽`

- 막대 BB′의 길이 : 4 cm
- 두 막대 사이의 거리(l) : 6 cm
- 막대 BB′와 그림자 끝이 이루는 각(θ') : 20 °

지구 모형의 반지름(R)은?(단, $\pi = 3$으로 계산한다.)

① 9 cm ② 12 cm ③ 18 cm

④ 36 cm ⑤ 108 cm

[08~09] 다음은 네 지역 (가)~(라)의 위도와 경도, (가)로부터의 거리를 나타낸 것이다.

구분	(가)	(나)	(다)	(라)
위도	20 °N	20 °N	30 °N	40 °N
경도	95 °E	110 °E	95 °E	120 °E
(가)로부터의 거리	0 km	1200 km	1120 km	1540 km

08 지구의 크기를 구할 때 이용할 수 있는 가장 적당한 두 지역을 옳게 짝 지은 것은? `104쪽`

① (가)와 (나) ② (가)와 (다) ③ (나)와 (다)

④ (나)와 (라) ⑤ (다)와 (라)

09 지구의 반지름을 구하는 식으로 옳은 것은? `104쪽`

① $\dfrac{2\pi \times 1120\ km}{360\,° \times 10\,°}$ ② $\dfrac{15\,° \times 1200\ km}{360\,° \times 2\pi}$

③ $\dfrac{360\,° \times 1120\ km}{2\pi \times 10\,°}$ ④ $\dfrac{360\,° \times 1200\ km}{2\pi \times 15\,°}$

⑤ $\dfrac{360\,° \times 20\,°}{2\pi \times 1540\ km}$

10 그림은 같은 경도상에 위치한 서울과 광주의 위도와 경도 및 두 지역 사이의 거리를 나타낸 것이다. `104쪽`

이를 이용하여 구한 두 지역 사이의 중심각과 지구의 둘레를 옳게 짝 지은 것은?

	중심각	지구의 둘레
①	2.4 °	약 6400 km
②	2.4 °	약 42000 km
③	35.1 °	약 6400 km
④	37.5 °	약 42000 km
⑤	72.6 °	약 42000 km

11 (가) 지구의 자전 방향과 (나) 천체의 일주 운동 방향을 옳게 짝 지은 것은? `104쪽`

	(가)	(나)		(가)	(나)
①	동→서	동→서	②	동→서	서→동
③	서→동	동→서	④	서→동	서→동
⑤	남→북	북→남			

풀이 TIP 08~09 ❶ 위도 차를 이용하여 지구의 크기를 구할 때 이용하는 두 지역이 같아야 하는 값과 달라야 하는 값이 각각 무엇인지 안다. ❷ 조건에 맞는 두 지점을 선택한다. ❸ 중심각과 호의 길이에 해당하는 값을 구한다. ❹ 원의 성질을 이용하여 비례식을 세우고, 값을 대입한다.

12 별의 일주 운동에 대한 설명으로 옳은 것은?

① 별은 한 시간에 약 1°씩 돈다.

② 지구의 공전 때문에 나타난다.

③ 일주 운동 방향은 서 → 동이다.

④ 북반구에서 별은 태양을 중심으로 돈다.

⑤ 우리나라의 북쪽 하늘을 볼 때 별이 시계 반대 방향으로 돈다.

[104쪽]

[13~14] 그림은 어느 날 해가 지고 난 후 북두칠성을 관측한 것이다.

13 북두칠성이 이동한 원인으로 옳은 것은?

[104쪽]

① 지구가 공전하기 때문

② 지구가 자전하기 때문

③ 태양이 자전하기 때문

④ 북두칠성이 공전하기 때문

⑤ 북두칠성이 자전하기 때문

중요 풀이 TIP

14 A를 관측한 시각이 밤 10시라고 할 때, B를 관측한 시각으로 옳은 것은?

[104쪽]

① 저녁 6시　② 저녁 7시　③ 저녁 8시

④ 밤 12시　⑤ 새벽 1시

중요

15 오른쪽 그림은 어느 날 우리나라에서 2시간 동안 관측한 북쪽 하늘의 모습이다. 이에 대한 설명으로 옳지 않은 것은?

[104쪽]

① 별 P는 북극성이다.

② θ의 크기는 15°이다.

③ 별들의 이동 방향은 B이다.

④ 지구가 자전하기 때문에 나타나는 현상이다.

⑤ 별들은 지구의 자전과 반대 방향으로 이동한다.

16 어느 날 밤 9시경, 남쪽 하늘의 (가) 위치에서 오리온자리가 관측되었다. 이날 밤 12시경에 A, B 중 오리온자리가 보이는 위치와 이동한 각 θ를 옳게 짝 지은 것은?

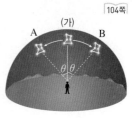

[104쪽]

① A, 3°　② A, 15°　③ A, 45°

④ B, 30°　⑤ B, 45°

중요

17 그림 (가)~(라)는 우리나라의 각 방향에서 바라본 별의 일주 운동 모습을 나타낸 것이다.

[104쪽]

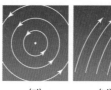

(가)　　(나)　　(다)　　(라)

관측된 하늘을 옳게 짝 지은 것은?

① (가) – 남쪽 하늘　② (나) – 서쪽 하늘

③ (다) – 동쪽 하늘　④ (라) – 북쪽 하늘

⑤ (라) – 서쪽 하늘

14 ❶ 지구의 자전 속도와 별의 일주 운동 속도는 같다. ❷ ❶을 이용하여 별을 몇 시간 간격으로 관측한 것인지 파악한다. ❸ 일주 운동하는 별이 북극성을 중심으로 어느 방향으로 회전하는지 생각해 본다. ❹ A와 B를 관측한 시각의 선후 관계를 파악하여 B를 관측한 시각을 구한다.

★중요
18 지구의 공전에 의해 나타나는 현상으로 옳은 것을 모두 고르면?(2개)

① 낮과 밤이 반복된다.
② 태양이 동쪽에서 떠서 서쪽으로 진다.
③ 계절에 따라 볼 수 있는 별자리가 달라진다.
④ 하루 동안 관측한 별자리의 위치가 달라진다.
⑤ 태양이 별자리를 배경으로 이동하여 1년 후 제자리로 돌아온다.

[19~20] 그림은 15일 간격으로 같은 시각에 서쪽 하늘을 관측한 모습을 순서 없이 나열한 것이다.

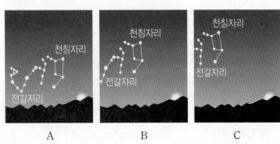

A   B   C

19 (가) A~C가 관측된 순서와 (나) 태양을 기준으로 별자리가 이동한 방향을 옳게 짝 지은 것은?

	(가)	(나)
①	A → B → C	동 → 서
②	A → C → B	서 → 동
③	B → A → C	서 → 동
④	C → B → A	동 → 서
⑤	C → B → A	서 → 동

★중요
20 이에 대한 설명으로 옳은 것은?

① 태양의 일주 운동을 관측한 것이다.
② 별자리는 하루에 약 1 °씩 이동한다.
③ 지구의 자전에 의해 나타나는 현상이다.
④ 별자리는 실제로 태양을 기준으로 이동한다.
⑤ 태양은 별자리를 기준으로 동에서 서로 이동한다.

[21~22] 그림은 지구의 공전 궤도와 태양이 지나가는 별자리를 나타낸 것이다.

풀이 TIP
21 이에 대한 설명으로 옳은 것은?

① 현재 지구는 3월이다.
② 지구는 동쪽에서 서쪽으로 공전한다.
③ 한 달 후에 태양은 처녀자리를 지난다.
④ 한밤중에 남쪽 하늘에서는 사자자리가 보인다.
⑤ 6개월 후에는 지구에서 물병자리를 볼 수 있다.

★중요
22 (가) 2월에 태양이 지나는 별자리와 (나) 태양이 황소자리를 지날 때 지구에서 한밤중에 남쪽 하늘에서 보이는 별자리를 옳게 짝 지은 것은?

	(가)	(나)
①	게자리	전갈자리
②	게자리	황소자리
③	물병자리	사자자리
④	염소자리	전갈자리
⑤	염소자리	황소자리

23 운동 방향이 같은 것끼리 보기에서 옳게 짝 지은 것은?

┌ 보기 ┐
ㄱ. 지구의 자전   ㄴ. 지구의 공전
ㄷ. 별의 일주 운동   ㄹ. 태양의 일주 운동
ㅁ. 태양의 연주 운동
└─────────────┘

① ㄱ, ㄷ   ② ㄴ, ㄹ   ③ ㄷ, ㅁ
④ ㄱ, ㄴ, ㅁ   ⑤ ㄴ, ㄷ, ㄹ

풀이 TIP **21** ❶ 태양이 지나는 별자리와 한밤중에 남쪽 하늘에서 보이는 별자리가 지구를 기준으로 각각 어느 방향에 있는지 생각해 본다. ❷ 2월에 태양의 위치를 파악하여 (가)에 해당하는 별자리를 찾는다. ❸ 지구가 밤일 때의 방향을 고려하여 (나)에 해당하는 별자리를 찾는다.

24 에라토스테네스가 지구의 크기를 측정하기 위해 세운 가정 **두 가지**를 서술하시오. [102쪽]

----

25 오른쪽 그림은 지구 모형 의 크기를 구하기 위한 실험을 나타낸 것이다. 지구 모형의 반 지름(R)을 구하는 비례식을 세 우시오. [102쪽]

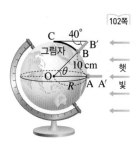

----

26 오른쪽 그림은 같은 경 도에 있는 속초와 대구의 위치 및 두 지역 사이의 거리를 나타 낸 것이다. 이를 이용하여 지구 의 둘레를 구하시오. [104쪽]

----

27 오른쪽 그림은 우리나라 에서 카메라를 몇 시간 동안 노 출시켜 별을 촬영한 것이다. [104쪽]

풀이 **TIP**

(1) 노출 시간을 쓰고, (가)와 (나) 중 별이 이동한 방향 을 고르시오.

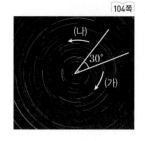

----

(2) 이와 같은 별의 궤적이 나타나는 까닭을 서술하시오.

----

28 그림은 해가 진 직후 15일 간격으로 같은 시각에 관측 한 서쪽 하늘의 모습을 순서 없이 나열한 것이다. [106쪽]

(가)~(다)를 먼저 관측된 것부터 순서대로 쓰고, 별자리의 위 치가 변하는 까닭을 서술하시오.

----

29 그림은 지구의 공전 궤도와 황도 12궁을 나타낸 것이다. [106쪽]

(1) 한밤중에 남쪽 하늘에서 궁수자리가 보일 때는 몇 월 인지 쓰시오.

----

(2) 지구가 A에 있을 때, 태양이 지나는 별자리와 한밤중 에 남쪽 하늘에서 보이는 별자리를 순서대로 쓰시오.

정답친해 30쪽으로 가서 문제를 채점한 후 학습 결과를 스스로 평가 해 보세요.

학 습 **평 가 하 기**

맞춘 개수	25~29개	18~24개	0~17개
평가	잘함	보통	부족

➔ 정답친해에서 그 문제를 왜 틀렸는지 꼭 확인하세요!
➔ 본책에서 해당 쪽으로 돌아가서 부족한 부분을 다시 공부하세요!

27 ❶ 별의 궤적이 나타내는 것이 무엇인지 파악한다. ❷ 별의 궤적이 나타나는 까닭을 지구의 운동과 관련하여 생각해 본다. ❸ 지구의 운동과 별의 이동 관계를 파악하여 별을 관측한 시간과 별의 이동 방향을 파악한다.

02 달

만화 완성하기 다음 만화를 보고 달의 말풍선을 완성해 보자.

≫ 이 단원을 학습한 후 내가 쓴 대사를 수정해 보자.

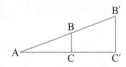
A 달의 크기 측정 높은 건물도 멀리 떨어져 있으면 손바닥 위에 올릴 수 있을 정도로 작게 보입니다. 이와 같은 현상을 이용하면 지구에서 우주에 있는 달의 크기를 측정할 수 있습니다. 달의 크기를 측정하는 방법을 자세히 알아볼까요?

1. 원리 : 서로 닮은 두 삼각형에서 대응변의 길이 비는 일정하다.

삼각형 ABC와 AB′C′는 서로 닮았다.

$$\therefore \ \overline{BC} : \overline{B'C'} = \overline{AC} : \overline{AC'}$$

＋ 시지름

관측자가 본 천체의 지름을 각도로 나타낸 것으로, 관측자의 눈과 천체 지름의 양 끝이 이루는 각도이다. 시지름은 거리가 멀수록 작아지므로, 달의 시지름과 지구에 있는 작은 물체의 시지름이 같게 보일 수 있다.

2. 측정 과정 : 어떤 물체가 달과 같은 크기로 보일 때, 삼각형의 닮음비를 이용하여 달의 크기를 구한다.
  └● 달과 물체의 시지름이 같다.

측정 방법	● 둥근 물체를 앞뒤로 움직여 보름달이 정확히 가려지게 하면, 눈과 물체의 지름을 잇는 삼각형은 눈과 달의 지름을 잇는 삼각형과 서로 닮은꼴이다.
측정해야 하는 값	● 물체의 지름(d) ➡ 달의 지름(D)에 대응 ● 물체까지의 거리(l) ➡ 지구에서 달까지의 거리(L)에 대응
미리 알아야 하는 값	지구에서 달까지의 거리(L) ──● 약 380000 km
달의 크기	$d : D = l : L$ ➡ D(달의 지름)$= \dfrac{d \times L}{l}$

3. 달의 실제 크기 : 달의 지름은 약 3500 km로, 지구 지름의 약 $\dfrac{1}{4}$이다.

이 단원의 개념이 어떻게 구성되어 있는지 살펴보고 빈칸을 완성해 보자.

```
            ┌─── A
   달 ───────┼─── B 달의 공전과 위상 변화 ····· C
            └─── D ··········· E 월식
```

이 단원을 공부하기 전에 미리 알고 있는 단어를 체크해 보자.

☐ 닮음비　　　☐ 위상　　　☐ 상현달　　　☐ 보름달　　　☐ 하현달
☐ 삭　　　　☐ 망　　　　☐ 일식　　　　☐ 월식

---

1 다음은 달의 크기를 구하는 방법에 대한 설명이다. (　) 안에 알맞은 말을 쓰시오.

> 달의 크기는 삼각형의 ㉠(　　　)를 이용하여 구할 수 있다. 둥근 물체가 달과 같은 크기로 보일 때, 달과 물체의 ㉡(　　　)이 같고, 눈과 물체의 지름을 잇는 삼각형은 눈과 달의 지름을 잇는 삼각형과 서로 닮은꼴이다.

암기꼭

• 달의 크기를 구할 때 직접 측정해야 하는 값
물체의 지름(d) ➡ 달의 지름(D)에 대응
물체까지의 거리(l) ➡ 달까지의 거리(L)에 대응

• 달의 실제 크기
달의 지름은 지구 지름의 약 $\frac{1}{4}$이다.

[2~3] 오른쪽 그림은 달의 크기를 측정하는 방법을 나타낸 것이다.

2 이에 대한 설명으로 옳은 것은 ○, 옳지 않은 것은 ×로 표시하시오.

(1) 실제로 측정해야 하는 값은 d와 l이다. ················ (　　)
(2) L은 계산을 통해 알아낸다. ···················· (　　)
(3) d와 l, D와 L은 서로 대응하는 변에 해당한다. ·········· (　　)

3 달의 지름(D)을 구하는 비례식을 완성하시오.

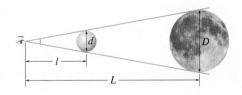

㉠(　　　) : $D=$ ㉡(　　　) : L

02 달

B 달의 공전과 위상 변화

매일 뜨고 지는 태양은 변함없이 둥근 모양으로 보입니다. 그러나 달은 어느 날에는 둥근 보름달이었다가, 어느 날에는 반달이나 초승달로 보이기도 하지요. 이처럼 달의 모양이 변하는 까닭은 무엇일까요?

1. **달의 공전** : 달이 지구를 중심으로 서에서 동으로 <u>약 한 달에 한 바퀴씩 도는 운동</u>
   └─● 공전 속도 : 하루에 약 13 °씩 이동

2. **달의 위상** : 지구에서 볼 때 밝게 보이는 달의 모양⁺

3. **달의 위상 변화** : 보이지 않음(○) → 초승달( ) → 상현달( ) → 보름달(●)
   → 하현달( ) → 그믐달( ) → 보이지 않음(○) → ⋯

➡ 달이 지구 주위를 공전함에 따라 태양, 지구, 달의 상대적인 위치가 달라지기 때문⁺

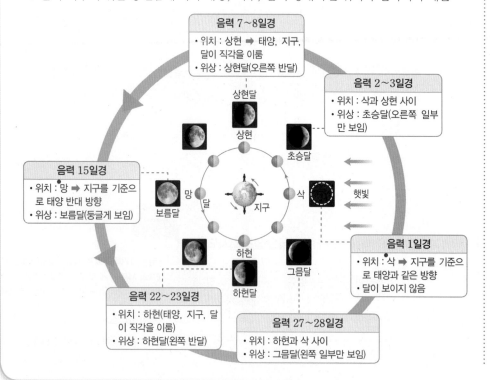

음력 7~8일경
・위치 : 상현 ➡ 태양, 지구, 달이 직각을 이룸
・위상 : 상현달(오른쪽 반달)

음력 2~3일경
・위치 : 삭과 상현 사이
・위상 : 초승달(오른쪽 일부만 보임)

음력 15일경
・위치 : 망 ➡ 지구를 기준으로 태양 반대 방향
・위상 : 보름달(둥글게 보임)

상현달 / 상현 / 초승달 / 망 / 보름달 / 달 / 지구 / 삭 / 햇빛 / 하현 / 하현달 / 그믐달

음력 1일경
・위치 : 삭 ➡ 지구를 기준으로 태양과 같은 방향
・달이 보이지 않음

음력 22~23일경
・위치 : 하현(태양, 지구, 달이 직각을 이룸
・위상 : 하현달(왼쪽 반달)

음력 27~28일경
・위치 : 하현과 삭 사이
・위상 : 그믐달(왼쪽 일부만 보임)

✚ 달의 위상
달은 스스로 빛을 내지 못하므로, 햇빛을 반사하여 밝게 보이는 부분이 우리 눈에 보이는 모양이 된다.

✚ 달의 표면 무늬
달의 모양이 바뀌어도 표면의 무늬는 변하지 않는다. 즉, 지구에서는 항상 달의 같은 면만을 볼 수 있다. 이는 달의 공전 주기와 자전 주기가 같아서 달이 지구 주위를 한 바퀴 공전하는 동안 같은 방향으로 한 바퀴 자전하기 때문이다.

달의 공전 방향 / 달의 자전 방향 / 달 / 지구

┃ 용어 ┃
・**삭(朔 초하루)** 음력 1일경에 달이 지구와 태양 사이에 놓여 보이지 않는 위치
・**망(望 보름)** 음력 15일경에 지구를 기준으로 달이 태양의 반대 방향에 놓여 둥글게 보이는 위치

C 달의 위치와 모양 변화

어떤 날에는 초저녁에만 잠깐 달이 보이고, 또 어떤 날은 새벽이 되어야 달을 볼 수 있습니다. 이처럼 달은 모양뿐만 아니라 보이는 위치나 시각도 달라집니다. 달의 위치 변화와 그 원인을 알아봅시다.

달이 공전함에 따라 매일 같은 시각에 관측한 달은 <u>약 13 °씩 서에서 동으로 이동</u>한다.
└─● 달이 뜨는 시각이 매일 약 50분씩 늦어진다.

해가 진 직후 관측한 달의 위치와 모양 변화

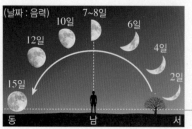

(날짜 : 음력)
10일 / 12일 / 7~8일 / 6일 / 4일 / 2일 / 15일
동 / 남 / 서

・음력 1일 : 달이 보이지 않는다.
・음력 2일경 : 서쪽 하늘에서 초승달이 보인다.
・음력 7~8일경 : 남쪽 하늘에서 상현달이 보인다.
・음력 15일경 : 동쪽 하늘에서 보름달이 보인다.⁺
└─● 약 한 달 후에 달이 다시 같은 위치에서 보인다.

✚ 달의 일주 운동
달도 별과 마찬가지로 하루 동안 동에서 서로 일주 운동을 한다. 따라서 남쪽 하늘에서 보이는 상현달은 약 6시간 후 서쪽 하늘로 지고, 동쪽 하늘에서 보이는 보름달은 약 12시간 후 서쪽 하늘로 진다.

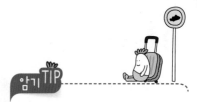

1 달은 ㉠(   )를 중심으로 약 한 달에 한 바퀴씩 ㉡(   )쪽에서 ㉢(   )쪽으로 도는데, 이를 달의 공전이라고 한다.

상현달과 하현달
· 태양의 **오**른쪽 : **오**른쪽 반달 ➡ **상**현달
· 태양의 **왼**쪽 : **왼**쪽 반달 ➡ **하**현달

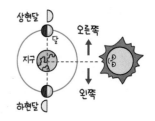

[2~3] 오른쪽 그림은 달의 공전 궤도를 나타낸 것이다.

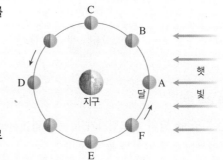

2 A~F 중 지구에서 상현달과 하현달로 보이는 달의 위치를 순서대로 쓰시오.

3 달의 위상 변화에 대한 설명으로 옳은 것은 ○, 옳지 않은 것은 ✕로 표시하시오.

(1) 달이 자전함에 따라 지구에서 보이는 달의 모양이 변한다. ····················· (   )
(2) 음력 15일경 달의 위치는 D이다. ··· (   )
(3) 달이 C에 있을 때와 E에 있을 때의 위상은 같다. ·· (   )
(4) 달의 위상이 달라지면 달의 표면 무늬도 달라진다. ····································· (   )

1 지구에서 관측한 달의 위치와 모양 변화에 대한 설명으로 옳은 것은 ○, 옳지 않은 것은 ✕로 표시하시오.

(1) 지구에서 같은 시각에 관측한 달은 매일 약 13 °씩 이동한다. ··················· (   )
(2) 달이 공전함에 따라 달의 위치는 동쪽에서 서쪽으로 이동한다. ················· (   )
(3) 음력 7~8일경 해가 진 직후 남쪽 하늘을 관측하면 초승달이 보인다. ······ (   )
(4) 보름달은 해가 진 직후 동쪽 하늘에서 떠오른다. ······································· (   )
(5) 달은 매일 같은 시각에 뜬다. ··· (   )

달의 위치 변화
B   M   W
13 moon west → east
달은 하루에 약 13 °씩 서에서 동으로 이동한다.

02 달

D 일식

일식이 일어나면 한낮에 태양이 가려져 하늘이 어둡게 변하는데요, 일식의 원인을 몰랐던 과거에는 이러한 현상이 불길한 일이 일어날 징조로 여겨지기도 했다고 합니다. 일식이 일어나는 원리와 일식의 진행 과정을 자세히 알아봅시다.

1. 일식 : 지구에서 볼 때 달이 태양의 전체 또는 일부를 가리는 현상

2. 일식의 종류[+]

① 개기 일식 : 달이 태양을 완전히 가리는 현상

② 부분 일식 : 달이 태양의 일부를 가리는 현상

3. 달의 위치 : 태양 – 달 – 지구 순서로 일직선을 이룬다. ➡ 달의 위치는 삭이다.

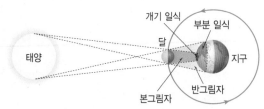

⬆ 일식이 일어날 때 달의 위치

4. 관측 지역 : 달의 그림자가 닿는 지역 ➡ 달의 ˙본그림자가 닿는 지역에서는 개기 일식을, 달의 ˙반그림자가 닿는 지역에서는 부분 일식을 볼 수 있다.

5. 진행 과정 : 달이 서에서 동으로 공전하며 태양의 앞을 지남에 따라 태양의 오른쪽부터 가려지고, 오른쪽부터 빠져나온다.[+]

+ 개기 일식과 부분 일식

⬆ 개기 일식   ⬆ 부분 일식

+ 일식의 진행 과정

| 용어 |
- **본그림자** 광원에서 오는 모든 빛이 차단되어 생기는 어두운 그림자
- **반그림자** 광원에서 오는 빛의 일부가 차단되어 생기는 약간 어두운 그림자

E 월식

슈퍼 문, 블러드 문 등 때에 따라 달을 부르는 다양한 이름이 있습니다. 그중 블러드 문은 개기 월식이 일어나서 붉게 보이는 보름달을 뜻합니다. 월식이 일어나는 원리와 진행 과정을 자세히 알아봅시다.

1. 월식 : 지구에서 볼 때 달이 지구 그림자 속에 들어가 전체 또는 일부가 가려지는 현상

2. 월식의 종류[+]

① 개기 월식 : 달 전체가 지구의 본그림자에 가려져 붉게 보이는 현상 → 달이 보이지 않는 것이 아니라, 달 전체가 어둡고 붉게 보인다.

② 부분 월식 : 달의 일부가 지구의 본그림자에 가려지는 현상

3. 달의 위치 : 태양 – 지구 – 달 순서로 일직선을 이룬다. ➡ 달의 위치는 망이다.[+]

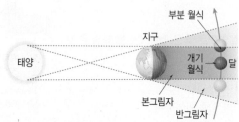

⬆ 월식이 일어날 때 달의 위치

4. 관측 지역 : 지구에서 밤이 되는 모든 지역

5. 진행 과정 : 달이 서에서 동으로 공전하며 지구 그림자로 들어감에 따라 달의 왼쪽부터 가려지고, 왼쪽부터 빠져나온다.[+] → 달그림자보다 지구 그림자가 더 크기 때문에 일식보다 월식의 지속 시간이 더 길다.

+ 개기 월식과 부분 월식

⬆ 개기 월식   ⬆ 부분 월식

+ 일식과 월식이 매달 일어나지 않는 까닭

지구와 달의 공전 궤도가 같은 평면상에 있지 않아 삭이나 망일 때라도 항상 태양, 지구, 달이 일직선을 이루지는 않기 때문이다.

+ 월식의 진행 과정

1 일식에 대한 설명으로 옳은 것은 ○, 옳지 <u>않은</u> 것은 ×로 표시하시오.

(1) 일식은 달이 태양을 가리는 현상이다. ······················· (　　)

(2) 달이 태양 주위를 돌면서 일어나는 현상이다. ·················· (　　)

(3) 일식이 일어나는 날 밤에는 달이 보이지 않는다. ··············· (　　)

(4) 달이 공전함에 따라 태양의 오른쪽부터 가려지기 시작한다. ····· (　　)

2 그림은 일식이 일어날 때 태양, 지구, 달의 위치를 나타낸 것이다.

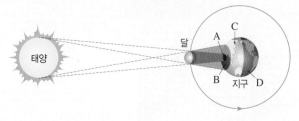

A~D 중 개기 일식과 부분 일식을 관측할 수 있는 곳을 순서대로 쓰시오.

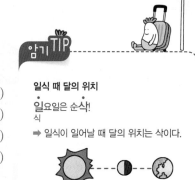

일식 때 달의 위치

일요일은 순**삭**!
식

➡ 일식이 일어날 때 달의 위치는 삭이다.

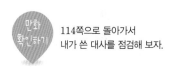

114쪽으로 돌아가서
내가 쓴 대사를 점검해 보자.

1 다음은 월식이 일어날 때의 모습을 모식적으로 나타낸 것이다.

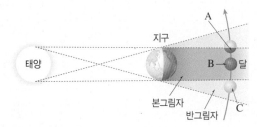

이에 대한 설명으로 옳은 것은 ○, 옳지 <u>않은</u> 것은 ×로 표시하시오.

(1) 이날 지구에서 보이는 달의 모양은 보름달이다. ··············· (　　)

(2) 달의 위치가 A일 때는 개기 월식이 일어난다. ················· (　　)

(3) 달의 위치가 C일 때는 달의 일부만 가려진다. ················· (　　)

(4) 지구에서 달 전체가 붉게 보일 때 달은 B에 있다. ············· (　　)

(5) 달의 일부가 지구의 반그림자에 가려지면 부분 월식이 일어난다. ····· (　　)

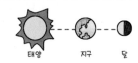

월식 때 달의 위치

월요일 **망**했으면…
식

➡ 월식이 일어날 때 달의 위치는 망이다.

달 그림의 크기를 구하는 과정을 통해 닮음비를 이용한 달의 크기 측정 원리를 확실히 이해해 봅시다. 또, 달의 위상이 변하는 원리를 그림을 통해 다시 한 번 정리해 봅시다.

탐구 자료 달 그림의 크기 측정

관련 개념 | 114쪽 Ⓐ 달의 크기 측정

목표
삼각형의 닮음비를 이용하여 달 그림의 크기를 측정할 수 있다.

과정
① 두꺼운 종이에 펀치로 구멍을 뚫고, 구멍의 지름(d)을 자로 잰다.
② 종이에 홈을 내어 자를 끼우고, 구멍을 통해 약 3 m 떨어진 벽에 붙인 보름달 그림을 본다.
③ 종이를 움직여 보름달 그림이 구멍을 정확히 채울 때, 눈과 종이 사이의 거리(l)를 측정한다.

주의 TIP
달 그림의 지름을 계산할 때는 단위를 통일해야 한다.
1 m=100 cm
1 cm=10 mm

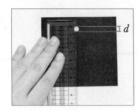  

결과 및 해석

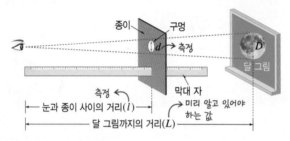

❶ 구멍의 지름(d) : 6 mm, 눈과 종이 사이의 거리(l)=10 cm
❷ 구멍의 지름(d)과 달 그림의 지름(D), 눈과 종이 사이의 거리(l)와 달 그림까지의 거리(L)는 각각 대응하는 변에 해당한다.
❸ $d : D = l : L$이므로, D(달 그림의 지름)$= \dfrac{d \times L}{l} = \dfrac{0.6\ cm \times 300\ cm}{10\ cm} = 18\ cm$

결론
• 달의 크기를 구하기 위해 직접 측정해야 하는 값 : 구멍의 지름(d), ⊙ (   )
• 달의 지름을 구하는 비례식은 $d :$ ⓒ (   )$= l :$ ⓒ (   )이다.

⊙ (1)리저 이이사 이종 따눈 ⓒ L ⓒ D

핵심 자료 달의 공전과 위상 변화

관련 개념 | 116쪽 Ⓑ 달의 공전과 위상 변화

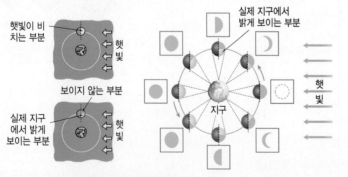

• 달이 태양과 같은 방향에 있을 때는 달이 햇빛을 받는 부분이 보이지 않는다.
• 달이 공전함에 따라 위치가 변하면 햇빛을 받는 부분이 점점 많이 보여 달의 위상이 초승달, 상현달, 보름달 순서로 변한다.

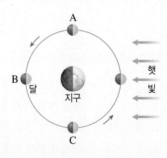

유제 1 달의 위치가 A~C일 때 지구에서 보이는 달의 모습을 각각 그리시오.

유제 2 A~C 중 지구에서 달의 밝은 면이 가장 많이 보이는 위치를 고르시오.

실력탄탄 핵심 문제

[01~03] 그림은 달의 크기를 구하는 방법을 나타낸 것이다.

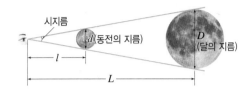

01 달의 크기를 구하기 위해 직접 측정해야 하는 값을 보기에서 모두 고르시오. [114쪽]

[보기]
ㄱ. 달의 지름(D)　　ㄴ. 동전의 지름(d)
ㄷ. 동전까지의 거리(l)　　ㄹ. 달까지의 거리(L)

02 이에 대한 설명으로 옳은 것을 보기에서 모두 고른 것은? [114쪽]

[보기]
ㄱ. 동전과 달의 시지름은 같다.
ㄴ. 삼각형의 닮음비를 이용하여 달의 크기를 구한다.
ㄷ. 동전의 지름(d)에 대응하는 변은 l이다.
ㄹ. 측정에 사용한 동전의 지름(d)이 작아질수록 동전까지의 거리(l)가 멀어진다.

① ㄱ, ㄴ　② ㄱ, ㄷ　③ ㄴ, ㄷ
④ ㄴ, ㄹ　⑤ ㄷ, ㄹ

03 달의 지름(D)을 구하는 비례식으로 옳은 것은? [114쪽]

① $d:D=L:l$　　② $d:D=l:L$
③ $d:l=L:D$　　④ $l:D=L:d$
⑤ $L:d=l:D$

04 그림은 달 그림의 크기를 측정하는 모습이다. [114쪽]

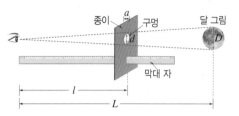

그림에 나타난 값이 다음과 같을 때, 달 그림의 지름(D)은?

- 종이의 두께(a) : 1 mm
- 구멍의 지름(d) : 8 mm
- 눈과 종이 사이의 거리(l) : 15 cm
- 달 그림까지의 거리(L) : 3 m

① 12 cm　② 14 cm　③ 16 cm
④ 18 cm　⑤ 20 cm

05 달의 운동에 대한 설명으로 옳지 <u>않은</u> 것은? [116쪽]

① 달은 지구를 중심으로 돈다.
② 달은 서에서 동으로 공전한다.
③ 달은 하루에 약 13 °씩 공전한다.
④ 달은 약 한 달을 주기로 자전한다.
⑤ 달의 자전 주기는 공전 주기보다 짧다.

06 지구에서 관측되는 달의 모양이 매일 조금씩 달라지는 까닭으로 옳은 것은? [116쪽]

① 달이 자전하기 때문
② 지구가 자전하기 때문
③ 달이 태양을 중심으로 공전하기 때문
④ 달이 지구를 중심으로 공전하기 때문
⑤ 지구가 태양을 중심으로 공전하기 때문

 04 ❶ 달 그림의 크기를 측정하는 과정에서 서로 닮은 두 삼각형을 찾는다. ❷ 두 삼각형에서 대응하는 변을 찾는다. ❸ 삼각형의 닮음비를 이용하여 비례식을 세운다. ❹ 각 값을 대입한 후, 단위를 통일하여 달 그림의 지름을 계산한다.

07 달의 위치와 위상 변화에 대한 설명으로 옳지 <u>않은</u> 것은?

① 달의 위상은 약 한 달을 주기로 변한다.
② 망 : 달이 지구를 기준으로 태양 반대 방향에 있어 지구에서 보름달로 보인다.
③ 삭 : 지구, 달, 태양이 90°를 이루어 지구에서는 달이 보이지 않는다.
④ 상현 : 지구, 달, 태양이 90°를 이루어 지구에서 오른쪽이 밝은 반달로 보인다.
⑤ 하현 : 지구, 달, 태양이 90°를 이루어 지구에서 왼쪽이 밝은 반달로 보인다.

[08~09] 그림은 달의 공전 궤도를 나타낸 것이다.

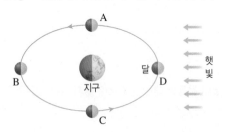

08 A~D 중 달이 오른쪽 그림과 같은 모양으로 보일 때의 위치는?

① A　　② B
③ C　　④ D
⑤ A, C

09 달의 위치와 지구에서 보이는 달의 모양을 옳게 짝 지은 것은?

① A – 초승달　　② B – 하현달
③ B – 그믐달　　④ C – 상현달
⑤ D – 보이지 않음

[10~12] 그림은 달이 공전하는 모습을 나타낸 것이다.

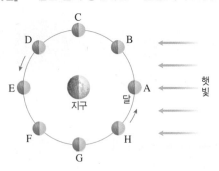

10 음력 15일경에 관측되는 달의 위치와 위상을 옳게 짝 지은 것은?

① A, 　② C, 　③ E,
④ G, 　⑤ H,

11 A~H 중 달이 상현달과 하현달로 보이는 위치를 옳게 짝 지은 것은?

	상현달	하현달		상현달	하현달
①	A	E	②	B	H
③	C	G	④	E	A
⑤	G	C			

12 달이 E 위치에 있을 때에 대한 설명으로 옳지 <u>않은</u> 것은?

① 보름달로 보인다.
② 달의 위치는 망이다.
③ 월식이 일어날 수 있다.
④ 음력 1일경에 관측할 수 있다.
⑤ 달과 태양 사이의 거리가 가장 멀 때이다.

 10~12 ❶ 태양, 지구, 달의 위치를 확인하여 달이 A~H에 있을 때 달의 위상을 파악한다. ❷ 음력 1일의 기준이 되는 달의 위치를 파악한 후, 달이 A~H에 있을 때 음력 날짜를 파악한다. ❸ E는 달이 지구를 기준으로 태양의 반대편에 있을 때이다. 이때 달의 특징을 생각해 본다.

13 그림은 지구에서 관측한 달의 모양을 나타낸 것이다.

달의 모양이 달라져도 표면의 무늬는 변하지 않는 까닭은?

① 달이 자전하지 않기 때문
② 지구가 자전하지 않기 때문
③ 달의 표면 무늬가 모두 같기 때문
④ 달의 자전 주기와 공전 주기가 같기 때문
⑤ 달의 공전 주기가 자전 주기보다 빠르기 때문

[14~15] 그림은 해가 진 직후에 달의 위치와 모양을 15일 동안 관측한 것이다.

14 A 위치에 있는 달에 대한 설명으로 옳지 <u>않은</u> 것은?

① 상현달이다.
② 음력 7~8일경에 볼 수 있다.
③ 자정 무렵에 서쪽 지평선 아래로 진다.
④ 다음 날 서쪽으로 이동한 위치에서 관측된다.
⑤ 점점 부풀어 며칠 뒤에는 보름달로 보인다.

15 이에 대한 설명으로 옳은 것은?

① 초승달은 한밤중에 관측할 수 있다.
② 달의 위치는 매일 약 1 °씩 이동한다.
③ 약 15일 후에 달은 같은 위치에서 관측된다.
④ 달이 떠오르는 시각은 매일 조금씩 빨라진다.
⑤ 음력 15일경에는 달을 가장 오래 관측할 수 있다.

16 매일 달이 뜨는 시각이 달라지는 까닭으로 옳은 것은?

① 지구가 자전하지 않기 때문이다.
② 달의 자전 주기와 공전 주기가 같기 때문이다.
③ 지구가 자전하는 동안 달이 공전하기 때문이다.
④ 지구가 공전하는 동안 달이 자전하기 때문이다.
⑤ 지구의 공전 주기와 달의 공전 주기가 같기 때문이다.

17 일식과 월식에 대한 설명으로 옳은 것을 보기에서 모두 고른 것은?

〔 보기 〕
ㄱ. 달이 태양 주위를 공전하면서 일어나는 현상이다.
ㄴ. 일식이 일어나는 날 밤에는 달이 보이지 않는다.
ㄷ. 달이 망의 위치에 있을 때 월식이 일어날 수 있다.
ㄹ. 일식과 월식은 매달 한 번씩 일어난다.

① ㄱ, ㄴ   ② ㄱ, ㄷ   ③ ㄴ, ㄷ
④ ㄴ, ㄹ   ⑤ ㄷ, ㄹ

18 그림은 달의 공전 궤도를 나타낸 것이다.

일식과 월식이 일어날 때의 달의 위치를 순서대로 옳게 짝 지은 것은?

	일식	월식		일식	월식
①	A	C	②	B	C
③	B	D	④	C	A
⑤	D	B			

15 ❶ 달이 각각 서쪽, 남쪽, 동쪽 하늘에 있을 때의 모양을 파악한다. ❷ 달의 공전 주기 및 공전 속도를 생각해 본다. ❸ 달의 위상 변화 주기를 생각해 본다.　18 ❶ 일식과 월식의 정의를 떠올린다. ❷ 각 현상이 일어나려면 달이 지구를 중심으로 어느 방향에 있어야 하는지 생각해 본다.

19 그림은 어느 날 지구에서 관측한 일식과 월식의 모습을 순서 없이 나타낸 것이다.

(가)   (나)

이에 대한 설명으로 옳은 것은?

① (가)는 개기 일식을 나타낸 것이다.
② (가)는 달 전체가 지구의 반그림자에 들어간 것이다.
③ (나)는 부분 월식을 나타낸 것이다.
④ (나)에서 달은 태양의 일부를 가리고 있다.
⑤ (가)보다 (나)일 때 태양과 달 사이의 거리가 더 멀다.

[20~21] 그림은 일식이 일어날 때 태양, 지구, 달의 위치를 나타낸 것이다.

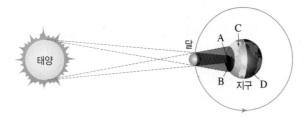

20 A~D 중 개기 일식을 관측할 수 있는 곳과 부분 일식을 관측할 수 있는 곳을 순서대로 옳게 짝 지은 것은?

① A, B   ② A, D   ③ B, A
④ B, C   ⑤ D, C

21 이에 대한 설명으로 옳지 <u>않은</u> 것은?

① 달의 위치는 삭이다.
② 일식이 일어날 때는 태양의 오른쪽부터 가려진다.
③ 달의 반그림자가 닿는 곳에서는 일식을 볼 수 없다.
④ 달의 본그림자가 닿는 곳에서 개기 일식이 관측된다.
⑤ 개기 일식보다 부분 일식을 관측할 수 있는 지역이 더 넓다.

22 그림은 월식이 일어날 때의 모습을 모식적으로 나타낸 것이다.

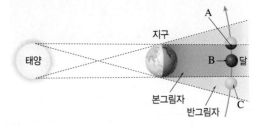

이에 대한 설명으로 옳은 것을 보기에서 모두 고른 것은?

〔 보기 〕

ㄱ. 이날 달의 위상은 보름달이다.
ㄴ. 월식은 달이 B에 위치할 때만 일어난다.
ㄷ. 월식이 일어날 때 달은 왼쪽부터 가려진다.
ㄹ. 달이 지구의 반그림자에 들어갈 때 부분 월식이 일어난다.

① ㄱ, ㄴ   ② ㄱ, ㄷ   ③ ㄱ, ㄹ
④ ㄴ, ㄷ   ⑤ ㄷ, ㄹ

23 그림은 일식과 월식이 일어날 때 태양, 달, 지구의 위치를 나타낸 것이다.

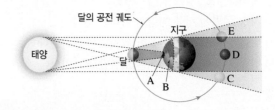

이에 대한 설명으로 옳지 <u>않은</u> 것은?

① A에서는 태양이 완전히 가려진 모습을 볼 수 있다.
② 일식은 낮이 되는 모든 지역에서 볼 수 있다.
③ 달이 D에 위치할 때는 달 전체가 붉게 보인다.
④ E에서는 부분 월식이 일어난다.
⑤ 월식은 일식보다 지속 시간이 길다.

 19 ❶ (가)는 천체가 붉게 보이고, (나)는 천체의 일부가 가려진 모습이다. ❷ (가)와 (나)가 일식과 월식 중 어느 현상에 해당하는지 파악한다. ❸ (가)와 (나)가 해당하는 일식 또는 월식의 종류를 판단한다. ❹ 일식과 월식이 일어날 때 태양과 달 사이의 거리를 비교한다.

124   Ⅲ. 태양계

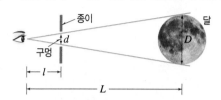

24 그림은 달의 크기를 측정하는 실험을 나타낸 것이다. [114쪽]

(1) 그림에서 직접 측정해야 하는 값을 쓰시오.

----

(2) 그림에서 미리 알아야 하는 값을 쓰시오.

----

(3) 달의 지름(D)을 구하는 비례식을 세우시오.

----

25 그림은 달의 공전 궤도를 나타낸 것이다. [116쪽]

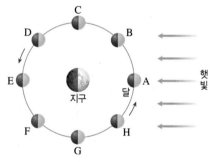

(1) A~H 중 달이 보름달로 보일 때의 위치를 쓰시오.

----

(2) 달이 C에 있을 때 지구에서 보이는 달의 모양을 그리시오.

----

(3) 달이 G에 있을 때의 음력 날짜와 달의 위상을 쓰시오.

----

26 그림은 지구 주위를 공전하는 달의 모습이다. [118쪽]

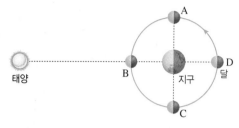

(1) 달이 A~D에 있을 때 달의 위상을 각각 쓰시오.

----

(2) A~D 중 월식이 일어날 때 달의 위치를 쓰고, 달과 태양 사이의 거리를 일식이 일어날 때와 비교하여 서술하시오.

----

27 풀이 **TIP** 그림은 어느 날 일식이 진행되는 모습을 관측한 것이다. [118쪽]

A ──────▶   ◀────── B

(1) 일식의 종류를 쓰고, 이를 관측한 지역을 서술하시오.

----

(2) A, B 중 일식의 진행 방향을 고르고, 그렇게 판단한 까닭을 서술하시오.

학습 평가하기

정답친해 34쪽으로 가서 문제를 채점한 후 학습 결과를 스스로 평가해 보세요.

맞춘 개수	23~27개	15~22개	0~14개
평가	잘함	보통	부족

➔ 정답친해에서 그 문제를 왜 틀렸는지 꼭 확인하세요!
➔ 본책에서 해당 쪽으로 돌아가서 부족한 부분을 다시 공부하세요!

27 ❶ 개기 일식과 부분 일식의 정의를 떠올려 그림에 나타난 현상의 종류를 판단한다. ❷ 지구에서 해당 종류의 일식을 관측할 수 있는 위치를 생각해 본다. ❸ 일식이 일어날 때 달의 이동 방향을 고려하여 태양이 어느 쪽부터 가려지는지 판단한다.

단원 미리 보기

03 태양계의 구성

만화 완성하기

다음 만화를 보고 태양의 말풍선을 완성해 보자.

≫ 이 단원을 학습한 후 내가 쓴 대사를 수정해 보자.

A 행성의 특징

밤하늘에서 반짝이는 천체 중에는 별뿐만 아니라 금성이나 화성 같은 행성도 있습니다. 태양계에는 지구를 비롯해서 크기와 색깔 등의 특징이 각기 다른 8개의 행성이 있습니다. 이 행성들의 특징을 자세히 알아볼까요?

행성	특징
수성	• 태양계 행성 중 태양에 가장 가깝고, 크기가 가장 작다. + • 대기가 없어 낮과 밤의 표면 온도 차이가 매우 크다. • 표면에 운석 구덩이가 많다. ─● 물과 대기가 없어 풍화 작용이 거의 일어나지 않기 때문
금성	• 태양계 행성 중 크기와 질량이 지구와 가장 비슷하다. • 태양계 행성 중 지구에서 가장 밝게 보인다. • 이산화 탄소로 이루어진 두꺼운 대기가 있다. ➡ 기압이 높고, 표면 온도가 약 470 °C로 매우 높다.
화성	• 토양에 산화철 성분이 많아 붉게 보인다. • 주로 이산화 탄소로 이루어진 희박한 대기가 있고, 계절 변화가 나타난다. • 극지방에 얼음과 드라이아이스로 이루어진 흰색의 극관이 있다. + • 물이 흘렀던 흔적이 있고, 거대한 화산과 협곡이 있다.
목성	• 태양계 행성 중 크기가 가장 크다. • 주로 수소와 헬륨으로 이루어져 있다. • 표면에 적도와 나란한 줄무늬가 있고, 대기의 소용돌이인 대적점이 나타난다. ┗ ● 자전 속도가 빠르기 때문 ● 대적반이라고도 한다. • 희미한 고리가 있고, 갈릴레이 위성을 비롯한 수많은 위성이 있다. +
토성	• 태양계 행성 중 크기가 두 번째로 크고, 밀도가 가장 작다. ─● 물보다 밀도가 작다. • 표면에 적도와 나란한 줄무늬가 나타난다. • 암석 조각과 얼음으로 이루어진 뚜렷한 고리와 수많은 위성이 있다.
천왕성	• 대기에 메테인이 포함되어 청록색으로 보인다. • 자전축이 공전 궤도면과 거의 나란하여 누운 채로 자전한다. • 희미한 고리와 여러 개의 위성이 있다.
해왕성	• 천왕성과 성분이 비슷하며, 파란색을 띤다. • 대기의 소용돌이인 커다란 검은 점(대흑점)이 나타나기도 한다. • 희미한 고리와 여러 개의 위성이 있다.

✚ 태양계
태양을 비롯하여 이를 중심으로 공전하는 행성 및 소행성, 왜소 행성 등의 작은 천체와 이들이 차지하는 공간을 태양계라고 한다.

✚ 화성의 극관과 계절 변화
화성은 지구와 같이 계절 변화가 일어나므로 여름에는 극관의 크기가 작아지고, 겨울에는 커진다.

⬆ 여름

⬆ 겨울

✚ 갈릴레이 위성
갈릴레이가 발견한 목성의 위성으로 이오, 유로파, 가니메데, 칼리스토이다.

| 용어 |
• 행성(行 돌아다니다, 星 별) 별 주위를 일정한 주기로 공전하는 천체
• 위성(衛 지키다, 星 별) 행성의 주위를 공전하는 천체

한눈에 보기 이 단원의 개념이 어떻게 구성되어 있는지 살펴보고 빈칸을 완성해 보자.

태양계의 구성
- A 행성의 특징 — B
- C — D 태양의 활동과 영향
- E

단어 체크하기 이 단원을 공부하기 전에 미리 알고 있는 단어를 체크해 보자.

☐ 태양계	☐ 행성	☐ 위성	☐ 지구형 행성	☐ 목성형 행성
☐ 태양	☐ 광구	☐ 흑점	☐ 오로라	☐ 천체 망원경

암기 꼭

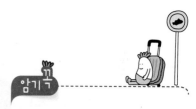

태양계 행성의 특징 기억하기
- **표면 온도**가 가장 높은 행성 : **금성**
- **크기**가 가장 큰 행성 : **목성**
- **밀도**가 가장 작은 행성 : **토성**

1 태양계 행성의 이름과 특징을 선으로 연결하시오.

(1) 수성 • • ㉠ 태양에서 가장 가깝다.
(2) 화성 • • ㉡ 태양계 행성 중 가장 크다.
(3) 목성 • • ㉢ 극지방에 흰색의 극관이 있다.
(4) 토성 • • ㉣ 여러 겹의 뚜렷한 고리가 있다.

[2~3] 그림은 태양계를 이루는 행성을 나타낸 것이다.

(가) (나) (다) (라) (마)

2 (가)~(마)의 이름을 쓰시오.

3 (가)~(마) 중 다음 설명에 해당하는 것을 쓰시오.

(1) 표면에 대기의 소용돌이인 붉은 점이 나타난다. ( )
(2) 표면이 붉은색을 띠고, 물이 흘렀던 흔적이 있다. ( )
(3) 대기가 없어 표면에 운석 구덩이가 많다. ( )
(4) 파란색을 띠고, 표면에 대흑점이 나타난다. ( )
(5) 태양계에서 두 번째로 큰 행성으로, 밀도가 가장 작다. ( )

03 태양계의 구성

B 행성의 분류

우리는 주변에 있는 생물이나 물건들을 각각의 기준에 따라 분류해서 이름을 붙이곤 합니다. 태양계의 행성들 역시 크게 두 가지 기준에 따라 구분할 수 있습니다. 행성을 분류하는 기준과 각 집단의 특징을 알아봅시다.

1. 내행성과 외행성 : 지구 공전 궤도를 기준으로 행성의 공전 궤도를 비교하여 구분한다.

구분	내행성	외행성
행성	수성, 금성	화성, 목성, 토성, 천왕성, 해왕성
공전 궤도	지구 공전 궤도 안쪽에서 공전	지구 공전 궤도 바깥쪽에서 공전

2. 지구형 행성과 목성형 행성 : 행성의 질량, 반지름, 밀도 등 물리적 특성을 기준으로 구분한다. +

구분	행성	질량	반지름	평균 밀도	위성 수	고리	표면 상태
지구형 행성	수성, 금성, 지구, 화성	작다	작다	크다	없거나 적다	없다	단단한 암석
목성형 행성	목성, 토성, 천왕성, 해왕성	크다	크다	작다	많다	있다	기체

+ 지구형 행성과 목성형 행성 비교

- 지구형 행성 : 질량과 반지름이 작고, 밀도가 크다.
- 목성형 행성 : 질량과 반지름이 크고, 밀도가 작다.

C 태양의 특징

별은 스스로 에너지를 만들어 빛을 내는 천체를 말합니다. 밤하늘에는 무수히 많은 별이 있지만, 태양계에 있는 별은 오로지 태양뿐입니다. 태양의 특징을 자세히 알아볼까요?

1. 태양 : 태양계에서 유일하게 스스로 빛을 내는 천체로, 지구에서 가장 가까운 별이다.
└● 항성

2. 태양의 표면 : 눈에 보이는 태양의 둥근 표면을 ●광구라고 한다.

광구	광구에서 볼 수 있는 현상	
	쌀알 무늬	• 쌀알을 뿌려 놓은 것 같은 작고 밝은 무늬 • 태양 내부의 대류 현상에 의해 생긴다. ┌ 밝은 부분 : 고온의 기체가 상승하는 곳 └ 어두운 부분 : 냉각된 기체가 하강하는 곳
	흑점	• 크기와 모양이 불규칙한 어두운색의 무늬 • 주변보다 온도가 낮아서 어둡게 보인다. + • 흑점의 수와 위치는 지속적으로 변한다.

+ 태양의 표면과 흑점의 온도

광구의 평균 온도는 약 6000 °C이고 흑점의 온도는 약 4000 °C이다. 흑점은 주변에 비해 온도가 약 2000 °C 낮아 어둡게 보인다.

3. 태양의 대기 : 평소에는 광구가 너무 밝아 잘 보이지 않고, 개기 일식 때 볼 수 있다.

대기		대기에서 볼 수 있는 현상	
●채층	코로나	●홍염	플레어
광구 바로 위쪽에 있는 붉은색의 얇은 대기층	채층 위로 멀리 뻗어 있는 진주색 대기층 ➡ 온도가 100만 °C 이상으로 매우 높다.	광구에서부터 대기로 고온의 기체가 솟아오르는 현상 └●불꽃이나 고리 등 다양한 모양	흑점 주변에서 일어나는 폭발로, 많은 양의 에너지가 한꺼번에 방출되는 현상

| 용어 |

- **광구**(光 빛나다, 球 공) 지구에서 태양을 볼 때 둥글게 빛나 보이는 표면
- **채층**(彩 채색, 層 층) 광구 바로 바깥쪽에 있는 불그스름한 대기층
- **홍염**(紅 붉다, 焰 불꽃) 채층 위로 솟아오르는 붉은 불꽃 모양의 가스

1 지구의 공전 궤도 안쪽에서 공전하는 행성을 ㉠(　　　)이라 하고, 지구의 공전 궤도 바깥쪽에서 공전하는 행성을 ㉡(　　　)이라고 한다.

암기꾹

태양계 행성 분류하기

2 다음은 지구형 행성과 목성형 행성의 특징을 비교한 것이다. (　　) 안에 알맞은 말을 쓰시오.

구분	질량	반지름	밀도	고리	표면 상태
지구형 행성	㉠(　　)	작다	㉡(　　)	없다	㉢(　　)
목성형 행성	㉣(　　)	크다	㉤(　　)	있다	기체

암기TIP

태양의 대기

코
대체로 홍염은 레어템
기 채 나　　　플레어
　층

1 태양의 표면에서 나타나는 현상을 보기에서 모두 고르시오.

┌ 보기 ┐
ㄱ. 채층　　　　　ㄴ. 홍염　　　　　ㄷ. 흑점
ㄹ. 코로나　　　　ㅁ. 플레어　　　　ㅂ. 쌀알 무늬

[2~3] 그림은 태양의 여러 부분을 관측하여 나타낸 것이다.

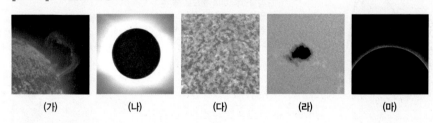

(가)　　　(나)　　　(다)　　　(라)　　　(마)

2 (가)~(마)의 이름을 각각 쓰시오.

3 이에 대한 설명으로 옳은 것은 ○, 옳지 <u>않은</u> 것은 ×로 표시하시오.

(1) (가)는 태양의 대기에서, (다)는 태양의 표면에서 관측된다. ··················· (　　)

(2) (나)는 평소에는 보기 어렵고, 개기 일식 때 볼 수 있다. ················· (　　)

(3) (라)는 광구보다 온도가 높아 어둡게 보인다. ························· (　　)

03 태양계의 구성

D 태양의 활동과 영향

지구의 주 에너지원은 태양이 방출하는 에너지입니다. 태양 활동이 변하면 태양이 방출하는 에너지와 물질의 양이 달라져 지구도 많은 영향을 받게 됩니다. 태양 활동이 활발할 때 나타나는 현상을 알아볼까요?

태양의 활동이 활발해지면 태양의 표면과 대기에 변화가 나타나고, 지구도 영향을 받아 다양한 현상이 일어난다.

태양의 변화	지구가 받는 영향
• 흑점 수가 많아진다. ➡ 흑점 수가 최대일 때 태양의 활동이 가장 활발하다. • 코로나의 크기가 커진다. • 홍염, 플레어가 자주 발생한다. • 태양풍이 강해진다. └●태양에서 우주 공간으로 방출되는 전기를 띤 입자의 흐름	• 자기 폭풍이 발생한다.⁺ • 델린저 현상이 나타나거나, 위성 위치 확인 시스템(GPS) 수신에 장애가 생길 수 있다. • 인공위성이 고장 나거나, 송전 시설이 고장 나서 대규모 정전이 일어날 수 있다. • 오로라가 자주 발생하고, 더 넓은 지역에서 발생한다.

✚ 자기 폭풍과 델린저 현상
자기 폭풍은 지구 자기장이 짧은 시간 동안 불규칙하게 변하는 현상이다. 이에 따라 장거리 무선 통신이 두절되는 델린저 현상이 나타날 수 있다.

| 용어 |
• **오로라** 태양에서 날아온 전기를 띤 입자들이 지구 대기와 충돌하여 빛을 내는 현상

E 천체 망원경과 천체 관측

천체들은 지구에서 멀리 떨어져 있어 맨눈으로는 특징을 확인하기 어렵습니다. 천체 망원경을 이용하여 가까운 행성이나 달, 태양의 모습을 보다 자세히 관측하는 방법을 알아봅시다.

1. 천체 망원경의 구조

대물렌즈 빛을 모으는 역할을 하며, 지름이 클수록 빛을 많이 모음

가대 경통과 삼각대를 연결해 주는 부분으로, 경통을 움직일 수 있게 함

균형추 망원경의 균형을 맞춤

삼각대 망원경이 흔들리지 않게 경통과 가대를 고정함

경통 대물렌즈와 접안렌즈를 연결해 주는 통

보조 망원경(파인더) 소형 망원경으로, 배율이 낮고 시야가 넓어 관측하려는 천체를 찾는 데 사용함

접안렌즈 • 상을 확대하여 눈으로 볼 수 있게 하는 역할을 함 • 접안렌즈를 교체하여 배율 조절 가능

✚ 파인더 정렬
주 망원경 / 보조 망원경

✚ 천체 망원경 조작 시 유의점
망원경으로 천체를 관측하면 상하좌우가 반대로 보이므로 망원경을 조작할 때에는 원하는 방향의 반대로 움직여야 한다.

✚ 태양을 관측할 때 유의점
태양은 매우 밝으므로 망원경으로 직접 보지 않는다. ➡ 태양 필터를 끼우거나, 투영판 설치(투영법)

2. 천체 망원경의 설치 방법

조립하기 : 삼각대 세우기 → 가대 끼우기 → 균형추 달기 → 경통 끼우기 → 보조 망원경, 접안렌즈 끼우기 ●아래 → 위 순서 ➡ **균형 맞추기** : 망원경이 부드럽게 움직이도록 경통과 균형추를 움직여 균형을 맞춘다. ➡ **파인더 정렬** : 주 망원경 시야의 중앙에 있는 물체가 보조 망원경의 십자선 중앙에 오도록 조절한다.⁺

3. 천체 망원경을 이용한 관측 방법

편평한 곳에 망원경을 설치하고, 경통의 방향이 천체를 향하도록 한다. ➡ 파인더로 천체를 찾아 십자선 중앙에 오도록 한다.⁺ ➡ 접안렌즈로 천체를 보면서 초점을 맞춘 후 관측한다. ➡ 저배율에서 고배율 순서로 관측한다.

| 용어 |
• **대물(對 마주하다, 物 물건)렌즈** 망원경이나 현미경 등의 장치에서 물체와 가까운 쪽의 렌즈
• **접안(接 접촉하다, 眼 눈)렌즈** 망원경이나 현미경 등을 볼 때 눈에 닿는 쪽의 작은 렌즈

1 태양의 활동에 대한 설명으로 옳은 것은 ○, 옳지 **않은** 것은 ×로 표시하시오.

(1) 태양 활동의 변화는 지구에는 거의 영향을 미치지 않는다. ·················· ( )

(2) 흑점 수가 적을 때 태양의 활동이 활발하다. ···························· ( )

(3) 태양 활동이 활발하면 코로나의 크기가 커지고, 홍염이 자주 발생한다. ·· ( )

(4) 태양 활동이 활발할 때 지구에서는 오로라 발생 횟수가 줄어든다. ·········· ( )

암기구

태양 활동이 활발할 때 일어나는 현상
• 흑점 수
• 코로나의 크기
• 홍염, 플레어 발생 횟수 ⎤ 모두 증가
• 태양풍 세기 ⎦
• 오로라 발생 횟수

 126쪽으로 돌아가서
내가 쓴 대사를 점검해 보자.

[1~2] 오른쪽 그림은 천체 망원경의 구조를 나타낸 것이다.

1 A~E의 이름을 각각 쓰시오.

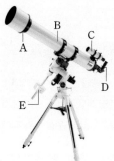

암기TIP

천체 망원경의 구조와 역할
대모님의 접대를 확실하게!
물은   안   대
렌 다   렌
즈   즈
➡ 대물렌즈는 빛을 모으고, 접안렌즈는 상을
확대한다.

2 A~E 중 다음 설명에 해당하는 것을 쓰시오.

(1) 빛을 모으는 역할을 한다. ······························ ( )

(2) 상을 확대한다. ······································· ( )

(3) 망원경의 균형을 맞춘다. ······························ ( )

(4) 관측 대상을 쉽게 찾도록 해 준다. ······················ ( )

3 다음은 망원경의 조립 방법을 순서 없이 나타낸 것이다.

> (가) 가대 끼우기   (나) 균형추 달기
> (다) 경통 끼우기   (라) 삼각대 세우기
> (마) 보조 망원경과 접안렌즈 끼우기

(가)~(마)를 순서대로 나열하시오.

표나 그래프를 이용하여 지구형 행성과 목성형 행성을 구분하거나, 흑점을 통해 태양의 상태를 판단하는 문제는 시험에 자주 출제됩니다. 핵심 자료를 통해 차근차근 연습해 봅시다.

핵심 자료 ❶ 지구형 행성과 목성형 행성의 분류
관련 개념 ㅣ 128쪽 ⑧ 행성의 분류

1. 표를 이용하여 행성 분류하기

구분	질량 (지구=1)	반지름 (지구=1)	평균 밀도 (g/cm³)	위성 수 (개)	고리
수성	0.06	0.38	5.43	0	없음
금성	0.82	0.95	5.24	0	없음
지구	1.00	1.00	5.51	1	없음
화성	0.11	0.53	3.93	2	없음
목성	317.92	11.21	1.33	69	있음
토성	95.14	9.45	0.69	62	있음
천왕성	14.54	4.01	1.27	27	있음
해왕성	17.09	3.88	1.64	14	있음

• 수성, 금성, 지구, 화성 : 질량과 반지름이 작고, 평균 밀도가 크며, 위성이 없거나 적고, 고리가 없다. ➡ 지구형 행성
• 목성, 토성, 천왕성, 해왕성 : 질량과 반지름이 크고, 평균 밀도가 작으며, 위성이 많고, 고리가 있다. ➡ 목성형 행성

2. 그래프를 이용하여 행성 분류하기

• A, C, F, G : 질량과 반지름이 작고, 평균 밀도가 크며, 위성 수가 적다. ➡ 지구형 행성
• B, D, E, H : 질량과 반지름이 크고, 평균 밀도가 작으며, 위성 수가 많다. ➡ 목성형 행성

유제 1 다음은 태양계 행성 A~D의 물리량을 나타낸 표이다.(단, 질량과 반지름은 지구를 1로 하였을 때의 상대적인 값이다.)

구분	A	B	C	D
질량	317.92	0.06	95.14	0.11
반지름	11.21	0.38	9.45	0.53
위성 수	69	0	62	2
고리	있음	없음	있음	없음

(1) 행성 A~D를 질량과 반지름에 따라 두 집단으로 분류하시오.
(2) 행성 A~D 중 지구형 행성에 속하는 것을 모두 고르시오.
(3) 행성 A와 행성 B의 평균 밀도를 비교하여 부등호로 나타내시오.

유제 2 오른쪽 그림은 태양계 행성을 질량과 반지름에 따라 두 집단으로 구분하여 나타낸 것이다.

(1) A, B 집단의 이름을 쓰시오.
(2) A에 속하는 태양계 행성을 모두 쓰시오.
(3) B에 속하는 태양계 행성을 모두 쓰시오.
(4) A와 B 집단의 위성 수를 비교하여 부등호로 나타내시오.

핵심 자료 ❷ 흑점의 이동과 흑점 수의 변화 해석
관련 개념 ㅣ 128쪽, 130쪽 ⓒ 태양의 특징, ⓓ 태양의 활동과 영향

1. 흑점의 이동

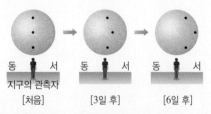

• 지구에서 흑점을 일정한 시간 간격으로 관측하면 흑점의 위치가 변하며, 위도에 따라 이동한 정도가 다르다.
• 흑점의 이동 방향 : 동 → 서(지구에서 볼 때)
• 흑점의 이동으로 알 수 있는 사실 : 태양이 자전한다.

2. 흑점 수의 변화

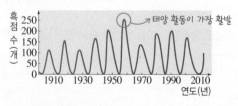

• 흑점 수가 많을 때 태양의 활동이 활발하다.
• 광구에 나타나는 흑점 수는 약 11년을 주기로 변한다. ➡ 태양의 활동 주기는 약 11년이다.

01 다음 설명과 같은 특징을 갖는 행성은?

[126쪽]

- 크기와 질량이 지구와 가장 비슷하다.
- 태양계 행성 중 지구에서 가장 밝게 보인다.
- 두꺼운 이산화 탄소 대기가 있어 표면 온도와 기압이 매우 높다.

① 수성　　② 금성　　③ 화성
④ 목성　　⑤ 토성

02 화성에 대한 설명으로 옳지 <u>않은</u> 것은?

[126쪽]

① 희박한 이산화 탄소 대기가 있다.
② 높은 화산과 거대한 협곡이 있다.
③ 표면이 붉은색 토양으로 덮여 있다.
④ 얼음과 드라이아이스로 된 극관이 있다.
⑤ 거대한 대기의 소용돌이인 대흑점이 있다.

03 오른쪽 그림은 태양계를 이루는 어느 행성의 모습이다. 이에 대한 설명으로 옳지 <u>않은</u> 것은?

[126쪽]

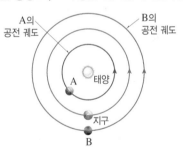

① 목성이다.
② 희미한 고리가 있다.
③ 태양계 행성 중 크기가 가장 크다.
④ 표면이 단단한 암석으로 이루어져 있다.
⑤ 대기의 소용돌이에 의해 붉은 점이 나타난다.

04 태양계 행성의 특징과 이름을 옳게 짝 지은 것은?

[126쪽]

① 지구에서 가장 밝게 보이는 행성 – 수성
② 태양계에서 크기가 가장 작은 행성 – 화성
③ 태양계에서 크기가 가장 큰 행성 – 해왕성
④ 태양계에서 가장 바깥에 위치한 행성 – 천왕성
⑤ 태양계에서 평균 밀도가 가장 작은 행성 – 토성

05 다음은 여러 행성들의 특징을 나타낸 것이다.

풀이 TIP [126쪽]

(가) 대기가 없어 표면에 운석 구덩이가 많다.
(나) 청록색을 띠며, 자전축이 공전 궤도면에 나란하다.
(다) 물이 흘렀던 자국이 있고, 계절 변화가 나타난다.
(라) 암석 조각과 얼음 알갱이로 이루어진 뚜렷하고 아름다운 고리가 있다.

태양에서 가까운 것부터 순서대로 옳게 나열한 것은?

① (가) – (나) – (다) – (라)
② (가) – (다) – (라) – (나)
③ (나) – (가) – (라) – (다)
④ (다) – (가) – (나) – (라)
⑤ (라) – (다) – (나) – (가)

06 그림은 행성 A, B의 공전 궤도를 나타낸 것이다.

풀이 TIP [128쪽]

A의 공전 궤도　B의 공전 궤도
A　태양　지구　B

이에 대한 설명으로 옳은 것을 보기에서 모두 고른 것은?

[보기]
ㄱ. A는 내행성이다.
ㄴ. B는 목성형 행성이다.
ㄷ. 화성은 B에 속한다.

① ㄱ　　② ㄴ　　③ ㄷ
④ ㄱ, ㄴ　　⑤ ㄱ, ㄷ

풀이 TIP　05 ❶ (가)~(라)에 해당하는 행성을 찾는다. ❷ 태양계 행성 중 태양에서 가장 가까운 것은 수성이다. 나머지 행성의 순서를 생각해 본다. ❸ (가)~(라)를 순서대로 나열한다.　06 ❶ 공전 궤도를 기준으로 행성을 구분하는 방법을 안다. ❷ A, B의 위치를 고려하여 행성을 구분한다.

07 표는 태양계 행성을 두 집단으로 분류한 것이다.

128쪽

(가)	(나)
수성, 금성, 지구, 화성	목성, 토성, 천왕성, 해왕성

(가) 집단에 속하는 행성들에 대한 설명으로 옳은 것은?

① 고리가 없다.

② 위성이 많다.

③ 자전 속도가 매우 빠르다.

④ 표면이 기체 성분으로 되어 있다.

⑤ 대기 성분은 주로 수소, 헬륨 등 가벼운 기체이다.

중요
08 지구형 행성과 목성형 행성을 비교한 것으로 옳은 것은?

128쪽

	구분	지구형 행성	목성형 행성
①	반지름	크다	작다
②	질량	크다	작다
③	고리	있다	없다
④	위성 수	적거나 없다	많다
⑤	표면	기체	단단한 암석

중요
09 오른쪽 그림은 태양계 행성을 밀도와 반지름에 따라 두 집단으로 구분한 것이다. 이에 대한 설명으로 옳은 것은?

128쪽

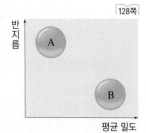

① A는 지구형 행성이다.

② B는 목성형 행성이다.

③ A의 표면은 단단한 암석으로 이루어져 있다.

④ B에 속하는 행성은 모두 위성이 있다.

⑤ A에 속하는 행성은 B에 속하는 행성보다 질량이 크다.

10 그림은 태양계 행성을 물리적 특성에 따라 각각 두 집단으로 나눈 것이다.

128쪽

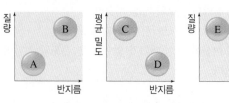

A~F 집단 중 목성형 행성을 모두 고른 것은?

① A, C, E   ② A, C, F   ③ A, D, E

④ B, C, F   ⑤ B, D, E

[11~12] 표는 태양계 행성의 물리량을 나타낸 것이다.

행성	태양으로부터의 거리(지구=1)	반지름 (지구=1)	평균 밀도 (g/cm³)	질량 (지구=1)	위성 수 (개)
A	5.2	11.21	1.33	317.92	69
B	1.5	0.53	3.93	0.11	2
C	9.6	9.45	0.69	95.14	62
D	0.4	0.38	5.43	0.06	0

풀이 TIP
11 A~D 행성을 (가) 지구형 행성과 (나) 목성형 행성으로 분류하시오.

128쪽

풀이 TIP
12 A~D 행성의 특징으로 옳지 <u>않은</u> 것은?

128쪽

① A는 표면에 가로줄 무늬가 있다.

② B는 계절에 따라 극관의 크기가 변한다.

③ C는 얼음과 암석으로 이루어진 뚜렷한 고리가 있다.

④ D는 대기 중의 메테인에 의해 청록색을 띤다.

⑤ A~D 중 내행성에 속하는 것은 D이다.

 11~12 ❶ A~D 행성의 반지름, 밀도, 질량, 위성 수를 비교하여 지구형 행성과 목성형 행성으로 분류한다. ❷ A~D 행성의 특징적인 물리량을 찾는다. 예를 들어, A 행성은 반지름이 매우 크고, D 행성은 반지름이 매우 작다. ❸ ❷를 이용하여 A~D에 해당하는 행성이 무엇인지 판단한다.

128쪽

13 그림은 태양계를 구성하는 행성들이 태양 주위를 공전하고 있는 모습을 나타낸 것이다.

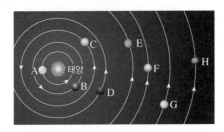

이에 대한 설명으로 옳지 <u>않은</u> 것은?

① A는 태양계에서 가장 크기가 작은 행성이다.
② B, C 행성은 밀도가 큰 암석으로 이루어져 있다.
③ D는 내행성이면서 지구형 행성에 속한다.
④ E 행성은 질량과 반지름이 가장 크다.
⑤ G, H 행성은 모두 고리가 있다.

128쪽

14 태양계를 구성하는 천체 중 다음 특징을 갖는 천체는?

• 태양계의 중심에 있다.
• 표면 온도는 약 6,000 °C이다.
• 태양계에서 유일하게 스스로 빛을 낸다.

① 위성   ② 태양   ③ 행성
④ 혜성   ⑤ 소행성

---

15 오른쪽 그림은 태양 표면의 일부를 나타낸 것이다. A, B에 대한 설명으로 옳지 <u>않은</u> 것은?

128쪽

① A는 쌀알 무늬, B는 흑점이다.
② A는 광구 아래에서 일어나는 대류에 의해 생긴다.
③ A의 밝은 부분은 고온의 기체가 상승하는 부분이다.
④ B는 약 11년을 주기로 그 수가 증가하고 감소한다.
⑤ B가 검게 보이는 이유는 주위보다 온도가 높기 때문이다.

128쪽

16 그림은 태양 표면의 흑점이 4일 간격으로 이동하는 모습을 나타낸 것이다.

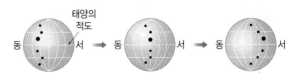

이에 대한 설명으로 옳은 것을 보기에서 모두 고른 것은?

〔 보기 〕
ㄱ. 흑점은 지구에서 볼 때 동쪽에서 서쪽으로 이동한다.
ㄴ. 흑점의 이동 속도는 위도에 상관없이 같다.
ㄷ. 흑점이 이동하는 것은 태양의 공전 때문이다.

① ㄱ   ② ㄴ   ③ ㄷ
④ ㄱ, ㄴ   ⑤ ㄴ, ㄷ

128쪽

17 개기 일식이 일어날 때 잘 관측할 수 있는 것을 보기에서 모두 고른 것은?

〔 보기 〕
ㄱ. 홍염   ㄴ. 흑점
ㄷ. 코로나   ㄹ. 쌀알 무늬

① ㄱ, ㄴ   ② ㄱ, ㄷ   ③ ㄱ, ㄹ
④ ㄴ, ㄷ   ⑤ ㄷ, ㄹ

128쪽

18 태양의 표면과 대기에서 관측되는 것에 대한 설명으로 옳은 것은?

① 흑점은 우리 눈에 보이는 태양의 둥근 표면이다.
② 코로나는 광구 바로 위의 붉은색을 띤 얇은 대기층이다.
③ 플레어는 태양 내부의 대류 때문에 나타나는 현상이다.
④ 쌀알 무늬는 채층 위로 멀리 뻗어 있는 진주색의 대기층이다.
⑤ 홍염은 광구에서부터 대기로 고온의 기체가 솟아오르는 현상이다.

---

13 ❶ 태양으로부터의 거리를 이용하여 행성 A~H가 무엇인지 파악한다. ❷ A~H를 내행성과 외행성으로 구분한다. ❸ A~H를 지구형 행성과 목성형 행성으로 구분한다. 17 개기 일식이 일어나면 달이 태양을 가린다. 이때 관측할 수 있는 것이 무엇인지 생각해 본다.

[19~20] 그림은 태양에서 관측되는 현상이다.

(가)　　　　　　(나)　　　　　　(다)

19 (가)~(다)의 이름을 옳게 짝 지은 것은?　　128쪽

	(가)	(나)	(다)
①	채층	코로나	홍염
②	채층	플레어	코로나
③	홍염	코로나	플레어
④	홍염	플레어	코로나
⑤	코로나	홍염	플레어

20 (가)~(다)에 대한 설명으로 옳은 것은?　　128쪽

① (가)는 둥글게 보이는 태양의 표면이다.

② (나)는 흑점 주변의 폭발로, 에너지가 한꺼번에 방출되는 현상이다.

③ (다)는 흑점 수가 많아지면 그 크기가 작아진다.

④ (가)~(다)는 태양 표면에서 나타나는 현상이다.

⑤ (가)~(다)는 개기 일식이 일어나면 볼 수 없다.

21 풀이 TIP 그림은 1900년 이후 태양 표면의 흑점 수 변화이다.　　130쪽

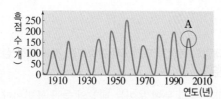

이에 대한 설명으로 옳지 않은 것은?

① A 시기는 흑점 수가 많은 시기이다.

② A 시기에는 홍염과 플레어가 자주 발생했을 것이다.

③ 2010년에는 코로나의 크기가 확대되었을 것이다.

④ 흑점 수는 약 11년을 주기로 변한다.

⑤ 흑점 수가 많아지면 자기 폭풍 일수가 증가한다.

22 태양 활동이 활발할 때 지구에서 일어나는 현상이 <u>아닌</u> 것은?　　130쪽

① 오로라　　② 자기 폭풍　　③ 화산 폭발

④ 델린저 현상　　⑤ 인공위성의 오작동

23 오른쪽 그림은 망원경의 구조를 나타낸 것이다. A~E 각 부분의 이름과 역할을 옳게 짝 지은 것은?　　130쪽

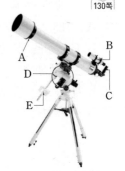

① A : 대물렌즈 - 상을 확대하는 역할을 한다.

② B : 보조 망원경 - 빛을 모으는 역할을 한다.

③ C : 접안렌즈 - 대상을 쉽게 찾아주는 역할을 한다.

④ D : 가대 - 경통을 지지하며 회전시키는 역할을 한다.

⑤ E : 삼각대 - 망원경의 균형을 잡아주는 역할을 한다.

24 다음은 천체 망원경의 설치 방법을 순서 없이 나타낸 것이다.　　130쪽

(가) 삼각대를 세우고 가대를 얹은 후, 균형추를 달고 보조 망원경과 접안렌즈를 끼운다.

(나) 접안렌즈의 중앙에 있는 물체가 보조 망원경의 중앙에 오도록 시야를 맞춘다.

(다) 경통과 균형추를 움직여 망원경의 균형을 맞춘다.

(가)~(다)를 순서대로 옳게 나열한 것은?

① (가) - (나) - (다)　　② (가) - (다) - (나)

③ (나) - (가) - (다)　　④ (나) - (다) - (가)

⑤ (다) - (나) - (가)

 21 ❶ 흑점의 수가 변하는 주기를 파악한다. ❷ 흑점의 수와 태양 활동의 관계를 생각해 본다. ❸ A 시기의 흑점 수를 다른 시기와 비교하여 태양 활동의 정도를 판단한다. ❹ 태양 활동이 활발할 때 일어나는 현상을 생각해 본다.

25 금성은 수성에 비해 태양에서 멀리 떨어져 있지만 표면 온도가 더 높다. 그 까닭을 서술하시오. `126쪽`

_____

26 그림은 태양계 행성과 행성의 공전 궤도이다. `126쪽`

(1) 밀도가 가장 작은 행성의 기호와 이름을 쓰시오.

_____

(2) 낮과 밤의 표면 온도 차이가 가장 큰 행성의 기호와 이름을 쓰고, 그 까닭을 서술하시오.

_____

27 오른쪽 그림은 태양계 행성을 물리적 특성에 따라 두 집단으로 분류한 것이다. `128쪽`

풀이 **TIP**

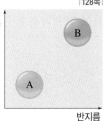

(1) A, B 집단의 이름을 쓰시오.

_____

(2) A 집단에 속하는 태양계 행성을 모두 쓰시오.

_____

(3) B 집단의 특징을 한 가지 서술하시오. (단, 질량과 반지름은 제외한다.)

_____

28 그림은 며칠 간격으로 태양 표면에 있는 흑점의 위치를 관측한 결과이다. `128쪽`

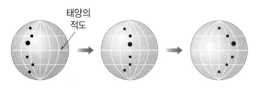

태양의 적도

지구에서 볼 때 흑점의 이동 방향을 쓰고, 관측 결과로 알 수 있는 태양의 특징을 서술하시오.

_____

_____

29 태양 활동이 활발할 때 태양과 지구에서 나타나는 현상을 각각 한 가지씩 서술하시오. `130쪽`

_____

_____

30 오른쪽 그림은 천체 망원경을 나타낸 것이다. A~E 중 관측하려는 천체를 찾는 데 이용하는 것의 기호와 이름을 쓰고, 이와 같은 역할을 하는 까닭을 서술하시오. `130쪽`

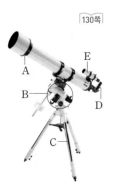

_____

_____

학습 평가하기

정답친해 37쪽으로 가서 문제를 채점한 후 학습 결과를 스스로 평가해 보세요.

맞춘 개수	25~30개	18~24개	0~17개
평가	잘함	보통	부족

➡ 정답친해에서 그 문제를 왜 틀렸는지 꼭 확인하세요!
➡ 본책에서 해당 쪽으로 돌아가서 부족한 부분을 다시 공부하세요!

27 ❶ 질량이나 반지름과 같은 물리적 특성에 따라 구분하는 행성의 집단이 무엇인지 떠올린다. ❷ A 집단은 질량과 반지름이 작고, B 집단은 질량과 반지름이 크다. ❸ ❷를 이용하여 두 집단을 파악한다. ❹ 질량과 반지름 외에, 각 집단이 가지는 특징이 무엇인지 생각해 본다.

한눈에 보는 대단원

01 지구

1. 지구의 크기

(1) 에라토스테네스의 측정 방법

모식도	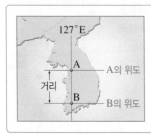
원리	원에서 호의 길이(l)는 중심각(θ)의 크기에 비례한다.
가정	• 지구는 완전한 구형이다. • 지구로 들어오는 햇빛은 평행하다.
측정한 값	• 알렉산드리아와 시에네 사이의 거리 ➡ 호의 길이(l) • 막대와 그림자 끝이 이루는 각 ➡ 중심각(θ)
지구의 크기	$2\pi R : 360^\circ = l : \theta \Rightarrow R = \dfrac{360^\circ \times l}{2\pi \times \theta}$

(2) 위도 차를 이용한 측정 방법

• 경도가 같고 위도가 다른 두 지점의 위도 차=중심각
• 지구의 크기
$2\pi R : 360^\circ =$ A, B 사이의 거리 : (A의 위도−B의 위도)

2. 지구의 자전

(1) 지구의 자전 : 지구가 자전축을 중심으로 하루에 한 바퀴씩 서에서 동으로 도는 운동

(2) 천체의 일주 운동 : 천체들이 하루에 한 바퀴씩 원을 그리며 도는 운동 ➡ 지구 자전에 의한 겉보기 운동

운동 방향	동 → 서(지구 자전과 반대 방향)
운동 속도	1시간에 15°씩 회전

(3) 우리나라에서 관측한 별의 일주 운동

↑ 북쪽 하늘　　↑ 동쪽 하늘　　↑ 남쪽 하늘　　↑ 서쪽 하늘

3. 지구의 공전

(1) 지구의 공전 : 지구가 태양을 중심으로 일 년에 한 바퀴씩 서에서 동으로 도는 운동

(2) 태양의 연주 운동 : 태양이 별자리를 배경으로 이동하여 일 년 후에 처음 위치로 돌아오는 운동 ➡ 지구 공전에 의한 겉보기 운동

운동 방향	서 → 동(지구 공전과 같은 방향)
운동 속도	하루에 약 1°씩 회전

(3) 계절별 별자리 변화 : 지구가 공전하며 태양의 위치가 달라짐에 따라 지구에서 보이는 별자리도 달라진다.

8월에 태양이 지나는 별자리

8월 한밤중에 남쪽 하늘에서 보이는 별자리

02 달

1. 달의 크기

(1) 달의 크기 측정

모식도	시지름, d(물체의 지름), l 물체까지의 거리, L 지구에서 달까지의 거리, D(달의 지름)
원리	서로 닮은 두 삼각형에서 대응변의 길이 비는 일정하다.
측정한 값	물체의 지름(d), 물체까지의 거리(l)
미리 알아야 할 값	지구에서 달까지의 거리(L)
달의 크기	$d : D = l : L \Rightarrow D = \dfrac{d \times L}{l}$

(2) 달의 실제 크기 : 달의 지름은 약 3500 km로, 지구 지름의 약 $\dfrac{1}{4}$이다.

2. 달의 공전과 위상 변화

(1) 달의 공전 : 달이 지구를 중심으로 서에서 동으로 약 한 달에 한 바퀴씩 도는 운동

(2) **달의 위상** : 햇빛을 반사하여 지구에서 밝게 보이는 달의 모양 ➡ 달이 공전하며 태양, 지구, 달의 상대적인 위치가 달라지면 달의 위상이 변한다.

구분	삭	상현	망	하현
날짜(음력)	1일경	7~8일	15일경	22~23일
위상	보이지않음	상현달	보름달	하현달

(3) **달의 공전과 위치 변화** : 달이 공전함에 따라 같은 시각에 관측한 달은 매일 약 13°씩 서에서 동으로 이동한다.

3. 일식과 월식

(1) **일식** : 지구에서 볼 때 달이 태양을 가리는 현상

모식도	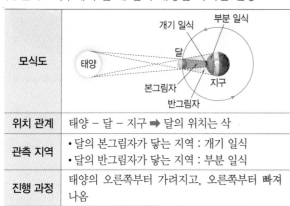
위치 관계	태양 – 달 – 지구 ➡ 달의 위치는 삭
관측 지역	• 달의 본그림자가 닿는 지역 : 개기 일식 • 달의 반그림자가 닿는 지역 : 부분 일식
진행 과정	태양의 오른쪽부터 가려지고, 오른쪽부터 빠져나옴

(2) **월식** : 지구에서 볼 때 달이 지구 그림자에 가려지는 현상

모식도	
위치 관계	태양 – 지구 – 달 ➡ 달의 위치는 망
관측 지역	지구에서 밤이 되는 모든 지역
진행 과정	달의 왼쪽부터 가려지고, 왼쪽부터 빠져나옴

03 태양계의 구성

1. 태양계 행성 : 8개의 행성이 태양을 중심으로 공전한다.

(1) **행성의 특징**

수성	크기가 가장 작고, 대기가 없어 밤낮의 온도 차가 큼
금성	지구에서 가장 밝게 보이고, 두꺼운 이산화 탄소 대기가 있어 표면 온도와 표면 기압이 매우 높음
화성	붉은색을 띠고, 극관과 물이 흘렀던 흔적이 있음
목성	크기가 가장 크고, 가로줄 무늬와 대적점이 나타남
토성	평균 밀도가 가장 작고, 뚜렷한 고리가 있음
천왕성	청록색을 띠고, 자전축이 공전 궤도면과 거의 나란함
해왕성	파란색을 띠고, 대흑점이 나타남

(2) **행성의 분류**

① 지구의 공전 궤도 안쪽에서 공전하는 내행성과 바깥쪽에서 공전하는 외행성으로 구분한다.

② 물리적 특성에 따라 지구형 행성과 목성형 행성으로 구분한다.

지구형 행성	목성형 행성
• 수성, 금성, 지구, 화성 • 질량, 반지름 : 작음 • 평균 밀도 : 큼 • 위성 수가 적고, 고리가 없음	• 목성, 토성, 천왕성, 해왕성 • 질량, 반지름 : 큼 • 평균 밀도 : 작음 • 위성 수가 많고, 고리가 있음

2. 태양

(1) **태양의 특징**

표면 (광구)	쌀알 무늬	광구에 쌀알을 뿌려놓은 것 같은 무늬로, 태양 내부의 대류 현상으로 생김
	흑점	광구에 나타나는 검은 점으로, 주변보다 온도가 낮음
대기	채층	광구 바로 위에 보이는 얇고 붉은 대기층
	코로나	채층 바깥으로 넓게 뻗어 있는 대기층
	홍염	광구로부터 대기로 고온의 기체가 솟아오르는 현상
	플레어	흑점 주변의 폭발로, 많은 양의 에너지가 한꺼번에 방출되는 현상

(2) **태양 활동이 활발할 때 나타나는 현상**

태양	지구
• 흑점 수 증가 • 코로나의 크기 확대 • 홍염, 플레어가 자주 발생 • 태양풍이 강해짐	• 자기 폭풍, 델린저 현상, GPS 수신 장애 발생 • 인공위성 및 송전 시설 고장 • 오로라 발생 횟수 증가

01 지구

1. 에라토스테네스의 지구 크기 측정

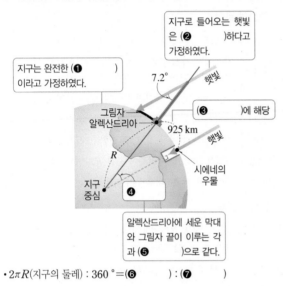

지구로 들어오는 햇빛은 (❷   )하다고 가정하였다.

지구는 완전한 (❶   )이라고 가정하였다.

7.2°

햇빛

(❸   )에 해당

그림자
알렉산드리아

925 km

햇빛

시에네의 우물

R

지구 중심

❹

알렉산드리아에 세운 막대와 그림자 끝이 이루는 각과 (❺   )으로 같다.

• $2\pi R$(지구의 둘레) : 360° = (❻   ) : (❼   )

2. 위도 차를 이용한 지구 크기 측정

127°E

A — 37.5°N

280 km

B — 35.1°N

• (❶   )가 같고 (❷   )가 다른 두 지점을 이용한다.
• 중심각의 크기 : 두 지점의 (❸   )
• 호의 길이 : 두 지점 사이의 거리
• $2\pi R$(지구의 둘레) : 360° = (❹   ) : (❺   )

3. 북쪽 하늘 별의 일주 운동

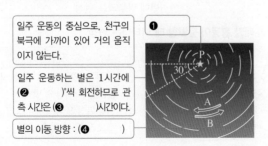

일주 운동의 중심으로, 천구의 북극에 가까이 있어 거의 움직이지 않는다. → ❶

일주 운동하는 별은 1시간에 (❷   )°씩 회전하므로 관측 시간은 (❸   )시간이다.

별의 이동 방향 : (❹   )

P
30°
A
B

4. 태양의 연주 운동

쌍둥이자리
오리온자리
태양의 위치 ●
5월 1일

쌍둥이자리
오리온자리
태양의 위치 ●
5월 15일

쌍둥이자리
오리온자리
태양의 위치 ●
5월 30일

• 별자리의 이동 방향(태양 기준) : (❶   )
• 태양의 이동 방향(별자리 기준) : (❷   )
• 태양은 하루에 약 (❸   )°씩 이동하여 1년 후 제자리로 돌아온다.
➡ 태양의 연주 운동

5. 계절별 별자리 변화와 황도 12궁

(❶   )월에 태양이 지나는 별자리

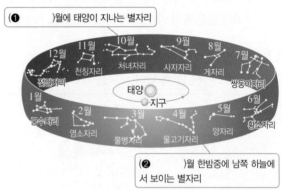

12월 11월 10월 9월 8월 7월
천칭자리 처녀자리 사자자리 게자리 쌍둥이자리
전갈자리
태양
지구
1월 2월 3월 4월 5월 6월
궁수자리 염소자리 물병자리 물고기자리 양자리 황소자리

(❷   )월 한밤중에 남쪽 하늘에서 보이는 별자리

• 지구에서는 (❸   ) 방향의 별자리가 한밤중에 남쪽 하늘에서 보인다.
• 한밤중에 남쪽 하늘에서 사자자리가 보일 때 지구는 (❹   )월이다.

02 달

1. 달의 크기 측정

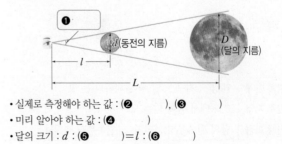

❶
d(동전의 지름)
D(달의 지름)
l
L

• 실제로 측정해야 하는 값 : (❷   ), (❸   )
• 미리 알아야 하는 값 : (❹   )
• 달의 크기 : d : (❺   ) = l : (❻   )

2. 달의 공전과 위상 변화

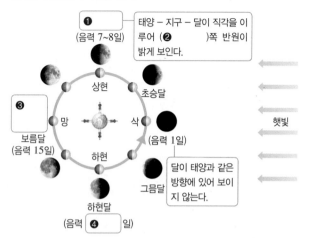

❶ (음력 7~8일) — 태양 – 지구 – 달이 직각을 이루어 (❷　　　)쪽 반원이 밝게 보인다.

상현

초승달

❸ 보름달 (음력 15일)

망

삭

하현

햇빛

(음력 1일)

그믐달 — 달이 태양과 같은 방향에 있어 보이지 않는다.

하현달 (음력 ❹　　일)

3. 일식과 월식

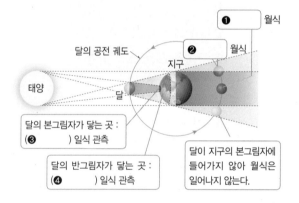

❶ 월식

달의 공전 궤도

❷ 월식

지구

태양

달

달의 본그림자가 닿는 곳 : (❸　　) 일식 관측

달의 반그림자가 닿는 곳 : (❹　) 일식 관측

달이 지구의 본그림자에 들어가지 않아 월식은 일어나지 않는다.

03 태양계의 구성

1. 행성의 특징

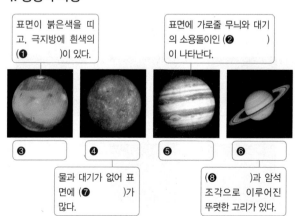

표면이 붉은색을 띠고, 극지방에 흰색의 (❶　　　)이 있다.

표면에 가로줄 무늬와 대기의 소용돌이인 (❷　　　)이 나타난다.

❸

❹

❺

❻

물과 대기가 없어 표면에 (❼　　　)가 많다.

(❽　　　)과 암석 조각으로 이루어진 뚜렷한 고리가 있다.

2. 지구형 행성과 목성형 행성의 분류

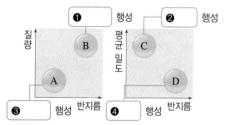

❶　　　 행성

❷　　　 행성

질량

B

A

평균 밀도

C

D

❸　　　 행성　반지름

❹　　　 행성　반지름

• 지구형 행성은 위성 수가 적거나 없고, 고리가 (❺　　　)다.
• 목성형 행성은 위성 수가 (❻　　　)고, 고리가 (❼　　　)다.

3. 태양의 특징

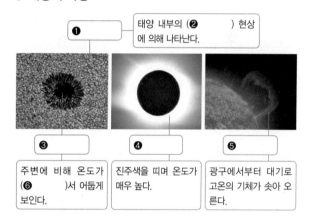

❶　　　 — 태양 내부의 (❷　　　) 현상에 의해 나타난다.

❸

❹

❺

주변에 비해 온도가 (❻　　　)서 어둡게 보인다.

진주색을 띠며 온도가 매우 높다.

광구에서부터 대기로 고온의 기체가 솟아 오른다.

4. 흑점 수 변화와 태양 활동

흑점 수의 변화 주기는 약 (❶　　　)년이다.

흑점 수가 많다. ➡ 태양 활동이 (❷　　　)하다.

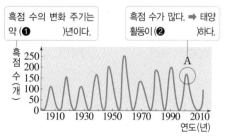

• A 시기에 나타나는 현상

태양	지구
• (❸　　　)의 크기가 커진다. • 홍염과 플레어가 자주 발생한다. • 태양에서 방출되는 전기를 띤 입자의 흐름인 (❹　　　)이 강해진다.	• 자기 폭풍이 일어난다. • 무선 통신 장애, GPS 수신 장애가 일어난다. • 인공위성 및 송전 시설이 고장 난다. • 오로라 발생 횟수가 (❺　　　)한다.

01 지구

01 오른쪽 그림은 에라토스테네스가 지구의 크기를 구하는 방법을 나타낸 것이다. 이에 대한 설명으로 옳지 <u>않은</u> 것은?

① 원에서 호의 길이는 중심각의 크기에 비례한다는 원리를 이용하였다.

② 지구는 완전한 타원형이며, 햇빛은 지구에 평행하게 들어온다고 가정하였다.

③ 알렉산드리아에 세운 막대와 막대 그림자 끝이 이루는 각의 크기를 직접 측정하였다.

④ 중심각(θ)의 크기는 알렉산드리아에 세운 막대와 막대의 그림자 끝이 이루는 각도인 7.2°와 같다.

⑤ $2\pi R : 360° = 925$ km : 7.2°의 비례식을 이용하여 지구의 크기를 구하였다.

[02~03] 오른쪽 그림은 지구 모형의 크기를 구하기 위한 방법을 나타낸 것이다.

02 직접 측정해야 할 값을 보기에서 모두 고른 것은?

[보기]
ㄱ. A와 B 사이의 거리
ㄴ. B와 C 사이의 거리
ㄷ. ∠AOB의 크기
ㄹ. ∠BB′C의 크기

① ㄱ, ㄴ   ② ㄱ, ㄷ   ③ ㄱ, ㄹ
④ ㄴ, ㄷ   ⑤ ㄷ, ㄹ

03 지구 모형의 크기를 구하는 비례식으로 옳은 것은?

① $360° : 2\pi R = l : \theta$ ② $360° : \theta = l : 2\pi R$

③ $\theta : 2\pi R = 360° : l$ ④ $2\pi R : l = 360° : \theta$

⑤ $2\pi R : \theta = 360° : l$

04 지구의 자전 방향과 속도, 지구의 공전 방향과 속도를 옳게 짝 지은 것은?

	자전 방향	자전 속도	공전 방향	공전 속도
①	동 → 서	1°/시간	동 → 서	약 15°/일
②	동 → 서	15°/시간	서 → 동	약 1°/일
③	서 → 동	1°/시간	동 → 서	약 15°/일
④	서 → 동	15°/시간	서 → 동	약 1°/일
⑤	서 → 동	15°/시간	동 → 서	약 1°/일

05 그림은 어느 날 밤 북극성 부근에 있는 카시오페이아자리의 움직임을 관측하여 나타낸 것이다.

이에 대한 설명으로 옳은 것은?

① 북극성은 1시간에 약 15°씩 이동한다.

② 별자리의 이동 방향은 b이다.

③ 별자리는 실제로 하루에 한 바퀴 회전한다.

④ A와 B를 관측한 시각 차이는 4시간이다.

⑤ 지구가 공전하기 때문에 나타나는 현상이다.

06 우리나라 동쪽 하늘에서 보이는 별의 일주 운동 모습을 옳게 나타낸 것은?

① 지평선   ② 지평선   ③ 지평선

④ 지평선   ⑤ 지평선

07 그림은 15일 간격으로 해가 진 직후 같은 시각에 서쪽 하늘을 관찰한 것을 순서 없이 나타낸 것이다.

(가)

(나)

(다)

이에 대한 설명으로 옳지 **않은** 것은?

① 지구의 공전으로 나타나는 겉보기 운동이다.
② 관측된 순서대로 나열하면 (가) → (나) → (다)이다.
③ 별자리는 이동하여 6개월 후 처음 위치로 돌아온다.
④ 태양은 별자리 사이를 서쪽에서 동쪽으로 이동한다.
⑤ 별자리를 기준으로 태양은 하루에 약 1°씩 이동한다.

08 그림은 지구의 공전 궤도와 황도 12궁을 나타낸 것이다.

지구가 A에 위치할 때 태양이 지나는 별자리와 한밤중에 남쪽 하늘에서 보이는 별자리를 순서대로 옳게 짝 지은 것은?

① 물병자리, 황소자리
② 물병자리, 전갈자리
③ 전갈자리, 물병자리
④ 전갈자리, 황소자리
⑤ 황소자리, 전갈자리

09 천체의 운동 방향이 '동 → 서'인 것을 보기에서 모두 고르시오.

┌ 보기 ┐
ㄱ. 달의 공전   ㄴ. 지구의 공전
ㄷ. 지구의 자전   ㄹ. 별의 일주 운동
ㅁ. 태양의 일주 운동   ㅂ. 태양의 연주 운동
└──────────────────────┘

02 달

10 그림은 달의 크기를 구하는 방법을 나타낸 것이다.

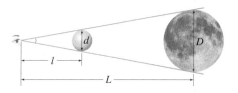

이에 대한 설명으로 옳지 **않은** 것은?

① 삼각형의 닮음비를 이용하여 달의 지름을 구한다.
② 달의 지름을 구하는 비례식은 $l : L = d : D$이다.
③ 지구에서 달까지의 거리(L)는 미리 알아야 한다.
④ 크기가 다른 물체라도 거리에 따라 시지름이 같을 수 있다.
⑤ 지름(d)이 더 큰 물체로 바꾸면 눈에서 물체까지의 거리(l)가 짧아진다.

11 그림은 관측자로부터 멀리 떨어진 곳에 있는 공의 지름을 알기 위한 실험과 그 측정값을 나타낸 것이다.

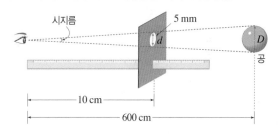

공의 지름(D)은 몇 cm인가?

① 15 cm   ② 20 cm   ③ 25 cm
④ 30 cm   ⑤ 35 cm

12 어느 날 오른쪽 그림과 같은 모양의 달이 관측되었다. 이에 대한 설명으로 옳지 **않은** 것은?

① 하현달이다.
② 음력 22~23일경에 관측된다.
③ 태양, 달, 지구가 직각을 이루고 있다.
④ 하루 동안 관측 가능한 시간이 가장 길다.
⑤ 며칠 후 달은 그믐달로 보일 것이다.

[13~14] 그림은 달의 공전 궤도를 나타낸 것이다.

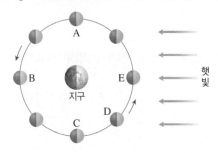

13 A와 C에서 달의 위상을 옳게 짝 지은 것은?

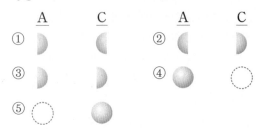

14 달이 A~E에 있을 때에 대한 설명으로 옳은 것은?

① A : 하현달로 관측된다.

② B : 삭일 때로, 월식이 일어나기도 한다.

③ C : 달의 전체가 둥글게 보인다.

④ D : 이 때는 달을 밤새도록 볼 수 있다.

⑤ E : 달이 태양과 같은 방향에 있어 보이지 않는다.

15 그림은 해가 진 직후 달의 위치와 모양을 15일 동안 관측하여 나타낸 것이다.

이에 대한 설명으로 옳지 <u>않은</u> 것은?

① A 위치에 있는 달을 초승달이라고 한다.

② B 위치의 달은 음력 7일경에 관측된다.

③ 관측 순서는 A - B - C이다.

④ 달의 공전 때문에 이와 같은 현상이 나타난다.

⑤ 달은 서 → 동으로 공전하며 하루에 약 1°씩 이동한다.

16 일식과 월식에 대한 설명으로 옳지 <u>않은</u> 것은?

① 일식이 일어나는 날 밤에는 달이 보이지 않는다.

② 일식이 일어날 때는 태양 – 달 – 지구 순서로 일직선을 이룬다.

③ 월식은 지구에서 밤이 되는 모든 지역에서 관측할 수 있다.

④ 월식보다 일식의 관측 시간이 더 길다.

⑤ 월식이 일어날 때 태양과 달 사이의 거리가 가장 멀다.

17 그림은 일식과 월식이 일어날 때 태양, 지구, 달의 위치를 나타낸 것이다.

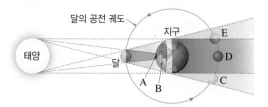

이에 대한 설명으로 옳은 것을 보기에서 모두 고르시오.

─〔 보기 〕─

ㄱ. A에서는 개기 월식이 관측된다.

ㄴ. B에서는 태양의 일부가 달에 가려진다.

ㄷ. 부분 월식은 C에서 일어난다.

ㄹ. 월식이 일어날 때는 달의 왼쪽부터 가려진다.

03 태양계의 구성

18 태양계 행성에 대한 설명으로 옳은 것은?

① 수성은 태양 가까이에 있어 표면 온도가 약 470 ℃로 높게 유지된다.

② 금성은 태양계 행성 중 지구에서 볼 때 가장 어둡게 보인다.

③ 목성은 산화 철이 많이 포함된 토양으로 덮여 있어 붉게 보인다.

④ 천왕성은 자전축이 공전 궤도면에 거의 나란하여 누운 채로 자전한다.

⑤ 해왕성은 표면에 대기의 소용돌이인 대적점이 나타난다.

19 그림 (가)~(다)는 태양계 행성을 나타낸 것이다.

(가)   (나)   (다)

이에 대한 설명으로 옳지 <u>않은</u> 것은?

① (가)는 대기와 물이 존재하지 않기 때문에 표면에 운석 구덩이가 많다.
② (나)는 두꺼운 이산화 탄소 대기의 온실 효과로 표면 온도가 매우 높다.
③ (다)는 평균 밀도가 가장 작고, 얼음과 암석 조각으로 이루어진 고리를 가지고 있다.
④ (가)와 (나)는 지구형 행성, (다)는 목성형 행성이다.
⑤ (가)는 위성이 없고, (나)와 (다)는 위성이 있다.

20 오른쪽 그림은 태양계 행성을 반지름과 질량에 따라 두 집단으로 나눈 것이다. A와 B 집단의 특징을 옳게 비교한 것을 모두 고르면?(2개)

구분		A	B
①	행성	목성, 토성	지구, 화성
②	평균 밀도	작다	크다
③	표면	단단한 암석	가벼운 기체
④	위성 수	많다	없거나 적다
⑤	고리	없다	있다

21 태양계와 태양에 대한 설명으로 옳은 것을 보기에서 모두 고르시오.

┤ 보기 ├
ㄱ. 태양계에는 지구를 비롯한 9개의 행성이 있다.
ㄴ. 행성들은 모두 지구를 중심으로 공전한다.
ㄷ. 태양은 태양계에서 유일하게 스스로 빛을 내는 천체이다.
ㄹ. 행성 외에도 태양 주변을 돌고 있는 작은 천체들이 있다.

22 그림은 태양에서 나타나는 현상이다.

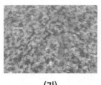 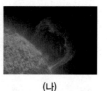

(가)   (나)

이에 대한 설명으로 옳지 <u>않은</u> 것은?

① (가)는 쌀알 무늬, (나)는 홍염이다.
② (가)는 태양 내부의 대류 현상에 의해 나타난다.
③ (나)는 태양의 대기에서 나타나는 현상이다.
④ (나)는 흑점 수가 많아질 때 자주 발생한다.
⑤ (가)와 (나)는 개기 일식 때 관측할 수 있다.

23 그림은 1900년 이후 태양 표면의 흑점 수 변화를 나타낸 것이다.

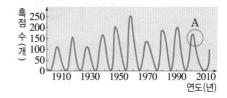

A 시기에 일어났을 것으로 예상되는 현상이 <u>아닌</u> 것은?

① 지구에서는 오로라가 자주 관측된다.
② 태양에서는 홍염이나 플레어가 자주 발생한다.
③ 무선 통신이 끊어지는 현상이 발생하기도 한다.
④ 태양에서 방출되는 전기를 띤 입자의 흐름이 감소한다.
⑤ 지구 자기장이 급격하게 변하는 자기 폭풍이 발생한다.

24 오른쪽 그림의 A~E 중 관측하려는 천체를 쉽게 찾을 수 있도록 도와주는 것의 기호와 이름을 옳게 짝 지은 것은?

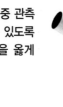

① A, 접안렌즈
② B, 가대
③ C, 삼각대
④ D, 대물렌즈
⑤ E, 보조 망원경

식물과 에너지

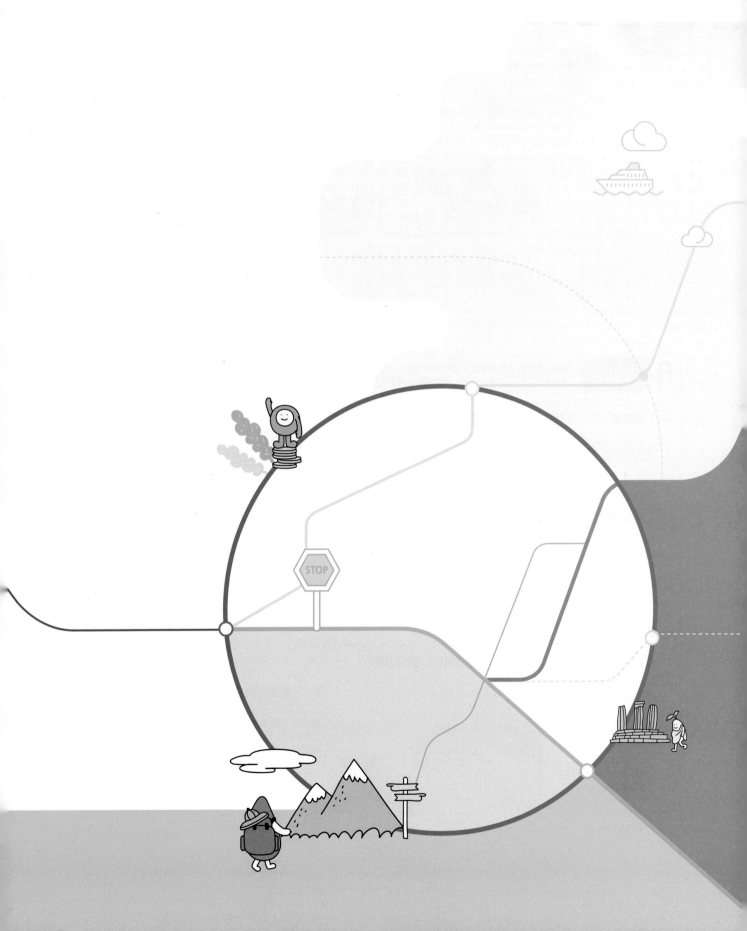

01 광합성

단원 미리보기

 만화 완성하기

다음 만화를 보고 나무의 말풍선을 완성해 보자.

넌 먹지도 않는데 계속 큰다?

난 스스로 양분을 만들 수 있거든!

양분을 만들 때 필요한 건 없어?

빛과 이산화 탄소, 그리고 물이 필요하지.

이산화 탄소

물은 어떻게 마시는데??

>> 이 단원을 학습한 후 내가 쓴 대사를 수정해 보자.

 A 광합성

동물은 생존을 위해 먹이를 먹어야만 하지만 식물은 먹이를 먹지 않고도 살아갈 수 있습니다. 식물에서는 양분을 만드는 광합성 작용이 일어나기 때문이지요. 그럼 지금부터 광합성에 대해 알아볼까요?

1. 광합성 : 식물이 빛에너지를 이용하여 이산화 탄소와 물을 원료로 양분을 만드는 과정으로, 광합성이 일어나면 양분과 함께 산소도 발생한다. **+**

$$\text{이산화 탄소} + \text{물} \xrightarrow{\text{빛에너지}} \text{포도당} + \text{산소}$$

2. 광합성이 일어나는 장소 : 엽록체

(1) 엽록체 : 식물 세포에 들어 있는 초록색의 작은 알갱이로, 주로 식물의 잎을 구성하는 세포에 들어 있다.

(2) 엽록소 : 엽록체에 들어 있는 초록색 색소로, 빛을 흡수한다. ➡ 엽록소 때문에 엽록체와 식물의 잎이 초록색을 띤다.
    └➤ 광합성에 필요한 빛에너지 흡수

3. 광합성이 일어나는 시기 : 빛이 있을 때(낮)

                                     └➤ 産 만들어 내다, 物 만물

4. 광합성에 필요한 요소와 광합성으로 만들어지는 물질(산물)

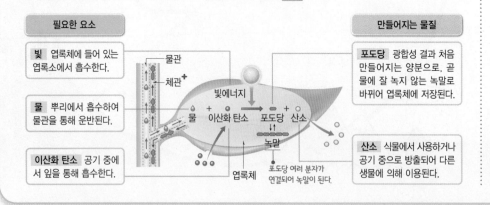

필요한 요소
빛 엽록체에 들어 있는 엽록소에서 흡수한다.
물 뿌리에서 흡수하여 물관을 통해 운반된다.
이산화 탄소 공기 중에서 잎을 통해 흡수한다.

물관 / 체관**+** / 빛에너지 / 물 + 이산화 탄소 → 포도당 + 산소 / 녹말 / 엽록체 / 포도당 여러 분자가 연결되어 녹말이 된다.

만들어지는 물질
포도당 광합성 결과 처음 만들어지는 양분으로, 곧 물에 잘 녹지 않는 녹말로 바뀌어 엽록체에 저장된다.
산소 식물에서 사용하거나 공기 중으로 방출되어 다른 생물에 의해 이용된다.

+ 광합성으로 발생한 기체 확인

[과정] 그림과 같이 장치하여 햇빛이 잘 비치는 곳에 두면 고무관에 검정말의 광합성으로 발생한 기체가 모인다.

고무관 / 깔때기 / 1 % 탄산수소 나트륨 수용액 / 검정말

[결과] 향의 불꽃을 고무관 끝에 가져가면 향의 불꽃이 다시 타오른다.

 향

➡ 광합성으로 발생한 기체는 물질을 태우는 성질이 있는 산소이다.

+ 물관과 체관
• 물관 : 물의 이동 통로
• 체관 : 광합성으로 만들어진 양분의 이동 통로

한눈에 보기 이 단원의 개념이 어떻게 구성되어 있는지 살펴보고 빈칸을 완성해 보자.

광합성

A 광합성 ---- B

C 잎의 구조와 기공 ---- D

단어 체크하기 이 단원을 공부하기 전에 미리 알고 있는 단어를 체크해 보자.

☐ 광합성 ☐ 엽록체 ☐ 엽록소 ☐ 물관 ☐ 체관
☐ 기공 ☐ 표피 세포 ☐ 공변세포 ☐ 증산 작용 ☐ BTB 용액

암기TIP

1 다음은 광합성 과정을 식으로 나타낸 것이다. (   ) 안에 알맞은 말을 쓰시오.

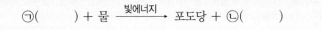

㉠(   ) + 물 $\xrightarrow{\text{빛에너지}}$ 포도당 + ㉡(   )

광합성 과정
이 물빛은 마치 포도산
산 에 → 당소
화 너
탄 지
소

2 광합성이 일어나는 장소를 쓰시오.

3 광합성에 필요한 요소와 광합성으로 만들어지는 물질에 대한 설명으로 옳은 것은 ○, 옳지 않은 것은 ✕로 표시하시오.

(1) 광합성에 필요한 물은 뿌리에서 흡수하여 물관을 통해 운반된다. ·············· (   )

(2) 광합성에 필요한 이산화 탄소는 공기 중에서 잎을 통해 흡수한다. ··········· (   )

(3) 광합성에 필요한 빛에너지는 엽록체에 있는 엽록소에서 흡수한다. ··········· (   )

(4) 광합성 결과 처음으로 만들어지는 양분은 녹말이다. ······························· (   )

만화 확인하기 148쪽으로 돌아가서 내가 쓴 대사를 점검해 보자.

B 광합성에 영향을 미치는 환경 요인

날씨가 흐려지거나 햇빛이 약해지면 식물은 광합성을 충분히 할 수 없습니다. 광합성은 어떤 조건에서 잘 일어날까요?

광합성은 빛의 세기, 이산화 탄소의 농도, 온도와 같은 환경 요인이 모두 알맞게 유지될 때 활발하게 일어날 수 있다. ➕ — ● 한 가지 요인만 적당하다고 해서 광합성이 잘 일어나는 것은 아니다.

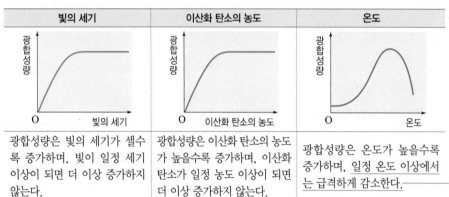

빛의 세기	이산화 탄소의 농도	온도
광합성량은 빛의 세기가 셀수록 증가하며, 빛이 일정 세기 이상이 되면 더 이상 증가하지 않는다.	광합성량은 이산화 탄소의 농도가 높을수록 증가하며, 이산화 탄소가 일정 농도 이상이 되면 더 이상 증가하지 않는다.	광합성량은 온도가 높을수록 증가하며, 일정 온도 이상에서는 급격하게 감소한다.

● 일반적으로 온도가 40 °C 보다 높아지면 광합성량이 급격하게 감소한다.

➡ 광합성에 영향을 미치는 환경 요인을 알면 식물의 생장을 이해하고, 농작물의 생산량을 늘릴 수 있다.

✚ 물과 광합성량

물은 광합성의 원료이므로 반드시 필요하다. 그러나 식물은 뿌리를 통해 물을 계속 흡수하므로 보통 식물 세포 안에는 광합성을 하는 데 충분한 양의 물이 들어 있다. 따라서 매우 건조한 경우를 제외하고는 물이 광합성에 미치는 영향은 크지 않다.

C 잎의 구조와 기공

식물의 잎을 구성하는 세포에는 모두 엽록체가 있을까요? 잎에서 이산화 탄소를 흡수하는 곳은 어디일까요? 잎의 구조를 알면 잎에서 일어나는 일들을 더 확실하게 알 수 있겠죠? 지금부터 잎의 구조를 살펴봅시다.

1. 표피 : 잎의 가장 바깥 부분을 싸고 있는 한 겹의 세포층

• 표피 세포로 이루어져 있으며, 곳곳에 ●공변세포가 있다.

표피 세포	엽록체가 없어 색깔을 띠지 않고 투명하다. ➡ 광합성이 일어나지 않는다.
공변세포	• 엽록체가 있어 초록색을 띤다. ➡ 광합성이 일어난다. • 안쪽 세포벽이 바깥쪽 세포벽보다 두꺼워 진하게 보인다.

● 이 때문에 공변세포의 부피가 변할 때 모양이 변함으로써 기공이 열리고 닫히는 것을 조절한다.

2. ●기공 : 잎의 표피에 있는 작은 구멍 — ● 잎의 내부와 외부를 연결한다.

(1) 공변세포 2개가 둘러싸고 있다.

(2) 일반적으로 잎의 앞면보다 뒷면에 더 많다.

(3) 산소와 이산화 탄소, 수증기 등과 같은 기체가 드나드는 통로 역할을 한다.

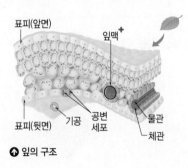

표피(앞면), 잎맥➕, 표피(뒷면), 기공, 공변세포, 물관, 체관

❶ 잎의 구조

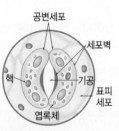

공변세포, 세포벽, 핵, 기공, 표피세포, 엽록체

❶ 공변세포와 기공

✚ 잎맥

잎에 있는 물과 양분의 이동 통로로, 위쪽에 물관, 아래쪽에 체관이 있다.

| 용어 |

• **공변(孔 구멍, 邊 가장자리)세포**
기공을 둘러싸고 있는 세포

• **기공(氣 공기, 孔 구멍)** 잎의 표피에 있는 작은 구멍

1 다음은 온도와 광합성량의 관계를 설명한 것이다. ( ) 안에 알맞은 말을 고르시오.

> 광합성량은 온도가 높을수록 ㉠(증가, 감소)하며, 일정 온도 이상에서는 급격하게 ㉡(증가, 감소)한다.

2 오른쪽 그림은 환경 요인 (가)와 광합성량의 관계를 나타낸 것이다. (가)에 해당하는 환경 요인으로 옳은 것을 모두 고르면?(2개)

① 온도　② 빛의 세기　③ 산소의 농도
④ 포도당의 양　⑤ 이산화 탄소의 농도

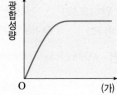

1 다음에서 설명하는 잎의 구조를 쓰시오.

> • 잎의 표피에 있는 작은 구멍으로, 공변세포 2개가 둘러싸고 있다.
> • 산소와 이산화 탄소, 수증기 등과 같은 기체가 드나드는 통로 역할을 한다.

표피 세포와 공변세포
• 표피 세포 : 엽록체가 없어 광합성을 하지 않는다.
• 공변세포 : 엽록체가 있어 광합성을 한다.

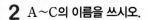

[2~3] 오른쪽 그림은 잎 뒷면의 표피를 현미경으로 관찰한 결과를 나타낸 것이다.

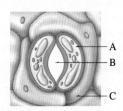

2 A~C의 이름을 쓰시오.

3 A~C에 대한 설명으로 옳은 것은 ○, 옳지 <u>않은</u> 것은 ×로 표시하시오.

(1) A에는 엽록체가 있다. ⋯⋯⋯⋯ ( )
(2) A는 바깥쪽 세포벽이 안쪽 세포벽보다 더 두껍다. ⋯⋯ ( )
(3) B는 일반적으로 잎의 뒷면보다 앞면에 더 많다. ⋯⋯⋯ ( )
(4) C에서는 광합성이 일어난다. ⋯⋯⋯⋯ ( )

D 증산 작용

광합성에 필요한 물은 뿌리에서 흡수되어 줄기를 거쳐 잎까지 운반됩니다. 식물체에서 물은 어떻게 이동하는 것일까요? 또, 식물체에서 사용하고 남은 물은 어떻게 될까요? 지금부터 알아봅시다.

1. 증산 작용 : 식물체 속의 물이 수증기로 변하여 잎의 기공을 통해 공기 중으로 빠져나

가는 현상 → 일반적으로 기공은 잎의 앞면보다 뒷면에 더 많으므로, 증산 작용은 잎의 뒷면에서 더 활발하게 일어난다.

(1) 뿌리에서 흡수한 물이 잎까지 이동하는 원동력이 된다. [+]

(2) 식물 내부의 물을 밖으로 내보내어 수분량을 조절한다.

(3) 물이 증발하면서 주변의 열을 흡수하므로, 식물과 주변의 온도를 낮춘다.

> 숲 속이 시원한 것은 나무가 햇빛을 가리고, 식물의 증산 작용이 활발하여 주변의 온도가 낮아지기 때문이다.

2. 증산 작용의 조절 : 증산 작용은 기공이 열

리고 닫힘에 따라 조절된다.

(1) 기공은 공변세포의 모양에 따라 열리거

나 닫힌다.

(2) 기공은 주로 낮에 열리고 밤에 닫히므로

증산 작용은 낮에 활발하게 일어난다.

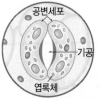
공변세포
기공
엽록체
⚊ 기공 열림(낮)

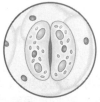
⚊ 기공 닫힘(밤)

3. 증산 작용이 잘 일어나는 환경 조건 → 빨래가 잘 마르는 조건과 비슷하다.

햇빛	온도	습도	바람
강할 때	높을 때	낮을 때	잘 불 때

4. 증산 작용과 광합성 : 기공이 많이 열려 증산 작용이 활발할 때 이산화 탄소가 많이 흡

수되고, 뿌리에서 흡수한 물이 잎까지 상승하므로 광합성도 활발해진다.

+ 물의 이동

증산 작용으로 물이 빠져나가면 잎에서는 줄어든 물을 보충하기 위해 잎맥과 줄기, 뿌리 속의 물을 연속적으로 끌어올리게 된다.

뿌리	땅속에서 뿌리로 흡수된 물은 뿌리 속의 물관을 따라 줄기로 이동한다.
줄기	줄기의 물관을 거쳐 잎으로 이동한다.
잎	잎맥의 물관을 거쳐 광합성 등에 사용되거나, 증산 작용으로 수증기가 되어 밖으로 나간다.

---

1 식물체 속의 물이 수증기로 변하여 잎의 기공을 통해 공기 중으로 빠져나가는 현상을 무엇이 라고 하는지 쓰시오.

2 증산 작용에 대한 설명으로 옳은 것은 ○, 옳지 <u>않은</u> 것은 ×로 표시하시오.

(1) 햇빛이 강할 때 잘 일어난다. ⋯⋯⋯⋯⋯⋯⋯⋯⋯⋯⋯⋯⋯⋯⋯⋯⋯ (　　)

(2) 습도가 높을 때 잘 일어난다. ⋯⋯⋯⋯⋯⋯⋯⋯⋯⋯⋯⋯⋯⋯⋯⋯⋯ (　　)

(3) 잎에서 흡수한 물이 뿌리까지 이동하는 원동력이 된다. ⋯⋯⋯⋯⋯⋯ (　　)

(4) 식물 내부의 물을 밖으로 내보내어 수분량을 조절한다. ⋯⋯⋯⋯⋯⋯ (　　)

(5) 기공이 많이 열려 증산 작용이 활발할 때 광합성도 활발해진다. ⋯⋯ (　　)

3 다음은 기공의 열림·닫힘과 증산 작용에 대한 설명이다. (　　) 안에 알맞은 말을 고르시오.

> 기공은 주로 ㉠(밤, 낮)에 열리고 ㉡(밤, 낮)에 닫히므로, 증산 작용은 ㉢(밤, 낮)에 활발하게 일어난다.

암기 꼭

기공의 열림·닫힘과 증산 작용

낮이니까 기공 열고 일하자!

밤이니까 기공 닫고 자야지.

광합성 단원에서는 탐구가 매우 중요해요. 각 과정을 거치는 까닭과 탐구 결과가 시험에 자주 출제되지요. 탐구 자료를 통해 꼭 알아야 할 내용들을 살펴봅시다.

탐구 자료 ① 광합성에 필요한 요소   관련 개념 | 148쪽 Ⓐ 광합성

목표 광합성이 일어나기 위해 필요한 요소를 확인할 수 있다.

과정
① 파란색 BTB 용액에 숨을 불어넣어 노란색으로 변하게 한다.
② 노란색 BTB 용액을 시험관 (가)~(다)에 넣어 오른쪽 그림과 같이 장치한다.
③ 햇빛이 잘 비치는 곳에 두고 BTB 용액의 색깔 변화를 관찰한다.

검정말   검정말＋알루미늄 포일

BTB 용액의 색깔 변화

산성	중성	염기성
노란색	초록색	파란색

이산화 탄소
많다 ◄─────────► 적다

BTB 용액에 숨을 불어넣으면 숨 속의 이산화 탄소가 물에 녹아 산성을 띠고, 그 결과 BTB 용액의 색깔이 노란색으로 변한다.

결과 및 해석

시험관	BTB 용액의 색깔 변화
(가)	변화 없다(노란색). ─► 정확한 실험 결과를 비교하기 위해 장치한 대조군
(나)	파란색으로 변한다. ➡ 빛을 받은 검정말이 광합성을 하면서 ⊙( )를 사용하였다. └● 이산화 탄소가 감소하였다.
(다)	변화 없다(노란색). ➡ 알루미늄 포일에 의해 빛이 차단되어 검정말이 광합성을 하지 않았다. └● 이산화 탄소가 감소하지 않았다.

결론 광합성은 ⓒ(   )이 있을 때 일어나며, 광합성 과정에는 이산화 탄소가 필요하다.

답 ⊙ 이산화 탄소 ⓒ 빛

탐구 자료 ② 광합성이 일어나는 장소와 광합성 산물   관련 개념 | 148쪽 Ⓐ 광합성

목표 광합성이 일어나는 장소와 광합성 산물을 확인할 수 있다.

과정
① 검정말의 잎을 떼어 현미경으로 관찰한다. ➡ 초록색 알갱이(엽록체)가 보인다.
② 물이 든 비커 A와 B에 검정말을 각각 넣고, 비커 A는 햇빛을 충분히 비추어 주고, 비커 B는 어둠상자에 둔다.
③ 비커 A와 B의 검정말을 각각 에탄올이 든 시험관에 넣고 물중탕하여 탈색한다.
④ 각 검정말의 잎을 떼어 아이오딘-아이오딘화 칼륨 용액을 떨어뜨리고, 현미경으로 관찰한다.

A   B

에탄올
물
검정말
가열 장치

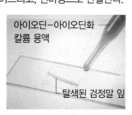
아이오딘-아이오딘화 칼륨 용액

탈색된 검정말 잎

검정말을 탈색하는 까닭
엽록체에서 엽록소가 녹아 빠져나와 아이오딘-아이오딘화 칼륨 용액을 떨어뜨렸을 때 색깔 변화를 잘 볼 수 있다.

아이오딘-아이오딘화 칼륨 용액
녹말을 검출하는 용액으로, 녹말과 반응하여 청람색으로 변한다.

결과 및 해석
❶ 비커 A(햇빛)의 검정말 : 엽록체가 청람색으로 변한다.
❷ 비커 B(어둠상자)의 검정말 : 엽록체가 청람색으로 변하지 않는다.
➡ 빛이 있을 때만 광합성이 일어나 ⊙(   )이 만들어진다.

엽록체
(초록색)

탈색 후 녹말 검출

엽록체
(청람색)

⬆ 햇빛을 충분히 비추어 준 검정말 잎의 엽록체 변화

결론 광합성은 빛이 있을 때 ⓒ(   )에서 일어나며, 광합성 결과 녹말이 만들어진다.

답 ⊙ 녹말 ⓒ 엽록체

광합성에 영향을 미치는 환경 요인, 증산 작용에 관한 탐구도 시험에 자주 출제됩니다. 집중 강의에서 확실히 알아 두고 넘어갑시다.

탐구 자료 ❸ 빛의 세기와 광합성

관련 개념 | 150쪽 **B** 광합성에 영향을 미치는 환경 요인

목표
빛의 세기에 따른 광합성량의 변화를 설명할 수 있다.

과정
① 주사기에 시금치 잎 조각 6개와 1 % 탄산수소 나트륨 수용액을 넣고, 잎 조각이 모두 가라앉을 때까지 주사기의 피스톤을 당겨 잎 조각 속에 들어 있는 공기를 빼낸다.
② 가라앉은 시금치 잎 조각 6개를 1 % 탄산수소 나트륨 수용액이 담긴 비커에 넣고, 비커 주변에 전등 3개를 설치한다.
③ 전등이 켜진 개수를 1개씩 늘려가면서 시금치 잎 조각이 모두 떠오르는 데 걸리는 시간을 측정한다. └─ 광합성에 영향을 미치는 환경 요인인 빛의 세기를 조절하는 것이다.

탄산수소 나트륨 수용액
광합성에 필요한 이산화 탄소를 공급한다.

시금치 잎 조각이 떠오르는 까닭
시금치 잎 조각의 광합성으로 산소가 발생하기 때문 ➡ 산소 발생량은 광합성량을 뜻한다.

시금치 잎 조각 / 1 % 탄산수소 나트륨 수용액 / 1 % 탄산수소 나트륨 수용액 / 시금치 잎 조각

발광 다이오드 (LED) 전등

● 열(온도)이 광합성에 영향을 주지 않도록 열이 발생하지 않는 발광 다이오드 전등을 사용한다.

결과 및 해석

전등이 켜진 개수	1개	2개	3개
시금치 잎 조각이 모두 떠오르는 데 걸리는 시간	265초	240초	209초

전등이 켜진 개수가 늘어날수록 시금치 잎 조각이 모두 떠오르는 데 걸리는 시간이 짧아진다.
➡ 빛의 세기가 셀수록 잎 조각에서 발생하는 ⑦(   )의 양(광합성량)이 증가하기 때문

결론
빛의 세기가 셀수록 광합성량이 ⑥(   )한다. ── 빛이 일정 세기 이상이 되면 광합성량이 더 이상 증가하지 않지만, 이 실험의 결과로는 확인할 수 없다.

답 ⑦ 산소 ⑥ 증가

탐구 자료 ❹ 증산 작용이 일어나는 장소

관련 개념 | 152쪽 **D** 증산 작용

목표
증산 작용이 일어나는 장소와 증산 작용과 습도의 관계를 확인할 수 있다.

과정
① 같은 양의 물을 넣은 눈금실린더 (가)~(다)에 잎을 모두 딴 나뭇가지와 잎이 달린 나뭇가지를 넣어 오른쪽 그림과 같이 장치한다.
② 눈금실린더 (가)~(다)에 식용유를 떨어뜨린다.
③ 눈금실린더 (가)~(다)를 햇빛이 잘 비치는 곳에 두고, 일정 시간 후 수면의 높이 변화를 관찰한다.

식용유 / 물 / (가) · 식용유 / 물 / (나) · 비닐봉지 / (다)

식용유를 떨어뜨리는 까닭
눈금실린더 속 물의 증발을 막기 위해서이다.

수면의 높이가 낮아지는 까닭
잎에서 증산 작용이 일어나면 물이 나뭇가지 안으로 이동하기 때문이다.

결과 및 해석
수면의 높이가 낮아진 정도 : (나)>(다)>(가)

(가)	(나)	(다)
잎이 없어 증산 작용이 일어나지 않았기 때문에 수면의 높이에 거의 변화가 없다.	증산 작용이 가장 활발하게 일어나 수면의 높이가 가장 많이 낮아진다.	비닐봉지 안에 물방울이 맺히며, 비닐봉지 안의 습도가 높아져 증산 작용이 감소한다.

● 증산 작용으로 잎에서 빠져나온 수증기가 비닐봉지에 닿아 액화된 것이다.

결론
증산 작용은 ⑦(   )에서 일어나며, ⑥(   )가 낮을 때 잘 일어난다.

답 ⑦ 잎 ⑥ 습도

01 광합성에 대한 설명으로 옳지 <u>않은</u> 것은? [148쪽]

① 엽록체에서 일어난다.

② 낮과 밤에 관계없이 항상 일어난다.

③ 엽록체 속의 엽록소에서 빛을 흡수한다.

④ 광합성이 일어나면 양분과 함께 산소도 발생한다.

⑤ 식물이 빛에너지를 이용하여 이산화 탄소와 물을 원료로 양분을 만드는 과정이다.

[02~03] 그림은 광합성 과정을 나타낸 것이다.

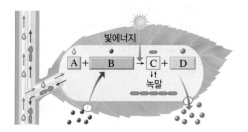

02 A~D에 해당하는 물질을 옳게 짝 지은 것은? [148쪽]

	A	B	C	D
①	물	산소	포도당	이산화 탄소
②	물	이산화 탄소	포도당	산소
③	산소	이산화 탄소	물	포도당
④	이산화 탄소	물	포도당	산소
⑤	이산화 탄소	포도당	물	산소

03 이에 대한 설명으로 옳은 것을 보기에서 모두 고른 것은? [148쪽]

┌ 보기 ┐

ㄱ. A는 뿌리에서 흡수하여 물관을 통해 운반된다.

ㄴ. B는 BTB 용액의 색깔을 변화시킨다.

ㄷ. C는 곧 녹말로 바뀌어 저장된다.

ㄹ. D는 식물에서 사용되지 않는다.

① ㄱ, ㄴ   ② ㄴ, ㄷ   ③ ㄷ, ㄹ

④ ㄱ, ㄴ, ㄷ   ⑤ ㄱ, ㄴ, ㄹ

[04~05] 숨을 불어넣어 파란색에서 노란색으로 변한 BTB 용액을 시험관 A~C에 넣어 그림과 같이 장치하고, 햇빛이 잘 비치는 곳에 둔 다음 BTB 용액의 색깔 변화를 관찰하였다.

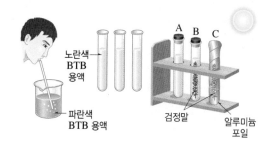

04 시험관 A~C에서 일어나는 색깔 변화와 그 까닭을 옳게 짝 지은 것은? [153쪽]

① 시험관 A : 파란색 – 식물이 없어 BTB 용액이 파란색으로 다시 변하였다.

② 시험관 B : 노란색 – 광합성이 일어나 산소가 증가하였다.

③ 시험관 B : 파란색 – 광합성이 일어나 이산화 탄소가 감소하였다.

④ 시험관 C : 노란색 – 광합성이 일어나 이산화 탄소가 증가하였다.

⑤ 시험관 C : 파란색 – 광합성이 일어나지 않아 이산화 탄소가 증가하였다.

05 이 실험을 통해 알 수 있는 사실로 옳은 것을 모두 고르면?(2개) [153쪽]

① 빛이 있을 때 광합성이 일어난다.

② 광합성에는 BTB 용액이 필요하다.

③ 광합성에는 이산화 탄소가 필요하다.

④ 광합성으로 산소가 발생한다.

⑤ 광합성으로 포도당이 만들어진다.

 03 ❶ 그림에 A~D의 이름을 써 본다. ❷ 물은 물관을 통해 운반되고, 포도당은 녹말로 바뀌어 저장되는 것을 안다. **04** ❶ 시험관 B와 C에서 서로 다른 조건이 무엇인지 찾는다. ❷ 광합성이 일어나기 위해 필요한 요소를 안다. ❸ BTB 용액의 색깔이 변하게 하는 기체의 종류를 생각한다.

01. 광합성 **155**

06 오른쪽 그림과 같이 장치하여 햇빛이 잘 비치는 곳에 두면 고무관에 검정말의 광합성으로 발생한 기체가 모인다. 발생한 기체의 종류와 확인 방법을 옳게 짝 지은 것은?

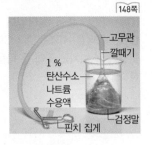

148쪽

① 수소 – 냄새를 맡아 본다.
② 산소 – 석회수에 통과시킨다.
③ 산소 – 향의 불꽃을 대어 본다.
④ 이산화 탄소 – 석회수에 통과시킨다.
⑤ 이산화 탄소 – 향의 불꽃을 대어 본다.

[07~09] 그림과 같이 햇빛이 잘 비치는 곳에 둔 검정말(A)과 어둠상자에 둔 검정말(B)을 각각 에탄올에 넣고 물중탕한 다음, 잎을 떼어 아이오딘–아이오딘화 칼륨 용액을 떨어뜨리고 현미경으로 관찰하였다.

07 (나) 과정을 거치는 까닭으로 옳은 것은?

153쪽

① 잎에 물을 공급하기 위해서
② 잎에 에탄올을 공급하기 위해서
③ 잎에 이산화 탄소를 공급하기 위해서
④ 잎의 초록색을 더 진하게 만들기 위해서
⑤ 잎을 탈색하여 아이오딘–아이오딘화 칼륨 용액에 의한 색깔 변화를 잘 보기 위해서

08 (다) 과정에서 아이오딘–아이오딘화 칼륨 용액으로 확인할 수 있는 광합성 산물은?

153쪽

① 물   ② 산소   ③ 녹말
④ 포도당   ⑤ 이산화 탄소

09 이에 대한 설명으로 옳은 것을 보기에서 모두 고른 것은?

153쪽

[보기]
ㄱ. (가)에서 A와 B는 모두 광합성을 한다.
ㄴ. (다)에서 A의 엽록체만 청람색으로 변한다.
ㄷ. 광합성은 엽록체에서 일어나는 것을 알 수 있다.

① ㄱ   ② ㄴ   ③ ㄷ
④ ㄱ, ㄴ   ⑤ ㄴ, ㄷ

[10~11] 그림과 같이 시금치 잎 조각을 탄산수소 나트륨 수용액이 담긴 비커에 넣고 전등이 켜진 개수를 늘리면서 잎 조각이 모두 떠오르는 데 걸리는 시간을 측정하였다.

10 탄산수소 나트륨 수용액을 사용하는 까닭으로 옳은 것은?

154쪽

① 녹말을 공급하기 위해서
② 산소를 공급하기 위해서
③ 이산화 탄소를 공급하기 위해서
④ 빛의 영향을 최소화하기 위해서
⑤ 잎 조각에서 발생한 기체의 종류를 확인하기 위해서

11 이에 대한 설명으로 옳지 않은 것은?

154쪽

① 산소 발생량은 광합성량을 뜻한다.
② 전등이 켜진 개수가 늘어나면 빛의 세기가 세진다.
③ 전등이 켜진 개수가 늘어날수록 광합성량이 줄어든다.
④ 잎 조각이 떠오르는 까닭은 산소가 발생하기 때문이다.
⑤ 산소 발생량이 늘어날수록 잎 조각이 모두 떠오르는 데 걸리는 시간이 짧아진다.

 09 ❶ 빛의 유무에 따른 광합성 여부를 생각한다. ❷ 엽록체의 색깔이 변하는 까닭을 생각한다.   **11** ❶ 광합성으로 발생하는 기체의 종류를 안다. ❷ 전등이 켜진 개수를 조절하는 것은 빛의 세기를 조절하는 것임을 안다. ❸ 빛의 세기와 광합성량의 관계를 떠올린다.

156   IV. 식물과 에너지

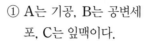

중요 12 식물의 광합성에 영향을 미치는 환경 요인과 광합성량의 관계를 옳게 나타낸 것을 모두 고르면?(2개) [150쪽]

[13~14] 그림과 같이 탄산수소 나트륨 수용액이 담긴 표본병에 검정말을 넣고 전등 빛을 점점 밝게 조절하면서 각 밝기마다 검정말에서 1분 동안 발생하는 기포 수를 세었다.

13 광합성에 영향을 미치는 환경 요인 중 무엇에 관한 실험인가? [154쪽]

① 물의 양 ② 빛의 세기
③ 산소의 농도 ④ 포도당의 양
⑤ 이산화 탄소의 농도

풀이 TIP 14 이에 대한 설명으로 옳은 것은? [154쪽]

① 광합성량이 증가하면 기포 수가 증가한다.
② 탄산수소 나트륨 수용액은 산소를 공급한다.
③ 표본병에 얼음을 넣으면 기포 수가 증가한다.
④ 검정말에서 발생하는 기포는 이산화 탄소이다.
⑤ 전등 빛을 밝게 조절하는 것은 전등을 표본병에서 멀리 이동하는 것과 같은 효과를 낸다.

15 오른쪽 그림은 잎의 구조를 나타낸 것이다. 이에 대한 설명으로 옳지 <u>않은</u> 것은? [150쪽]

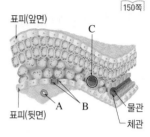

① A는 기공, B는 공변세포, C는 잎맥이다.
② A는 일반적으로 잎의 뒷면보다 앞면에 더 많다.
③ 2개의 B가 A를 둘러싸고 있다.
④ C에는 물관과 체관이 있다.
⑤ 표피는 잎의 가장 바깥 부분을 싸고 있는 한 겹의 세포층이다.

[16~17] 오른쪽 그림은 잎 뒷면의 표피를 현미경으로 관찰한 결과를 나타낸 것이다.

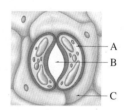

16 A~C의 이름을 옳게 짝 지은 것은? [150쪽]

	A	B	C
①	기공	표피 세포	공변세포
②	공변세포	기공	표피 세포
③	공변세포	표피 세포	기공
④	표피 세포	기공	공변세포
⑤	표피 세포	공변세포	기공

중요 풀이 TIP 17 이에 대한 설명으로 옳은 것을 보기에서 모두 고른 것은? [150쪽]

〔 보기 〕
ㄱ. A는 안쪽 세포벽이 바깥쪽 세포벽보다 얇다.
ㄴ. B를 통해 증산 작용이 일어난다.
ㄷ. A와 C에는 모두 엽록체가 있다.

① ㄱ ② ㄴ ③ ㄷ
④ ㄱ, ㄴ ⑤ ㄴ, ㄷ

14 ❶ 광합성으로 발생하는 기체의 종류를 안다. ❷ 발생하는 기포 수를 늘리려면 광합성량이 증가하게 해야 함을 안다. ❸ 전등을 표본병에서 멀리 이동하면 빛의 세기가 어떻게 변할지 생각한다. 17 ❶ 그림의 A~C에 이름을 써 본다. ❷ 공변세포와 표피 세포의 차이점을 생각한다.

중요
풀이 TIP
152쪽

18 증산 작용에 대한 설명으로 옳은 것은?

① 밤에 활발하게 일어난다.

② 주로 뿌리와 줄기에서 일어난다.

③ 기공이 열렸을 때 활발하게 일어난다.

④ 식물체 속의 물이 이산화 탄소가 되어 나간다.

⑤ 잎의 뒷면보다 앞면에서 더 활발하게 일어난다.

152쪽

19 증산 작용의 효과에 대한 설명으로 옳은 것을 보기에서 모두 고른 것은?

┌ 보기 ┐
ㄱ. 뿌리에서 흡수한 물이 잎까지 이동하는 원동력이 된다.
ㄴ. 식물 내부의 물을 밖으로 내보내어 수분량을 조절한다.
ㄷ. 물이 증발하면서 열을 방출하여 식물과 주변의 온도를 높인다.

① ㄱ   ② ㄱ, ㄴ   ③ ㄱ, ㄷ
④ ㄴ, ㄷ   ⑤ ㄱ, ㄴ, ㄷ

[20~22] 잎이 달린 나뭇가지와 잎을 모두 딴 나뭇가지를 같은 양의 물이 든 눈금실린더에 넣고 그림과 같이 장치한 다음, 햇빛이 잘 비치는 곳에 두었다.

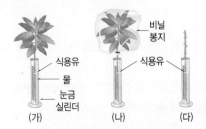

비닐
봉지
식용유
물
눈금
실린더
식용유
(가)   (나)   (다)

중요
풀이 TIP
154쪽

20 일정 시간 후 수면의 높이가 가장 많이 낮아진 눈금실린더의 기호를 쓰시오.

154쪽

21 식용유를 떨어뜨리는 까닭으로 옳은 것은?

① 물의 증발을 막기 위해서

② 햇빛의 영향을 최소화하기 위해서

③ 잎의 기공이 잘 열리게 하기 위해서

④ 줄기에서 일어나는 증산 작용을 돕기 위해서

⑤ 증산 작용이 너무 많이 일어나지 않게 하기 위해서

중요
154쪽

22 이에 대한 설명으로 옳은 것을 보기에서 모두 고른 것은?

┌ 보기 ┐
ㄱ. (가)에서 증산 작용이 가장 활발하게 일어난다.
ㄴ. (나)는 비닐봉지 안의 습도가 높아져 (가)보다 증산 작용이 덜 일어난다.
ㄷ. 식물의 잎에서 증산 작용이 일어나는 것을 확인할 수 있다.

① ㄱ   ② ㄱ, ㄴ   ③ ㄱ, ㄷ
④ ㄴ, ㄷ   ⑤ ㄱ, ㄴ, ㄷ

152쪽

23 그림은 잎의 뒷면 표피를 나타낸 것이다.

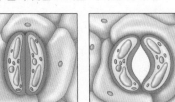

(가)   (나)

(가)에서 (나)로 바뀌는 상황으로 옳은 것을 보기에서 모두 고른 것은?

┌ 보기 ┐
ㄱ. 햇빛이 강할 때   ㄴ. 온도가 낮을 때
ㄷ. 습도가 높을 때   ㄹ. 바람이 잘 불 때

① ㄱ, ㄴ   ② ㄱ, ㄹ   ③ ㄴ, ㄷ
④ ㄴ, ㄹ   ⑤ ㄷ, ㄹ

풀이
TIP
18 ❶ 증산 작용의 뜻을 생각한다. ❷ 기공의 분포와 기공이 열리고 닫히는 시기를 안다.   **20** ❶ 증산 작용이 일어나는 장소를 안다. ❷ 증산 작용이 일어날 때 비닐봉지 안의 습도는 어떻게 변할지 생각한다. ❸ 증산 작용이 일어나는 정도와 수면의 높이 변화의 관계를 생각한다.

24 오른쪽 그림은 빛을 비춘 검정 말을 에탄올에 넣어 물중탕한 후 잎을 떼어 아이오딘−아이오딘화 칼륨 용액을 떨어뜨리고 현미경으로 관찰한 모습을 나타낸 것이다.

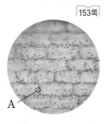

153쪽

(1) 아이오딘−아이오딘화 칼륨 용액과 반응하여 청람색으로 변한 작은 알갱이 A의 이름을 쓰시오.

----

(2) 실험 결과를 통해 알 수 있는 광합성이 일어나는 장소와 광합성 산물을 서술하시오.

풀이 **TIP**

25 그림과 같이 시금치 잎 조각을 탄산수소 나트륨 수용액이 담긴 비커에 넣고 전등이 켜진 개수를 늘리면서 잎 조각이 모두 떠오르는 데 걸리는 시간을 측정하였다.

154쪽

발광 다이오드 (LED) 전등

1 % 탄산수소 나트륨 수용액

시금치 잎 조각

(1) 시금치 잎 조각이 떠오르는 까닭을 서술하시오.

----

(2) 전등이 켜진 개수가 늘어날수록 시금치 잎 조각이 모두 떠오르는 데 걸리는 시간은 어떻게 변하는지 서술하시오. (단, 광합성량이 일정해지기 전까지에 대해 서술한다.)

----

26 오른쪽 그림은 광합성에 영향을 미치는 환경 요인과 광합성량의 관계를 나타낸 것이다.

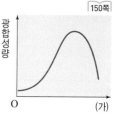

150쪽

(1) (가)는 무엇인지 쓰시오.

----

(2) (가)와 광합성량의 관계를 서술하시오.

----

27 잎이 달린 나뭇가지와 잎을 모두 딴 나뭇가지를 같은 양의 물이 든 눈금실린더에 넣고 그림과 같이 장치한 다음, 햇빛이 잘 비치는 곳에 두었다.

154쪽

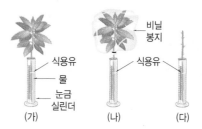

비닐 봉지

식용유

식용유

물

눈금 실린더

(가)　　(나)　　(다)

(1) 일정 시간 후 물이 가장 많이 남아 있는 눈금실린더의 기호를 쓰시오.

----

(2) (가)와 (나)를 비교하여 알 수 있는 증산 작용이 잘 일어나는 조건을 서술하시오.

학습 평가 하기

정답친해 43쪽으로 가서 문제를 채점한 후 학습 결과를 스스로 평가해 보세요.

맞춘 개수	24~27개	19~23개	0~18개
평가	잘함	보통	부족

➜ 정답친해에서 그 문제를 왜 틀렸는지 꼭 확인하세요!
➜ 본책에서 해당 쪽으로 돌아가서 부족한 부분을 다시 공부하세요!

25 ❶ 잎 조각이 떠오르는 것은 잎 조각에서 발생하는 기체 때문임을 안다. ❷ 전등이 켜진 개수와 빛의 세기의 관계를 생각한다. ❸ 빛의 세기가 세질 때 잎 조각에서 발생하는 기체의 양이 어떻게 변할지 생각한다. ❹ 발생하는 기체의 양과 잎 조각이 떠오르는 데 걸리는 시간의 관계를 생각한다.

02 식물의 호흡

 다음 만화를 보고 나무의 말풍선을 완성해 보자.

≫ 이 단원을 학습한 후 내가 쓴 대사를 수정해 보자.

A 호흡

생물이 생명 활동을 하려면 에너지가 필요합니다. 식물도 싹을 틔우고 꽃을 피우는 것과 같은 생명 활동을 하므로 다른 생물처럼 에너지가 필요하지요. 식물은 어떻게 에너지를 얻는지 살펴봅시다.

1. 호흡 : 세포에서 양분을 *분해하여 생명 활동에 필요한 에너지를 얻는 과정

> 포도당 + 산소 ⟶ 이산화 탄소 + 물 + 에너지

2. 호흡이 일어나는 장소 : 식물체를 구성하는 모든 살아 있는 세포

3. 호흡이 일어나는 시기 : 낮과 밤에 관계없이 항상 일어난다. ─➡ 생명 활동에 필요한 에너지는 계속 얻어야 한다.

4. 호흡에 필요한 물질

(1) 포도당 : 광합성으로 만들어진 양분이다.

(2) 산소 : 광합성으로 생성되거나 공기 중에서 흡수한다.

5. 호흡으로 생성되는 요소

(1) 이산화 탄소 : 광합성에 이용되거나 공기 중으로 방출한다.

(2) 에너지 : 싹을 틔우고, 꽃을 피우고, 열매를 맺는 등의 생명 활동에 이용한다.

📖 호흡으로 생성되는 기체 확인

빈 페트병 A와 B 중 A에만 시금치를 넣고 밀봉하여 어두운 곳에 놓아두었다가 각 페트병 속의 공기를 석회수에 통과시킨다.⁺

- 페트병 A의 공기를 통과시킨 석회수만 뿌옇게 변한다. ➡ 시금치의 호흡으로 이산화 탄소가 방출되었기 때문
- 빛이 없을 때 식물은 광합성을 하지 않고 호흡만 하며, 식물의 호흡 결과 이산화 탄소가 생성된다.

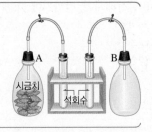

＋ 석회수

이산화 탄소와 반응하여 뿌옇게 변하므로, 이산화 탄소를 검출하는 데 사용된다.

| 용어 |

- **분해**(分 나누다, 解 풀다) 여러 부분이 결합되어 이루어진 것을 보다 간단한 것으로, 또는 낱낱으로 나누는 것

이 단원의 개념이 어떻게 구성되어 있는지 살펴보고 빈칸을 완성해 보자.

식물의 호흡

A 호흡

B

C 광합성으로 만든 양분의 사용

이 단원을 공부하기 전에 미리 알고 있는 단어를 체크해 보자.

☐ 호흡   ☐ 광합성   ☐ 에너지   ☐ 석회수   ☐ 체관

1 다음은 호흡 과정을 식으로 나타낸 것이다. (   ) 안에 알맞은 말을 쓰시오.

㉠(   ) + 산소 ────→ 이산화 탄소 + 물 + ㉡(   )

호흡이 일어나는 장소와 시기
식물의 호흡은 모든 살아 있는 세포에서 낮과 밤에 관계없이 항상 일어난다.

2 식물의 호흡에 대한 설명으로 옳은 것은 ◯, 옳지 <u>않은</u> 것은 ×로 표시하시오.

(1) 빛이 없는 밤에만 일어난다. ··· (   )

(2) 모든 살아 있는 세포에서 일어난다. ····························· (   )

(3) 호흡에 필요한 포도당은 광합성으로 만들어진다. ·········· (   )

(4) 호흡으로 생성된 이산화 탄소는 광합성에 이용되지 않는다. ······· (   )

3 오른쪽 그림과 같이 빈 페트병 A와 B 중 A에만 시금치를 넣고 밀봉하여 어두운 곳에 놓아두었다가 각 페트병 속의 공기를 석회수에 통과시켰다.

(1) 석회수를 뿌옇게 변하게 하는 페트병의 기호를 쓰시오.

(2) 석회수를 뿌옇게 변하게 하는 기체의 종류를 쓰시오.

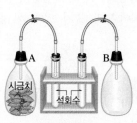

02 식물의 호흡

B 식물의 기체 교환

식물도 산소를 이용하고 이산화 탄소가 발생하는 호흡을 합니다. 하지만 광합성을 할 때는 이산화 탄소를 이용하고 산소가 발생하죠. 그럼 식물에서는 어떤 기체를 흡수하고 또 어떤 기체를 방출할까요?

1. 식물의 기체 교환 : 낮과 밤에 반대로 나타난다.

구분	낮	밤
광합성과 호흡	빛이 강하여 광합성이 활발하다. ➡ 광합성량＞호흡량	빛이 없어 광합성이 일어나지 않는다. ➡ 호흡만 일어난다.
기체 교환	이산화 탄소 흡수, 산소 방출	산소 흡수, 이산화 탄소 방출

└• 호흡으로 생성된 이산화 탄소를 광합성에 이용하고, 광합성으로 발생한 산소를 호흡에 이용한다.

2. 광합성과 호흡

•빛에너지를 포도당에 저장한다.

구분	광합성	호흡
과정	이산화 탄소 ＋ 물 $\xrightarrow[\text{호흡(에너지 생성)}]{\text{광합성(빛에너지 흡수)}}$ 포도당 ＋ 산소	
양분과 에너지	양분을 만들어(합성) 에너지 저장	양분을 분해하여 에너지 생성
일어나는 장소	엽록체가 있는 세포	모든 살아 있는 세포
일어나는 시기	빛이 있을 때(낮)	항상
기체 출입	이산화 탄소 흡수, 산소 방출	산소 흡수, 이산화 탄소 방출

＋ 아침과 저녁의 기체 교환
약한 빛에서 광합성량과 호흡량이 같을 때는 겉으로 보기에 기체의 출입이 없다.

＋ 광합성과 호흡의 관계

(가)   (나)

• 빛을 비춘 경우 : (가)보다 (나)에서 촛불이 더 오래 켜져 있다.
➡ 식물이 광합성을 하여(광합성량＞호흡량) 이산화 탄소를 흡수하고 산소를 방출하기 때문
• 빛을 차단한 경우 : (가)보다 (나)에서 촛불이 더 빨리 꺼진다.
➡ 식물이 호흡만 하여 산소를 흡수하고 이산화 탄소를 방출하기 때문

C 광합성으로 만든 양분의 사용

앞에서 식물의 호흡에 광합성으로 만든 양분이 사용된다고 했습니다. 이외에 광합성으로 만든 양분은 또 어떻게 사용될까요? 지금부터 알아봅시다.

1. 양분의 생성, 이동, 사용

생성	➡	이동＋	➡	사용
엽록체에서 광합성으로 만들어진 포도당은 잎에서 사용되거나 일부가 녹말로 바뀌어 저장된다.		물에 잘 녹지 않는 녹말은 주로 물에 잘 녹는 설탕으로 바뀌어 밤에 체관을 통해 각 기관으로 운반된다.		• 호흡으로 생명 활동에 필요한 에너지를 얻는 데 사용된다. • 식물의 몸을 구성하는 성분이 되어 식물이 생장하는 데 사용된다.

2. 양분의 저장 : 여러 가지 생명 활동에 사용되고 남은 양분은 녹말, 포도당, 단백질, 지방, 설탕 등 다양한 물질로 바뀌어 뿌리, 줄기, 열매, 씨 등에 저장된다.

고구마, 감자
녹말로 저장

양파, 포도
포도당으로 저장

땅콩, 깨
지방으로 저장

콩
단백질로 저장

사탕수수
설탕으로 저장

＋ 환상박피(環 고리, 狀 모양, 剝 벗기다, 皮 껍질)
식물 줄기의 바깥쪽 껍질을 고리 모양으로 벗겨 내면 껍질을 벗겨 낸 부분의 위쪽이 부풀어 오르고, 아래쪽보다 위쪽의 열매가 크게 자란다.

열매가 크게 자라지 못한다.

➡ 까닭 : 체관이 제거되어 껍질을 벗겨 낸 부분의 위쪽에서 광합성으로 만들어진 양분이 아래쪽으로 이동하지 못하기 때문

1 그림은 낮과 밤에 일어나는 식물의 기체 교환을 나타낸 것이다.

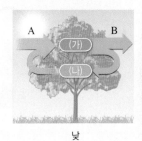 

낮   밤

(1) (가)와 (나)에 해당하는 식물의 작용을 각각 쓰시오.

(2) 낮에 흡수되는 기체 A와 방출되는 기체 B는 각각 무엇인지 쓰시오.

2 표는 광합성과 호흡을 비교하여 나타낸 것이다. (   ) 안에 알맞은 말을 고르시오.

구분	광합성	호흡
양분	㉠(합성, 분해)	㉡(합성, 분해)
에너지	㉢(저장, 생성)	㉣(저장, 생성)
일어나는 시기	㉤(빛이 있을 때, 항상)	㉥(빛이 있을 때, 항상)
흡수하는 기체	㉦(이산화 탄소, 산소)	㉧(이산화 탄소, 산소)

낮과 밤의 기체 교환
낮에는 산소 뿡~
밤에는 이산화 탄소 뿡~

160쪽으로 돌아가서 내가 쓴 대사를 점검해 보자.

1 다음은 광합성으로 만들어진 양분의 이동에 대한 설명이다. (   ) 안에 알맞은 말을 쓰시오.

> 광합성으로 만들어진 ㉠(   )은 물에 잘 녹지 않는 녹말로 바뀌어 엽록체에 저장된다. 녹말은 주로 물에 잘 녹는 ㉡(   )으로 바뀌어 밤에 ㉢(   )을 통해 식물의 각 기관으로 운반된다.

2 다음 식물에서 양분을 저장하는 형태를 옳게 연결하시오.

(1) 콩 •　　　• ㉠ 녹말
(2) 양파 •　　　• ㉡ 단백질
(3) 고구마 •　　　• ㉢ 포도당

양분의 생성과 이동

포도당	광합성 결과 처음으로 만들어지는 양분
녹말	엽록체에 저장되는 형태
설탕	체관을 통해 이동하는 형태

개념 페이지로 점프해요!

01 호흡에 대한 설명으로 옳은 것은?   [160쪽]

① 양분을 만드는 과정이다.
② 빛이 없을 때만 일어난다.
③ 에너지를 저장하는 과정이다.
④ 이산화 탄소가 사용되는 과정이다.
⑤ 모든 살아 있는 세포에서 일어난다.

[02~03] 다음은 호흡 과정을 식으로 나타낸 것이다.

포도당＋㉠(   ) ⟶ 물＋㉡(   )＋에너지

⭐중요
02 (   ) 안에 알맞은 말을 쓰시오.   [160쪽]

⭐중요 풀이TIP
03 이에 대한 설명으로 옳은 것을 보기에서 모두 고른
것은?   [160쪽]

{ 보기 }
ㄱ. 석회수는 ㉠과 만나면 뿌옇게 변한다.
ㄴ. ㉡은 광합성에 필요한 기체이다.
ㄷ. 호흡에 필요한 포도당은 광합성으로 만들어진다.
ㄹ. 호흡으로 얻은 에너지는 꽃을 피우고 싹을 틔우는
   것과 같은 식물의 생명 활동에 쓰인다.

① ㄱ, ㄴ   ② ㄴ, ㄷ   ③ ㄷ, ㄹ
④ ㄱ, ㄴ, ㄷ   ⑤ ㄴ, ㄷ, ㄹ

[04~05] 그림과 같이 2개의 페트병 중 한 개에만 시금치
를 넣고 밀봉하여 어두운 곳에 하루 동안 두었다가 각 페트병
안의 공기를 석회수에 통과시켰다.

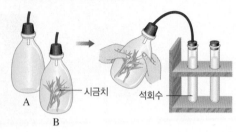

⭐중요 풀이TIP
04 이에 대한 설명으로 옳은 것을 보기에서 모두 고른
것은?   [160쪽]

{ 보기 }
ㄱ. 페트병 A에서는 산소가 발생하였다.
ㄴ. 페트병 B의 공기를 통과시킨 석회수가 뿌옇게 변
   한다.
ㄷ. 페트병 B에서 발생한 기체를 초록색 BTB 용액에
   넣으면 BTB 용액의 색깔이 노란색으로 변한다.

① ㄴ   ② ㄱ, ㄴ   ③ ㄱ, ㄷ
④ ㄴ, ㄷ   ⑤ ㄱ, ㄴ, ㄷ

05 이 실험을 통해 알 수 있는 사실로 옳은 것을 모두 고
르면?(2개)   [160쪽]

① 빛이 없을 때 식물은 호흡만 한다.
② 빛이 없을 때 식물에서는 산소가 방출된다.
③ 빛이 있을 때와 없을 때 식물에서 방출되는 기체의 종
   류는 같다.
④ 식물의 호흡으로 이산화 탄소가 발생한다.
⑤ 식물의 광합성으로 이산화 탄소가 발생한다.

풀이
TIP
03 ❶ 광합성으로 만들어지는 물질이 호흡에 이용되는 것을 안다. ❷ 산소와 이산화 탄소를 검출하는 방법을 떠올린다.   **04** ❶ 빛이 없을 때 식물에서 일어나는 작
용을 안다. ❷ 호흡으로 발생하는 기체의 종류를 안다. ❸ BTB 용액이 산성, 중성, 염기성이 될 때 나타나는 색깔 변화를 생각한다.

[06~07] 그림은 식물에서 낮과 밤에 일어나는 기체 교환을 나타낸 것이다.

낮 밤

중요
06 낮과 밤에 식물에서 일어나는 작용을 옳게 짝 지은 것은? [162쪽]

	낮	밤
①	광합성만 일어남	호흡만 일어남
②	광합성만 일어남	호흡량 > 광합성량
③	광합성량 > 호흡량	호흡만 일어남
④	광합성량 > 호흡량	광합성량 > 호흡량
⑤	광합성량 = 호흡량	광합성량 > 호흡량

중요
풀이 TIP
07 이에 대한 설명으로 옳지 <u>않은</u> 것은? [162쪽]

① A는 이산화 탄소이다.
② B와 C는 산소이다.
③ B는 물질을 태우는 성질이 있다.
④ C는 BTB 용액을 이용해 검출할 수 있다.
⑤ D는 식물의 호흡에 필요한 기체이다.

[08~09] 그림은 식물에서 일어나는 두 가지 작용 (가)와 (나)의 관계를 나타낸 것이다.

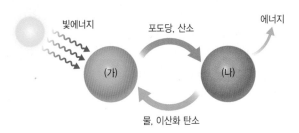

빛에너지   포도당, 산소   에너지

(가)   (나)

물, 이산화 탄소

08 (가)와 (나)에 해당하는 식물의 작용을 쓰시오. [162쪽]

09 이에 대한 설명으로 옳은 것을 보기에서 모두 고른 것은? [162쪽]

┌ 보기 ┐
ㄱ. (가) 결과 발생한 기체가 (나)에 이용된다.
ㄴ. (가)는 빛이 있는 낮에만, (나)는 빛이 없는 밤에만 일어난다.
ㄷ. (가)는 양분을 합성하는 과정이고, (나)는 양분을 분해하는 과정이다.

① ㄱ   ② ㄱ, ㄴ   ③ ㄱ, ㄷ
④ ㄴ, ㄷ   ⑤ ㄱ, ㄴ, ㄷ

중요
풀이 TIP
10 그림과 같이 유리종 (가)에는 촛불만 넣고, 유리종 (나)에는 촛불과 식물을 함께 넣은 후 밀폐하였다. [162쪽]

(가)   (나)

이에 대한 설명으로 옳지 <u>않은</u> 것은?

① 빛을 비추면 (나)의 식물에서 산소가 방출된다.
② 빛을 비추면 (나)보다 (가)에서 촛불이 더 빨리 꺼진다.
③ 빛을 비추지 않으면 (나)의 식물에서 이산화 탄소가 방출된다.
④ 빛을 비추지 않으면 (가)보다 (나)에서 촛불이 더 빨리 꺼진다.
⑤ 빛을 비출 때나 비추지 않을 때 모두 (나)의 식물에서 광합성이 일어난다.

---

07 ❶ 광합성과 호흡 과정에서 흡수하는 기체와 방출하는 기체를 안다. ❷ 낮과 밤에 일어나는 식물의 작용과 관련지어 A~D에 해당하는 기체를 파악하고, 그림에 써 본다. **10** ❶ 광합성은 빛이 있을 때 일어나는 것을 안다. ❷ 광합성으로 물질을 태우는 성질이 있는 기체가 발생하는 것을 떠올린다.

중요
11 광합성과 호흡을 비교한 내용으로 옳지 <u>않은</u> 것은? [162쪽]

구분		광합성	호흡
①	장소	엽록체가 있는 세포	모든 살아 있는 세포
②	시기	빛이 있을 때	항상
③	방출하는 기체	산소	이산화 탄소
④	양분	합성	분해
⑤	에너지	생성	저장

[12~13] 초록색 BTB 용액을 4개의 시험관에 나누어 넣고, 시험관 A에만 숨을 불어넣어 노란색으로 만든 다음, 그림과 같이 장치하여 햇빛이 잘 드는 곳에 두었다.

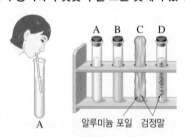

알루미늄 포일 검정말

12 시험관 B~D 중 BTB 용액의 색깔이 시험관 A와 같게 변하는 것을 모두 고른 것은? [162쪽]

① C   ② D   ③ B, C
④ C, D   ⑤ B, C, D

중요 풀이 TIP
13 이에 대한 설명으로 옳은 것을 모두 고르면?(2개) [162쪽]

① 시험관 A에서 BTB 용액이 노란색으로 변한 것은 숨 속의 이산화 탄소 때문이다.
② 시험관 B와 C의 BTB 용액의 색깔이 같게 변한다.
③ 시험관 C에서는 광합성이 일어난다.
④ 시험관 D에서는 호흡이 일어난다.
⑤ 시험관 D에서는 광합성이 일어나지 않는다.

중요
14 광합성으로 만들어진 양분에 대한 설명으로 옳지 <u>않은</u> 것은? [162쪽]

① 주로 밤에 이동한다.
② 녹말 형태로 이동한다.
③ 체관을 통해 이동한다.
④ 광합성으로 처음 만들어지는 양분은 포도당이다.
⑤ 사용하고 남은 양분은 뿌리, 줄기, 열매, 씨 등에 다양한 물질로 바뀌어 저장된다.

15 광합성으로 만들어진 양분의 이용과 저장에 대한 설명으로 옳은 것을 보기에서 모두 고른 것은? [162쪽]

{ 보기 }
ㄱ. 식물의 몸을 구성하여 식물이 생장하는 데 이용된다.
ㄴ. 호흡으로 생명 활동에 필요한 에너지를 얻는 데 이용된다.
ㄷ. 사용하고 남은 양분이 열매에 저장될 때는 항상 녹말 형태로 저장된다.

① ㄱ   ② ㄱ, ㄴ   ③ ㄱ, ㄷ
④ ㄴ, ㄷ   ⑤ ㄱ, ㄴ, ㄷ

풀이 TIP
16 오른쪽 그림과 같이 나무줄기의 바깥쪽 껍질을 고리 모양으로 벗겨 내어 길렀다. 이에 대한 설명으로 옳지 <u>않은</u> 것을 모두 고르면?(2개) [162쪽]

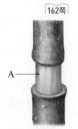
A

① A의 위쪽이 부풀어 오른다.
② A의 위쪽에 열리는 열매보다 아래쪽에 열리는 열매가 더 커진다.
③ A 부분의 체관이 제거된다.
④ 뿌리에서 흡수한 물이 A의 위쪽으로 이동하지 못한다.
⑤ A의 위쪽에서 광합성으로 만들어진 양분이 A의 아래쪽으로 이동하지 못한다.

풀이 TIP
13 ❶ 광합성이 일어나는 시험관과 호흡이 일어나는 시험관을 찾는다. **❷** 검정말에서 이산화 탄소가 흡수되는 경우와 방출되는 경우를 찾는다. **❸** 이산화 탄소의 양과 BTB 용액의 색깔 변화를 연결한다. **16 ❶** 체관과 물관을 통해 이동하는 물질을 종류를 안다. **❷** 물질의 이동이 막혔을 때 일어나는 현상을 생각한다.

17 표는 복숭아나무의 잎과 줄기에서 시간에 따라 녹말과
설탕을 검출한 결과이다.

풀이 **TIP**

162쪽

시간	잎(녹말)	줄기(설탕)
오전 5시	−	−
오후 2시	++	+
오후 8시	−	++

(−: 없음, +: 적음, ++: 많음)

이 실험 결과에 대한 설명으로 옳지 <u>않은</u> 것은?

① 광합성으로 만들어진 포도당은 곧 녹말로 바뀐다.

② 오전 5시에는 빛이 없어 광합성이 일어나지 않는다.

③ 오후 2시에는 잎에서 광합성이 활발하여 잎에 녹말이
많다.

④ 오후 8시에는 줄기에서 광합성이 활발하여 줄기에 설
탕이 많다.

⑤ 광합성으로 만들어진 양분은 주로 밤에 이동한다.

중요

18 식물에 따른 양분의 저장 형태를 옳게 연결한 것은?

162쪽

① 콩 − 단백질

② 포도 − 지방

③ 양파 − 녹말

④ 고구마 − 설탕

⑤ 사탕수수 − 포도당

중요

19 그림은 낮과 밤에 일어나는 식물의 기체 교환을 순서
없이 나타낸 것이다.

풀이 **TIP**

162쪽

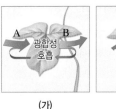
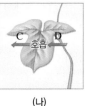

(가)   (나)

(1) (가), (나) 중 낮에 일어나는 기체 교환을 쓰시오.

_____

(2) A~D에 해당하는 기체의 종류를 쓰시오.

_____

(3) 광합성량과 호흡량을 비교하여 (가)와 (나) 시기에 일
어나는 기체 교환을 서술하시오.

_____

_____

20 광합성과 호흡의 차이점을 두 가지만 서술하시오.

162쪽

_____

_____

학습
평
가
하
기

정답친해 46쪽으로 가서 문제를 채점한 후 학습 결과를 스스로 평가
해 보세요.

맞춘 개수	17~20개	13~16개	0~12개
평가	잘함	보통	부족

→ 정답친해에서 그 문제를 왜 틀렸는지 꼭 확인하세요!

→ 본책에서 해당 쪽으로 돌아가서 부족한 부분을 다시 공부하세요!

17 ❶ 엽록체에 저장되는 양분 형태와 각 기관으로 이동할 때의 양분 형태를 안다. ❷ 시간과 양분의 이동을 관련지어 생각한다.　19 ❶ 광합성과 호흡이 모두 일어나는
때와 호흡만 일어나는 때를 찾는다. ❷ 낮에는 광합성에 필요한 기체를 흡수하고, 밤에는 호흡에 필요한 기체를 흡수하는 것을 안다.

01 광합성

1. 광합성 : 식물이 빛에너지를 이용하여 이산화 탄소와 물을 원료로 양분을 만드는 과정

$$\text{이산화 탄소} + \text{물} \xrightarrow{\text{빛에너지}} \text{포도당} + \text{산소}$$

(1) 광합성 장소 : 엽록체
① 엽록체 : 식물 세포에 있는 초록색의 작은 알갱이
② 엽록소 : 엽록체에 들어 있는 초록색 색소로, 빛을 흡수한다.

(2) 광합성이 일어나는 시기 : 빛이 있을 때(낮)

(3) 광합성에 필요한 요소
① 이산화 탄소 : 공기 중에서 잎을 통해 흡수한다.
② 물 : 뿌리에서 흡수하여 물관을 통해 운반된다.
③ 빛에너지 : 엽록체 속의 엽록소에서 흡수한다.

[광합성에 필요한 요소 확인]

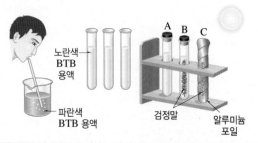

시험관	BTB 용액의 색깔 변화
A	변화 없음(노란색)
B	파란색으로 변함 ➡ 검정말이 빛을 받아 광합성을 하면서 이산화 탄소를 사용하였다.
C	변화 없음(노란색) ➡ 알루미늄 포일에 의해 빛이 차단되어 검정말이 광합성을 하지 않았다.

광합성은 빛이 있을 때 일어나며,
광합성 과정에는 이산화 탄소가 필요하다.

(4) 광합성으로 만들어지는 물질(산물)
① 포도당 : 광합성 결과 처음 만들어지는 양분으로, 곧 물에 잘 녹지 않는 녹말로 바뀌어 저장된다.
② 산소 : 식물의 호흡에 사용되거나 공기 중으로 방출되어 다른 생물의 호흡에 이용된다.

[광합성이 일어나는 장소와 광합성 산물 확인]

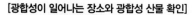

(가)	빛 조건을 다르게 한다.
(나)	엽록소가 녹아 빠져나오게 하여 잎을 탈색한다. ➡ 아이오딘-아이오딘화 칼륨 용액에 의한 색깔 변화를 잘 볼 수 있다.
(다)	빛을 비춘 검정말의 엽록체만 청람색으로 변한다. ➡ 빛이 있을 때만 엽록체에서 광합성이 일어나 녹말이 만들어진다.

광합성은 빛이 있을 때 엽록체에서 일어나며,
광합성 결과 녹말이 만들어진다.

(5) 광합성에 영향을 미치는 환경 요인 : 광합성은 빛의 세기, 이산화 탄소의 농도, 온도와 같은 환경 요인이 모두 알맞게 유지될 때 활발하게 일어날 수 있다.

빛의 세기	광합성량은 빛의 세기가 셀수록 증가하며, 빛이 일정 세기 이상이 되면 더 이상 증가하지 않는다.
이산화 탄소의 농도	광합성량은 이산화 탄소의 농도가 높을수록 증가하며, 이산화 탄소가 일정 농도 이상이 되면 더 이상 증가하지 않는다.
온도	광합성량은 온도가 높을수록 증가하며, 일정 온도 이상에서는 급격하게 감소한다.

2. 증산 작용

(1) 잎의 구조와 기공
① 표피 : 잎의 가장 바깥 부분을 싸고 있는 한 겹의 세포층
• 표피 세포로 이루어져 있으며 곳곳에 공변세포가 있다.

표피 세포	엽록체가 없어 색깔을 띠지 않고 투명하다.
공변세포	엽록체가 있어 초록색을 띠며, 안쪽 세포벽이 바깥쪽 세포벽보다 두꺼워 진하게 보인다.

② 기공 : 잎의 표피에 있는 작은 구멍
• 공변세포 2개가 둘러싸고 있다.
• 일반적으로 잎의 앞면보다 뒷면에 더 많다.
• 산소와 이산화 탄소, 수증기 등과 같은 기체가 드나드는 통로 역할을 한다.

(2) 증산 작용 : 식물체 속의 물이 수증기로 변하여 잎의 기공을 통해 공기 중으로 빠져나가는 현상
① 뿌리에서 흡수한 물이 잎까지 이동하는 원동력이 된다.
② 식물 내부의 물을 밖으로 내보내어 수분량을 조절한다.
③ 물이 증발하면서 주변의 열을 흡수하므로, 식물과 주변의 온도를 낮춘다.

[증산 작용이 일어나는 장소 확인]

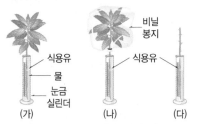

비닐봉지 / 식용유 / 물 / 눈금 실린더 / 식용유
(가) (나) (다)

• 일정 시간 후 남아 있는 물의 양 : (가)<(나)<(다)
• 잎이 있는 (가)에서 증산 작용이 가장 활발하게 일어나고, 잎이 없는 (다)에서는 증산 작용이 일어나지 않는다.
• (나)에서는 비닐봉지 안에 물방울이 맺히며, 비닐봉지 안의 습도가 높아져 증산 작용이 (가)보다 덜 일어난다.

> 증산 작용은 식물의 잎에서 일어나며,
> 습도가 낮을 때 잘 일어난다.

---

(3) 기공의 열림·닫힘과 증산 작용 : 기공은 주로 낮에 열리고 밤에 닫히므로 증산 작용은 낮에 활발하게 일어난다.

(4) 증산 작용이 잘 일어나는 환경 조건

햇빛	온도	습도	바람
강할 때	높을 때	낮을 때	잘 불 때

---

02 식물의 호흡

1. 호흡 : 세포에서 양분을 분해하여 생명 활동에 필요한 에너지를 얻는 과정

> 포도당 + 산소 ———→ 이산화 탄소 + 물 + 에너지

(1) 호흡 장소 : 식물체를 구성하는 모든 살아 있는 세포
(2) 호흡이 일어나는 시기 : 낮과 밤에 관계없이 항상
(3) 호흡에 필요한 물질
① 포도당 : 광합성으로 만들어진 양분이다.
② 산소 : 광합성으로 생성되거나 공기 중에서 흡수한다.

(4) 호흡으로 생성되는 요소
① 이산화 탄소 : 광합성에 이용되거나 공기 중으로 방출한다.
② 에너지 : 싹을 틔우고, 꽃을 피우고, 열매를 맺는 등의 생명 활동에 이용한다.

2. 식물의 기체 교환 : 낮과 밤에 반대로 나타난다.

낮	• 빛이 강하여 광합성이 활발하게 일어난다. • 광합성량＞호흡량 ➡ 이산화 탄소 흡수, 산소 방출
밤	• 빛이 없어 광합성이 일어나지 않는다. • 호흡만 일어남 ➡ 산소 흡수, 이산화 탄소 방출

3. 광합성과 호흡

구분	광합성	호흡
과정	이산화 탄소＋물 $\underset{\text{호흡(에너지 생성)}}{\overset{\text{광합성(빛에너지 흡수)}}{\rightleftarrows}}$ 포도당＋산소	
양분과 에너지	양분을 만들어(합성) 에너지 저장	양분을 분해하여 에너지 생성
일어나는 장소	엽록체가 있는 세포	모든 살아 있는 세포
일어나는 시기	빛이 있을 때(낮)	낮과 밤에 관계없이 항상
기체 출입	이산화 탄소 흡수, 산소 방출	산소 흡수, 이산화 탄소 방출

4. 광합성으로 만든 양분의 사용
(1) 양분의 생성, 이동, 사용

생성	엽록체에서 광합성으로 만들어진 포도당은 잎에서 사용되거나 일부가 녹말로 바뀌어 저장된다.
이동	물에 잘 녹지 않는 녹말은 주로 물에 잘 녹는 설탕으로 바뀌어 밤에 체관을 통해 식물체의 각 기관으로 운반된다.
사용	• 호흡으로 생명 활동에 필요한 에너지를 얻는 데 사용된다. • 식물의 몸을 구성하는 성분이 되어 식물이 생장하는 데 사용된다.

(2) 양분의 저장 : 사용하고 남은 양분은 뿌리, 줄기, 열매, 씨 등에 다양한 물질로 바뀌어 저장된다.

녹말	포도당	단백질	지방	설탕
감자, 고구마	양파, 포도	콩	깨, 땅콩	사탕수수

01 광합성

1. 광합성

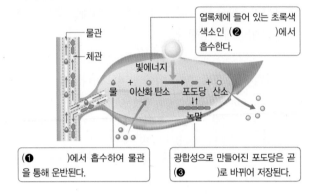

엽록체에 들어 있는 초록색 색소인 (❷   )에서 흡수한다.

빛에너지

물 + 이산화 탄소 → 포도당 + 산소
녹말

(❶   )에서 흡수하여 물관을 통해 운반된다.

광합성으로 만들어진 포도당은 곧 (❸   )로 바뀌어 저장된다.

2. 광합성에 영향을 미치는 환경 요인

광합성량 — ❶
광합성량 / 이산화 탄소의 농도
광합성량 — ❷

3. 잎의 구조와 기공

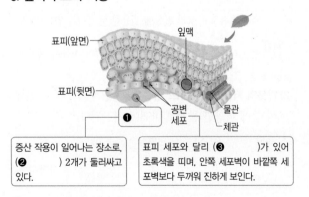

표피(앞면), 잎맥, 표피(뒷면), 공변세포, 물관, 체관

증산 작용이 일어나는 장소로, (❷   ) 2개가 둘러싸고 있다.

표피 세포와 달리 (❸   )가 있어 초록색을 띠며, 안쪽 세포벽이 바깥쪽 세포벽보다 두꺼워 진하게 보인다.

4. 기공의 열림·닫힘과 증산 작용

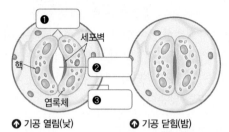

❶, 세포벽, 핵, ❷, 엽록체, ❸

⬆ 기공 열림(낮)   ⬆ 기공 닫힘(밤)

기공은 주로 낮에 열리고 밤에 닫히므로, 증산 작용은 (❹   )에 활발하게 일어난다.

02 식물의 호흡

1. 낮과 밤의 기체 교환

❶ ❷ 광합성 호흡   ❸ ❹ 호흡

⬆ 낮   ⬆ 밤

• 낮 : 빛이 강하여 광합성이 활발하게 일어난다.
➡ (❺   )량 > (❻   )량
• 밤 : 빛이 없어 (❼   )이 일어나지 않는다.
➡ (❽   )만 일어난다.

2. 광합성으로 만든 양분의 저장

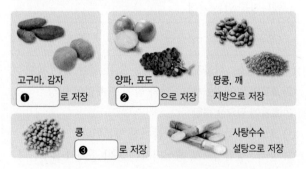

고구마, 감자 ❶   로 저장
양파, 포도 ❷   으로 저장
땅콩, 깨 지방으로 저장
콩 ❸   로 저장
사탕수수 설탕으로 저장

01 광합성

01 광합성에 대한 설명으로 옳은 것을 보기에서 모두 고른 것은?

{ 보기 }

ㄱ. 빛에너지가 필요하다.
ㄴ. 온도가 높아지면 광합성량이 계속 증가한다.
ㄷ. 이산화 탄소의 농도는 광합성에 영향을 미친다.
ㄹ. 광합성 결과 처음으로 만들어지는 양분은 포도당이다.

① ㄱ, ㄴ   ② ㄴ, ㄷ   ③ ㄷ, ㄹ
④ ㄱ, ㄷ, ㄹ   ⑤ ㄴ, ㄷ, ㄹ

[02~03] 다음은 광합성 과정을 식으로 나타낸 것이다.

물+㉠( ) $\xrightarrow[\text{장소 ㉡( )}]{\text{빛에너지}}$ 포도당+㉢( )

02 ( ) 안에 알맞은 말을 쓰시오.

03 이에 대한 설명으로 옳지 <u>않은</u> 것은?

① ㉠은 잎의 기공을 통해 흡수한다.
② ㉡에는 빛을 흡수하는 초록색 색소가 들어 있다.
③ ㉢은 생물의 호흡에 필요한 기체이다.
④ 물은 뿌리에서 흡수한다.
⑤ 포도당은 곧 설탕으로 바뀌어 엽록체에 저장된다.

[04~05] 숨을 불어넣어 파란색에서 노란색으로 변한 BTB 용액을 시험관 A~C에 넣어 그림과 같이 장치하고, 햇빛이 잘 비치는 곳에 둔 다음 BTB 용액의 색깔 변화를 관찰하였다.

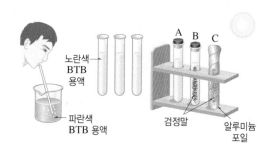

노란색 BTB 용액
파란색 BTB 용액
검정말
알루미늄 포일

04 이에 대한 설명으로 옳은 것은?

① 시험관 A에서 BTB 용액의 색깔이 초록색으로 변한다.
② 시험관 B에서는 광합성만 일어난다.
③ 시험관 B에서 BTB 용액의 색깔이 파란색으로 변한다.
④ 시험관 C에서는 광합성과 호흡이 모두 일어난다.
⑤ 숨을 불어넣으면 숨 속의 산소 때문에 BTB 용액의 색깔이 변한다.

05 이 실험 결과로 알 수 있는 광합성에 필요한 요소를 옳게 짝 지은 것은?

① 빛, 포도당   ② 빛, 산소
③ 빛, 이산화 탄소   ④ 산소, 이산화 탄소
⑤ BTB 용액, 이산화 탄소

06 광합성으로 발생한 기체를 모아 오른쪽 그림과 같이 꺼져가는 불씨를 대어 보았더니 불씨가 다시 타 올랐다. 이와 같은 방법으로 확인할 수 있는 광합성 산물로 옳은 것은?

① 산소   ② 설탕
③ 포도당   ④ 녹말
⑤ 이산화 탄소

07 그림과 같이 잎의 일부를 알루미늄 포일로 가리고 빛을 충분히 비추어 준 후 잎을 에탄올에 넣고 물중탕한 다음, 아이오딘-아이오딘화 칼륨 용액을 떨어뜨렸다.

실험 결과 (가) A와 B 중 청람색으로 변하는 부분과 이를 통해 알 수 있는 (나) 광합성 산물을 옳게 짝 지은 것은?

	(가)	(나)		(가)	(나)
①	A	포도당	②	A	녹말
③	B	포도당	④	B	녹말
⑤	A, B	녹말			

08 그림과 같이 햇빛이 잘 비치는 곳에 둔 검정말(A)과 어둠상자에 둔 검정말(B)을 각각 에탄올에 넣고 물중탕한 다음, 잎을 떼어 아이오딘-아이오딘화 칼륨 용액을 떨어뜨리고 현미경으로 관찰하였다.

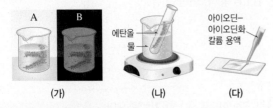

이에 대한 설명으로 옳지 <u>않은</u> 것은?

① (나)는 잎을 탈색하는 과정이다.
② (다)는 녹말을 검출하는 과정이다.
③ 광합성에 빛이 필요한 것을 알 수 있다.
④ 광합성에 이산화 탄소가 필요한 것을 알 수 있다.
⑤ A의 엽록체는 청람색으로 변하고, B의 엽록체는 청람색으로 변하지 않는다.

09 그림과 같이 시금치 잎 조각을 탄산수소 나트륨 수용액이 담긴 비커에 넣고 전등이 켜진 개수를 늘리면서 잎 조각이 모두 떠오르는 데 걸리는 시간을 측정하였다.

이에 대한 설명으로 옳은 것을 보기에서 모두 고른 것은?

〔 보기 〕
ㄱ. 온도와 광합성량의 관계를 알아보는 실험이다.
ㄴ. 탄산수소 나트륨 수용액은 광합성에 필요한 이산화 탄소를 공급하기 위해 사용한다.
ㄷ. 잎 조각에서 발생하는 산소의 양은 광합성량을 뜻한다.
ㄹ. 잎 조각에서 발생하는 산소의 양이 많아지면 잎 조각이 떠오르는 데 걸리는 시간이 짧아진다.

① ㄱ, ㄴ   ② ㄴ, ㄷ   ③ ㄷ, ㄹ
④ ㄱ, ㄴ, ㄷ   ⑤ ㄴ, ㄷ, ㄹ

10 광합성에 영향을 미치는 환경 요인과 광합성량의 관계를 옳게 나타낸 것을 보기에서 모두 고른 것은?

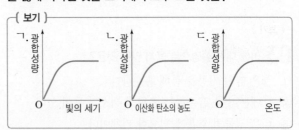

① ㄱ   ② ㄱ, ㄴ   ③ ㄱ, ㄷ
④ ㄴ, ㄷ   ⑤ ㄱ, ㄴ, ㄷ

11 오른쪽 그림은 잎의 뒷면 표피를 현미경으로 관찰한 결과를 나타낸 것이다. 이에 대한 설명으로 옳지 <u>않은</u> 것은?

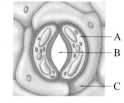

① A는 공변세포, C는 표피 세포이다.
② B는 기공으로, 주로 잎의 뒷면에 많다.
③ A에는 엽록체가 있다.
④ B를 통해 산소와 이산화 탄소, 수증기 등이 드나든다.
⑤ C에서는 광합성이 일어난다.

12 증산 작용에 대한 설명으로 옳지 <u>않은</u> 것은?

① 낮보다 밤에 활발하게 일어난다.
② 기공이 열릴 때 활발하게 일어난다.
③ 온도가 높고, 습도가 낮을 때 잘 일어난다.
④ 잎의 앞면보다 뒷면에서 더 활발하게 일어난다.
⑤ 뿌리에서 흡수한 물이 잎까지 이동하는 원동력이다.

13 오른쪽 그림과 같이 잎이 무성한 나뭇가지에 비닐봉지를 씌우고 일정 시간 동안 두었다. 이에 대한 설명으로 옳은 것을 보기에서 모두 고른 것은?

{ 보기 }

ㄱ. 비닐봉지 안의 습도가 높아진다.
ㄴ. 비닐봉지 안에 물방울이 맺힌다.
ㄷ. 비닐봉지를 씌우지 않았을 때보다 증산 작용이 활발하게 일어난다.

① ㄱ   ② ㄱ, ㄴ   ③ ㄱ, ㄷ
④ ㄴ, ㄷ   ⑤ ㄱ, ㄴ, ㄷ

14 같은 양의 물이 담긴 눈금실린더에 잎이 달린 나뭇가지와 잎을 모두 딴 나뭇가지를 넣고 식용유를 떨어뜨려 그림과 같이 장치한 다음, 일정 시간 후 수면의 높이 변화를 관찰하였다.

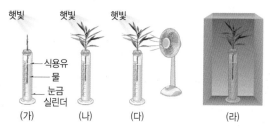

이에 대한 설명으로 옳지 <u>않은</u> 것은?

① 증산 작용이 가장 활발하게 일어나는 것은 (나)이다.
② (가)와 (나)를 비교하면 증산 작용이 잎에서 일어나는 것을 알 수 있다.
③ (나)와 (다)를 비교하면 바람이 증산 작용에 미치는 영향을 알 수 있다.
④ (나)와 (라)를 비교하면 햇빛이 증산 작용에 미치는 영향을 알 수 있다.
⑤ 식용유는 물의 증발을 막기 위해 떨어뜨린다.

02 식물의 호흡

15 식물의 호흡에 대한 설명으로 옳은 것을 보기에서 모두 고른 것은?

{ 보기 }

ㄱ. 엽록체가 있는 세포에서만 일어난다.
ㄴ. 호흡에 필요한 포도당은 광합성으로 만들어진다.
ㄷ. 이산화 탄소를 흡수하고, 산소를 방출하는 과정이다.
ㄹ. 세포에서 양분을 분해하여 생명 활동에 필요한 에너지를 얻는 과정이다.

① ㄱ, ㄴ   ② ㄴ, ㄷ   ③ ㄴ, ㄹ
④ ㄱ, ㄷ, ㄹ   ⑤ ㄴ, ㄷ, ㄹ

[16~17] 그림과 같이 2개의 페트병 중 하나에만 시금치를 넣고 밀봉하여 암실에 두었다가 다음날 두 페트병 안의 공기를 각각 석회수에 통과시켰다.

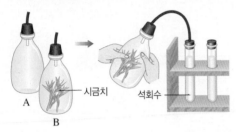

시금치

석회수

A

B

16 (가) 석회수를 뿌옇게 변하게 하는 페트병과 (나) 이러한 반응이 일어나게 한 기체의 종류를 옳게 짝 지은 것은?

	(가)	(나)		(가)	(나)
①	A	산소	②	A	이산화 탄소
③	B	산소	④	B	이산화 탄소
⑤	A, B	이산화 탄소			

17 이에 대한 설명으로 옳은 것을 보기에서 모두 고른 것은?

{ 보기 }

ㄱ. 시금치는 암실에서 호흡을 하였다.
ㄴ. 시금치는 암실에서 광합성을 하였다.
ㄷ. 시금치를 암실에 둔 까닭은 광합성과 호흡이 비슷한 정도로 일어나게 하기 위해서이다.

① ㄱ   ② ㄴ   ③ ㄷ
④ ㄱ, ㄴ   ⑤ ㄴ, ㄷ

[18~19] 그림은 낮과 밤에 식물에서 일어나는 기체 교환을 나타낸 것이다.

낮

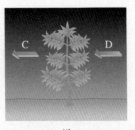

밤

18 A~D 중 산소에 해당하는 것을 모두 고르시오.

19 이에 대한 설명으로 옳지 않은 것을 모두 고르면?(2개)

① 낮에는 호흡이 일어나지 않는다.
② 낮에는 광합성량이 호흡량보다 많다.
③ 밤에는 호흡만 일어난다.
④ 밤에는 광합성에 필요한 기체가 흡수된다.
⑤ 밤에는 호흡으로 발생한 기체가 방출된다.

20 그림과 같이 유리종 (가)에는 촛불만 넣고, 유리종 (나)에는 촛불과 식물을 함께 넣은 뒤 밀폐하였다.

(가)   (나)

유리종에 빛을 비추지 않았을 때 일어나는 현상으로 옳은 것을 보기에서 모두 고른 것은?

{ 보기 }

ㄱ. (나)보다 (가)에서 촛불이 더 빨리 꺼진다.
ㄴ. (나)의 식물이 이산화 탄소를 방출한다.
ㄷ. (나)의 식물에서 광합성량이 호흡량보다 많아진다.

① ㄱ   ② ㄴ   ③ ㄷ
④ ㄱ, ㄴ   ⑤ ㄴ, ㄷ

[21~22] 4개의 시험관에 초록색 BTB 용액을 넣고, 그림과 같이 장치하여 햇빛이 잘 비치는 곳에 두었다.

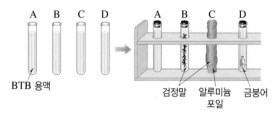

BTB 용액 → A B C D 검정말 알루미늄 금붕어 포일

21 생물의 호흡이 일어난 시험관의 기호를 모두 쓰시오.

22 시험관 A~D에서 나타나는 BTB 용액의 색깔 변화와 그 까닭을 옳게 연결한 것은?

① A – 파란색 – 공기 중으로 산소가 날아가서
② B – 파란색 – 광합성으로 이산화 탄소가 발생해서
③ C – 초록색 – 광합성량과 호흡량이 같아서
④ C – 노란색 – 호흡으로 이산화 탄소가 발생해서
⑤ D – 노란색 – 호흡으로 산소가 줄어들어서

23 광합성과 호흡에 대한 설명으로 옳은 것은?

① 호흡은 빛이 없는 밤에만 일어난다.
② 광합성은 양분을 분해하는 작용이다.
③ 호흡으로 생명 활동에 필요한 에너지를 얻는다.
④ 광합성과 호흡 결과 모두 이산화 탄소가 방출된다.
⑤ 광합성은 빛이 있을 때 모든 살아 있는 세포에서 일어난다.

24 광합성으로 만들어진 양분에 대한 설명으로 옳지 않은 것은?

① 체관을 통해 이동한다.
② 주로 설탕 형태로 밤에 이동한다.
③ 식물이 생장하는 데는 쓰이지 않는다.
④ 생명 활동에 필요한 에너지를 얻는 데 쓰인다.
⑤ 사용하고 남은 양분은 뿌리, 줄기, 열매, 씨 등에 저장된다.

25 광합성으로 만들어진 양분이 저장되는 형태를 잘못 연결한 것은?

① 콩 – 단백질
② 감자 – 녹말
③ 양파 – 포도당
④ 옥수수 – 지방
⑤ 사탕수수 – 설탕

26 오른쪽 그림과 같이 나무줄기의 바깥쪽 껍질을 벗겨 내어 길렀다. 이에 대한 설명으로 옳은 것은?

A

① 물관이 제거된다.
② 뿌리에서 흡수한 물이 A의 위쪽으로 이동하지 못한다.
③ A의 위쪽에서 광합성으로 만들어진 양분이 A의 아래쪽으로 이동하지 못한다.
④ A의 아래쪽이 부풀어 오른다.
⑤ A의 위쪽보다 아래쪽에 달린 열매가 더 크게 자란다.

동물과 에너지

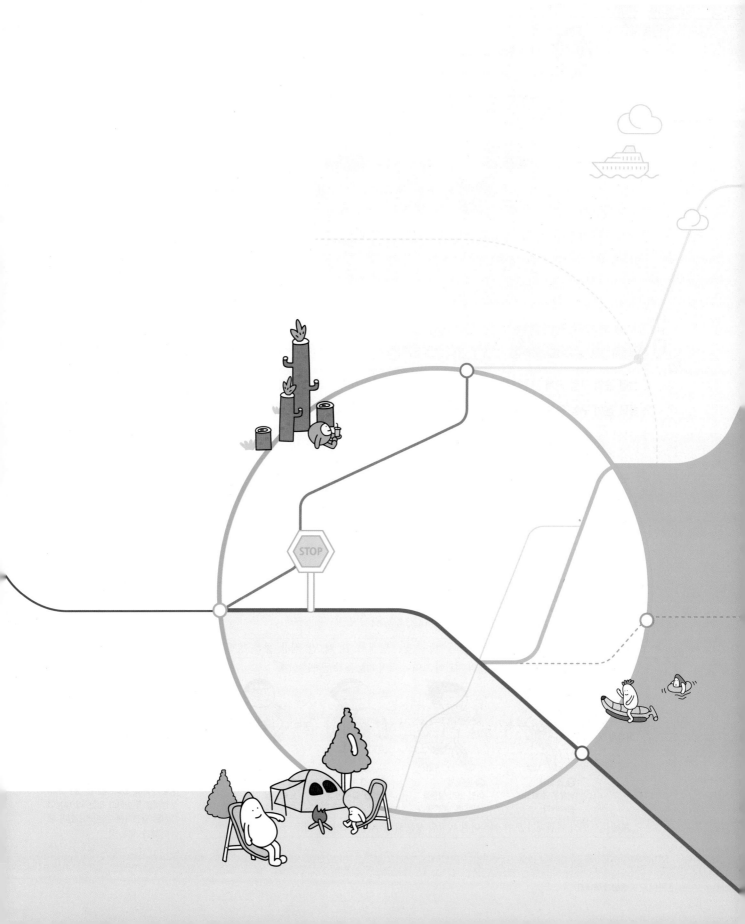

01 소화

만화
완성하기

다음 만화를 보고 간, 입, 위의 말풍선을 완성해 보자.

>> 이 단원을 학습한 후 내가 쓴 대사를 수정해 보자.

A 생물의 구성 단계

동물과 식물의 몸은 다양한 세포가 모여 복잡한 구조를 이루고 있습니다. 특히 동물은 먹이를 찾아 이동하고, 먹이를 먹고 소화하는 등의 기능을 수행하기 위한 몸 구조를 갖추고 있지요. 생물의 몸은 어떤 단계로 이루어져 있을까요?

1. 생물 몸의 구성 단계 : 다양한 세포가 체계적으로 모여 유기적으로 구성되어 있다.

2. 동물 몸의 구성 단계 : 세포 → 조직 → 기관 → 기관계 → 개체⁺
  → 동물의 몸에만 있는 단계

근육 세포	근육 조직		소화계	사람
상피 세포	상피 조직	위		
세포	**조직**	**기관**	**기관계**	**개체**

세포	생물의 몸을 구성하는 기본 단위 예 근육 세포, 상피 세포, 신경 세포, 혈구
조직	모양과 기능이 비슷한 세포가 모인 단계 예 근육 조직, 상피 조직, 신경 조직, 결합 조직
기관	여러 조직이 모여 고유한 모양과 기능을 갖춘 단계 예 위, 폐, 간, 심장, 콩팥, 방광
기관계	관련된 기능을 하는 몇 개의 기관이 모여 유기적 기능을 수행하는 단계⁺ 예 입·간·대장·소장·위 ⬆ 소화계 양분을 소화하여 흡수한다. / 심장·혈관 ⬆ 순환계 여러 가지 물질을 온몸으로 운반한다. / 코·기관·폐 ⬆ 호흡계 기체를 교환한다. / 콩팥·방광 ⬆ 배설계 노폐물을 걸러 몸 밖으로 내보낸다.
개체	여러 기관계가 모여 이루어진 독립된 생물체 예 사람, 고양이, 개

→ 아래엔, 동아 교과서에만 나온다.

＋ 식물 몸의 구성 단계

세포 → 조직 → 조직계 → 기관 → 개체 ← 식물의 몸에만 있는 단계

식물은 여러 조직이 연결되어 일정한 기능을 하는 조직계를 이루고, 다양한 조직계가 모여 뿌리, 줄기, 잎, 꽃과 같은 기관을 이룬다.
예 표피 세포 → 표피 조직 → 표피 조직계 → 잎 → 나무

＋ 그 밖의 기관계
- 신경계 : 자극을 전달하고 반응을 일으킨다.
- 근육계와 골격계 : 몸을 움직이는 데 관여한다.
- 면역계 : 병원체로부터 몸을 보호한다.
- 내분비계 : 호르몬을 분비한다.
- 생식계 : 생식을 담당한다.

| 용어 |
- 유기적(有 있다, 機 틀, 的 과녁) 전체를 구성하고 있는 각 부분이 서로 밀접하게 관련되어 있어 떼어 낼 수 없는 것

 이 단원의 개념이 어떻게 구성되어 있는지 살펴보고 빈칸을 완성해 보자.

소화
- A 생물의 구성 단계
- B 영양소 ── C
- D 소화계 ── E 소화 과정 ── F ── G

 이 단원을 공부하기 전에 미리 알고 있는 단어를 체크해 보자.

☐ 세포   ☐ 조직   ☐ 기관   ☐ 기관계   ☐ 개체
☐ 소화   ☐ 순환   ☐ 호흡   ☐ 배설   ☐ 영양소

1 그림은 동물 몸의 구성 단계를 나타낸 것이다. (가)~(마)에 해당하는 단계를 쓰시오.

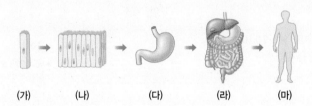

(가)   (나)   (다)   (라)   (마)

암기 TIP

동물 몸의 구성 단계
세조의 기막힌 기개
포 직 관 관 체
계

2 동물 몸의 구성 단계에 대한 설명으로 옳은 것은 ○, 옳지 않은 것은 ×로 표시하시오.

(1) 모양과 기능이 비슷한 세포가 모여 조직을 이룬다. ·········· (   )

(2) 기관은 한 종류의 조직으로만 이루어져 있다. ·········· (   )

(3) 위, 폐, 간, 심장 등은 기관계에 해당한다. ·········· (   )

(4) 콩팥과 방광은 배설계를 구성하는 기관이다. ·········· (   )

3 각 기관계의 기능을 옳게 연결하시오.

(1) 소화계 •   • ㉠ 기체 교환을 담당한다.

(2) 순환계 •   • ㉡ 양분을 소화하여 흡수한다.

(3) 호흡계 •   • ㉢ 온몸으로 물질을 운반한다.

(4) 배설계 •   • ㉣ 노폐물을 걸러 몸 밖으로 내보낸다.

 만화 확인하기
178쪽으로 돌아가서
내가 쓴 대사를 점검해 보자.

B 영양소

우리가 생명을 유지하고 활동을 하려면 에너지가 필요하고, 이러한 에너지는 영양소로부터 나옵니다. 사람을 포함한 동물은 스스로 양분을 만들 수 없으므로 음식물을 섭취하여 영양소를 얻어야 하지요. 영양소에는 어떤 것들이 있을까요?

1. 영양소 : 몸을 구성하기도 하고 생명 활동에 필요한 에너지를 내거나 몸의 기능을 조절하는 물질로, 음식물에 들어 있다.

비상, 동아, YBM 교과서에서는 몸의 기능, 미래엔 교과서에서는 생명 활동, 천재 교과서에서는 생명 현상이라고 하였다.

2. 영양소의 구분

탄수화물, 단백질, 지방	무기염류, 바이타민, 물 → 부영양소
• 에너지원으로 이용된다. ➡ 3대 영양소	에너지원으로 이용되지 않는다.

3. 영양소의 종류와 특징

• 따라서 섭취량에 비해 몸의 구성 비율이 매우 낮다.

영양소	특징	많이 들어 있는 음식물
탄수화물	• 주로 에너지원(약 4 kcal/g)으로 이용된다. • 남은 것은 지방으로 바뀌어 저장된다. • 종류 : 녹말, 엿당, 설탕, 포도당 등	밥, 국수, 빵, 고구마, 감자
단백질	• 주로 몸을 구성한다. ➡ 성장기인 청소년에게 특히 많이 필요하다. • 에너지원(약 4 kcal/g)으로도 이용된다. • 몸의 기능을 조절한다.	살코기, 생선, 달걀, 두부, 콩
지방	• 몸을 구성하거나 에너지원(약 9 kcal/g)으로 이용된다.	땅콩, 버터, 참기름, 깨
무기염류	• 뼈, 이, 혈액 등을 구성하고, 몸의 기능을 조절한다. • 종류 : 나트륨, 철, 칼슘, 칼륨, 마그네슘, 인 등	멸치, 버섯, 다시마, 우유
바이타민	• 적은 양으로 몸의 기능을 조절한다. • 종류 : 바이타민 A, B_1, C, D 등	과일, 채소
물	• 몸의 구성 성분 중 가장 많다. ➡ 약 60 %~70 % • 영양소와 노폐물 등 여러 가지 물질을 운반한다. • 체온 조절에 도움을 준다.	–

＋ 음식을 먹었을 때 얻을 수 있는 에너지양 계산

• 단백질 4 g
• 탄수화물 32 g
• 지방 2 g

$(4 \text{ g} \times 4 \text{ kcal/g})+$
$(32 \text{ g} \times 4 \text{ kcal/g})+$
$(2 \text{ g} \times 9 \text{ kcal/g})=162 \text{ kcal}$

지방이 3대 영양소 중 1 g 당 가장 많은 에너지를 낸다.

천재 교과서에만 나온다.

＋ 바이타민 결핍증

• 바이타민은 음식물로 섭취해야 하며, 섭취량이 부족하면 결핍증이 나타난다.
• 괴혈병 : 바이타민 C 결핍증으로, 잇몸이 붓고 피가 나며 피부에 멍이 들고, 관절통을 느낀다.

| 용어 |

• 에너지원(源 근원) 에너지를 내는 물질

C 영양소 검출

음식물에 어떤 영양소가 들어 있는지 알면 영양소를 골고루 섭취할 수 있습니다. 음식물에 들어 있는 녹말, 포도당, 단백질, 지방을 검출하는 방법을 알아봅시다.

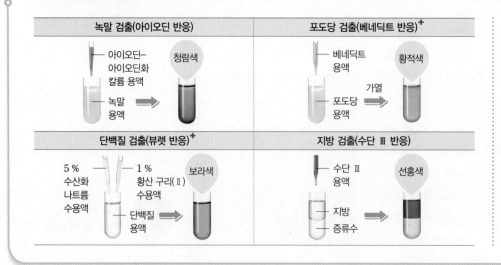

＋ 포도당 검출

• 베네딕트 용액으로 포도당을 검출할 때는 가열을 해야 색깔 변화가 빠르게 일어난다.
• 베네딕트 용액을 이용하여 포도당 외에 엿당, 과당 등의 당분도 검출할 수 있다. → 설탕은 검출할 수 없다.

＋ 뷰렛 용액

단백질을 검출할 때 사용하는 '5 % 수산화 나트륨 수용액+1 % 황산 구리(Ⅱ) 수용액'을 뷰렛 용액이라고 한다. → 비상 외 다른 교과서에서는 1 % 황산 구리 수용액이라고 한다.

1 다음에서 에너지원으로 쓰이는 영양소를 모두 고르시오.

> 탄수화물, 물, 무기염류, 단백질, 지방, 바이타민

2 영양소에 대한 설명으로 옳은 것은 ○, 옳지 않은 것은 ×로 표시하시오.

(1) 탄수화물은 주로 에너지원으로 쓰인다. ································· ( )

(2) 몸의 구성 성분 중 가장 많은 것은 물이다. ······················· ( )

(3) 나트륨, 철, 칼슘 등은 바이타민에 해당한다. ····················· ( )

(4) 1 g당 가장 많은 에너지를 내는 영양소는 단백질이다. ········· ( )

(5) 무기염류는 몸을 구성하지는 않지만, 몸의 기능을 조절한다. ··· ( )

3 각 영양소가 많이 들어 있는 음식물을 옳게 연결하시오.

(1) 지방 •　　　　　　• ㉠ 밥, 국수, 빵, 감자

(2) 단백질 •　　　　　　• ㉡ 땅콩, 깨, 참기름, 버터

(3) 탄수화물 •　　　　　　• ㉢ 멸치, 버섯, 다시마, 우유

(4) 무기염류 •　　　　　　• ㉣ 살코기, 생선, 달걀, 두부

1 표는 영양소를 검출하는 방법을 나타낸 것이다. (   ) 안에 알맞은 말을 쓰시오.

영양소	검출 용액	색깔 변화
녹말	㉠( ) 용액	청람색
포도당	㉡( ) 용액＋가열	황적색
단백질	㉢( ) 수용액＋1 % 황산 구리(Ⅱ) 수용액	보라색
지방	수단 Ⅲ 용액	㉣( )

2 음식물에 아이오딘－아이오딘화 칼륨 용액을 떨어뜨렸더니 청람색이 나타났다. 이를 통해 알 수 있는 음식물 속에 들어 있는 영양소의 종류를 쓰시오.

01 소화

D 소화계

우리 몸에서 영양소를 이용하려면 반드시 세포로 영양소를 흡수해야 합니다. 영양소를 작게 분해하여 세포로 흡수하는 과정은 소화계에서 일어나지요. 소화계는 어떤 기관들로 이루어져 있을까요?

1. 소화 : 음식물 속의 크기가 큰 영양소를 크기가 작은 영양소로 분해하는 과정

(1) **소화의 필요성** : 영양소를 세포로 흡수하여 이용하려면 영양소의 크기가 세포막을 통과할 수 있을 만큼 작아야 한다.[+]

(2) **소화 효소** : 크기가 큰 영양소를 크기가 작은 영양소로 분해하는 물질

① 각각의 소화 효소는 특정 영양소만 분해한다.
 └─● 녹말을 분해하는 소화 효소는 단백질을 분해하지 못한다.

② 체온 범위에서 가장 활발하게 작용한다.

2. 소화계

(1) **소화계** : 음식물이 직접 지나가는 소화관과 간, 쓸개, 이자 등으로 이루어져 있다.
 └─ 음식물이 지나가지 않는다. ●

(2) **소화관** : 입 – 식도 – 위 – 소장 – 대장 – 항문으로 연결되어 있다. ➡ 음식물이 이동하는 경로

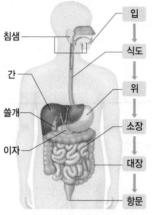

입 / 식도 / 위 / 소장 / 대장 / 항문
침샘 / 간 / 쓸개 / 이자

✚ 소화의 필요성

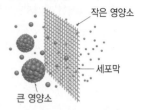

작은 영양소 / 세포막 / 큰 영양소

- 크기가 큰 영양소는 작게 분해되어야 세포막을 통과할 수 있다.
- 크기가 작은 무기염류나 바이타민은 소화 과정을 거치지 않고 바로 흡수될 수 있다.

E 소화 과정

입에서는 이로 음식물을 잘게 부숩니다. 그러나 이것만으로는 영양소를 세포에서 흡수할 수 있을 만큼 작게 만들 수 없지요. 영양소를 충분히 작게 만드는 일은 소화 효소가 합니다. 소화 효소는 어떤 작용을 할까요?

1. 입

(1) **씹는 작용** : 음식물을 이로 잘게 부수고, 침과 골고루 섞는다. ➡ 음식물의 크기가 작아지면 소화액과 닿는 음식물의 표면적이 넓어져 소화가 잘 일어날 수 있다.

(2) **녹말 분해** : 침 속의 소화 효소인 아밀레이스가 녹말을 엿당으로 분해한다.[+]

2. 위 ─➡ 위의 안쪽 벽에는 주름이 많고, 위샘이 있다. 위샘에서 위액이 분비된다.

(1) **단백질 분해** : 위액 속의 소화 효소인 펩신이 염산의 도움을 받아 단백질을 분해한다.

(2) **염산의 작용** : 위액에는 펩신과 함께 염산이 들어 있다. 강한 산성을 띠는 염산은 펩신의 작용을 돕고, 음식물에 섞여 있는 세균을 제거하는(살균) 작용을 한다.
 강한 산성에서 ─● 잘 작용한다.

3. 소장 : 녹말, 단백질, 지방이 최종 산물로 분해된다.

소화액	소화 효소	작용
쓸개즙	없음	지방의 소화를 돕는다. ➡ 소화 효소는 없지만 지방 덩어리를 작은 알갱이로 만들어 지방이 잘 소화되도록 돕는다.
이자액[+]	아밀레이스	녹말을 엿당으로 분해한다.
	트립신	단백질을 분해한다.
	라이페이스	지방을 최종 산물인 지방산과 모노글리세리드로 분해한다.
소장의 소화 효소	탄수화물 소화 효소	엿당을 최종 산물인 포도당으로 분해한다.
	단백질 소화 효소	펩신과 트립신에 의해 분해된 단백질의 중간 산물을 최종 산물인 아미노산으로 분해한다.

 └─● 소장의 안쪽 벽을 구성하는 상피 세포에 있다.

✚ 밥을 오래 씹으면 단맛이 나는 까닭

밥의 주성분인 녹말은 단맛이 나지 않는데, 침 속의 아밀레이스에 의해 녹말이 분해되면 단맛이 나는 엿당이 생성되기 때문이다.

✚ 소화액 분비

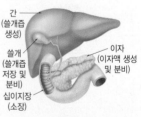

간 (쓸개즙 생성) / 쓸개 (쓸개즙 저장 및 분비) / 십이지장 (소장) / 이자 (이자액 생성 및 분비)

- 이자액과 쓸개즙은 소장의 시작 부분인 십이지장으로 분비된다.
- 쓸개즙은 간에서 만들어져 쓸개에 저장되었다가 십이지장으로 분비된다.

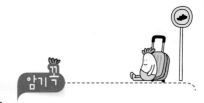

음식물이 이동하는 경로
입 – 식도 – 위 – 소장 – 대장 – 항문

1 크기가 큰 영양소를 크기가 작은 영양소로 분해하는 물질을 무엇이라고 하는지 쓰시오.

2 오른쪽 그림은 사람의 소화계를 나타낸 것이다.

(1) A~G의 이름을 쓰시오.

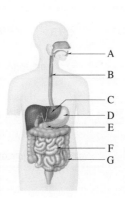

(2) 음식물이 지나가는 경로를 완성하시오.

A → B → ㉠(   ) → ㉡(   ) → ㉢(   )

이자액 속의 소화 효소
아 녹색 트리 단숨에 라지로
밀 말 립 백   이 방
레   신 질   페
이   이
스   스

1 다음은 입, 위, 소장에서 일어나는 소화 작용에 대한 설명이다. (   ) 안에 알맞은 영양소나 소화 효소를 쓰시오.

(1) 입 : 침 속의 아밀레이스가 ㉠(   )을 ㉡(   )으로 분해한다.

(2) 위 : 위액 속의 ㉠(   )이 염산의 도움을 받아 ㉡(   )을 분해한다.

(3) 소장 : 이자액 속의 아밀레이스는 ㉠(   )을, 트립신은 ㉡(   )을, ㉢(   )는 지방을 분해한다.

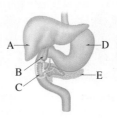

2 오른쪽 그림은 사람의 소화계 중 일부를 나타낸 것이다. (   ) 안에 알맞은 기호를 쓰시오.

(1) 단백질은 (   )에서 처음으로 분해된다.

(2) (   )에서는 녹말, 단백질, 지방의 소화 효소가 모두 포함된 소화액을 만들어 분비한다.

(3) 쓸개즙은 ㉠(   )에서 만들어져 ㉡(   )에 저장되었다가 ㉢(   )로 분비되어 작용한다.

01 소화

F 녹말, 단백질, 지방의 소화 과정

녹말은 입과 소장에서, 단백질은 위와 소장에서, 지방은 소장에서 분해됩니다. 녹말, 단백질, 지방이 최종 소화 산물로 분해되는 과정을 종합적으로 살펴봅시다.

소화 과정의 결과 녹말은 포도당으로, 단백질은 아미노산으로, 지방은 지방산과 모노글리세리드로 분해된다.

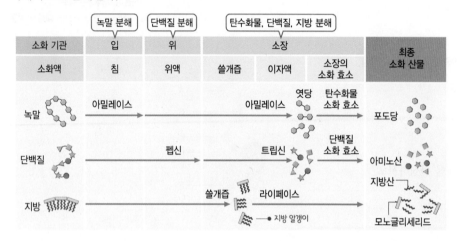

6 영양소의 흡수

영양소는 세포로 흡수되기 위해 소화되었죠. 소화 과정을 거쳐 만들어진 포도당과 아미노산, 지방산과 모노글리세리드는 어디에서 흡수될까요? 또, 흡수된 후에는 어디로 이동할까요?

1. **소장 안쪽 벽의 구조** : 주름이 많고, 주름 표면에는 융털이라고 하는 돌기가 많이 있다.
   ➡ 주름과 융털은 영양소와 닿는 소장 안쪽 벽의 표면적을 넓혀 영양소를 효율적으로 흡수할 수 있게 한다.

2. **영양소의 흡수와 이동** : 영양소는 소장 융털의 모세 혈관과 암죽관으로 흡수되어 심장으로 이동한 후 온몸의 조직 세포로 운반된다. → 운반된 영양소는 우리 몸을 구성하는 성분이 되거나 생명 활동에 필요한 에너지원이 되며, 몸의 기능을 조절하는 데 이용되기도 한다.

구분	수용성 영양소(물에 잘 녹음)	지용성 영양소(물에 잘 녹지 않음)
영양소의 종류	포도당, 아미노산, 무기염류	지방산, 모노글리세리드[+]
흡수 장소	소장 융털의 모세 혈관	소장 융털의 암죽관
이동 경로	간을 거쳐 심장으로 이동	간을 거치지 않고 심장으로 이동

✚ 지방의 흡수
지방산과 모노글리세리드는 소장 융털의 상피 세포로 흡수된 후, 상피 세포를 통과하면서 다시 지방으로 합성되고, 그 상태로 암죽관으로 흡수되어 이동한다.

✚ 대장에서의 물 흡수
음식물에 들어 있는 물은 소장에서 대부분 흡수되고, 대장에서는 소장을 지나온 물질에 남아 있는 물이 흡수된다.

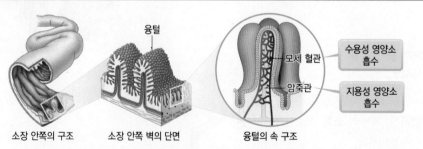

소장 안쪽의 구조   소장 안쪽 벽의 단면   융털의 속 구조

3. **대장의 작용** : 소화액이 분비되지 않아 소화 작용은 거의 일어나지 않고, 주로 물이 흡수된다. 물이 빠져나가고 남은 물질은 대변이 되어 항문을 통해 몸 밖으로 나간다.[+]

1 그림은 녹말, 단백질, 지방의 소화 과정을 나타낸 것이다.

소화 기관	입	위	소장		최종 소화 산물

녹말 —A→ 아밀레이스 → 엿당 —탄수화물 소화 효소→ (가)

단백질 —B→ —C→ —단백질 소화 효소→ (나)

지방 —쓸개즙→ —D→ 지방산 (다)

(1) A~D에 해당하는 소화 효소의 이름을 쓰시오.
(2) 최종 소화 산물 (가)~(다)의 이름을 쓰시오.

1 다음은 소장 안쪽 벽의 구조에 대한 설명이다. (   ) 안에 알맞은 말을 쓰거나 고르시오.

소장 안쪽 벽에는 주름이 ㉠(많고, 적고), 주름 표면에는 ㉡(   )이라고 하는 돌기가 많이 있다. 주름과 ㉡(   )은 영양소와 닿는 소장 안쪽 벽의 표면적을 ㉢(넓혀, 좁혀) 영양소를 효율적으로 흡수할 수 있게 한다.

2 오른쪽 그림은 소장 융털의 구조를 나타낸 것이다.

(1) A와 B의 이름을 쓰시오.

(2) 다음에서 A로 흡수되는 물질을 모두 고르시오.

포도당, 지방산, 아미노산, 무기염류, 모노글리세리드

(3) B로 흡수되는 영양소에 대한 다음 설명에서 (   ) 안에 알맞은 말을 고르시오.

B로 흡수되는 영양소는 ㉠(수용성, 지용성) 영양소로, 간을 ㉡(거쳐, 거치지 않고) 심장으로 이동한다.

이 단원에서 영양소를 검출하는 방법과 침의 작용을 확인하는 실험은 시험에 자주 출제되는 매우 중요한 내용이에요! 집중 강의를 통해 차근차근 알아봅시다.

탐구 자료 ❶ 영양소 검출

관련 개념 | 180쪽 ⓒ 영양소 검출

목표

음식물에 들어 있는 영양소를 확인할 수 있다.

과정 및 결과

① 시험관 A~D에 해당 음식물(쌀 음료수, 식용유, 우유)을 10 mL씩 넣는다.
② 표와 같이 영양소 검출 용액을 넣은 다음 색깔 변화를 관찰한다.

  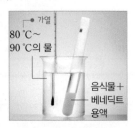

시험관	검출 용액	쌀 음료수	식용유	우유
A	아이오딘–아이오딘화 칼륨 용액	청람색	—	—
B	베네딕트 용액+가열	황색	—	황적색
C	5 % 수산화 나트륨 수용액+ 1 % 황산 구리(Ⅱ) 수용액	—	—	보라색
D	수단 Ⅲ 용액	—	선홍색	선홍색

결론

쌀 음료수에는 ⓐ(　　　　)과 당분이, 식용유에는 ⓑ(　　　　)이, 우유에는 당분과 ⓒ(　　　　), 지방이 들어 있다.

정답 ⓐ 녹말 ⓑ 지방 ⓒ 단백질

탐구 자료 ❷ 침의 작용

관련 개념 | 182쪽 ⓔ 소화 과정

목표

녹말을 분해하는 침의 작용을 확인할 수 있다.

과정 및 결과

① 시험관 A에는 묽은 녹말 용액과 증류수를, 시험관 B에는 묽은 녹말 용액과 침 용액을 넣고 35 ℃~40 ℃의 물에 담가 둔다.
② 시험관 A, B의 용액을 페트리 접시에 떨어뜨리고, 아이오딘-아이오딘화 칼륨 용액을 떨어뜨린 다음 색깔 변화를 관찰한다.
③ 시험관 A, B의 용액에 베네딕트 용액을 넣고 가열한 다음 색깔 변화를 관찰한다.

시험관을 35 ℃~40 ℃의 물에 담가 두는 까닭

소화 효소는 체온 범위에서 가장 활발하게 작용하기 때문이다.

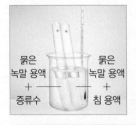 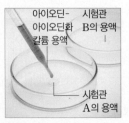 

구분	아이오딘 반응	베네딕트 반응
시험관 A	청람색(녹말 있음)	변화 없음(당분 없음)
시험관 B	변화 없음(녹말 없음)	황적색(당분 있음)

➡ 녹말 용액에 침 용액을 넣으면 녹말이 당분으로 분해된다.

결론

침 속에 들어 있는 소화 효소인 ⓐ(　　　　)는 ⓑ(　　　　)을 엿당으로 분해한다.

정답 ⓐ 아밀레이스 ⓑ 녹말

01 동물 몸의 구성 단계를 순서대로 옳게 나열한 것은? [178쪽]

① 세포 → 조직 → 기관 → 개체
② 세포 → 조직 → 조직계 → 기관 → 개체
③ 세포 → 조직 → 기관 → 기관계 → 개체
④ 세포 → 기관 → 기관계 → 조직 → 개체
⑤ 세포 → 기관 → 조직계 → 조직 → 개체

[02~04] 그림은 사람 몸의 구성 단계를 순서 없이 나타낸 것이다.

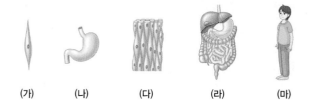

(가)　　(나)　　(다)　　(라)　　(마)

02 구성 단계를 순서대로 나열하시오. [178쪽]

03 식물의 몸에는 없고 동물의 몸에만 있는 단계를 쓰시오. [178쪽]

⭐중요 풀이TIP
04 이에 대한 설명으로 옳지 <u>않은</u> 것은? [178쪽]

① (가)는 생물의 몸을 구성하는 기본 단위이다.
② (나)는 모양과 기능이 비슷한 세포들의 모임이다.
③ 콩팥, 방광, 심장은 (나)와 같은 단계에 해당한다.
④ 상피 조직은 (다)와 같은 단계에 해당한다.
⑤ (라)는 관련된 기능을 하는 몇 개의 기관이 모여 유기적 기능을 수행하는 단계이다.

05 다음에 제시된 여러 기관들로 이루어진 기관계는? [178쪽]

> 입, 위, 소장, 대장, 간

① 소화계　　② 순환계　　③ 호흡계
④ 배설계　　⑤ 신경계

06 다음은 영양소를 두 종류로 구분한 것이다. [180쪽]

> (가) 탄수화물, 단백질, 지방
> (나) 바이타민, 무기염류, 물

이에 대한 설명에서 (　　) 안에 공통으로 들어갈 알맞은 말을 쓰시오.

> (가)는 (　　　)으로 이용되는 3대 영양소이고, (나)는 (　　　)으로 이용되지 않는 영양소이다.

⭐중요 풀이TIP
07 다음에서 설명하는 영양소는? [180쪽]

> • 주로 에너지원으로 이용된다.
> • 남은 것은 지방으로 바뀌어 저장된다.
> • 밥, 국수, 빵, 감자, 고구마 등에 많이 들어 있다.

① 물　　　　② 단백질　　　③ 바이타민
④ 탄수화물　⑤ 무기염류

⭐중요
08 단백질에 대한 설명으로 옳지 <u>않은</u> 것은? [180쪽]

① 주로 몸을 구성한다.
② 에너지원으로 이용된다.
③ 몸의 기능은 조절하지 않는다.
④ 성장기에 특히 많이 필요하다.
⑤ 살코기, 생선, 달걀, 두부 등에 많이 들어 있다.

 풀이TIP　**04** ❶ 그림의 (가)~(마)에 해당하는 단계를 써 본다. ❷ 각 단계에 해당하는 예를 생각한다.　**07** ❶ 에너지원으로 이용되는 3대 영양소를 떠올린다. ❷ 밥, 국수, 빵, 감자, 고구마 등에 많이 들어 있는 영양소를 찾는다.

09 표는 어떤 식품 포장지에 표시되어 있는 영양 성분표이다.

영양소	단백질	지방	탄수화물	나트륨	칼슘
함량	10 g	10 g	80 g	12 mg	0.1 mg

이 식품을 먹었을 때 얻을 수 있는 총 에너지양은?

① 100 kcal ② 400 kcal ③ 450 kcal
④ 462 kcal ⑤ 510 kcal

10 무기염류에 대한 설명으로 옳은 것을 보기에서 모두 고른 것은?

〔 보기 〕
ㄱ. 몸의 기능을 조절한다.
ㄴ. 몸을 구성하는 성분은 아니다.
ㄷ. 버섯, 우유, 다시마 등에 많이 들어 있다.

① ㄱ ② ㄱ, ㄴ ③ ㄱ, ㄷ
④ ㄴ, ㄷ ⑤ ㄱ, ㄴ, ㄷ

11 영양소에 대한 설명으로 옳지 않은 것은?

① 바이타민이 부족하면 결핍증이 나타난다.
② 바이타민은 적은 양으로 몸의 기능을 조절한다.
③ 물은 물질을 운반하고 체온 조절을 돕는다.
④ 단백질은 우리 몸의 구성 성분 중 가장 많다.
⑤ 지방은 몸을 구성하거나 에너지원으로 이용된다.

12 그림과 표는 어떤 음식물 속에 들어 있는 영양소를 검출하기 위한 실험 과정과 결과를 나타낸 것이다. 시험관 B는 베네딕트 용액을 넣은 후 가열 과정을 거쳤다.

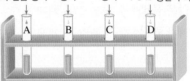

아이오딘-아이오딘화 칼륨 용액 / 베네딕트 용액 / 수단Ⅲ 용액 / 5 % 수산화 나트륨 수용액 +1 % 황산 구리(Ⅱ) 수용액

시험관	A	B	C	D
색깔 변화	청람색	변화 없음	변화 없음	보라색

이 음식물 속에 들어 있는 영양소를 옳게 짝 지은 것은?

① 녹말, 지방
② 엿당, 녹말
③ 단백질, 지방
④ 단백질, 녹말
⑤ 단백질, 포도당

13 각각 서로 다른 한 가지 영양소가 들어 있는 용액 A, B, C를 분석하다가 용액이 섞였다. 섞인 용액으로 영양소 검출 실험을 하였더니 그 결과가 표와 같았다.

용액	아이오딘 반응	뷰렛 반응	수단 Ⅲ 반응
A+B	청람색	변화 없음	선홍색
B+C	변화 없음	보라색	선홍색

용액 A~C에 들어 있는 영양소를 옳게 짝 지은 것은?

	A	B	C
①	녹말	지방	단백질
②	녹말	단백질	지방
③	지방	녹말	단백질
④	지방	단백질	녹말
⑤	단백질	지방	녹말

 09 ❶ 나트륨과 칼슘이 어떤 영양소에 해당하는지 생각한다. ❷ 에너지원으로 쓰이는 영양소와 쓰이지 않는 영양소를 구분한다. ❸ 각 영양소가 1 g당 내는 에너지를 생각한다. **13** ❶ 두 혼합 용액에 공통으로 들어 있는 용액과 영양소를 찾는다. ❷ 공통 영양소 외에 각 혼합 용액에 들어 있는 영양소를 찾는다.

14 소화의 뜻을 가장 잘 설명한 것은? 182쪽

① 영양소를 몸속에 저장하는 과정이다.

② 영양소를 온몸으로 운반하는 과정이다.

③ 영양소를 분해하여 에너지를 얻는 과정이다.

④ 흡수되지 않은 물질을 몸 밖으로 내보내는 과정이다.

⑤ 영양소를 세포로 흡수하기 위해 작게 분해하는 과정이다.

15 풀이 TIP 182쪽
그림과 같이 각각 녹말 용액과 포도당 용액이 들어 있는 2개의 셀로판 튜브를 물이 든 비커 (가)와 (나)에 담가 두었다가 일정 시간 후 물을 덜어 내어 (가)의 물에는 아이오딘 반응을, (나)의 물에는 베네딕트 반응을 하였더니 그 결과가 표와 같았다.

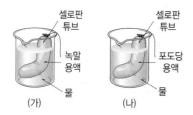

구분	비커 (가)의 물	비커 (나)의 물
검출 반응	아이오딘 반응	베네딕트 반응
색깔 변화	변화 없음	황적색

이에 대한 설명으로 옳지 <u>않은</u> 것은?

① 비커 (가)의 물에는 녹말이 있다.

② 비커 (나)의 물에는 포도당이 있다.

③ 포도당은 셀로판 튜브의 막을 통과하였다.

④ 녹말은 셀로판 튜브의 막을 통과하지 못하였다.

⑤ 소화의 필요성을 확인하는 실험이다.

16 우리 몸에서 음식물이 지나가는 경로를 순서대로 옳게 나열한 것은? 182쪽

① 입 → 위 → 식도 → 소장 → 대장 → 항문

② 입 → 식도 → 위 → 소장 → 대장 → 항문

③ 입 → 식도 → 소장 → 위 → 대장 → 항문

④ 입 → 소장 → 식도 → 위 → 대장 → 항문

⑤ 입 → 소장 → 위 → 식도 → 대장 → 항문

17 입에서 일어나는 소화 작용에 대한 설명으로 옳은 것을 보기에서 모두 고른 것은? 182쪽

┤ 보기 ├

ㄱ. 침 속에는 소화 효소인 아밀레이스가 들어 있다.

ㄴ. 씹는 작용은 음식물이 소화액과 닿는 표면적을 넓혀 준다.

ㄷ. 밥을 오래 씹으면 단맛이 나는 까닭은 녹말이 포도당으로 분해되기 때문이다.

① ㄱ   ② ㄱ, ㄴ   ③ ㄱ, ㄷ

④ ㄴ, ㄷ   ⑤ ㄱ, ㄴ, ㄷ

[18~19] 묽은 녹말 용액이 들어 있는 시험관 A, B에 각각 증류수와 침 용액을 넣고 그림과 같이 장치한 후 아이오딘 반응과 베네딕트 반응을 하였다.

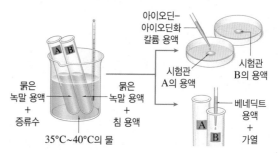

18 중요 풀이 TIP 186쪽
(가) 아이오딘 반응 결과 청람색이 나타나는 시험관의 기호와 (나) 베네딕트 반응 결과 황적색이 나타나는 시험관의 기호를 쓰시오.

19 중요 186쪽
이에 대한 설명으로 옳은 것을 모두 고르면?(2개)

① 시험관 A에서 녹말이 엿당으로 분해되었다.

② 시험관 B에서 녹말이 분해되지 않았다.

③ 침 속에는 녹말을 분해하는 소화 효소가 있다.

④ 증류수에는 녹말을 분해하는 소화 효소가 있다.

⑤ 소화 효소는 체온 범위에서 활발하게 작용한다.

15 ❶ 영양소가 셀로판 튜브의 막을 통과하여 비커의 물에 들어 있는 경우를 찾는다. ❷ 실험 결과를 영양소의 크기와 관련지어 생각한다.   18 ❶ 시험관 A, B 중 녹말이 분해되는 경우를 찾는다. ❷ 시험관에 녹말이 있을 때 일어나는 반응과 엿당이 있을 때 일어나는 반응을 찾는다.

[20~21] 오른쪽 그림은 사람의 소화계 중 일부를 나타낸 것이다.

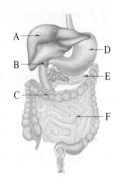

 20 3대 영양소의 소화 효소를 모두 포함한 소화액을 만들어 분비하는 기관의 기호와 이름을 옳게 짝 지은 것은? [182쪽]

① A - 간
② B - 쓸개
③ D - 위
④ E - 이자
⑤ F - 소장

21 이에 대한 설명으로 옳지 않은 것은? [182쪽]

① A에서는 소화 효소는 없지만 지방의 소화를 돕는 소화액이 만들어진다.
② 소화된 영양소는 C에서 흡수된다.
③ D에서 단백질이 처음으로 분해된다.
④ A, B, E에는 음식물이 직접 지나가지 않는다.
⑤ F에서 3대 영양소가 최종 산물로 분해된다.

22 소화 과정을 거치지 않고 세포로 흡수될 수 있는 영양소끼리 옳게 짝 지은 것은? [182쪽]

① 녹말, 칼슘
② 칼륨, 지방
③ 나트륨, 녹말
④ 포도당, 바이타민
⑤ 단백질, 바이타민

[23~24] 그림은 단백질, 지방, 녹말이 분해되는 과정을 나타낸 것이다.

영양소	입	위	소장
(가)	아밀레이스	아밀레이스	소장의 소화 효소 → 포도당
(나)	A	B	소장의 소화 효소 → 아미노산
(다)		C	지방산 / 모노글리세리드

23 영양소 (가)~(다)의 이름을 쓰시오. [184쪽]

24 이에 대한 설명으로 옳지 않은 것은? [184쪽]

① (가)는 입에서 처음으로 분해된다.
② (나)는 침, 위액, 이자액 속의 소화 효소에 의해 분해된다.
③ (다)는 소장에서만 분해된다.
④ A는 염산의 도움을 받아 작용한다.
⑤ B와 C는 이자액에 들어 있다.

25 오른쪽 그림은 융털의 구조를 나타낸 것이다. 이에 대한 설명으로 옳지 않은 것은? [184쪽]

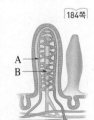

① A는 모세 혈관, B는 암죽관이다.
② 포도당, 아미노산은 A로 흡수된다.
③ 지방산, 모노글리세리드는 B로 흡수된다.
④ A로 흡수된 영양소는 간을 거쳐 심장으로 이동한다.
⑤ B로 흡수된 영양소는 간과 심장을 거치지 않고 온몸으로 운반된다.

 24 ❶ 최종 소화 산물을 보고 (가)~(다)가 어떤 영양소인지 안다. **❷** 분해하는 영양소의 종류와 작용하는 기관을 연결하여 소화 효소의 종류를 파악한다. **25 ❶** A와 B가 무엇인지 안다. **❷** A와 B로 흡수되는 영양소를 구분한다. **❸** A와 B로 흡수된 영양소가 심장으로 이동하는 경로를 생각한다.

서술형 문제

180쪽

26 다음은 어떤 영양소에 대한 설명이다.

- 몸을 구성한다.
- 1 g당 가장 많은 에너지를 낸다.
- 참기름, 깨, 버터 등에 많이 들어 있다.

(1) 이 영양소의 이름을 쓰시오.

----

(2) 음식물에서 이 영양소를 검출하는 방법을 검출 용액과 색깔 변화를 포함하여 서술하시오.

182쪽

27 밥을 입에 넣으면 처음에는 단맛이 나지 않다가 천천히 오랫동안 씹으면 단맛이 난다. 그 까닭을 다음 단어를 모두 포함하여 서술하시오.

아밀레이스, 침, 엿당, 녹말

182쪽

28 위액 속에 들어 있는 염산의 기능을 두 가지 서술하시오.

182쪽

29 오른쪽 그림은 사람의 소화계 중 일부를 나타낸 것이다.

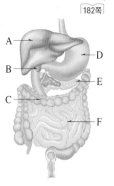

(1) E에서 분비되는 소화액에 들어 있는 세 가지 소화 효소의 이름과 각 소화 효소가 분해하는 영양소의 종류를 서술하시오.(단, 소화 산물은 포함하지 않는다.)

----

(2) 쓸개즙의 생성과 저장, 분비에 대해 기호를 이용하여 서술하시오.

184쪽

30 소장 안쪽 벽에는 그림과 같이 주름과 융털이 많이 있다. 이러한 구조가 유리한 점을 영양소의 흡수 측면에서 서술하시오.

----

26 ❶ 3대 영양소 중 1 g당 가장 많은 에너지를 내는 영양소를 찾는다. ❷ 영양소 검출 용액과 색깔 변화를 연결하여 생각한다.   29 ❶ 그림의 A~F에 이름을 써 본다.
❷ 각 부분에서 만들어지는 소화액과 소화액에 들어 있는 소화 효소를 떠올린다. ❸ 쓸개즙은 만드는 곳과 저장하는 곳이 다름을 안다.

02 순환

 만화 완성하기 다음 만화를 보고 혈소판의 말풍선을 완성해 보자.

>> 이 단원을 학습한 후 내가 쓴 대사를 수정해 보자.

A 심장 소장에서 흡수된 영양소는 혈액에 의해 온몸의 세포로 운반됩니다. 이러한 혈액의 흐름은 심장이 만들어 내지요. 물질의 운반을 담당하는 순환계에 대해 지금부터 알아봅시다.

1. 순환계 : 물질을 운반하는 기능을 담당하며, 심장, 혈관, 혈액으로 이루어져 있다.

2. 심장 : 근육으로 이루어져 있는 주먹만 한 크기의 기관이다. → 가슴 중앙에서 왼쪽으로 치우쳐 있다.

(1) 기능 : 수축과 이완을 반복하면서 혈액을 순환시킨다. ➡ 혈액 순환의 원동력

① 심장의 규칙적인 수축과 이완 운동을 심장 박동이라고 한다.[+]

② 심장은 심장 박동을 하면서 혈액을 받아들이고 내보내어 혈액이 온몸으로 흐르게 한다.

(2) 구조 : 2개의 심방과 2개의 심실로 이루어져 있으며, 심방과 심실 사이, 심실과 동맥 사이에 판막이 있다.[+]

우심방과 우심실 사이, 좌심방과 좌심실 사이 / 우심실과 폐동맥 사이, 좌심실과 대동맥 사이

심방	혈액을 심장으로 받아들이는 곳으로, 정맥과 연결되어 있다.
심실	혈액을 심장에서 내보내는 곳으로, 동맥과 연결되어 있다. ➡ 심방보다 두껍고 탄력성이 강한 근육으로 이루어져 있어 강하게 수축하여 혈액을 내보내기에 알맞다.
판막	혈액이 거꾸로 흐르는 것을 막는다. ➡ 심장에서 혈액은 한 방향(심방 → 심실 → 동맥)으로만 흐른다.[+]

우심방
대정맥을 통해 혈액을 받아들인다.
• 대정맥과 연결
• 온몸을 지나온 혈액을 받아들인다.

우심실
폐동맥을 통해 혈액을 내보낸다.
• 폐동맥과 연결
• 폐로 혈액을 내보낸다.

좌심방
• 폐정맥과 연결
• 폐를 지나온 혈액을 받아들인다.
폐정맥을 통해 혈액을 받아들인다.

좌심실
• 대동맥과 연결
• 온몸으로 혈액을 내보낸다.
➡ 근육이 가장 두껍다.
대동맥을 통해 혈액을 내보낸다.

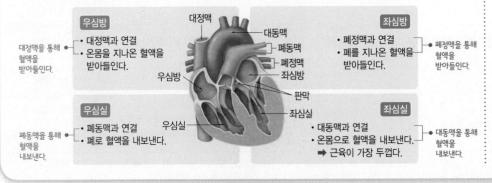

대정맥 / 대동맥 / 폐동맥 / 폐정맥 / 우심방 / 판막 / 좌심방 / 우심실 / 좌심실

+ 심장 박동 원리 → 동아 교과서에만 나온다.
심방과 심실 이완(혈액이 심방과 심실로 들어옴) → 심방 수축(혈액이 모두 심실로 이동) → 심실 수축(혈액이 심실에서 동맥으로 나감) → 심방과 심실 이완 → …

+ 심장의 평면 구조

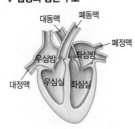

대동맥 / 폐동맥 / 폐정맥 / 우심방 / 좌심방 / 대정맥 / 우심실 / 좌심실

+ 혈액의 흐름
심장에서 혈액은 대정맥 → 우심방 → 우심실 → 폐동맥, 폐정맥 → 좌심방 → 좌심실 → 대동맥으로 흐른다.

이 단원의 개념이 어떻게 구성되어 있는지 살펴보고 빈칸을 완성해 보자.

순환
A 심장
B 혈관
C
D 혈액의 기능
E

이 단원을 공부하기 전에 미리 알고 있는 단어를 체크해 보자.

☐ 심장　　☐ 심장 박동　　☐ 혈관　　☐ 동맥　　☐ 모세 혈관
☐ 정맥　　☐ 혈액　　☐ 적혈구　　☐ 백혈구　　☐ 혈소판

1 산소, 이산화 탄소, 영양소, 노폐물 등 물질을 운반하는 기능을 하며, 심장과 혈관, 혈액으로 이루어진 기관계의 이름을 쓰시오.

암기TIP

심장의 구조
심　　　심
방정맞게 **실실 동**동
은 맥　　은 맥
　과　　　과 연결

2 심장에 대한 설명으로 옳은 것은 ○, 옳지 <u>않은</u> 것은 ×로 표시하시오.

(1) 심장 박동을 하면서 혈액을 순환시킨다. ┈┈┈┈┈┈┈┈┈┈┈┈ (　　)
(2) 혈액은 심실에서 심방, 심방에서 동맥 방향으로 흐른다. ┈┈┈┈┈ (　　)
(3) 우심방과 좌심방 사이, 우심실과 좌심실 사이에 판막이 있다. ┈┈ (　　)
(4) 심실은 심방보다 두껍고 탄력성이 강한 근육으로 이루어져 있다. ┈ (　　)
(5) 심방은 혈액을 받아들이는 곳이고, 심실은 혈액을 내보내는 곳이다. ┈ (　　)

3 오른쪽 그림은 심장의 구조를 나타낸 것이다. 각 부분의 이름을 쓰고, 연결된 혈관을 옳게 짝 지으시오.

(1) A : _____　　•　　• ㉠ 대동맥
(2) B : _____　　•　　• ㉡ 대정맥
(3) C : _____　　•　　• ㉢ 폐동맥
(4) D : _____　　•　　• ㉣ 폐정맥

B 혈관

혈관은 혈액이 흐르는 길로, 심장에서 나온 혈액은 혈관을 따라 흐릅니다. 혈관의 종류에는 어떤 것들이 있고, 각각의 혈관은 어떤 특징이 있는지 살펴봅시다.

혈관은 동맥, 모세 혈관, 정맥으로 구분되며, 심장에서 나온 혈액은 동맥 → 모세 혈관 → 정맥 방향으로 흐른다.

동맥	• 심장에서 나오는 혈액이 흐르는 혈관이다. • 혈관 벽이 두껍고 탄력성이 강하다. ➡ 심실에서 나온 혈액의 높은 압력(혈압)을 견딜 수 있다.
모세 혈관	• 온몸에 그물처럼 퍼져 있는 가느다란 혈관으로, 동맥과 정맥을 연결한다. • 혈관 벽이 매우 얇아 모세 혈관을 지나는 혈액과 주변 조직 세포 사이에서 물질 교환이 일어난다. ➡ 혈액 속의 산소와 영양소가 조직 세포로 전달되고, 조직 세포에서 발생한 이산화 탄소와 노폐물이 혈액으로 이동한다.[+]
정맥	• 심장으로 들어가는 혈액이 흐르는 혈관이다. • 혈관 벽이 동맥보다 얇고 탄력성이 약하다. • 판막이 있다. ➡ 까닭 : 혈압이 매우 낮아 혈액이 거꾸로 흐를 수 있기 때문[+]

└● 혈액이 거꾸로 흐르는 것을 막아 혈액이 심장 쪽으로만 흐르게 한다.

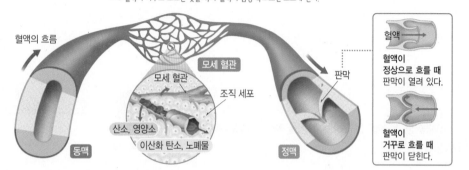

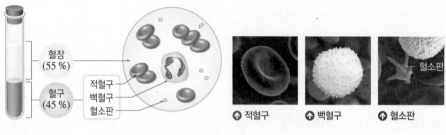

＋ 모세 혈관에서의 물질 교환

모세 혈관은 혈관 벽이 한 층의 세포로 되어 있어 매우 얇고, 혈관 중 혈액이 흐르는 속도가 가장 느리다.
➡ 물질 교환이 일어나기에 유리하다.

모세 혈관	산소, 영양소 ⟶ ⟵ 이산화 탄소, 노폐물	조직 세포

＋ 혈관의 특징 비교

• 혈관 벽 두께 : 동맥 > 정맥 > 모세 혈관
• 혈압 : 동맥 > 모세 혈관 > 정맥
• 혈액이 흐르는 속도 : 동맥 > 정맥 > 모세 혈관
└● 심실에서 멀어질수록 혈압이 낮다.

| 용어 |

• 혈압(血 피, 壓 누르다) 혈액이 혈관 벽에 미치는 압력

C 혈액의 구성

혈액을 맨눈으로 보면 붉은색의 액체로 보입니다. 혈액을 현미경으로 관찰하면 어떻게 보일까요? 혈관 속을 채우고 있는 혈액은 실제 어떤 성분으로 구성되어 있는지 알아봅시다.

혈액은 액체 성분인 혈장과 세포 성분인 혈구로 이루어져 있다.

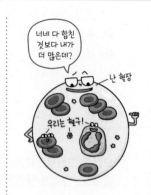

1. 혈장 : 엷은 노란색의 액체로, 물이 주성분이다. ─● 약 90 %가 물이며, 영양소를 비롯한 여러 가지 물질이 들어 있다.

2. 혈구 : 적혈구, 백혈구, 혈소판으로 구분된다.

(1) 적혈구 : 가운데가 오목한 원반 모양으로, 핵이 없다.

(2) 백혈구 : 혈구 중 크기가 가장 크고, 모양이 일정하지 않으며, 핵이 있다.

(3) 혈소판 : 혈구 중 크기가 가장 작고, 모양이 일정하지 않으며, 핵이 없다.

1 오른쪽 그림은 혈관이 연결된 모습을 나타낸 것이다.

(1) A~C의 이름을 쓰시오.
(2) (가)의 이름을 쓰시오.
(3) 혈액이 흐르는 방향을 순서대로 나열하시오.
(4) 조직 세포와 물질 교환이 일어나는 혈관을 쓰시오.

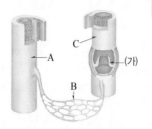

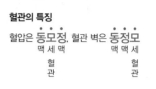

혈관의 특징
혈압은 동모정, 혈관 벽은 동정모
　　　맥세맥　　　　맥맥세
　　　　혈　　　　　　　혈
　　　　관　　　　　　　관

2 혈관에 대한 설명으로 옳은 것은 ○, 옳지 않은 것은 ×로 표시하시오.

(1) 정맥에서 혈액이 흐르는 속도가 가장 느리다. ·················· ( )
(2) 혈압이 매우 낮아 판막이 있는 혈관은 모세 혈관이다. ·············· ( )
(3) 혈관 벽이 가장 두껍고 탄력성이 강한 혈관은 동맥이다. ············· ( )
(4) 모세 혈관에서 조직 세포로 이산화 탄소와 노폐물이 전달된다. ········· ( )
(5) 동맥에는 심장에서 나오는 혈액이 흐르고, 정맥에는 심장으로 들어가는 혈액이
　　흐른다. ·················· ( )

1 오른쪽 그림은 혈액을 분리한 모습을 나타낸 것이다.

(1) A와 B는 각각 무엇인지 쓰시오.
(2) 액체 성분과 세포 성분에 해당하는 것을 각각 쓰시오.
(3) A에서 가장 많은 성분을 쓰시오.

혈장과 혈구
혈장은 액체 성분, 혈구(적혈구, 백혈구, 혈소판)는 세포 성분

2 오른쪽 그림은 혈액의 성분을 나타낸 것이다.

(1) A~D의 이름을 쓰시오.
(2) A~C 중 핵이 없는 것을 모두 쓰시오.

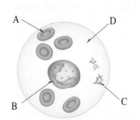

D **혈액의 기능**   혈액은 물질을 운반하는 기능만 할까요? 혈액이 붉게 보이는 까닭은 무엇일까요? 혈장, 적혈구, 백혈구, 혈소판의 특징과 각각의 기능을 알아봅시다.

1. 혈장의 기능 : 영양소, 이산화 탄소, 노폐물 등이 들어 있어 이러한 물질을 운반한다.

2. 혈구의 기능 → 혈구는 혈장에 실려 온몸으로 이동한다.

적혈구	백혈구	혈소판
산소 운반 작용	**식균 작용**	**혈액 응고 작용**
헤모글로빈의 작용으로 온몸의 조직 세포에 산소를 전달한다. ➡ 부족하면 빈혈이 생길 수 있다.	몸속에 침입한 세균 등을 잡아 먹는다. ➡ 세균이 침입하면 수가 늘어나고 기능이 활발해진다.	상처 부위의 혈액을 응고시켜 딱지를 만들고 출혈을 막는다. ➡ 부족하면 혈액 응고가 늦어진다. ✚

📖 **적혈구와 헤모글로빈**

- 적혈구는 붉은색 색소인 헤모글로빈이 있어 붉은색을 띤다.
- 적혈구는 헤모글로빈의 작용으로 산소를 운반한다. ➡ 헤모글로빈은 산소가 많은 곳에서는 산소와 결합하고, 산소가 적은 곳에서는 산소와 떨어지는 성질이 있다.

폐 — 산소와 결합한다.

조직 — 산소와 분리된다.

✚ 혈구의 특징 비교
- 핵 : 백혈구는 핵이 있고, 적혈구와 혈소판은 핵이 없다.
- 크기 : 백혈구＞적혈구＞혈소판
- 수 : 적혈구＞혈소판＞백혈구 ➡ 붉은색을 띠는 적혈구가 많아서 혈액이 붉게 보인다.

| 용어 |
- 응고(凝 엉기다, 固 굳다) 엉겨서 뭉쳐 딱딱하게 굳어짐

E **혈액 순환**   심장에서 나간 혈액은 온몸을 돌아 다시 심장으로 돌아옵니다. 혈액은 어떤 경로를 거쳐서 순환할까요? 심장과 동맥, 모세 혈관, 정맥의 연결 순서를 생각하면서 혈액 순환 경로를 알아봅시다.

1. 온몸 순환 : 좌심실에서 나간 혈액이 온몸의 모세 혈관을 지나는 동안 조직 세포에 산소와 영양소를 공급하고, 조직 세포에서 이산화 탄소와 노폐물을 받아 우심방으로 돌아오는 순환

2. 폐순환 : 우심실에서 나간 혈액이 폐의 모세 혈관을 지나는 동안 이산화 탄소를 내보내고, 산소를 받아 좌심방으로 돌아오는 순환

➡ 동맥혈 ➡ 정맥혈 ✚

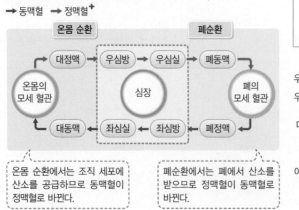

온몸 순환에서는 조직 세포에 산소를 공급하므로 동맥혈이 정맥혈로 바뀐다.

폐순환에서는 폐에서 산소를 받으므로 정맥혈이 동맥혈로 바뀐다.

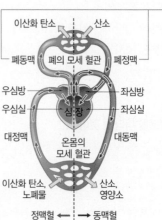

✚ 동맥혈과 정맥혈
- 동맥혈 : 산소를 많이 포함한 혈액 ➡ 폐정맥, 좌심방, 좌심실, 대동맥에 흐른다.
- 정맥혈 : 산소를 적게 포함한 혈액 ➡ 대정맥, 우심방, 우심실, 폐동맥에 흐른다.

➜ 동맥에는 동맥혈이 흐르고, 정맥에는 정맥혈이 흐른다고 생각하면 안 된다. 폐정맥은 정맥이지만 동맥혈이 흐르고, 폐동맥은 동맥이지만 정맥혈이 흐른다.

1 오른쪽 그림은 혈액의 성분을 나타낸 것이다. 각 설명에 해당하는 성분의 기호를 쓰시오.

(1) 온몸의 조직 세포에 산소를 전달한다.

(2) 몸속에 침입한 세균 등을 잡아먹는다.

(3) 영양소, 노폐물, 이산화 탄소 등을 운반한다.

(4) 상처 부위에서 딱지를 만들고 출혈을 막는다.

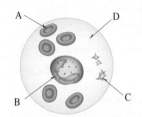

암기 TIP

혈구의 기능

혈혈단신 **백신** 찾으러 **저산**에!
소 액   혈 식   적 소
판 응   구 균   혈 운
  고   구 반

2 다음은 헤모글로빈의 성질에 대한 설명이다. (　) 안에 알맞은 말을 고르시오.

> 헤모글로빈은 폐와 같이 산소가 ㉠(많은, 적은) 곳에서는 산소와 결합하고, 조직 세포와 같이 산소가 ㉡(많은, 적은) 곳에서는 산소와 떨어지는 성질이 있다.

만화
확인하기
 192쪽으로 돌아가서 내가 쓴 대사를 점검해 보자.

1 오른쪽 그림은 혈액 순환 경로를 나타낸 것이다. (　) 안에 알맞은 기호를 쓰시오.

(1) 온몸 순환 경로는 (라) → ㉠(　　) → 온몸의 모세 혈관 → ㉡(　　) → (가)이다.

(2) 폐순환 경로는 ㉠(　　) → A → 폐의 모세 혈관 → C → ㉡(　　)이다.

(3) 온몸 순환에서는 조직 세포에 ㉠(산소, 이산화 탄소)를 공급하므로 ㉡(동맥혈 → 정맥혈, 정맥혈 → 동맥혈)이 된다.

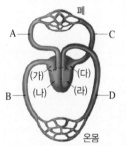

암기 TIP

혈액 순환 경로

온몸 좌우 모두 **배우자!**
순 심심   폐 심좌
환 실방   순 실심
                   환   방

2 다음은 동맥혈과 정맥혈에 대한 설명이다. (　) 안에 알맞은 말을 모두 고르시오.

(1) 동맥혈은 산소를 ㉠(많이, 적게) 포함한 혈액이고, 정맥혈은 산소를 ㉡(많이, 적게) 포함한 혈액이다.

(2) (폐동맥, 폐정맥, 대동맥, 대정맥)에는 동맥혈이 흐른다.

(3) (우심방, 우심실, 좌심방, 좌심실)에는 정맥혈이 흐른다.

혈액 관찰 실험에서 각 과정을 거치는 까닭과 관찰 결과를 아는 것은 모두 중요해요. 또, 혈액 순환 경로를 순서대로 나열하는 것도 시험에 자주 나오지요. 집중 강의에서 확실히 알고 넘어갑시다.

탐구 자료 혈액 관찰

관련 개념 | 194쪽 ⓒ 혈액의 구성

목표 혈액을 관찰하고, 관찰한 혈구의 특징을 설명할 수 있다.

과정
① 받침유리 위에 혈액을 떨어뜨리고, 생리 식염수를 떨어뜨려 혈액을 희석한다.
② 다른 받침유리를 혈액 가장자리에 비스듬히 대고 밀어서 혈액을 얇게 편다.
  • 혈액이 있는 반대 방향으로 밀어야 혈액이 얇게 펴지고, 혈구가 터지지 않는다.
③ 혈액에 에탄올을 떨어뜨려 혈구를 고정한다.
  • 고정 : 세포의 모양이 변형되지 않고 살아 있을 때와 같이 유지되게 하는 과정
④ 김사액을 떨어뜨려 혈액을 염색한 후 물로 씻어 내고 말린다.
  • 김사액 : 적혈구의 핵을 보라색으로 염색하여 관찰이 잘 되게 한다.
⑤ 덮개유리를 덮어 현미경으로 관찰한다.

● 적혈구는 핵이 없어도 붉은색을 띠는 헤모글로빈이 있어 잘 보이지만, 백혈구는 투명하므로 핵을 염색해야 쉽게 관찰할 수 있다.

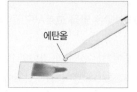
혈액이 있는 반대 방향 / 혈액

에탄올

김사액

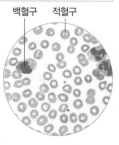
백혈구   적혈구

결과
❶ 적혈구가 가장 많이 관찰된다.
❷ 김사액에 의해 핵이 보라색으로 염색된 백혈구가 관찰된다.

결론
• 적혈구 : 가운데가 오목한 원반 모양으로, 혈구 중 수가 가장 ㉠(많고, 적고), 핵이 ㉡(있다, 없다).
• 백혈구 : 모양이 일정하지 않으며, 혈구 중 크기가 가장 ㉢(크고, 작고), 핵이 ㉣(있다, 없다).

답 ㉠ 많고 ㉡ 없다 ㉢ 크고 ㉣ 있다

핵심 자료 혈액 순환 경로

관련 개념 | 196쪽 ⓔ 혈액 순환

1. 온몸 순환 경로 외우기

step 1 온몸 순환이니까 온몸의 모세 혈관을 쓴다.

→ 온몸의 모세 혈관 →

step 2 혈액은 동맥 → 모세 혈관 → 정맥으로 흐르니까 앞에는 동맥, 뒤에는 정맥을 쓴다. ➡ 온몸 순환에는 대동맥, 대정맥만 나온다.

대동맥 → 온몸의 모세 혈관 → 대정맥

step 3 동맥은 심실과 연결되고, 정맥은 심방과 연결된다.

☐심실 → 대동맥 → 온몸의 모세 혈관 → 대정맥 → ☐심방

마지막 암기팁! 온몸 좌우 모두 배우자!

좌심실 → 대동맥 → 온몸의 모세 혈관 → 대정맥 → 우심방

2. 폐순환 경로 외우기

step 1 폐순환이니까 폐의 모세 혈관을 쓴다.

→ 폐의 모세 혈관 →

step 2 혈액은 동맥 → 모세 혈관 → 정맥으로 흐르니까 앞에는 동맥, 뒤에는 정맥을 쓴다. ➡ 폐순환에는 폐동맥, 폐정맥만 나온다.

폐동맥 → 폐의 모세 혈관 → 폐정맥

step 3 동맥은 심실과 연결되고, 정맥은 심방과 연결된다.

☐심실 → 폐동맥 → 폐의 모세 혈관 → 폐정맥 → ☐심방

마지막 암기팁! 온몸 좌우 모두 배우자!

우심실 → 폐동맥 → 폐의 모세 혈관 → 폐정맥 → 좌심방

실력탄탄 핵심 문제

개념 페이지로 점프해요!

01 사람의 심장에 대한 설명으로 옳지 <u>않은</u> 것은? [192쪽]

① 2개의 심방과 2개의 심실로 이루어져 있다.

② 수축과 이완을 반복하면서 혈액을 순환시킨다.

③ 심방이 심실보다 두꺼운 근육으로 이루어져 있다.

④ 심실에는 동맥이, 심방에는 정맥이 연결되어 있다.

⑤ 심방과 심실 사이, 심실과 동맥 사이에 판막이 있다.

[02~06] 오른쪽 그림은 사람의 심장 구조를 나타낸 것이다.

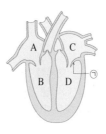

02 각 부분의 이름을 옳게 짝 지은 것은? [192쪽]

① A – 우심실

② B – 우심방

③ C – 좌심방

④ C – 좌심실

⑤ D – 좌심방

03 이에 대한 설명으로 옳지 <u>않은</u> 것은? [192쪽] 풀이 TIP

① A와 C는 동맥과 연결되어 있다.

② A와 C는 혈액을 받아들이는 곳이다.

③ B와 D는 혈액을 내보내는 곳이다.

④ D가 가장 두꺼운 근육으로 이루어져 있다.

⑤ A와 B, C와 D 사이에는 판막이 있다.

04 A~D에 연결된 혈관의 이름을 옳게 짝 지은 것은? [192쪽]

① A – 폐동맥

② B – 폐정맥

③ C – 대정맥

④ D – 대동맥

⑤ D – 폐동맥

05 (가) 온몸을 지나온 혈액을 받아들이는 곳과 (나) 폐를 지나온 혈액을 받아들이는 곳의 기호를 쓰시오. [192쪽]

06 심장에서의 혈액의 흐름에 대한 설명으로 옳은 것을 보기에서 모두 고른 것은? [192쪽] 풀이 TIP

─ 보기 ─

ㄱ. A가 수축하면 B로 혈액이 이동한다.

ㄴ. B에서 온몸으로 혈액이 나간다.

ㄷ. D가 수축하면 C로 혈액이 이동한다.

ㄹ. ㉠은 혈액이 거꾸로 흐르는 것을 막는다.

① ㄱ, ㄴ   ② ㄱ, ㄹ   ③ ㄴ, ㄷ

④ ㄷ, ㄹ   ⑤ ㄱ, ㄴ, ㄹ

07 혈관에 대한 설명으로 옳은 것은? [194쪽]

① 정맥에는 심장에서 나오는 혈액이 흐른다.

② 정맥에는 판막이 있어 혈액이 거꾸로 흐르는 것을 막는다.

③ 동맥은 정맥보다 혈관 벽이 얇고 탄력성이 약하다.

④ 모세 혈관은 혈액이 흐르는 속도가 빨라 조직 세포와 물질 교환이 일어나기에 알맞다.

⑤ 혈액은 동맥 → 정맥 → 모세 혈관으로 흐른다.

 풀이 TIP

03 ❶ 혈액을 내보내는 곳에는 동맥이, 혈액을 받아들이는 곳에는 정맥이 연결되어 있음을 안다. ❷ 두꺼운 근육으로 이루어졌을 때 유리한 점을 생각한다. 06 ❶ 심장에는 판막이 있어 혈액이 한 방향으로 흐름을 안다. ❷ 혈액의 흐름과 판막의 위치를 관련지어 생각한다.

08 심장과 혈관에서 판막이 있는 부위끼리 옳게 짝 지은 것은?

① 좌심방과 좌심실 사이, 동맥
② 좌심방과 우심방 사이, 정맥
③ 우심방과 대정맥 사이, 동맥
④ 우심방과 우심실 사이, 정맥
⑤ 좌심실과 우심실 사이, 모세 혈관

[09~10] 그림은 혈관이 연결된 모습을 나타낸 것이다.

09 이에 대한 설명으로 옳지 <u>않은</u> 것은?

① A에는 심장에서 나오는 혈액이 흐른다.
② B에서 조직 세포와 물질 교환이 일어난다.
③ C에는 항상 정맥혈이 흐른다.
④ 혈액은 A → B → C로 흐른다.
⑤ A와 B에는 D가 없다.

10 혈관 A~C의 특징을 비교한 내용으로 옳은 것을 보기에서 모두 고른 것은?

┌ 보기 ┐
ㄱ. 혈압은 A>B>C 순으로 높다.
ㄴ. 혈관 벽의 두께는 A>C>B 순으로 두껍다.
ㄷ. 혈액이 흐르는 속도는 A>B>C 순으로 빠르다.
└─────────┘

① ㄱ   ② ㄴ   ③ ㄷ
④ ㄱ, ㄴ   ⑤ ㄴ, ㄷ

11 오른쪽 그림은 조직 세포와 모세 혈관 사이에서 일어나는 물질 교환을 나타낸 것이다. A와 B에 해당하는 물질을 옳게 짝 지은 것을 모두 고르면?(2개)

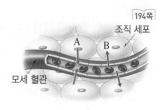

	A	B
①	산소	영양소
②	산소	이산화 탄소
③	노폐물	영양소
④	노폐물	이산화 탄소
⑤	이산화 탄소	산소

12 오른쪽 그림은 채취한 혈액을 분리한 모습을 나타낸 것이다. 이에 대한 설명으로 옳은 것을 모두 고르면?(2개)

① A는 혈구이고, B는 혈장이다.
② A는 세포 성분이고, B는 액체 성분이다.
③ A 부분에 적혈구가 있다.
④ A는 영양소와 노폐물을 운반한다.
⑤ B 부분에 백혈구와 혈소판이 있다.

13 오른쪽 그림은 혈액의 성분 중 하나를 나타낸 것이다. 이에 대한 설명으로 옳지 <u>않은</u> 것은?

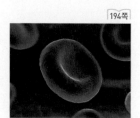

① 핵이 없다.
② 혈구 중 수가 가장 많다.
③ 혈구 중 크기가 가장 크다.
④ 가운데가 오목한 원반 모양이다.
⑤ 헤모글로빈이 있어 붉은색을 띤다.

 09 ❶ 판막이 있는 혈관이 정맥임을 안다. ❷ 모세 혈관이 동맥과 정맥을 연결하는 것을 안다. ❸ 동맥에는 심장에서 나오는 혈액이, 정맥에는 심장으로 들어가는 혈액이 흐르는 것을 안다. **10** ❶ 심실에서 가까울수록 압력(혈압)이 높음을 안다. ❷ 혈관 벽의 두께 및 혈액이 흐르는 속도와 물질 교환의 관계를 생각한다.

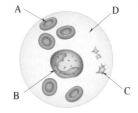

[14~16] 오른쪽 그림은 사람의 혈액 구성 성분을 나타낸 것이다.

14 ^{중요} 풀이 **TIP** [196쪽]
이에 대한 설명으로 옳지 않은 것은?

① A는 적혈구로, 산소를 운반한다.
② B는 백혈구, C는 혈소판이다.
③ D는 혈장으로, 여러 가지 물질을 운반한다.
④ 혈구 수는 A>B>C 순으로 많다.
⑤ A와 C에는 핵이 없고, B에는 핵이 있다.

15 다음에서 설명하는 혈구의 기호를 쓰시오. [196쪽]

- 혈구 중 크기가 가장 크다.
- 모양이 일정하지 않으며, 핵이 있다.
- 몸속에 침입한 세균 등을 잡아먹는다.

16 ^{중요} 다음 글의 밑줄 친 부분과 가장 관계가 깊은 혈구의 기호와 이름을 옳게 짝 지은 것은? [196쪽]

상희는 길을 걷다가 돌에 걸려 넘어져 손바닥이 까져서 피가 났다. 피는 곧 멈췄고, 다음날 보니 까진 손바닥에 딱지가 생겨 있었다.

① A – 적혈구   ② A – 백혈구
③ B – 백혈구   ④ C – 혈소판
⑤ C – 적혈구

17 풀이 **TIP** [196쪽]
그림은 헤모글로빈의 작용을 나타낸 것이다.

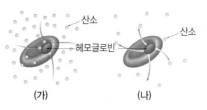

(가)   (나)

이에 대한 설명으로 옳지 않은 것은?

① 폐에서 (가)와 같은 작용이 일어난다.
② 조직 세포에서 (나)와 같은 작용이 일어난다.
③ 헤모글로빈이 있어 적혈구가 산소를 운반한다.
④ 헤모글로빈은 산소가 많은 곳에서 산소와 떨어진다.
⑤ 헤모글로빈은 폐에서 산소와 결합하고, 조직 세포에서 산소와 떨어진다.

[18~19] 다음은 혈액을 관찰하는 실험 과정이다.

(가) 받침유리에 혈액을 떨어뜨리고, 생리 식염수를 떨어뜨려 혈액을 희석한다.
(나) 다른 받침유리로 혈액을 밀어 혈액을 얇게 편다.
(다) 혈액에 에탄올을 떨어뜨린다.
(라) 혈액에 김사액을 떨어뜨린다.
(마) 덮개유리를 덮어 현미경으로 관찰한다.

18 ^{중요} 이에 대한 설명으로 옳은 것을 보기에서 모두 고른 것은? [198쪽]

〔 보기 〕
ㄱ. (나)에서 혈액은 혈액이 있는 반대 방향으로 민다.
ㄴ. 에탄올은 백혈구의 핵을 보라색으로 염색한다.
ㄷ. 김사액은 혈구를 고정하기 위해 사용한다.

① ㄱ   ② ㄴ   ③ ㄷ
④ ㄱ, ㄴ   ⑤ ㄴ, ㄷ

19 현미경으로 관찰하였을 때 가장 많이 관찰되는 혈구의 종류를 쓰시오. [198쪽]

---

14 ❶ 그림에 A~D의 이름을 써 본다. ❷ 혈장과 각 혈구의 기능을 생각한다. ❸ 수가 가장 많은 혈구와 가장 적은 혈구를 안다. 17 ❶ (가)와 (나)에서 산소가 많은 곳과 적은 곳을 찾는다. ❷ 폐와 조직 세포에서 산소가 많은 곳과 적은 곳을 찾는다. ❸ 산소와 결합·분리하는 헤모글로빈의 성질을 산소 양과 관련지어 생각한다.

20 표는 정상인과 학생 A의 혈액 1 mm³당 혈구 수를 나타낸 것이다.

구분	적혈구	백혈구	혈소판
정상인	500만 개	7000개	25만 개
학생 A	550만 개	6500개	7만 개

학생 A의 몸 상태에 대한 설명으로 옳은 것은?

① 아무 이상이 없다.
② 빈혈 증상이 있다.
③ 몸에 세균이 침입하여 염증이 있다.
④ 조직에 산소가 정상적으로 운반되지 않는다.
⑤ 출혈이 생겼을 때 혈액이 잘 응고되지 않는다.

21 혈액 순환에 대한 설명으로 옳지 <u>않은</u> 것은?

① 온몸 순환 경로에서 정맥혈이 동맥혈로 바뀐다.
② 온몸 순환 경로에서 조직 세포에 산소와 영양소를 공급한다.
③ 폐순환 경로에서 산소를 공급받고 이산화 탄소를 내보낸다.
④ 폐순환은 우심실에서, 온몸 순환은 좌심실에서 시작한다.
⑤ 폐를 지나온 혈액은 좌심방으로 들어가고, 온몸을 지나온 혈액은 우심방으로 들어간다.

22 그림은 혈액 순환 경로 중 하나를 나타낸 것이다.

(가) 우심실 → 폐동맥 → 폐 → 폐정맥 → 좌심방 (나)

(가)와 (나)에 흐르는 혈액을 비교할 때 가장 크게 차이가 나는 것은?

① 산소의 양 ② 적혈구의 수
③ 혈장의 양 ④ 백혈구의 수
⑤ 백혈구의 종류

[23~25] 오른쪽 그림은 사람의 혈액 순환 경로를 나타낸 것이다.

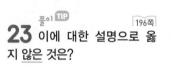

23 이에 대한 설명으로 옳지 <u>않은</u> 것은?

① (가)에는 산소를 적게 포함한 혈액이 흐른다.
② (나)의 혈관 벽은 한 층의 세포로 되어 있다.
③ (다)에는 판막이 있다.
④ (라)에는 산소를 많이 포함한 혈액이 흐른다.
⑤ D가 수축하면 혈액이 (라)를 통해 온몸으로 나간다.

24 온몸 순환 경로를 옳게 나열한 것은?

① A → (다) → 온몸의 모세 혈관 → (라) → D
② B → (나) → 폐의 모세 혈관 → (가) → C
③ C → (가) → 폐의 모세 혈관 → (나) → B
④ C → (다) → 온몸의 모세 혈관 → (라) → B
⑤ D → (라) → 온몸의 모세 혈관 → (다) → A

25 동맥혈이 흐르는 곳과 정맥혈이 흐르는 곳을 옳게 구분한 것은?

	동맥혈이 흐르는 곳	정맥혈이 흐르는 곳
①	(가), (나), A, B	(다), (라), C, D
②	(가), (나), A, C	(다), (라), B, D
③	(가), (다), A, C	(나), (라), B, D
④	(나), (라), B, D	(가), (다), A, C
⑤	(나), (라), C, D	(가), (다), A, B

풀이 TIP **20 ❶** 정상인과 수가 크게 차이 나는 혈구를 찾는다. **❷** 그 혈구의 기능을 생각한다. **23 ❶** 그림에 A~D, (가)~(라)의 이름을 써 본다. **❷** 동맥, 모세 혈관, 정맥의 특징을 생각한다. **❸** 폐의 모세 혈관을 지나기 전과 후, 온몸의 모세 혈관을 지나기 전과 후의 산소 양의 변화를 물질 교환과 관련지어 생각한다.

26 오른쪽 그림은 사람의 심장 구
조를 나타낸 것이다.

192쪽

(1) 폐로 혈액을 내보내는 곳의 기
호를 쓰시오.

----

(2) ㉠의 이름을 쓰고, 그 기능을 서술하시오.

----

27 모세 혈관이 주변 조직 세포와 물질 교환을 하기에 유
리한 까닭을 다음 내용을 모두 포함하여 서술하시오.

194쪽

> • 혈관 벽의 두께
> • 혈액이 흐르는 속도

----

28 오른쪽 그림은 혈액의 성
분을 나타낸 것이다.

198쪽

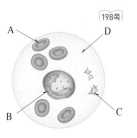

(1) 혈액을 현미경으로 관찰할
때 김사액에 의해 핵이 보
라색으로 염색되는 혈구의
기호를 쓰시오.

----

(2) (1)과 같이 생각한 까닭을 서술하시오.

----

29 표는 (가), (나) 두 사람의 혈액 1 mm³당 들어 있는 혈
구 수를 비교하여 나타낸 것이다. 정상인의 적혈구 수는 500
만 개~600만 개/mm³, 백혈구 수는 5000개~10000개/
mm³, 혈소판 수는 25만 개~40만 개/mm³이다.

196쪽

사람	적혈구	백혈구	혈소판
(가)	500만 개	7000개	30만 개
(나)	550만 개	25000개	27만 개

(1) 세균이 몸속에 침입하여 염증이 있는 것으로 보이는
사람의 기호를 쓰시오.

----

(2) (1)과 같이 생각한 까닭을 서술하시오.

----

30 오른쪽 그림은 혈액 순환 경
로를 나타낸 것이다.

196쪽

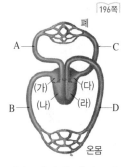

(1) 폐순환 경로를 순서대로 나
열하시오.

----

(2) 폐순환 경로에서 혈액의 산소 양은 어떻게 변하는지
쓰고, 그 까닭을 서술하시오.

학습 평가하기

정답친해 55쪽으로 가서 문제를 채점한 후 학습 결과를 스스로 평가
해 보세요.

맞춘 개수	26~30개	20~25개	0~19개
평가	잘함	보통	부족

➡ 정답친해에서 그 문제를 왜 틀렸는지 꼭 확인하세요!

➡ 본책에서 해당 쪽으로 돌아가서 부족한 부분을 다시 공부하세요!

29 ❶ 세균이 몸속에 침입하면 세균을 잡아먹는 기능을 하는 혈구의 수가 증가하는 것을 안다. ❷ 세균을 잡아먹는 혈구의 수가 정상인에 비해 크게 많은 사람을 찾는다.
30 ❶ 심장에서 폐동맥, 폐정맥이 연결된 부분을 찾는다. ❷ 혈액이 폐의 모세 혈관을 지날 때 산소가 이동하는 방향을 생각한다.

03 호흡

단원 미리 보기

만화 완성하기 다음 만화를 보고 폐의 말풍선을 완성해 보자.

>> 이 단원을 학습한 후 내가 쓴 대사를 수정해 보자.

A 호흡계

동물은 음식을 먹어 살아가는 데 필요한 영양소를 얻습니다. 이렇게 얻은 영양소로부터 생명 활동에 필요한 에너지를 얻기 위해서는 산소가 필요하지요. 산소를 흡수하는 호흡계의 구조와 기능에 대해 알아봅시다.

호흡계는 숨을 쉬면서 산소를 흡수하고 이산화 탄소를 배출하는 기능을 담당하며, 코, 기관, 기관지, 폐 등의 호흡 기관으로 이루어져 있다. +

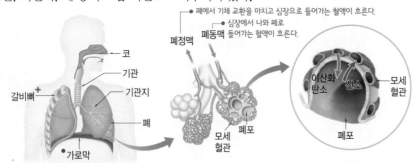

[숨을 들이쉴 때 공기가 이동하는 경로] 코 → 기관 → 기관지 → 폐 속의 폐포

코	• 차고 건조한 공기를 따뜻하고 축축하게 만든다. • 콧속은 가는 털과 끈끈한 액체로 덮여 있어 먼지나 세균 등을 걸러 낸다.
기관, 기관지	• 기관의 안쪽 벽에는 섬모가 있어 먼지나 세균 등을 거른다. • 기관은 두 개의 기관지로 갈라져 좌우 폐와 연결된다. • 기관지는 폐 속에서 더 많은 가지로 갈라져 폐포와 연결된다.
폐	• 가슴 속에 좌우 한 개씩 있다. • 갈비뼈와 가로막으로 둘러싸인 흉강에 들어 있다. • 수많은 폐포로 이루어져 있어 공기와 닿는 표면적이 매우 넓다. + ➡ 기체 교환이 효율적으로 일어날 수 있다. └ 약 3억 개의 폐포로 이루어져 있다.
	폐포	• 폐를 구성하는 작은 공기주머니이다. • 표면이 모세 혈관으로 둘러싸여 있다. ➡ 폐포와 모세 혈관 사이에서 산소와 이산화 탄소가 교환된다. 폐포 → 모세 혈관 ┐ └ 모세 혈관 → 폐포

✚ 호흡
넓은 의미에서 숨을 쉬는 것, 산소와 이산화 탄소의 교환, 생명 활동에 필요한 에너지를 얻는 과정까지 모두 포함한다.

✚ 갈비뼈의 기능
폐나 심장과 같은 중요한 기관을 보호하며, 위아래로 움직여 호흡 운동이 일어나게 한다.

✚ 표면적을 넓히는 구조
폐의 폐포, 소장 안쪽 벽의 주름과 융털, 식물의 뿌리털, 어류의 아가미 등

| 용어 |
• 가로막(膜 막) 근육으로 이루어진 막으로, 횡격막이라고도 한다.
• 흉강(胸 가슴, 腔 속이 비다) 갈비뼈와 가로막으로 둘러싸인 공간으로, 흉강에는 폐, 심장과 같은 기관이 있다.

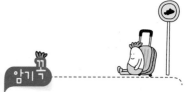

 이 단원의 개념이 어떻게 구성되어 있는지 살펴보고 빈칸을 완성해 보자.

```
          ┌─── A  호흡계 ─────────────── C
   호흡 ───┤
          └─── B  들숨과 날숨의 성분 ───── D
```

 이 단원을 공부하기 전에 미리 알고 있는 단어를 체크해 보자.

- ☐ 기관   ☐ 기관지   ☐ 폐포   ☐ 갈비뼈   ☐ 가로막
- ☐ 흉강   ☐ 들숨   ☐ 날숨   ☐ 호흡 운동   ☐ 확산

1 산소를 흡수하고 이산화 탄소를 배출하는 기능을 담당하며, 코, 기관, 기관지, 폐 등의 기관으로 이루어져 있는 기관계의 이름을 쓰시오.

폐와 폐포
폐는 수많은 폐포로 이루어져 있어 공기와 닿는 표면적이 매우 넓기 때문에 기체 교환이 효율적으로 일어난다.

[2~3] 오른쪽 그림은 사람의 호흡계를 나타낸 것이다.

2 A~F의 이름을 쓰시오.

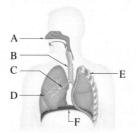

3 각 설명에 해당하는 구조의 기호를 쓰시오.

(1) 차고 건조한 공기를 따뜻하고 축축하게 만든다.
(2) 수많은 폐포로 이루어져 있어 기체 교환이 효율적으로 일어난다.

4 숨을 들이쉬었을 때 공기가 이동하는 경로를 완성하시오.

코 → 기관 → ㉠(   ) → ㉡(   ) 속의 폐포

B 들숨과 날숨의 성분

호흡계에서는 산소를 흡수하고 이산화 탄소를 배출한다고 했죠? 그렇다면 호흡계로 들어오는 숨과 호흡계에서 나가는 숨의 성분에는 어떤 차이가 있을까요?

1. 들숨과 날숨 : 들숨은 들이쉬는 숨, 날숨은 내쉬는 숨이다.

2. 들숨과 날숨의 성분 : 날숨에는 들숨보다 산소는 적고, 이산화 탄소는 많다. [+]

➡ **까닭** : 공기가 몸 안으로 들어왔다 나가는 동안 몸에서 산소를 받아들이고 이산화 탄소를 내보내기 때문

📖 들숨과 날숨의 성분 확인

[과정]
(가) 초록색 BTB 용액에 공기 펌프로 공기(들숨)를 넣는다.
(나) 초록색 BTB 용액에 날숨을 불어넣는다.

[결과]

날숨 속의 이산화 탄소가 물에 녹아 BTB 용액이 산성이 된다.

(나)에서 BTB 용액의 색깔이 <u>노란색</u>으로 더 빨리 변한다. [+]

➡ **까닭** : 들숨보다 날숨에 이산화 탄소가 더 많이 들어 있기 때문

(가)　(나)
초록색 BTB 용액

공기 펌프
날숨을 불어 넣는다.

[+] 들숨과 날숨에서 산소와 이산화 탄소의 포함 정도 비교
· 산소 : 들숨 > 날숨
· 이산화 탄소 : 날숨 > 들숨
· 들숨과 날숨에서 모두 산소가 이산화 탄소보다 많다.

[+] BTB 용액의 색깔 변화
BTB 용액은 염기성일 때 파란색, 중성일 때 초록색, 산성일 때 노란색을 띤다.

C 호흡 운동

숨을 들이쉬면 폐 안으로 공기가 들어오고, 숨을 내쉬면 폐에서 공기가 나갑니다. 공기는 어떻게 폐 속으로 드나드는 것일까요? 호흡 운동이 일어나는 원리와 그 과정을 알아봅시다.

1. 호흡 운동의 원리 : 폐는 근육이 없어 <u>스스로 커지거나 작아지지 못하므로</u> 흉강을 둘러싸고 있는 갈비뼈와 가로막의 움직임에 의해 호흡 운동이 일어난다.

스스로 수축하거나 이완할 수 없다.

2. 들숨과 날숨이 일어나는 과정

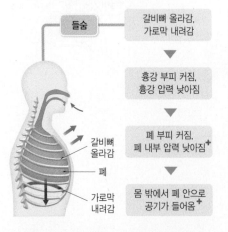

들숨 → 갈비뼈 올라감, 가로막 내려감 ▼ 흉강 부피 커짐, 흉강 압력 낮아짐 ▼ 폐 부피 커짐, 폐 내부 압력 낮아짐 [+] ▼ 몸 밖에서 폐 안으로 공기가 들어옴 [+]

갈비뼈 올라감
폐
가로막 내려감

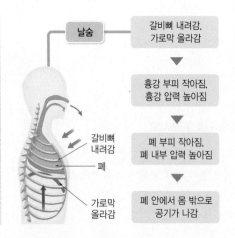

날숨 → 갈비뼈 내려감, 가로막 올라감 ▼ 흉강 부피 작아짐, 흉강 압력 높아짐 ▼ 폐 부피 작아짐, 폐 내부 압력 높아짐 ▼ 폐 안에서 몸 밖으로 공기가 나감

갈비뼈 내려감
폐
가로막 올라감

[+] 기체의 부피와 압력의 관계(보일 법칙)
기체의 부피는 압력에 반비례 한다.
➡ 들숨이 일어날 때 흉강의 부피가 커지면 흉강의 압력이 감소하고, 그에 따라 폐의 부피가 커지면 폐 내부 압력이 감소한다.

[+] 공기의 이동 원리
공기는 압력이 높은 곳에서 낮은 곳으로 이동한다.
· 들숨 시 : 폐 내부 압력이 대기압보다 낮아져 공기가 몸 밖에서 폐 안으로 들어온다.
· 날숨 시 : 폐 내부 압력이 대기압보다 높아져 공기가 폐 안에서 몸 밖으로 나간다.

3. 들숨과 날숨이 일어날 때의 몸 상태 비교

구분	갈비뼈	가로막	흉강 부피	흉강 압력	폐 부피	폐 내부 압력
들숨	올라감	내려감	커짐	낮아짐	커짐	낮아짐
날숨	내려감	올라감	작아짐	높아짐	작아짐	높아짐

1 다음은 산소와 이산화 탄소에 대한 설명이다. 각 설명에 해당하는 기체를 쓰시오.

(1) 들숨보다 날숨에 많다.　　　　(2) 날숨보다 들숨에 많다.

2 초록색 BTB 용액이 들어 있는 2개의 삼각 플라스크 (가), (나)를 준비하여 오른쪽 그림과 같이 (가)에는 공기 펌프로 공기를 넣고, (나)에는 날숨을 불어넣었다.

공기 펌프 / 날숨을 불어 넣는다.
(가)　(나)
초록색 BTB 용액

(1) BTB 용액의 색깔이 노란색으로 더 빨리 변하는 플라스크의 기호를 쓰시오.
(2) BTB 용액의 색깔이 변하게 한 기체를 쓰시오.

1 다음은 호흡 운동의 원리에 대한 설명이다. (　) 안에 알맞은 말을 쓰시오.

> 폐는 ㉠(　　)이 없어 스스로 커지거나 작아지지 못하므로 흉강을 둘러싸고 있는 ㉡(　　)와 가로막의 움직임에 의해 호흡 운동이 일어난다.

2 다음은 들숨과 날숨이 일어나는 과정이다. (　) 안에 알맞은 말을 고르시오.

들숨	날숨
갈비뼈가 올라가고, 가로막이 ㉠(내려간다, 올라간다).	갈비뼈가 내려가고, 가로막이 ㉣(내려간다, 올라간다).
↓	↓
흉강의 부피가 커지고, 압력이 ㉡(낮아진다, 높아진다).	흉강의 부피가 작아지고, 압력이 ㉤(낮아진다, 높아진다).
↓	↓
폐의 부피가 ㉢(커지고, 작아지고), 폐 내부 압력이 낮아진다.	폐의 부피가 ㉥(커지고, 작아지고), 폐 내부 압력이 높아진다.
↓	↓
공기가 몸 밖에서 폐 안으로 들어온다.	공기가 폐 안에서 몸 밖으로 나간다.

 204쪽으로 돌아가서 내가 쓴 대사를 점검해 보자.

03 호흡

D 기체 교환

호흡 운동으로 폐포 속에 공기가 들어오면 폐포를 둘러싼 모세 혈관과 폐포 사이에서 기체가 교환됩니다. 폐에서 기체 교환을 거친 혈액은 온몸의 모세 혈관으로 이동하여 조직 세포와 기체를 교환하지요. 기체 교환이 일어나는 원리와 그 결과를 알아봅시다.

1. 기체 교환의 원리 : 기체의 농도 차이에 따른 *확산에 의해 기체 교환이 일어난다.
➡ 농도가 높은 쪽에서 낮은 쪽으로 기체가 이동한다.

2. 폐와 조직 세포에서의 기체 교환

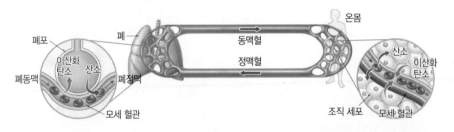

구분		폐에서의 기체 교환	조직 세포에서의 기체 교환
장소		폐포와 폐포를 둘러싼 모세 혈관 사이	온몸의 모세 혈관과 조직 세포 사이
기체 농도	산소	폐포 > 모세 혈관	모세 혈관 > 조직 세포
	이산화 탄소	폐포 < 모세 혈관	모세 혈관 < 조직 세포
기체 교환		폐포 ⇄ 모세 혈관 (산소 →, 이산화 탄소 ←)	모세 혈관 ⇄ 조직 세포 (산소 →, 이산화 탄소 ←)
기체 교환 결과		혈액에 산소가 많아지고, 이산화 탄소가 적어진다(정맥혈 → 동맥혈).	혈액에 산소가 적어지고, 이산화 탄소가 많아진다(동맥혈 → 정맥혈).

+ 호흡계와 순환계의 작용
호흡계와 순환계의 작용에 의해 산소가 조직 세포로 공급되어 에너지를 얻는 데 쓰이고, 에너지를 얻는 과정에서 발생한 이산화 탄소가 몸 밖으로 나간다.

• 산소는 폐포에서 조직 세포 쪽으로 이동한다.
• 이산화 탄소는 조직 세포에서 폐포 쪽으로 이동한다.

| 용어 |
• 확산(擴 넓히다, 散 흩어지다) 물질을 이루는 입자가 스스로 운동하여 퍼져 나가는 현상
예 향수 냄새, 꽃향기, 음식 냄새 등이 퍼져 나간다.

---

1 다음은 기체 교환의 원리에 대한 설명이다. ( ) 안에 알맞은 말을 쓰시오.

폐와 조직 세포에서 기체는 농도 차이에 따른 ㉠( )에 의해 이동한다. 즉, 농도가 ㉡( ) 쪽에서 ㉢( ) 쪽으로 기체가 이동한다.

암기 TIP

산소의 이동 방향
폐포 → 모세 혈관 → 조직 세포
산소는 **폐**에서 **모조**리!
　　　　포　　세 직
　　　　　　혈 세
　　　　　　관 포

2 그림은 폐와 조직 세포에서의 기체 교환을 나타낸 것이다. ( ) 안에 알맞은 말을 고르시오.

(1) ㉠(A, B)는 산소, ㉡(A, B)는 이산화 탄소의 이동 방향이다.
(2) 산소 농도는 ㉠(폐포, 모세 혈관)보다 ㉡(폐포, 모세 혈관)에서 더 높다.
(3) 폐에서의 기체 교환 결과 ㉠(정맥혈, 동맥혈)이 ㉡(정맥혈, 동맥혈)로 바뀐다.

이해 쏙쏙 집중강의

우리 몸에서 일어나는 호흡 운동과 호흡 운동 모형에서 일어나는 변화는 각각의 내용도 중요하고, 두 내용을 관련지어 생각하는 것도 중요합니다. 집중 강의에서 확실히 이해하고 넘어갑시다.

탐구 자료 호흡 운동의 원리

 관련 개념 | 206쪽 ⓒ 호흡 운동

목표

호흡 운동 모형을 이용해 호흡 운동의 원리를 이해할 수 있다.

과정 및 결과

① 고무 막을 잡아당기면서 작은 고무풍선의 변화를 관찰한다.
➡ 고무풍선이 부푼다.
② 고무 막을 밀어 올리면서 작은 고무풍선의 변화를 관찰한다.
➡ 고무풍선이 줄어든다.

빨대
고무찰흙
플라스틱 컵
작은 고무풍선
고무 막
⬆ 고무 막을 잡아당길 때

⬆ 고무 막을 밀어 올릴 때

주의 TIP

호흡 운동 모형과 사람 몸의 차이점

호흡 운동 모형에서는 가로막에 해당하는 고무 막의 움직임으로만 공기가 드나들지만, 사람의 몸에서는 가로막과 갈비뼈가 함께 움직여 공기가 드나든다.

해석

❶ 고무 막을 잡아당길 때와 밀어 올릴 때 나타나는 변화

고무 막	잡아당길 때(들숨)	밀어 올릴 때(날숨)
컵 속의 부피(컵 속의 공간, 고무풍선)	증가한다.	감소한다.
컵 속의 압력(컵 속의 공간, 고무풍선 속)	낮아진다.	높아진다.
공기 이동	밖 → 고무풍선	고무풍선 → 밖

❷ 호흡 운동 모형과 사람의 몸 비교

호흡 운동 모형	빨대	컵 속의 공간	작은 고무풍선	고무 막
사람의 몸	기관, 기관지	흉강	폐	가로막

결론

호흡 운동 모형에서 고무 막은 우리 몸의 ⊙( )에 해당하며, 고무 막을 잡아당기는 것은 ⓒ( ), 밀어 올리는 것은 ⓒ( )에 해당한다.

정답 ⓒ 날숨 ⊙ 들숨 ⓒ 가로막 ⊙ 정답

핵심 자료 호흡 기관과 호흡 운동 모형

관련 개념 | 206쪽 ⓒ 호흡 운동

들숨에 해당하는 변화		날숨에 해당하는 변화	
호흡 기관	호흡 운동 모형	호흡 기관	호흡 운동 모형

호흡 기관 (들숨)
갈비뼈(올라감)
폐
가로막(내려감)

호흡 운동 모형 (들숨)
빨대
고무풍선
고무 막
잡아당김

호흡 기관 (날숨)
갈비뼈(내려감)
폐
가로막(올라감)

호흡 운동 모형 (날숨)
빨대
고무풍선
고무 막
밀어 올림

갈비뼈 올라감, 가로막 내려감	고무 막 잡아당김	갈비뼈 내려감, 가로막 올라감	고무 막 밀어 올림
▼	▼	▼	▼
흉강과 폐의 부피 커짐, 흉강과 폐 내부 압력 낮아짐	컵 속의 부피 커짐, 컵 속의 압력 낮아짐	흉강과 폐의 부피 작아짐, 흉강과 폐 내부 압력 높아짐	컵 속의 부피 작아짐, 컵 속의 압력 높아짐
▼	▼	▼	▼
공기가 몸 밖에서 폐 안으로 들어옴	공기가 밖에서 고무풍선 안으로 들어옴	공기가 폐 안에서 몸 밖으로 나감	공기가 고무풍선 안에서 밖으로 나감

01 호흡계에 대한 설명으로 옳지 <u>않은</u> 것은?　204쪽

① 이산화 탄소를 흡수하고 산소를 배출한다.
② 콧속은 가는 털과 끈끈한 액체로 덮여 있다.
③ 공기가 콧속을 지나면서 따뜻해지고 축축해진다.
④ 기관은 두 개의 기관지로 갈라져 좌우 폐와 연결된다.
⑤ 폐는 갈비뼈와 가로막으로 둘러싸인 흉강에 들어 있다.

[02~04] 그림은 사람의 호흡계를 나타낸 것이다.

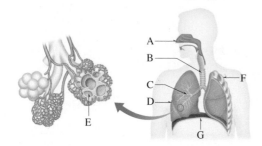

중요
풀이 TIP
02 이에 대한 설명으로 옳지 <u>않은</u> 것은?　204쪽

① A와 B에서 먼지나 세균 등을 거른다.
② B의 안쪽 벽에는 섬모가 있다.
③ C는 폐 속에서 많은 가지로 갈라져 폐포와 연결된다.
④ D는 근육이 있어 스스로 커지거나 작아질 수 있다.
⑤ D는 F와 G의 움직임에 따라 크기가 변한다.

03 다음에서 설명하는 구조의 기호와 이름을 옳게 짝 지은
것은?　204쪽

> • 폐를 구성하는 작은 공기주머니이다.
> • 폐가 공기와 닿는 표면적을 넓혀 준다.
> • 표면이 모세 혈관으로 둘러싸여 있다.

① B – 기관　　　　② C – 기관지
③ E – 폐포　　　　④ F – 갈비뼈
⑤ G – 가로막

04 다음은 숨을 들이쉬었을 때 공기가 이동하는 경로이다.　204쪽

> 코 → ㉠(　　　) → 기관지 → 폐 속의 ㉡(　　　)

(　) 안에 알맞은 기호를 쓰시오.

05 들숨과 날숨의 성분에 대한 설명으로 옳은 것은?　206쪽

① 들숨에는 이산화 탄소가 들어 있지 않다.
② 들숨에는 날숨보다 산소가 많이 들어 있다.
③ 들숨에는 날숨보다 이산화 탄소가 많이 들어 있다.
④ 날숨에는 산소가 들어 있지 않다.
⑤ 날숨에는 산소보다 이산화 탄소가 많다.

중요
풀이 TIP
06 그림과 같이 초록색 BTB 용액이 든 비커 2개를 준비
하여 (가)에는 공기 펌프로 공기를 넣고, (나)에는 입김을 불어
넣었다.　206쪽

이에 대한 설명으로 옳은 것을 보기에서 모두 고른 것은?

> { 보기 }
> ㄱ. (가)에는 들숨, (나)에는 날숨을 넣은 것이다.
> ㄴ. (나)에서 BTB 용액이 노란색으로 더 빨리 변한다.
> ㄷ. 산소가 BTB 용액의 색깔을 변하게 한다.

① ㄱ　　　　② ㄴ　　　　③ ㄷ
④ ㄱ, ㄴ　　　⑤ ㄴ, ㄷ

풀이
TIP
02 ❶ 그림에 A~G의 이름을 써 본다. ❷ 먼지나 세균 등을 거르기 위해 필요한 구조를 생각한다. ❸ D와 F, G의 관계를 생각한다. **06** ❶ 초록색 BTB 용액 속에 이산화 탄소가 적어지면 용액의 색깔이 파란색으로 변하고, 이산화 탄소가 많아지면 용액의 색깔이 노란색으로 변한다. ❷ 들숨과 날숨의 성분 차이를 생각한다.

210　V. 동물과 에너지

07 표는 들숨과 날숨의 성분 중 일부를 나타낸 것이다. A와 B는 각각 산소와 이산화 탄소 중 하나이다. [206쪽]

구분	질소	A	B
들숨(%)	78.63	20.84	0.03
날숨(%)	74.5	15.7	3.6

A와 B에 해당하는 기체의 종류를 쓰시오.

10 들숨과 날숨 시 우리 몸에서 일어나는 변화를 비교한 내용으로 옳지 않은 것은? [206쪽]

	구분	들숨	날숨
①	가로막	내려간다	올라간다
②	갈비뼈	올라간다	내려간다
③	흉강의 부피	작아진다	커진다
④	폐 내부 압력	낮아진다	높아진다
⑤	공기의 이동	외부 → 폐	폐 → 외부

[08~09] 오른쪽 그림은 사람의 가슴 구조를 나타낸 것이다.

08 이에 대한 설명으로 옳지 않은 것은? [206쪽]

① (가)는 갈비뼈, (나)는 가로막이다.
② (가)와 (나)는 항상 같은 방향으로 움직인다.
③ (가)가 위로 올라가면 폐로 공기가 들어온다.
④ (나)가 위로 올라가면 폐에서 공기가 나간다.
⑤ (나)가 아래로 내려가면 폐의 부피가 커진다.

[11~12] 오른쪽 그림은 호흡 운동이 일어나는 원리를 알아보기 위한 호흡 운동 모형을 나타낸 것이다.

빨대
고무찰흙
작은 고무풍선
플라스틱 컵
고무 막

11 호흡 운동 모형의 각 부분에 해당하는 우리 몸의 구조를 옳게 짝 지은 것은? [209쪽]

	빨대	고무풍선	고무 막
①	기관	가로막	갈비뼈
②	기관	갈비뼈	가로막
③	기관	폐	가로막
④	기관	가로막	폐
⑤	식도	폐	가로막

09 (가)와 (나)의 이동에 따른 흉강의 부피와 압력 변화를 옳게 짝 지은 것은? [206쪽]

	(가)	(나)	흉강 부피	흉강 압력
①	위로	위로	증가	감소
②	위로	아래로	감소	감소
③	아래로	아래로	증가	증가
④	아래로	위로	감소	증가
⑤	아래로	위로	증가	감소

12 고무 막을 아래로 잡아당겼을 때 일어나는 현상으로 옳은 것은? [209쪽]

① 고무풍선이 부푼다.
② 컵 속의 부피가 작아진다.
③ 컵 속의 압력이 높아진다.
④ 공기가 고무풍선 안에서 밖으로 나간다.
⑤ 우리 몸에서 날숨이 일어날 때에 해당한다.

08 ❶ 기체의 부피와 압력은 반비례하는 것을 안다. ❷ 공기는 압력이 높은 곳에서 낮은 곳으로 이동하는 것을 안다. 12 ❶ 고무 막을 아래로 잡아당겼을 때 컵 속의 부피 변화를 생각한다. ❷ 부피 변화에 따른 압력 변화를 생각한다. ❸ 압력 변화에 따른 공기의 이동을 생각한다.

13 그림 (가)는 사람의 호흡 기관을, (나)는 호흡 운동 모형을 나타낸 것이다.

209쪽

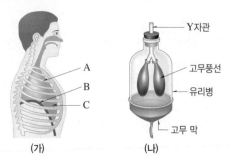

(가)   (나)

(나)에서 고무 막을 밀어 올렸을 때에 해당하는 (가)의 변화로 옳지 <u>않은</u> 것은?

① 날숨이 일어날 때에 해당한다.
② A가 내려가고, B가 올라간다.
③ C의 부피가 커진다.
④ C의 압력이 높아진다.
⑤ C에서 몸 밖으로 공기가 나간다.

14 그림은 들숨과 날숨이 일어날 때 폐 내부 압력과 흉강 압력의 변화를 나타낸 것이다.

206쪽

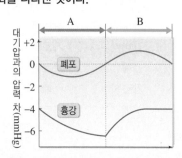

이에 대한 설명으로 옳은 것을 보기에서 모두 고른 것은?

┤ 보기 ├
ㄱ. A는 들숨, B는 날숨이 일어나는 시기이다.
ㄴ. 폐 내부 압력이 대기압보다 낮을 때 들숨이 일어난다.
ㄷ. 흉강의 압력이 폐 내부 압력보다 높을 때 날숨이 일어난다.

① ㄱ   ② ㄱ, ㄴ   ③ ㄱ, ㄷ
④ ㄴ, ㄷ   ⑤ ㄱ, ㄴ, ㄷ

[15~16] 오른쪽 그림은 폐포와 폐포를 둘러싼 모세 혈관 사이의 기체 교환을 나타낸 것이다.

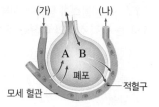

15 (가), (나), A, B의 이름을 옳게 짝 지은 것은?

208쪽

	(가)	(나)	A	B
①	폐정맥	폐정맥	산소	이산화 탄소
②	폐정맥	폐동맥	이산화 탄소	산소
③	폐정맥	폐동맥	산소	이산화 탄소
④	폐동맥	폐정맥	이산화 탄소	산소
⑤	폐동맥	폐정맥	산소	이산화 탄소

16 이에 대한 설명으로 옳은 것을 보기에서 모두 고른 것은?

208쪽

┤ 보기 ├
ㄱ. (가)에서 들어오는 혈액에는 (나)로 나가는 혈액보다 산소가 많다.
ㄴ. A는 조직 세포에서 모세 혈관으로 이동한다.
ㄷ. 적혈구는 B를 운반하는 작용을 한다.

① ㄱ   ② ㄴ   ③ ㄱ, ㄴ
④ ㄴ, ㄷ   ⑤ ㄱ, ㄴ, ㄷ

17 폐포와 모세 혈관, 모세 혈관과 조직 세포 사이에서 기체가 교환되는 것과 같은 원리에 의해 일어나는 현상을 모두 고르면?(2개)

208쪽

① 젖은 빨래가 마른다.
② 풀잎에 맺힌 이슬이 사라진다.
③ 향수 냄새가 방 안 전체로 퍼진다.
④ 바닷물을 증발시켜 소금을 얻는다.
⑤ 먼 곳에서도 음식 냄새를 맡을 수 있다.

 14 ❶ A, B 각 시기의 폐 내부 압력과 대기압의 압력 차를 확인한다. ❷ 폐 내부 압력이 대기압보다 높을 때와 낮을 때 공기의 이동을 생각한다.   15 ❶ 혈액은 동맥 → 모세 혈관 → 정맥의 방향으로 흐름을 안다. ❷ 모세 혈관 → 폐포, 폐포 → 모세 혈관으로 이동하는 기체의 종류를 생각한다.

18 그림은 온몸의 모세 혈관과 조직 세포 사이에서 일어 나는 기체 교환 과정을 나타낸 것이다. ^{208쪽}

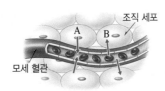

A, B 방향으로 이동하는 기체를 각각 쓰시오.

[19~20] 그림은 폐와 조직 세포에서 일어나는 기체 교환을 나타낸 것이다.

19 (가)와 (나)에서 A와 B의 농도를 옳게 비교한 것은? ^{208쪽}

① A : 폐포＞모세 혈관, 모세 혈관＞조직 세포
② A : 폐포＞모세 혈관, 모세 혈관＜조직 세포
③ A : 폐포＜모세 혈관, 모세 혈관＜조직 세포
④ B : 폐포＞모세 혈관, 모세 혈관＞조직 세포
⑤ B : 폐포＜모세 혈관, 모세 혈관＞조직 세포

20 이에 대한 설명으로 옳은 것은? ^{208쪽}

① A는 이산화 탄소, B는 산소이다.
② A는 대동맥보다 대정맥에 많이 들어 있다.
③ 호흡계에서는 B를 흡수하고, A를 배출한다.
④ 기체는 농도가 낮은 쪽에서 높은 쪽으로 이동한다.
⑤ (가)에서의 기체 교환 결과 혈액에 산소가 많아지고, 이산화 탄소가 적어진다.

서술형 **문제**

21 오른쪽 그림은 폐를 구성하는 폐 포의 모습을 나타낸 것이다. 폐가 수많은 폐포로 이루어져 있어 유리한 점을 기체 교환의 측면에서 서술하시오. ^{204쪽}

폐포

- -

- -

22 우리 몸에서 호흡 운동이 폐가 아닌 갈비뼈와 가로막의 움직임에 의해 일어나는 까닭을 서술하시오. ^{206쪽}

- -

- -

23 우리 몸에서 호흡 운동이 일어나 공기가 폐 안으로 들어오는 과정을 다음 내용을 모두 포함하여 서술하시오. ^{206쪽}

- 가로막과 갈비뼈의 움직임
- 폐의 부피와 폐 내부 압력 변화
- 폐 내부 압력과 대기압의 비교

- -

- -

학습 평가하기

정답친해 58쪽으로 가서 문제를 채점한 후 학습 결과를 스스로 평가해 보세요.

맞춘 개수	20~23개	15~19개	0~14개
평가	잘함	보통	부족

➡ 정답친해에서 그 문제를 왜 틀렸는지 꼭 확인하세요!
➡ 본책에서 해당 쪽으로 돌아가서 부족한 부분을 다시 공부하세요!

18 ❶ 조직 세포에 필요한 기체는 모세 혈관 → 조직 세포로 이동한다. ❷ 조직 세포에서 생성된 기체는 조직 세포 → 모세 혈관으로 이동한다. 20 ❶ 기체 교환이 일어나는 원리를 안다. ❷ 산소와 이산화 탄소의 이동 방향을 안다. ❸ (가)와 (나)에서의 기체 교환 결과 혈액 속의 산소와 이산화 탄소 양의 변화를 생각한다.

04 배설

 만화 완성하기

다음 만화를 보고 단백질의 말풍선을 완성해 보자.

>> 이 단원을 학습한 후 내가 쓴 대사를 수정해 보자.

A 노폐물의 생성과 배설

정수장에서는 오염된 물에서 오염 물질을 걸러 물을 깨끗하게 만듭니다. 우리 몸에서는 혈액 속의 노폐물을 어떻게 할까요? 먼저 노폐물이 왜 생기고, 어떻게 몸 밖으로 내보내지는지부터 알아봅시다.

1. **배설** : 콩팥에서 오줌을 만들어 요소와 같은 노폐물을 몸 밖으로 내보내는 과정으로, 배설계가 배설 기능을 담당한다. [+]

2. **노폐물의 생성** : 세포에서 생명 활동에 필요한 에너지를 얻기 위해 영양소를 분해할 때 노폐물이 만들어진다.

(1) 이산화 탄소, 물 : 탄수화물, 지방, 단백질이 분해될 때 공통적으로 만들어진다.

(2) 암모니아 : 질소를 포함하는 노폐물로, 단백질이 분해될 때만 만들어진다.
└ 탄수화물과 지방은 질소를 포함하지 않고, 단백질만 질소를 포함하고 있기 때문

3. **노폐물이 몸 밖으로 나가는 방법**

노폐물	분해되는 영양소	몸 밖으로 나가는 방법
이산화 탄소	탄수화물, 지방, 단백질	폐에서 날숨으로 나간다.
물	탄수화물, 지방, 단백질	폐에서 날숨으로 나가거나 콩팥에서 오줌으로 나간다.
암모니아	단백질	독성이 강하므로 간에서 독성이 약한 요소로 바뀐 다음 콩팥에서 오줌으로 나간다.

+ 배설과 배출
• 배설 : 혈액 속 노폐물을 걸러 내어 오줌으로 내보내는 것
• 배출 : 소화·흡수되지 않은 물질을 대변으로 내보내는 것

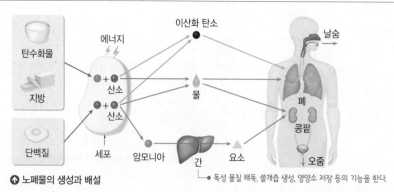

↑ **노폐물의 생성과 배설**

└ 독성 물질 해독, 쓸개즙 생성, 영양소 저장 등의 기능을 한다.

214   V. 동물과 에너지

한눈에 보기

이 단원의 개념이 어떻게 구성되어 있는지 살펴보고 빈칸을 완성해 보자.

배설
- A
- B 배설계 ---- C 오줌의 생성 과정 ---- D
- E 세포 호흡과 기관계

 단어 체크하기

이 단원을 공부하기 전에 미리 알고 있는 단어를 체크해 보자.

- ☐ 배설
- ☐ 콩팥
- ☐ 오줌관
- ☐ 방광
- ☐ 요도
- ☐ 네프론
- ☐ 여과
- ☐ 재흡수
- ☐ 분비
- ☐ 세포 호흡

1 콩팥에서 오줌을 만들어 요소와 같은 노폐물을 몸 밖으로 내보내는 과정을 무엇이라고 하는지 쓰시오.

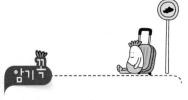

암모니아의 생성과 배설

단백질이 분해될 때만 생성

간에서 요소로 바뀜

콩팥에서 오줌으로 나감

2 노폐물의 생성과 배설에 대한 설명으로 옳은 것은 ○, 옳지 <u>않은</u> 것은 ×로 표시하시오.

(1) 오줌에는 물과 요소가 들어 있다. ································· ( )

(2) 암모니아는 탄수화물이 분해될 때만 만들어진다. ············· ( )

(3) 이산화 탄소는 폐로 이동하여 날숨을 통해 몸 밖으로 나간다. ·········· ( )

(4) 탄수화물, 단백질, 지방이 분해될 때 공통적으로 만들어지는 노폐물은 물과 이산화 탄소이다. ································· ( )

3 다음은 암모니아가 몸 밖으로 나가는 과정을 설명한 것이다. ( ) 안에 알맞은 말을 쓰시오.

독성이 강한 암모니아는 ㉠( )에서 독성이 약한 ㉡( )로 바뀐 다음 ㉢( )에서 걸러져 오줌에 포함되어 몸 밖으로 나간다.

○4 배설

B 배설계

콩팥에서 오줌을 만들어 요소와 같은 노폐물을 몸 밖으로 내보내는 과정, 즉 배설은 배설계에서 담당합니다. 배설계를 구성하는 배설 기관에는 어떤 것들이 있을까요? 지금부터 알아봅시다.

1. 배설계 : 콩팥, 오줌관, 방광, 요도 등의 배설 기관으로 이루어져 있다.

→ 주먹만 한 크기로 허리의 등쪽 좌우에 한 개씩 있다.

콩팥	혈액 속의 노폐물을 걸러 오줌을 만드는 기관[+]
오줌관	콩팥과 방광을 연결하는 긴 관
방광	콩팥에서 만들어진 오줌을 모아 두는 곳
요도	방광에 모인 오줌이 몸 밖으로 나가는 통로

2. 콩팥의 구조 : 콩팥 겉질, 콩팥 속질, 콩팥 깔때기의 세 부분으로 구분된다.

(1) 콩팥 겉질, 콩팥 속질 : 오줌을 만드는 단위인 네프론이 있다. → 콩팥 하나에는 약 100만 개의 네프론이 있다.

> 네프론 = 사구체 + 보먼주머니 + 세뇨관

① 사구체 : 모세 혈관이 실뭉치처럼 뭉쳐 있는 부분
② 보먼주머니 : 사구체를 둘러싼 주머니 모양의 구조
③ 세뇨관 : 보먼주머니와 연결된 가늘고 긴 관 → 모세 혈관으로 둘러 싸여 있다.
(2) 콩팥 깔때기 : 콩팥의 가장 안쪽 빈 공간으로, 네프론에서 만들어진 오줌이 콩팥 깔때기에 모인다.

→ 콩팥 깔때기 속 오줌은 오줌관을 지나 방광에 모인 다음, 요도를 거쳐 몸 밖으로 나간다.

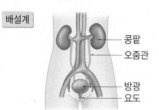

배설계

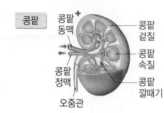

콩팥

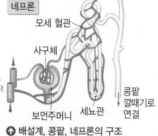

네프론

↑ 배설계, 콩팥, 네프론의 구조

+ 콩팥의 기능

콩팥은 몸속 물의 양(체액의 농도)을 일정하게 유지하는 기능도 한다.
예) 물을 많이 마시면 오줌의 양이 늘어나고, 땀을 많이 흘리면 오줌의 양이 줄어든다.

+ 콩팥 동맥과 콩팥 정맥

• 콩팥 동맥 : 콩팥으로 들어오는 혈액이 흐르는 혈관
• 콩팥 정맥 : 콩팥에서 나가는 혈액이 흐르는 혈관
➡ 콩팥 정맥에는 콩팥에서 노폐물이 걸러진 혈액이 흐르므로, 콩팥 정맥의 혈액이 콩팥 동맥의 혈액보다 노폐물을 적게 포함하고 있다.

C 오줌의 생성 과정

오줌은 하루에 1.5 L~2 L 정도가 만들어진다고 합니다. 오줌은 어떻게 만들어질까요? 콩팥의 네프론에서 노폐물을 걸러 오줌을 만드는 과정을 살펴봅시다.

오줌은 네프론에서 여과, 재흡수, 분비 과정을 거쳐 만들어진다.

여과	크기가 작은 물질이 사구체 → 보먼주머니로 이동하는 현상[+] • 물, 요소, 포도당, 아미노산, 무기염류 등이 여과된다. • 혈구나 단백질과 같이 크기가 큰 물질은 여과되지 않는다.
재흡수	몸에 필요한 물질이 세뇨관 → 모세 혈관으로 이동하는 현상 • 포도당, 아미노산 : 전부 재흡수된다. • 물, 무기염류 : 대부분 재흡수된다.
분비	여과되지 않은 노폐물의 일부가 모세 혈관 → 세뇨관으로 이동하는 현상

사구체
여과↓
보먼주머니

세뇨관
재흡수↑↓ 분비
모세 혈관

↑ 여과, 재흡수, 분비가 일어나는 장소[+]

+ 여과가 일어나는 원리

모세 혈관이 뭉쳐 있는 사구체는 보먼주머니보다 압력이 높아 이 압력 차이에 의해 크기가 작은 물질이 여과된다.

→ 보먼주머니로 여과된 액체가 세뇨관을 따라 이동할 때 세뇨관과 세뇨관을 둘러싼 모세 혈관 사이에서 재흡수와 분비가 일어난다.

+ 오줌의 생성과 배설 경로

콩팥 동맥 → 사구체 → 보먼주머니 → 세뇨관 → 콩팥 깔때기 → 오줌관 → 방광 → 요도 → 몸 밖

암기 TIP

네프론의 구성
네프론을 **사보세~!**
구 먼 뇨
체 주 관
머
니

1 오른쪽 그림은 사람의 배설계를 나타낸 것이다. 다음 설명에 해당하는 구조의 기호와 이름을 쓰시오.

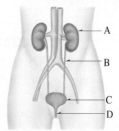

(1) 오줌이 몸 밖으로 나가는 통로이다.
(2) 콩팥과 방광을 연결하는 긴 관이다.
(3) 콩팥에서 만들어진 오줌을 모아 두는 곳이다.
(4) 혈액 속의 노폐물을 걸러 오줌을 만드는 기관이다.

2 오른쪽 그림은 콩팥의 구조를 나타낸 것이다. 이에 대한 설명으로 옳은 것은 ○, 옳지 않은 것은 ×로 표시하시오.

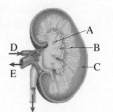

(1) A와 B에 네프론이 있다. ····················· (   )
(2) 네프론에서 만들어진 오줌이 C에 모인다. ·············· (   )
(3) E보다 D에 노폐물이 더 많다. ····················· (   )

3 네프론을 구성하는 세 가지 구조의 이름을 쓰시오.

암기 TIP

재흡수와 분비가 일어나는 방향

재흡수는 **세모**, 분비는 **모세**
뇨 세   세 뇨
관 혈   혈 관
에 관   관 으
서 으   에 로
   로   서

1 오른쪽 그림은 네프론의 구조를 나타낸 것이다. 다음 현상이 일어나는 방향을 쓰시오.

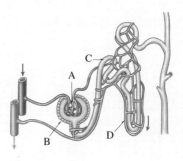

(1) 여과 : ㉠ (   ) → ㉡ (   )
(2) 재흡수 : ㉠ (   ) → ㉡ (   )
(3) 분비 : ㉠ (   ) → ㉡ (   )

2 여과되지 않는 물질을 보기에서 모두 고르시오.

보기
ㄱ. 요소   ㄴ. 혈구   ㄷ. 단백질   ㄹ. 포도당   ㅁ. 무기염류

214쪽으로 돌아가서
내가 쓴 대사를 점검해 보자.

D 혈액, 여과액, 오줌의 성분

혈구나 단백질은 크기가 커서 여과되지 않는다고 했죠? 그러니까 여과액에는 혈구와 단백질이 들어 있지 않습니다. 그렇다면 여과액과 오줌의 성분에는 어떤 차이가 있을까요?

보먼주머니로 여과된 액체(여과액)가 재흡수와 분비를 거쳐 오줌이 된다.

구분	들어 있는 물질
혈액	혈구, 단백질, 물, 요소, 포도당, 아미노산, 무기염류 등 ← 여과되지 않는다.
여과액	물, 요소, 포도당, 아미노산, 무기염류 등 ← 전부 재흡수된다.
오줌	물, 요소, 무기염류 등 +

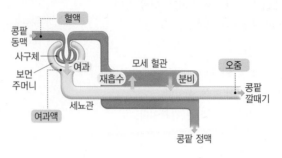

+ 혈액, 여과액, 오줌의 관계

혈액
⬇ 여과
여과액
재흡수 ⬇ 분비
오줌

📖❗ **혈액, 여과액, 오줌의 성분 비교**

(단위 : %)

구분	혈액	여과액	오줌
단백질	7.0	0	0
포도당	0.1	0.1	0
요소	0.03	0.03	2.0

• 단백질 : 여과액에 없다. ➡ 크기가 커서 여과되지 않기 때문
• 포도당 : 여과액에는 있지만 오줌에는 없다. ➡ 여과된 후 전부 재흡수되기 때문
• 요소 : 여과액보다 오줌에서 농도가 크게 높아진다. ➡ 대부분의 물이 재흡수되기 때문

E 세포 호흡과 기관계

동물도 식물과 마찬가지로 호흡을 통해 살아가는 데 필요한 에너지를 얻습니다. 지금까지 배운 소화, 순환, 호흡, 배설 작용이 에너지를 얻는 데 왜 중요한지 알아봅시다.

1. 세포 호흡 : 세포에서 영양소가 산소와 반응하여 물과 이산화 탄소로 분해되면서 에너지를 얻는 과정

영양소 + 산소 ⟶ 이산화 탄소 + 물 + 에너지 +

➡ 세포 호흡으로 얻은 에너지는 여러 가지 생명 활동에 이용되거나 열로 방출된다. +

2. 세포 호흡과 기관계 : 생명 활동에 필요한 에너지를 얻는 세포 호흡이 잘 일어나려면 소화계, 순환계, 호흡계, 배설계가 유기적으로 작용해야 한다.

소화계
• 음식물 속의 영양소를 소화하여 흡수한다.
• 흡수되지 않은 물질을 대변으로 내보낸다.

호흡계
산소를 몸 안으로 받아들이고, 이산화 탄소를 몸 밖으로 내보낸다.

순환계
조직 세포에 산소와 영양소를 운반해 주고, 조직 세포에서 생긴 이산화 탄소와 노폐물을 운반해 온다.

배설계
콩팥에서 혈액 속의 노폐물을 걸러 오줌을 만들어 몸 밖으로 내보낸다.

조직 세포
세포 호흡을 하여 생명 활동에 필요한 에너지를 얻으며, 그 과정에서 노폐물이 생긴다.

+ 연소와 세포 호흡의 비교
자동차의 연료가 산소와 반응하여 연소하면 에너지가 발생하는 것처럼 사람의 조직 세포에서도 영양소가 산소와 반응하면서 에너지가 발생한다.
• 연소 : 연료+산소 → 물+이산화 탄소+에너지
• 세포 호흡 : 영양소+산소 → 물+이산화 탄소+에너지

+ 에너지의 이용
세포 호흡으로 얻은 에너지는 체온 유지, 두뇌 활동, 소리 내기, 근육 운동, 생장 등에 이용된다.

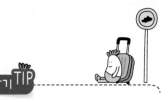

1 오른쪽 그림은 오줌의 생성 과정을 나타낸 것이다. (가)~(다)에 해당하는 과정의 이름을 쓰시오.

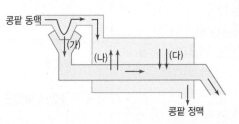

콩팥 동맥
(가)
(나)
(다)
콩팥 정맥

오줌의 성분
오물오물
줄 요 무
에 소 기
는 염
류

2 다음 설명에 해당하는 물질을 보기에서 모두 고르시오.

┌ 보기 ├
ㄱ. 물   ㄴ. 요소   ㄷ. 혈구   ㄹ. 단백질
ㅁ. 포도당   ㅂ. 무기염류   ㅅ. 아미노산

(1) 혈액에는 있지만 여과액에는 없는 물질

(2) 여과액에는 있지만 오줌에는 없는 물질

(3) 오줌에 들어 있는 물질

영양소와 산소의 공급
• 영양소 : 소화계에서 흡수 → 순환계가 운반
• 산소 : 호흡계에서 흡수 → 순환계가 운반

[1~2] 다음은 세포 호흡 과정을 식으로 나타낸 것이다.

영양소 + ㉠(   ) ⟶ ㉡(   ) + 물 + 에너지

1 (   ) 안에 알맞은 말을 쓰시오.

2 이에 대한 설명으로 옳은 것은 ○, 옳지 <u>않은</u> 것은 ×로 표시하시오.

(1) ㉠은 소화계에서 흡수한다. ·· (   )

(2) 영양소와 ㉠은 순환계에 의해 조직 세포로 운반된다. ··················· (   )

(3) ㉡은 배설계에서 몸 밖으로 내보낸다. ··· (   )

(4) 세포 호흡으로 얻은 에너지는 체온 유지, 두뇌 활동, 소리 내기, 근육 운동, 생장 등에 이용된다. ··· (   )

개념 페이지로 점프해요!

01 배설의 뜻을 가장 옳게 설명한 것은? [214쪽]

① 암모니아의 독성을 약하게 만드는 과정
② 세포에서 영양소를 분해하여 에너지를 얻는 과정
③ 소화·흡수되지 않은 물질을 대변으로 내보내는 과정
④ 조직 세포와 모세 혈관 사이에서 산소와 이산화 탄소가 교환되는 과정
⑤ 콩팥에서 오줌을 만들어 요소와 같은 노폐물을 몸 밖으로 내보내는 과정

02 세포에서 에너지를 얻기 위해 탄수화물, 지방, 단백질을 분해할 때 공통적으로 발생하는 노폐물끼리 옳게 짝 지은 것은? [214쪽]

① 산소, 물
② 이산화 탄소, 물
③ 산소, 이산화 탄소
④ 이산화 탄소, 암모니아
⑤ 이산화 탄소, 물, 암모니아

03 중요 ☆ 풀이 TIP 그림은 노폐물의 생성과 배설 과정을 나타낸 것이다. [214쪽]

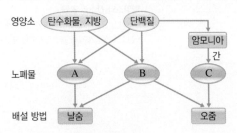

노폐물 A~C를 옳게 짝 지은 것은?

	A	B	C
①	물	요소	이산화 탄소
②	물	이산화 탄소	요소
③	요소	물	이산화 탄소
④	이산화 탄소	물	요소
⑤	이산화 탄소	요소	물

04 중요 ☆ 다음은 어떤 노폐물의 배설 과정에 대한 설명이다. [214쪽]

> 우리 몸에서 ㉠(   )이 분해될 때 생성되는 암모니아는 ㉡(   )에서 독성이 약한 ㉢(   )로 바뀌어 오줌을 통해 몸 밖으로 내보내진다.

(   ) 안에 알맞은 말을 옳게 짝 지은 것은?

	㉠	㉡	㉢
①	지방	콩팥	물
②	지방	간	요소
③	단백질	콩팥	요소
④	단백질	간	요소
⑤	탄수화물	콩팥	이산화 탄소

[05~06] 그림은 사람의 배설계를 나타낸 것이다.

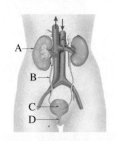

05 A~D의 이름을 쓰시오. [216쪽]

06 중요 ☆ 풀이 TIP 이에 대한 설명으로 옳은 것을 보기에서 모두 고른 것은? [216쪽]

> [보기]
> ㄱ. A에서 혈액 속 노폐물을 걸러 오줌을 만든다.
> ㄴ. B는 네프론을 구성한다.
> ㄷ. C는 A에서 만들어진 오줌을 모아 두는 곳이다.
> ㄹ. D는 오줌이 몸 밖으로 나가는 통로이다.

① ㄱ, ㄴ   ② ㄱ, ㄹ   ③ ㄴ, ㄷ
④ ㄱ, ㄷ, ㄹ   ⑤ ㄴ, ㄷ, ㄹ

 풀이 TIP **03** ❶ A~C를 탄수화물, 지방, 단백질이 분해될 때 공통적으로 만들어지는 노폐물과 단백질이 분해될 때만 만들어지는 노폐물로 구분한다. ❷ 오줌과 날숨을 통해 몸 밖으로 나가는 노폐물을 찾는다. **06** ❶ 오줌이 만들어져 몸 밖으로 나가는 경로를 생각한다. ❷ 네프론을 구성하는 세 가지 구조를 안다.

[07~08] 오른쪽 그림은 콩팥의 구조를 나타낸 것이다.

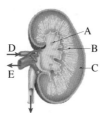

07 A~C의 이름을 옳게 짝 지은 것은?

216쪽

	A	B	C
①	콩팥 겉질	콩팥 속질	콩팥 깔때기
②	콩팥 속질	콩팥 겉질	콩팥 깔때기
③	콩팥 속질	콩팥 깔때기	콩팥 겉질
④	콩팥 깔때기	콩팥 겉질	콩팥 속질
⑤	콩팥 깔때기	콩팥 속질	콩팥 겉질

08 이에 대한 설명으로 옳지 않은 것은?

216쪽

① A는 콩팥의 가장 안쪽 빈 공간이다.
② 네프론에서 만들어진 오줌이 A에 모인다.
③ B와 C에 네프론이 있다.
④ D는 콩팥으로 들어가는 혈액이 흐르는 콩팥 동맥이다.
⑤ E에는 콩팥에서 만들어진 오줌이 흐른다.

[09~12] 그림은 콩팥의 일부를 나타낸 것이다.

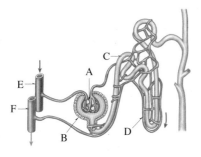

09 네프론을 구성하는 구조를 모두 고른 것은?

중요 216쪽

① B, C
② A, B, C
③ A, B, D
④ B, C, D
⑤ B, C, D, E

10 오줌이 생성되는 과정에서 여과, 재흡수, 분비가 일어나는 방향을 옳게 짝 지은 것은?

중요 풀이 TIP 216쪽

	여과	재흡수	분비
①	A → B	C → D	D → C
②	A → B	C → D	E → F
③	B → C	C → D	D → C
④	B → C	D → C	C → D
⑤	D → C	B → C	E → F

11 이에 대한 설명으로 옳은 것을 보기에서 모두 고른 것은?

중요 216쪽

보기
ㄱ. A와 B에 들어 있는 물질의 종류는 같다.
ㄴ. B에는 단백질이 들어 있지 않다.
ㄷ. C에는 혈구가 들어 있지 않다.
ㄹ. C는 세뇨관이고, D는 C를 둘러싸고 있는 모세 혈관이다.

① ㄱ, ㄴ
② ㄴ, ㄷ
③ ㄷ, ㄹ
④ ㄱ, ㄴ, ㄷ
⑤ ㄴ, ㄷ, ㄹ

12 E와 F 속의 여러 가지 물질 중 포함된 양의 차이가 가장 많이 나는 것은?

풀이 TIP 216쪽

① 요소
② 포도당
③ 단백질
④ 적혈구
⑤ 아미노산

10 ❶ 그림에 A~F의 이름을 써 본다. ❷ 여과, 재흡수, 분비의 뜻을 생각한다. ❸ 재흡수는 세모, 분비는 모세를 떠올린다.   12 ❶ 여과되지 않는 성분을 찾아 제외한다.
❷ 여과된 후 전부 재흡수되는 물질을 찾아 제외한다.

13 다음은 오줌이 만들어져 몸 밖으로 나가는 경로이다.

216쪽

콩팥 동맥 → ㉠( ) → 보면주머니 → ㉡( ) → 콩팥 깔때기 → ㉢( ) → 방광 → 요도 → 몸 밖

( ) 안에 알맞은 말을 옳게 짝 지은 것은?

	㉠	㉡	㉢
①	세뇨관	사구체	오줌관
②	세뇨관	오줌관	사구체
③	사구체	오줌관	세뇨관
④	사구체	세뇨관	오줌관
⑤	오줌관	사구체	세뇨관

[14~15] 그림은 오줌 생성 과정을 나타낸 것이다.

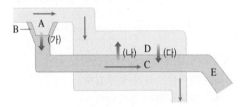

14 (가) 과정에서 이동하는 물질끼리 옳게 짝 지은 것은?

216쪽

① 물, 요소, 혈구
② 요소, 혈구, 단백질
③ 물, 포도당, 단백질
④ 요소, 단백질, 무기염류
⑤ 요소, 포도당, 아미노산

 15 이에 대한 설명으로 옳지 <u>않은</u> 것은?

216쪽

① (가)는 여과, (나)는 재흡수, (다)는 분비 과정이다.
② 무기염류는 (나) 과정에서 이동한다.
③ B에는 포도당이 있다.
④ E에는 아미노산이 없다.
⑤ 요소의 농도는 B보다 E에서 더 낮다.

16 물을 많이 마시면 오줌의 양이 늘어나고, 땀을 많이 흘리면 오줌의 양이 줄어든다. 이를 통해 알 수 있는 콩팥의 기능으로 옳은 것은?

216쪽

① 노폐물을 만든다.
② 체온을 일정하게 유지한다.
③ 몸속에 침입한 세균을 제거한다.
④ 체액의 농도를 일정하게 유지한다.
⑤ 몸속의 물을 되도록 많이 몸 밖으로 내보낸다.

[17~18] 표는 정상인의 혈액과 여과액, 오줌 속 물질의 농도를 비교하여 나타낸 것이다. A~C는 각각 포도당, 단백질, 요소 중 하나이다.

(단위 : %)

물질	혈액	여과액	오줌
물	92	92	95
A	7	0	0
B	0.03	0.03	2
C	0.1	0.1	0

17 A~C의 이름을 옳게 짝 지은 것은?

218쪽

	A	B	C
①	요소	포도당	단백질
②	단백질	요소	포도당
③	단백질	포도당	요소
④	포도당	요소	단백질
⑤	포도당	단백질	요소

 18 이에 대한 설명으로 옳은 것은?

218쪽

① A는 여과되지 않는다.
② B는 여과된 후 전부 재흡수된다.
③ 오줌에서 가장 많은 성분은 B이다.
④ C는 오줌에 들어 있다.
⑤ C는 여과된 후 일부만 재흡수된다.

---

 15 ❶ (가)~(다)에 해당하는 과정을 써 본다. **❷** B에는 여과액이 있음을 안다. **❸** E에는 여과, 재흡수, 분비 과정을 거쳐 만들어진 오줌이 있음을 안다. **18 ❶** 여과되지 않는 물질은 여과액에 없음을 안다. **❷** 세뇨관에서 모세 혈관으로 전부 재흡수되는 물질은 여과액에는 있지만 오줌에는 없음을 안다.

19 다음은 세포 호흡 과정을 식으로 나타낸 것이다.

$$ ⊙(\qquad)+산소 \longrightarrow ⓒ(\qquad)+물+에너지 $$

이에 대한 설명으로 옳은 것을 보기에서 모두 고른 것은?

┌ 보기 ┐
ㄱ. ⊙은 소화계에서 흡수한다.
ㄴ. ⓒ은 호흡계에서 흡수한다.
ㄷ. 세포 호흡으로 얻은 에너지는 모두 체온 유지에 사용된다.

① ㄱ   ② ㄴ   ③ ㄷ
④ ㄱ, ㄴ   ⑤ ㄱ, ㄷ

20 산소와 영양소, 이산화 탄소와 노폐물을 몸의 각 부분으로 운반하는 기관계는?

① 소화계   ② 순환계   ③ 호흡계
④ 배설계   ⑤ 신경계

21 그림은 기관계의 유기적 작용을 나타낸 것이다.

이에 대한 설명으로 옳지 않은 것은?

① (가)는 소화계, (나)는 호흡계, (다)는 배설계이다.
② (나)에서는 산소를 흡수하고, 이산화 탄소를 내보낸다.
③ 위, 소장, 대장은 (다)를 구성하는 기관이다.
④ 순환계를 통해 영양소와 산소가 조직 세포로 운반된다.
⑤ 세포 호흡이 잘 일어나려면 소화계, 순환계, 호흡계, 배설계가 유기적으로 작용해야 한다.

서술형 문제

22 표는 정상인의 혈액과 여과액, 오줌 속 물질의 농도를 비교하여 나타낸 것이다. A~C는 각각 포도당, 단백질, 요소 중 하나이다.

(단위 : %)

물질	혈액	여과액	오줌
A	7	0	0
B	0.1	0.1	0
C	0.03	0.03	2

(1) A~C에 해당하는 물질을 쓰시오.

(2) A가 여과액에 없는 까닭을 서술하시오.

(3) B가 여과액에는 있는데, 오줌에 없는 까닭을 서술하시오.

23 세포 호흡에 필요한 영양소와 산소가 조직 세포로 전달되는 과정을 다음 단어를 모두 포함하여 서술하시오.

┌─────────────────────────┐
│   순환계, 호흡계, 소화계   │
└─────────────────────────┘

학습 평가하기

정답친해 61쪽으로 가서 문제를 채점한 후 학습 결과를 스스로 평가해 보세요.

맞춘 개수	20~23개	15~19개	0~14개
평가	잘함	보통	부족

➜ 정답친해에서 그 문제를 왜 틀렸는지 꼭 확인하세요!
➜ 본책에서 해당 쪽으로 돌아가서 부족한 부분을 다시 공부하세요!

19 ❶ ⊙과 ⓒ에 해당하는 물질을 써 본다. ❷ 소화계와 호흡계의 작용을 생각한다. ❸ 세포 호흡으로 얻은 에너지가 이용되는 곳을 생각한다. 21 ❶ 각 기관계의 작용을 생각하여 (가)~(다)에 해당하는 기관계를 써 본다. ❷ 화살표를 따라가면서 물질의 이동 방향을 찾는다. ❸ 각 기관계를 구성하는 기관을 떠올린다.

04. 배설   **223**

01 소화

1. 동물 몸의 구성 단계

세포 → 조직 → 기관 → 기관계 → 개체

세포	생물의 몸을 구성하는 기본 단위
조직	모양과 기능이 비슷한 세포가 모인 단계
기관	여러 조직이 모여 고유한 모양과 기능을 갖춘 단계
기관계	관련된 기능을 하는 몇 개의 기관이 모여 유기적 기능을 수행하는 단계 예 • 소화계 : 양분을 소화하여 흡수한다. • 순환계 : 여러 가지 물질을 온몸으로 운반한다. • 호흡계 : 기체를 교환한다. • 배설계 : 노폐물을 걸러 몸 밖으로 내보낸다.
개체	여러 기관계가 모여 이루어진 독립된 생물체

2. 영양소 : 에너지원으로 이용되는 탄수화물, 단백질, 지방(3대 영양소)과 에너지원으로 이용되지 않는 무기염류, 바이타민, 물이 있다.

탄수화물	• 주로 에너지원으로 이용된다. • 남은 것은 지방으로 바뀌어 저장된다.
단백질	• 주로 몸을 구성하며, 에너지원으로도 이용된다. • 몸의 기능을 조절한다.
지방	• 몸을 구성하거나 에너지원으로 이용된다.
무기염류	• 뼈, 이, 혈액 등을 구성하고, 몸의 기능을 조절한다. • 종류 : 나트륨, 철, 칼슘, 칼륨, 마그네슘, 인 등
바이타민	• 적은 양으로 몸의 기능을 조절한다. • 종류 : 바이타민 A, B_1, C, D 등
물	• 몸의 구성 성분 중 가장 많다. • 영양소와 노폐물 등 여러 가지 물질을 운반한다. • 체온 조절에 도움을 준다.

• 영양소 검출

영양소	검출 용액	색깔 변화
녹말	아이오딘－아이오딘화 칼륨 용액	청람색
포도당	베네딕트 용액＋가열	황적색
단백질	뷰렛 용액 : 5 % 수산화 나트륨 수용액 ＋1 % 황산 구리(Ⅱ) 수용액	보라색
지방	수단 Ⅲ 용액	선홍색

3. 소화 : 음식물 속의 크기가 큰 영양소를 크기가 작은 영양소로 분해하는 과정

(1) 소화 과정 : 녹말은 포도당으로, 단백질은 아미노산으로, 지방은 지방산과 모노글리세리드로 최종 분해된다.

입	침 속의 아밀레이스가 녹말을 엿당으로 분해한다.
위	위액 속의 펩신이 염산의 도움을 받아 단백질을 분해한다.
소장	• 쓸개즙 : 간에서 생성되어 쓸개에 저장되었다가 소장으로 분비되어 지방의 소화를 돕는다. • 이자액 : 아밀레이스(녹말 분해), 트립신(단백질 분해), 라이페이스(지방 분해)가 들어 있다. • 소장의 소화 효소 : 탄수화물 소화 효소와 단백질 소화 효소가 있다.

(2) 영양소의 흡수

수용성 영양소	지용성 영양소
포도당, 아미노산, 무기염류 ➡ 융털의 모세 혈관으로 흡수	지방산, 모노글리세리드 ➡ 융털의 암죽관으로 흡수

02 순환

1. 심장 : 규칙적인 수축과 이완 운동인 심장 박동을 하여 혈액을 순환시킨다. ➡ 혈액 순환의 원동력

심방	혈액을 심장으로 받아들이는 곳	
	우심방	대정맥을 통해 온몸을 지나온 혈액을 받아들인다.
	좌심방	폐정맥을 통해 폐를 지나온 혈액을 받아들인다.
심실	혈액을 심장에서 내보내는 곳 ➡ 심방보다 두껍고 탄력성이 강한 근육으로 이루어져 있다.	
	우심실	폐동맥을 통해 혈액을 폐로 내보낸다.
	좌심실	대동맥을 통해 혈액을 온몸으로 내보낸다.
판막	혈액이 거꾸로 흐르는 것을 막는다. ➡ 심장에서 혈액은 심방 → 심실 → 동맥 방향으로만 흐른다.	

2. 혈관

동맥	• 심장에서 나오는 혈액이 흐르는 혈관 • 혈관 벽이 두껍고 탄력성이 강하여 심실에서 나온 혈액의 높은 압력(혈압)을 견딜 수 있다.
모세혈관	• 온몸에 그물처럼 퍼져 있는 가느다란 혈관 • 혈관 벽이 매우 얇아 모세 혈관을 지나는 혈액과 조직 세포 사이에서 물질 교환이 일어난다.
정맥	• 심장으로 들어가는 혈액이 흐르는 혈관 • 혈압이 매우 낮아 판막이 있다.

3. 혈액 : 액체 성분인 혈장(약 55 %)과 세포 성분인 혈구(약 45 %)로 이루어져 있다.

혈장	• 물이 주성분이다. • 영양소, 이산화 탄소, 노폐물 등을 운반한다.
적혈구	• 가운데가 오목한 원반 모양으로, 핵이 없다. • 헤모글로빈이 있어 산소 운반 작용을 한다.
백혈구	• 모양이 일정하지 않고, 핵이 있다. • 식균 작용을 한다.
혈소판	• 모양이 일정하지 않고, 핵이 없다. • 혈액 응고 작용을 한다.

4. 혈액 순환

(1) 온몸 순환 : 혈액이 온몸의 모세 혈관을 지나는 동안 조직 세포에 산소와 영양소를 전달하고, 조직 세포에서 이산화 탄소와 노폐물을 받는다.

> 좌심실 → 대동맥 → 온몸의 모세 혈관 → 대정맥 → 우심방

(2) 폐순환 : 혈액이 폐의 모세 혈관을 지나는 동안 이산화 탄소를 내보내고 산소를 받는다.

> 우심실 → 폐동맥 → 폐의 모세 혈관 → 폐정맥 → 좌심방

03 호흡

1. 호흡계 : 산소를 흡수하고 이산화 탄소를 배출한다.

(1) 폐 : 수많은 폐포로 이루어져 있어 공기와 닿는 표면적이 매우 넓다. ➡ 기체 교환이 효율적으로 일어날 수 있다.

(2) 폐포 : 폐를 구성하는 작은 공기주머니로, 표면이 모세 혈관으로 둘러싸여 있다. ➡ 폐포와 모세 혈관 사이에서 산소와 이산화 탄소가 교환된다.

2. 호흡 운동 : 폐는 근육이 없어 스스로 커지거나 작아지지 못하므로 흉강을 둘러싸고 있는 갈비뼈와 가로막의 움직임에 의해 호흡 운동이 일어난다.

구분	갈비뼈	가로막	흉강		폐	
			부피	압력	부피	압력
들숨	올라감	내려감	커짐	낮아짐	커짐	낮아짐
날숨	내려감	올라감	작아짐	높아짐	작아짐	높아짐

3. 기체 교환 : 기체의 농도 차이에 따른 확산에 의해 기체 교환이 일어난다.

폐에서의 기체 교환	조직 세포에서의 기체 교환
폐포 ⇄ 모세 혈관 (산소 →, ← 이산화 탄소)	모세 혈관 ⇄ 조직 세포 (산소 →, ← 이산화 탄소)

04 배설

1. 배설계

(1) 노폐물의 생성과 배설

분해 영양소	노폐물	몸 밖으로 나가는 방법
탄수화물, 지방, 단백질	이산화 탄소	날숨(폐)
탄수화물, 지방, 단백질	물	날숨(폐), 오줌(콩팥)
단백질	암모니아	간에서 독성이 약한 요소로 바뀜 → 오줌(콩팥)

(2) 배설계의 구조

콩팥	• 혈액 속의 노폐물을 걸러 오줌을 만든다. • 콩팥 겉질과 콩팥 속질에 네프론이 있다. • 네프론 : 오줌을 만드는 단위 ➡ 사구체, 보먼주머니, 세뇨관으로 이루어진다.
오줌관	콩팥과 방광을 연결하는 긴 관
방광	콩팥에서 만들어진 오줌을 모아 두는 곳
요도	방광에 모인 오줌이 몸 밖으로 나가는 통로

(3) 오줌의 생성 과정

구분	이동 경로	이동 물질
여과	사구체 → 보먼주머니	물, 요소, 포도당, 아미노산, 무기염류 등 ➡ 혈구나 단백질과 같이 크기가 큰 물질은 여과되지 않는다.
재흡수	세뇨관 → 모세 혈관	• 포도당, 아미노산 : 전부 재흡수 • 물, 무기염류 : 대부분 재흡수
분비	모세 혈관 → 세뇨관	미처 여과되지 않고 혈액에 남아 있던 노폐물의 일부

2. 세포 호흡과 기관계 : 세포 호흡이 잘 일어나려면 소화계, 순환계, 호흡계, 배설계가 유기적으로 작용해야 한다.

• 세포 호흡 과정

> 영양소 + 산소 ⟶ 물 + 이산화 탄소 + 에너지

01 소화

1. 동물 몸의 구성 단계

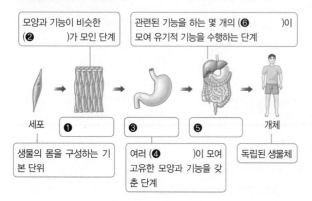

모양과 기능이 비슷한 (❷   )가 모인 단계

관련된 기능을 하는 몇 개의 (❻   )이 모여 유기적 기능을 수행하는 단계

세포

❶

❸

❺

개체

생물의 몸을 구성하는 기본 단위

여러 (❹   )이 모여 고유한 모양과 기능을 갖춘 단계

독립된 생물체

2. 사람의 소화계

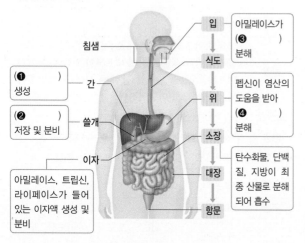

침샘
간
쓸개
이자

입 → 아밀레이스가 (❸   ) 분해

식도

위 → 펩신이 염산의 도움을 받아 (❹   ) 분해

소장

대장 → 탄수화물, 단백질, 지방이 최종 산물로 분해되어 흡수

항문

(❶   ) 생성

(❷   ) 저장 및 분비

아밀레이스, 트립신, 라이페이스가 들어 있는 이자액 생성 및 분비

3. 영양소의 흡수

포도당, 아미노산, 무기염류와 같은 (❷   ) 영양소 흡수

❶

❸

지방산, 모노글리세리드와 같은 (❹   ) 영양소 흡수

02 순환

1. 심장

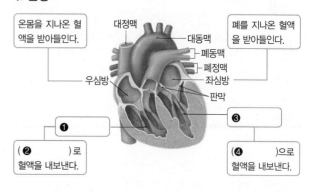

온몸을 지나온 혈액을 받아들인다.

대정맥
우심방

대동맥
폐동맥
폐정맥
좌심방
판막

폐를 지나온 혈액을 받아들인다.

❶ — (❷   )로 혈액을 내보낸다.

❸ — (❹   )으로 혈액을 내보낸다.

2. 혈액의 성분

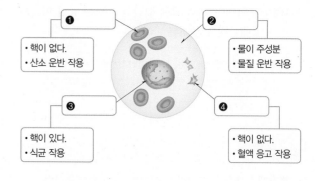

❶
• 핵이 없다.
• 산소 운반 작용

❷
• 물이 주성분
• 물질 운반 작용

❸
• 핵이 있다.
• 식균 작용

❹
• 핵이 없다.
• 혈액 응고 작용

3. 혈액 순환 경로

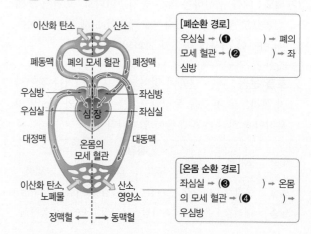

이산화 탄소   산소

폐동맥   폐의 모세 혈관   폐정맥

우심방   좌심방
우심실   심장   좌심실

대정맥   대동맥

온몸의 모세 혈관

이산화 탄소, 노폐물   산소, 영양소

정맥혈 ←   → 동맥혈

[폐순환 경로]
우심실 ⇒ (❶   ) ⇒ 폐의 모세 혈관 ⇒ (❷   ) ⇒ 좌심방

[온몸 순환 경로]
좌심실 ⇒ (❸   ) ⇒ 온몸의 모세 혈관 ⇒ (❹   ) ⇒ 우심방

03 호흡

1. 사람의 호흡계

안쪽 벽에 (❷   )가 있어 먼지나 세균 등을 거른다.

수많은 (❺   )로 이루어져 있어 공기와 닿는 표면적이 매우 넓다. ➡ 기체 교환이 효율적으로 일어날 수 있다.

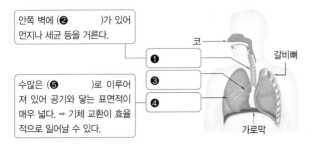

코 갈비뼈 ❶ ❸ ❹ 가로막

2. 호흡 운동

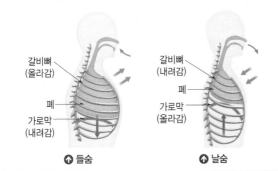

갈비뼈(올라감) 갈비뼈(내려감)
폐 폐
가로막(내려감) 가로막(올라감)

⬆ 들숨   ⬆ 날숨

구분	들숨	날숨
갈비뼈	올라간다.	내려간다.
가로막	내려간다.	올라간다.
흉강 부피	커진다.	작아진다.
흉강 압력	(❶).	(❸).
폐 부피	(❷).	(❹).
폐 내부 압력	대기압보다 낮아진다.	대기압보다 높아진다.
공기 이동	밖 ➡ 폐 안	폐 안 ➡ 밖

3. 폐와 조직 세포에서의 기체 교환

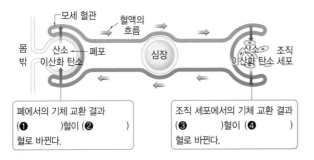

모세 혈관 혈액의 흐름
몸 밖 산소 폐포 심장 산소 조직
이산화 탄소 이산화 탄소 세포

폐에서의 기체 교환 결과 (❶   )혈이 (❷   ) 혈로 바뀐다.

조직 세포에서의 기체 교환 결과 (❸   )혈이 (❹   ) 혈로 바뀐다.

04 배설

1. 노폐물의 생성과 배설

탄수화물, 지방, 단백질이 분해되면 공통적으로 (❶   )와 물이 생성되고, 단백질이 분해될 때만 (❷   )가 생성된다.

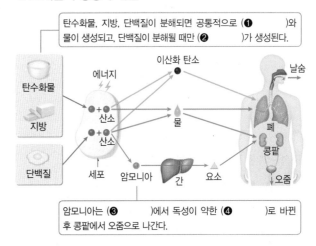

탄수화물 에너지 이산화 탄소 날숨
지방 +산소 물 폐
단백질 +산소 콩팥
세포 암모니아 간 요소 오줌

암모니아는 (❸   )에서 독성이 약한 (❹   )로 바뀐 후 콩팥에서 오줌으로 나간다.

2. 사람의 배설계

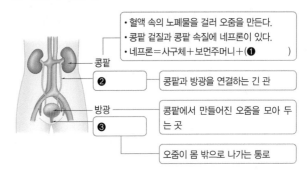

• 혈액 속의 노폐물을 걸러 오줌을 만든다.
• 콩팥 겉질과 콩팥 속질에 네프론이 있다.
• 네프론=사구체+보먼주머니+(❶   )

콩팥
❷ 콩팥과 방광을 연결하는 긴 관
방광 콩팥에서 만들어진 오줌을 모아 두는 곳
❸
오줌이 몸 밖으로 나가는 통로

3. 오줌 생성 과정

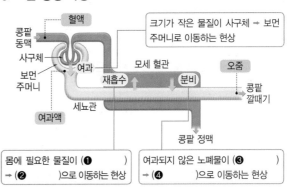

혈액 크기가 작은 물질이 사구체 ➡ 보먼주머니로 이동하는 현상
콩팥동맥
사구체 모세 혈관 오줌
보먼주머니 여과 재흡수 분비 콩팥 깔때기
세뇨관
여과액 콩팥 정맥

몸에 필요한 물질이 (❶   ) ➡ (❷   )으로 이동하는 현상

여과되지 않은 노폐물이 (❸   ) ➡ (❹   )으로 이동하는 현상

01 소화

01 그림은 동물 몸의 구성 단계를 순서 없이 나타낸 것이다.

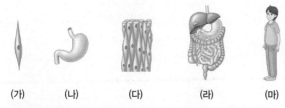

(가)　　(나)　　　(다)　　　　(라)　　　(마)

구성 단계를 순서대로 옳게 나열한 것은?

① (가) → (나) → (다) → (라) → (마)
② (가) → (다) → (나) → (라) → (마)
③ (다) → (가) → (나) → (라) → (마)
④ (다) → (가) → (라) → (나) → (마)
⑤ (다) → (나) → (라) → (가) → (마)

02 다음과 같은 음식물에 많이 포함된 영양소에 대한 설명으로 옳은 것을 보기에서 모두 고른 것은?

> 빵, 밥, 국수, 감자, 고구마

┌ 보기 ┐
ㄱ. 1 g당 약 4 kcal의 에너지를 낸다.
ㄴ. 남은 것은 지방으로 바뀌어 저장된다.
ㄷ. 주로 몸을 구성하는 데 쓰이므로, 성장기인 청소년에게 특히 많이 필요하다.

① ㄱ　　　　② ㄱ, ㄴ　　　③ ㄱ, ㄷ
④ ㄴ, ㄷ　　　⑤ ㄱ, ㄴ, ㄷ

03 영양소에 대한 설명으로 옳지 <u>않은</u> 것은?

① 물은 체온 조절에 도움을 준다.
② 무기염류는 뼈, 이, 혈액 등을 구성한다.
③ 바이타민은 적은 양으로 몸의 기능을 조절한다.
④ 1 g당 가장 많은 에너지를 내는 것은 지방이다.
⑤ 우리 몸의 구성 성분 중 가장 많은 것은 단백질이다.

04 표는 어떤 음식물 속에 들어 있는 영양소를 검출하기 위해 4개의 시험관 (가)~(라)에 음식물을 같은 양씩 넣고 실험한 결과를 나타낸 것이다.

시험관	실험	색깔 변화
(가)	아이오딘 – 아이오딘화 칼륨 용액을 넣는다.	청람색
(나)	베네딕트 용액을 넣고 가열한다.	변화 없음
(다)	5 % 수산화 나트륨 수용액과 1 % 황산 구리(Ⅱ) 수용액을 넣는다.	보라색
(라)	수단 Ⅲ 용액을 넣는다.	선홍색

이 실험을 통해 확인한 음식물 속에 들어 있는 영양소를 모두 나열한 것은?

① 단백질, 지방
② 단백질, 녹말
③ 녹말, 포도당, 지방
④ 녹말, 단백질, 지방
⑤ 녹말, 포도당, 단백질

05 침의 작용을 알아보기 위해 시험관 A~D에 같은 양의 녹말 용액을 넣고 다음과 같이 장치한 후 시험관 A와 C에는 아이오딘 반응을, 시험관 B와 D에는 베네딕트 반응을 실시하였다.

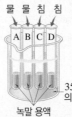

물 물 침 침
A B C D
35 ℃~40 ℃의 물
녹말 용액

시험관	물질
A	녹말 용액 + 물
B	녹말 용액 + 물
C	녹말 용액 + 침
D	녹말 용액 + 침

시험관 A~D의 반응 결과를 옳게 짝 지은 것은?

	시험관 A	시험관 B	시험관 C	시험관 D
①	청람색	변화 없음	변화 없음	황적색
②	변화 없음	청람색	변화 없음	황적색
③	청람색	청람색	황적색	황적색
④	황적색	황적색	청람색	청람색
⑤	변화 없음	변화 없음	청람색	황적색

[06~07] 오른쪽 그림은 사람의 소화계 중 일부를 나타낸 것이다.

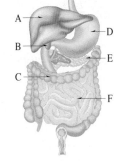

06 (가) 쓸개즙을 만드는 곳의 기호와 쓸개즙이 정상적으로 분비되지 않을 때 (나) 소화가 잘 일어나지 못하는 영양소를 옳게 짝 지은 것은?

	(가)	(나)
①	A	지방
②	A	단백질
③	B	지방
④	B	녹말
⑤	C	단백질

07 이에 대한 설명으로 옳은 것은?

① C에서 녹말이 포도당으로 최종 분해된다.
② D에서 작용하는 소화 효소는 염산의 도움을 받는다.
③ E에서 분비하는 소화액에는 펩신, 아밀레이스, 라이페이스가 들어 있다.
④ 단백질은 F에서 처음으로 분해된다.
⑤ F에서는 영양소의 분해가 일어나지 않고 주로 물이 흡수된다.

[08~09] 그림은 녹말, 지방, 단백질의 소화 과정을 나타낸 것이다.

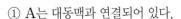
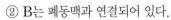

영양소	입	위	소장
(가)	A	아밀레이스	소장의 소화 효소 → 포도당
(나)	B	C	소장의 소화 효소 → 아미노산
(다)		D	지방산 → (라)

08 (가)~(라)의 이름을 쓰시오.

09 이에 대한 설명으로 옳지 않은 것은?

① A는 녹말을 엿당으로 분해한다.
② B는 펩신이다.
③ C는 단백질을 아미노산으로 분해한다.
④ C와 D는 이자액에 들어 있다.
⑤ 포도당과 아미노산은 소장 융털의 모세 혈관으로 흡수된다.

02 순환

10 오른쪽 그림은 사람의 심장 구조를 나타낸 것이다. 이에 대한 설명으로 옳지 않은 것은?

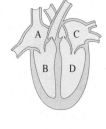

① A는 대동맥과 연결되어 있다.
② B는 폐동맥과 연결되어 있다.
③ 폐를 지나온 혈액이 들어오는 곳은 C이다.
④ C에는 산소가 많은 동맥혈이 흐른다.
⑤ 가장 두꺼운 근육으로 이루어진 곳은 D이다.

11 오른쪽 그림은 혈관이 연결된 모습을 나타낸 것이다. 이에 대한 설명으로 옳은 것은?

① A는 정맥, B는 모세 혈관, C는 동맥이다.
② B에는 판막이 있다.
③ 혈압은 A가 가장 높고, C가 가장 낮다.
④ 혈관 벽의 두께는 A가 가장 두껍고, C가 가장 얇다.
⑤ 혈액이 흐르는 속도는 C에서 가장 빠르고, B에서 가장 느리다.

12 오른쪽 그림은 혈액의 성분을 나타낸 것이다. 이에 대한 설명으로 옳지 <u>않은</u> 것은?

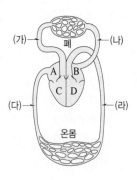

① A가 부족하면 빈혈이 생길 수 있다.

② B에는 헤모글로빈이 있다.

③ A~C 중 수가 가장 많은 것은 A이다.

④ A는 산소 운반 작용, B는 식균 작용, C는 혈액 응고 작용을 한다.

⑤ D의 주성분은 물이다.

[13~14] 오른쪽 그림은 혈액 순환 경로를 나타낸 것이다.

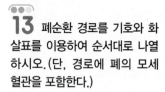

13 폐순환 경로를 기호와 화살표를 이용하여 순서대로 나열하시오. (단, 경로에 폐의 모세 혈관을 포함한다.)

14 이에 대한 설명으로 옳은 것을 보기에서 모두 고른 것은?

〔 보기 〕
ㄱ. (가)와 (다)에는 정맥혈이 흐른다.
ㄴ. B와 D에는 동맥혈이 흐른다.
ㄷ. 온몸 순환의 경로는 D → (라) → 온몸의 모세 혈관 → (다) → A이다.

① ㄱ   ② ㄱ, ㄴ   ③ ㄱ, ㄷ
④ ㄴ, ㄷ   ⑤ ㄱ, ㄴ, ㄷ

03 호흡

15 오른쪽 그림은 사람의 호흡계를 나타낸 것이다. 이에 대한 설명으로 옳지 <u>않은</u> 것은?

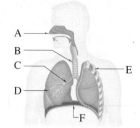

① A에서 공기가 따뜻해지고, 축축해진다.

② B에서는 먼지나 세균 등을 걸러 내는 작용이 일어나지 않는다.

③ D는 수많은 폐포로 이루어져 있어 표면적이 넓다.

④ 숨을 들이쉬면 A → B → C → D 속의 폐포로 공기가 이동한다.

⑤ E와 F의 움직임에 의해 호흡 운동이 일어난다.

16 들숨과 날숨의 성분에 대한 설명으로 옳은 것은?

① 날숨에는 산소가 없다.

② 들숨에는 이산화 탄소가 없다.

③ 산소는 들숨보다 날숨에 많다.

④ 이산화 탄소는 들숨보다 날숨에 많다.

⑤ 초록색 BTB 용액에 공기를 넣을 때보다 날숨을 넣을 때 용액의 색깔이 파란색으로 더 빨리 변한다.

17 오른쪽 그림은 호흡 운동이 일어나는 원리를 알아보기 위한 호흡 운동 모형을 나타낸 것이다. 이에 대한 설명으로 옳지 <u>않은</u> 것은?

① A는 폐, B는 가로막에 해당한다.

② B를 잡아당기는 것은 들숨에 해당한다.

③ B를 잡아당기면 유리병 속의 압력이 낮아진다.

④ B를 밀어 올리면 유리병 속의 부피가 작아진다.

⑤ B를 밀어 올리면 밖에서 A로 공기가 들어온다.

18 들숨이 일어날 때 우리 몸의 변화로 옳은 것은?

① 흉강의 부피가 작아진다.

② 흉강의 압력이 높아진다.

③ 폐의 부피가 작아진다.

④ 폐 내부 압력이 대기압보다 낮아진다.

⑤ 폐에서 밖으로 공기가 나간다.

19 그림은 폐와 조직 세포에서 일어나는 기체 교환을 나타낸 것이다.

폐포 / 조직 세포 / A / B / 모세 혈관 / C / D / (가) / (나)

이에 대한 설명으로 옳지 <u>않은</u> 것은?

① A와 C는 산소, B와 D는 이산화 탄소이다.

② (가)에서 산소의 농도는 폐포 > 모세 혈관이다.

③ (나)에서 이산화 탄소의 농도는 조직 세포 > 모세 혈관이다.

④ (나)에서의 기체 교환 결과 혈액의 산소 농도가 높아진다.

⑤ 농도가 높은 쪽에서 낮은 쪽으로 기체가 확산된다.

⊙⁴ 배설

20 노폐물이 생성되어 몸 밖으로 나가는 과정에 대한 설명으로 옳지 <u>않은</u> 것은?

① 단백질이 분해될 때 암모니아가 만들어진다.

② 물과 이산화 탄소는 3대 영양소가 분해될 때 공통적으로 만들어진다.

③ 물은 날숨과 오줌을 통해 몸 밖으로 나간다.

④ 이산화 탄소는 날숨을 통해 몸 밖으로 나간다.

⑤ 암모니아는 콩팥에서 요소로 바뀌어 오줌을 통해 몸 밖으로 나간다.

[21~22] 그림은 오줌의 생성 과정을 나타낸 것이다.

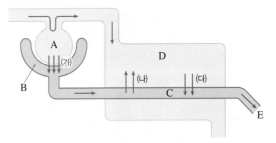

A / (가) / B / D / (나) / (다) / C / E

21 (가)~(다) 과정을 각각 무엇이라고 하는지 쓰시오.

22 이에 대한 설명으로 옳은 것을 보기에서 모두 고른 것은?

┌ 보기 ┐

ㄱ. A와 B에는 모두 포도당이 있다.

ㄴ. D에는 단백질과 혈구가 없다.

ㄷ. E에는 무기염류가 없다.

① ㄱ   ② ㄱ, ㄴ   ③ ㄱ, ㄷ

④ ㄴ, ㄷ   ⑤ ㄱ, ㄴ, ㄷ

23 그림은 소화계, 순환계, 호흡계, 배설계의 유기적 작용을 나타낸 것이다.

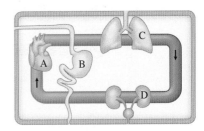

A / B / C / D

이에 대한 설명으로 옳지 <u>않은</u> 것은?

① A는 순환계를 구성한다.

② B가 구성하는 기관계는 세포 호흡에 필요한 영양소를 흡수한다.

③ C가 구성하는 기관계는 세포 호흡에 필요한 산소를 흡수한다.

④ D는 배설계를 구성한다.

⑤ D가 구성하는 기관계는 세포 호흡으로 발생한 이산화 탄소를 몸 밖으로 내보낸다.

물질의 특성

01 물질의 특성 (1)

만화
완성하기

다음 만화를 보고 팻말을 든 사람의 말풍선을 완성해 보자.

≫ 이 단원을 학습한 후 내가 쓴 대사를 수정해 보자.

A 물질의 분류

우리 주위에는 물, 소금, 공기, 흙탕물 등 매우 다양한 물질이 있습니다. 지금부터 우리 주위에 있는 물질들을 한 가지 물질로 이루어진 것과 여러 가지 물질이 섞여 있는 것으로 구별해 볼까요?

1. 순물질 : 한 가지 물질로 이루어진 물질

(1) 물질의 고유한 성질을 나타낸다.

(2) 순물질의 분류

구분	한 종류의 원소로 이루어진 물질	두 종류 이상의 원소로 이루어진 물질
모형	금	물
예	금, 구리, 산소, 수소, 다이아몬드 등	물, 염화 나트륨, 이산화 탄소 등

탄소만으로 이루어져 있다. ●
● 산소＋수소 ● 염소＋나트륨 ● 탄소＋산소

2. 혼합물 : 두 가지 이상의 순물질이 섞여 있는 물질

(1) 성분 물질의 성질을 그대로 가진다.

(2) 혼합물의 분류

구분	균일 혼합물	불균일 혼합물
정의	성분 물질이 고르게 섞여 있는 혼합물	성분 물질이 고르지 않게 섞여 있는 혼합물
모형	설탕물	흙탕물
예	설탕물, 식초, 탄산음료, 공기, *합금 등+	흙탕물, 우유, 암석, 과일 주스 등

➕ **균일 혼합물의 성분 물질**
- 설탕물 : 설탕, 물
- 식초 : 아세트산, 물
- 탄산음료 : 설탕, 물, 이산화 탄소 등
- 공기 : 질소, 산소, 아르곤, 이산화 탄소 등

| 용어 |
- 합금(合 합하다, 金 쇠) 한 가지 금속에 다른 금속이나 비금속을 섞어 만든 새로운 성질의 금속

단원 미리 보기

이 단원의 개념이 어떻게 구성되어 있는지 살펴보고 빈칸을 완성해 보자.

물질의 특성 (1)

A 물질의 분류 — C

B 물질의 특성 — D / E

이 단원을 공부하기 전에 미리 알고 있는 단어를 체크해 보자.

☐ 순물질   ☐ 혼합물   ☐ 균일 혼합물   ☐ 불균일 혼합물   ☐ 물질의 특성
☐ 끓는점   ☐ 녹는점   ☐ 어는점

1 순물질과 혼합물에 대한 설명으로 옳은 것은 ○, 옳지 않은 것은 ×로 표시하시오.

(1) 순물질은 한 가지 물질로 이루어진 물질이다. ……………………… (　　)
(2) 혼합물은 두 가지 이상의 순물질이 섞여 있는 물질이다. ……………… (　　)
(3) 혼합물은 성분 물질과 전혀 다른 새로운 성질을 가진다. ……………… (　　)

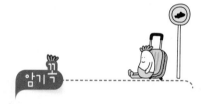

물질의 분류

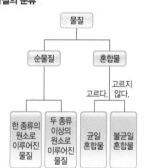

2 순물질에는 '순', 혼합물에는 '혼'이라고 쓰시오.

(1) 금 …………………… (　　)   (2) 물 …………………… (　　)
(3) 탄산음료 …………… (　　)   (4) 공기 ………………… (　　)
(5) 염화 나트륨 ………… (　　)   (6) 식초 ………………… (　　)

3 균일 혼합물과 불균일 혼합물을 보기에서 각각 모두 고르시오.

보기
ㄱ. 합금   ㄴ. 우유   ㄷ. 설탕물
ㄹ. 암석   ㅁ. 흙탕물   ㅂ. 과일 주스

234쪽으로 돌아가서 내가 쓴 대사를 점검해 보자.

B 물질의 특성

물질의 성질에는 색깔, 냄새, 맛 등 물질의 양에 관계없이 나타나는 성질과 질량, 부피, 길이 등 물질의 양에 따라 변하는 성질이 있습니다. 이중 물질의 양에 관계없이 나타나는 성질에 대해 알아볼까요?

1. 물질의 특성 : 다른 물질과 구별되는 그 물질만이 나타내는 고유한 성질

예 색깔, 냄새, 맛, 끓는점, 녹는점(어는점), 밀도, 용해도 등 +

2. 특징

(1) 물질의 종류에 따라 다르다. ➡ 물질의 종류를 구별하는 데 이용할 수 있다.

예 물의 끓는점 : 100 ℃, 에탄올의 끓는점 : 78 ℃

(2) 같은 물질인 경우 물질의 양에 관계없이 일정하다.

(3) 순물질은 물질의 특성이 일정하지만, 혼합물은 성분 물질의 혼합 비율에 따라 물질의 특성이 달라진다.

(4) 물질의 특성을 이용하여 혼합물로부터 순물질을 분리할 수 있다. +

예 • 산소 : 공기에서 분리하여 의료용으로 이용한다.
  • 소금 : 불순물이 섞인 천일염에서 깨끗한 소금을 얻는다.

+ 물질의 특성이 아닌 것
부피, 질량, 온도, 길이, 넓이, 농도 등

+ 혼합물로부터 순물질을 분리할 수 있는 까닭
혼합물에서 각 순물질은 그 물질만의 고유한 성질을 그대로 지닌 채 섞여 있기 때문이다.

C 순물질과 혼합물의 구별

물은 0 ℃에서 얼지만 바닷물은 0 ℃가 되어도 잘 얼지 않습니다. 이는 바닷물이 혼합물이기 때문이죠. 지금부터 순물질과 혼합물의 성질을 비교해 볼까요?

순물질은 끓는점과 녹는점(어는점)이 일정하지만, 혼합물은 일정하지 않다.

● 비상 교과서에만 나온다.

구분	소금물		나프탈렌과 파라 – 다이클로로벤젠 혼합물의 가열 곡선
	가열 곡선	냉각 곡선	
특징	• 100 ℃보다 높은 온도에서 끓기 시작한다. → 물이 끓는 것을 소금이 방해하기 때문 • 끓는 동안 온도가 계속 높아진다. ● 물이 기화되어 소금물의 농도가 점점 진해지기 때문	• 0 ℃보다 낮은 온도에서 얼기 시작한다. → 물이 어는 것을 소금이 방해하기 때문 • 어는 동안 온도가 계속 낮아진다. ● 물이 응고되어 소금물의 농도가 점점 진해지기 때문	• 각 성분 물질보다 낮은 온도에서 녹기 시작한다. ● 입자 사이에 잡아당기는 힘이 달라져 순물질일 때보다 쉽게 잡아당기는 힘을 끊을 수 있기 때문 • 녹는 동안 온도가 계속 높아진다. ● 먼저 녹는 물질에 의해 성분 물질의 비율이 달라지기 때문
그래프			
생활 속 현상	• 달걀을 삶을 때 물에 소금을 넣는다. ● 소금물은 물보다 높은 온도에서 끓어 달걀이 빨리 익기 때문 • 국수를 삶을 때 물에 소금을 넣으면 면발이 더 쫄깃쫄깃하다. ● 물보다 높은 온도에서 끓는 소금물에 국수를 삶으면 짧은 시간에 삶을 수 있어 국수가 붇지 않기 때문	• 겨울철 자동차 냉각수가 얼지 않도록 부동액을 넣는다. ● 부동액은 에틸렌 글리콜과 물의 혼합물로 순수한 물보다 어는점이 낮기 때문 • 겨울철 눈이 쌓인 도로 위에 염화 칼슘을 뿌려 도로가 어는 것을 방지한다. ● 염화 칼슘이 녹은 물은 순수한 물보다 어는점이 낮기 때문	• 땜납은 쉽게 녹으므로 금속을 붙일 때 사용한다. ● 땜납(납에 주석을 섞어 만든 합금)은 납보다 녹는점이 낮기 때문 • 퓨즈는 센 전류가 흐를 때 쉽게 녹아서 전류를 차단하는 데 사용한다. ● 퓨즈(납과 주석을 섞어 만든 합금)는 녹는점이 낮으므로 전기 기구에 허용 전류 이상이 흘러 열이 발생하면 퓨즈가 쉽게 녹아 끊어지기 때문

1 물질을 구별할 수 있는 성질을 보기에서 모두 고르시오.

{ 보기 }

ㄱ. 색깔   ㄴ. 온도   ㄷ. 길이   ㄹ. 녹는점

ㅁ. 질량   ㅂ. 끓는점   ㅅ. 부피   ㅇ. 용해도

2 물질의 특성에 대한 설명으로 옳은 것은 ○, 옳지 <u>않은</u> 것은 ×로 표시하시오.

(1) 물질의 종류에 따라 다르므로 물질을 구별하는 데 이용할 수 있다. ………… (　　)

(2) 같은 물질이라도 물질의 양이 많아지면 물질의 특성이 달라진다. ………… (　　)

(3) 순물질과 혼합물은 모두 물질의 특성이 일정하다. ……………………… (　　)

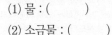

물질의 특성

물질의 특성인 것	물질의 특성이 아닌 것
색깔, 냄새, 맛, 끓는점, 녹는점(어는점), 밀도, 용해도 등	부피, 질량, 온도, 길이, 넓이 등

1 ㉠(　　　　)은 끓는점과 녹는점(어는점)이 일정하지만, ㉡(　　　　)은 끓는점과 녹는점(어는점)이 일정하지 않다.

2 오른쪽 그림은 물과 소금물의 가열 곡선을 나타낸 것이다. A와 B 중 물과 소금물의 가열 곡선을 각각 고르시오.

(1) 물 : (　　　　)

(2) 소금물 : (　　　　)

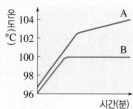

소금물의 가열과 냉각

• 소금물을 가열하면 물보다 <u>높은</u> 온도에서 끓기 시작한다.

• 소금물을 냉각하면 물보다 <u>낮은</u> 온도에서 얼기 시작한다.

3 다음 (　　) 안에 알맞은 말을 고르시오.

(1) 달걀을 물에 넣고 가열할 때보다 소금물에 넣고 가열할 때 더 빨리 익는 것은 순물질보다 혼합물의 ㉠(끓는점, 어는점)이 ㉡(낮, 높)기 때문이다.

(2) 겨울철 자동차의 냉각수에 부동액을 넣는 것은 순물질보다 혼합물의 ㉠(끓는점, 어는점)이 ㉡(낮, 높)아지는 성질을 이용한 것이다.

(3) 전류 차단기의 퓨즈는 납과 주석을 섞어서 만든 혼합물로 ㉠(끓는점, 녹는점)이 ㉡(낮, 높)아지는 성질을 이용한 것이다.

01 물질의 특성 (1)

D 끓는점

물과 식용유를 가열하면 물은 100 °C에서 끓지만, 식용유는 100 °C가 되어도 끓지 않습니다. 이와 같이 물질은 종류에 따라 끓는점이 다릅니다. 물질의 특성 중 하나인 끓는점에 대해 알아보아요.

1. 끓는점 : 액체 물질이 끓는 동안 일정하게 유지되는 온도
└ 보통의 경우 끓는점은 대기압이 1 기압일 때의 끓는점을 말한다.

(1) 끓는점은 물질의 종류에 따라 다르다. → 물질마다 입자 사이에 잡아당기는 힘이 다르기 때문

(2) 같은 종류의 물질은 양에 관계없이 끓는점이 일정하다.

📖 물질의 종류 및 양에 따른 끓는점+

[물질의 종류와 끓는점]
에탄올과 메탄올은 끓는점이 다르다.

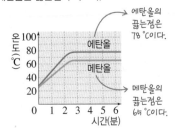

에탄올의 끓는점은 78 °C이다.

메탄올의 끓는점은 64 °C이다.

[물질의 양과 끓는점]
에탄올의 양에 따라 끓는점에 도달하는 데 걸리는 시간이 달라질 뿐 끓는점은 일정하다.

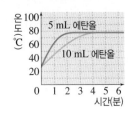

2. 끓는점과 압력의 관계 → 미래엔 교과서에만 나온다.

(1) 외부 압력이 높아지면 끓는점이 높아진다.

예 압력솥으로 밥을 지으면 밥이 빨리 된다. → 압력솥 내부의 수증기가 밖으로 빠져나가지 못하므로 압력이 높아져 물이 100 °C보다 높은 온도에서 끓기 때문

(2) 외부 압력이 낮아지면 끓는점이 낮아진다. +

예 높은 산에서 밥을 지으면 쌀이 설익는다. → 높은 산에서는 기압이 낮으므로 물의 끓는점이 낮아져 쌀이 익을 만큼 충분히 높은 온도에 도달하지 못하기 때문

+ 여러 가지 액체의 가열 곡선(단, 외부 압력과 불꽃의 세기는 같다.)

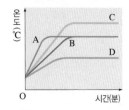

· 끓는점 : D<A=B<C
· A와 B는 끓는점이 같으므로 같은 물질이며, B의 양이 A보다 많다.
· A가 가장 빨리 끓기 시작한다.

+ 끓는점과 압력

감압 용기 안에 뜨거운 물을 넣고 펌프로 공기를 빼내면 물이 100 °C 보다 낮은 온도에서 끓는다. ➡ 감압 용기 속 공기의 양이 줄어들어 압력이 낮아지므로 물의 끓는점이 낮아지기 때문

E 녹는점과 어는점

얼음과 철을 가열하면 얼음은 0 °C에서 녹지만, 철은 0 °C보다 높은 온도에서도 녹지 않습니다. 이는 얼음과 철의 녹는점이 다르기 때문입니다. 끓는점과 마찬가지로 물질의 특성 중 하나인 녹는점(어는점)에 대해 알아보아요.

1. 녹는점과 어는점 : 녹는점은 고체 물질이 녹는 동안 일정하게 유지되는 온도이고, 어는점은 액체 물질이 어는 동안 일정하게 유지되는 온도이다. +

(1) 녹는점과 어는점은 물질의 종류에 따라 다르다. └ 물질마다 입자 사이에 잡아당기는 힘이 다르기 때문

(2) 같은 종류의 물질은 양에 관계없이 녹는점과 어는점이 일정하다.

(3) 같은 종류의 물질은 녹는점과 어는점이 같다.

녹는점 / 어는점

| 고체 | 고체+액체 | 액체 | 액체+고체 | 고체 |

시간(분)

2. 녹는점, 끓는점과 물질의 상태 → 천재 교과서에만 나온다.

(1) 녹는점보다 낮은 온도에서는 고체 상태이다.

(2) 녹는점과 끓는점 사이의 온도에서는 액체 상태이다.

(3) 끓는점보다 높은 온도에서는 기체 상태이다.

+ 녹는점, 끓는점, 어는점에서 온도가 일정한 까닭

· 녹는점, 끓는점 : 가해 준 열이 상태 변화에 모두 사용되기 때문에 온도가 높아지지 않는다.
· 어는점 : 상태 변화 하면서 열을 방출하기 때문에 온도가 낮아지는 것을 막아 준다.

1 액체 물질이 끓는 동안 일정하게 유지되는 온도를 ( )이라고 한다.

끓는점

같은 종류의 물질은 물질의 양에 관계없이
끓는점이 일정하다.

2 끓는점에 대한 설명으로 옳은 것은 ○, 옳지 않은 것은 ×로 표시하시오.

(1) 물질의 종류에 관계없이 일정하므로 물질의 특성이다. ······························· ( )

(2) 순물질의 끓는점은 일정하다. ··· ( )

(3) 물질의 양이 많아지면 끓는점이 높아진다. ··· ( )

(4) 외부 압력이 높아지면 끓는점이 낮아진다. ··· ( )

3 오른쪽 그림은 물의 양을 달리하면서 가열할 때 시간에 따른 온도 변화를 나타낸 것이다. 물 A~C의 양을 부등호로 비교하시오.(단, 외부 압력과 가열하는 불꽃의 세기는 모두 같다.)

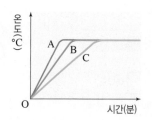

---

1 오른쪽 그림은 어떤 고체 물질의 가열·냉각 곡선을 나타낸 것이다.

(1) 이 물질의 녹는점과 어는점은 각각 몇 °C인지 쓰시오.

(2) 각 구간에서 물질은 어떤 상태로 존재하는지 쓰시오.

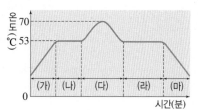

녹는점과 어는점

같은 종류의 물질은 **녹는점**과 **어는점**이 같다.

2 어떤 물질의 녹는점은 −114 °C, 끓는점은 78 °C이다. 이 물질은 실온(약 20 °C)에서 고체, 액체, 기체 중 어떤 상태로 존재하는지 쓰시오.

01 순물질과 혼합물에 대한 설명으로 옳지 않은 것은? `234쪽`

① 순물질은 한 가지 물질로 이루어진 물질이다.

② 순물질은 밀도, 녹는점 등이 일정하다.

③ 순물질은 성분 물질의 성질을 그대로 지닌다.

④ 혼합물은 두 가지 이상의 순물질이 섞여 있는 물질이다.

⑤ 혼합물은 균일 혼합물과 불균일 혼합물로 분류할 수 있다.

02 풀이 **TIP** 그림은 우리 주위에서 볼 수 있는 물질을 어떤 기준에 따라 분류한 것이다. `234쪽`

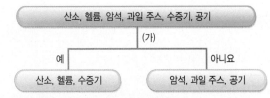

(가)에 해당하는 기준으로 적당한 것은?

① 성분 물질이 고르게 섞여 있는가?

② 한 가지 물질로 이루어진 물질인가?

③ 성분 물질의 성질을 그대로 가지고 있는가?

④ 두 종류 이상의 원소로 이루어진 물질인가?

⑤ 두 가지 이상의 순물질이 섞여 있는 물질인가?

03 순물질로만 옳게 짝 지은 것은? `234쪽`

① 물, 공기, 철   ② 물, 산소, 설탕

③ 공기, 간장, 바닷물   ④ 소금, 에탄올, 흙탕물

⑤ 땜납, 소금, 이산화 탄소

04 풀이 **TIP** 그림은 물질을 분류하는 과정을 나타낸 것이다. `234쪽`

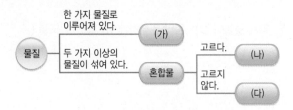

(가)~(다)에 해당하는 물질을 옳게 짝 지은 것은?

	(가)	(나)	(다)
①	우유	산소	소금
②	합금	바닷물	지하수
③	소금물	암석	물
④	다이아몬드	탄산음료	흙탕물
⑤	드라이아이스	식초	암모니아

05 그림은 몇 가지 물질을 모형으로 나타낸 것이다. `234쪽`

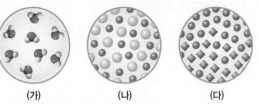

(가)   (나)   (다)

이에 대한 설명으로 옳지 않은 것은?

① (가)는 순물질이다.

② (가)는 가열 구간에서 수평한 구간이 나타난다.

③ (나)는 성분 물질과는 다른 새로운 성질을 나타낸다.

④ (다)는 성분 물질이 고르지 않게 섞여 있다.

⑤ (나)와 (다)는 두 가지 이상의 순물질이 섞여 있다.

06 물질을 구별할 수 있는 특성으로만 옳게 짝 지은 것은? `236쪽`

① 온도, 질량, 밀도   ② 질량, 온도, 용해도

③ 부피, 길이, 끓는점   ④ 질량, 밀도, 어는점

⑤ 밀도, 녹는점, 용해도

 02 물질을 순물질과 혼합물로 분류하는 기준을 떠올려 (가)를 판단한다. **04** ❶ (가)~(다)는 순물질, 균일 혼합물, 불균일 혼합물 중 어떤 물질인지 판단한다. ❷ 각 물질의 정의를 떠올리고, 어떤 예가 있는지 생각한다.

중요 풀이 TIP

07 물질의 특성에 대한 설명으로 옳지 <u>않은</u> 것은? 〔236쪽〕

① 물질의 고유한 성질이다.
② 물질의 양에 따라 변하지 않는다.
③ 끓는점, 녹는점 등은 물질의 특성이다.
④ 색깔, 맛, 냄새 등은 물질의 특성이 아니다.
⑤ 물질의 특성을 이용하여 혼합물로부터 순물질을 분리할 수 있다.

중요

08 오른쪽 그림은 물과 소금물의 가열 곡선을 나타낸 것이다. 이에 대한 설명으로 옳지 <u>않은</u> 것은? 〔236쪽〕

① 물은 100 °C에서 끓는다.
② 소금물은 물보다 높은 온도에서 끓기 시작한다.
③ 소금물은 끓는 동안 온도가 계속 높아진다.
④ 시간이 지나도 소금물의 농도는 일정하다.
⑤ 소금물의 농도를 더 진하게 하면 끓기 시작하는 온도가 더 높아진다.

09 오른쪽 그림은 물과 소금물의 냉각 곡선을 나타낸 것이다. 이 그림으로 설명할 수 있는 현상은? 〔236쪽〕

① 김치찌개의 끓는 온도가 물의 끓는 온도보다 높다.
② 겨울철 눈이 쌓인 도로에 염화 칼슘을 뿌린다.
③ 국수를 삶을 때 물에 소금을 조금 넣어 끓인다.
④ 납에 주석을 섞어 만든 땜납은 금속을 붙일 때 사용한다.
⑤ 납에 주석을 섞어 만든 퓨즈는 센 전류가 흐를 때 이를 차단하는 데 사용한다.

10 그림은 나프탈렌과 파라 – 다이클로로벤젠, 두 물질을 섞은 혼합물의 가열 곡선을 나타낸 것이다. 〔236쪽〕

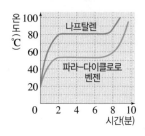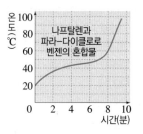

이 그림으로 알 수 있는 사실을 보기에서 모두 고른 것은?

〔 보기 〕
ㄱ. 혼합물은 녹는점이 일정하지 않다.
ㄴ. 혼합물은 각 성분 물질보다 높은 온도에서 녹는다.
ㄷ. 녹는점으로 순물질과 혼합물을 구별할 수 있다.

① ㄱ ② ㄱ, ㄴ ③ ㄱ, ㄷ
④ ㄴ, ㄷ ⑤ ㄱ, ㄴ, ㄷ

중요

11 끓는점에 대한 설명으로 옳은 것은? 〔238쪽〕

① 끓는점에서는 물질이 기체 상태로만 존재한다.
② 물은 외부 압력에 관계없이 항상 100 °C에서 끓는다.
③ 다른 물질이라도 물질의 양이 같으면 끓는점이 같다.
④ 물질의 양이 많아지면 끓는점이 높아진다.
⑤ 입자 사이에 잡아당기는 힘이 강할수록 끓는점이 높다.

중요 풀이 TIP

12 오른쪽 그림은 액체 물질 A~D의 가열 곡선이다. 이에 대한 설명으로 옳지 <u>않은</u> 것은?(단, 외부 압력과 불꽃의 세기는 모두 같다.) 〔238쪽〕

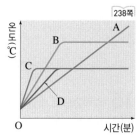

① A는 입자 사이에 잡아당기는 힘이 가장 강하다.
② B의 끓는점이 가장 높다.
③ C가 가장 먼저 끓기 시작한다.
④ C와 D는 같은 종류의 물질이다.
⑤ C보다 D의 양이 더 많다.

07 ❶ 물질의 특성에 대한 정의를 떠올린다. ❷ 물질을 구별할 수 있는 성질에는 어떤 것이 있는지 생각해 본다. 12 ❶ 가열 곡선에서 끓는점을 비교하여 물질의 종류를 구분한다. ❷ 끓는점과 물질의 양의 관계를 떠올린다. ❸ 끓는점의 특징을 정리하여 답을 찾는다.

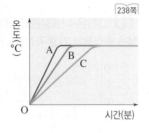

13 오른쪽 그림은 액체 물질 A~C를 가열하면서 온도 변화를 측정하여 나타낸 것이다. 이에 대한 설명으로 옳지 않은 것은?(단, 외부 압력과 가열하는 불꽃의 세기는 모두 같다.) [238쪽]

① A~C는 끓는점이 같다.

② A~C는 모두 같은 종류의 물질이다.

③ A~C의 녹는점은 모두 같다.

④ 끓는점에 도달하는 시간은 A가 가장 짧다.

⑤ 액체 물질의 질량은 C가 가장 작다.

14 표는 메탄올과 에탄올의 끓는점을 측정하여 나타낸 것이다. [238쪽]

물질	메탄올		에탄올	
부피(mL)	10	20	10	20
끓는점(°C)	65	65	78	78

이에 대한 설명으로 옳은 것을 보기에서 모두 고른 것은?

보기

ㄱ. 끓는점은 물질의 종류에 따라 다르다.

ㄴ. 같은 물질의 끓는점은 양에 관계없이 일정하다.

ㄷ. 끓는점을 측정하면 메탄올과 에탄올을 구별할 수 있다.

① ㄱ   ② ㄱ, ㄴ   ③ ㄱ, ㄷ

④ ㄴ, ㄷ   ⑤ ㄱ, ㄴ, ㄷ

15 압력솥으로 밥을 지으면 밥이 빨리 된다. 이와 같은 현상이 나타나는 까닭으로 옳은 것은? [238쪽]

① 압력이 높아져 물의 끓는점이 높아지기 때문

② 압력이 높아져 물의 끓는점이 낮아지기 때문

③ 압력이 낮아져 물의 끓는점이 높아지기 때문

④ 압력이 낮아져 물의 끓는점이 낮아지기 때문

⑤ 온도가 낮아져 물의 끓는점이 낮아지기 때문

16 녹는점과 어는점에 대한 설명으로 옳지 않은 것은? [238쪽]

① 물질의 상태가 액체에서 고체로 변할 때의 온도는 녹는점이다.

② 순수한 고체 물질의 녹는점과 어는점은 같다.

③ 녹는점은 물질의 양에 따라 변하지 않는다.

④ 녹는점은 물질을 구별할 수 있는 물질의 특성이다.

⑤ 입자 사이에 잡아당기는 힘이 강할수록 녹는점이 높다.

17 그림은 고체 로르산의 가열·냉각 곡선을 나타낸 것이다. [풀이 TIP] [238쪽]

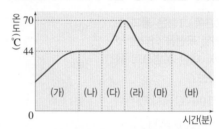

이에 대한 설명으로 옳은 것을 모두 고르면?(2개)

① 로르산의 녹는점은 70 °C이다.

② (나) 구간에서는 상태 변화가 일어난다.

③ (마) 구간에서는 고체가 액체로 상태가 변한다.

④ (다)와 (라) 구간에서는 두 가지 상태가 함께 존재한다.

⑤ 고체 상태의 물질이 존재하는 구간은 (가), (나), (마), (바)이다.

18 표는 몇 가지 물질의 녹는점과 끓는점을 나타낸 것이다. [풀이 TIP] [238쪽]

물질	A	B	C	D
녹는점(°C)	1084	−210	0	−38.8
끓는점(°C)	2562	−195.8	100	356.6

이에 대한 설명으로 옳은 것은?(단, 실온은 약 20 °C이다.)

① 실온에서 고체 상태로 존재하는 물질은 C이다.

② 실온에서 액체 상태로 존재하는 물질은 C, D이다.

③ 실온에서 기체 상태로 존재하는 물질은 B, D이다.

④ 입자 사이에 잡아당기는 힘이 가장 큰 물질은 B이다.

⑤ 입자 사이에 잡아당기는 힘이 가장 작은 물질은 A이다.

 17 ❶ 고체의 가열·냉각 곡선에서 녹는점과 어는점을 파악한다. **❷** 고체의 가열·냉각 곡선에서 각 구간별 특징을 떠올린다. **❸** 각 구간에 존재하는 물질의 상태를 정리하여 답을 찾는다. **18** 물질은 녹는점보다 낮은 온도에서 고체 상태, 녹는점과 끓는점 사이의 온도에서 액체 상태, 끓는점보다 높은 온도에서 기체 상태임을 안다.

서술형 문제

풀이 TIP
19 그림은 순물질과 혼합물을 모형으로 나타낸 것이다.
234쪽

(가)   (나)   (다)   (라)

(1) (가)~(라)를 순물질과 혼합물로 구분하시오.

_____

(2) (1)과 같이 답한 까닭을 서술하시오.

_____

_____

20 다음에서 물질의 특성을 모두 고르고, 물질의 특성이 어떤 성질인지 서술하시오.
236쪽

> 온도, 밀도, 녹는점, 부피, 질량, 길이, 끓는점, 용해도

_____

_____

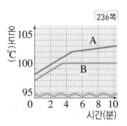
21 오른쪽 그림은 물과 소금물의 가열 곡선을 나타낸 것이다.
236쪽

(1) A와 B는 물과 소금물 중 각각 무엇을 나타내는지 쓰시오.

_____

(2) (1)과 같이 답한 까닭을 끓는점을 이용하여 서술하시오.

_____

_____

풀이 TIP 238쪽
22 오른쪽 그림은 액체 물질 A~D의 가열 곡선을 나타낸 것이다. A~D 중 같은 물질을 고르고, 그 까닭을 서술하시오.(단, 외부 압력과 불꽃의 세기는 모두 같다.)

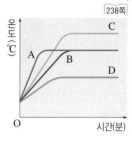

_____

_____

23 높은 산에 올라가서 밥을 지으면 쌀이 설익는다. 이러한 현상이 나타나는 까닭을 끓는점과 관련지어 서술하시오.
238쪽

_____

_____

24 오른쪽 그림은 고체 상태의 로르산과 팔미트산을 각각 일정 시간 동안 가열한 다음 냉각할 때의 온도 변화를 나타낸 것이다.
238쪽

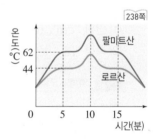

(1) 로르산과 팔미트산의 녹는점과 어는점은 각각 몇 °C인지 쓰시오.

_____

(2) 녹는점(어는점)을 이용하여 물질을 구별할 수 있는 까닭을 물질의 종류 및 양과 관련지어 서술하시오.

_____

_____

학습 평가하기

> 정답친해 66쪽으로 가서 문제를 채점한 후 학습 결과를 스스로 평가해 보세요.
>
> | 맞춘 개수 | 21~24개 | 17~20개 | 0~16개 |
> |---|---|---|---|
> | 평가 | 잘함 | 보통 | 부족 |
>
> → 정답친해에서 그 문제를 왜 틀렸는지 꼭 확인하세요!
> → 본책에서 해당 쪽으로 돌아가서 부족한 부분을 다시 공부하세요!

19 ❶ 물질을 순물질과 혼합물로 분류하는 기준을 떠올린다. ❷ 각 모형을 기준에 맞춰 분류한다. 22 가열 곡선에서 끓는점을 비교하여 물질의 종류를 구별하고, 끓는점의 특징을 떠올린다.

02. 물질의 특성 (2)

단원 미리보기

만화 완성하기 다음 만화를 보고 구리의 말풍선을 완성해 보자.

>> 이 단원을 학습한 후 내가 쓴 대사를 수정해 보자.

A 부피와 질량

솜과 구리 중 어떤 것이 더 무거울까요? 구리라고 생각할 수 있지만, 솜의 부피가 매우 크고 구리의 부피가 매우 작다면 솜이 더 무거울 수도 있습니다. 지금부터 여러 가지 물질의 부피와 질량을 구하는 방법에 대해 알아보아요.

1. 부피 : 물질이 차지하고 있는 공간의 크기
(1) 단위 : cm^3, m^3, mL, L 등 → $1\,cm^3 = 1\,mL$
(2) 측정 방법 : 눈금실린더, 피펫, 부피 플라스크 등을 이용한다.

📖 **액체와 모양이 불규칙적인 고체의 부피 측정 방법**

[액체]
① 눈금실린더를 평평한 곳에 놓고 액체를 넣는다.
② 눈의 높이가 액체의 표면과 수평이 되도록 한 후 최소 눈금의 $\frac{1}{10}$ 까지 어림하여 읽는다.

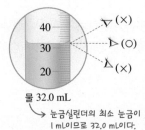

물 32.0 mL
→ 눈금실린더의 최소 눈금이 1 mL이므로 32.0 mL이다.

[모양이 불규칙적인 고체]+
① 고체 물질을 녹이지 않는 액체 물질을 눈금실린더에 넣는다.
② 고체 물질을 실에 매달아 액체 속에 넣고 늘어난 부피를 측정한다.

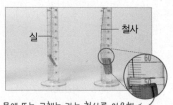

실   철사

물에 뜨는 고체는 가는 철사를 이용해 고체를 눌러서 물속에 넣는다.

2. 질량 : 장소나 상태에 따라 변하지 않는 물질의 고유한 양
(1) 단위 : mg, g, kg 등
(2) 측정 방법 : 전자저울, 윗접시저울을 이용한다.+
(3) 전자저울 이용 방법
① 전자저울을 평평한 곳에 두고 영점 조절 버튼을 눌러 영점을 맞춘다.
② 물체를 올려놓고 숫자가 더 이상 변하지 않을 때 눈금을 읽는다.

+ 모양이 불규칙적인 고체의 부피를 측정할 때 이용하는 액체
물에 녹지 않는 고체 물질은 대부분 물을 이용하며, 설탕이나 소금 등과 같이 물에 잘 녹는 고체 물질은 에탄올이나 기름 등을 이용하여 측정한다.

+ 윗접시저울 이용 방법
① 윗접시저울을 평평한 곳에 두고 영점 조절 나사를 돌려 수평을 맞춘다.
② 왼쪽 접시에 물체를 올려놓고, 오른쪽 접시에 무거운 분동부터 올려 수평을 맞춘다.
③ 저울이 수평이 되면 분동의 질량을 모두 더한다.

영점 조절 나사

한눈에 보기

이 단원의 개념이 어떻게 구성되어 있는지 살펴보고 빈칸을 완성해 보자.

물질의 특성 (2)

B 밀도

A

C

용해도

D

E

 단어 체크하기

이 단원을 공부하기 전에 미리 알고 있는 단어를 체크해 보자.

☐ 부피　　　　☐ 질량　　　　☐ 밀도　　　　☐ 용질　　　　☐ 용매

☐ 용해　　　　☐ 불포화 용액　　☐ 포화 용액　　☐ 용해도　　　☐ 석출

1 물질이 차지하고 있는 공간의 크기를 ㉠(　　　　)라 하고, 장소나 상태에 따라 변하지 않는 물질의 고유한 양을 ㉡(　　　　)이라고 한다.

눈금실린더의 눈금 읽는 방법

시선이 액체의 눈금과 수평이 되도록 해서 읽어야 해!

2 부피에 대한 설명에는 '부', 질량에 대한 설명에는 '질'이라고 쓰시오.

(1) 단위는 cm³, mL, L 등이 사용된다. ⋯⋯⋯⋯⋯⋯⋯⋯⋯ (　　　)

(2) 단위는 mg, g, kg 등이 사용된다. ⋯⋯⋯⋯⋯⋯⋯⋯⋯ (　　　)

(3) 눈금실린더나 피펫 등을 이용하여 측정한다. ⋯⋯⋯⋯⋯ (　　　)

(4) 전자저울이나 윗접시저울을 이용하여 측정한다. ⋯⋯⋯ (　　　)

3 오른쪽 그림은 액체가 담겨 있는 눈금실린더의 액체 표면을 확대한 모습이다. A~C 중 눈금실린더의 눈금을 읽는 눈의 위치로 옳은 것을 쓰시오.

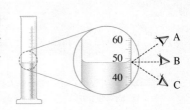

B 밀도

은반지와 백금 반지는 모두 은백색의 광택을 띠고 있기 때문에 쉽게 구별하기 어렵습니다. 이처럼 겉으로 보이는 색깔이 비슷한 금속을 구별할 수 있는 방법에 대해 알아보아요.

1. 밀도 : 물질의 질량을 부피로 나눈 값, 즉 단위 부피당 질량

$$밀도 = \frac{질량}{부피} (단위 : g/cm^3, g/mL, kg/m^3 등)$$

(1) 밀도는 물질의 종류에 따라 다르고, 같은 물질인 경우 밀도는 양에 관계없이 일정하다.[＋]

(2) 밀도가 작은 물질은 위로 뜨고, 밀도가 큰 물질은 아래로 가라앉는다.

예 밀도 비교 : 나무＜식용유＜플라스틱＜물＜글리세린＜돌

작다 ← 밀도 → 크다

나무 / 식용유 / 플라스틱 / 물 / 글리세린 / 돌

질량 – 부피 그래프에서 밀도 크기 비교

- 직선의 기울기 = $\frac{질량}{부피}$ = 밀도 ➡ 밀도는 A＜B＝C이다.
- A : $\frac{10}{20} = 0.5 \ g/cm^3$
- B : $\frac{20}{10} = 2 \ g/cm^3$ • C : $\frac{40}{20} = 2 \ g/cm^3$

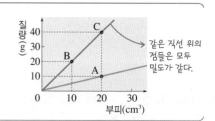

같은 직선 위의 점들은 모두 밀도가 같다.

2. 물질의 상태에 따른 밀도 : 일반적으로 같은 물질인 경우 밀도는 상태에 따라 고체＞액체≫기체 순이다. ➡ 일반적으로 물질의 부피는 고체＜액체≪기체 순이기 때문[＋]

3. 기체의 밀도 : 기체의 밀도를 나타낼 때는 온도와 압력을 함께 표시한다.[＋]

➡ 미래엔 교과서에만 나온다.

✚ 아르키메데스의 원리

질량이 같은 왕관과 순금을 같은 양의 물이 담긴 수조에 넣는다.

왕관   순금

- 넘친 물의 부피 : 왕관＞순금
- 밀도 : 왕관＜순금
➡ 밀도는 물질의 특성이므로 왕관은 순금으로 만들어지지 않았다.

✚ 물의 상태에 따른 밀도

물의 부피는 액체＜고체≪기체 순이므로 물의 밀도는 액체＞고체≫기체 순이다. 따라서 얼음은 물 위에 뜬다.

✚ 기체의 밀도

기체의 경우 온도가 높아지면 부피가 크게 증가하므로 밀도가 감소하고, 압력이 높아지면 부피가 크게 감소하므로 밀도가 증가한다. 이와 같이 기체의 부피는 온도와 압력의 영향을 크게 받기 때문에 온도와 압력을 함께 표시해야 한다.

C 밀도와 관련된 생활 속 현상[＋]

물질이 뜨거나 가라앉는 성질은 밀도와 관련이 있습니다. 이제부터 밀도와 관련된 생활 속 현상에는 무엇이 있는지 알아볼까요?

1. 헬륨을 채운 풍선은 위로 떠오른다. ➡ 헬륨은 공기보다 밀도가 작기 때문

2. 잠수부의 허리에는 납덩어리가 붙어 있다. ➡ 납의 밀도가 커서 잠수부가 물속에 가라앉을 수 있기 때문

3. 구명조끼를 입으면 물에 빠져도 가라앉지 않는다. ➡ 구명조끼에는 물보다 밀도가 작은 공기가 들어 있기 때문

4. LNG 누출 경보기는 천장 쪽에 설치하고, LPG 누출 경보기는 바닥 쪽에 설치한다.
➡ LNG는 공기보다 밀도가 작고, LPG는 공기보다 밀도가 크기 때문

⬆ 풍선

⬆ 잠수부

⬆ 구명조끼

⬆ 가스 누출 경보기

➡ 비상, 동아 교과서에만 나온다.

✚ 혼합물의 밀도

성분 물질의 혼합 비율에 따라 밀도가 달라진다.

예 달걀을 물에 넣으면 달걀이 가라앉지만, 물에 소금을 조금씩 녹이면 달걀이 떠오른다. ➡ 물에 녹인 소금의 양이 많아져 소금물의 밀도가 달걀의 밀도보다 커지기 때문

소금을 녹임
⬆ 물   ⬆ 소금물

1 밀도에 대한 설명으로 옳은 것은 ○, 옳지 <u>않은</u> 것은 ×로 표시하시오.

(1) 밀도는 물질의 부피를 질량으로 나눈 값이다. ······ ( )

(2) 같은 물질인 경우 고체 상태는 액체 상태보다 밀도가 항상 크다. ···· ( )

(3) 같은 물질이라도 질량이 클수록 밀도가 증가한다. ······ ( )

(4) 기체의 밀도를 나타낼 때는 온도와 압력을 함께 표시한다. ···· ( )

암기 TIP

밀도 공식 외우기
밀도는 아이스크림!
$$밀도 = \frac{m}{v}$$ → 질량(mass) → 부피(volume)

2 질량이 20 g인 돌을 50.0 mL의 물이 담긴 눈금실린더에 넣었더니 물의 부피가 늘어나 60.0 mL가 되었다. 이 돌의 밀도는 몇 g/cm³인지 구하시오.

3 어떤 액체 40.0 mL가 담긴 비커의 질량이 65 g이라면 이 액체의 밀도는 몇 g/mL인지 구하시오.(단, 빈 비커의 질량은 33.4 g이다.)

4 서로 섞이지 않는 액체 물질 A~C를 비커에 넣었더니 오른쪽 그림과 같이 층을 이루었다. A~C를 밀도가 큰 것부터 순서대로 쓰시오.

1 밀도가 ㉠(큰, 작은) 물질은 아래로 가라앉고, 밀도가 ㉡(큰, 작은) 물질은 위로 뜬다.

암기 TIP

LNG, LPG 가스 누출 경보기 설치 위치
·NG를 천 번 냈어!
 LNG 장
·PG 섬은 남태평양 바다에 있어.
 LPG   닥

2 다음 현상들을 설명할 수 있는 물질의 특성을 쓰시오.

- 헬륨을 채운 풍선은 위로 떠오른다.
- 가스 누출 경보기를 설치할 때 LNG의 경우 천장 쪽에 설치하고, LPG의 경우 바닥 쪽에 설치한다.

244쪽으로 돌아가서 내가 쓴 대사를 점검해 보자.

D 고체의 용해도 설탕을 조금씩 물에 넣고 저으면 잘 녹지만, 어느 순간 녹지 않고 바닥으로 가라앉습니다. 이러한 현상이 일어나는 까닭은 무엇인지 지금부터 살펴볼까요?

1. 용해 : 한 물질이 다른 물질에 녹아 고르게 섞이는 현상

용질		용매			용액
다른 물질에 녹는 물질	+	다른 물질을 녹이는 물질⁺	용해 ⟹		용매와 용질이 고르게 섞여 있는 물질

2. 용해도 : 어떤 온도에서 용매 100 g에 최대로 녹을 수 있는 용질의 g수
(1) 일정한 온도에서 같은 용매에 대한 용해도는 물질의 종류에 따라 다르다.
(2) 용해도는 용매와 용질의 종류, 온도에 따라 달라진다.

3. 고체의 용해도 : 일반적으로 온도가 높을수록 증가하며, 압력의 영향은 거의 받지 않는다.

📖 용해도 곡선

• 용해도 곡선 상의 점은 그 온도에서의 포화 용액이다.
• 온도에 따른 용해도 변화를 알 수 있다.
  예 온도에 따른 용해도 변화가 가장 큰 물질 : 질산 칼륨
  ➡ 용해도 곡선의 기울기가 가장 크기 때문
  온도에 따른 용해도 변화가 가장 작은 물질 : 염화 나트륨
  ➡ 용해도 곡선의 기울기가 가장 작기 때문
• 특정 온도에서 물질의 용해도를 알 수 있다.
• 용액을 냉각시킬 때 석출되는 용질의 양을 구할 수 있다.

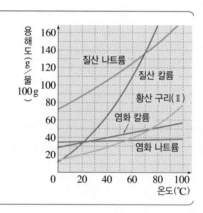

4. 용액의 종류⁺
(1) 포화 용액 : 일정량의 용매에 용질이 최대로 녹아 있는 용액
(2) 불포화 용액 : 포화 용액보다 용질이 적게 녹아 있는 용액 ➡ 용질이 더 녹을 수 있다.⁺
5. 용질의 석출 : 용액을 냉각하면 용해도가 감소하므로, 냉각한 온도에서의 용해도보다 많이 녹아 있던 용질이 석출된다. └ 일반적으로 고체의 용해도는 온도가 낮을수록 감소한다.

> 용질의 석출량 = 처음 녹아 있던 용질의 양 − 냉각한 온도에서 최대로 녹을 수 있는 용질의 양

📖 용해도 곡선을 이용하여 용질의 석출량 구하기

오른쪽 그림은 고체 A의 용해도 곡선이다. 80 ℃의 포화 수용액 269 g을 20 ℃로 냉각할 때 석출되는 고체 A의 질량을 구하시오.

①단계 80 ℃에서 고체 A의 용해도는 169이므로, 고체 A는 물 100 g에 169 g 녹을 수 있다. ➡ 80 ℃ 고체 A의 포화 수용액 269 g=물 100 g+고체 A 169 g

②단계 20 ℃에서 고체 A의 용해도는 32이므로, 고체 A는 물 100 g에 32 g 녹을 수 있다. 따라서 80 ℃에서 20 ℃로 냉각하면 169 g−32 g=137 g의 고체 A가 녹지 않고 석출된다.

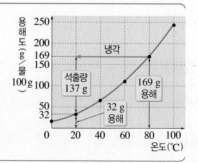

⊕ 용매와 용질의 구별 방법
• 설탕물이나 탄산음료와 같이 상태가 다른 물질이 고르게 섞여 있는 경우에는 일반적으로 액체 물질이 용매가 된다.
• 부동액이나 공기처럼 같은 상태의 물질이 섞인 경우에는 양이 많은 것이 용매가 된다.

⊕ 용해도 곡선과 용액의 종류
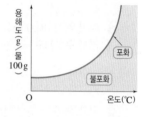

⊕ 불포화 용액을 포화 용액으로 만드는 방법
불포화 용액(A)의 온도를 낮추거나 용질을 더 넣으면 용해도 곡선과 만나는 포화 용액이 된다.
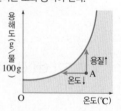

| 용어 |
• 석출(析 분리되다, 出 내보내다) 용액 속에 녹아 있던 물질이 결정 상태로 분리되는 현상

암기구

용해도 정의
어떤 온도에서 용매 100 g에 최대로 녹을 수 있는 용질의 g수

1 다음은 황산 구리(Ⅱ)를 물에 녹여 황산 구리(Ⅱ) 수용액을 만들 때의 과정을 나타낸 것이다.

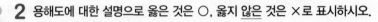

$$\underset{\text{A}}{\text{황산 구리(Ⅱ)}} + \underset{\text{B}}{\text{물}} \xrightarrow{\text{C}} \underset{\text{D}}{\text{황산 구리(Ⅱ) 수용액}}$$

A~D에 해당하는 용어를 각각 쓰시오.

2 용해도에 대한 설명으로 옳은 것은 ○, 옳지 <u>않은</u> 것은 ×로 표시하시오.

(1) 용해도는 어떤 온도에서 용액 100 g에 최대로 녹을 수 있는 용질의 g수이다. ······················· (   )

(2) 용해도는 용질과 용매의 종류에 따라 달라진다. ······················· (   )

(3) 용해도는 온도에 관계없이 일정한 값을 나타낸다. ······················· (   )

(4) 고체의 용해도는 압력의 영향을 크게 받는다. ······················· (   )

3 20 ℃에서 물 25 g에 어떤 고체 물질 60 g을 녹였더니, 9 g이 녹지 않고 남았다. 20 ℃에서 물에 대한 이 물질의 용해도를 구하시오.

4 일정량의 용매에 용질이 최대로 녹아 있는 용액을 ㉠(   ) 용액, 일정량의 용매에 용질이 더 녹을 수 있는 용액을 ㉡(   ) 용액이라고 한다.

5 오른쪽 그림은 여러 가지 고체 물질의 용해도 곡선을 나타낸 것이다.

(1) 온도에 따른 용해도 변화가 가장 큰 물질의 이름을 쓰시오.

(2) 80 ℃의 물 100 g에 이 물질들을 각각 포화 상태로 녹인 후 20 ℃로 냉각할 때 결정이 가장 적게 석출되는 물질의 이름을 쓰시오.

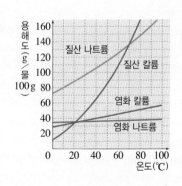

E **기체의 용해도**

냉장고에서 꺼낸 탄산음료의 뚜껑을 열어 한 모금 마시면 톡 쏘는 맛이 강하게 느껴집니다. 탄산음료의 톡 쏘는 맛을 강하게 하려면 어떻게 보관해야 할까요? 지금부터 그 원리에 대해 알아보아요.

1. 기체의 용해도 : 온도가 낮을수록, 압력이 높을수록 증가한다.[+]

📖 온도와 압력에 따른 기체의 용해도 변화

[온도에 따른 기체의 용해도 변화]
시험관 3개에 탄산음료를 넣고 온도가 다른 물에 각각 넣어 둔다.

얼음물   실온의 물   뜨거운 물

➡ 온도가 높을수록 기체의 용해도가 감소하므로 기포가 많이 발생한다.

[압력에 따른 기체의 용해도 변화]
감압 용기에 탄산음료를 넣고 펌프로 공기를 빼낸다.
└● 펌프로 공기를 빼낼수록 용기 속 공기의 양이 줄어들어 압력이 낮아진다.

탄산음료

➡ 압력이 낮을수록 기체의 용해도가 감소하므로 기포가 많이 발생한다.

2. 기체의 용해도와 생활 속 현상

온도와 관련된 현상[+]	• 더운 여름철에는 물고기가 수면 가까이 올라와 입을 뻐끔거린다. └● 물의 온도가 높아지면 물에 녹아 있던 산소의 용해도가 감소하기 때문 • 공장에서 사용한 냉각수를 하천에 방류하면 물고기들이 피해를 입는다. └● 하천보다 온도가 높은 냉각수가 방류되면 하천에 녹아 있던 산소의 용해도가 감소하기 때문
압력과 관련된 현상	• 탄산음료의 마개를 열면 거품이 발생한다. └● 병 내부의 압력이 낮아지면 탄산음료에 녹아 있던 이산화 탄소의 용해도가 감소하기 때문 • 깊은 바다에서 갑자기 물 위로 올라오면 잠수병에 걸릴 수 있다. └● 압력이 빠르게 낮아지면 혈액에 녹아 있던 질소 기체가 기포를 형성하여 혈관을 막기 때문

➕ 컵에 담아 둔 탄산음료의 톡 쏘는 맛이 사라지는 까닭
탄산음료는 높은 압력에서 이산화 탄소를 녹여 만든 수용액이므로, 온도가 높아지고 압력이 낮아지면 이산화 탄소의 용해도가 감소하여 기포가 빠져나오기 때문이다.

➕ 온도에 따른 기체의 용해도와 관련된 현상
• 컵에 물을 담아 햇빛이 잘 드는 창가에 두면 컵 내부에 작은 공기 방울이 생긴다.
• 수돗물을 끓여 소량의 염소 기체를 제거한다.

---

1 그림과 같이 장치하고 탄산음료에서 기포가 발생하는 정도를 비교하였다. (가), (나)에서 기포 발생량과 기체의 용해도를 부등호를 이용하여 각각 비교하시오.(단, (가)는 압력이 일정하고, (나)는 온도가 일정하다.)

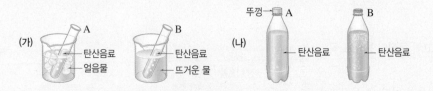

2 다음 (   ) 안에 알맞은 말을 각각 쓰시오.

탄산음료를 냉장고에 넣어 차갑게 보관하는 것은 온도가 ㉠(   )아져 이산화 탄소의 용해도가 ㉡(   )하기 때문이다.

암기TIP

기체의 용해도가 증가하는 조건
압(높)력 온(낮)도 해~
력 을 도 을
수 수
록 록

이해 쏙쏙 집중강의

이 단원에서 여러 가지 물질의 밀도 측정 실험과 온도에 따른 고체의 용해도 실험은 매우 중요해요.
집중 강의를 통해 실험 과정과 결과를 확인해 볼까요?

탐구 자료 ① 여러 가지 물질의 밀도 측정

관련 개념 | 246쪽 Ⓑ 밀도

목표 여러 가지 물질의 질량과 부피를 측정하여 밀도를 구할 수 있다.

과정

[물의 밀도 측정]
① 빈 눈금실린더의 질량을 측정한다.
② 눈금실린더에 물 50 mL를 넣어 질량을 측정하고, 물 10 mL를 더 넣어 질량을 측정한 뒤 밀도를 구한다. → 물의 질량=물을 넣은 눈금실린더의 질량−빈 눈금실린더의 질량

[구리의 밀도 측정]
① 작은 구리 조각과 큰 구리 조각의 질량을 각각 측정한다.
② 구리 조각을 실로 묶어서 물 50 mL가 담긴 눈금실린더에 넣고 늘어난 물의 부피를 각각 측정한 뒤 밀도를 구한다. → 구리 조각의 부피=전체 부피−물의 처음 부피

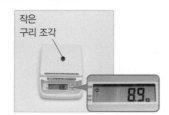
작은 구리 조각

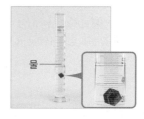
물

주의 TIP

전자저울 사용 시 유의점
· 전자저울을 사용하기 전 영점 조절 버튼을 눌러 영점을 맞춘다.
· 전자저울 위에 금속 조각을 올릴 때는 이물질이 묻지 않게 핀셋을 이용한다.

단위의 변환
· $1 \text{ mL}=1 \text{ cm}^3$
· $1 \text{ L}=1000 \text{ mL}$
· $1 \text{ g}=1000 \text{ mg}$
· $1 \text{ kg}=1000 \text{ g}$

결과

구분	물		구리	
	50.0 mL	60.0 mL	작은 조각	큰 조각
질량(g)	50.0	60.0	8.9	26.7
부피(mL)	50.0	60.0	1.0	3.0
밀도(g/mL)	1.0	1.0	8.9	8.9

결론 밀도는 물질마다 고유한 값을 가지므로 ( )이다.

물질의 특성 Ⓑ

탐구 자료 ② 온도에 따른 고체의 용해도

관련 개념 | 248쪽 Ⓓ 고체의 용해도

목표 온도에 따른 질산 칼륨의 용해도를 알아본다.

과정 및 결과

① 4개의 시험관에 각각 물 10 g을 넣은 다음, 질산 칼륨을 4 g, 8 g, 12 g, 16 g씩 넣는다.
② 그림과 같이 장치하고 질산 칼륨이 모두 녹을 때까지 가열한다.
③ 질산 칼륨이 모두 녹으면 불을 끄고 식히면서 각 시험관에서 결정이 생기기 시작하는 온도를 측정한다.

물 10 g에 녹은 질산 칼륨의 질량(g)	4	8	12	16
결정이 생기기 시작하는 온도(°C)	24.7	46.5	63.9	72.6

온도계
질산 칼륨
물

해석 24.7 °C에서 물 10 g에 녹을 수 있는 질산 칼륨은 4 g이므로, 같은 온도에서 물 100 g에 최대로 녹을 수 있는 질산 칼륨은 40 g이다. ➡ 각 온도에서 질산 칼륨의 용해도를 알 수 있다.

온도(°C)	24.7	46.5	63.9	72.6
질산 칼륨의 용해도	40	㉠( )	㉡( )	㉢( )

결론 온도가 높을수록 질산 칼륨의 용해도는 ㉣( )한다.

㉠ 80 ㉡ 120 ㉢ 160 ㉣ 증가

이 단원에서 석출되는 용질의 양을 구하는 문제는 유형이 정해져 있어요. 따라서 유형에 따른 풀이 방법만 기억하고 있으면 어떤 문제도 풀 수 있답니다. 지금부터 집중 강의를 통해 공부해 볼까요?

● 용액을 냉각할 때 석출되는 용질의 양 구하기

유형 ❶ 용매의 양이 100 g인 경우

예제 60 °C 물 100 g에 질산 칼륨 100 g이 녹아 있는 수용액을 20 °C까지 냉각할 때 석출되는 질산 칼륨의 질량(g)을 구하시오.

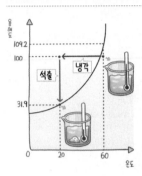

❶단계 60 °C에서 질산 칼륨의 용해도는 109.2이므로, 60 °C의 물 100 g에 질산 칼륨 100 g은 모두 녹을 수 있다.

❷단계 20 °C에서 질산 칼륨의 용해도는 31.9 이므로, 석출되는 질산 칼륨의 양은 100 g−31.9 g=68.1 g이다.

유제 1 표는 어떤 고체 물질의 용해도(g/물 100 g)를 나타낸 것이다.

온도(°C)	0	20	40	60	80
용해도	13.6	31.9	62.9	109.2	170.3

80 °C의 물 100 g에 이 물질을 녹여 포화 수용액을 만든 다음 20 °C로 냉각할 때 석출되는 고체의 질량(g)을 구하시오.

유형 ❷ 용매의 양이 100 g이 아닌 경우

예제 60 °C 물 50 g에 질산 칼륨 40 g이 녹아 있는 수용액을 20 °C로 냉각할 때 석출되는 질산 칼륨의 질량(g)을 구하시오.

❶단계 60 °C에서 질산 칼륨의 용해도는 109.2이므로, 60 °C의 물 50 g에 질산 칼륨 40 g은 모두 녹을 수 있다.

❷단계 20 °C에서 질산 칼륨의 용해도는 31.9이므로, 석출되는 질산 칼륨의 양은 40 g−15.95 g=24.05 g이다.

유제 2 표는 염화 나트륨의 용해도(g/물 100 g)를 나타낸 것이다.

온도(°C)	0	20	40	60	80
용해도	35.6	35.9	36.4	37.0	37.9

80 °C의 물 50 g에 염화 나트륨 30 g을 녹일 때, 녹지 않고 남는 염화 나트륨의 질량(g)을 구하시오.

유형 ❸ 용액의 양이 주어지는 경우

예제 60 °C에서 고체 A의 포화 수용액 180 g을 20 °C로 냉각할 때 석출되는 고체 A의 질량(g)을 구하시오.

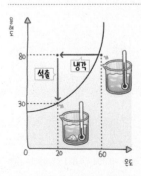

❶단계 60 °C에서 고체 A의 용해도가 80이므로, 60 °C에서 고체 A의 포화 수용액 180 g=물 100 g+A 80 g이다.

❷단계 20 °C에서 고체 A의 용해도가 30이므로, 석출되는 고체 A의 질량은 80 g−30 g=50 g이다.

유제 3 80 °C의 황산 구리(Ⅱ) 포화 수용액 235.5 g을 0 °C로 냉각할 때 석출되는 황산 구리(Ⅱ)의 질량(g)을 구하시오.(단, 황산 구리(Ⅱ)의 용해도는 80 °C에서 57.0, 0 °C에서 14.2이다.)

정답친해 70쪽

개념 페이지로 점프해요!

01 물질의 부피와 부피를 측정하는 방법에 대한 설명으로 옳지 않은 것은? `244쪽`

① 부피는 물질이 차지하고 있는 공간의 크기이다.

② 물이 들어 있는 눈금실린더에 소금을 넣으면 소금의 부피를 측정할 수 있다.

③ 에탄올의 부피는 눈금실린더를 이용하여 측정할 수 있다.

④ 물에 뜨는 코르크의 부피는 가는 철사로 눌러 코르크를 물속에 넣은 후 늘어난 물의 부피를 측정한다.

⑤ 눈금실린더의 눈금은 눈의 높이를 액체의 표면과 수평이 되게 하여 최소 눈금의 $\frac{1}{10}$ 까지 어림하여 읽는다.

02 눈금실린더에 물을 넣었더니 오른쪽 그림과 같았다. 이때 물의 부피를 옳게 읽은 것은? `244쪽`

① 20.5 mL
② 20.6 mL
③ 24.1 mL
④ 25.0 mL
⑤ 26.0 mL

03 질량에 대한 설명으로 옳지 않은 것은? `244쪽`

① 단위로는 g, kg 등이 있다.

② 물질의 양에 따라 달라지는 성질이다.

③ 전자저울이나 윗접시저울을 이용하여 측정한다.

④ 질량은 물질의 고유한 양으로 물질의 특성이다.

⑤ 측정 장소가 달라져도 물질의 질량은 변하지 않는다.

04 밀도에 대한 설명으로 옳지 않은 것은? `246쪽`

① 물질의 질량을 부피로 나눈 값이다.

② 물질마다 고유한 값을 가진다.

③ 두 물질의 부피가 같은 경우 질량이 클수록 밀도가 작다.

④ 두 물질의 질량이 같은 경우 부피가 작을수록 밀도가 크다.

⑤ 물질이 뜨고 가라앉는 것은 밀도 차 때문에 나타나는 현상이다.

05 물 22.0 mL가 들어 있는 눈금실린더에 모양이 불규칙한 돌을 넣었더니 물의 높이가 오른쪽 그림과 같이 변하였다. 전자저울로 측정한 돌의 질량이 33 g이었다면, 이 돌의 밀도는 몇 g/cm^3 인가? `251쪽`

① $1.5\,g/cm^3$
② $2.0\,g/cm^3$
③ $3.0\,g/cm^3$
④ $10.0\,g/cm^3$
⑤ $11.0\,g/cm^3$

06 표는 일정한 온도에서 몇 가지 물질의 질량과 부피를 측정한 결과를 나타낸 것이다. `246쪽`

물질	돌	스타이로폼 조각	고무 지우개	나무 도막	물
질량(g)	85	6.5	75	85	40
부피(cm^3)	5	10	5	100	40

표의 물질 중 물에 뜨는 물질로만 옳게 짝 지은 것은?

① 돌, 나무 도막

② 돌, 고무 지우개

③ 고무 지우개, 나무 도막

④ 스타이로폼 조각, 나무 도막

⑤ 스타이로폼 조각, 고무 지우개

 풀이 TIP **05** ❶ 돌의 부피=눈금실린더 속 물의 전체 부피-물의 처음 부피임을 안다. ❷ 밀도는 질량을 부피로 나눈 값임을 떠올려 밀도를 계산한다. **06** ❶ 공식을 이용하여 주어진 물질의 밀도를 구한다. ❷ 물의 밀도와 각 물질의 밀도를 비교해 답을 찾는다.

07 오른쪽 그림은 고체 물질 A~E의 부피와 질량 관계를 나타낸 것이다. 이에 대한 설명으로 옳지 <u>않은</u> 것은?(단, A~E는 물에 녹지 않고, 물의 밀도는 $1\,g/cm^3$이다.)

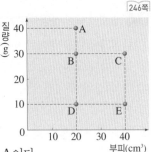

① 밀도가 가장 큰 물질은 A이다.
② 같은 질량일 때 부피가 가장 큰 물질은 E이다.
③ 같은 종류의 물질은 D와 E이다.
④ 물에 가라앉는 물질은 A와 B이다.
⑤ 물에 뜨는 물질은 C, D, E이다.

08 액체 A~C를 눈금실린더에 넣었더니 오른쪽 그림과 같이 층을 이루었다. 질량이 54 g이고, 부피가 $20\,cm^3$인 금속 조각을 이 눈금실린더에 넣으면 어느 곳에 위치하겠는가?(단, 금속 조각은 액체 A~C에 녹지 않고, 밀도는 A=$1.0\,g/mL$, B=$1.6\,g/mL$, C=$13.7\,g/mL$이다.)

① A의 위   ② A의 중간
③ A와 B의 경계면   ④ B의 중간
⑤ B와 C의 경계면

09 표는 고체 물질 A~D의 질량과 부피를 나타낸 것이다.

물질	A	B	C	D
질량(g)	22	45	75	68
부피(cm^3)	20	30	50	85

A~D에 대한 설명으로 옳은 것을 보기에서 모두 고르시오.(단, A~D는 액체에 녹지 않는다.)

[보기]
ㄱ. A는 D보다 밀도가 작다.
ㄴ. B와 C는 같은 물질이다.
ㄷ. 밀도가 $1.2\,g/cm^3$인 액체에 뜨는 물질은 B와 D이다.

10 밀도를 나타낼 때 반드시 온도와 압력을 함께 표시해야 하는 물질이 <u>아닌</u> 것은?(단, 20 ℃를 기준으로 한다.)

① 산소   ② 수소   ③ 질소
④ 탄소   ⑤ 이산화 탄소

11 다음은 물질의 밀도 변화에 대한 설명이다.

일반적으로 물질의 종류가 같은 경우 물질의 상태가 고체, 액체, 기체로 변할수록 부피가 (㉠)하므로 밀도는 (㉡)한다. 또한 물질의 온도가 높아지면 부피가 (㉢)하므로 밀도는 (㉣)한다.

㉠~㉣에 알맞은 말을 옳게 짝 지은 것은?(단, 물의 경우는 제외한다.)

	㉠	㉡	㉢	㉣
①	감소	감소	감소	증가
②	감소	증가	증가	감소
③	증가	감소	감소	증가
④	증가	감소	증가	감소
⑤	증가	증가	감소	증가

12 그림은 아르키메데스가 같은 질량의 순금과 왕관을 물이 가득 든 항아리에 넣었을 때 넘친 물의 양을 나타낸 것이다.

순금   왕관

이에 대한 설명으로 옳은 것을 보기에서 모두 고른 것은?

[보기]
ㄱ. 넘친 물의 양은 물질의 부피를 나타낸다.
ㄴ. 왕관의 밀도가 순금의 밀도보다 크다.
ㄷ. 왕관에는 금보다 밀도가 큰 물질이 섞여 있다.

① ㄱ   ② ㄴ   ③ ㄷ
④ ㄱ, ㄴ   ⑤ ㄴ, ㄷ

 07 ❶ 물질 A~E의 밀도를 각각 구한다. **❷** 같은 질량일 때 부피가 가장 크다는 말의 숨은 뜻을 파악한다. **❸** 물의 밀도와 물질의 밀도를 비교한다. **08 ❶** 금속 조각의 밀도를 구한다. **❷** 액체 A~C와 금속 조각의 밀도를 비교하여 답을 찾는다.

13 밀도와 관련된 현상으로 옳지 <u>않은</u> 것은? _{246쪽}

① 물놀이를 할 때 구명조끼를 착용한다.

② 풍선에 헬륨 기체를 넣어 하늘에 띄운다.

③ 겨울철 자동차의 냉각수에 부동액을 넣는다.

④ 잠수부는 허리에 납으로 만든 벨트를 착용하고 잠수한다.

⑤ 가스 누출 경보기를 설치할 때 LNG는 천장 쪽에 설치하고, LPG는 바닥 쪽에 설치한다.

14 풀이 TIP _{248쪽}
물에 설탕을 녹여 만든 설탕물에 대한 설명으로 옳지 <u>않은</u> 것은?

① 물은 설탕을 녹이므로 용매이다.

② 설탕은 물에 녹으므로 용질이다.

③ 설탕이 물에 녹아 고르게 섞이는 현상은 용해이다.

④ 설탕물은 용액이다.

⑤ 설탕물은 불균일 혼합물이다.

15 용해도에 대한 설명으로 옳은 것은? _{248쪽}

① 어떤 온도에서 용액 100 g에 최대로 녹을 수 있는 용질의 g수이다.

② 용질이나 용매의 종류에 관계없이 일정하다.

③ 온도에 따라 다르므로 물질의 특성이 될 수 없다.

④ 일반적으로 고체의 용해도는 온도가 높을수록 증가한다.

⑤ 기체의 용해도는 온도가 높을수록, 압력이 낮을수록 증가한다.

16 40 ℃ 물 20 g에 어떤 고체 물질 10 g을 넣고 잘 저어 녹인 후 거름종이로 걸렀더니 고체 5 g이 걸러졌다. 40 ℃에서 물에 대한 이 물질의 용해도는? _{248쪽}

① 5   ② 10   ③ 25

④ 50   ⑤ 100

17 중요 풀이 TIP _{248쪽}
그림은 어떤 고체 물질의 용해도 곡선을 나타낸 것이다.

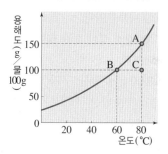

이에 대한 설명으로 옳지 <u>않은</u> 것은?

① A와 B의 용액은 포화 용액이다.

② A와 B 용액에 들어 있는 고체 물질의 질량은 같다.

③ 80 ℃에서 이 고체 물질의 용해도는 150이다.

④ C 용액의 온도를 60 ℃로 낮추면 포화 용액이 된다.

⑤ C 용액에는 고체 50 g이 더 녹을 수 있다.

18 중요 _{248쪽}
80 ℃의 물 100 g에 질산 나트륨을 녹여서 포화 수용액을 만든 후 40 ℃로 냉각할 때 석출되는 질산 나트륨의 질량은 몇 g인가?(단, 질산 나트륨의 용해도는 80 ℃에서 147.5, 40 ℃에서 104.1이다.)

① 21.7 g   ② 43.4 g   ③ 86.8 g

④ 104.1 g   ⑤ 147.5 g

---

14 ❶ 용질, 용매, 용해의 정의를 생각한다. ❷ 용액은 용매와 용질이 어떻게 섞여 있는 물질인지 떠올린다.   17 ❶ 용해도 곡선에서 포화 용액, 불포화 용액의 위치를 찾는다. ❷ 불포화 용액을 포화 용액으로 만드는 방법을 떠올린다.

19 오른쪽 그림은 여러 가지 고체 물질의 용해도 곡선을 나타낸 것이다. 이에 대한 설명으로 옳은 것은?

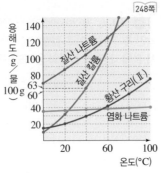

① 온도가 높을수록 고체 물질의 용해도가 감소한다.

② 온도에 따른 용해도 변화가 가장 큰 것은 염화 나트륨이다.

③ 80 °C의 물 100 g에 이 물질들을 각각 포화 상태로 녹인 후 20 °C로 냉각할 때 결정이 가장 많이 석출되는 것은 질산 나트륨이다.

④ 40 °C 물 200 g에 질산 칼륨 63 g이 녹아 있는 용액은 포화 용액이다.

⑤ 60 °C 물 100 g에 황산 구리(Ⅱ) 35 g을 녹인 후 20 °C로 냉각하면 황산 구리(Ⅱ) 15 g이 석출된다.

20 시험관 4개에 물을 10 g씩 넣고 질산 칼륨을 각각 4 g, 8 g, 12 g, 16 g을 넣어 모두 녹인 다음 시험관을 냉각하면서 결정이 생기기 시작하는 온도를 측정하여 표의 결과를 얻었다.

물 10 g에 녹은 질산 칼륨의 질량(g)	4	8	12	16
결정이 생기기 시작하는 온도(°C)	24.7	46.5	63.9	72.6

이에 대한 설명으로 옳지 않은 것은?

① 결정이 생기기 시작하는 온도에서 수용액은 포화 용액이다.

② 24.7 °C에서 물 50 g에 질산 칼륨 40 g을 녹이면 20 g이 녹지 않고 남는다.

③ 46.5 °C에서 물 10 g에 질산 칼륨 8 g이 녹아 있는 수용액은 불포화 용액이다.

④ 63.9 °C에서 물 100 g에 최대로 녹을 수 있는 질산 칼륨은 120 g이다.

⑤ 72.6 °C에서 질산 칼륨의 용해도는 160이다.

21 시험관 6개에 같은 양의 탄산음료를 넣은 후 그림과 같이 장치하고 발생하는 기포의 양을 관찰하였다.

이에 대한 설명으로 옳지 않은 것은?

① 발생하는 기포의 양은 A < C < E이다.

② 기체의 용해도가 가장 큰 것은 F이다.

③ 기체의 용해도는 온도가 높을수록 감소한다.

④ C와 D를 비교하면 기체의 용해도와 압력의 관계를 설명할 수 있다.

⑤ A, C, E를 비교하면 여름철에 물고기가 수면 가까이 올라오는 까닭을 설명할 수 있다.

22 오른쪽 그림과 같이 감압 용기에 탄산음료를 넣고 펌프로 공기를 빼내면서 변화를 관찰하였더니 기포가 발생하였다. 이와 같은 원리로 설명할 수 있는 현상을 모두 고르면?(2개)

① 탄산음료의 마개를 열면 거품이 발생한다.

② 염소로 소독한 수돗물을 끓이면 염소 냄새가 사라진다.

③ 깊은 바다에서 갑자기 물 위로 올라오면 잠수병에 걸릴 수 있다.

④ 공장에서 사용하는 냉각수를 하천에 방류하면 물고기들이 피해를 입을 수 있다.

⑤ 컵에 물을 담아 햇빛이 잘 드는 창가에 두면 컵 내부에 작은 공기 방울이 생긴다.

 19 ❶ 용해도 곡선의 기울기와 온도에 따른 용해도 변화의 관계를 떠올린다. **❷** 온도에 따른 물질의 용해도를 파악하여 냉각할 때 석출되는 용질의 양을 구한다. **21 ❶** A~F의 조건에서 기체의 용해도와 발생하는 기포의 양을 비교한다. **❷** 온도와 압력에 따른 기체의 용해도 변화로 어떤 현상을 설명할 수 있는지 떠올린다.

서술형 문제

⭐중요
23 오른쪽 그림은 물질 A~D의 부피와 질량 관계를 나타낸 것이다. 같은 종류의 물질을 모두 고르고, 그 까닭을 밀도 값을 포함하여 서술하시오.

풀이 TIP
246쪽

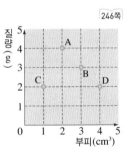

----

24 오른쪽 그림은 몇 가지 고체 물질과 액체 물질을 컵에 넣었을 때의 모습을 나타낸 것이다.

246쪽

나무
식용유
플라스틱
물
글리세린
돌

(1) (가) 밀도가 가장 큰 물질과 (나) 밀도가 가장 작은 물질의 이름을 각각 쓰시오.

----

(2) (1)과 같이 답한 까닭을 서술하시오.

----

25 표는 20 °C, 1기압에서 LNG와 LPG, 공기의 밀도를 나타낸 것이다.

246쪽

기체	LNG	LPG	공기
밀도(g/cm³)	0.00075	0.00186	0.00121

가스 누출에 대비해 경보기를 실내에 설치할 때 가스 누출 경보기의 설치 위치를 그 까닭과 함께 서술하시오.

⭐중요
26 60 °C의 물 100 g에 질산 칼륨 100 g을 모두 녹인 후 0 °C로 냉각할 때 석출되는 질산 칼륨의 질량은 몇 g인지 풀이 과정을 포함하여 구하시오.(단, 질산 칼륨의 용해도는 60 °C에서 109, 0 °C에서 13.6이다.)

풀이 TIP
248쪽

⭐중요
27 오른쪽 그림은 어떤 고체 물질의 용해도 곡선을 나타낸 것이다. 용매의 양을 변화시키지 않으면서 A점의 용액을 포화 상태로 만들기 위한 방법 두 가지를 서술하시오.

248쪽

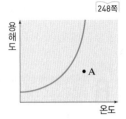

용해도

온도

•A

----

28 탄산음료 병의 마개를 열면 오른쪽 그림처럼 거품이 발생한다. 거품이 발생하는 까닭을 기체의 용해도와 관련지어 서술하시오.

250쪽

학습 평가하기

정답친해 70쪽으로 가서 문제를 채점한 후 학습 결과를 스스로 평가해 보세요.

맞춘 개수	25~28개	21~24개	0~20개
평가	잘함	보통	부족

➡ 정답친해에서 그 문제를 왜 틀렸는지 꼭 확인하세요!
➡ 본책에서 해당 쪽으로 돌아가서 부족한 부분을 다시 공부하세요!

23 물질 A~D의 밀도를 각각 구하여 그 값이 같은 물질을 찾는다. **26** 용질의 석출량=처음 녹아 있던 용질의 양−냉각한 온도에서 최대로 녹을 수 있는 용질의 양을 이용하여 질산 칼륨의 석출량을 계산한다.

03 혼합물의 분리 (1)

만화 완성하기

다음 만화를 보고 사람의 말풍선을 완성해 보자.

아~ 목말라. 근데 바닷물밖에 없다니...

오~ 물을 마실 수 있겠어.

>> 이 단원을 학습한 후 내가 쓴 대사를 수정해 보자.

A 끓는점 차를 이용한 분리-증류

국이나 찌개가 끓을 때 냄비 뚜껑에 물방울이 맺히는 것을 볼 수 있습니다. 이 물방울은 어디서 온 것인지 지금부터 알아볼까요?

1. 혼합물의 분리 : 혼합물에서 각 성분 물질은 고유한 성질을 그대로 가지고 있으므로, 물질의 특성을 이용하면 혼합물을 분리할 수 있다.

2. 증류 : 액체 상태의 혼합물을 가열할 때 끓어 나오는 기체를 냉각하여 순수한 액체를 얻는 방법

예 소금물을 가열하면 끓는점이 낮은 물이 수증기로 끓어 나오며, 끓는점이 높은 소금은 용액에 녹아 있다. 이때 끓어 나온 수증기를 냉각하면 순수한 물을 얻을 수 있다.

(1) 끓는점 차를 이용한 혼합물의 분리 방법이다.

(2) 성분 물질의 끓는점 차가 클수록 분리가 잘 된다.

(3) 물과 염화 나트륨처럼 액체와 고체의 혼합물이나 물과 에탄올처럼 서로 다른 액체의 혼합물을 분리할 수 있다.✛

📖 증류 장치

그림과 같이 장치하고 액체 상태의 혼합물을 가열한다.

액체 물질이 갑자기 끓어오르는 것을 방지한다.

끓어 나온 물질이 이동한다.

끓어 나온 기체 물질을 냉각한다.

끓임쪽

액체 상태의 혼합물

찬물

➡ 끓는점이 낮은 물질이 먼저 끓어 나온다.

➡ 끓어 나온 기체 물질은 냉각되어 찬물 속에 들어 있는 시험관에 모인다.

✚ 물과 에탄올 혼합물의 가열

물과 에탄올 혼합물을 가열하면 에탄올이 먼저 끓어 나오지만, 이때 소량의 물도 함께 기화되어 나온다. 이와 같이 액체 혼합물은 한 번의 증류로 순수한 물질을 얻기 어렵지만 증류를 여러 번 반복하면 *순도 높은 물질을 얻을 수 있다.

| 용어 |

• 순도(純 순수하다, 度 정도) 혼합물에서 주성분인 순물질이 차지하는 비율

이 단원의 개념이 어떻게 구성되어 있는지 살펴보고 빈칸을 완성해 보자.

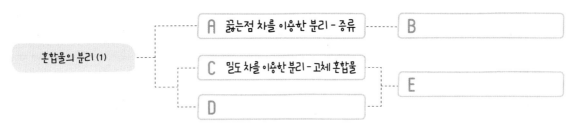

혼합물의 분리 (1)

A 끓는점 차를 이용한 분리 - 증류 ----- B

C 밀도 차를 이용한 분리 - 고체 혼합물

D ----- E

단어 체크하기 이 단원을 공부하기 전에 미리 알고 있는 단어를 체크해 보자.

- ☐ 끓는점 차
- ☐ 증류
- ☐ 증류 장치
- ☐ 소줏고리
- ☐ 증류탑
- ☐ 밀도 차
- ☐ 분별 깔때기

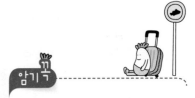

증류의 특징
• 끓는점이 낮은 물질이 먼저 끓어 나온다.
• 성분 물질의 끓는점 차가 클수록 분리가 잘된다.

1 액체 상태의 혼합물을 가열할 때 끓어 나오는 기체를 냉각하여 순수한 액체를 얻는 방법을 (   )라고 한다.

2 다음 (   ) 안에 알맞은 말을 고르시오.

> 증류는 끓는점이 다른 성분 물질이 섞여 있는 혼합물을 ㉠(끓는점, 밀도) 차를 이용하여 분리하는 방법으로, 성분 물질 사이의 ㉡(끓는점, 밀도) 차가 ㉢(클, 작을)수록 분리가 잘 된다.

3 오른쪽 그림은 액체 상태의 혼합물을 분리하는 실험 장치를 나타낸 것이다. 이에 대한 설명으로 옳은 것은 ○, 옳지 않은 것은 ✕로 표시하시오.

끓임쪽   액체 상태의 혼합물
찬물

(1) 혼합물을 가열하면 끓는점이 높은 물질이 먼저 끓어 나온다. ·············· (   )
(2) 액체 물질이 갑자기 끓어오르는 것을 방지하기 위해 끓임쪽을 넣는다. ······ (   )
(3) 끓어 나온 기체 물질은 냉각되어 찬물 속에 들어 있는 시험관에 모인다. · (   )

B 끓는점 차를 이용한 분리의 예 ++

끓는점 차를 이용하면 바닷물에서 식수를 얻을 수도 있고, 탁한 술에서 맑은 소주를 얻을 수도 있습니다. 끓는점 차를 이용하여 혼합물을 분리하는 여러 가지 예를 살펴볼까요?

1. 바닷물에서 식수 얻기 : 바닷물을 가열하면 바닷물에 들어 있는 물만 기화하여 수증기가 되고, 이 수증기를 냉각하면 순수한 물을 얻을 수 있다.

2. 탁한 술에서 맑은 소주 얻기 : 소줏고리에 곡물을 발효하여 만든 술을 넣고 가열하면 끓는점이 낮은 에탄올이 먼저 끓어 나오다가 찬물이 담긴 그릇에 의해 냉각되어 맑은 소주를 얻을 수 있다.

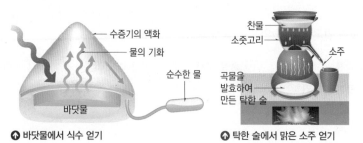

↑ 바닷물에서 식수 얻기　　　↑ 탁한 술에서 맑은 소주 얻기

3. 물과 에탄올 혼합물의 분리 : 물과 에탄올 혼합물을 가열하면 끓는점이 낮은 에탄올이 먼저 끓어 나오고, 끓는점이 높은 물이 나중에 끓어 나온다.

물과 에탄올 혼합물의 가열 곡선

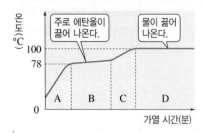

A : 물과 에탄올 혼합물의 온도가 높아진다.

B : 에탄올이 끓는점보다 약간 높은 온도에서 끓어 나온다.
　↳ 물이 에탄올의 기화를 방해하고, 에탄올이 끓어 나올 때 끓는점이 높은 물이 조금 포함되어 있기 때문

C : 물의 온도가 높아진다.
　↳ 미처 끓어 나오지 못한 소량의 에탄올이 끓어 나오며, 일부 물도 기화되어 나온다.

D : 물이 끓는점에서 끓어 나온다.

4. 원유의 분리 : 원유를 높은 온도로 가열하여 증류탑으로 보내면 끓는점이 낮은 물질일수록 증류탑의 위쪽에서 분리된다. ➡ 끓는점이 낮은 물질은 기체 상태로 위로 올라가지만, 끓는점이 높은 물질은 중간에 식어 바닥에 모이기 때문

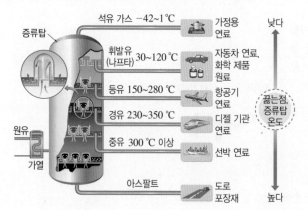

석유 가스 −42~1 ℃ — 가정용 연료　　낮다
휘발유 (나프타) 30~120 ℃ — 자동차 연료, 화학 제품 원료
등유 150~280 ℃ — 항공기 연료
경유 230~350 ℃ — 디젤 기관 연료
중유 300 ℃ 이상 — 선박 연료
아스팔트 — 도로 포장재　　높다

끓는점, 증류탑 온도

● 비상, 미래엔 교과서에만 나온다.

✚ 공기의 분리

불순물을 제거한 공기를 액화시킨 후 증류탑으로 보내 온도를 올리면 끓는점에 따라 질소, 아르곤, 산소로 분리된다. 끓는점이 가장 낮은 질소는 증류탑의 가장 위에서, 끓는점이 높은 산소는 증류탑의 가장 아래에서 분리된다.

질소 기체 (끓는점: −195.8 ℃)
아르곤 기체 (끓는점: −185.8 ℃)
액체 공기
액체 산소 (끓는점: −183.0 ℃)

● YBM 교과서에만 나온다.

✚ 뷰테인과 프로페인의 분리

뷰테인(끓는점 : −0.5 ℃)과 프로페인(끓는점 : −42.1 ℃)의 혼합물이 담긴 플라스크를 소금이 섞인 얼음 속에 넣으면 끓는점이 높은 뷰테인이 먼저 액화되어 분리된다.

프로페인 기체
뷰테인과 프로페인 혼합 기체
뷰테인 액체
소금이 섞인 얼음

얼음과 소금을 넣어 주면 온도가 −17 ℃ 정도로 낮아져 뷰테인과 프로페인의 혼합 기체를 냉각할 수 있다.

| 용어 |

● 원유(原 근원, 油 기름) 땅속에서 뽑아낸 가공하지 않은 기름

1 다음과 같은 혼합물의 분리에서 공통적으로 이용되는 분리 방법을 쓰시오.

> • 바닷물을 가열하여 식수를 얻는다.
> • 곡물을 발효하여 만든 술을 소줏고리에 넣고 가열하여 소주를 얻는다.

원유의 분리 위치
위 → 아래
가로등을 경유 중이야!
유   유   유

2 소줏고리에 곡물을 발효하여 만든 술을 넣고 가열하면 끓는점이 (   )은 에탄올이 먼저 끓어 나오다가 찬물이 담긴 그릇에 의해 냉각되어 맑은 소주를 얻을 수 있다.

3 오른쪽 그림은 물과 에탄올 혼합물의 가열 곡선을 나타낸 것이다. (가)와 (나) 구간에서 주로 끓어 나오는 물질을 각각 쓰시오.

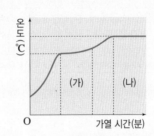

4 표는 원유를 분리하여 얻은 몇 가지 물질의 끓는점을 나타낸 것이다.

물질	휘발유	등유	경유	중유
끓는점(℃)	30~120	150~280	230~350	300 이상

이 물질들 중 증류탑의 가장 윗부분에서 분리되어 나오는 물질을 쓰시오.

5 다음과 같은 혼합물의 분리에서 공통적으로 이용되는 물질의 특성을 쓰시오.

> • 물과 에탄올 혼합물의 분리   • 원유의 분리
> • 공기의 분리   • 뷰테인과 프로페인의 분리

258쪽으로 돌아가서 내가 쓴 대사를 점검해 보자.

C 밀도 차를 이용한 분리-고체 혼합물

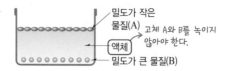
농가에서는 싹을 틔울 좋은 볍씨를 고르는 데 소금물을 사용합니다. 소금물로 좋은 볍씨를 고를 수 있는 원리는 무엇일까요? 지금부터 그 원리를 알아보아요.

1. 고체 혼합물의 분리 : 두 가지 고체 물질이 섞인 혼합물의 경우 두 물질을 모두 녹이지 않고, 밀도가 두 물질의 중간 정도인 액체에 넣어 분리한다.

고체 혼합물의 분리 원리

액체보다 밀도가 작은 물질은 액체 위에 뜨고, 액체보다 밀도가 큰 물질은 아래로 가라앉는다.
➡ 밀도 비교 : A<액체<B

밀도가 작은 물질(A)
고체 A와 B를 녹이지 않아야 한다.
액체
밀도가 큰 물질(B)

✚ 소금물의 농도

소금물의 밀도는 농도가 진할수록 커진다. 따라서 볍씨를 고를 때 쭉정이가 뜨지 않으면 소금을 더 녹여 농도를 진하게 하고, 소금물의 농도가 너무 진해서 좋은 볍씨까지 떠오른 경우에는 물을 더 넣어 농도를 연하게 한다.

2. 고체 혼합물의 분리 예

달걀은 오래될수록 수분이 빠져나가고 달걀 속 공기의 부피가 커지므로 밀도가 작아진다.

좋은 볍씨 고르기⁺	신선한 달걀 고르기	스타이로폼과 모래 분리
쭉정이 / 좋은 볍씨 / 소금물	오래된 달걀 / 소금물 / 신선한 달걀	스타이로폼 / 물 / 모래
볍씨를 소금물에 담그면 쭉정이는 뜨고, 잘 여문 좋은 볍씨는 가라앉는다. →밀도 비교:쭉정이<소금물<좋은 볍씨	달걀을 소금물에 넣으면 오래된 달걀은 뜨고, 신선한 달걀은 가라앉는다. →밀도 비교:오래된 달걀<소금물<신선한 달걀	스타이로폼과 모래의 혼합물을 물에 넣으면 스타이로폼은 뜨고, 모래는 가라앉는다. →밀도 비교: 스타이로폼<물<모래

| 용어 |
• **쭉정이** 껍질만 있고 속에 알맹이가 들어 있지 않은 곡식

D 밀도 차를 이용한 분리-액체 혼합물

밀도 차를 이용한 고체 혼합물의 분리 방법을 알아보았으니, 이제부터는 물과 기름처럼 서로 섞이지 않는 액체 혼합물의 분리 방법에 대해 알아볼까요?

1. 액체 혼합물의 분리 : 서로 섞이지 않고 밀도가 다른 액체 혼합물의 경우 분별 깔때기를 이용하여 분리한다.

분별 깔때기를 이용한 분리 방법⁺

① 서로 섞이지 않고 밀도가 다른 액체 혼합물을 분별 깔때기에 넣은 후 일정 시간이 지나면 2개의 층으로 나누어진다.
② 마개를 연 후 꼭지를 돌려 밀도가 큰 아래층의 액체를 먼저 분리하고, 밀도가 작은 위층의 액체는 나중에 분리한다.

마개를 연 후 꼭지를 열어야 대기압이 작용하여 액체가 내려간다.
밀도가 작은 물질
밀도가 큰 물질
꼭지
콕이라고도 한다.

비상, YBM 교과서에만 나온다.
✚ 혼합물의 양이 적은 경우

혼합물의 양이 적은 경우에는 스포이트를 이용하여 밀도가 작은 위층의 액체부터 분리한다.

스포이트
밀도가 작은 물질
밀도가 큰 물질

2. 액체 혼합물의 분리 예

특이한 냄새가 나는 무색의 액체로, 살충제 등에 사용된다.

혼합물	물과 식용유	물과 에테르	간장과 참기름	물과 사염화 탄소
위층	식용유	에테르	참기름	물
아래층	물	물	간장	사염화 탄소

1 밀도가 다른 두 고체 혼합물을 분리할 때는 밀도가 두 물질의 ㉠(   ) 정도이며, 두 물질을 모두 녹이지 않는 ㉡(   )에 넣어 분리한다.

암기구

밀도가 다른 두 고체 혼합물의 분리에 이용되는 액체의 조건
• 두 물질을 모두 녹이지 않는다.
• 두 물질의 중간 정도의 밀도를 갖는다.

[2~3] 스타이로폼과 모래의 혼합물을 물에 넣었더니 오른쪽 그림과 같이 분리되었다.

2 스타이로폼과 모래를 분리할 때 이용되는 물질의 특성을 쓰시오.

3 스타이로폼, 물, 모래의 밀도를 부등호로 비교하시오.

1 분별 깔때기를 이용하여 분리할 수 있는 액체 혼합물의 조건을 보기에서 모두 고르시오.

┌ 보기 ┐
ㄱ. 밀도가 다르다.   ㄴ. 끓는점이 다르다.
ㄷ. 서로 잘 섞인다.   ㄹ. 서로 섞이지 않는다.

암기구

액체 혼합물의 분리 방법
• 물과 에탄올 : 증류
➡ 서로 잘 섞이고 끓는점이 다르기 때문
• 물과 에테르 : 분별 깔때기
➡ 서로 섞이지 않고 밀도가 다르기 때문

2 분별 깔때기로 혼합물을 분리할 때 이용되는 물질의 특성을 쓰시오.

3 분별 깔때기에 다음의 액체 혼합물을 넣고 가만히 세워 두었을 때 위층으로 분리되는 물질을 각각 쓰시오.

(1) 물과 식용유 ·················· (   )   (2) 물과 에테르 ·················· (   )

(3) 간장과 참기름 ·················· (   )   (4) 물과 사염화 탄소 ·················· (   )

E **밀도 차를 이용한 분리의 예** 밀도 차를 이용하면 모래에 섞인 사금을 얻을 수도 있고, 바다에 유출된 기름을 제거할 수도 있습니다. 밀도 차를 이용하여 혼합물을 분리하는 여러 가지 예를 살펴볼까요?

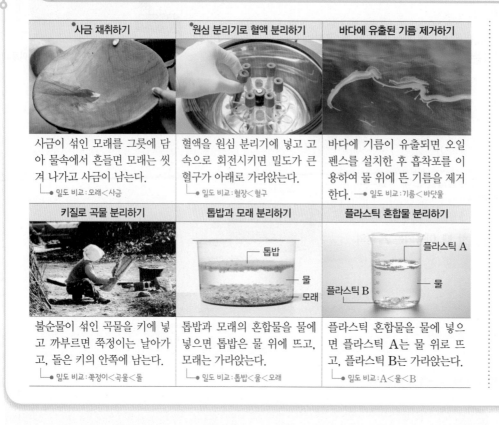

사금 채취하기	원심 분리기로 혈액 분리하기	바다에 유출된 기름 제거하기
사금이 섞인 모래를 그릇에 담아 물속에서 흔들면 모래는 씻겨 나가고 사금이 남는다.	혈액을 원심 분리기에 넣고 고속으로 회전시키면 밀도가 큰 혈구가 아래로 가라앉는다.	바다에 기름이 유출되면 오일펜스를 설치한 후 흡착포를 이용하여 물 위에 뜬 기름을 제거한다.
└ 밀도 비교 : 모래<사금	└ 밀도 비교 : 혈장<혈구	└ 밀도 비교 : 기름<바닷물
키질로 곡물 분리하기	톱밥과 모래 분리하기	플라스틱 혼합물 분리하기
불순물이 섞인 곡물을 키에 넣고 까부르면 쭉정이는 날아가고, 돌은 키의 안쪽에 남는다.	톱밥과 모래의 혼합물을 물에 넣으면 톱밥은 물 위에 뜨고, 모래는 가라앉는다.	플라스틱 혼합물을 물에 넣으면 플라스틱 A는 물 위로 뜨고, 플라스틱 B는 가라앉는다.
└ 밀도 비교 : 쭉정이<곡물<돌	└ 밀도 비교 : 톱밥<물<모래	└ 밀도 비교 : A<물<B

| 용어 |
- **사금(砂 모래, 金 금)** 물가나 물 밑의 모래와 자갈 속에 섞인 금 알갱이
- **원심(遠 멀다, 心 가운데) 분리** 회전에 의한 힘으로 혼합물 속의 작은 고체 입자나 액체 방울을 분리하는 조작

1 바다에 기름이 유출되면 오일펜스를 설치한 후 흡착포를 이용하여 물 위에 뜬 기름을 제거한다. 바닷물과 기름의 밀도를 부등호로 비교하시오.

밀도 차를 이용한 혼합물의 분리

맛있는 <u>밀</u>크 <u>아</u>이스크림!
도 면 래
쪽

2 밀도 차를 이용하여 혼합물을 분리하는 경우는 ○, 밀도 차를 이용하는 경우가 <u>아닌</u> 것은 ×로 표시하시오.

(1) 사금 채취 ·············· (   )   (2) 원유의 분리 ·············· (   )

(3) 물과 에탄올 분리 ·············· (   )   (4) 키질로 곡물 분리 ·············· (   )

(5) 좋은 볍씨 고르기 ·············· (   )   (6) 신선한 달걀 고르기 ·············· (   )

(7) 톱밥과 모래 분리 ·············· (   )   (8) 원심 분리기로 혈액 분리 ·············· (   )

(9) 바닷물에서 식수 얻기 ·············· (   )   ⑽ 탁한 술에서 맑은 소주 얻기 ······ (   )

이 단원에서 물과 에탄올 혼합물의 분리 실험과 물과 식용유 혼합물의 분리 실험은 매우 중요해요.
집중 강의를 통해 실험 과정과 결과를 확인해 볼까요?

탐구 자료 ❶ 물과 에탄올 혼합물의 분리
관련 개념 ┃ 260쪽 Ⓑ 끓는점 차를 이용한 분리의 예

목표
서로 잘 섞이는 액체 혼합물을 끓는점 차를 이용하여 분리한다.

과정
① 오른쪽 그림과 같이 장치한 후 물과 에탄올 혼합물을 가열하면서 시간에 따른 온도 변화를 측정하여 그래프로 나타낸다.
② 혼합물을 가열할 때 가지 부근에서 나오는 물질을 온도 변화에 따라 서로 다른 시험관에 차례로 모은다.

온도계
끓임쪽
물과 에탄올 혼합물
찬물
액체 물질이 갑자기 끓어오르는 것을 방지하기 위해 넣는다.

주의 TIP
온도계의 위치
온도계의 밑부분이 가지 달린 삼각 플라스크의 가지 부근에 오도록 장치한다.

결과 및 해석

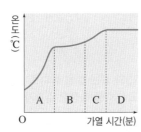

온도(℃) / 가열 시간(분) / O / A B C D

구분	관찰 결과
A	시험관에 모이는 물질이 거의 없다.
B	알코올 냄새가 나는 물질이 모인다. ➡ 에탄올 분리 → 에탄올이 끓는점보다 약간 높은 온도에서 끓어 나온다.
C	알코올 냄새가 나는 물질이 약간 모인다. ➡ 소량의 에탄올과 물 분리
D	냄새가 없는 물질이 모인다. ➡ 물 분리

결론
서로 잘 섞이는 액체의 혼합물을 가열하면 끓는점이 ⑤(   )은 물질이 먼저 끓어 나오고, 끓는점이 ⓒ(   )은 물질이 나중에 끓어 나온다.

答 ⑤ 낮은 ⓒ 높은

탐구 자료 ❷ 물과 식용유 혼합물의 분리
관련 개념 ┃ 262쪽 Ⓓ 밀도 차를 이용한 분리 – 액체 혼합물

목표
물과 식용유의 혼합물을 밀도 차를 이용하여 분리한다.

과정
① 분별 깔때기를 링에 끼워 세우고 물과 식용유의 혼합물을 넣은 후 마개를 막고 혼합물이 두 층으로 나누어질 때까지 기다린다.
② 층이 나누어지면 마개를 연 후 꼭지를 열어 아래층의 액체 물질을 분리한다.
③ 경계면 부근의 액체 물질을 따로 받은 후 분별 깔때기의 위쪽 입구로 위층의 액체 물질을 분리한다.

마개
식용유
물
꼭지

주의 TIP
분별 깔때기 사용 시 주의 사항
• 용액이 새지 않도록 분별 깔때기의 꼭지에 바셀린을 바른다.
• 분별 깔때기의 긴 끝이 비커의 벽면에 닿게 하여 액체 방울이 튀지 않도록 한다.

결과 및 해석
물은 아래층, 식용유는 위층으로 분리된다. ➡ 물의 밀도가 식용유의 밀도보다 크기 때문

결론
서로 섞이지 않으면서 밀도가 다른 두 액체 혼합물을 ⑤(   )에 넣으면 밀도가 작은 물질은 ⓒ(   )층에 위치하고, 밀도가 큰 물질은 ⓒ(   )층에 위치한다.

答 ⑤ 분별 깔때기 ⓒ 위 ⓒ 아래

개념 페이지로 점프해요!

01 그림은 액체 상태의 혼합물을 분리하는 실험 장치이다.

풀이 TIP 258쪽

끓임쪽
액체 상태의 혼합물
찬물

이에 대한 설명으로 옳지 **않은** 것은?

① 끓는점 차를 이용한 혼합물의 분리 방법이다.
② 이 실험 장치를 이용한 혼합물의 분리 방법은 증류이다.
③ 서로 잘 섞이고 끓는점이 다른 액체 상태의 혼합물을 분리할 때 이용한다.
④ 혼합물을 가열하면 끓는점이 높은 물질이 먼저 끓어 나온다.
⑤ 액체 물질이 갑자기 끓어오르는 것을 방지하기 위해 끓임쪽을 넣는다.

[02~03] 오른쪽 그림은 곡물을 발효하여 만든 탁한 술을 소줏고리에 넣고 가열하여 맑은 소주를 얻는 모습을 나타낸 것이다.

찬물
탁한 술
소주

02 이와 같은 혼합물의 분리 방법과 이용되는 물질의 특성을 옳게 짝 지은 것은?

풀이 TIP 260쪽

① 증류 – 밀도
② 증류 – 끓는점
③ 재결정 – 밀도
④ 재결정 – 끓는점
⑤ 크로마토그래피 – 밀도

03 소줏고리와 같은 원리로 설명할 수 있는 것은?

260쪽

① 사금 채취하기
② 좋은 볍씨 고르기
③ 신선한 달걀 고르기
④ 모래와 스타이로폼 분리하기
⑤ 바닷물에서 생활에 필요한 물 얻기

04 오른쪽 그림은 물과 에탄올 혼합물을 가열할 때 시간에 따른 온도 변화를 측정하여 나타낸 것이다. 이에 대한 설명으로 옳지 **않은** 것은?

풀이 TIP 260쪽

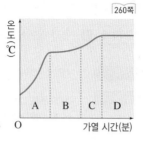

온도(℃)
A B C D
O 가열 시간(분)

① A 구간에서는 혼합물의 온도가 높아진다.
② B 구간에서는 주로 에탄올이 끓어 나온다.
③ C 구간에서는 물이 끓어 나온다.
④ D 구간의 온도는 물의 끓는점이다.
⑤ 입자 사이에 잡아당기는 힘은 물이 에탄올보다 강하다.

[05~06] 그림 (가)와 같은 실험 장치로 물과 에탄올 혼합물을 가열하면서 온도 변화를 측정한 결과가 (나)와 같았다.

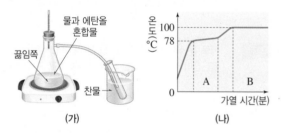

물과 에탄올 혼합물
끓임쪽
찬물
(가)

온도(℃)
100
78
A B
0 가열 시간(분)
(나)

05 이에 대한 설명으로 옳은 것을 보기에서 모두 고르시오.

265쪽

보기
ㄱ. (가)는 서로 섞이지 않는 액체 혼합물을 분리할 때 이용하는 실험 장치이다.
ㄴ. (나)에서 A 구간의 온도는 에탄올의 끓는점보다 약간 높다.
ㄷ. (나)의 B 구간에서 끓어 나오는 기체를 냉각하면 순수한 물을 얻을 수 있다.

06 이 실험 장치를 이용하여 분리할 수 있는 혼합물은?

260쪽

① 물과 참기름
② 물과 메탄올
③ 물과 에테르
④ 톱밥과 모래
⑤ 물과 사염화 탄소

풀이 TIP

01 ❶ 증류 장치에서 각 부분의 역할을 떠올린다. ❷ 증류 장치에서 액체 상태의 혼합물이 분리되는 원리를 생각한다. **04** ❶ 물과 에탄올 혼합물의 가열 곡선에서 각 구간별 특징을 안다. ❷ 입자 사이에 잡아당기는 힘과 끓는점의 관계를 떠올린다.

[07~08] 오른쪽 그림은 원유를 분리하는 증류탑을 간단한 모형으로 나타낸 것이다.

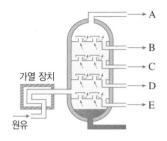

07 이에 대한 설명으로 옳은 것은?

① 물질의 녹는점 차를 이용한 장치이다.

② 원유는 순물질임을 알 수 있다.

③ A는 B보다 끓는점이 높다.

④ 끓는점이 높은 물질일수록 증류탑 위쪽에서 분리된다.

⑤ 물과 에탄올 혼합물도 같은 원리로 분리한다.

08 표는 원유의 성분 물질의 끓는점을 나타낸 것이다.

물질	석유 가스	휘발유	등유	경유	중유
끓는점 (°C)	−42~1	30~120	150~280	230~350	300 이상

증류탑의 A~E에서 분리되는 물질을 옳게 짝 지은 것은?

① A − 중유 　② B − 경유 　③ C − 등유

④ D − 휘발유 　⑤ E − 석유 가스

09 표는 물과 액체 A, B의 성질을 정리한 것이다.

물질	밀도(g/cm³)	끓는점(°C)	용해성
물	1.0	100	A와 잘 섞인다.
A	0.79	78.3	B와 섞이지 않는다.
B	0.88	80.1	물과 섞이지 않는다.

증류로 분리할 수 있는 혼합물을 보기에서 고르시오.

보기
ㄱ. A+B
ㄴ. 물+A
ㄷ. 물+B
ㄹ. 물+A+B

10 다음은 몇 가지 기체 물질의 끓는점을 나타낸 것이다.

기체	프로페인	뷰테인	산소	질소	아르곤
끓는점 (°C)	−42.1	−0.5	−183.0	−195.8	−185.8

이 기체 물질이 모두 섞여 있는 혼합물을 −200 °C로 냉각한 후 증류탑으로 보내 온도를 서서히 높일 때 증류탑의 가장 높은 곳에서 기화되어 분리되는 물질은?

① 프로페인 　② 뷰테인 　③ 산소

④ 질소 　⑤ 아르곤

11 혼합물을 분리하는 데 이용하는 물질의 특성이 나머지 넷과 다른 것은?

① 원유의 분리

② 키질로 곡물 분리

③ 소금물에서 물 분리

④ 물과 에탄올 혼합물 분리

⑤ 뷰테인과 프로페인 혼합물 분리

12 좋은 볍씨와 쭉정이를 분리하기 위해 볍씨를 소금물에 넣었더니 그림과 같이 분리되었다.

이에 대한 설명으로 옳지 않은 것은?

① 끓는점 차를 이용한다.

② 쭉정이는 소금물보다 밀도가 작다.

③ 쭉정이가 뜨지 않을 때는 소금을 더 넣어야 한다.

④ 밀도를 비교하면 쭉정이<소금물<좋은 볍씨 순이다.

⑤ 같은 원리를 이용하여 신선한 달걀을 고를 수 있다.

---

07 ❶ 증류탑에서 원유가 분리되는 원리를 떠올린다. ❷ 증류탑에서 분리되는 물질의 위치로 물질의 끓는점을 파악한다. ❸ 물과 에탄올 혼합물을 분리하는 방법을 생각해 본다. 09 증류로 분리할 수 있는 혼합물의 조건을 떠올리고, 조건에 맞는 혼합물을 찾는다.

13 다음은 혼합물을 분리하는 몇 가지 예이다.
262쪽

> • 바다에 유출된 기름은 오일펜스를 설치한 후 흡착포를 이용하여 제거한다.
> • 스타이로폼과 모래의 혼합물을 물에 넣어 분리한다.

공통적으로 이용되는 물질의 특성은?

① 부피   ② 질량   ③ 밀도
④ 끓는점   ⑤ 녹는점

[14~15] 그림은 어떤 혼합물을 분리하는 실험 과정을 나타낸 것이다.

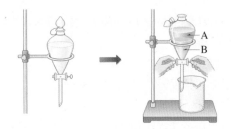

 풀이 TIP
14 이 실험에 대한 설명으로 옳지 않은 것은?
265쪽

① 사용된 실험 기구는 분별 깔때기이다.
② A와 B는 서로 섞이지 않는다.
③ A의 밀도가 B의 밀도보다 작다.
④ 경계면에 있는 액체는 따로 분리해야 한다.
⑤ 꼭지를 열면 밀도가 작은 물질이 먼저 분리된다.

풀이 TIP
15 이 실험 과정으로 분리할 수 있는 혼합물을 보기에서 모두 고른 것은?
262쪽

> **[보기]**
> ㄱ. 물과 석유   ㄴ. 물과 소금
> ㄷ. 물과 에탄올   ㄹ. 물과 사염화 탄소

① ㄱ, ㄴ   ② ㄱ, ㄷ   ③ ㄱ, ㄹ
④ ㄴ, ㄷ   ⑤ ㄷ, ㄹ

16 다음은 액체 혼합물을 분리하는 실험을 나타낸 것이다.
262쪽

> • 물과 글리세린의 혼합물을 분별 깔때기에 넣으면 물은 위층, 글리세린은 아래층으로 분리된다.
> • 물과 에테르의 혼합물을 분별 깔때기에 넣으면 에테르는 위층, 물은 아래층으로 분리된다.

세 물질의 밀도를 옳게 비교한 것은?

① 물<에테르<글리세린
② 물<글리세린<에테르
③ 에테르<물<글리세린
④ 글리세린<물<에테르
⑤ 글리세린<에테르<물

중요
17 표는 4 °C에서 몇 가지 액체의 밀도를 나타낸 것이다.
262쪽

액체	에탄올	물	글리세린	사염화 탄소	수은
밀도 (g/cm³)	0.79	1.0	1.26	1.59	13.55

밀도가 1.1 g/cm^3인 고체 A와 밀도가 1.5 g/cm^3인 고체 B의 혼합물을 분리할 때 사용할 수 있는 액체로 가장 적당한 것은?(단, 표의 액체는 모두 A와 B를 녹이지 않는다.)

① 물   ② 수은   ③ 에탄올
④ 글리세린   ⑤ 사염화 탄소

중요
18 밀도 차를 이용하여 혼합물을 분리하는 예가 아닌 것은?
264쪽

① 모래에서 사금을 채취한다.
② 원심 분리기를 이용하여 혈액을 분리한다.
③ 볍씨를 소금물에 넣어 좋은 볍씨를 분리한다.
④ 공기를 액화시킨 후 증류탑으로 보내 분리한다.
⑤ 플라스틱 혼합물을 에탄올 수용액에 넣어 분리한다.

 풀이 TIP   **14** ❶ 주어진 실험 기구가 무엇인지 떠올린다. ❷ 실험 기구를 이용하여 액체 혼합물을 분리하는 방법을 정리한다.   **15** ❶ 주어진 실험 기구로 분리할 수 있는 액체 혼합물의 조건을 정리한다. ❷ 조건에 맞는 혼합물을 찾는다.

19 오른쪽 그림은 물과 에 탄올 혼합물의 가열 곡선을 나타낸 것이다. 에탄올이 주로 끓어 나오는 구간의 기호를 쓰고, 그 까닭을 서술하시오.

풀이 TIP

260쪽

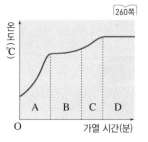

----

20 오른쪽 그림은 원유를 분리하는 증류탑을 간단한 모형으로 나타낸 것이다.

260쪽

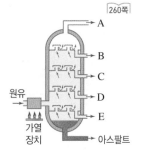

(1) 끓는점이 가장 낮은 물질이 분리되어 나오는 부분의 기호를 쓰시오.

----

(2) (1)과 같이 답한 까닭을 서술하시오.

----

21 표는 물과 액체 A, B의 성질을 정리한 것이다.

260쪽

물질	끓는점(℃)	밀도(g/cm³)	물에 대한 용해성
물	100	1.00	—
A	75	0.80	녹지 않는다.
B	80	0.87	녹는다.

A와 B 중 물과 섞여 있을 때 증류로 분리하기에 적당한 물질을 고르고, 그 까닭을 서술하시오.

----

22 두 가지 고체 물질이 섞여 있는 혼합물을 액체에 넣어 분리하려고 할 때 필요한 액체의 조건 두 가지를 서술하시오.

262쪽

----

23 표는 밀도가 0.5 g/mL인 액체 X에 녹지 않는 고체 A~D의 밀도를 나타낸 것이다.

풀이 TIP

262쪽

고체	A	B	C	D
밀도(g/cm³)	0.33	0.42	1.38	1.87

액체 X에 넣어 분리할 수 없는 혼합물을 보기에서 고르고, 그 까닭을 서술하시오.

{ 보기 }
ㄱ. A+B   ㄴ. A+C
ㄷ. B+C   ㄹ. B+D

----

24 오른쪽 그림은 서로 섞이지 않는 액체 혼합물을 분리할 때 사용하는 실험 기구를 나타낸 것이다. A와 B의 밀도를 부등호로 비교하고, 그 까닭을 서술하시오.

262쪽

정답친해 73쪽으로 가서 문제를 채점한 후 학습 결과를 스스로 평가해 보세요.

맞춘 개수	21~24개	17~20개	0~16개
평가	잘함	보통	부족

➜ 정답친해에서 그 문제를 왜 틀렸는지 꼭 확인하세요!
➜ 본책에서 해당 쪽으로 돌아가서 부족한 부분을 다시 공부하세요!

학습 평가하기

19 ❶ 물과 에탄올 혼합물의 가열 곡선에서 각 구간별 특징을 떠올린다. ❷ 물과 에탄올의 끓는점을 비교하고, 어떤 물질이 먼저 끓어 나오는지 생각한다. 23 밀도 차를 이용하여 혼합물을 분리할 때 필요한 액체의 조건을 떠올린다.

04 혼합물의 분리 (2)

단원 미리보기

만화 완성하기

다음 만화를 보고 탐정의 말풍선을 완성해 보자.

≫ 이 단원을 학습한 후 내가 쓴 대사를 수정해 보자.

A 용해도 차를 이용한 분리-재결정

염전에서 얻는 천일염에는 흙과 같이 물에 녹지 않는 여러 가지 불순물이 섞여 있습니다. 천일염의 불순물을 제거하여 깨끗한 소금을 얻으려면 어떤 방법을 이용해야 할까요?

1. **재결정** : 불순물이 섞여 있는 고체 물질을 용매에 녹인 다음 용액의 온도를 낮추거나 용매를 증발시켜 순수한 고체 물질을 얻는 방법
➡ 용해도 차를 이용한 혼합물의 분리 방법이다.

2. **재결정을 이용한 혼합물의 분리 예**

(1) 질산 칼륨과 황산 구리(Ⅱ) 혼합물에서 순수한 질산 칼륨 분리 : 혼합물을 물에 넣고 가열하여 모두 녹인 다음 온도를 낮추면 온도에 따른 용해도 차가 큰 질산 칼륨이 결정으로 석출된다.

📖 **순수한 질산 칼륨 분리**

[과정] 질산 칼륨 50 g과 황산 구리(Ⅱ) 5 g이 섞인 혼합물을 60 °C의 물 100 g에 모두 녹인 후 20 °C로 냉각하여 거름 장치로 거른다.

[결과] 질산 칼륨 18.1 g이 거름종이 위에 남는다.

[해석] • 20 °C에서 질산 칼륨의 용해도는 31.9이므로 질산 칼륨은 31.9 g만 녹고, 나머지 18.1 g이 석출된다.
• 20 °C에서 황산 구리(Ⅱ)의 용해도는 20.0이므로 황산 구리(Ⅱ)는 모두 녹아 있다.

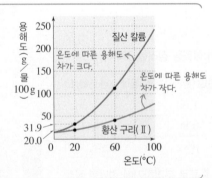

(2) 천일염에서 *정제 소금 얻기 : 불순물이 섞인 천일염을 물에 녹인 다음 거름 장치로 거르면 물에 녹지 않는 불순물이 제거되고, 거른 용액을 증발시키면 소금이 결정으로 석출된다.✚

(3) 합성 약품 정제 : 합성한 약품에서 불순물을 제거하고 보다 순수한 약품을 얻을 때 이용한다.

✚ **천일염에서 정제 소금 얻기**
바닷물을 증발시켜 얻은 천일염에는 짠맛을 내는 염화 나트륨뿐만 아니라 염화 마그네슘, 황산 마그네슘, 황산 칼슘, 황산 칼륨 등이 포함되어 있어 거무스름하다. 이것을 물에 녹여 거른 후 냉각하는 과정을 여러 번 되풀이하면 순도가 높은 소금을 얻을 수 있다.

| 용어 |
• **재결정**(再 다시, 結 모으다, 晶 깨끗하다) 고체 결정을 용매에 녹인 다음 냉각하거나 증발시켜 깨끗한 고체 결정을 만드는 방법
• **정제**(精 깨끗하다, 製 만들다) 물질에 섞인 불순물을 없애 그 물질을 더 순수하게 하는 것

이 단원의 개념이 어떻게 구성되어 있는지 살펴보고 빈칸을 완성해 보자.

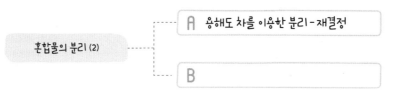

혼합물의 분리 (2)
- A 용해도 차를 이용한 분리 - 재결정
- B

이 단원을 공부하기 전에 미리 알고 있는 단어를 체크해 보자.

☐ 용해도 차   ☐ 재결정   ☐ 정제   ☐ 크로마토그래피   ☐ 도핑 테스트

1 불순물이 섞여 있는 고체 물질을 용매에 녹인 다음 용액의 온도를 낮추거나 용매를 증발시켜 순수한 고체 물질을 얻는 방법을 (   )이라고 한다.

재결정의 특징
· 용해도 차를 이용한다.
· 온도에 따른 용해도 차가 큰 물질이 결정으로 석출된다.

2 오른쪽 그림은 염화 나트륨과 붕산의 용해도 곡선을 나타낸 것이다. 염화 나트륨 1 g과 붕산 10 g이 섞인 혼합물을 60 °C의 물 100 g에 녹인 후 20 °C로 냉각할 때 석출되는 물질의 종류와 질량(g)을 구하시오.

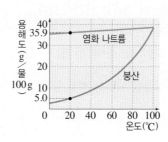

3 다음 혼합물의 분리에서 이용되는 물질의 특성을 쓰시오.

> 바닷물을 증발시켜 얻은 천일염에는 불순물이 포함되어 있다. 천일염을 뜨거운 물에 넣어 녹인 다음 서서히 냉각하면 결정이 석출되고, 이 과정을 되풀이하면 순수한 소금을 얻을 수 있다.

B **크로마토그래피**
서류를 작성하는 데 사용한 펜의 잉크를 분석하면 서류의 위조 여부를 알 수 있습니다. 잉크를 분석하는 방법에 대해 살펴볼까요?

1. 크로마토그래피 : 혼합물을 이루는 성분 물질이 용매를 따라 이동하는 속도가 다른 것을 이용하여 혼합물을 분리하는 방법

📖 **크로마토그래피의 원리와 실험 장치**

[크로마토그래피의 원리]

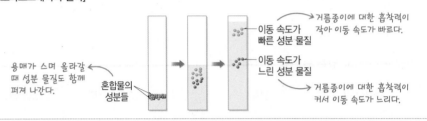

[크로마토그래피 실험 장치]

분리하려는 물질을 녹이는 용매여야 한다. 용매가 거름종이의 끝까지 올라오기 전에 실험을 멈춘다.

눈금실린더의 벽에 닿지 않게 장치한다.

- 고무마개 → 용매의 증발을 막는다.
- 용매가 올라간 높이
- 거름종이
- 혼합물 용매
- 작게, 여러 번 진하게 찍는다. 혼합물이 용매에 잠기면 성분 물질이 녹아서 분리할 수 없으므로, 혼합물이 용매에 잠기지 않게 한다.

2. 크로마토그래피의 특징

(1) 용매의 종류에 따라 분리되는 성분 물질의 수 또는 이동한 거리가 달라진다. ➡ 용매에 녹는 정도와 용매를 따라 이동하는 속도가 다르기 때문[+]

(2) 분리 방법이 간단하고, 분리하는 데 걸리는 시간이 짧다.

(3) 매우 적은 양의 혼합물도 분리할 수 있다.

(4) 성질이 비슷하거나 복잡한 혼합물도 한 번에 분리할 수 있다.

3. 크로마토그래피의 결과 분석 : 혼합물을 이루는 성분 물질의 수는 분리되어 나타나는 성분의 최소 개수와 같다.

📖 **크로마토그래피의 결과 분석**

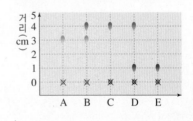

- A, C, E는 순물질일 수 있다. → 한 종류의 성분만 나오기 때문
- B, D는 혼합물이다. → 여러 성분으로 분리되기 때문
- 성분 A를 포함하는 혼합물은 B이다.
- 성분 C를 포함하는 혼합물은 B, D이다. → 올라간 높이가 같으면 같은 물질이기 때문
- 성분 E를 포함하는 혼합물은 D이다.
- 용매를 따라 이동하는 속도는 E<A<C 순이다. → 높이 올라갈수록 이동 속도가 빠르기 때문

4. 크로마토그래피가 이용되는 예 : 운동선수의 도핑 테스트[+], 잎의 색소 분리, 식품에 들어 있는 농약 성분의 검출, 단백질 성분의 검출, 의약품 성분의 분리 등

+ 유성 사인펜 잉크의 분리

유성 사인펜의 잉크는 물에 녹지 않고, 에테르에 녹는다. 따라서 유성 사인펜은 물을 용매로 하면 분리되지 않으며, 에테르를 용매로 하면 여러 가지 색소로 분리된다.

+ 도핑 테스트

도핑 테스트는 운동선수들의 소변이나 혈액을 채취하여 금지 약물을 복용했는지 크로마토그래피로 분석하는 방법이다.

+ 여러 가지 혼합물의 분리

여러 가지 물질이 섞여 있는 혼합물을 분리할 때는 혼합물을 이루는 성분 물질의 특성을 파악한 후 분리 순서를 정하여 분리한다.
예 물, 스타이로폼, 철 가루, 염화 나트륨의 분리

1 혼합물을 이루는 성분 물질이 용매를 따라 이동하는 속도가 다른 것을 이용하여 혼합물을 분리하는 방법을 (　　　　)라고 한다.

크로마토그래피의 원리

성분 물질이 용매를 따라 이동하는 속도가 다르다.

2 크로마토그래피에 대한 설명으로 옳은 것은 ○, 옳지 <u>않은</u> 것은 ×로 표시하시오.

(1) 성분 물질의 밀도 차를 이용하여 분리하는 방법이다. ················· (　　　)

(2) 혼합물의 양이 적어도 분리할 수 있다. ······························· (　　　)

(3) 분리 방법이 간단하고, 분리하는 데 시간이 적게 걸린다. ··········· (　　　)

(4) 성질이 비슷하거나 복잡한 혼합물은 분리할 수 없다. ··············· (　　　)

[3~4] 오른쪽 그림은 크로마토그래피를 이용하여 사인펜 잉크의 색소를 분리한 결과이다.

3 사인펜 잉크의 색소를 이루는 성분 물질은 최소 몇 종류인지 쓰시오.

4 이 실험에서 사인펜 잉크의 색소를 이루는 성분 물질 중 용매를 따라 이동하는 속도가 가장 빠른 것을 쓰시오.

5 다음과 같은 혼합물의 분리에서 공통적으로 이용되는 분리 방법을 쓰시오.

- 시금치 잎의 색소 분리
- 운동선수의 도핑 테스트
- 식품에 들어 있는 농약 성분의 검출

270쪽으로 돌아가서 내가 쓴 대사를 점검해 보자.

이 단원에서 순수한 질산 칼륨 분리 실험과 사인펜 잉크의 색소 분리 실험은 매우 중요해요. 집중 강의를 통해 실험 과정과 결과를 확인해 볼까요?

탐구 자료 ① 순수한 질산 칼륨 분리   관련 개념 | 270쪽 **Ⓐ** 용해도 차를 이용한 분리 – 재결정

목표

불순물이 섞인 고체 물질에서 순수한 고체 물질을 분리한다.

과정

① 40 °C의 물 100 g에 질산 칼륨 30 g과 황산 구리(Ⅱ) 1 g이 섞여 있는 혼합물을 넣고 모두 녹인다.

② 얼음물을 넣은 수조에 과정 ①의 비커를 담가 0 °C까지 냉각한다.

③ 과정 ②에서 냉각한 용액을 거름 장치로 걸러 석출된 물질을 분리한다.

혼합물
깔때기

결과 및 해석

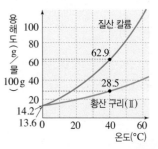

물질	40 °C의 물 100 g에 녹아 있는 양	0 °C의 물 100 g에 녹을 수 있는 양	석출량
질산 칼륨	30.0 g	13.6 g	16.4 g (30.0 g−13.6 g)
황산 구리(Ⅱ)	1.0 g	14.2 g	없음

➡ 질산 칼륨이 결정으로 석출된다.

결론

불순물이 섞여 있는 고체 물질을 용매에 녹인 다음 용액의 온도를 낮추면 온도에 따른 ㉠(   ) 차가 ㉡(   ) 물질이 결정으로 석출되어 분리된다.

믤 ㉠ 돤뺘용 ㉡ 믄

탐구 자료 ② 사인펜 잉크의 색소 분리   관련 개념 | 272쪽 **Ⓑ** 크로마토그래피

목표

사인펜 잉크 속에 들어 있는 색소를 분리하여 크로마토그래피의 원리를 알아본다.

과정

① 거름종이의 한쪽 끝에서 1.5 cm 정도 되는 곳에 연필로 선을 긋고, 여러 색의 수성 사인펜으로 연필선 위에 점을 찍는다. ──● 사인펜 잉크는 작게, 여러 번, 진하게 찍는다.

② 비커에 물을 1 cm 정도 붓고, 거름종이를 유리판에 붙인 후 사인펜 잉크를 찍은 점이 물에 잠기지 않게 비커에 넣고 변화를 관찰한다.

주의 TIP 부분**주의 TIP**

실험 과정의 유의 사항

• 사인펜 잉크를 찍은 점이 물에 잠기지 않아야 한다.

• 용매가 증발하지 않도록 입구를 막아야 한다.

• 물이 거름종이의 끝까지 올라오기 전에 실험을 멈춘다.

수성 사인펜
거름종이

유리판
물
사인펜 잉크를 찍은 점

결과 및 해석

수성 사인펜으로 찍은 점은 각각 여러 가지 색소로 분리된다. ➡ 색소마다 물을 따라 이동하는 속도가 다르기 때문

결론

크로마토그래피는 각 성분 물질이 ㉠(   )를 따라 이동하는 ㉡(   )가 다른 것을 이용하여 혼합물을 분리하는 방법이다.

믤 ㉠ 믜용 ㉡ 믄

274   Ⅵ. 물질의 특성

01 불순물이 포함된 질산 칼륨을 뜨거운 물에 녹인 후 냉각하여 거르면 순수한 질산 칼륨을 얻을 수 있다. [270쪽]

이 혼합물을 분리할 때 이용되는 물질의 특성과 혼합물의 분리 방법을 옳게 짝 지은 것은?

① 용해도 – 증류
② 밀도 – 증류
③ 용해도 – 재결정
④ 밀도 – 재결정
⑤ 용해도 – 크로마토그래피

02 용해도 차를 이용하여 분리하기에 적당한 혼합물을 모두 고르면?(2개) [270쪽]

① 물과 에탄올
② 물과 식용유
③ 스타이로폼과 모래
④ 붕산과 염화 나트륨
⑤ 질산 칼륨과 황산 구리(Ⅱ)

03 표는 질산 칼륨과 염화 나트륨의 온도에 따른 용해도 (g/물 100 g)를 나타낸 것이다. [270쪽]

온도(℃)	20	100
질산 칼륨	31.9	242.5
염화 나트륨	35.9	39.0

100 ℃의 물 50 g에 질산 칼륨 100 g과 염화 나트륨 15 g을 녹인 후 20 ℃로 냉각하여 거름종이로 걸렀다. 이때 거름종이 위에 남는 물질과 그 질량을 옳게 나타낸 것은?

① 질산 칼륨, 64.1 g
② 질산 칼륨, 68.1 g
③ 질산 칼륨, 84.05 g
④ 염화 나트륨, 0.95 g
⑤ 염화 나트륨, 1.9 g

[04~05] 오른쪽 그림은 질산 칼륨과 황산 구리(Ⅱ)의 온도에 따른 용해도 곡선을 나타낸 것이다.

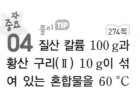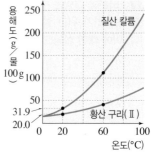

04 질산 칼륨 100 g과 황산 구리(Ⅱ) 10 g이 섞여 있는 혼합물을 60 ℃ 물 100 g에 녹인 후 20 ℃로 냉각하였다. 이에 대한 설명으로 옳지 않은 것은? [274쪽]

① 혼합물은 60 ℃의 물에 모두 녹는다.
② 온도에 따른 용해도 차가 큰 물질이 결정으로 석출된다.
③ 20 ℃로 냉각하면 질산 칼륨 31.9 g이 결정으로 석출된다.
④ 20 ℃로 냉각해도 황산 구리(Ⅱ)는 모두 녹아 있다.
⑤ 이와 같은 혼합물의 분리 방법을 재결정이라고 한다.

05 질산 칼륨 50 g과 황산 구리(Ⅱ) 5 g이 섞여 있는 혼합물을 80 ℃ 물 50 g에 모두 녹인 후 20 ℃로 냉각할 때 결정으로 석출되는 물질과 그 질량을 옳게 나타낸 것은? [274쪽]

① 질산 칼륨, 18.1 g
② 황산 구리(Ⅱ), 2.5 g
③ 질산 칼륨, 34.05 g
④ 황산 구리(Ⅱ), 5.0 g
⑤ 질산 칼륨, 18.1 g+황산 구리(Ⅱ) 5.0 g

06 크로마토그래피에 대한 설명으로 옳지 않은 것은? [272쪽]

① 혼합물의 양이 적어도 분리할 수 있다.
② 성분 물질의 성질이 비슷해도 분리할 수 있다.
③ 용매에 대한 성분 물질의 이동 속도 차를 이용한 것이다.
④ 같은 혼합물인 경우 용매의 종류에 관계없이 분리되는 성분 물질의 수는 일정하다.
⑤ 운동선수의 도핑 테스트에 이용된다.

 04 ❶ 60 ℃에서 질산 칼륨과 황산 구리(Ⅱ)의 용해도를 용해도 곡선에서 찾는다. ❷ 20 ℃에서 질산 칼륨과 황산 구리(Ⅱ)의 용해도를 용해도 곡선에서 찾는다. ❸ 60 ℃와 20 ℃에서의 용해도를 비교하여 석출되는 물질의 질량을 계산한다.

07 오른쪽 그림은 수성 사인펜 잉크의 색소를 분리하기 위한 실험 장치를 나타낸 것이다. 이에 대한 설명으로 옳지 <u>않은</u> 것은?

272쪽

거름종이

사인펜 잉크

물

① 사인펜 잉크는 최대한 작게, 여러 번, 진하게 찍는다.

② 사인펜 잉크를 찍은 점이 물에 잠기지 않게 장치한다.

③ 용매의 증발을 막기 위해 용기의 입구를 막는다.

④ 가장 아래쪽에 분리되는 색소의 이동 속도가 가장 빠르다.

⑤ 물 대신 에탄올을 사용하면 실험 결과가 다르게 나타난다.

[08~09] 그림은 물질 A~E의 크로마토그래피 결과를 나타낸 것이다.

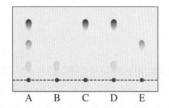

A B C D E

풀이 TIP

08 이에 대한 설명으로 옳지 <u>않은</u> 것은?

272쪽

① B, C, E는 순물질로 예상할 수 있다.

② A와 D는 혼합물이다.

③ A와 D는 모두 B를 포함한다.

④ C는 E보다 용매를 따라 이동하는 속도가 빠르다.

⑤ D를 이루는 성분 물질은 최소 3종류이다.

풀이 TIP

09 A에 포함되어 있는 성분을 옳게 짝 지은 것은?

272쪽

① B   ② B, C   ③ B, E

④ C, E   ⑤ B, C, E

10 그림은 식물 잎의 색소를 분리하는 실험 장치와 결과를 나타낸 것이다.

274쪽

거름종이

용매

C
B
A

이에 대한 설명으로 옳은 것을 보기에서 모두 고른 것은?

〔 보기 〕

ㄱ. 색소를 이루는 성분은 최소 3종류이다.

ㄴ. 각 성분의 이동 속도는 A<B<C이다.

ㄷ. 용매가 달라지면 분리되는 성분 물질의 수나 이동 거리가 달라진다.

① ㄱ   ② ㄱ, ㄴ   ③ ㄱ, ㄷ

④ ㄴ, ㄷ   ⑤ ㄱ, ㄴ, ㄷ

11 크로마토그래피를 이용하는 예가 <u>아닌</u> 것은?

272쪽

① 잎의 색소 분리

② 간장과 참기름 분리

③ 단백질 성분의 검출

④ 운동선수의 약물 검사

⑤ 식품 속 농약 성분의 검출

12 혼합물과 그 혼합물을 분리할 때 이용하는 물질의 특성을 옳게 짝 지은 것은?

272쪽

① 물과 에탄올 – 밀도

② 톱밥과 모래 – 용해도

③ 사인펜 잉크의 색소 – 밀도

④ 질산 칼륨과 염화 나트륨 – 용해도

⑤ 물과 에테르 – 용매를 따라 이동하는 속도

풀이 TIP

08 ❶ A~E를 순물질과 혼합물로 구분한다. ❷ 올라간 높이를 비교하여 같은 성분이 포함된 물질을 찾고, 성분의 이동 속도를 비교한다.   09 ❶ 크로마토그래피의 결과에서 A에 섞여 있는 성분의 개수를 파악한다. ❷ 올라간 높이를 비교하여 A에 포함된 성분을 찾는다.

중요
13 혼합물과 그 혼합물을 분리할 때 이용하는 실험 장치를 짝 지은 것으로 옳지 <u>않은</u> 것은? 〔272쪽〕

① 사인펜 잉크의 색소

② 원유의 분리

③ 물과 사염화 탄소

④ 천일염에서 정제 소금 얻기

⑤ 소금물에서 물 얻기

풀이 TIP
14 그림은 물, 에탄올, 소금, 모래가 섞인 혼합물을 분리하는 과정을 나타낸 것이다. 〔272쪽〕

실험 과정 ㉠과 ㉡에서 이용된 물질의 특성을 순서대로 옳게 나타낸 것은?

① 밀도, 끓는점
② 용해도, 끓는점
③ 용해도, 밀도
④ 녹는점, 끓는점
⑤ 녹는점, 용해도

서술형 문제

중요
풀이 TIP
15 그림은 온도에 따른 염화 나트륨과 붕산의 용해도 곡선을 나타낸 것이다. 〔270쪽〕

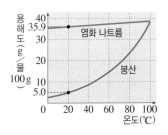

(1) 100 °C의 물 100 g에 염화 나트륨 10 g과 붕산 5 g을 모두 녹인 후 서서히 냉각할 때 결정이 생기기 시작하는 물질과 그 온도를 쓰시오.

---

(2) 두 혼합물의 분리 방법을 쓰고, 이와 같은 혼합물의 분리에 이용되는 물질의 특성을 온도를 포함하여 서술하시오.

---

16 사인펜 잉크의 색소, 잎의 색소를 분리하는 데 이용되는 분리 방법의 원리를 다음 용어를 모두 포함하여 서술하시오. 〔272쪽〕

> 성분 물질, 용매, 속도

학습 평가하기

정답친해 76쪽으로 가서 문제를 채점한 후 학습 결과를 스스로 평가해 보세요.

맞춘 개수	14~16개	11~13개	0~10개
평가	잘함	보통	부족

➜ 정답친해에서 그 문제를 왜 틀렸는지 꼭 확인하세요!
➜ 본책에서 해당 쪽으로 돌아가서 부족한 부분을 다시 공부하세요!

---

14 ❶ 물과 에탄올은 서로 잘 섞이고, 소금은 물에 잘 녹으므로 거름종이를 통과한다. ❷ 물, 에탄올, 소금의 혼합물을 가열하였을 때 에탄올이 가장 먼저 분리되는 까닭을 떠올린다. 15 (1) 석출량＝처음 온도에서 녹아 있던 용질의 양－냉각한 온도에서 최대로 녹을 수 있는 용질의 양임을 기억하면서 답을 구한다.

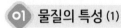
01 물질의 특성 (1)

1. 물질의 분류

순물질	한 가지 물질로 이루어진 물질로, 물질의 고유한 성질을 나타낸다. 예 금, 구리, 산소, 수소, 염화 나트륨, 물 등	
혼합물	두 가지 이상의 순물질이 섞여 있는 물질로, 성분 물질의 성질을 그대로 가진다.	
	균일 혼합물	불균일 혼합물
	성분 물질이 고르게 섞여 있는 혼합물 예 설탕물, 공기, 합금 등	성분 물질이 고르지 않게 섞여 있는 혼합물 예 흙탕물, 우유, 암석 등

2. 물질의 특성 : 다른 물질과 구별되는 그 물질만의 고유한 성질 예 끓는점, 녹는점(어는점), 밀도, 용해도 등

3. 순물질과 혼합물의 구별

고체+액체 혼합물의 끓는점	고체+액체 혼합물의 어는점
순수한 액체보다 높은 온도에서 끓기 시작하고, 끓는 동안 온도가 계속 높아진다.	순수한 액체보다 낮은 온도에서 얼기 시작하고, 어는 동안 온도가 계속 낮아진다.

4. 끓는점 : 액체 물질이 끓는 동안 일정하게 유지되는 온도
(1) 물질의 종류에 따라 다르며, 같은 종류의 물질은 양에 관계없이 일정하다.
(2) 외부 압력이 높아지면 끓는점이 높아진다.

5. 녹는점과 어는점
(1) **녹는점** : 고체 물질이 녹는 동안 일정하게 유지되는 온도
(2) **어는점** : 액체 물질이 어는 동안 일정하게 유지되는 온도
(3) 녹는점과 어는점은 물질의 종류에 따라 다르며, 같은 종류의 물질은 양에 관계없이 일정하다.
(4) 같은 종류의 물질은 녹는점과 어는점이 같다.
(5) **녹는점, 끓는점과 물질의 상태**

고체	액체	기체
실온<녹는점	녹는점< 실온<끓는점	끓는점<실온

02 물질의 특성(2)

1. 부피와 질량

구분	부피	질량
정의	물질이 차지하는 공간의 크기	장소나 상태에 따라 변하지 않는 물질의 고유한 양
단위	cm^3, m^3, mL, L 등	mg, g, kg 등
측정	눈금실린더, 피펫 등	전자저울, 윗접시저울 등

2. 밀도 : 물질의 질량을 부피로 나눈 값

$$밀도 = \frac{질량}{부피} (단위 : g/mL, g/cm^3, kg/m^3 등)$$

(1) 밀도가 큰 물질은 아래로 가라앉고, 밀도가 작은 물질은 위로 뜬다.
(2) 같은 물질인 경우 밀도는 기체<액체<고체 순이다. (단, 물은 예외)
(3) 기체의 밀도는 온도와 압력을 함께 표시한다.

3. 용해 : 한 물질이 다른 물질에 녹아 고르게 섞이는 현상

$$\underset{(녹이는\ 물질)}{용매} + \underset{(녹는\ 물질)}{용질} \xrightarrow{용해} \underset{(균일\ 혼합물)}{용액}$$

4. 용해도 : 어떤 온도에서 용매 100 g에 최대로 녹을 수 있는 용질의 g수

5. 고체의 용해도 : 일반적으로 온도가 높을수록 증가하며, 압력의 영향은 거의 받지 않는다.
(1) 용해도 곡선 상의 용액은 포화 용액이고, 용해도 곡선 아래의 용액은 불포화 용액이다.
(2) 용액을 냉각할 때 석출되는 용질의 양을 구할 수 있다.

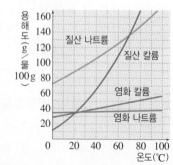

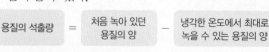

용질의 석출량	=	처음 녹아 있던 용질의 양	−	냉각한 온도에서 최대로 녹을 수 있는 용질의 양

6. 기체의 용해도 : 온도가 낮을수록, 압력이 높을수록 증가한다.

03 혼합물의 분리 (1)

1. 끓는점 차를 이용한 분리

(1) **증류** : 액체 상태의 혼합물을 가열할 때 끓어 나오는 기체를 냉각하여 순수한 액체를 얻는 방법

① 끓는점이 낮은 물질이 먼저 끓어 나온다.
② 끓어 나온 기체 물질은 냉각되어 찬물 속에 들어 있는 시험관에 모인다.

(2) **증류를 이용한 혼합물의 분리 예**

① 바닷물에서 순수한 물을 얻을 수 있다.
② 탁한 술에서 맑은 소주를 얻을 수 있다.
③ 물과 에탄올 혼합물의 분리 : 물과 에탄올 혼합물을 가열하면 끓는점이 낮은 에탄올이 먼저 끓어 나오고, 끓는점이 높은 물이 나중에 끓어 나온다.

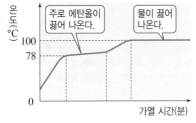

④ 원유의 분리 : 원유를 높은 온도로 가열하여 증류탑으로 보내면 끓는점이 낮은 물질일수록 증류탑의 위쪽에서 분리된다.

2. 밀도 차를 이용한 분리

(1) **고체 혼합물의 분리** : 두 가지 고체 물질이 섞인 혼합물의 경우 두 물질을 녹이지 않고, 밀도가 두 물질의 중간 정도인 액체에 넣어 분리한다.

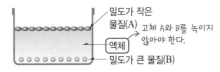

밀도 비교 : A<액체<B

(2) **액체 혼합물의 분리** : 서로 섞이지 않고 밀도가 다른 액체 혼합물의 경우 분별 깔때기를 이용하여 분리한다.

혼합물	물과 식용유	물과 사염화 탄소
위층	식용유	물
아래층	물	사염화 탄소
밀도 비교	식용유<물	물<사염화 탄소

(3) **밀도 차를 이용한 혼합물의 분리 예** : 좋은 볍씨 고르기, 신선한 달걀 고르기, 바다에 유출된 기름 제거하기 등

04 혼합물의 분리 (2)

1. 용해도 차를 이용한 분리

(1) **재결정** : 불순물이 섞여 있는 고체 물질을 용매에 녹인 다음 용액의 온도를 낮추거나 용매를 증발시켜 순수한 고체 물질을 얻는 방법
(2) **재결정을 이용한 혼합물의 분리 예** : 불순물이 섞인 질산 칼륨에서 순수한 질산 칼륨 얻기, 천일염에서 정제 소금 얻기 등

2. 크로마토그래피 : 성분 물질이 용매를 따라 이동하는 속도가 다른 것을 이용하여 혼합물을 분리하는 방법

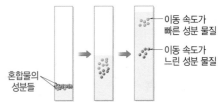

(1) 같은 물질이라도 사용하는 용매에 따라 결과가 달라진다.
(2) 성분 물질의 성질이 비슷하거나, 매우 적은 양의 물질이 섞여 있는 혼합물도 분리할 수 있다.
(3) **크로마토그래피가 이용되는 예** : 운동선수의 도핑 테스트, 사인펜 잉크의 색소 분리 등

01 물질의 특성 (1)

1. 순물질과 혼합물

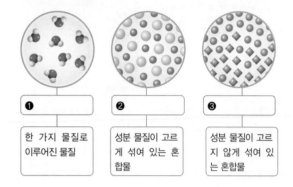

❶	❷	❸
한 가지 물질로 이루어진 물질	성분 물질이 고르게 섞여 있는 혼합물	성분 물질이 고르지 않게 섞여 있는 혼합물

2. 순물질과 혼합물의 가열·냉각 곡선

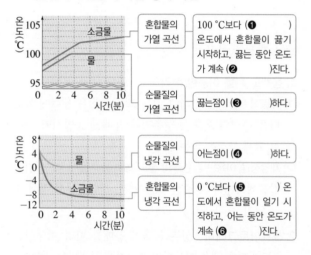

혼합물의 가열 곡선 ▶ 100 °C보다 (❶   ) 온도에서 혼합물이 끓기 시작하고, 끓는 동안 온도가 계속 (❷   )진다.

순물질의 가열 곡선 ▶ 끓는점이 (❸   )하다.

순물질의 냉각 곡선 ▶ 어는점이 (❹   )하다.

혼합물의 냉각 곡선 ▶ 0 °C보다 (❺   ) 온도에서 혼합물이 얼기 시작하고, 어는 동안 온도가 계속 (❻   )진다.

3. 끓는점

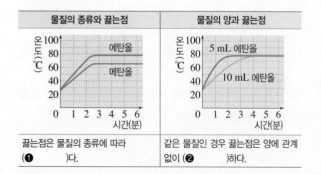

물질의 종류와 끓는점	물질의 양과 끓는점
끓는점은 물질의 종류에 따라 (❶)다.	같은 물질인 경우 끓는점은 양에 관계 없이 (❷)하다.

02 물질의 특성 (2)

1. 밀도 크기 비교

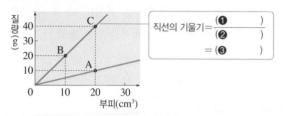

직선의 기울기 = (❶   )/(❷   )
= (❸   )

• 같은 직선 위의 점들은 모두 (❹   )가 같다.
• 밀도 비교 : A (❺   ) B (❻   ) C

2. 용해도 곡선

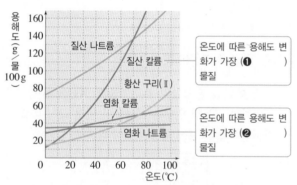

온도에 따른 용해도 변화가 가장 (❶   ) 물질

온도에 따른 용해도 변화가 가장 (❷   ) 물질

• 고체의 용해도는 일반적으로 온도가 높을수록 (❸   )한다.
• 용해도 곡선 상의 점은 그 온도에서 (❹   ) 용액이다.
• 용해도 곡선을 이용하면 용액을 냉각할 때 (❺   )되는 용질의 양을 알 수 있다.

3. 기체의 용해도

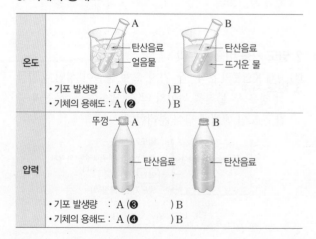

온도	• 기포 발생량 : A (❶) B • 기체의 용해도 : A (❷) B
압력	• 기포 발생량 : A (❸) B • 기체의 용해도 : A (❹) B

03 혼합물의 분리 (1)

1. 끓는점 차를 이용한 분리 〔물과 에탄올 혼합물〕

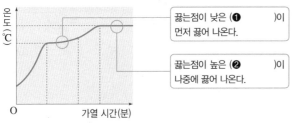

끓는점이 낮은 (❶   )이 먼저 끓어 나온다.

끓는점이 높은 (❷   )이 나중에 끓어 나온다.

➡ 서로 잘 섞이고 끓는점이 다른 물과 에탄올의 혼합물은 (❸   ) 차를 이용한 (❹   )로 분리한다.

2. 끓는점 차를 이용한 분리 〔원유〕

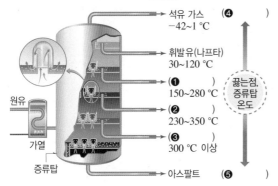

석유 가스 (❹   ) −42~1 ℃

휘발유(나프타) 30~120 ℃

(❶   ) 150~280 ℃

(❷   ) 230~350 ℃

(❸   ) 300 ℃ 이상

아스팔트 (❺   )

원유

가열

증류탑

끓는점, 증류탑 온도

➡ 원유를 가열하여 증류탑으로 보내면 끓는점이 (❻   )은 물질일수록 증류탑의 위쪽에서 분리된다.

3. 밀도 차를 이용한 분리 〔고체 혼합물〕

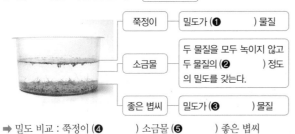

쭉정이 ─ 밀도가 (❶   ) 물질

소금물 ─ 두 물질을 모두 녹이지 않고 두 물질의 (❷   ) 정도의 밀도를 갖는다.

좋은 볍씨 ─ 밀도가 (❸   ) 물질

➡ 밀도 비교 : 쭉정이 (❹   ) 소금물 (❺   ) 좋은 볍씨

4. 밀도 차를 이용한 분리 〔액체 혼합물〕

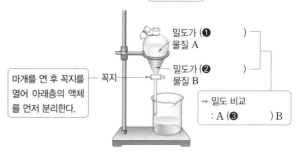

밀도가 (❶   ) 물질 A

밀도가 (❷   ) 물질 B

마개를 연 후 꼭지를 열어 아래층의 액체를 먼저 분리한다. ─ 꼭지

➡ 밀도 비교 : A (❸   ) B

04 혼합물의 분리 (2)

1. 용해도 차를 이용한 분리 〔불순물이 포함된 질산 칼륨〕

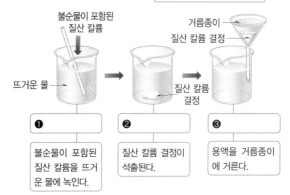

불순물이 포함된 질산 칼륨

뜨거운 물

거름종이

질산 칼륨 결정

질산 칼륨 결정

❶ 불순물이 포함된 질산 칼륨을 뜨거운 물에 녹인다.

❷ 질산 칼륨 결정이 석출된다.

❸ 용액을 거름종이에 거른다.

2. 크로마토그래피 분석

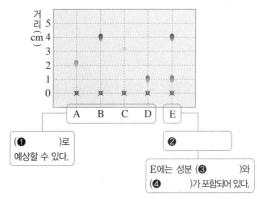

거리 (cm)

A B C D E

(❶   )로 예상할 수 있다.

❷

E에는 성분 (❸   )와 (❹   )가 포함되어 있다.

➡ 크로마토그래피는 혼합물을 이루는 성분 물질이 용매를 따라 이동하는 (❺   )가 다른 것을 이용하여 혼합물을 분리한다.

01 물질의 특성 (1)

01 다음 물질들을 순물질, 균일 혼합물, 불균일 혼합물로 옳게 짝 지은 것은?

| (가) 공기 | (나) 질소 | (다) 우유 |
| (라) 화강암 | (마) 사이다 | (바) 에탄올 |

	순물질	균일 혼합물	불균일 혼합물
①	(나), (바)	(가), (마)	(다), (라)
②	(나), (마), (바)	(다)	(가), (라)
③	(가), (나), (바)	(라), (마)	(다)
④	(나), (라), (바)	(가), (다)	(마)
⑤	(가), (나), (라), (마)	(바)	(다)

[02~03] 그림 (가)는 고체 나프탈렌, 고체 파라-다이클로로벤젠, 두 고체 물질을 섞은 혼합물의 가열 곡선, (나)와 (다)는 물과 소금물의 가열 곡선과 냉각 곡선을 나타낸 것이다.

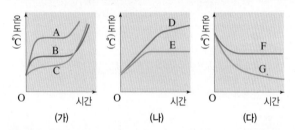

02 그림의 A~G 중 혼합물의 가열 곡선이나 냉각 곡선인 것을 모두 고르시오.

03 (다)로 설명할 수 있는 현상이 아닌 것은?

① 강물이 얼어도 바닷물은 얼지 않는다.
② 장독대의 간장은 한겨울에도 얼지 않는다.
③ 겨울철에는 자동차의 냉각수에 부동액을 넣어 준다.
④ 겨울철에 눈이 내리면 도로에 염화 칼슘을 뿌려 준다.
⑤ 국수를 소금물에 삶으면 물에 삶는 것보다 더 쫄깃쫄깃하다.

04 동일한 액체 200 mL(A)와 400 mL(B)를 가열할 때 시간에 따른 온도 변화를 나타낸 그래프로 옳은 것은?(단, 외부 압력과 불꽃의 세기는 모두 같다.)

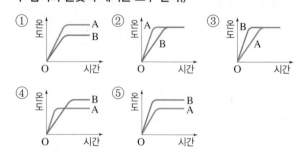

05 오른쪽 그림은 액체 A~D의 가열 곡선이다. 이에 대한 설명으로 옳은 것은?(단, 외부 압력과 불꽃의 세기는 모두 같다.)

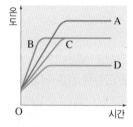

① B는 C보다 양이 많다.
② B와 C는 같은 물질이다.
③ C와 D는 같은 물질이다.
④ 끓는점이 가장 높은 물질 B이다.
⑤ 가장 빨리 끓기 시작한 물질은 A이다.

06 그림은 고체 파라-다이클로로벤젠의 가열·냉각 곡선을 나타낸 것이다.

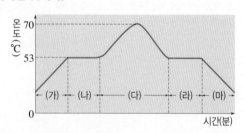

이에 대한 설명으로 옳은 것은?

① 파라-다이클로로벤젠의 어는점은 70 °C이다.
② 상태 변화가 일어나는 구간은 (가), (마)이다.
③ 고체가 존재하는 구간은 (나), (다), (라)이다.
④ 파라-다이클로로벤젠의 녹는점과 어는점은 같다.
⑤ 불꽃의 세기를 강하게 하면 온도 변화가 없는 구간이 없어질 것이다.

02 물질의 특성 (2)

07 물 20.0 mL가 들어 있는 눈금실린더에 질량이 56 g인 돌을 넣었더니 오른쪽 그림과 같이 물의 부피가 변하였다. 이 돌의 밀도는 몇 g/cm³인가?

① 1.7 g/cm³   ② 2.0 g/cm³
③ 2.8 g/cm³   ④ 6.3 g/cm³
⑤ 7.0 g/cm³

08 오른쪽 그림은 고체 물질 A~E의 부피와 질량 관계를 나타낸 것이다. 이에 대한 설명으로 옳지 <u>않은</u> 것은? (단, A~E는 물에 녹지 않고, 물의 밀도는 1 g/cm³이다.)

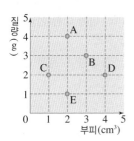

① B의 밀도는 1 g/cm³이다.
② C는 물에 가라앉는다.
③ D는 물에 뜬다.
④ A와 E는 같은 물질이다.
⑤ 물질의 종류는 3가지이다.

09 일상생활에서 밀도를 이용한 예가 <u>아닌</u> 것은?

① 열기구가 하늘 위로 올라간다.
② 금속을 붙일 때 땜납을 사용한다.
③ LNG 누출 경보기는 천장에 설치한다.
④ 물놀이를 할 때는 구명조끼를 착용한다.
⑤ 잠수부가 잠수를 하기 위해 허리에 납덩어리를 단다.

10 용액에 대한 설명으로 옳지 <u>않은</u> 것은?

① 용매와 용질이 섞인 균일 혼합물이다.
② 설탕물에서는 설탕이 용질, 물이 용매이다.
③ 황산 구리(Ⅱ) 수용액은 물이 용매인 용액이다.
④ 공기는 여러 종류의 기체가 섞인 기체 용액이다.
⑤ 소금이 물에 녹아 고르게 섞이는 현상을 용액이라고 한다.

11 오른쪽 그림은 어떤 고체 물질의 용해도 곡선을 나타낸 것이다. 이에 대한 설명으로 옳은 것은?

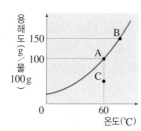

① A는 불포화 용액이다.
② 60 ℃에서 이 물질의 용해도는 150이다.
③ A와 B에는 같은 양의 고체 물질이 녹아 있다.
④ C는 불포화 용액이며, 용질을 더 녹이면 A가 될 수 있다.
⑤ 이 고체 물질의 용해도는 온도가 높을수록 감소한다.

12 표는 염화 나트륨과 질산 칼륨의 온도에 따른 용해도 (g/물 100 g)를 나타낸 것이다.

온도(℃)	0	20	40	60	80
염화 나트륨	35.6	35.9	36.4	37.0	37.9
질산 칼륨	13.6	31.9	62.9	109.2	170.3

60 ℃의 물 10 g을 넣은 시험관 2개에 각각 염화 나트륨과 질산 칼륨을 10 g씩 넣고 저어 주었다. 이에 대한 설명으로 옳지 <u>않은</u> 것은?

① 염화 나트륨 6.3 g이 녹지 않고 가라앉는다.
② 염화 나트륨 수용액은 포화 상태이다.
③ 질산 칼륨 수용액을 40 ℃로 냉각하면 포화 상태가 된다.
④ 온도가 높아짐에 따라 질산 칼륨의 용해도는 염화 나트륨에 비해 크게 증가한다.
⑤ 염화 나트륨 수용액을 거른 후 20 ℃로 냉각하면 6.41 g이 결정으로 석출된다.

13 6개의 시험관에 사이다를 넣고 그림과 같이 장치하였다.

얼음물   실온의 물   50 °C의 물

이에 대한 설명으로 옳지 <u>않은</u> 것은?

① 고무마개를 빼면 기포가 더 많이 발생한다.
② 기체의 용해도는 시험관 A에서 가장 크다.
③ C와 D를 비교하면 압력에 따른 기체의 용해도 변화를 알 수 있다.
④ A, C, E를 비교하면 온도에 따른 기체의 용해도 변화를 알 수 있다.
⑤ 발생하는 기포의 양은 시험관 E에서 가장 많다.

14 탄산음료 병의 마개를 열면 거품이 발생하는 것을 볼 수 있다. 이 현상과 가장 관계가 깊은 것은?

① 사이다를 뜨거운 컵에 따르면 기포가 많이 발생한다.
② 콜라를 마실 때 얼음을 넣으면 톡 쏘는 맛이 오래 간다.
③ 수돗물을 끓이면 소독 기체인 염소 냄새가 사라진다.
④ 여름철 물고기가 수면 위로 입을 내밀고 뻐끔거린다.
⑤ 깊은 물속에 있던 잠수부가 너무 빨리 수면으로 올라오면 잠수병에 걸릴 수 있다.

○3 혼합물의 분리 (1)

15 바닷물을 가열할 때 끓어 나오는 수증기를 냉각하여 물을 얻었다. 이러한 혼합물의 분리 방법과 이용되는 물질의 특성을 옳게 짝 지은 것은?

① 증류 – 밀도   ② 재결정 – 밀도
③ 증류 – 끓는점   ④ 재결정 – 끓는점
⑤ 크로마토그래피 – 용해도

16 오른쪽 그림은 어떤 액체 혼합물의 가열 곡선을 나타낸 것이다. 이에 대한 설명으로 옳지 <u>않은</u> 것은?

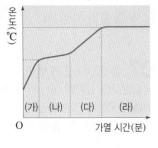

① 끓는점이 낮은 성분이 (나)에서 끓어 나온다.
② 끓는점이 높은 성분이 (라)에서 끓어 나온다.
③ 수평한 구간의 개수로 성분 물질의 수를 알 수 있다.
④ 염화 나트륨 수용액은 이와 같은 가열 곡선이 나타난다.
⑤ 물과 에탄올의 혼합물은 이와 같은 가열 곡선이 나타난다.

17 오른쪽 그림은 원유를 분리하는 증류탑을 나타낸 것이다. 이에 대한 설명으로 옳은 것은?

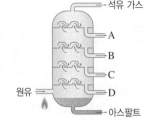

① 증류를 이용한 분리 방법이다.
② 온도에 따른 용해도 차를 이용한다.
③ A~D 중 끓는점이 가장 낮은 물질은 D이다.
④ 증류탑의 위쪽으로 올라갈수록 온도가 높아진다.
⑤ 성분 물질이 증류탑의 위쪽으로 올라가는 속도 차를 이용하여 분리한다.

18 끓는점 차를 이용하여 혼합물을 분리하는 예를 보기에서 모두 고르시오.

{ 보기 }

ㄱ. 바닷물로 식수 만들기
ㄴ. 산소와 질소 분리하기
ㄷ. 모래와 스타이로폼 분리하기
ㄹ. 뷰테인과 프로페인 분리하기
ㅁ. 원심 분리기로 혈액 분리하기
ㅂ. 검은색 사인펜 잉크의 색소 분리하기
ㅅ. 소줏고리를 이용하여 탁한 술로 맑은 소주 만들기

[19~20] 오른쪽 그림은 분별 깔때기를 이용하여 액체 혼합물을 분리하는 모습을 나타낸 것이다.

마개
A
B
꼭지

19 이 실험에 대한 설명으로 옳지 <u>않은</u> 것은?

① B의 밀도는 A보다 크다.
② 꼭지를 열면 밀도가 큰 물질이 먼저 분리된다.
③ 분별 깔때기의 끝이 비커의 벽에 닿게 장치한다.
④ 물질의 용해도 차를 이용하여 분리하는 방법이다.
⑤ 꼭지를 열어 혼합물을 분리할 때는 먼저 마개를 열어야 한다.

20 이와 같은 방법으로 분리할 수 <u>없는</u> 혼합물은?

① 물과 석유
② 물과 식용유
③ 물과 에탄올
④ 물과 사염화 탄소
⑤ 간장과 참기름

21 밀도 차를 이용하여 혼합물을 분리하는 예로 옳은 것을 보기에서 모두 고른 것은?

┤ 보기 ├
ㄱ. 키질로 곡물을 분리한다.
ㄴ. 흙이 섞인 소금을 물에 녹여 거른다.
ㄷ. 물과 식용유를 분별 깔때기로 분리한다.
ㄹ. 흐르는 물속에서 모래 속의 사금을 채취한다.
ㅁ. 소금물에 달걀을 넣어 신선한 달걀을 골라낸다.
ㅂ. 곡물을 발효하여 얻은 탁한 술을 소줏고리에 넣고 가열하여 맑은 소주를 얻는다.

① ㄱ, ㄴ, ㄷ
② ㄴ, ㄹ, ㅂ
③ ㄱ, ㄷ, ㄹ, ㅁ
④ ㄱ, ㄷ, ㅁ, ㅂ
⑤ ㄴ, ㄹ, ㅁ, ㅂ

04 혼합물의 분리 (2)

22 표는 질산 칼륨과 질산 나트륨의 온도에 따른 용해도 (g/물 100 g)를 나타낸 것이다.

온도(°C)	0	20	40	60	80
질산 칼륨	13.6	31.9	62.9	109.2	170.3
질산 나트륨	73.0	87.3	104.1	123.7	147.5

80 °C의 물 100 g에 질산 칼륨과 질산 나트륨이 각각 80 g 씩 섞여 있는 혼합물을 녹인 후 20 °C로 냉각하여 거름 장치로 거를 때 거름종이 위에 남는 물질과 그 질량을 옳게 나타낸 것은?

① 질산 칼륨, 31.9 g
② 질산 칼륨, 48.1 g
③ 질산 나트륨, 7.3 g
④ 질산 나트륨, 37.3 g
⑤ 질산 칼륨 48.1 g + 질산 나트륨 7.3 g

23 다음은 수성 사인펜의 잉크를 크로마토그래피로 분리하기 위한 실험 과정을 나타낸 것이다.

(가) 잉크의 점은 작고 진하게 찍는다.
(나) 잉크를 찍은 점이 용매에 잠기지 않도록 하며, 용매는 성분 물질을 녹일 수 있는 것이어야 한다.
(다) 공기가 잘 통하도록 용기의 마개를 열어 둔다.
(라) 용매의 종류에 관계없이 실험 결과는 항상 같다.

실험 과정에서 <u>잘못된</u> 것의 기호를 모두 쓰시오.

24 그림은 어떤 혼합물의 분리 과정을 나타낸 것이다.

소금, 에탄올, 물, 모래
거름
A
거른 액
증류
B
남은 용액
증발
C

A~C에 해당하는 물질을 각각 쓰시오.

VII

수권과
해수의 순환

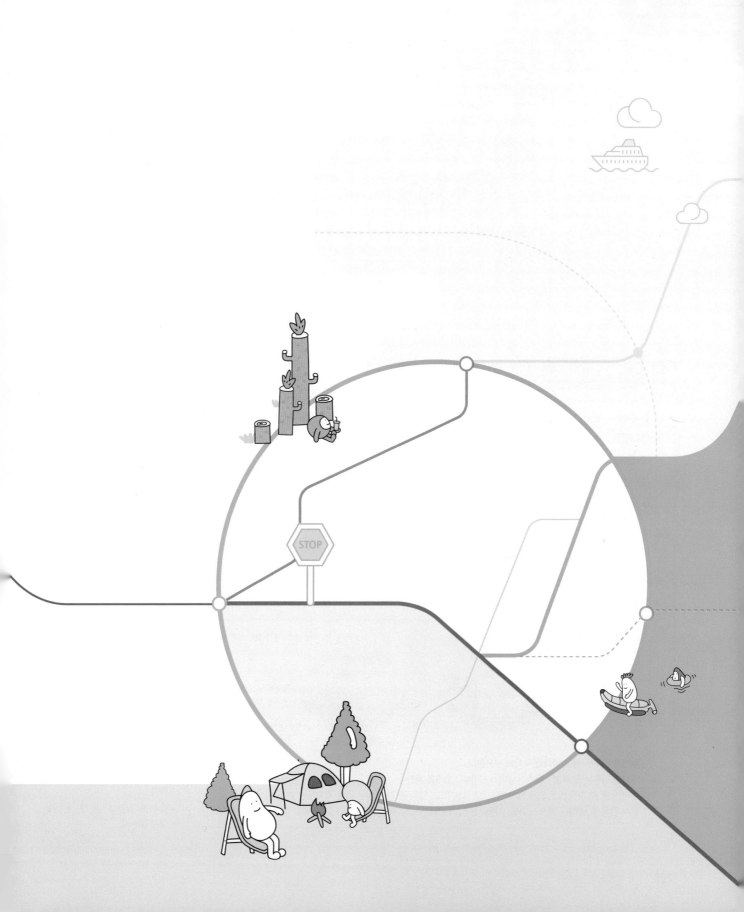

01 수권의 분포와 활용

만화 완성하기

다음 만화를 보고 물방울의 말풍선을 완성해 보자.

>> 이 단원을 학습한 후 내가 쓴 대사를 수정해 보자.

A 수권의 분포

우주에서 지구가 푸르게 보이는 것은 지구 표면의 많은 부분이 물로 덮여 있기 때문입니다. 이처럼 물이 풍부한 행성은 태양계에서는 지구가 유일합니다. 지구에 있는 물이 어떻게 분포하는지 자세히 알아봅시다.

1. 수권 : 지구에 분포하는 모든 물로, 지구 표면의 약 70 %를 덮고 있다. → 지구의 급격한 온도 변화를 막는다.

(1) 해수 : 바다에 있는 물로, 짠맛이 난다.

(2) 담수 : 짠맛이 나지 않는 물로, 육지의 물은 대부분 담수이다. [+]

① 빙하 : 눈이 쌓여 굳어진 고체 상태의 물로, 고산 지대나 극 지역에 분포한다.

② 지하수 : 땅속 지층이나 암석 사이의 틈을 채우거나 틈 사이를 천천히 흐르는 물로, 주로 빗물이 지하로 스며들어 생긴다.

③ 호수와 하천수 : 지표를 흐르거나 고여 있는 물로, 우리가 주로 사용하는 물이다.
└ 주로 빗물이 모여 흐르거나 고인 것이므로 강수량의 영향을 많이 받는다.

2. 수권의 분포 : 해수가 대부분을 차지하고, 담수는 매우 적은 양을 차지한다.

수권을 이루는 물의 분포

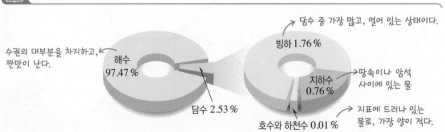

수권의 대부분을 차지하고, 짠맛이 난다.

해수 97.47 %
담수 2.53 %

담수 중 가장 많고, 얼어 있는 상태이다.
빙하 1.76 %
지하수 0.76 %
호수와 하천수 0.01 %

땅속이나 암석 사이에 있는 물
지표에 드러나 있는 물로, 가장 양이 적다.

• 수권을 이루는 물은 바다와 육지에 분포한다.
• 수권을 이루는 물의 양 : 해수＞빙하＞지하수＞호수와 하천수
• 수권의 물 중 가장 많은 양을 차지하는 것은 해수이고, 담수 중 가장 많은 양을 차지하는 것은 빙하이다.
• 담수 전체 중 빙하는 약 69.57 %, 지하수는 약 30.04 %, 호수와 하천수는 약 0.39 %를 차지한다.

+ 육지의 물과 담수

육지에 있는 물 중에는 미국의 그레이트솔트 호수처럼 짠맛이 나는 물도 있다. 그러나 육지의 물 대부분이 담수이므로 육지의 물과 담수를 같은 의미로 사용하는 경우가 많다.

| 용어 |

• 담수(淡 싱겁다, 水 물) 짠맛이 나지 않는 물

한눈에 보기 이 단원의 개념이 어떻게 구성되어 있는지 살펴보고 빈칸을 완성해 보자.

수권의 분포와 활용

A

B 수자원의 활용 --------- C

단어 체크하기 이 단원을 공부하기 전에 미리 알고 있는 단어를 체크해 보자.

☐ 수권　　　☐ 해수　　　☐ 빙하　　　☐ 지하수　　　☐ 수자원

☐ 생활용수　　☐ 농업용수　　☐ 공업용수　　☐ 유지용수

1 수권에 대한 설명으로 옳은 것은 ○, 옳지 <u>않은</u> 것은 ×로 표시하시오.

(1) 지구에 분포하는 모든 물을 수권이라고 한다. ······························· (　　)

(2) 지구 표면의 약 97 %는 물로 덮여 있다. ····································· (　　)

(3) 수권의 대부분을 차지하는 것은 바다에 있는 물이다. ······················ (　　)

(4) 빙하는 주로 적도 지역에 분포한다. ·· (　　)

암기 TIP

수권을 이루는 물의 양 비교

해 > 빙 > 지 > 호
수　하　하　수
　　수　　와
　　　　　하
　　　　　천
　　　　　수

2 다음은 수권을 이루는 물이다. 양이 많은 순서대로 나열하시오.

호수와 하천수, 지하수, 해수, 빙하

3 오른쪽 그림은 수권을 이루는 물의 분포를 나타낸 것이다. A, B의 이름을 각각 쓰시오.

A 97.47 %

2.53 %

B 1.76 %

0.76 %

0.01 %

01 수권의 분포와 활용

B 수자원의 활용

우리 몸의 약 70 %는 물로 이루어져 있기 때문에, 물 없이는 생명을 유지하기 어렵습니다. 이 외에도 물은 일상생활이나 각종 산업 등에 다양하게 쓰입니다. 우리가 물을 어떻게 활용하고 있는지 자세히 알아봅시다.

1. 수자원 : 사람이 살아가는 데 자원으로 활용하는 물

(1) 쉽게 활용할 수 있는 물 → 담수 중 액체 상태인 물로, 수권 전체의 약 0.77 %에 해당하는 적은 양이다.

① 주로 호수와 하천수를 이용하고, 부족한 경우 지하수를 이용한다. +

② 해수는 짠맛이 나고, 빙하는 얼어 있어 바로 활용하기 어렵다. +

2. 수자원의 활용

(1) 수자원의 용도 : 물은 우리 생활에 필수적인 자원이며, 다양한 용도로 활용된다. +

생활용수	농업용수	공업용수	유지용수
• 일상생활에 쓰는 물 • 마시는 물, 요리나 세탁할 때 사용	• 농업 활동에 쓰는 물 • 농사를 짓거나 가축을 키울 때 사용	• 산업 활동에 쓰는 물 • 제품을 만들거나 냉각, 세척할 때 사용	하천이 정상적인 기능을 유지하기 위해 필요한 물

(2) 우리나라 수자원 활용 현황 : 우리나라에서는 수자원을 농업용수로 가장 많이 활용하고 있으며, 유지용수와 생활용수로도 많이 활용하고 있다.

공업용수 6 %
유지용수 33 %
농업용수 41 %
생활용수 20 %

우리나라의 용도별 수자원 활용 현황 ➡

＋ 지하수의 활용

지하수는 식수, 도로 청소, 농작물 재배, 제품 생산 등에 쓰이며 온천과 같은 관광 자원으로도 활용된다.

＋ 해수와 빙하의 활용

담수가 부족한 지역에서는 해수의 짠맛을 제거하여 활용하거나, 빙하가 녹은 물을 활용하기도 한다.

＋ 수자원의 다양한 활용

• 수력 발전, 조력 발전 등 물을 이용하여 전기를 생산한다.
• 바다나 큰 강은 배가 지나는 통로가 되며, 여가 생활이나 스포츠를 즐기는 공간이 된다.

C 수자원의 가치와 관리

우리나라가 물 부족 국가에 해당한다는 사실을 알고 있을 것입니다. 수자원은 한정된 자원이므로, 효율적으로 관리하지 않으면 물 부족 현상이 일어날 수 있습니다. 수자원의 가치와 관리 방법을 알아볼까요?

1. 수자원의 가치

(1) 수자원이 중요한 까닭

한정된 양	물 사용량 증가	강수량 변화	수자원 부족
수자원으로 주로 이용하는 물은 수권 전체의 0.77 % 정도에 불과하다.	인구 증가, 산업과 문명 발달에 따른 삶의 질 향상으로 물 사용량이 증가한다.	기후 변화로 홍수나 가뭄이 잦아짐에 따라 수자원의 확보, 관리가 어려워진다.	물 부족 현상이 심화되어 많은 문제가 생길 수 있다.

(2) 지하수의 가치

① 지하수는 담수이며, 호수와 하천수에 비해 양이 많고, 빗물이 스며들어 채워지기 때문에 지속적으로 활용할 수 있어 수자원으로서 가치가 높다.

② 가뭄이나 물 사용량 증가로 물이 부족할 때 호수와 하천수를 대체하여 지하수를 활용할 수 있다.

2. 수자원 관리 방법

(1) 수자원 확보 : 댐 건설, 지하수 개발, 해수 담수화 등을 통해 수자원을 확보한다. +

(2) 물의 오염 방지 : 생활 하수를 줄이고, 정수 시설을 설치한다.

(3) 물 절약 : 일상생활에서 물을 절약하는 습관을 들이고, 물을 효율적으로 사용한다. +

＋ 지하수 개발 시 유의점

지하수를 무분별하게 개발할 경우 지반이 무너지거나 지하수가 고갈될 수 있다. 또한 지하수 시설을 제대로 관리하지 않으면 지하수가 오염될 수 있다.

＋ 물 절약 방법

• 빗물을 모아서 이용한다.
• 빨랫감은 모아서 세탁한다.
• 절수형 수도꼭지를 사용한다.
• 한번 쓴 허드렛물을 재활용한다.
• 양치나 설거지를 할 때 물을 받아서 사용한다.

│용어│

● 해수 담수화 해수에서 염류를 제거하여 담수를 만드는 방법

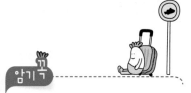

1 사람이 살아가는 데 자원으로 활용하는 물을 ㉠(   )이라고 한다. 우리가 주로 활용하는 물은 담수 중 ㉡(   )이고, 부족한 경우 지하수를 이용한다.

2 수자원의 용도와 설명을 선으로 연결하시오.

(1) 생활용수•   •㉠ 하천이 정상적인 기능을 유지하기 위해 필요한 물
(2) 농업용수•   •㉡ 농사를 짓거나 가축을 기를 때 사용하는 물
(3) 공업용수•   •㉢ 요리나 세탁 등 일상생활에 사용하는 물
(4) 유지용수•   •㉣ 제품을 만들거나 세척할 때 사용하는 물

3 우리나라에서 수자원은 (   )용수로 가장 많이 활용된다.

쉽게 활용할 수 있는 물
호수와 하천수 및 지하수 ➡ 수권 전체의 약 0.77 %로 적은 양이다.

종류	해수	빙하	지하수	호수, 하천수
부피비 (%)	97.47	1.76	0.76	0.01

 288쪽으로 돌아가서 내가 쓴 대사를 점검해 보자.

1 인구가 늘어나고, 산업과 문명 발달에 따라 삶의 질이 향상되면서 물 사용량은 (증가, 감소)하고 있다.

2 (   )는 담수이며, 호수와 하천수에 비해 양이 많고, 빗물이 스며들어 채워지기 때문에 지속적으로 활용할 수 있어 수자원으로 가치가 높다.

3 수자원의 가치와 관리에 대한 설명으로 옳은 것은 ○, 옳지 않은 것은 ×로 표시하시오.

(1) 수자원은 무한하게 사용할 수 있다. ·· (   )
(2) 해수는 수자원으로 활용할 수 없다. ·· (   )
(3) 물의 오염을 방지하기 위해 정수 시설을 설치해야 한다. ··························· (   )
(4) 가뭄 등으로 강이나 호수의 물이 부족한 경우 지하수를 활용한다. ············ (   )
(5) 지하수는 빗물이 스며들어 채워지므로 많이 개발할수록 좋다. ················· (   )

물 사용량이 증가한 원인
① 인구 증가
② 산업 발달
③ 문명 발달
④ 삶의 질 향상

실력 탄탄 핵심 문제

개념 페이지로 점프해요!

01 수권을 이루는 물이 <u>아닌</u> 것은? ［288쪽］

① 빙하   ② 해수   ③ 호수
④ 지하수   ⑤ 수증기

02 수권에 대한 설명으로 옳지 <u>않은</u> 것은? ［288쪽］

① 지구에 존재하는 모든 물을 말한다.
② 해수는 바다에 있는 물이다.
③ 해수의 대부분은 빙하가 차지한다.
④ 짠맛이 나는 물은 해수, 짠맛이 나지 않는 물은 담수
이다.
⑤ 담수 중에서 가장 적은 양을 차지하는 것은 호수와 하
천수이다.

03 다음 중 담수에 해당하지 <u>않는</u> 것은? ［288쪽］

① 빙하   ② 해수   ③ 호수
④ 지하수   ⑤ 하천수

중요
04 육지에 분포하는 물에 대한 설명으로 옳은 것은? ［288쪽］

① 모두 고체 상태로 존재한다.
② 지구 표면의 약 70 %를 덮고 있다.
③ 지하수는 땅속에 고여 이동하지 않는다.
④ 하천수는 지표면을 따라 흐르는 물이다.
⑤ 육지에 분포하는 물은 모두 수자원으로 쉽게 이용된다.

중요
05 수권을 이루는 물을 양이 많은 것부터 순서대로 옳게 나열한 것은? ［288쪽］

① 빙하 > 해수 > 지하수 > 호수와 하천수
② 빙하 > 해수 > 호수와 하천수 > 지하수
③ 해수 > 빙하 > 지하수 > 호수와 하천수
④ 해수 > 빙하 > 호수와 하천수 > 지하수
⑤ 호수와 하천수 > 지하수 > 해수 > 빙하

[06~07] 그림은 수권의 분포를 나타낸 것이다.

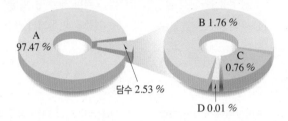

06 A~C에 해당하는 것을 옳게 짝 지은 것은? ［288쪽］

	A	B	C
①	빙하	해수	지하수
②	빙하	지하수	강, 호수
③	해수	빙하	지하수
④	해수	지하수	빙하
⑤	지하수	빙하	강, 호수

중요
풀이 TIP
07 이에 대한 설명으로 옳은 것을 보기에서 모두 고른 것은? ［288쪽］

〔 보기 〕
ㄱ. A는 짠맛이 나는 물이다.
ㄴ. B는 액체 상태로 존재한다.
ㄷ. C는 지표에 드러나 있는 물이다.
ㄹ. D는 우리 생활에 쉽게 활용할 수 있는 물이다.

① ㄱ, ㄴ   ② ㄱ, ㄷ   ③ ㄱ, ㄹ
④ ㄴ, ㄷ   ⑤ ㄷ, ㄹ

07 ❶ 그래프에 표시된 비율을 이용하여 A~D가 수권의 물 중 무엇에 해당하는지 파악한다. ❷ A~D를 해수와 담수로 구분하고, 각각의 특징을 떠올린다. ❸ 우리 생활에 쉽게 이용할 수 있는 물의 조건을 생각해 본다.

08 그림은 담수의 분포를 나타낸 것이다. 288쪽

담수 2.53 %

기타 0.39 %

(가) 30.04 %

해수 97.47 %

(나) 69.57 %

수권의 물

담수

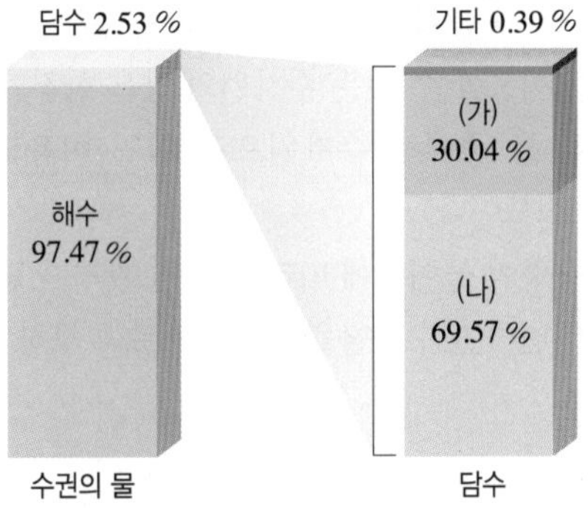

(가)와 (나)에 대한 설명으로 옳은 것은?

① (가)는 하천수이다.

② (나)는 지하수이다.

③ (가)는 우리 생활에서 활용하기 어려운 물이다.

④ (나)는 주로 극지방이나 고산 지대에 분포한다.

⑤ (가)와 (나)는 모두 액체 상태의 물이다.

09 하천수에 대한 설명으로 옳은 것은? 288쪽

① 지하에서 끌어올린 물이다.

② 짠맛이 나지 않아 사용하기 쉽다.

③ 수권에 분포하는 물 중 가장 양이 많다.

④ 강수량에 관계없이 항상 일정량을 유지한다.

⑤ 하천수가 부족하면 주로 빙하를 개발하여 이용한다.

10 수권의 물 중 수자원으로 주로 이용하는 물을 모두 고르면?(2개) 290쪽

① 해수

② 빙하

③ 하천수

④ 지하수

⑤ 대기 중의 수증기

11 다음은 수권을 이루는 물의 부피비를 나타낸 것이다. 290쪽

종류	해수	빙하	지하수	호수와 하천수
부피비(%)	97.47	1.76	0.76	0.01

수권 전체의 물을 1 L라고 할 때, 우리가 쉽게 활용할 수 있는 물의 양을 옳게 구한 것은?

① 0.1 mL

② 0.77 mL

③ 7.7 mL

④ 17.6 mL

⑤ 25.3 mL

12 수자원을 활용하는 사례로 옳지 않은 것은? 290쪽

① 빙하가 녹은 물을 식수로 활용한다.

② 강에 댐을 설치하여 전기를 생산한다.

③ 해수를 그대로 농작물 재배에 사용한다.

④ 온천을 개발하여 관광 자원으로 활용한다.

⑤ 큰 강이나 바다를 배가 지나는 통로로 사용한다.

13 수자원을 이용하는 여러 가지 용도와 설명을 옳게 짝지은 것은? 290쪽

① 생활용수 – 마시는 물로 이용한다.

② 생활용수 – 가축을 키우는 데 이용한다.

③ 공업용수 – 요리나 청소하는 데 이용한다.

④ 농업용수 – 하천의 기능을 유지하는 데 이용한다.

⑤ 농업용수 – 공장에서 제품을 만드는 데 이용한다.

11 ❶ 우리가 쉽게 활용할 수 있는 물이 어떤 것인지 생각해 본다. ❷ ❶에 해당하는 물의 부피비를 구한다. ❸ 수권의 물 전체를 1 L(=1000 mL)라고 할 때 쉽게 활용할 수 있는 물의 양을 x로 놓고, 비례식을 세워 값을 계산한다.

풀이 **TIP**

14 오른쪽 그림은 우리나라의 수자원 활용 현황을 나타낸 것이다. 이에 대한 설명으로 옳지 <u>않은</u> 것은?

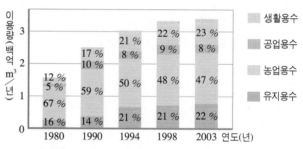

D 6 %
C 33 %
A 41 %
B 20 %

① A는 농작물을 기르거나 가축을 키울 때 사용하는 물이다.
② B는 우리가 마시는 물이나 청소, 빨래 등을 할 때 사용하는 물이다.
③ C가 부족하면 하천이 제 기능을 하기 어렵다.
④ D는 공장에서 제품을 생산하거나 세척할 때 사용하는 물이다.
⑤ 우리나라에서 수자원은 유지용수로 가장 많이 이용된다.

290쪽

15 지하수의 가치에 대한 설명으로 옳은 것을 보기에서 모두 고른 것은?

┌ 보기 ┐
ㄱ. 생활이나 농업에 바로 이용할 수 있다.
ㄴ. 빗물이 스며들어 채워지므로 지속적으로 활용할 수 있다.
ㄷ. 지표 아래에 있어 오염의 위험이 없다.
└────────┘

① ㄱ   ② ㄴ   ③ ㄷ
④ ㄱ, ㄴ   ⑤ ㄱ, ㄷ

290쪽

16 수자원 이용량이 늘어나는 까닭으로 옳은 것을 모두 고르면?(2개)

① 산업 발달   ② 강수량 감소
③ 인구 수 증가   ④ 오염된 물 증가
⑤ 수자원 총량 감소

290쪽

중요
17 수자원에 대한 설명으로 옳지 <u>않은</u> 것은?

① 수자원은 생명 유지 및 다양한 목적으로 활용된다.
② 우리가 이용할 수 있는 수자원의 양은 한정되어 있다.
③ 수권의 물 중에서 수자원으로 쉽게 이용되는 양은 65 % 정도이다.
④ 물 이용량이 늘어남에 따라 수자원 관리가 필요하다.
⑤ 기후가 변하면 수자원을 안정적으로 확보하기가 어려워진다.

290쪽

중요 풀이 **TIP**
18 그래프는 우리나라의 용도별 물 이용량의 변화를 나타낸 것이다.

이용량(백억 m³/년)

3
2
1
0

1980: 12 %, 5 %, 67 %, 16 %
1990: 17 %, 10 %, 59 %, 14 %
1994: 21 %, 8 %, 50 %, 21 %
1998: 22 %, 9 %, 48 %, 21 %
2003: 23 %, 8 %, 47 %, 22 %

연도(년)

생활용수
공업용수
농업용수
유지용수

이에 대한 설명으로 옳은 것은?

① 물 이용량은 더 이상 증가하지 않는다.
② 농업용수의 이용 비율은 계속 증가하였다.
③ 물이 가장 많이 이용되는 용도는 공업용수이다.
④ 이용 비율이 가장 많이 증가한 것은 생활용수이다.
⑤ 인구와 관계없이 산업의 발달로 물의 이용량이 늘고 있다.

290쪽

중요
19 수자원 관리에 대한 설명으로 옳은 것은?

① 한번 이용한 물은 재사용할 수 없다.
② 빗물을 모아 이용하면 물을 절약할 수 있다.
③ 오염된 물은 그대로 하천이나 바다로 흘려 보낸다.
④ 지하수를 되도록 많이 개발하여 수자원을 확보한다.
⑤ 물을 아껴 쓰기 위해 빨래나 설거지는 양이 적을 때 바로 한다.

풀이 TIP **14** ❶ 그래프에 표시된 비율을 이용하여 A~D에 해당하는 수자원의 용도를 파악한다. ❷ 각 용도의 뜻과 활용 예를 생각해 본다. **18** ❶ 그래프에서 각 용도별 이용량 변화를 파악한다. ❷ 각 용도별 이용 비율 변화를 파악한다. ❸ 물 사용량 증가 원인과 용도별 물 이용량 변화의 관계를 생각해 본다.

서술형 문제

20 수권에서 가장 많은 양을 차지하는 물과 육지에서 가장 많은 양을 차지하는 물을 순서대로 쓰시오. [288쪽]

----

21 그림은 수권을 이루는 물의 분포를 나타낸 것이다. [288쪽]

(1) A~D의 이름을 각각 쓰시오.

----

(2) A~D 중 우리가 쉽게 활용할 수 있는 물의 기호를 쓰고, 그 비율을 구하시오.

----

22 풀이 TIP 그림 (가)~(다)는 수자원의 용도를 나타낸 것이다. [290쪽]

(가)   (나)   (다)

(가)~(다)에 해당하는 용도를 각각 쓰시오.

----

23 우리나라에서 가장 많이 이용되는 수자원의 용도를 쓰고, 그 활용 예를 한 가지 서술하시오. [290쪽]

----

24 풀이 TIP 오른쪽 그림은 지하수를 활용하여 만든 생수를 나타낸 것이다. [290쪽]

(1) 그림에 나타난 것 외에 지하수를 활용하는 예를 한 가지 서술하시오.

----

(2) 지하수가 수자원으로서 가치가 높은 까닭을 서술하시오.

----

25 수자원 관리를 위해 (가) 수자원을 안정적으로 확보하는 방법과 (나) 수자원을 절약하는 방법을 각각 한 가지씩 서술하시오. [290쪽]

• (가) :

• (나) :

학습 평가하기

정답친해 81쪽으로 가서 문제를 채점한 후 학습 결과를 스스로 평가해 보세요.

맞춘 개수	21~25개	14~20개	0~13개
평가	잘함	보통	부족

→ 정답친해에서 그 문제를 왜 틀렸는지 꼭 확인하세요!
→ 본책에서 해당 쪽으로 돌아가서 부족한 부분을 다시 공부하세요!

22 ❶ (가)는 식수, (나)는 농작물 재배, (다)는 제품의 세척을 위해 물을 활용하는 예이다. **❷** 각각에 해당하는 용도가 무엇인지 생각해 본다.   **24 ❶** 지하수는 생활용수, 농업용수 등으로 이용된다. **❷** 지하수의 양, 지속 가능성 등의 특징을 고려하여 지하수의 가치를 생각해 본다.

02 해수의 특성

만화 완성하기 다음 만화를 보고 염류의 말풍선을 완성해 보자.

>> 이 단원을 학습한 후 내가 쓴 대사를 수정해 보자.

A 해수의 표층 수온 분포

적도 부근의 바다는 1년 내내 수영을 즐길 수 있을 만큼 따뜻하지만, 극지방의 바다는 무척 차가워 얼음으로 덮여 있습니다. 해수의 표층 수온 분포와, 이러한 분포가 나타나는 까닭을 알아봅시다.

1. 해수의 ˚표층 수온 분포 : 해수의 표층 수온은 ˚위도나 계절에 따라 다르게 나타난다.

2. 영향을 주는 요인 : 태양 에너지 ─→ 해수는 태양 에너지를 흡수하여 수온이 높아진다.

3. 위도별 해수의 표층 수온 분포

(1) 저위도에서 고위도로 갈수록 표층 수온이 낮아진다. ➡ 저위도에서 고위도로 갈수록 태양 에너지가 적게 들어오기 때문+

(2) 위도가 같은 곳에서는 대체로 표층 수온이 비슷하게 나타난다.

📖 전 세계 해수의 표층 수온 분포

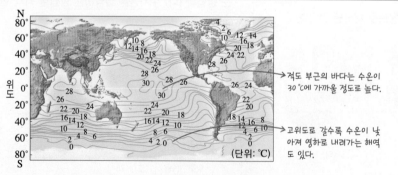

적도 부근의 바다는 수온이 30 ℃에 가까울 정도로 높다.

고위도로 갈수록 수온이 낮아져 영하로 내려가는 해역도 있다.

표층 수온은 주로 태양 에너지양에 영향을 받으므로 ˚등온선이 대체로 위도와 나란하게 나타난다.

4. 계절별 해수의 표층 수온 분포 : 여름철의 표층 수온이 겨울철보다 높다. ➡ 겨울철보다 여름철에 태양 에너지가 많이 들어오기 때문

✚ 위도에 따른 태양 에너지양

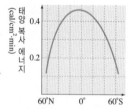

저위도에서는 태양 고도가 높아 태양 에너지가 많이 들어오고, 고위도에서는 태양 고도가 낮아 태양 에너지가 적게 들어온다.

| 용어 |

- **표층**(表 겉면, 層 층) 해수에서 공기와 닿는 맨 위쪽 부분
- **위도**(緯 가로, 度 정도) 적도를 기준으로 북위와 남위를 각각 90°로 나눈 선
- **등온선**(等 같다, 溫 따뜻하다, 線 선) 온도가 같은 지점을 이은 선

한눈에 보기

이 단원의 개념이 어떻게 구성되어 있는지 살펴보고 빈칸을 완성해 보자.

해수의 특성

A 해수의 표층 수온 분포 ---- B

C ---- D 해수의 염분 분포 ---- E

단어 체크하기

이 단원을 공부하기 전에 미리 알고 있는 단어를 체크해 보자.

☐ 태양 에너지 ☐ 연직 수온 ☐ 혼합층 ☐ 수온 약층 ☐ 심해층
☐ 염류 ☐ 염화 나트륨 ☐ 염화 마그네슘 ☐ 염분 ☐ 염분비 일정 법칙

1 해수의 표층 수온에 가장 큰 영향을 주는 요인을 쓰시오.

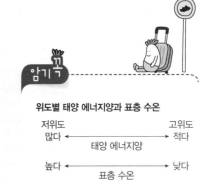

암기

위도별 태양 에너지양과 표층 수온

저위도 고위도
많다 ◄──── 적다
태양 에너지양

높다 ◄──── 낮다
표층 수온

2 다음은 위도에 따른 해수의 표층 수온 분포에 대한 설명이다. ( ) 안에 알맞은 말을 고르시오.

> 저위도에서 고위도로 갈수록 들어오는 태양 에너지양이 ㉠(많아, 적어)지므로 해수의 표층 수온은 저위도에서 고위도로 갈수록 ㉡(높아, 낮아)진다.

3 해수의 표층 수온 분포에 대한 설명으로 옳은 것은 ○, 옳지 않은 것은 ×로 표시하시오.

(1) 해수의 표층 수온은 1년 내내 항상 일정하다. ·················· ( )

(2) 경도가 같은 곳에서는 대체로 표층 수온이 비슷하게 나타난다. ·········· ( )

(3) 여름철의 표층 수온이 겨울철보다 높게 나타난다. ·············· ( )

02 해수의 특성

B 해수의 연직 수온 분포

얕은 바다는 햇빛이 잘 들어와 밝고 따뜻하지만, 깊은 바다로 들어가면 햇빛이 거의 도달하지 않아 밤처럼 캄캄하고 수온이 매우 낮습니다. 깊이에 따른 해수의 수온 분포를 자세히 알아봅시다.

1. 해수의 연직 수온 분포 : 해수의 수온은 깊이에 따라 다르게 나타난다.
└─ 바람에 의해 해수가 섞이면 수온이 일정해진다.

2. 영향을 주는 요인 : 태양 에너지, 바람 ➡ 깊이가 깊어질수록 태양 에너지가 적게 도달하고, 바람의 영향이 감소하여 수온 분포가 달라진다. +

3. 해수의 층상 구조 : 해수는 깊이에 따른 수온 분포를 기준으로 3개의 층으로 구분한다.

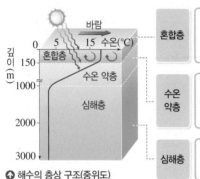

혼합층	• 태양 에너지의 대부분을 흡수하여 수온이 높고, 바람에 의해 해수가 혼합되어 수온이 일정한 층 • 바람이 강할수록 두께가 두꺼워진다.
수온 약층	• 깊이가 깊어질수록 수온이 급격하게 낮아지는 층 • 따뜻한 물이 위에 있고 차가운 물이 아래에 있어 대류가 잘 일어나지 않는다. ➡ 매우 안정하다.
심해층	• 태양 에너지가 거의 도달하지 않아 수온이 낮고 일정한 층 • 위도나 계절에 관계없이 수온이 거의 일정하다.

⬆ 해수의 층상 구조(중위도)

4. 위도별 특징 +

저위도(적도)	• 표층 수온이 가장 높아 심해층과 수온 차이가 가장 크다. ─ 수온 약층이 잘 발달한다. • 바람이 약해서 혼합층이 얇게 나타난다.
중위도	바람이 강해서 혼합층이 가장 두껍게 나타난다.
고위도(극)	표층 수온이 매우 낮고, 층상 구조가 나타나지 않는다.

✛ 해수의 연직 수온 분포에 영향을 주는 요인

요인	태양 에너지	바람
혼합층	○	○
수온 약층	○	×
심해층	×	×

✛ 위도별 해수의 연직 수온 분포

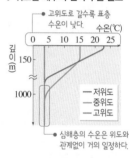

| 용어 |
• 연직(鉛 따라 내려가다, 直 곧다) 지면에 수직인 방향, 즉 중력의 방향

C 염류와 염분

일부 지역에서는 바닷물을 이용하여 두부를 만들기도 합니다. 바닷물 속에 들어 있는 물질이 두부를 굳히는 역할을 하기 때문입니다. 해수에 녹아 있는 물질과 이러한 물질들이 얼마나 녹아 있는지 나타내는 방법을 알아봅시다.

1. 염류 : 해수에 녹아 있는 여러 가지 물질 ➡ 짠맛을 내는 염화 나트륨이 가장 많고, 쓴맛을 내는 염화 마그네슘이 두 번째로 많다.
└─ 소금의 주성분

2. 염분 : 해수 1000 g에 녹아 있는 염류의 총량을 g 수로 나타낸 것
(1) 염분의 단위 : psu(실용염분단위), ‰(퍼밀) + ─ psu와 ‰은 거의 같은 값을 나타낸다.
(2) 전 세계 해수의 평균 염분 : 35 psu ➡ 해수 1000 g에 염류 35 g이 녹아 있다.
└─ 해수 1000 g은 물과 염류를 모두 포함한 양이다.

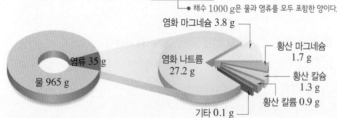

⬆ 염분이 35 psu인 해수 1000 g에 들어 있는 염류의 양

✛ 염분의 단위
• psu(실용염분단위) : 15 °C, 1기압 상태에서 해수에 전류를 흘려보내 측정한 염분
• ‰(퍼밀) : 천분율의 단위로, 1 ‰은 $\frac{1}{1000}$에 해당한다.

| 용어 |
• 염류(鹽 소금, 類 무리) 해수에 녹아 있는 물질
• 염분(鹽 소금, 分 나누다) 해수에서 염류가 차지하는 정도

1 해수의 연직 수온 분포에 영향을 주는 요인 <u>두 가지</u>를 쓰시오.

2 오른쪽 그림은 어느 해역의 연직 수온 분포를 나타낸 것이다. 다음 설명에 해당하는 층의 기호와 이름을 쓰시오.

(1) 바람이 강할수록 두께가 두꺼워지는 층

(2) 수온이 낮고, 계절에 따른 수온 변화가 거의 없는 층

(3) 깊이에 따라 수온이 가장 급격하게 변하는 층

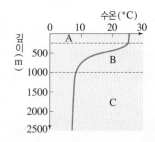

3 오른쪽 그림은 위도별 해수의 연직 수온 분포를 나타낸 것이다. A~C에 해당하는 해역을 다음에서 골라 각각 쓰시오.

고위도 해역, 중위도 해역, 저위도 해역

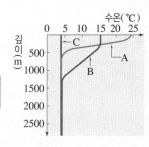

1 해수에 녹아 있는 여러 가지 물질을 ㉠( )라 하고, 이 중 가장 많은 양을 차지하는 것은 짠맛을 내는 ㉡( )이다.

2 염분에 대한 설명으로 옳은 것은 ○, 옳지 <u>않은</u> 것은 ×로 표시하시오.

(1) 염분은 해수 100 g에 녹아 있는 염류의 총량을 g 수로 나타낸 것이다. ···· ( )

(2) 염분의 단위로는 psu 또는 ‰를 사용한다. ······································· ( )

(3) 전 세계 해수의 평균 염분은 약 35 psu이다. ································· ( )

(4) 물 960 g에 염류 40 g을 녹였을 때 염분은 40 psu이다. ················· ( )

D 해수의 염분 분포

이스라엘과 요르단 사이에 있는 사해는 염분이 매우 높아 가만히 있어도 사람이 둥둥 뜰 수 있다고 합니다. 사해의 염분은 왜 그렇게 높을까요? 염분에 영향을 주는 요인과 전 세계 해수의 염분 분포를 알아봅시다.

1. 해수의 염분 분포 : 해수의 염분은 해역이나 계절에 따라 다르게 나타난다.

2. 영향을 주는 요인 : 증발량과 강수량, 담수의 유입량, 해수의 결빙과 해빙 등[+]

➡ 염류의 양이 일정할 때 강수, 해빙 등으로 물의 양이 많아지면 염분이 낮아지고, 증발, 결빙 등으로 물의 양이 줄어들면 염분이 높아진다.

(1) 증발량과 강수량 : 증발량<강수량이면 염분이 낮고, 증발량>강수량이면 염분이 높다.

└─ 주로 강물(하천수)로, 강물이 흘러드는 바다는 염분이 낮다.

(2) 담수의 유입량 : 육지로부터 담수가 많이 들어올수록 염분이 낮아진다.

(3) *해빙과 *결빙 : 빙하가 녹으면 염분이 낮아지고, 해수가 얼면 염분이 높아진다. ➡ 주로 극 지역에 영향을 준다.

3. 전 세계 해수의 염분 분포[+]

구분	염분	원인
저위도(적도)	낮다	비가 많이 내려 강수량이 증발량보다 많기 때문
중위도(30° 부근)	높다	기후가 건조하여 증발량이 강수량보다 많기 때문
고위도(극)	낮다	빙하가 녹기 때문

📖 **우리나라 주변 바다의 표층 염분 분포**

2월 (단위: psu)

8월 (단위: psu)

• 우리나라 주변 바다의 평균 염분은 약 33 psu 로 전 세계 평균 염분보다 낮다.
• 여름철이 겨울철보다 염분이 낮다. ➡ 여름철에 강수량이 더 많기 때문
• 황해가 동해보다 염분이 낮다. ➡ 황해로 강물이 더 많이 유입되기 때문

➕ 염분이 높은 곳과 낮은 곳

염분이 높음	염분이 낮음
증발량>강수량	증발량<강수량
담수의 유입이 적다.	담수의 유입이 많다.
해수가 언다.	빙하가 녹는다.

➕ 전 세계 해수의 염분 분포

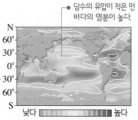
┌─ 담수의 유입이 적은 먼 바다의 염분이 높다.
낮다 ▮▮▮▮▮▮▮ 높다
└─ 중위도(30° 부근)의 염분이 가장 높다.

| 용어 |
• 해빙(解 풀다, 氷 얼음) 빙하가 융해되어 물이 되는 현상
• 결빙(結 맺다, 氷 얼음) 물이 어는 현상

E 염분비 일정 법칙

바닷물을 증발시켜 얻은 소금은 염화 나트륨이 많이 포함되어 짠맛이 납니다. 염분이 더 높은 바다에서 얻은 소금은 짠맛이 더 강할까요? 염분비 일정 법칙을 통해 그 답을 알아봅시다.

염분비 일정 법칙 : 지역이나 계절에 따라 염분이 달라도 전체 염류에서 각 염류가 차지하는 비율은 항상 일정하다.[+] ➡ 해수가 오랜 시간 동안 순환하며 골고루 섞였기 때문

📖 **여러 해역의 해수 1000 g에 포함된 염화 나트륨의 비율 비교**

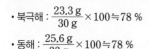

• 북극해 : $\dfrac{23.3\,g}{30\,g} \times 100 ≒ 78\,\%$
• 동해 : $\dfrac{25.6\,g}{33\,g} \times 100 ≒ 78\,\%$
• 홍해 : $\dfrac{31.1\,g}{40\,g} \times 100 ≒ 78\,\%$

북극해, 동해, 홍해의 염분은 각각 다르지만 전체 염류에서 염화 나트륨이 차지하는 비율은 약 78 %로 거의 같다.

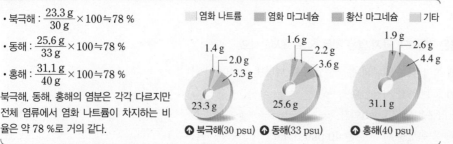
■ 염화 나트륨 ■ 염화 마그네슘 ■ 황산 마그네슘 ■ 기타

❶ 북극해(30 psu)   ❶ 동해(33 psu)   ❶ 홍해(40 psu)

➕ 염류의 비율
전체 염류에서 각 염류가 차지하는 비율이 일정하므로, 염류 사이의 비율도 일정하다. 예를 들어, 해수에 녹아 있는 염화 나트륨과 염화 마그네슘의 비율은 약 7 : 1로 어느 해역에서나 거의 같다.

1 해수의 염분에 영향을 미치는 요인을 보기에서 모두 고르시오.

보기
ㄱ. 수온   ㄴ. 증발량   ㄷ. 강수량
ㄹ. 해빙   ㅁ. 담수의 유입량   ㅂ. 염류의 종류

암기 TIP

해수의 염분 분포
· 발이 큰 중위는 짠돌이!
  ➡ 증발량 많은 중위도 염분이 높다.
· 겨울 동해 바다가 짱!
  ➡ 겨울철 동해 염분이 높다.

2 다음 중 염분이 높은 곳은 '높', 낮은 곳은 '낮'으로 표시하시오.

(1) 빙하가 녹는 바다 ·· (   )

(2) 강물이 많이 유입되는 바다 ·· (   )

(3) 해수가 얼어 얼음이 되는 바다 ····································· (   )

(4) 강수량이 증발량보다 많은 바다 ··································· (   )

(5) (증발량−강수량)>0인 바다 ·· (   )

3 해수의 염분 분포에 대한 설명으로 옳은 것은 ○, 옳지 않은 것은 ×로 표시하시오.

(1) 해수의 염분은 해역이나 계절에 따라 다르다. ················ (   )

(2) 적도 부근의 해역은 증발량이 많아서 염분이 높다. ········· (   )

(3) 전 세계에서 대체로 위도 30° 부근 해역의 염분이 가장 높다. ········ (   )

(4) 우리나라는 동해보다 황해의 염분이 더 높다. ················ (   )

(5) 우리나라는 여름철보다 겨울철에 염분이 더 높다. ·········· (   )

1 지역이나 계절에 따라 해수의 염분이 달라도 전체 염류에서 각 염류가 차지하는 비율은 항상 일정하다는 법칙을 (   ) 법칙이라고 한다.

염분비 일정 법칙
염분은 변해도
염류의 비율은 변하지 않는다.

2 염분이 33 psu인 동해에 염화 나트륨과 염화 마그네슘이 약 7 : 1의 비율로 녹아 있을 때, 염분이 40 psu인 홍해에 녹아 있는 염화 나트륨과 염화 마그네슘의 비율을 쓰시오.

296쪽으로 돌아가서 내가 쓴 대사를 점검해 보자.

해수의 두 가지 특성인 수온과 염분은 시험에 꼭 나와요. 실험을 통해 해수의 연직 수온 분포가 나타나는 원리를 파악하고, 염분비 일정 법칙을 이용하여 염류의 양을 구하는 방법을 알아봅시다.

탐구 자료 해수의 연직 수온 분포 알아보기

관련 개념 | 298쪽 **B** 해수의 연직 수온 분포

목표

해수의 연직 수온 분포에 영향을 주는 요인과 해수의 층상 구조가 나타나는 원리를 알 수 있다.

과정

① 수조에 물을 $\frac{3}{4}$ 정도 채우고, 온도계 5개를 깊이 2 cm 간격으로 설치한다.

② 첫 번째 온도계의 깊이가 수면에서 1 cm가 되도록 조정한 후 수온을 측정한다.

③ 적외선등으로 수면 위를 가열하여 온도계의 온도가 일정해졌을 때 수온을 측정한다.

④ 적외선등을 켠 상태로 수면 가까이에 휴대용 선풍기로 바람을 일으켜 온도계의 온도가 다시 일정해졌을 때 수온을 측정한다.

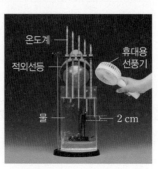

온도계
적외선등
휴대용 선풍기
물
2 cm

주의 TIP

적외선등이 수면을 고르게 비추도록 한다.

결과 및 해석

● 바람에 의해 표면의 물이 섞여 수온이 일정하다.

깊이 (cm)	수온(°C)		
	처음	가열 후	선풍기를 켠 후
1	26	29.4	28.3
3	26	28.8	28.3
5	26	27.6	28.1
7	26	26.5	26.8
9	26	26	26

● 수심이 깊은 곳에서는 수온이 거의 변하지 않는다.

수온(°C)
깊이(cm)
가열 전 온도
가열한 후의 온도
선풍기를 켠 후의 온도

❶ 가열 전에는 깊이에 관계없이 수온이 일정하고 낮다.

❷ 가열 후에는 표면의 수온이 높아지고, 깊어질수록 수온이 낮아진다. ➡ ㉠( )층 생성

❸ 선풍기를 켠 후에는 수면 근처에 수온이 일정한 층이 생긴다. ➡ ㉡( )층 생성

결론

• 적외선등은 ㉢( )에, 선풍기는 ㉣( )에 해당한다. ➡ 해수의 연직 수온 분포에 영향을 주는 요인은 태양 에너지와 바람이다.

• 깊이가 깊어질수록 태양 에너지와 바람의 영향이 감소하여 수온 분포가 달라진다.

답 ㉠ 수온 약층 ㉡ 혼합층 ㉢ 태양 에너지 ㉣ 바람

핵심 자료 염분비 일정 법칙을 이용하여 염류의 양 구하기

관련 개념 | 300쪽 **E** 염분비 일정 법칙

유형 1 염분을 주고, 특정 염류의 양을 묻는 경우

염분이 35 psu인 해수 1000 g에 염화 나트륨이 27 g 녹아 있다면, 염분이 70 psu인 해수 1000 g에 녹아 있는 염화 나트륨의 양은?

[풀이] ① 염분비 일정 법칙에 따라 염분과 관계없이 총 염류에서 각 염류가 차지하는 비율은 일정하다.

② 염분은 해수 1000 g에 포함된 총 염류의 질량을 뜻한다.

③ 두 해역의 염분(총 염류의 양)을 기준으로 비례식을 세워 염화 나트륨의 양을 구한다.

➡ 35 psu : 27 g = 70 psu : x ∴ x=54 g
염분 (총 염류) 염화 나트륨 염분 (총 염류) 염화 나트륨

유형 2 여러 염류의 양을 주고 특정 염류의 양을 묻는 경우

표는 동해와 황해의 해수 1000 g에 녹아 있는 염류의 질량을 나타낸 것이다. A의 값은?

염류	염화 나트륨(g)	염화 마그네슘(g)
동해	25.6	3.6
황해	24.1	A

[풀이] ① 염분비 일정 법칙에 따라 염분과 관계없이 염류 사이의 비율은 일정하다.

② 알고 있는 염류의 양을 기준으로 비례식을 세워 염화 마그네슘의 양을 구한다.

➡ 25.6 g : 3.6 g = 24.1 g : A ∴ A≒3.4 g
염화 나트륨 염화 마그네슘 염화 나트륨 염화 마그네슘

실력탄탄 핵심 문제

01 그림은 전 세계 해양의 표층 수온 분포를 나타낸 것이다. [296쪽]

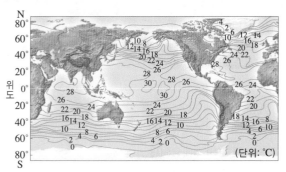

(단위: °C)

이와 같은 수온 분포에 가장 큰 영향을 주는 요인은?

① 대륙의 분포
② 바람의 세기
③ 태양 에너지
④ 해수의 염분
⑤ 강수량과 증발량

02 해수의 연직 수온 분포에 영향을 주는 요인을 모두 고르면?(2개) [298쪽]

① 바람
② 염분
③ 태양 에너지
④ 해저 화산 활동
⑤ 지구 내부 에너지

[03~05] 오른쪽 그림은 어느 해역의 연직 수온 분포를 나타낸 것이다.

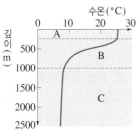

03 A~C층의 이름을 옳게 짝 지은 것은? [298쪽]

	A	B	C
①	심해층	혼합층	수온 약층
②	혼합층	심해층	수온 약층
③	혼합층	수온 약층	심해층
④	수온 약층	혼합층	심해층
⑤	수온 약층	심해층	혼합층

04 A~C 중 다음 설명에 해당하는 층의 기호와 이름을 옳게 짝 지은 것은? [298쪽]

- 태양 에너지를 대부분 흡수하여 수온이 높다.
- 바람의 혼합 작용으로 수온이 일정하게 나타난다.

① A, 혼합층
② A, 수온 약층
③ B, 혼합층
④ B, 심해층
⑤ C, 심해층

05 풀이 TIP 이에 대한 설명으로 옳은 것은? [298쪽]

① A층은 바람이 강하게 불수록 얇아진다.
② B층은 깊이가 깊어질수록 수온이 높아진다.
③ B층에서는 해수의 혼합이 활발하게 일어난다.
④ C층은 계절에 따른 수온 변화가 거의 없다.
⑤ 태양 에너지의 영향을 가장 많이 받는 층은 C층이다.

06 오른쪽 그림은 저위도, 중위도, 고위도 해역에서 측정한 수온의 연직 분포를 나타낸 것이다. A~C 해역의 특징에 대한 설명으로 옳은 것을 보기에서 모두 고른 것은? [298쪽]

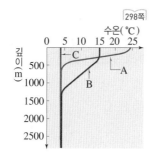

보기
ㄱ. A 해역은 혼합층이 가장 두껍게 발달해 있다.
ㄴ. B 해역은 수온 약층의 수온 변화 정도가 가장 크다.
ㄷ. C 해역은 표층 수온이 가장 낮다.
ㄹ. A는 저위도, C는 고위도 해역이다.

① ㄱ, ㄴ
② ㄱ, ㄷ
③ ㄴ, ㄷ
④ ㄴ, ㄹ
⑤ ㄷ, ㄹ

 풀이 TIP **05** ❶ 깊이에 따른 수온 변화를 통해 A, B, C층이 무엇인지 파악한다. ❷ 해수의 연직 수온 분포에 영향을 주는 요인이 각 층에 어떻게 영향을 미치는지 생각해 본다. ❸ 이에 따라 나타나는 각 층의 특징을 이용하여 선지를 판단한다.

07 혼합층의 두께가 적도보다 중위도 해역에서 더 두껍게 나타나는 까닭으로 옳은 것은?

298쪽

① 중위도 해역의 염분이 더 높기 때문이다.

② 중위도 해역의 심해층 수온이 더 낮기 때문이다.

③ 중위도 해역에서 바람이 더 강하게 불기 때문이다.

④ 중위도 해역의 수온 약층 두께가 더 두껍기 때문이다.

⑤ 중위도 해역에 들어오는 태양 에너지양이 더 많기 때문이다.

[08~09] 그림 (가)와 같이 실험 장치를 설치하여 전등을 켜기 전, 전등을 켜고 10분 후, 선풍기를 켠 후의 온도를 각각 측정하였더니 그림 (나)와 같았다.

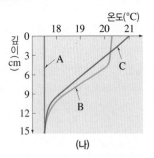

08 풀이 TIP A~C 중 전등을 켜고 10분 후의 수온과 선풍기를 켠 후의 수온을 나타낸 그래프를 순서대로 옳게 짝 지은 것은?

298쪽

① A, B   ② A, C   ③ B, A

④ B, C   ⑤ C, B

09 이에 대한 설명으로 옳지 <u>않은</u> 것은?

298쪽

① 전등은 태양, 선풍기는 바람에 해당한다.

② 선풍기를 켜면 수온이 일정한 층이 사라진다.

③ 선풍기를 켜기 전에는 2개의 층으로 구분된다.

④ 태양 에너지는 깊이에 따라 들어오는 양이 달라진다.

⑤ 깊은 바다에서는 깊이에 따른 수온 변화가 거의 없을 것이다.

10 오른쪽 그림은 어느 해수 1000 g에 녹아 있는 염류의 질량비를 나타낸 것이다. 염류 A와 B에 대한 설명으로 옳지 <u>않은</u> 것은?

298쪽

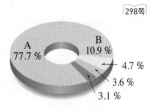

① A는 염화 나트륨이다.

② A는 쓴맛을 낸다.

③ A는 소금의 주성분이다.

④ B는 염화 마그네슘이다.

⑤ B는 두부를 만들 때 간수로 사용한다.

11 염분에 대한 설명으로 옳은 것은?

298쪽

① 해수 100 g에 들어 있는 염류의 총량이다.

② 강물이 많이 유입되는 바다는 염분이 높다.

③ 해수 1 kg에 녹아 있는 염류의 양은 어느 바다나 일정하다.

④ 단위는 psu를 사용하며, ‰을 사용하기도 한다.

⑤ 전 세계 바다에는 평균적으로 해수 1000 g에 45 g의 염류가 녹아 있다.

12 풀이 TIP 표는 황해의 해수 2 kg에 녹아 있는 염류의 양(g)을 나타낸 것이다.

298쪽

염류	염화 나트륨	염화 마그네슘	황산 마그네슘	황산 칼슘	황산 칼륨	기타
질량(g)	49.8	7.0	3.0	2.2	1.6	0.4

이 해역의 염분은?

① 30 psu   ② 32 psu

③ 33 psu   ④ 40 psu

⑤ 64 psu

★중요
13 사해는 염분이 약 200 psu로 매우 높아 사람이 가만히 있어도 뜬다. 사해의 해수 500 g을 가열하여 얻을 수 있는 염류의 양은 얼마인지 구하시오. [298쪽]

풀이 **TIP**
14 염분이 40 psu인 해수 3 kg을 만들기 위해 필요한 물의 양과 염류의 양을 옳게 짝 지은 것은? [298쪽]

	물의 양	염류의 양		물의 양	염류의 양
①	1800 g	1200 g	②	2400 g	600 g
③	2880 g	120 g	④	2960 g	40 g
⑤	3000 g	40 g			

★중요
15 염분을 변화시키는 요인이 <u>아닌</u> 것은? [300쪽]

① 밀도　　　　　② 증발량
③ 강수량　　　　④ 담수의 유입량
⑤ 빙하가 녹는 양

16 값이 커질수록 해수의 염분을 낮추는 요인을 보기에서 모두 고른 것은? [300쪽]

┌ 보기 ┐
ㄱ. 결빙　　　　　ㄴ. 해빙
ㄷ. 증발량 - 강수량　　　ㄹ. 하천수의 유입
└─────────────┘

① ㄱ, ㄴ　　② ㄱ, ㄷ　　③ ㄴ, ㄷ
④ ㄴ, ㄹ　　⑤ ㄷ, ㄹ

★중요
17 염분이 가장 높을 것으로 예상되는 해역은? [300쪽]

① 빙하가 녹는 해역
② 비가 많이 내리는 해역
③ 강물의 유입량이 많은 해역
④ 강수량이 증발량보다 많은 해역
⑤ 증발량이 강수량보다 많은 해역

풀이 **TIP**
18 그림은 A~E 해역에서 증발량과 강수량을 측정한 값을 나타낸 것이다. [300쪽]

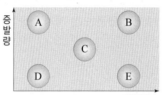

A~E 중 염분이 가장 낮은 해역은?

① A　　　　② B　　　　③ C
④ D　　　　⑤ E

19 전 세계 바다의 표층 염분 분포에 대한 설명으로 옳지 <u>않은</u> 것은? [300쪽]

① 위도에 따라 염분이 다르게 나타난다.
② 극 해역의 염분은 빙하의 영향을 많이 받는다.
③ 적도 부근의 해역은 강수량이 증발량보다 많다.
④ 중위도 지역은 기후가 건조하여 대체로 염분이 가장 높다.
⑤ 대륙에 가까운 곳보다 먼 바다에서 대체로 염분이 더 낮다.

---

14 ❶ 염분이 40 psu인 해수 3 kg에 포함된 염류의 총량을 계산한다. ❷ 해수의 양(3 kg)에서 염류의 양을 빼면 물의 양을 구할 수 있다. 　18 ❶ 증발량, 강수량과 염분의 관계를 생각해 본다. ❷ 가로축과 세로축 값에 따라 염분이 어떻게 변하는지 판단한다. ❸ A~E 중 가장 염분이 낮은 것을 찾는다.

20 그림은 우리나라 주변 바다의 염분을 나타낸 것이다. [300쪽]

이에 대한 설명으로 옳지 <u>않은</u> 것은?

① 위도가 높을수록 염분이 낮다.

② 동해보다 황해가 염분이 더 낮다.

③ 겨울철보다 여름철에 염분이 더 낮다.

④ 큰 강이 흘러 들어오는 해역의 염분이 낮다.

⑤ 우리나라 주변의 염분은 전 세계 평균 염분보다 낮다.

21 염분이 30 psu인 해수에 어떤 두 염류 A와 B가 1 : 2의 비율로 녹아 있다. 염분이 90 psu인 해수에 녹아 있는 염류 A와 B의 비율은 얼마인가? [300쪽]

① 1 : 1   ② 1 : 2   ③ 2 : 1

④ 1 : 3   ⑤ 3 : 1

22 표는 황해와 동해에서 측정한 염분과 해수 1000 g에 포함된 염화 나트륨의 양을 나타낸 것이다. [300쪽]

해역	염분(psu)	염화 나트륨의 양(g)
황해	32	24.8
동해	34	A

A의 값은?(단, 소수 첫째 자리까지 계산한다.)

① 23.3 g   ② 24.8 g   ③ 25.0 g

④ 26.4 g   ⑤ 32.0 g

[23~25] 표는 여러 해역의 해수 1000 g에 녹아 있는 염류의 질량을 나타낸 것이다.

염류	북극해	지중해	홍해
염화 나트륨	23.2 g	29.5 g	31.1 g
염화 마그네슘	3.2 g	4.1 g	A
황산 마그네슘	B	1.8 g	1.9 g
기타	2.0 g	2.6 g	2.7 g

23 세 해역의 염분을 옳게 비교하여 나타낸 것은? [300쪽]

① 홍해 > 북극해 > 지중해

② 홍해 > 지중해 > 북극해

③ 북극해 > 홍해 > 지중해

④ 북극해 > 지중해 > 홍해

⑤ 지중해 > 북극해 > 홍해

24 북극해, 지중해, 홍해에서 같은 값을 갖는 것은? [300쪽]

① 강수량과 증발량의 차이

② 담수가 해수로 유입되는 양

③ 해수 1 kg에 녹아 있는 염류의 총량(g)

④ 해수 1 kg에 녹아 있는 염화 나트륨의 양(g)

⑤ 전체 염류 중 황산 마그네슘이 차지하는 비율(%)

25 A, B에 알맞은 값을 옳게 짝 지은 것은?(단, 소수 첫째 자리까지 계산한다.) [300쪽]

	A	B		A	B
①	4.1 g	1.0 g	②	4.3 g	1.0 g
③	4.3 g	1.4 g	④	5.1 g	1.4 g
⑤	5.1 g	2.0 g			

 20 ❶ 우리나라 주변의 해역별 염분 분포를 파악한다. **❷** 계절별 염분 분포를 파악한다. **❸** 이러한 분포가 나타나는 원인을 생각해 본다. **24~25 ❶** 염분비 일정 법칙의 정의를 생각해 본다. **❷** 염분비 일정 법칙을 이용하여, 알고 있는 값을 기준으로 비례식을 세운다. **❸** A, B의 값을 계산한다.

서술형 문제

26 그림은 전 세계 해양의 표층 수온 분포를 나타낸 것이다. 296쪽

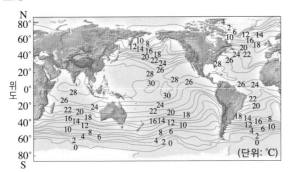

(단위: ℃)

위도별 표층 수온을 비교하고, 그 까닭을 서술하시오.

중요

27 풀이 **TIP** 그림은 어느 해역의 연직 수온 분포를 나타낸 것이다. 298쪽

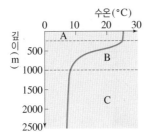

(1) A~C의 이름을 각각 쓰시오.

----

(2) 바람의 세기가 강해질 때 A층의 두께 변화를 쓰고, 그 까닭을 서술하시오.

----

(3) C층에서 깊이가 깊어져도 수온이 거의 일정한 까닭을 서술하시오.

----

28 표는 어떤 해수 500 g에 녹아 있는 염류의 양을 나타낸 것이다. 298쪽

염류	염화 나트륨	염화 마그네슘	황산 마그네슘	기타
질량(g)	13.0	1.7	1.4	0.9

(1) 이 해수의 염분(psu)을 구하시오.

----

(2) 이 해수 2 kg을 가열하여 얻을 수 있는 총 염류의 질량(g)을 구하시오.

----

29 풀이 **TIP** 우리나라 주변 바다의 여름철과 겨울철 표층 염분을 비교하고, 그 까닭을 서술하시오. 300쪽

중요

30 표는 홍해와 사해의 염분 및 해수 1000 g에 녹아 있는 염화 나트륨과 염화 마그네슘의 질량을 나타낸 것이다. 300쪽

구분	염분(psu)	염화 나트륨(g)	염화 마그네슘(g)
홍해	40	31.0	A
사해	B	155.0	22.0

A, B에 알맞은 값을 구하시오.
- A :
- B :

학습 평가 하기

정답친해 84쪽으로 가서 문제를 채점한 후 학습 결과를 스스로 평가해 보세요.

맞춘 개수	26~30개	18~25개	0~17개
평가	잘함	보통	부족

→ 정답친해에서 그 문제를 왜 틀렸는지 꼭 확인하세요!
→ 본책에서 해당 쪽으로 돌아가서 부족한 부분을 다시 공부하세요!

27 ❶ A층이 무엇인지 판단한다. ❷ A층의 두께와 바람의 관계를 생각해 본다. ❸ 해수의 연직 분포에 영향을 미치는 요인이 C층에 어떻게 영향을 주는지 생각해 본다.
29 ❶ 해수의 염분에 영향을 주는 요인을 안다. ❷ 우리나라의 여름철과 겨울철 날씨의 특징을 이용하여 염분을 판단한다.

해수의 순환

만화 완성하기 다음 만화를 보고 물고기의 말풍선을 완성해 보자.

>> 이 단원을 학습한 후 내가 쓴 대사를 수정해 보자.

A 해류

1992년 화물선이 좌초되어 북태평양에 빠지게 된 수만 개의 고무 오리들이 20여 년간 바다를 떠돌다가 호주, 미국, 영국, 스페인 등 세계 각지에서 발견되었습니다. 고무 오리들을 여러 지역으로 움직이게 한 것은 무엇인지 알아봅시다.

1. 해류 : 일정한 방향으로 나타나는 지속적인 해수의 흐름

2. 해류의 발생 원인 : 지속적으로 부는 바람

📖 해류의 발생

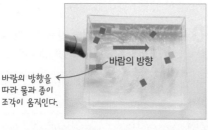

바람의 방향을 따라 물과 종이 조각이 움직인다.

- 물 위에 종이 조각을 띄우고 헤어드라이어로 지속적인 바람을 불면, 종이 조각이 바람의 방향을 따라 움직인다.
- 바람의 방향을 반대로 하면, 종이 조각이 바뀐 바람의 방향을 따라 움직인다.
➡ 바다의 표층에서 해류가 발생하는 원인은 지속적으로 부는 바람이다.

3. 해류의 구분⁺ ── 주변 해수와의 상대적인 수온을 비교하여 난류와 한류로 구분할 수 있다.

(1) **난류** : 저위도에서 고위도로 흐르는 비교적 따뜻한 해류

(2) **한류** : 고위도에서 저위도로 흐르는 비교적 차가운 해류

4. 해류의 영향 : 해류는 주변 지역의 기온에 영향을 미친다.
➡ 난류가 흐르는 지역은 그렇지 않은 지역에 비해 대체로 기온이 높다.
㉠ 우리나라 동해안 지역은 난류가 강하게 흘러 비슷한 위도대의 지역에 비해 기온이 높다.

겨울철 우리나라 기온 분포 ➡

✚ 난류와 한류는 계절에 따라 달라질까?

난류와 한류는 상대적인 수온에 따라 구분할 수 있으며, 계절에 따라 변하는 것이 아니다. 여름에 난류가 흐르고 겨울에 한류가 흐른다고 생각하지 않도록 주의한다.

│ 용어 │
- 난류(暖 따뜻하다, 流 흐르다) 비교적 온도가 높은 해류
- 한류(寒 차다, 流 흐르다) 비교적 온도가 낮은 해류

이 단원의 개념이 어떻게 구성되어 있는지 살펴보고 빈칸을 완성해 보자.

해수의 순환 ----

A 해류 ---- B

C

이 단원을 공부하기 전에 미리 알고 있는 단어를 체크해 보자.

☐ 해류　　　☐ 난류　　　☐ 한류　　　☐ 쿠로시오 해류　　　☐ 동한 난류
☐ 황해 난류　　☐ 북한 한류　　☐ 조석　　　☐ 간조　　　☐ 만조

1 바다의 표층에서 해류가 발생하는 원인은 ㉠(일시적, 지속적)인 ㉡(바람, 태양 에너지)이다.

난류와 한류의 비교

구분	수온	이동
난류	높다	저위도 → 고위도
한류	낮다	고위도 → 저위도

2 다음은 해류의 구분에 대한 설명이다. (　　) 안에 알맞은 말을 고르시오.

> 난류는 ㉠(저위도 → 고위도, 고위도 → 저위도)로 흐르는 비교적 ㉡(따뜻한, 차가운) 해류이고, 한류는 ㉢(저위도 → 고위도, 고위도 → 저위도)로 흐르는 비교적 ㉣(따뜻한, 차가운) 해류이다.

3 해류에 대한 설명으로 옳은 것은 ○, 옳지 않은 것은 ×로 표시하시오.

(1) 해류는 계절에 따라 방향이 계속 달라진다. ································ (　　)

(2) 주변 해수와의 수온을 비교하여 해류를 구분할 수 있다. ················ (　　)

(3) 해류는 주변 지역의 기온에 영향을 미친다. ···························· (　　)

(4) 난류가 강하게 흐르는 지역은 상대적으로 기온이 낮다. ················ (　　)

B **우리나라 주변 해류**

제주도 근처의 바다에 빠진 유리병과 같은 물건이 부산에서 발견되는 경우가 있습니다. 우리나라 주변에도 일정한 방향으로 흐르는 해류가 있기 때문입니다. 우리나라 주변 해류의 종류와 특징을 자세히 알아봅시다.

1. 우리나라 주변 해류 : 우리나라 주변에는 난류와 한류가 모두 흐른다.

난류	쿠로시오 해류	• 북태평양의 서쪽 해역을 따라 북쪽으로 흐르는 난류 • 우리나라 주변 난류의 근원
	황해 난류	쿠로시오 해류의 일부가 황해로 흐르는 난류
	동한 난류	쿠로시오 해류의 일부가 동해안을 따라 북쪽으로 흐르는 난류
한류	북한 한류	연해주 한류의 일부가 동해안을 따라 남쪽으로 흐르는 한류

→ 해류를 나타내는 화살표가 굵을수록 강한 해류이다.

2. 조경 수역 : 한류와 난류가 만나는 곳

(1) 위치 : 우리나라에서는 동한 난류와 북한 한류가 만나는 동해안에 형성되어 있다.

(2) 계절별 변화 : 조경 수역의 위치는 계절에 따라 조금씩 달라진다. ➡ 난류의 세력이 강한 여름에는 북상하고, 한류의 세력이 강한 겨울에는 남하한다.

(3) 특징 : 영양 염류와 플랑크톤이 풍부하고, 한류성 어종과 난류성 어종이 함께 분포하여 좋은 어장이 형성된다.

✦ **계절별 조경 수역의 위치**

✦ **난류성 어종과 한류성 어종**

해양에 서식하는 어종은 해수의 수온에 따라 달라진다. 난류성 어종에는 오징어, 고등어 등이 있고 한류성 어종에는 대구, 청어 등이 있다.

| 용어 |

• 조경 수역(潮 바닷물, 境 경계, 水 물, 域 장소) 성질이 다른 해수가 만나는 경계

C **조석**

이순신 장군의 여러 전투 중 울돌목에서 왜군을 크게 무찌른 명량대첩은 바다의 특성을 이용한 것으로 유명합니다. 수적으로 크게 불리했던 전투를 승리로 이끌 수 있었던 것은 무엇 때문이었을까요? 조석을 공부하며 그 원리를 알아봅시다.

1. 조석 : 밀물과 썰물로 해수면의 높이가 주기적으로 높아지고 낮아지는 현상

(1) 조류 : 조석으로 나타나는 주기적인 해수의 흐름 → 밀물과 썰물

(2) 만조와 간조 : 밀물로 해수면의 높이가 가장 높아질 때를 만조, 썰물로 해수면의 높이가 가장 낮아질 때를 간조라고 한다. ➡ 만조와 간조는 하루에 약 두 번씩 일어난다.

(3) 조차 : 만조와 간조 때의 해수면 높이 차 → 우리나라에서 조차는 서해안에서 가장 크고, 동해안에서 가장 작다.

(4) 사리와 조금 : 한 달 중 조차가 가장 크게 나타나는 시기를 사리, 조차가 가장 작게 나타나는 시기를 조금이라고 한다. ➡ 사리와 조금은 한 달에 약 두 번씩 일어난다.

2. 조석의 이용 : 조석으로 나타나는 조차나 조류를 일상생활에 이용한다.

조개 캐기	고기잡이	전기 생산	바다 갈라짐 현상
간조 때 넓게 드러난 갯벌에서 조개를 캔다.	바다에 돌담이나 그물을 세우고 조류를 이용하여 물고기를 잡는다.	조석으로 나타나는 조차나 조류를 이용하여 전기를 생산한다. → 조류 발전	조차가 큰 시기에 간조가 되면 특정 지역에서 바닷길이 열린다. → 바다 바닥이 드러난다.

조력 발전

✦ **밀물과 썰물**

밀물은 해수가 육지를 향해 밀려 들어오는 것이고, 썰물은 해수가 바다를 향해 빠져 나가는 것이다.

✦ **조석의 주기**

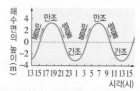

만조에서 다음 만조, 간조에서 다음 간조까지 걸리는 시간을 조석의 주기라고 한다. 우리나라에서 만조와 간조는 하루에 약 두 번씩 생기고, 조석의 주기는 약 12시간 25분이다.

[1~2] 오른쪽 그림은 우리나라 주변을 흐르는 해류를 나타낸 것이다.

1 해류 A~D의 이름을 쓰시오.

2 해류 A~D를 난류와 한류로 구분하시오.

(1) 난류 : _____ (2) 한류 : _____

3 우리나라 주변 해류에 대한 설명으로 옳은 것은 ○, 옳지 <u>않은</u> 것은 ×로 표시하시오.

(1) 우리나라 주변을 흐르는 난류의 근원은 쿠로시오 해류이다. ·················· (   )

(2) 북한 한류와 황해 난류가 만나서 조경 수역을 형성한다. ·················· (   )

(3) 조경 수역의 위치는 변하지 않고 고정되어 있다. ·················· (   )

308쪽으로 돌아가서 내가 쓴 대사를 점검해 보자.

암기 TIP

우리나라 주변 해류

북한 **구리**로 만든 **황동** **난로**
한류 쿠   해한 류
      로   류
      시
      오
      해
      류

1 그림 (가), (나)와 같이 하루 중 해수면의 높이가 가장 높아졌을 때와 가장 낮아졌을 때를 각각 무엇이라고 하는지 쓰시오.

(가)

(나)

2 조석에 대한 설명으로 옳은 것은 ○, 옳지 <u>않은</u> 것은 ×로 표시하시오.

(1) 밀물과 썰물로 해수면의 높이가 주기적으로 변하는 현상이다. ·················· (   )

(2) 만조와 간조는 하루에 약 두 번씩 일어난다. ·················· (   )

(3) 조차는 사리와 조금 때 해수면 높이 차를 말한다. ·················· (   )

(4) 우리나라에서 조차는 어디에서나 같게 나타난다. ·················· (   )

(5) 조석을 이용하여 전기를 생산하기도 한다. ·················· (   )

암기 꼭

만조, 간조, 조차

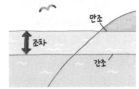

• 만조 : 해수면 높이가 가장 높을 때
• 간조 : 해수면 높이가 가장 낮을 때
• 조차 : 만조와 간조 때의 해수면 높이 차

개념 페이지로 점프해요!

01 해수의 표층에 해류를 일으키는 주된 요인으로 옳은 것은? [308쪽]

① 염분
② 바람
③ 수온
④ 태양 에너지
⑤ 밀물과 썰물

02 해류에 대한 설명으로 옳은 것을 보기에서 모두 고른 것은? [308쪽]

[보기]

ㄱ. 해류가 흐르는 방향은 계속 변한다.
ㄴ. 여름철에는 난류, 겨울철에는 한류가 흐른다.
ㄷ. 난류는 저위도에서 고위도로 흐르는 따뜻한 해류이다.
ㄹ. 한류가 흐르는 해역은 주변보다 수온이 낮다.

① ㄱ, ㄴ
② ㄱ, ㄷ
③ ㄴ, ㄷ
④ ㄴ, ㄹ
⑤ ㄷ, ㄹ

03 오른쪽 그림은 수조에 물을 넣고 종이 조각을 띄운 후, 헤어드라이어로 바람을 일으켜 종이 조각의 움직임을 관찰하는 실험이다. 이 실험에 대한 설명으로 옳지 않은 것은? [308쪽]

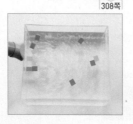

① 종이 조각은 바람의 방향을 따라 움직인다.
② 실험으로 해류의 생성 원인을 알 수 있다.
③ 지속적으로 부는 바람이 해류를 일으키는 원인이다.
④ 헤어드라이어의 바람을 세게 하면 종이 조각은 빠르게 움직일 것이다.
⑤ 헤어드라이어로 바람을 계속 불어주면 종이 조각은 제자리에서 상하로 움직인다.

04 우리나라 주변 해류에 대한 설명으로 옳지 않은 것은? [310쪽]

① 우리나라 주변에는 난류와 한류가 모두 흐른다.
② 쿠로시오 해류는 상대적으로 따뜻한 해류이다.
③ 북한 한류는 연해주 한류에서 갈라져 나온 것이다.
④ 황해 난류와 동한 난류는 근원이 되는 해류가 다르다.
⑤ 계절에 따라 해류의 세력이 달라지기도 한다.

[05~07] 그림은 우리나라 주변을 흐르고 있는 해류를 나타낸 것이다.

05 해류 A~E의 이름을 옳게 짝 지은 것은? [310쪽]

① A - 동한 난류
② B - 북한 한류
③ C - 황해 난류
④ D - 연해주 한류
⑤ E - 쿠로시오 해류

06 해류 A~D 중 다음 설명에 해당하는 해류의 기호와 이름을 쓰시오. [310쪽]

• 우리나라 주변을 흐르는 난류의 근원이다.
• 적도 부근에서 시작하여 고위도로 흐르는 해류이다.
• 검푸른 색을 띠어 '흑조'라고도 한다.

 02 ❶ 해류의 정의를 안다. ❷ 해류를 난류와 한류로 구분하는 기준이 무엇인지 생각해 본다. ❸ 난류와 한류의 이동 방향을 생각해 본다. **04** ❶ 우리나라 주변에 흐르는 해류의 종류를 안다. ❷ 각 해류를 난류와 한류로 구분한다. ❸ 각 해류의 근원이 되는 해류를 생각해 본다.

07 이에 대한 설명으로 옳은 것은? ^{310쪽}

① 해류 A, B, C는 난류이다.
② 해류 A와 B는 같은 해류에서 갈라져 나왔다.
③ 해류 B는 D보다 수온이 낮다.
④ 해류 D는 우리나라 주변을 흐르는 한류의 근원이다.
⑤ 해류 E 때문에 겨울철 동해안의 기온이 서해안에 비해 높다.

08 우리나라 주변에 흐르는 해류 중 조경 수역을 형성하는 해류로 옳은 것을 모두 고르면?(2개) ^{310쪽}

① 동한 난류　　　　② 황해 난류
③ 북한 한류　　　　④ 연해주 한류
⑤ 쿠로시오 해류

09 그림은 우리나라 주변의 해류와 조경 수역의 위치를 나타낸 것이다. ^{310쪽}

이에 대한 설명으로 옳지 않은 것은?

① 한류와 난류가 만나서 조경 수역을 형성한다.
② 우리나라에서 조경 수역은 황해에 형성되어 있다.
③ 조경 수역에는 영양 염류와 플랑크톤이 풍부하다.
④ 조경 수역의 위치는 계절에 따라 약간씩 달라진다.
⑤ 조경 수역에는 한류성 어종과 난류성 어종이 함께 분포하여 좋은 어장이 만들어진다.

10 그림 (가)는 우리나라 주변의 해류를, 그림 (나)는 해류 A~C가 흐르는 해역의 수온과 염분을 나타낸 것이다. ^{310쪽}

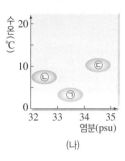

(가)　　　　　　(나)

이에 대한 설명으로 옳은 것은?

① A는 고위도에서 저위도로 흐른다.
② A가 흐르는 해역의 측정값은 ㉠이다.
③ B가 흐르는 해역의 측정값은 ㉢이다.
④ B가 흐르는 해역의 염분이 가장 낮다.
⑤ C가 흐르는 해역은 주변에 비해 수온이 높다.

11 오른쪽 그림은 우리나라 주변 바다에서 기름이 유출된 모습이다. (가)~(다) 중 기름이 더 이상 퍼지지 않도록 오일 펜스를 설치할 방향으로 가장 적절한 것을 쓰시오. ^{310쪽}

12 조석에 대한 옳은 설명을 보기에서 모두 고른 것은? ^{310쪽}

┌ 보기 ┐
ㄱ. 하루 동안 밀물과 썰물이 각각 한 번씩 반복된다.
ㄴ. 조석에 의해 일정한 주기로 나타나는 해수의 흐름을 조류라고 한다.
ㄷ. 바닷물이 밀려들어와 해수면의 높이가 가장 높아졌을 때를 간조라고 한다.
ㄹ. 만조와 간조 때의 해수면 높이 차를 조차라고 한다.

① ㄱ, ㄴ　　② ㄱ, ㄷ　　③ ㄱ, ㄹ
④ ㄴ, ㄹ　　⑤ ㄷ, ㄹ

---

10 ❶ A~C에 해당하는 해류를 파악한다. ❷ A~C를 난류와 한류로 구분하여 각 해류가 흐르는 해역의 수온을 판단한다. ❸ 우리나라 주변 바다의 표층 염분 분포를 떠올려 황해와 동해 중 염분이 더 높은 해역을 판단한다. ❹ ❷~❸을 바탕으로 A~C가 흐르는 해역의 측정값을 찾는다.

13 그림은 만조와 간조 때 우리나라 어느 해안의 모습을 순서 없이 나타낸 것이다. 310쪽

(가)　　　　　　　　　(나)

이에 대한 설명으로 옳은 것은?

① (가)는 만조 때 모습이다.
② (나)는 하루 중 해수면의 높이가 가장 낮을 때이다.
③ (가)일 때 갯벌이 넓게 드러나 조개를 잡을 수 있다.
④ (나)일 때 바닷길이 열려 섬까지 걸어갈 수 있다.
⑤ (가)와 (나)일 때 해수면 높이 차이는 항상 같다.

[14~15] 그림은 어느 지역에서 하루 동안 측정한 해수면 높이의 변화를 나타낸 것이다.

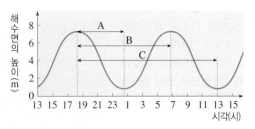

14 이에 대한 설명으로 옳은 것을 보기에서 모두 고른 것은? 310쪽

풀이 TIP

[보기]

ㄱ. 만조와 간조는 하루에 약 두 번씩 나타난다.
ㄴ. 이 날 이 해역의 조차는 약 6 m이다.
ㄷ. 간조에서 다음 만조까지 걸리는 시간은 약 12시간 25분이다.

① ㄱ　　　　　② ㄴ　　　　　③ ㄷ
④ ㄱ, ㄴ　　　　⑤ ㄴ, ㄷ

15 A~C 중 조석의 주기에 해당하는 것을 쓰시오. 310쪽

풀이 TIP

16 그림은 한 달 동안 어느 해역의 해수면 높이 변화이다. 310쪽

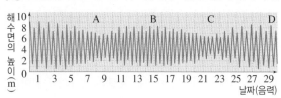

이에 대한 설명으로 옳은 것은?

① A는 사리이다.
② B는 조금이다.
③ C는 한 달 중 바다 갈라짐 현상이 가장 잘 나타나는 시기이다.
④ D는 한 달 중 조차가 가장 큰 시기이다.
⑤ 사리와 조금은 각각 한 달에 약 한 번씩 나타난다.

17 다음은 지은이가 갯벌 축제를 다녀와서 쓴 일지의 일부이다. 옳지 않은 것은? 310쪽

오전 8시경 해안가에 도착했을 때는 아직 ① 바닷물이 높게 차 있는 만조였다. 점심을 먹고 잠깐 기다리니 ② 썰물로 바닷물이 빠져나가 갯벌이 넓게 드러났다. 한참을 갯벌에서 조개를 캐다 보니 ③ 밀물이 시작되어 물이 깊어질 것이라는 안내가 나왔다. ④ 앞으로 여섯 시간 이상을 기다려야 다시 간조가 되기 때문에 근처 조력 발전소를 구경하러 갔다. ⑤ 동해안은 조차가 커서 조력 발전을 하기에 좋다고 한다.

18 조석의 이용에 대한 설명으로 옳지 않은 것은? 310쪽

① 조류를 이용하여 전기를 생산하기도 한다.
② 썰물로 드러난 갯벌에서 조개를 잡을 수 있다.
③ 조차로 바닷길이 열리면 섬까지 걸어갈 수 있다.
④ 어느 지역에서나 간조 때 바다 갈라짐 체험을 할 수 있다.
⑤ 조석에 의한 해수의 흐름을 이용하여 물고기를 잡을 수 있다.

풀이
TIP
14~15 ❶ 해수면의 높이가 가장 높을 때와 가장 낮을 때를 무엇이라 하는지 안다. ❷ 조차의 정의를 이용하여 이 해역에서의 조차를 구한다. ❸ 조석의 주기는 만조에서 다음 만조 또는 간조에서 다음 간조까지 걸리는 시간을 뜻한다. 이를 이용하여 조석의 주기에 해당하는 구간을 찾는다.

19 해수의 표층에 일정한 방향으로 해류가 형성되는 원인
을 서술하시오.

[308쪽]

------

20 그림은 우리나라 주변의 해류를 나타낸 것이다.

[310쪽]

(1) 해류 A~D의 이름을 쓰시오.

------

(2) A~D 중 난류를 쓰고, 난류의 특징을 서술하시오.

------

(3) A~D 중 조경 수역을 형성하는 해류를 쓰시오.

------

21 오른쪽 그림은 겨울
철 우리나라의 기온 분포
를 나타낸 것이다. 동해안
과 서해안 중 기온이 더 높
은 곳을 쓰고, 그 까닭을
서술하시오.

[310쪽]

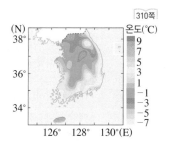

22 우리나라 주변 바다에서 여름철과 겨울철에 나타나는
조경 수역의 위치를 비교하고, 그 까닭을 서술하시오.

[310쪽]

------

23 다음은 어느 지역에서 간조와 만조 때의 해수면 높이
를 나타낸 조석표이다.

[310쪽]

날짜(음력)	3월 11일	3월 16일	3월 23일
시각(시 : 분) (해수면의 높이)	00 : 39 (208 cm)	05 : 20 (30 cm)	05 : 31 (496 cm)
	07 : 02 (490 cm)	10 : 45 (629 cm)	11 : 52 (120 cm)
	13 : 37 (202 cm)	17 : 22 (−15 cm)	18 : 04 (445 cm)
	19 : 38 (570 cm)	23 : 31 (634 cm)	23 : 54 (122 cm)

바다 갈라짐 체험을 하기에 가장 적절한 날짜와 시각을 쓰
시오.

------

24 우리가 생활에서 조석을 이용하는 예를 **두 가지** 서술
하시오.

[310쪽]

정답친해 87쪽으로 가서 문제를 채점한 후 학습 결과를 스스로 평가
해 보세요.

맞춘 개수	20~24개	14~19개	0~13개
평가	잘함	보통	부족

➜ 정답친해에서 그 문제를 왜 틀렸는지 꼭 확인하세요!

➜ 본책에서 해당 쪽으로 돌아가서 부족한 부분을 다시 공부하세요!

22 ❶ 조경 수역의 정의를 안다. ❷ 여름철과 겨울철에 해류의 세력 변화를 생각해 본다. ❸ 이에 따른 조경 수역의 위치 변화를 생각해 본다.　**23** ❶ 바다 갈라짐 현상은
조차에 의해 바다 바닥이 드러나는 현상이다. ❷ 이러한 현상이 언제 가장 잘 나타나는지 생각해 본다.

01 수권의 분포와 활용

1. 수권의 분포
(1) **수권** : 지구에 분포하는 모든 물
(2) **수권의 분포**

해수	• 바다에 있는 물 • 수권의 97 % 이상을 차지하고, 짠맛이 남
담수	• 짠맛이 나지 않고, 주로 육지에 있는 물

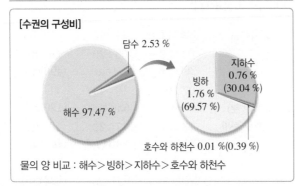

[수권의 구성비]

담수 2.53 %
지하수 0.76 % (30.04 %)
빙하 1.76 % (69.57 %)
해수 97.47 %
호수와 하천수 0.01 %(0.39 %)

물의 양 비교 : 해수>빙하>지하수>호수와 하천수

2. 수권의 활용
(1) **수자원** : 사람이 살아가는 데 자원으로 활용하는 물
(2) **쉽게 활용할 수 있는 물**
① 호수와 하천수(주로 이용), 지하수 ➡ 수권 전체의 약 0.77 %에 해당하는 적은 양이다.
② 해수는 짠맛이 나고, 빙하는 얼어 있어서 바로 활용하기 어렵다.
(3) **수자원의 용도** : 우리나라에서는 수자원을 농업용수로 가장 많이 이용한다.

생활용수	식수, 요리나 세탁 등 일상생활에 사용
농업용수	농사를 짓거나 가축을 키울 때 사용
공업용수	제품의 생산 및 세척 등 산업 활동에 사용
유지용수	하천이 정상적인 기능을 유지하는 데 필요

(4) **수자원의 가치**
① 수자원의 중요성 : 인구 증가, 산업과 문명 발달로 인한 생활 수준 향상으로 물 이용량은 증가하고 있으나 수자원의 양은 매우 적고 한정되어 있다.
② 지하수의 가치 : 지하수는 담수이며, 호수와 하천수에 비해 양이 많고, 빗물이 스며들어 채워지므로 지속적으로 활용할 수 있어 수자원으로서 가치가 높다.

(5) **수자원 관리**

수자원 확보	댐 건설, 지하수 개발, 해수 담수화 등
오염 방지	생활 하수 줄이기, 정수 시설 설치 등
물 절약	빗물 이용, 물 절약 습관 들이기 등

02 해수의 특성

1. 해수의 표층 수온 분포
(1) **영향을 주는 요인** : 태양 에너지
(2) **위도별 표층 수온 분포** : 저위도에서 고위도로 갈수록 표층 수온이 낮아진다. ➡ 저위도에서 고위도로 갈수록 태양 에너지가 적게 들어오기 때문

2. 해수의 연직 수온 분포
(1) **영향을 주는 요인** : 태양 에너지, 바람 ➡ 깊이가 깊어질수록 영향이 감소하여 수온 분포가 달라진다.
(2) **해수의 층상 구조** : 깊이에 따른 수온 분포를 기준으로 3개의 층으로 구분한다.

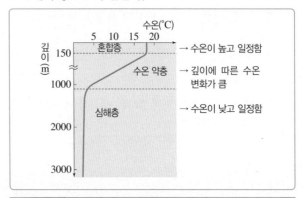

수온(°C)
5 10 15 20
깊이(m)
150 혼합층 → 수온이 높고 일정함
1000 수온 약층 → 깊이에 따른 수온 변화가 큼
2000 심해층 → 수온이 낮고 일정함
3000

혼합층	• 태양 에너지를 많이 흡수하여 수온이 높고, 바람의 혼합 작용으로 수온이 일정한 층 • 바람이 강할수록 두께가 두꺼움
수온 약층	• 깊어질수록 수온이 급격히 낮아지는 층 • 대류가 일어나지 않음 ➡ 매우 안정
심해층	• 태양 에너지가 거의 도달하지 않아 수온이 낮고 일정한 층 • 계절이나 위도에 따른 수온 변화가 거의 없음

(3) **위도별 특징**

저위도	표층 수온이 가장 높고, 혼합층이 얇음
중위도	바람이 강하여 혼합층이 가장 두꺼움
고위도	표층 수온이 낮고, 층상 구조가 나타나지 않음

3. 염류와 염분

염류	• 해수에 녹아 있는 여러 가지 물질 • 염화 나트륨 : 가장 많고, 짠맛이 남 • 염화 마그네슘 : 두 번째로 많고, 쓴맛이 남
염분	• 해수 1000 g에 녹아 있는 염류의 총량을 g 수로 나타낸 것 • 단위 : psu 또는 ‰ • 전 세계 해수의 평균 염분 : 35 psu • 염분은 해역에 따라 다르게 나타남

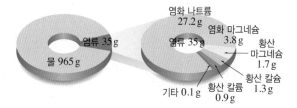

⬆ 염분이 35 psu인 해수 1 kg에 녹아 있는 염류의 양

4. 염분의 분포

(1) **영향을 주는 요인** : 증발량과 강수량, 담수의 유입량, 해빙과 결빙

염분이 높은 해역	염분이 낮은 해역
• 증발량 > 강수량 • 담수의 유입이 적음 • 결빙이 일어남	• 증발량 < 강수량 • 담수의 유입이 많음 • 해빙이 일어남

(2) **전 세계 바다의 염분 분포**

위도	염분	원인
저위도(적도)	낮다	증발량 < 강수량
중위도(30° 부근)	높다	증발량 > 강수량
고위도(극)	낮다	해빙

(3) **우리나라 주변 바다의 염분 분포** : 우리나라 주변 바다의 평균 염분은 약 33 psu로 전 세계 평균보다 낮다.

염분	원인
여름철 < 겨울철	여름철에 강수량이 더 많기 때문
황해 < 동해	황해의 담수 유입량이 동해보다 많기 때문

5. 염분비 일정 법칙

지역이나 계절에 따라 염분이 달라도 전체 염류에서 각 염류가 차지하는 비율은 항상 일정하다. ➡ 해수가 오랜 시간 순환하며 골고루 섞였기 때문

03 해수의 순환

1. **해류** : 일정한 방향으로 나타나는 지속적인 해수의 흐름

(1) **해류의 발생 원인** : 지속적인 바람

(2) **해류의 구분**

① 난류 : 저위도 → 고위도로 흐르는 비교적 따뜻한 해류

② 한류 : 고위도 → 저위도로 흐르는 비교적 차가운 해류

2. 우리나라 주변 해류

난류	• 쿠로시오 해류 : 우리나라 주변 난류의 근원 • 황해 난류 : 쿠로시오 해류의 일부가 황해로 흐르는 난류 • 동한 난류 : 쿠로시오 해류의 일부가 동해안을 따라 북쪽으로 흐르는 난류
한류	• 북한 한류 : 연해주 한류의 일부가 동해안을 따라 남쪽으로 흐르는 한류
조경 수역	• 북한 한류와 동한 난류가 만나는 동해에 형성 ➡ 위치는 여름에 북상하고 겨울에 남하함 • 좋은 어장이 형성됨

3. 조석

(1) **조석** : 밀물과 썰물로 해수면의 높이가 주기적으로 높아지고 낮아지는 현상

만조	밀물로 해수면의 높이가 가장 높을 때
간조	썰물로 해수면의 높이가 가장 낮을 때
조차	만조와 간조 때의 해수면 높이 차
사리	한 달 중 조차가 가장 크게 나타나는 시기
조금	한 달 중 조차가 가장 작게 나타나는 시기

(2) **조석의 이용**

① 조차나 조류를 이용하여 전기를 생산한다.

② 조차가 큰 시기에 일부 지역에서 바닷길이 열린다.

③ 갯벌에서 조개를 캐거나 조류를 이용해 물고기를 잡는다.

01 수권의 분포와 활용

1. 수권의 분포

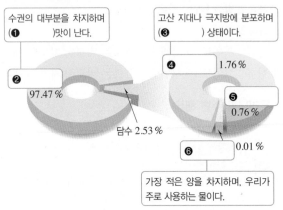

수권의 대부분을 차지하며 (❶   )맛이 난다.

❷

97.47 %

고산 지대나 극지방에 분포하며 (❸   ) 상태이다.

❹   1.76 %

담수 2.53 %

❺   0.76 %

❻   0.01 %

가장 적은 양을 차지하며, 우리가 주로 사용하는 물이다.

• 수권을 이루는 물의 양 : (❼   ) > 빙하 > 지하수 > (❽   )
• 쉽게 활용할 수 있는 물 : 주로 호수와 하천수를 사용하고, 부족한 경우 (❾   )를 사용한다.

2. 수권의 용도

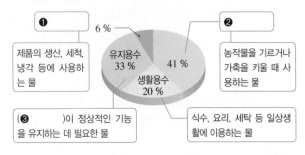

❶

6 %

제품의 생산, 세척, 냉각 등에 사용하는 물

❷

농작물을 기르거나 가축을 키울 때 사용하는 물

유지용수 33 %

생활용수 20 %

41 %

(❸   )이 정상적인 기능을 유지하는 데 필요한 물

식수, 요리, 세탁 등 일상생활에 이용하는 물

3. 수자원 이용량 변화

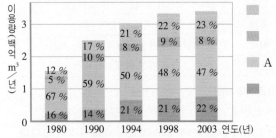

이용량(백억 m³/년)

	1980	1990	1994	1998	2003
	12 %	17 %	21 %	22 %	23 %
	5 %	10 %	8 %	9 %	8 %
	67 %	59 %	50 %	48 %	47 %
	16 %	14 %	21 %	21 %	22 %

A

연도(년)

• 가장 많은 양을 차지하는 용도 A는 (❶   )용수이다.
• 인구 증가, 산업 발달 등에 따라 수자원 이용량은 계속적으로 (❷   )하고 있다.

02 해수의 특성

1. 해수의 표층 수온 분포

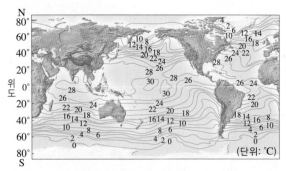

(단위: °C)

• 저위도에서 고위도로 갈수록 표층 수온은 (❶   )진다.
➡ 원인 : 저위도에서 고위도로 갈수록 태양 에너지가 (❷   )게 들어오기 때문

2. 해수의 연직 수온 분포

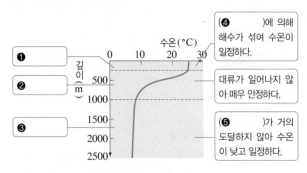

❶

❷

❸

수온(°C)

깊이(m)

(❹   )에 의해 해수가 섞여 수온이 일정하다.

대류가 일어나지 않아 매우 안정하다.

(❺   )가 거의 도달하지 않아 수온이 낮고 일정하다.

3. 위도별 해수의 연직 수온 분포 특징

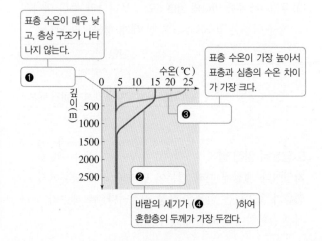

표층 수온이 매우 낮고, 층상 구조가 나타나지 않는다.

❶

수온(°C)

깊이(m)

표층 수온이 가장 높아서 표층과 심층의 수온 차이가 가장 크다.

❸

❷

바람의 세기가 (❹   )하여 혼합층의 두께가 가장 두껍다.

4. 염류와 염분

이 해수의 염분은
(**❶**   ) psu
이다.

염류 중 양이 가장 많
고, (**❷**   )맛이
난다.

❸

염류 중 두 번째로 많
고, (**❹**   )맛이
난다.

❺

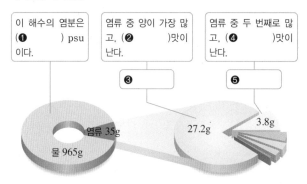

염류 35g
물 965g
27.2g
3.8g

5. 전 세계 염분 분포

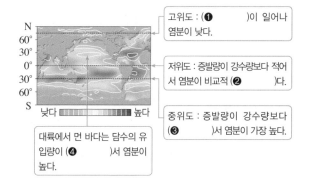

N
60°
30°
0°
30°
60°
S
낮다 ▮▮▮▮▮▮▮▮▮▮▮▮ 높다

고위도 : (**❶**   )이 일어나
염분이 낮다.

저위도 : 증발량이 강수량보다 적어
서 염분이 비교적 (**❷**   )다.

중위도 : 증발량이 강수량보다
(**❸**   )서 염분이 가장 높다.

대륙에서 먼 바다는 담수의 유
입량이 (**❹**   )서 염분이
높다.

6. 우리나라 주변 바다의 계절별 염분 분포

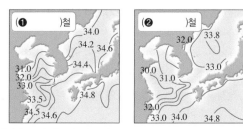

(**❶**   )철
34.0
34.2 34.6
31.0   34.4
32.0
33.0
33.5
34.5 34.6

(**❷**   )철
32.0 33.8
30.0   33.0
31.0
32.0
33.0 34.0 34.8

• 우리나라 주변 바다의 평균 염분은 약 33 psu로 전 세계 평균 염분에
비해 (**❸**   )다.
• 우리나라는 여름철 염분이 겨울철 염분보다 (**❹**   )다. ➡ 여름철
에 (**❺**   )이 더 많기 때문
• 황해의 염분이 동해의 염분보다 (**❻**   )다. ➡ 담수인 강물이 대체
로 황해로 흘러들어가기 때문

❽3 해수의 순환

1. 우리나라 주변 해류

영양 염류와 플랑크톤이 풍부하고,
한류성 어종과 난류성 어종이 함께
있어 좋은 어장을 형성한다.

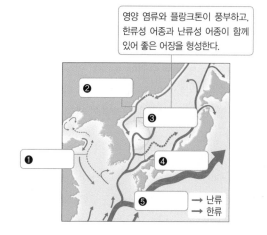

❷
❸
❶
❹
❺
→ 난류
→ 한류

2. 하루 동안 해수면 높이 변화

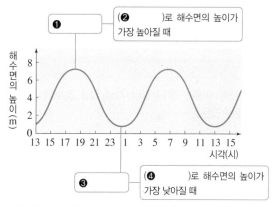

❶
(**❷**   )로 해수면의 높이가
가장 높아질 때

❸
(**❹**   )로 해수면의 높이가
가장 낮아질 때

해수면의 높이(m)
8
6
4
2
0
13 15 17 19 21 23 1 3 5 7 9 11 13 15
시각(시)

• 만조와 간조는 하루에 약 (**❺**   )번씩 나타난다.

3. 한 달 동안 해수면 높이 변화

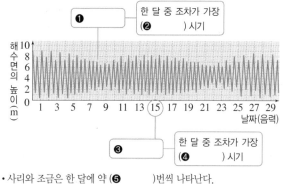

❶
한 달 중 조차가 가장
(**❷**   ) 시기

❸
한 달 중 조차가 가장
(**❹**   ) 시기

해수면의 높이(m)
10
8
6
4
2
0
1 3 5 7 9 11 13 15 17 19 21 23 25 27 29
날짜(음력)

• 사리와 조금은 한 달에 약 (**❺**   )번씩 나타난다.

01 수권의 분포와 활용

01 수권에 대한 설명으로 옳지 않은 것은?

① 지구에 있는 모든 물을 말한다.
② 지구 온도를 일정하게 유지한다.
③ 얼어 있는 빙하는 수권에 속하지 않는다.
④ 지하수는 주로 비나 눈이 스며들어 만들어진다.
⑤ 육지에 있는 물은 대부분 짠맛이 나지 않는 담수이다.

[02~03] 보기는 지구에서 수권을 이루는 물을 나타낸 것이다.

┌─ 보기 ├─────────────────────
ㄱ. 빙하   ㄴ. 해수
ㄷ. 지하수   ㄹ. 호수와 하천수
└──────────────────────────

02 수권을 이루는 물의 양이 가장 많은 것부터 순서대로 옳게 나열한 것은?

① ㄱ - ㄴ - ㄷ - ㄹ
② ㄴ - ㄱ - ㄷ - ㄹ
③ ㄴ - ㄱ - ㄹ - ㄷ
④ ㄷ - ㄹ - ㄱ - ㄴ
⑤ ㄷ - ㄹ - ㄴ - ㄱ

03 보기 중 수자원으로 주로 이용되는 물과 그 까닭을 옳게 짝 지은 것은?

	수자원	까닭
①	ㄱ, ㄴ	양이 많고, 이용하기 쉽기 때문
②	ㄱ, ㄷ	담수이고, 이용하기 쉽기 때문
③	ㄱ, ㄷ	양이 많고, 이용하기 쉽기 때문
④	ㄷ, ㄹ	담수이고, 이용하기 쉽기 때문
⑤	ㄷ, ㄹ	양이 많고, 이용하기 쉽기 때문

04 수자원의 활용에 대한 설명으로 옳지 않은 것은?

① 수자원은 우리 생활에 필수적인 자원이다.
② 지하수는 식수 등 생활용수로 이용할 수 있다.
③ 가축을 기르는 데 사용하는 물은 농업용수이다.
④ 우리나라는 수자원을 공업용수로 가장 많이 활용한다.
⑤ 물이 부족한 지역에서는 해수나 빙하를 활용하기도 한다.

05 수자원의 가치와 관리에 대한 설명으로 옳은 것은?

① 오염된 물은 그대로 하천으로 흘려보낸다.
② 수자원은 무한정 사용할 수 있는 자원이다.
③ 기후 변화로 수자원의 확보와 관리가 더 쉬워진다.
④ 인구가 증가하고 산업이 발달하면 수자원도 늘어난다.
⑤ 수자원 사용량이 계속 증가하고 있으므로 수자원 관리가 필요하다.

06 그림은 우리나라에서 이용한 물의 총량과 용도에 따른 이용 비율을 나타낸 것이다.

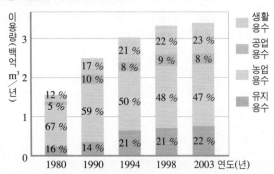

이에 대한 설명으로 옳은 것을 보기에서 모두 고른 것은?

┌─ 보기 ├─────────────────────
ㄱ. 유지용수는 이용량 중 가장 많은 비율을 차지한다.
ㄴ. 이용한 물의 총량은 1994년 이후로 일정하다.
ㄷ. 전체 기간 중 용도별 비율이 가장 많이 증가한 것은 생활용수이다.
ㄹ. 2003년에는 이용량 중 23 %를 일상생활에서 마시고, 씻는 용도로 사용하였다.
└──────────────────────────

① ㄱ, ㄴ   ② ㄱ, ㄷ   ③ ㄴ, ㄷ
④ ㄴ, ㄹ   ⑤ ㄷ, ㄹ

02 해수의 특성

[07~08] 그림은 해수의 연직 수온 분포를 나타낸 것이다.

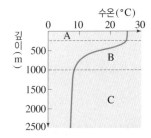

07 이에 대한 설명으로 옳은 것을 보기에서 모두 고른 것은?

┌ 보기 ┐
ㄱ. A층은 혼합층으로, 바람의 혼합 작용을 받는다.
ㄴ. B층은 수온 약층으로, 대류가 일어나지 않는다.
ㄷ. C층은 심해층으로, 계절에 따라 수온이 크게 변한다.
ㄹ. 태양 에너지를 가장 적게 받는 층은 B이다.

① ㄱ, ㄴ ② ㄱ, ㄷ ③ ㄱ, ㄹ
④ ㄴ, ㄷ ⑤ ㄷ, ㄹ

08 A층의 수온이 높고 일정하게 나타나는 데 영향을 주는 요인을 옳게 짝 지은 것은?

① 바람, 염분 ② 바람, 육지의 분포
③ 바람, 태양 에너지 ④ 염분, 태양 에너지
⑤ 염분, 지구 내부 에너지

09 우리나라의 여름철은 겨울철보다 평균 기온이 높고, 바람은 약하다. 여름철 수온의 연직 분포는 겨울철에 비해 어떻게 달라지겠는가?

① 혼합층이 두꺼워진다.
② 심해층의 수온이 높아진다.
③ 수온 약층의 수온 변화폭이 커진다.
④ 표층부터 심해층까지 수온이 일정해진다.
⑤ 수온의 연직 분포는 계절에 관계없이 일정하다.

10 그림은 위도별 해수의 연직 수온 분포를 나타낸 것이다.

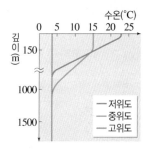

이에 대한 설명으로 옳은 것은?

① 저위도 해역에서 표층 수온이 가장 낮다.
② 중위도 해역에서 바람이 가장 강하게 분다.
③ 고위도 해역은 혼합층만 존재한다.
④ 심해층의 수온은 위도에 따라 다르다.
⑤ 수온 약층에서 깊이에 따른 수온 변화가 가장 큰 해역은 중위도이다.

11 염류와 염분에 대한 설명으로 옳은 것은?

① 전 세계 해수의 평균 염분은 40 psu이다.
② 염류 중 가장 많은 것은 염화 마그네슘이다.
③ 염류는 해수에 녹아 있는 짠맛이 나는 물질이다.
④ 염분은 해수 1 kg에 녹아 있는 염류의 총량이다.
⑤ 물 1000 g에 35 g의 염류가 녹아 있는 해수의 염분은 35 psu이다.

12 그림은 해수에 포함된 염류의 질량비를 나타낸 것이다.

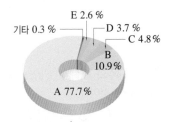

이에 대한 설명으로 옳은 것은?

① A : 소금의 주성분이다.
② B : 바닷물이 짠맛을 내는 원인이다.
③ C : 염화 마그네슘이다.
④ D : 두부를 응고시킬 때 사용한다.
⑤ E : 염화 나트륨이다.

13 그림과 같이 해수 500 g을 증발 접시에 넣고 완전히 가열한 다음, 증발 접시에 남아 있는 물질의 질량을 측정하였더니 18 g이었다.

해수 500g
증발 접시
증발되고 남은 찌꺼기 18g

이 해수의 염분은 몇 psu인가?

① 18 psu　　② 30 psu　　③ 32 psu
④ 36 psu　　⑤ 40 psu

14 상대적으로 염분이 낮은 해역을 보기에서 모두 고른 것은?

┌ 보기 ┐
ㄱ. 빙하가 녹는 해역
ㄴ. 해수가 어는 해역
ㄷ. 강물이 많이 흘러드는 해역
ㄹ. 증발량이 강수량보다 많은 해역
ㅁ. 강수량이 증발량보다 많은 해역

① ㄱ, ㄴ, ㄷ　　② ㄱ, ㄴ, ㄹ
③ ㄱ, ㄷ, ㅁ　　④ ㄴ, ㄹ, ㅁ
⑤ ㄷ, ㄹ, ㅁ

[15~16] 표는 A 해수와 B 해수 1 kg에 녹아 있는 염류의 종류와 질량을 나타낸 것이다.

염류	A	B
염화 나트륨	24.9 g	23.3 g
염화 마그네슘	(가)	3.3 g
황산 마그네슘	1.5 g	1.4 g
기타	2.1 g	2.0 g

15 B 해수의 염분이 몇 psu인지 구하시오.

16 A 해수에 녹아 있는 염화 마그네슘의 양 (가)로 옳은 것은?(단, 소수 첫째 자리까지 계산한다.)

① 3.3 g　　　② 3.5 g
③ 3.7 g　　　④ 3.9 g
⑤ 4.2 g

17 서로 다른 해역에서 해수에 녹아 있는 각 염류들이 차지하는 비율이 거의 같은 까닭으로 옳은 것은?

① 전 세계 바다의 표층 수온이 거의 같기 때문이다.
② 전 세계 바다의 표층 염분이 거의 같기 때문이다.
③ 해저 화산 등을 통해서 염류가 공급되기 때문이다.
④ 해수에 녹아 있는 염류의 종류가 거의 같기 때문이다.
⑤ 바닷물이 오랜 시간 순환하면서 서로 섞였기 때문이다.

03 해수의 순환

18 그림과 같이 수조에 물을 채우고 종이 조각을 띄운 후, 헤어드라이어로 바람을 일으켜 종이 조각의 움직임을 관찰하였다.

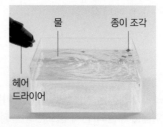

물
종이 조각
헤어 드라이어

이 실험의 결과로 옳은 것은?

① 종이 조각은 움직이지 않는다.
② 종이 조각은 바람의 방향을 따라 움직인다.
③ 종이 조각은 바람의 방향과 반대로 움직인다.
④ 종이 조각은 바람의 방향과 관계없이 움직인다.
⑤ 바람을 일으키면 종이 조각은 바닥으로 가라앉는다.

19 해류에 대한 설명으로 옳지 <u>않은</u> 것은?

① 해수가 일정한 방향으로 흐르는 것이다.
② 해류는 한류와 난류로 구분할 수 있다.
③ 한류와 난류는 수온이나 염분 등의 특성이 다르다.
④ 해류는 주변 지역의 기온에 영향을 미친다.
⑤ 난류가 강하게 흐르는 곳은 주변에 비해 기온이 낮다.

[20~21] 그림은 우리나라 주변 해류를 나타낸 것이다.

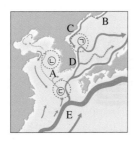

20 이에 대한 설명으로 옳지 <u>않은</u> 것은?

① A 해류는 난류이다.
② B 해류는 북한 한류이다.
③ C 해류는 B 해류에서 갈라져 나왔다.
④ D 해류는 C 해류보다 수온이 높다.
⑤ D 해류는 E 해류에서 갈라져 나왔다.

21 ㉠~㉢ 중 조경 수역이 형성되는 곳과, 조경 수역을 형성하는 해류의 이름을 옳게 짝 지은 것은?

	조경 수역의 위치	형성 해류
①	㉠	황해 난류, 북한 한류
②	㉠	동한 난류, 북한 한류
③	㉡	황해 난류, 연해주 한류
④	㉡	황해 난류, 쿠로시오 해류
⑤	㉢	동한 난류, 연해주 한류

22 조석에 대한 설명으로 옳은 것은?

① 조석은 계절에 따라 해수면의 높이가 변하는 현상이다.
② 밀물로 해수면의 높이가 가장 높아질 때를 간조라고 한다.
③ 만조와 간조 때의 해수면 높이 차가 가장 작은 시기를 조금이라고 한다.
④ 만조와 간조는 하루에 약 한 번씩 일어난다.
⑤ 조차는 지역에 관계없이 거의 일정하게 나타난다.

23 그림은 어느 날 우리나라 서해안 지역의 해수면 높이 변화를 나타낸 것이다.

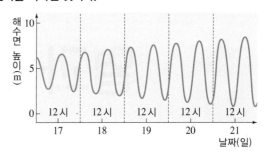

이에 대한 설명으로 옳은 것을 보기에서 모두 고른 것은?

┌─ 보기 ┐
ㄱ. 조차는 점점 작아지고 있다.
ㄴ. 조석의 주기는 약 24시간이다.
ㄷ. 21일에는 11시 무렵에 갯벌 체험을 하기 좋다.
└────────────┘

① ㄱ   ② ㄴ   ③ ㄷ
④ ㄱ, ㄴ   ⑤ ㄴ, ㄷ

24 일상생활에서 조석을 활용하는 예로 옳지 <u>않은</u> 것은?

① 만조 때 바다 갈라짐 체험을 한다.
② 조차가 큰 서해안에 조력 발전소를 세운다.
③ 해안가에 돌담을 쌓아 두고 물고기를 잡는다.
④ 밀물로 해수면이 높아지면 고기잡이 배가 먼 바다로 나간다.
⑤ 밀물일 때 저수지에 해수를 가둔 후 증발시켜서 소금을 얻는다.

열과 우리 생활

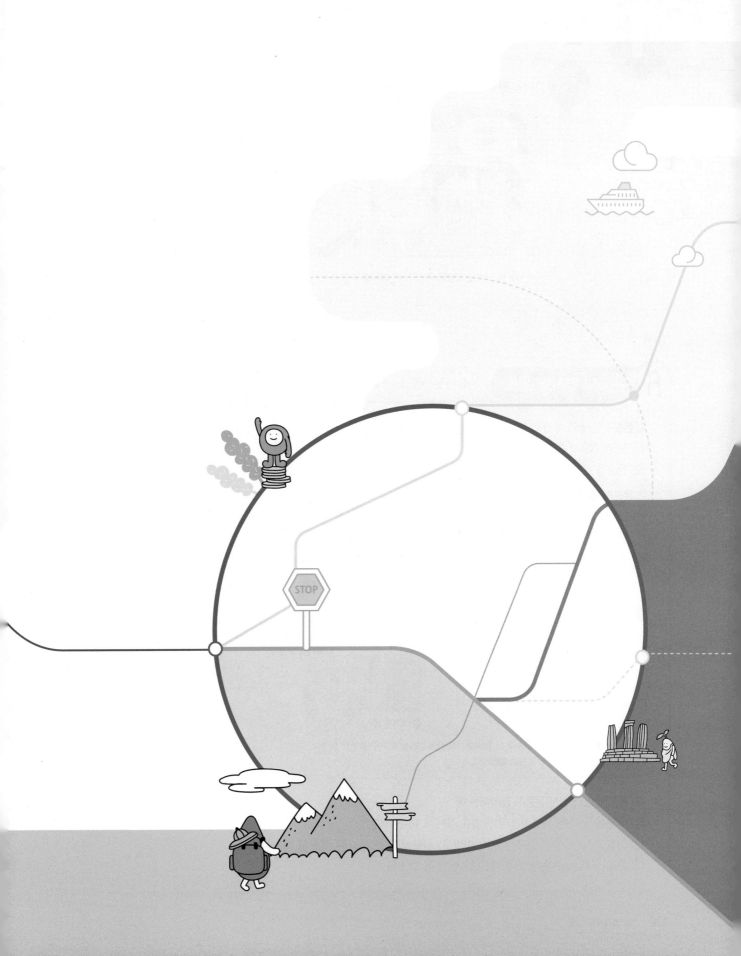

01 열

만화 완성하기

다음 만화를 보고 남학생의 말풍선을 완성해 보자.

따뜻하게 해줄게.

전도로군.

호~호~ 아직도 춥니?

이번엔 대류네.

우리는 닿지도 않았는데 왜 따뜻한 거 같지

왜냐하면

>> 이 단원을 학습한 후 내가 쓴 대사를 수정해 보자.

A 온도와 입자의 운동

각각 20 °C와 40 °C의 물이 든 물병 두 개가 있다면 두 물병의 물은 무엇이 달라 온도가 다른 걸까요? 겉으로는 똑같아 보이는 물이지만 온도에 따라 물의 입자 운동이 달라요. 온도와 입자 운동은 어떤 관계가 있는지 알아보아요.

1. 온도 : 물체의 차갑고 뜨거운 정도를 수치로 나타낸 것

(1) 단위 : °C(섭씨도), K(켈빈) 등[+]

(2) 알코올 온도계, 디지털 온도계, 적외선 온도계 등으로 측정한다.

2. 온도와 입자의 운동

(1) 입자의 운동 : 모든 물질은 눈에 보이지 않는 작은 알갱이인 입자로 이루어져 있으며, 입자들은 끊임없이 운동한다.

(2) 입자의 운동이 활발할수록 물체의 온도가 높고, 입자의 운동이 둔할수록 물체의 온도가 낮다. ➡ 온도는 물체를 구성하는 입자의 운동이 활발한 정도를 나타낸다.

📖 차가운 물과 뜨거운 물에서 퍼지는 잉크

입자 운동이 둔하다. ➡ 온도가 낮다.

입자 운동이 활발하다. ➡ 온도가 높다.

⬆ 차가운 물   ⬆ 뜨거운 물

➡ 뜨거운 물에서 물의 입자 운동이 더 활발하기 때문에 잉크는 뜨거운 물에서 더 빨리 퍼진다.

➡ 온도가 높을수록 입자의 운동이 활발하다.

(3) 온도에 따라 입자 운동이 달라지는 예

① 설탕은 차가운 물에서보다 뜨거운 물에서 더 잘 녹는다.

② 뜨거운 물에 넣은 잉크는 빨리 퍼지고, 찬물에 넣은 잉크는 천천히 퍼진다.

③ 음식 냄새는 추운 날보다 더운 날에 더 잘 퍼진다.

✦ **섭씨온도와 절대 온도**

• 섭씨온도 : 1기압에서 물이 어는 온도를 0 °C, 물이 끓는 온도를 100 °C로 정한 온도

• 절대 온도 : −273 °C를 0 K으로, 0 °C를 273 K으로 정한 온도

한눈에 보기

이 단원의 개념이 어떻게 구성되어 있는지 살펴보고 빈칸을 완성해 보자.

열

A

B 열의 이동 방법

C 단열

D

단어 체크하기

이 단원을 공부하기 전에 미리 알고 있는 단어를 체크해 보자.

☐ 온도   ☐ 입자 운동   ☐ 전도   ☐ 대류   ☐ 복사

☐ 열   ☐ 단열

1 온도에 대한 설명으로 옳은 것은 ○, 옳지 <u>않은</u> 것은 ×로 표시하시오.

(1) 온도는 물체를 구성하는 입자의 운동이 활발한 정도를 나타낸 것이다. ┄┄ (   )

(2) 온도가 높은 물체는 온도가 낮은 물체보다 입자의 운동이 둔하다. ┄┄┄┄ (   )

(3) 온도에 따라 입자 운동이 다르기 때문에 음식 냄새는 추운 날보다 더운 날에 더 잘 퍼진다. ┄┄┄┄┄┄┄┄┄┄┄┄┄┄┄┄┄┄┄┄┄┄┄┄┄┄┄┄┄┄ (   )

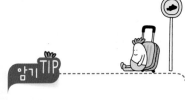

암기 TIP

온도와 입자의 운동

뜨끈하게 달아오른다! 뛰자!

난 차게 식었어 움직이고 싶지 않아

➡ 온도가 높을수록 입자의 운동이 활발하다.

2 오른쪽 그림은 어떤 물체를 구성하는 입자의 운동을 나타낸 것이다. (가)와 (나) 중 온도가 더 높은 것을 고르시오.(단, (가)와 (나)는 같은 물질이다.)

(가)

(나)

3 온도가 ㉠(높을수록, 낮을수록) 입자의 운동이 활발하기 때문에 잉크는 ㉡(차가운 물, 뜨거운 물)에서 더 빠르게 퍼진다.

B 열의 이동 방법

추운 겨울에 몸을 따뜻하게 하는 방법으로 보일러를 틀어 방바닥을 따뜻하게 할 수도 있고, 벽난로 앞에 앉아서 몸을 녹일 수도 있어요. 또 온풍기를 틀면 따뜻한 바람이 나옵니다. 이때 열은 어떤 방법으로 이동한 것인지 알아볼까요?

1. 전도 : 고체에서 이웃한 입자들 사이의 충돌에 의해 열이 이동하는 방법 +

└ 물체끼리 접촉해 있어야 열이 전도로 이동할 수 있다.

특징	현상
• 열을 받은 입자들이 활발하게 움직이면서 이웃한 입자로 열을 전달한다. • 고체에서는 주로 전도에 의해 열이 이동한다. 열이 전도되어 금속 막대의 한쪽만 가열해도 막대 전체가 뜨거워진다. 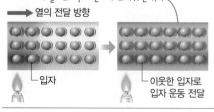➡ 열의 전달 방향 입자 / 이웃한 입자로 입자 운동 전달	• 뜨거운 국에 숟가락을 담가 두면 손잡이 부분까지 뜨거워진다. 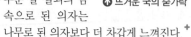⬆ 뜨거운 국의 숟가락 • 추운 날 실외의 금속으로 된 의자는 나무로 된 의자보다 더 차갑게 느껴진다. + • 냄비와 프라이팬은 금속으로 만들어 열이 잘 전달되게 하고, 손잡이는 플라스틱으로 만들어 열이 잘 전달되지 않게 한다.

2. 대류 : 액체와 기체에서 입자가 직접 이동하면서 열이 이동하는 방법

특징	현상
• 물질을 이루는 입자들이 직접 이동하여 열을 전달한다. • 액체나 기체에서 주로 대류에 의해 열이 이동한다. 부피가 커져 밀도가 작아진다. 가열한 부분에 있는 물 입자의 운동이 활발해져서 위로 올라간다.  위에 있던 차가운 물 입자는 아래로 내려와 데워진다. 물 입자들이 전체적으로 순환하면서 열이 이동하여 뜨거워진다.	• 주전자에 든 물을 끓일 때 아래쪽만 가열해도 물이 골고루 데워진다. • 석빙고는 얼음을 저장한 창고의 천장에 환기 구멍을 만들어 온도를 낮게 유지했다. + • 에어컨은 위쪽에, 난로는 아래쪽에 설치한다. 차가운 공기가 아래로 내려와 시원해진다 / 따뜻한 공기가 위로 올라가 따뜻해진다.  따뜻한 공기 ➡ ⬆ 에어컨 차가운 공기 ⬅ 난로

3. 복사 : 열이 물질의 도움 없이 직접 이동하는 방법

특징	현상
• 열이 물질을 통하지 않고 빛과 같은 형태로 직접 이동한다. • 진공 상태에서도 복사의 형태로 열이 전달될 수 있다. 난로 가까이 있을 때 열기를 느끼는 것은 열이 다른 물질을 거치지 않고 직접 전달되기 때문이다. 	• 태양의 열이 지구로 전달된다. • 그늘보다 햇볕 아래가 더 따뜻하다. • 토스터나 오븐으로 요리를 한다. • 적외선 카메라로 물체나 사람을 촬영하면 온도 분포를 알 수 있다.  ⬆ 토스터 　 ⬆ 적외선 촬영

＋ 열의 전도 정도

물질의 종류에 따라 열이 전도되는 정도가 다르다.
• 열이 잘 전도되는 물질 : 은, 구리, 알루미늄, 철 등과 같은 금속
• 열이 잘 전도되지 않는 물질 : 유리, 플라스틱, 나무, 천(면) 등

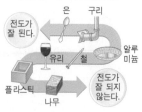

전도가 잘 된다. ← 은 / 구리 / 알루미늄 / 유리 / 철 → 전도가 잘 되지 않는다. / 플라스틱 / 나무

＋ 금속 의자가 더 차갑게 느껴지는 까닭

금속은 나무보다 열을 더 잘 전도한다. 따라서 금속 의자와 나무 의자의 온도가 같더라도 나무 의자에 앉을 때보다 금속 의자에 앉을 때 몸의 열을 더 빠르게 빼앗기므로 금속 의자가 나무 의자보다 더 차갑게 느껴진다.

＋ 석빙고

석빙고의 천장에는 환기 구멍이 있어 더운 공기는 위로 올라가 이 구멍으로 빠져나가고 찬 공기는 아래로 가라앉는다. 이와 같이 대류 현상을 이용하여 창고 안의 얼음이 녹는 것을 방지한다.

| 용어 |

• **적외선** 전자기파의 일종으로, 태양이나 어떤 물체로부터 공간으로 전달되는 복사 형태의 열은 주로 적외선에 의한 것이다.

1 전도에 대한 설명으로 옳은 것은 ○, 옳지 <u>않은</u> 것은 ×로 표시하시오.

(1) 입자가 이웃한 입자들과 충돌하여 직접 이동하면서 열을 전달한다. ········· (   )

(2) 고체에서 주로 일어나는 열의 이동 방법이다. ································ (   )

(3) 물질의 종류에 따라 열이 전도되는 빠르기가 다르다. ···················· (   )

(4) 냄비의 손잡이는 전도가 잘 되지 않는 물질을 이용해야 한다. ············ (   )

(5) 서로 떨어져 있는 물체 사이에도 전도로 열이 이동할 수 있다. ·········· (   )

암기 TIP

전도, 대류, 복사의 비유
공을 던진다. ➡ 복사

공을 직접 들고 간다. ➡ 대류   공을 옆사람에게 전달한다. ➡ 전도

2 액체나 기체 상태의 입자가 직접 이동하면서 열이 전달되는 방법을 (   )라고 한다.

3 다음은 대류에 대한 설명이다. (   ) 안에 알맞은 말을 고르시오.

(1) 주전자 속의 물을 끓일 때 ㉠(차가운 물, 뜨거운 물)은 위로 올라가고, ㉡(차가운 물, 뜨거운 물)은 아래로 내려간다.

(2) 효과적인 냉난방을 위해 에어컨은 방의 ㉠(위쪽, 아래쪽)에 설치하고, 난로는 방의 ㉡(위쪽, 아래쪽)에 설치한다.

4 그림은 다양한 열의 이동 방법을 나타낸 것이다. (가)~(다) 중 다음 설명에 해당하는 경우를 각각 고르시오.

(1) 물질의 도움 없이 열이 직접 이동한 경우

(2) 물질이 직접 이동하여 열을 전달한 경우

(3) 열을 받은 입자가 활발하게 움직이면서 이웃한 입자와 충돌하여 열을 전달한 경우

5 다음과 같은 현상에서 열이 이동하는 방법을 쓰시오.

(1) 프라이팬에 소시지를 올리고 익힌다. ······························ (   )

(2) 차갑게 식은 찌개를 끓여 다시 따뜻하게 데운다. ················ (   )

(3) 토스터에 식빵을 넣고 빵을 굽는다. ······························ (   )

만화 확인하기   326쪽으로 돌아가서 내가 쓴 대사를 점검해 보자.

C 단열

날씨가 추워지면 몸에 있는 열을 차가운 공기에 빼앗기지 않기 위해서 옷을 두껍게 껴입어요. 솜이나 오리털이 들어 있는 방한복은 내 몸의 열이 밖으로 이동하는 것을 막아 주는 역할을 합니다. 어떻게 해야 효과적으로 열의 이동을 막을 수 있는지 알아볼까요?

1. 단열 : 물체와 물체 사이에서 열이 이동하지 못하게 막는 것

(1) 전도, 대류, 복사에 의한 열의 이동을 모두 막아야 단열이 잘 된다.

(2) 단열이 잘 될수록 물체의 온도 변화가 적게 일어난다.

2. 단열의 이용 → 아이스크림을 스타이로폼 상자에 넣어 포장하면 쉽게 녹지 않는다.

(1) 보온병을 이용하여 뜨거운 물이나 차가운 물을 보관한다.

(2) 집의 단열을 위해 이중창을 설치하거나 벽과 벽 사이에 스타이로폼을 넣는다.

(3) 겨울철에 입는 방한복의 솜이나 섬유 속에는 공기가 많아 열의 이동을 막는다.++

↳ 전도가 잘 되지 않는 물질이다.

↑ 보온병의 단열

- 이중 마개의 플라스틱 : 전도에 의한 열의 이동 차단
- 이중벽의 진공 공간 : 전도와 대류에 의한 열의 이동 차단
- 은도금 된 벽면 : 복사에 의한 열의 이동 차단

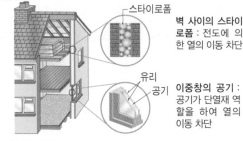

↑ 집의 단열

- 스타이로폼
- 벽 사이의 스타이로폼 : 전도에 의한 열의 이동 차단
- 유리
- 공기
- 이중창의 공기 : 공기가 단열재 역할을 하여 열의 이동 차단

+ 단열재
열의 이동을 막는 물질로 내부에 공기를 포함하는 공간이 많은 물질이 효율적인 단열재이다.
예 스타이로폼, 솜, 털 등

+ 효율적인 단열재 실험
시험관에 같은 양의 뜨거운 물을 넣고 주위를 신문지, 솜, 모래로 감싸고 온도 변화를 관찰한다.

뜨거운 물

신문지 / 솜 / 모래

[결과] 솜으로 감쌀 때 온도 변화가 가장 작다.

D 열평형

여름에 계곡에 놀러가서 수박을 시원하게 먹고 싶으면 어떻게 해야 할까요? 수박을 차가운 계곡물 속에 넣어 두면 시원한 수박을 먹을 수 있어요. 수박이 계곡물과 같은 온도로 차가워지는 현상을 열평형이라고 합니다. 열평형이 무엇인지 알아보아요.

1. 열 : 온도가 높은 물체에서 온도가 낮은 물체로 이동하는 에너지

(1) 열량 : 이동한 열의 양 [단위 : cal(칼로리), kcal(킬로칼로리)]

(2) 열을 얻으면 입자의 운동이 활발해지고, 열을 잃으면 입자의 운동이 둔해진다.

2. 열평형 : 온도가 다른 두 물체를 접촉한 후 어느 정도 시간이 지났을 때 두 물체의 온도가 같아진 상태+

📖 열평형이 될 때까지 입자 운동의 변화

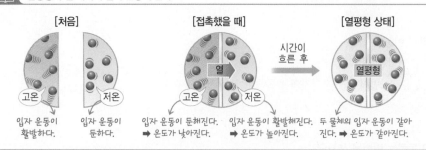

[처음] / [접촉했을 때] / 시간이 흐른 후 / [열평형 상태]

고온 / 저온 / 열 / 고온 / 저온 / 열평형

- 입자 운동이 활발하다.
- 입자 운동이 둔하다.
- 입자 운동이 둔해진다. ➡ 온도가 낮아진다.
- 입자 운동이 활발해진다. ➡ 온도가 높아진다.
- 두 물체의 입자 운동이 같아진다. ➡ 온도가 같아진다.

(1) 고온의 물체는 열을 잃어 온도가 낮아지고, 저온의 물체는 열을 얻어 온도가 높아진다.+

(2) 열은 두 물체의 온도가 같아질 때까지 이동한다.

(3) 고온의 물체가 잃은 열의 양과 저온의 물체가 얻은 열의 양은 같다. → 외부와 두 물체 사이에는 열 출입이 없어야 한다.

+ 열평형의 이용
- 한약 팩을 뜨거운 물에 넣어 데운다.
- 온도를 측정할 때 물체와 온도계의 온도가 같아질 때까지 기다린다.
- 생선을 얼음 위에 놓아 신선하게 유지한다.
- 냉장고 속에 음식을 넣어 차게 보관한다.

+ 열평형 그래프

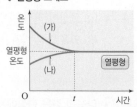

온도 / (가) / 열평형 온도 / (나) / 열평형 / O / t / 시간

- 온도가 높은 (가)는 열을 잃어 온도가 낮아지고, 온도가 낮은 (나)는 열을 얻어 온도가 높아진다.
- 시간 t 이후로는 두 물체가 열평형을 이룬다.

암기 TIP

복사의 차단

내 복사 열을
받아라!

반사!!

매끄러운 표면은 열을 반사시켜 복사 형태의
열을 차단한다.

1 단열에 대한 설명으로 옳은 것은 ○, 옳지 않은 것은 ×로 표시하시오.

(1) 열의 이동을 막는 것을 단열이라고 한다. ·· (　　)

(2) 공기를 많이 포함하고 있으면 좋은 단열재이다. ······················· (　　)

(3) 전도, 대류, 복사에 의한 열의 이동 중 한 가지만 막아도 단열이 잘 된다. ·· (　　)

(4) 보온병의 은도금은 전도에 의한 열의 이동을 차단하는 역할을 한다. ········ (　　)

2 다음의 (　　) 안에 공통으로 들어갈 알맞은 말을 쓰시오.

대표적인 단열재인 솜, 스타이로폼은 내부에 많은 양의 (　　　)를 가지고
있다. (　　　)는 열의 전도가 매우 느린 물질이기 때문에 내부에 (　　　)를
많이 포함하는 물질일수록 단열에 효과적이다.

3 단열을 이용하는 기구가 아닌 것은?

① 보온병　　② 방한복　　③ 냄비 바닥　　④ 이중창　　⑤ 아이스박스

1 오른쪽 그림과 같이 온도가 다른 두 물체 A, B를
접촉시켰다. (　　) 안에 알맞은 말을 고르시오.

(1) 처음에는 A의 온도가 B보다 더 (높다, 낮다).

(2) 열은 (A → B, B → A)로 이동한다.

(3) 시간이 지날수록 A의 입자 운동은 ㉠(활발,
둔)해지고, B의 입자 운동은 ㉡(활발, 둔)해진다.

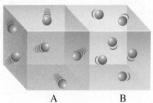

암기 TIP

열의 이동 방향

물이 높은 곳에서 낮은 곳으로 흐르는 것처럼
열도 온도가 높은 곳에서 낮은 곳으로 이동
한다.

2 오른쪽 그래프는 온도가 다른 두 물체 A,
B를 접촉시켰을 때 시간에 따른 온도 변화
를 나타낸 것이다.(단, 외부와 열 출입은
없다.)

(1) C와 같은 상태를 무엇이라고 하는지
쓰시오.

(2) 5분까지 A가 잃은 열량이 300 kcal라면, 이때 B가 얻은 열량은 몇 kcal인지
구하시오.

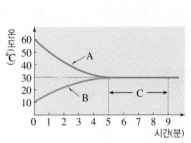

이해 쏙쏙 집중 강의

열이 이동하는 것은 어떻게 확인할 수 있을까요? 실험을 통해 열의 이동 때문에 생기는 변화를 관찰할 수도 있고, 온도를 측정해서 알아볼 수도 있어요. 이와 관련된 실험들을 살펴볼까요?

핵심 자료 고체와 액체에서 열의 이동   관련 개념 | 328쪽 **B** 열의 이동 방법

고체에서 열의 이동

과정 그림과 같이 금속 막대에 일정한 간격으로 촛농을 떨어뜨려 나무 막대를 세우고 금속 막대 한쪽 끝을 가열한다.

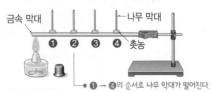

● → ❹의 순서로 나무 막대가 떨어진다.

결과 금속 막대를 가열한 곳과 가까운 부분의 나무 막대부터 차례로 떨어진다. ➡ 고체에서 열을 얻은 입자가 이웃한 입자로 열을 전달하는 전도가 일어나기 때문

액체에서 열의 이동

과정 뜨거운 물이 든 삼각 플라스크 위에 차가운 물이 든 삼각 플라스크의 입구를 투명 필름으로 막고 거꾸로 올려놓은 후 투명 필름을 빼낸다.

차가운 물
투명 필름
뜨거운 물

결과 뜨거운 물은 위로 올라가고 차가운 물은 아래로 내려오면서 골고루 섞인다. ➡ 액체에서 물 입자들이 직접 이동하면서 열을 전달하는 대류가 일어나기 때문

탐구 자료 뜨거운 물과 차가운 물의 열평형   관련 개념 | 330쪽 **D** 열평형

목표 뜨거운 물과 차가운 물이 열평형에 도달하는 과정을 설명할 수 있다.

과정
① 열량계에 뜨거운 물을 넣고, 차가운 물이 담긴 비커를 열량계에 넣는다.
② 열량계의 뚜껑을 닫은 후 뜨거운 물과 차가운 물에 각각 디지털 온도계를 꽂는다.
③ 1분 간격으로 뜨거운 물과 차가운 물의 온도를 측정하여 기록한다.

주의 TIP
• 차가운 물이 담긴 비커를 넣었을 때 물이 넘치지 않도록 적당량의 뜨거운 물을 열량계에 넣는다.

열량계
차가운 물
뜨거운 물

디지털 온도계

결과 및 해석

시간(분)	0	1	2	3	4	5	6	7	8
뜨거운 물의 온도(℃)	60	48	39	35	32	30	30	30	30
차가운 물의 온도(℃)	10	18	24	27	29	30	30	30	30

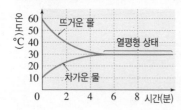

❶ 뜨거운 물의 온도는 낮아지고, 차가운 물의 온도는 높아진다.
❷ 어느 정도 시간이 지난 후 두 물의 온도가 같아진다.

결론
• 고온의 물체에서 저온의 물체로 ⑦( )이 이동한다.
• 온도가 다른 두 물체를 접촉한 후 어느 정도 시간이 지나면 두 물체의 온도가 같아지는 ⓒ( ) 상태가 된다.

답 | 열평형 ⑦ 열 ⓒ 답

01 온도와 입자 운동에 대한 설명으로 옳지 <u>않은</u> 것은? [326쪽]

① 사람의 감각만으로 온도를 정확하게 측정할 수 없다.

② 온도의 단위는 °C, K 등이 있다.

③ 0 °C와 0 K은 같은 온도를 나타낸다.

④ 온도는 물체를 이루는 입자 운동의 활발한 정도를 나타내는 물리량이다.

⑤ 100 °C 물의 입자 운동은 30 °C 물의 입자 운동보다 활발하다.

02 그림은 온도가 다른 두 물의 입자 운동을 나타낸 것이다. [326쪽]

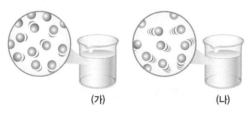

(가)   (나)

이에 대한 설명으로 옳은 것을 보기에서 모두 고른 것은?

┌ 보기 ┐

ㄱ. 온도는 (가)가 (나)보다 높다.

ㄴ. (나)의 입자 운동이 (가)보다 활발하다.

ㄷ. (나)의 온도를 높여 주면 (가)와 같은 상태가 된다.

└────────────────────────────────────┘

① ㄱ   ② ㄴ   ③ ㄷ

④ ㄱ, ㄴ   ⑤ ㄴ, ㄷ

03 열의 전도로 설명할 수 있는 현상을 모두 고르면?(2개) [328쪽]

① 모닥불 옆에 있으면 얼굴이 뜨거워진다.

② 방의 한쪽에 난로를 켜 두면 방 전체가 따뜻해진다.

③ 뜨거운 국에 숟가락을 넣으면 손잡이가 뜨거워진다.

④ 주전자에 물을 넣고 끓이면 전체적으로 뜨거워진다.

⑤ 프라이팬에 소시지를 놓고 아래쪽을 가열하면 위쪽까지 열이 전달된다.

04 그림과 같이 금속 막대 위에 촛농으로 나무 막대를 세워 놓고 한쪽 끝을 알코올램프로 가열하였다. [328쪽]

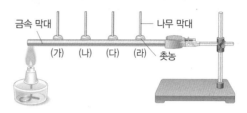

이 실험에 대한 설명으로 옳은 것은?

① 열은 (가)에서 (라) 방향으로 전달된다.

② (다)의 나무 막대가 가장 빨리 떨어진다.

③ 막대에서 입자 운동이 가장 활발한 곳은 (라)이다.

④ 고체에서 입자가 직접 이동하면서 열을 전달한다.

⑤ 금속 막대가 달라져도 나무 막대가 떨어지는 빠르기는 같다.

05 그림과 같이 금속, 나무, 플라스틱으로 만든 국자에 버터를 올려놓고 뜨거운 물이 들어 있는 수조에 넣었다. [328쪽]

이에 대한 설명으로 옳은 것은?

① 세 국자의 버터는 모두 동시에 녹는다.

② 나무로 만든 국자의 버터가 가장 먼저 녹는다.

③ 금속으로 만든 국자의 버터가 가장 나중에 녹는다.

④ 국자의 입자들이 직접 이동하면서 열을 전달한다.

⑤ 국자를 만든 재질에 따라 열이 전도되는 빠르기가 다르다.

04 ❶ 금속 막대를 가열할 때 열은 어떤 방법으로 이동하는지 생각한다. **❷** 열이 전달되고 있다는 것을 무엇을 보고 알 수 있는지 파악한다.　**05 ❶** 국자에 어떤 변화가 일어나야 버터가 녹는지 생각한다. **❷** 열이 전달될 때 국자의 재질이 미치는 영향은 무엇인지 파악한다.

06 오른쪽 그림과 같이 장치하고 두 삼각 플라스크 사이에 끼웠던 투명 필름을 빼내어 두 물의 변화를 관찰하였다. 이 실험에서 뜨거운 물과 차가운 물의 이동 방향과 이러한 열의 이동 방법을 옳게 짝 지은 것은?

차가운 물
투명 필름
뜨거운 물

	뜨거운 물	차가운 물	열의 이동 방법
①	내려간다.	올라간다.	복사
②	내려간다.	올라간다.	전도
③	내려간다.	올라간다.	대류
④	올라간다.	내려간다.	대류
⑤	올라간다.	내려간다.	전도

07 오른쪽 그림과 같이 물의 한 부분만 가열해도 물 전체가 뜨거워진다. 이와 같은 방법으로 열이 이동하는 것은?

① 찬물에 담근 손이 차가워진다.
② 에어컨은 위쪽에 설치해야 좋다.
③ 햇빛을 쬐면 몸이 따뜻해진다.
④ 추운 곳에 있으면 체온이 낮아진다.
⑤ 방바닥의 한쪽만 가열해도 방바닥 전체가 뜨겁다.

08 다음과 같은 방법으로 열이 이동하는 경우는?

태양과 지구 사이의 우주 공간에는 열을 전달해 줄 수 있는 물질이 없어도 열이 빛의 형태로 직접 전달된다.

① 석빙고 천장에 구멍을 뚫어 안을 시원하게 유지한다.
② 방 안에 보일러를 틀면 방 전체가 따뜻해진다.
③ 뜨거운 여름날에는 모자로 태양열을 차단한다.
④ 뜨거운 물이 담긴 유리컵을 만지면 따뜻하다.
⑤ 체온계를 입에 물고 있으면 온도가 높아진다.

09 그림과 같이 실내에서 난로는 방의 아래쪽, 에어컨은 위쪽에 설치하여 냉난방을 한다.

에어컨
난로

이와 관련된 열의 이동 방법에 대한 설명으로 옳은 것은?

① 복사에 의해 열이 이동한다.
② 주로 고체에서 일어나는 열의 이동 현상이다.
③ 입자들 사이의 충돌에 의해 열이 전달된다.
④ 입자들이 직접 이동하면서 열을 전달한다.
⑤ 추운 날 실외의 금속으로 된 의자가 나무로 된 의자보다 더 차갑게 느껴지는 까닭과 관계있다.

10 열의 이동 방법에 대한 설명으로 옳은 것을 보기에서 모두 고른 것은?

보기
ㄱ. 고체보다 액체나 기체 상태에서 전도가 잘 일어난다.
ㄴ. 물질이 없으면 열은 이동할 수 없다.
ㄷ. 접촉한 두 물체 사이에서 입자 운동이 차례로 전달되어 열이 이동하는 것이 전도이다.
ㄹ. 액체 또는 기체 상태에서 열이 이동할 때 입자가 직접 이동하여 열이 전달되는 것을 대류라고 한다.

① ㄱ, ㄴ   ② ㄱ, ㄷ   ③ ㄴ, ㄷ
④ ㄴ, ㄹ   ⑤ ㄷ, ㄹ

11 생활 속 현상과 열의 이동 방법을 옳게 짝 지은 것은?

① 햇빛을 쬐면 따뜻하다. – 대류
② 난로 가까이 있으면 따뜻하다. – 전도
③ 프라이팬에서 소시지를 익힌다. – 대류
④ 방 안에 난로를 켜 두면 방 전체가 따뜻해진다. – 복사
⑤ 조리 기구의 손잡이는 플라스틱으로 만든다. – 전도

풀이 TIP **07** ❶ 물을 가열하면 가열한 부분이 먼저 뜨거워진다. ❷ 물 전체가 뜨거워지기 위해서 열이 어떤 방법으로 전달될지 생각한다.   **08** ❶ 물질의 도움 없이 열을 전달하는 방법은 무엇인지 생각한다. ❷ 접촉하거나 물질이 직접 이동하지 않고 열을 전달한 예를 찾는다.

★중요
12 오른쪽 그림은 보온병의 구조를 나타낸 것이다. 보온병은 열의 이동을 막아 보온병 안의 물 온도를 일정하게 유지한다. 보온병의 이중벽과 벽면 부분이 막는 열의 이동 방법을 옳게 짝 지은 것은?

〔330쪽〕

	이중벽	벽면
①	전도, 복사	대류
②	전도, 대류	복사
③	대류	전도, 복사
④	복사, 대류	전도
⑤	복사	전도, 대류

풀이 TIP
13 오른쪽 그림과 같이 비커에 신문지, 솜, 모래를 채우고 가운데 시험관 A, B, C에 65 °C의 물을 같은 양씩 넣은 후 온도 변화를 관찰하였더니 표와 같았다.

〔330쪽〕

시간 (분)	0	1	2	3	4
시험관 A(°C)	65	59	56	54	51
시험관 B(°C)	65	60	57	56	54
시험관 C(°C)	65	55	48	44	40

이 실험에 대한 설명으로 옳은 것은?

① 솜은 열의 이동이 빠른 물질이다.
② 모래는 단열재로 효율적인 물질이다.
③ 모래는 솜보다 공기를 포함하는 공간이 많다.
④ 물질 내부에 공기가 많으면 열의 이동을 잘 막는다.
⑤ 시험관 C>A>B 순으로 열의 이동이 잘 일어나지 않았다.

14 더운 여름날 얼음을 운반하려고 한다. 다음의 (가), (나) 중 얼음을 덜 녹게 하기 위한 방법은 무엇이며, 그 까닭을 옳게 설명한 것은?

〔330쪽〕

> (가) 스타이로폼으로 만든 상자에 넣어 운반한다.
> (나) 금속으로 만든 상자에 넣어 운반한다.

① (가) – 전도가 잘 되기 때문이다.
② (가) – 전도가 잘 되지 않기 때문이다.
③ (나) – 전도가 잘 되기 때문이다.
④ (나) – 전도가 잘 되지 않기 때문이다.
⑤ (가), (나) 모두 같다. – 두 경우 모두 전도, 대류, 복사가 잘 되기 때문이다.

15 일상생활에서 단열을 이용한 예로 옳지 <u>않은</u> 것은?

〔330쪽〕

① 집을 지을 때 이중창을 설치한다.
② 집의 벽과 벽 사이에 스타이로폼을 넣는다.
③ 보온병을 이용하여 물을 따뜻하게 보관한다.
④ 소방관은 특별한 소재로 만든 소방복을 입는다.
⑤ 온돌방에 불을 지피면 방바닥이 따뜻해진다.

★중요
풀이 TIP
16 그림과 같이 온도가 다른 두 물체 A, B를 접촉시켰다.

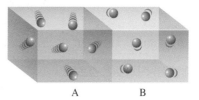

A   B

〔330쪽〕

이에 대한 설명으로 옳지 <u>않은</u> 것은?

① 열은 A에서 B로 이동한다.
② 처음 온도는 A가 B보다 높다.
③ A의 입자 운동은 처음보다 활발해진다.
④ A의 온도는 낮아지고, B의 온도는 높아진다.
⑤ 시간이 흐른 뒤 A, B의 온도는 같아진다.

---

13 ❶ 각 시험관의 온도 변화를 비교한다. ❷ 단열이 잘 될수록 시험관의 온도 변화가 클지 작을지 예상한다.　16 ❶ A와 B의 입자의 운동을 비교한다. ❷ A와 B 중 어느 것이 더 온도가 높은지 찾고 열의 이동 방향을 파악한다.

17 열의 이동에 대한 설명으로 옳지 <u>않은</u> 것은? `330쪽`

① 물체가 열을 잃으면 온도가 낮아진다.

② 물체가 열을 얻으면 입자 운동이 활발해진다.

③ 열은 물체의 온도를 나타내는 단위이다.

④ 열은 온도가 높은 물체에서 낮은 물체로 이동한다.

⑤ 열량은 온도가 다른 물체 사이에서 이동하는 열의 양으로, 단위는 kcal를 사용한다.

18 풀이 TIP 오른쪽 그림은 온도가 다른 네 물체 A~D 사이에서 열이 이동하는 방향을 화살표로 나타낸 것이다. 물체 A~D의 온도를 옳게 비교한 것은? `330쪽`

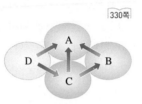

① A=B=C=D

② A>B>C>D

③ A=C>B=D

④ C=D>A=B

⑤ D>C>B>A

19 풀이 오른쪽 그림과 같이 20 ℃ 물이 든 수조 A에 60 ℃ 물이 든 삼각 플라스크 B를 넣고 온도 변화를 관찰하였더니 표와 같았다.(단, 외부와 열 출입은 없다.) `330쪽`

시간(분)	0	2	4	6	8	10
A의 온도(℃)	20	22	24	26	26	26
B의 온도(℃)	60	49	36	26	26	26

이 실험에 대한 설명으로 옳은 것은?

① A에서 B로 열이 이동한다.

② 시간이 흐를수록 B의 입자 운동은 점점 활발해지고, A의 입자 운동은 점점 둔해진다.

③ 열평형 온도는 A와 B 물 온도의 중간인 40 ℃이다.

④ A와 B가 열평형에 도달하는 데는 6분이 걸린다.

⑤ B가 얻은 열량이 1300 kcal이라면, A가 잃은 열량도 1300 kcal이다.

20 풀이 TIP 그래프는 온도가 다른 두 물체 A, B를 접촉시켰을 때 시간에 따른 온도 변화를 나타낸 것이다. `330쪽`

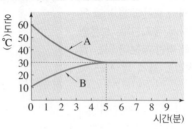

이에 대한 설명으로 옳지 <u>않은</u> 것은?(단, 외부와 열 출입은 없다.)

① 열은 물체 A에서 B로 이동하였다.

② 두 물체는 4분 후부터 열평형 상태에 도달한다.

③ 열평형 상태가 되었을 때 온도는 30 ℃이다.

④ 물체 A가 잃은 열량은 물체 B가 얻은 열량과 같다.

⑤ 물체 A는 입자 운동이 둔해지고, 물체 B는 입자 운동이 활발해진다.

21 더운 여름날 수박을 차가운 계곡물에 담가 두면 수박이 시원해지는 까닭을 설명한 것으로 옳은 것은? `330쪽`

① 수박은 원래 차가운 성질을 가졌기 때문에

② 계곡물의 열이 수박으로 이동했기 때문에

③ 계곡물의 냉기가 수박으로 이동했기 때문에

④ 계곡물의 질량이 수박의 질량보다 훨씬 크기 때문에

⑤ 온도가 다른 두 물체를 접촉하면 열평형 상태에 도달하기 때문에

22 생활에서 열평형을 이용한 예로 옳지 <u>않은</u> 것은? `330쪽`

① 국자의 손잡이는 나무로 만들어야 뜨겁지 않다.

② 생선을 얼음 위에 놓으면 신선하게 유지할 수 있다.

③ 한약 팩을 뜨거운 물에 넣으면 따뜻하게 마실 수 있다.

④ 냉장고에 음식을 넣어 차갑게 보관한다.

⑤ 입안이나 겨드랑이에 체온계를 넣고 몇 분 기다린 후 체온을 측정한다.

---

18 ❶ 접촉한 두 물체의 온도가 다를 때 열은 어느 방향으로 이동하는지 생각한다. ❷ 두 개씩 온도를 비교한 후에 모든 비교 값을 합하여 부등호로 나타낸다. 20 ❶ 그래프의 세로축이 온도를 나타내므로 A와 B 중 고온의 물체가 어느 것인지 찾는다. ❷ 두 물체가 몇 분 후에 온도가 같아지는지 찾는다.

336   Ⅷ. 열과 우리 생활

서술형 문제

23 오른쪽 그림과 같이 프라이팬의 바닥 부분은 금속으로 만들고, 손잡이는 플라스틱으로 만든다. 프라이팬의 각 부분을 다른 재질로 만드는 까닭을 서술하시오.

풀이 TIP

328쪽

플라스틱

금속

---

24 그림과 같이 집 안에서 에어컨은 높은 곳에 설치하고, 난로는 낮은 곳에 설치한다.

중요

328쪽

↑ 에어컨

← 난로

위와 같이 에어컨과 난로를 설치하는 까닭을 열의 이동 방법과 관련하여 서술하시오.

---

25 집을 지을 때는 오른쪽 그림과 같은 이중창을 많이 사용한다. 이중창을 사용할 때의 장점을 열의 이동과 관련하여 서술하시오.

중요

330쪽

유리

공기

---

26 체온을 측정할 때는 오른쪽 그림처럼 입으로 체온계를 물고 있거나 겨드랑이에 체온계를 낀 상태로 몇 분 동안 기다린다. 이렇게 하는 까닭을 열의 이동과 관련지어 서술하시오.

330쪽

---

27 그림은 차가운 물이 담긴 수조에 뜨거운 달걀을 넣었을 때 물과 달걀의 온도 변화를 나타낸 것이다. (단, 외부와 열 출입은 없다.)

풀이 TIP

330쪽

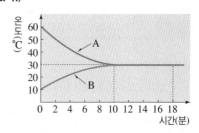

(1) 그래프에서 A와 B는 무엇의 온도 변화를 나타내는지 쓰고, 그 까닭을 서술하시오.

(2) 열평형을 이룬 시간은 몇 분 후부터인지 쓰고, 그 까닭을 서술하시오.

학습 평가 하기

정답친해 92쪽으로 가서 문제를 채점한 후 학습 결과를 스스로 평가해 보세요.

맞춘 개수	24~27개	18~23개	0~17개
평가	잘함	보통	부족

→ 정답친해에서 그 문제를 왜 틀렸는지 꼭 확인하세요!

→ 본책에서 해당 쪽으로 돌아가서 부족한 부분을 다시 공부하세요!

---

23 ❶ 프라이팬의 바닥은 음식을 익히는 부분이고, 손잡이는 손으로 팬을 잡는 부분이다. ❷ 재질이 달라지면 열의 이동에 어떤 영향을 미치는지 생각한다. **27** ❶ 그래프의 세로축이 온도를 나타내므로 A와 B 중 고온의 물체가 어느 것인지 찾는다. ❷ 열평형을 이루면 두 물체의 무엇이 같아지는지 생각한다.

02 비열과 열팽창

다음 만화를 보고 여학생의 말풍선을 완성해 보자.

>> 이 단원을 학습한 후 내가 쓴 대사를 수정해 보자.

A 열량

라면 한 봉지를 먹기 위해 물을 끓일 때와 라면 네 봉지를 먹기 위해 물을 끓일 때 언제 시간이 더 오래 걸릴까요? 많은 양의 물을 끓일수록 시간이 더 오래 걸리죠. 더 많은 열량이 필요하기 때문입니다. 열량과 온도 변화, 물체의 질량에는 어떤 관계가 있는지 알아볼까요?

1. 열량 : 온도가 다른 물체 사이에서 이동하는 열의 양

(1) 단위 : cal(칼로리), kcal(킬로칼로리)[+]

(2) 1 kcal는 물 1 kg의 온도를 1 ℃ 높이는 데 필요한 열량이다.

(3) 물체가 잃거나 얻은 열량에 비례하여 물체의 온도가 변한다.

2. 열량과 온도 변화 : 물체의 온도 변화는 흡수한 열량이 클수록, 물질의 질량이 작을수록 크다.

📖 열량, 온도 변화, 물질의 질량 사이의 관계

그림과 같이 동일한 용기에 물을 넣고 물의 질량과 불꽃의 세기를 다르게 하여 가열하면서 온도를 측정하였다.[+]

물체의 질량이 같을 때 – (가)와 (나) 비교	온도 변화가 같을 때 – (가)와 (다) 비교	같은 열량을 가할 때 – (나)와 (다) 비교
물체에 가한 열량이 클수록 온도 변화가 크다. ➡ 열량 ∝ 온도 변화	물체의 질량이 클수록 물체에 가한 열량이 크다. ➡ 열량 ∝ 질량	물체의 질량이 클수록 온도 변화가 작다. ➡ 온도 변화 ∝ $\dfrac{1}{질량}$

+ 열량의 단위

열은 온도가 서로 다른 두 물체가 접촉했을 때 고온의 물체에서 저온의 물체로 이동하는 에너지이므로 열량의 단위로 에너지의 단위인 J(줄)을 사용하기도 한다.

+ 물체에 가한 열량

같은 가열 장치 또는 같은 세기의 불꽃을 이용하여 같은 시간 동안 두 물체를 각각 가열한 경우 두 물체에 가한 열량이 같다.

이 단원의 개념이 어떻게 구성되어 있는지 살펴보고 빈칸을 완성해 보자.

열팽창

A

B　·····　C 비열에 의한 현상과 이용

D　·····　E 열팽창에 의한 현상과 이용

이 단원을 공부하기 전에 미리 알고 있는 단어를 체크해 보자.

☐ 열량　　☐ 비열　　☐ 해풍과 육풍　　☐ 열팽창　　☐ 부피
☐ 바이메탈

1 열량에 대한 설명으로 옳은 것은 ○, 옳지 <u>않은</u> 것은 ×로 표시하시오.

(1) 온도가 다른 물체 사이에서 이동하는 열의 양을 말한다. ·········· (　)

(2) 같은 물질에 같은 열량을 가하면 온도 변화가 같다. ·········· (　)

(3) 물 1 kg의 온도를 1 °C 올리는 데 1 kcal의 열량이 필요하다. ·········· (　)

(4) 같은 질량의 물을 가열할 때 물에 가한 열량이 클수록 물의 온도 변화가 크다.

·········· (　)

열량과 온도 변화

➡ 물체에 가한 열량이 클수록 온도 변화가 크다.

2 오른쪽 그림과 같이 각각 물 400 g과 800 g이 담겨 있는 비커를 같은 가열 장치를 이용하여 가열하였다.

(1) (가)와 (나) 중 온도를 10 °C만큼 올리는 데 더 많은 열량이 필요한 것을 고르시오.

(2) (가)와 (나) 중 같은 가열 장치를 이용하여 10분 동안 가열할 때 온도 변화가 더 큰 것을 고르시오.

(3) 같은 가열 장치를 이용하여 같은 시간 동안 가열할 때 물 400 g의 온도가 10 °C 올랐다면, 물 800 g의 온도는 몇 °C 오르는지 쓰시오.

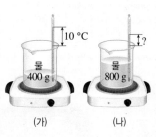

B 비열

더운 여름에 해변으로 놀러가면 모래사장은 너무 뜨거워서 맨발로 걷기 힘들지만 물속에 들어가면 시원합니다. 같은 태양 에너지를 받았을 텐데 모래사장과 바다는 온도가 왜 다른 걸까요? 이는 비열이라는 물질의 특성 때문입니다. 비열이 무엇인지 알아볼까요?

1. 비열 : 어떤 물질 1 kg의 온도를 1 ℃ 높이는 데 필요한 열량[+]

(1) 단위 : kcal/(kg·℃)

(2) 물의 비열 : 1 kcal/(kg·℃) → 물 1 kg의 온도를 1 ℃ 올리는 데 1 kcal가 필요하다.

$$\text{비열(kcal/(kg·℃))} = \frac{\text{열량(kcal)}}{\text{질량(kg)} \times \text{온도 변화(℃)}}$$

열량＝비열×질량×온도 변화, $Q = cmt$

2. 비열의 특징

(1) 물질의 종류에 따라 비열이 다르다. → 비열은 물질을 구별하는 특성이다.

(2) 비열이 큰 물질은 온도가 잘 변하지 않고, 비열이 작은 물질은 온도가 잘 변한다.

📖 열량, 비열, 온도 변화의 관계

① 같은 질량에 같은 열량을 가하면 비열이 작을수록 온도 변화가 크다.
 ➡ 온도 변화 : 물<식용유<모래<철<구리<납

② 같은 질량을 같은 온도만큼 높일 때 비열이 클수록 열량이 많이 필요하다.[+]
 ➡ 필요한 열량 : 물>식용유>모래>철>구리>납

물질	비열	물질	비열
물	1.00	철	0.11
식용유	0.40	구리	0.09
모래	0.19	납	0.03

🔼 여러 가지 물질의 비열 [단위 : kcal/(kg·℃)]

[+] 물리량의 약자

Q	c	m	t
열량	비열	질량	온도 변화

[+] 같은 질량을 같은 온도만큼 올리는 데 필요한 열량의 비

'열량＝비열×질량×온도 변화'에서 질량과 온도 변화가 같으므로 필요한 열량의 비는 비열의 비와 같다.

예 같은 질량의 구리와 납을 같은 온도만큼 올릴 때
열량의 비＝비열의 비＝0.09 : 0.03＝3 : 1

C 비열에 의한 현상과 이용

라면은 양은 냄비에 끓여야 더 맛있다는 말을 들어본 적 있나요? 양은 냄비는 비열이 작아 라면의 면발이 불지 않도록 빨리 익힐 수 있기 때문입니다. 비열과 관련된 현상을 어떻게 이용하고 있는지 알아볼까요?

1. 비열과 온도 변화 : 비열이 큰 물질은 가열할 때 온도가 천천히 올라가고, 식을 때 온도가 천천히 내려간다.

2. 물의 비열 : 물은 다른 물질에 비해 비열이 매우 커서 온도가 잘 변하지 않으므로 다양한 현상이 나타난다.

현상	이용
• 해안 지역에서 낮에는 해풍, 밤에는 육풍이 분다.[++] (1년 동안 기온의 차이 ●) • 해안 지방은 내륙 지방보다 연교차나 일교차가 작다. (하루 동안 기온의 차이 ●) • 바닷가에서 낮에는 비열이 작은 모래가 바닷물보다 온도가 높다. • 외부 온도의 급격한 변화에도 사람의 체온은 유지된다. → 우리 몸은 약 70 %가 물로 이루어져 있기 때문	• 가정의 보일러는 비열이 큰 물을 데워 난방을 한다. • 물을 자동차의 엔진을 식히는 냉각수로 사용한다. • 찜질 팩 안에 비열이 큰 물을 넣어 오랫동안 따뜻하게 한다. • 뚝배기는 금속 냄비보다 비열이 커서 천천히 뜨거워지고 천천히 식는다.

🔼 해안 도시

🔼 내륙 도시

🔼 뚝배기

🔼 양은 냄비

[+] 해풍의 원리

비열이 작은 육지의 온도가 빨리 올라간다.(①) ➡ 따뜻한 육지의 공기 상승(②) ➡ 빈 자리로 바다의 공기가 이동하여 해풍이 분다.(③)

[+] 육풍의 원리

비열이 작은 육지의 온도가 빨리 식는다.(①) ➡ 상대적으로 따뜻한 바다의 공기 상승(②) ➡ 빈 자리로 육지의 공기가 이동하여 육풍이 분다.(③)

1 어떤 물질 1 kg의 온도를 1 ℃ 변화시키는 데 필요한 열량을 (   )이라고 한다.

열량을 구하는 공식

열량＝비열×질량×온도 변화
이   가   금   다.
나   질
면   금

2 같은 양의 열을 같은 질량의 물질에 가했을 때 비열이 (큰, 작은) 물질의 온도가 더 많이 변한다.

3 질량이 5 kg인 어떤 물체에 500 kcal의 열량을 가했더니 온도가 10 ℃에서 30 ℃로 높아졌다. 이 물체의 비열은 몇 kcal/(kg · ℃)인지 구하시오.

4 오른쪽 그래프는 같은 질량의 모래, 식용유, 물을 같은 세기의 불로 가열할 때 시간에 따른 온도 변화를 나타낸 것이다. 세 물질 중 비열의 크기가 가장 큰 것을 쓰시오.

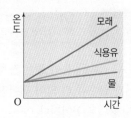

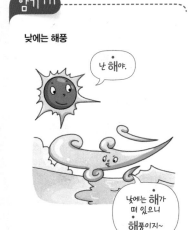

1 비열에 의한 현상과 이용에 대한 설명으로 옳은 것은 ○, 옳지 않은 것은 ×로 표시하시오.

(1) 해안 지방이 내륙 지방보다 일교차가 더 작다. ································ (   )
(2) 찜질 팩 속에 물 대신 모래를 넣으면 더 오랫동안 따뜻하게 유지된다.······· (   )
(3) 낮에는 바다의 온도가 더 높으므로 해풍이 분다. ······················· (   )
(4) 음식을 오랫동안 따뜻하게 유지해야 할 때는 양은 냄비를 사용하는 것이 좋다.
·· (   )

낮에는 해풍

난 해야.

낮에는 해가
떠 있으니
해풍이지~

2 다음은 해륙풍에 대한 설명이다. (   ) 안에 알맞은 말을 고르시오.

낮 동안 태양의 열에너지에 의해 비열이 ㉠(큰, 작은) 육지가 바다보다 빨리 데워진다. 온도가 높은 육지의 공기는 상승하고, 온도가 낮은 바다의 공기는 하강하는 ㉡(전도, 대류, 복사) 현상이 일어난다. 그러므로 바다에서 육지로 ㉢(해풍, 육풍)이 분다.

02 비열과 열팽창

D 열팽창

그릇 두 개가 포개어져서 잘 떨어지지 않을 때 바깥쪽 그릇에 뜨거운 물을, 안쪽 그릇에 차가운 물을 부어 주면 쉽게 분리할 수 있어요. 열이 가해지면 물체의 부피가 커지는 열팽창이 일어나기 때문입니다. 열팽창은 어떻게 일어나는지 알아보아요.

1. 열팽창 : 물질에 열을 가할 때 물질의 길이 또는 부피가 증가하는 현상
(1) 온도 변화가 클수록 열팽창 정도가 크다.
(2) 물질의 종류와 상태에 따라 열팽창 정도가 다르다. ➡ 물질의 상태에 따라 열팽창하는 정도 : 고체＜액체＜기체

2. 열팽창이 일어나는 까닭 : 물체에 열이 가해지면 물체를 구성하는 입자의 운동이 활발해져 입자 사이의 거리가 멀어지기 때문이다.

고체의 열팽창 ➡

＋ 액체의 열팽창
삼각 플라스크에 액체를 넣고 가열하면 액체가 열팽창하여 유리관을 따라 올라간다.

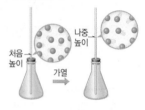

E 열팽창에 의한 현상과 이용

우리나라는 여름과 겨울의 기온차가 매우 크게 납니다. 여름에 열팽창하고 겨울에 수축하는 경우를 대비하지 않으면 큰 사고가 날 수도 있어요. 어떻게 열팽창 현상을 이용하고, 대비하고 있는지 알아볼까요?

1. 바이메탈 : 열팽창 정도가 다른 두 금속을 붙여 놓은 장치 — 온도 변화에 따라 휘어지는 성질을 이용해 온도 조절 장치에 사용한다.
(1) 두 금속의 열팽창 정도의 차이가 클수록 더 많이 휘어진다.
(2) 가열할 때와 냉각할 때 반대 방향으로 휘어진다.

📖 **바이메탈이 휘어지는 방향**

가열할 때 ➡ 열팽창하는 정도가 작은 금속 쪽으로 휘어진다.

냉각할 때 ➡ 열팽창하는 정도가 큰 금속 쪽으로 휘어진다.

2. 열팽창에 의한 현상과 이용

현상	• 여름에는 전깃줄이 늘어지고, 겨울에는 팽팽해진다. • 차가운 유리컵에 뜨거운 물을 부으면 유리컵이 깨진다. • 철로 만들어진 에펠탑의 높이는 여름철이 겨울철보다 높다.
이용	• 다리, 철로의 이음새 부분에 틈을 만들어 여름에 열팽창하여 휘는 것을 막는다. • 열팽창에 의해 음료수 병이 터지는 것을 막기 위해 음료수를 가득 채우지 않는다. • 온도 변화에 따라 알코올이나 수은이 열팽창하는 원리를 이용하여 온도를 측정한다. • 가스관, 송유관은 중간에 구부러진 부분을 만들어 열팽창에 의한 사고를 예방한다. • 충치를 치료할 때 넣는 충전재는 치아와 열팽창 정도가 비슷한 물질을 사용한다.

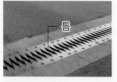
🔶 다리의 이음새

🔶 음료수 병의 빈 공간

🔶 가스관

＋ 바이메탈의 원리와 이용

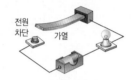
• 가열 : 바이메탈이 휘어지면서 회로에 흐르는 전류를 차단한다.

• 냉각 : 바이메탈이 다시 접속되어 회로에 전류가 흐른다.
• 이용 : 바이메탈은 화재경보기, 온도 조절기, 전기다리미, 전기 주전자, 전기밥솥 등에서 사용되고 있다.

＋ 그 외 열팽창 현상과 이용
• 유리병의 금속 뚜껑에 뜨거운 물을 부으면 뚜껑이 열팽창하여 쉽게 열린다.
• 철근은 시멘트와 열팽창 정도가 비슷하여 건물이 열팽창의 영향을 적게 받는다.
• 기온이 높은 낮에는 열팽창으로 기름의 부피가 증가하므로 밤에 주유하는 것이 이득이다.

1 다음의 ( ) 안에 공통으로 들어갈 알맞은 말을 쓰시오.

> 어떤 물질을 가열하면 열에 의해 물질의 길이 또는 부피가 증가하는 ( )
> 이 일어난다. 물질의 종류에 따라 ( )하는 정도가 다르며, 물질의 상태에
> 따라 고체보다 액체가 ( )하는 정도가 크다.

2 열팽창은 물체에 열이 가해지면 물체를 구성하는 입자의 운동이 ㉠( )해져서
입자 사이의 거리가 ㉡( )지기 때문에 일어난다.

열팽창하는 까닭

나 열 받았어! 으아~~~

아 가까이 있지 못하겠네 멀어지자

➡ 입자의 운동이 활발해지면서 입자 사이의 거리가 멀어진다.

1 열팽창 정도가 다른 두 금속을 붙여 놓은 장치를 ( )이라고 하며, 온도 변화에
따라 휘어지는 성질을 이용하여 온도 조절 장치에 사용한다.

2 그림과 같이 종류가 다른 두 금속 A와 B를 붙여서 만든 바이메탈을 가열하였더니 A
쪽으로 휘어졌다.

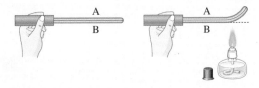

(1) A와 B 중 열팽창이 더 잘되는 금속은 무엇인지 쓰시오.
(2) 이 바이메탈을 냉각시키면 A와 B 중 어느 쪽으로 휘어지는지 쓰시오.

바이메탈이 휘어지는 방향

내가 더 커져서 내려다 보네~

키가 같으니까 좋다.

가열

냉각

이번에는 너무 쪼그라 들었네

➡ 바이메탈은 길이가 짧은 쪽으로 휘어진다.

3 열팽창에 의한 현상으로 옳은 것은 ○, 옳지 않은 것은 ×로 표시하시오.

(1) 겨울에는 전깃줄이 늘어진다. ……………………………………………… ( )
(2) 다리의 이음새 부분에는 틈을 만든다. ……………………………………… ( )
(3) 주유를 할 때는 밤보다 낮에 하는 것이 좋다. …………………………… ( )
(4) 유리병의 금속으로 만든 뚜껑이 잘 열리지 않을 때 뚜껑 부분에 뜨거운 물을 부
어 주면 뚜껑을 쉽게 열 수 있다. ……………………………………………… ( )

338쪽으로 돌아가서
내가 쓴 대사를 점검해 보자.

이해 쏙쏙 집중 강의

비열과 열팽창은 실험으로 확인할 수 있어요. 그래서 시험에도 실험에 관한 문제가 자주 출제된답니다. 실험 결과를 보고 비열과 열팽창의 특징을 어떻게 해석할 수 있는지 알아볼까요?

탐구 자료) 질량이 같은 두 액체의 온도 변화 비교

관련 개념 | 340쪽 **B** 비열

목표
질량이 같은 두 종류의 액체를 가열할 때 온도 변화를 측정하여 비교할 수 있다.

과정
① 비커 2개에 물과 식용유를 100 g씩 넣는다.
② 두 액체의 처음 온도를 측정한 후 그림과 같이 장치한다.
③ 가열 장치로 가열하면서 1분 간격으로 물과 식용유의 온도를 측정한다.

디지털 온도계
가열 장치

결과 및 해석

시간(분)	0	1	2	3	4	5
물의 온도(°C)	10	16	23	28	35	40
식용유의 온도(°C)	10	26	41	55	71	86

❶ 같은 시간 동안 식용유의 온도 변화가 더 크다.
❷ 같은 온도만큼 높이는 데 물이 시간이 더 오래 걸린다.

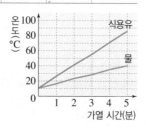

결론
· 같은 질량의 물과 식용유를 같은 온도만큼 높이는 데 필요한 열량은 ⊙ (   )이 더 많다.
· 물의 비열이 식용유의 비열보다 더 ⓒ (   ).

정답 ⊙ 물 ⓒ 크다

핵심 자료) 고체와 액체의 열팽창 정도 비교하기

관련 개념 | 342쪽 **D** 열팽창

고체의 열팽창

길이가 같은 철, 구리, 알루미늄 막대를 실험 장치에 연결한 후 세 금속 막대를 동시에 가열하면서 각 금속 막대와 연결된 바늘이 회전하는 정도를 비교한다.

바늘
금속 막대

철 구리 알루미늄
막대와 연결된 바늘

❶ 열을 가하면 금속 막대가 열팽창하면서 바늘을 밀어내므로 바늘이 회전한다.
➡ 바늘이 회전하는 정도 : 알루미늄＞구리＞철
❷ 세 금속 막대의 열팽창 정도 비교 : 알루미늄＞구리＞철

액체의 열팽창

같은 양의 에탄올과 물로 가득 채운 삼각 플라스크를 수조에 넣고 뜨거운 물을 천천히 부은 후 유리관을 타고 올라오는 높이를 비교한다.

처음 높이
에탄올
물

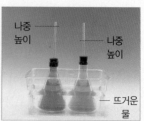

나중 높이
나중 높이
뜨거운 물

❶ 뜨거운 물을 부으면 에탄올과 물에 열이 가해지고, 액체의 부피가 팽창하게 되어 유리관을 따라 액체가 올라온다.
➡ 올라온 액체의 높이 : 에탄올＞물
❷ 두 액체의 열팽창 정도 비교 : 에탄올＞물

01 열량에 대한 설명으로 옳은 것을 보기에서 모두 고른 것은? [338쪽]

┌ 보기 ┐
ㄱ. 열량의 단위는 kcal/(kg · ℃)이다.
ㄴ. 온도가 다른 두 물체를 접촉할 때 이동하는 열의 양이다.
ㄷ. 외부와 열 출입이 없으면 고온의 물체가 잃은 열량과 저온의 물체가 얻은 열량이 같다.
ㄹ. 같은 물질을 같은 온도만큼 높일 때 물질의 질량이 작을수록 더 많은 열량이 필요하다.

① ㄱ, ㄴ   ② ㄱ, ㄷ   ③ ㄴ, ㄷ
④ ㄴ, ㄹ   ⑤ ㄷ, ㄹ

02 그림과 같이 각각 다른 조건으로 물을 가열하였다. [338쪽] 풀이 TIP

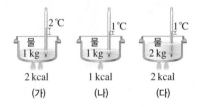

이를 통해 알 수 있는 사실로 옳은 것은?

① 물질의 온도 변화는 물질의 양에 비례한다.
② 물질의 온도 변화는 가해준 열량에 비례한다.
③ 물질의 온도 변화는 물질의 비열에 비례한다.
④ 물질의 온도 변화는 물질의 비열에 반비례한다.
⑤ 물질의 온도 변화는 물질의 양과 관계없다.

03 비열에 대한 설명으로 옳지 않은 것은? [340쪽]

① 비열이 다르면 서로 다른 물질이다.
② 비열이 큰 물질은 온도를 변화시키기 어렵다.
③ 어떤 물질 1 kg을 1 ℃ 높이는 데 필요한 열량이다.
④ 일반적으로 물의 비열은 액체, 고체 중에서 가장 크다.
⑤ 바닷가에서 낮에 모래가 바닷물보다 더 뜨거운 것은 모래의 비열이 크기 때문이다.

[04~05] 표는 여러 가지 물질의 비열을 나타낸 것이다.

물질	물	식용유	콘크리트	알루미늄	모래	철	구리	납
비열	1.00	0.40	0.22	0.21	0.19	0.11	0.09	0.03

[단위 : kcal/(kg · ℃)]

04 위 물질의 비열에 대한 설명으로 옳은 것은?(단, 모든 물질의 질량은 같다.) [340쪽]

① 같은 열량을 가할 때 가장 온도 변화가 작은 것은 납이다.
② 위 물질을 같은 온도만큼 높이는 데 필요한 열량은 모두 같다.
③ 고체와 액체를 동시에 가열하면 액체의 온도가 더 빠르게 높아진다.
④ 물은 다른 물질에 비하여 온도를 높이는 데 많은 열량이 필요하다.
⑤ 같은 열을 받은 후 구리의 온도가 9 ℃ 높아졌다면 납의 온도는 3 ℃ 높아진다.

05 10 ℃의 식용유 500 g의 온도를 40 ℃로 높이는 데 필요한 열량은? [340쪽] 풀이 TIP

① 3 kcal   ② 6 kcal   ③ 9 kcal
④ 10 kcal   ⑤ 15 kcal

06 질량이 5 kg인 어떤 물질의 온도를 10 ℃ 높이는 데 100 kcal의 열량을 가하였다. 이 물질의 비열은? [340쪽]

① 2 kcal/(kg · ℃)   ② 4 kcal/(kg · ℃)
③ 5 kcal/(kg · ℃)   ④ 10 kcal/(kg · ℃)
⑤ 100 kcal/(kg · ℃)

풀이 TIP **02** ❶ 결과를 비교할 때 기준이 되는 양은 서로 같은 경우끼리 비교해야 한다. ❷ 온도 변화, 질량, 열량 중 어느 값이 같은지 파악한 후 비교한다. **05** ❶ 열량= 비열×질량×온도 변화 식을 이용하여 값을 구한다. ❷ 이때 질량의 단위와 온도 변화는 어떤 값인지 주의해서 대입한다.

02. 비열과 열팽창 345

07 오른쪽 그림과 같이 같은 양의 물과 식용유를 전열기로 가열하였더니 3분 후 식용유의 온도가 물보다 높았다. 이에 대한 설명으로 옳은 것을 보기에서 모두 고른 것은?(단, 물과 식용유의 처음 온도는 같다.)

340쪽

보기

ㄱ. 물의 비열이 식용유보다 크다.
ㄴ. 같은 온도까지 높이는 데 물이 더 오래 걸린다.
ㄷ. 식을 때는 물이 식용유보다 온도가 더 빨리 낮아진다.

① ㄱ   ② ㄷ   ③ ㄱ, ㄴ
④ ㄴ, ㄷ   ⑤ ㄱ, ㄴ, ㄷ

[08~09] 오른쪽 그래프는 질량이 같은 물질 A와 B를 같은 세기의 불꽃으로 가열할 때 시간에 따른 온도 변화를 나타낸 것이다.

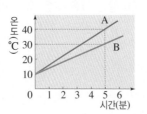

중요
08 물질 A와 B의 비열의 비는?
340쪽

① 2 : 3   ② 3 : 2   ③ 3 : 4
④ 4 : 1   ⑤ 4 : 3

09 위 그래프에 대한 설명으로 옳지 않은 것은?
340쪽

① B의 비열은 A의 비열보다 크다.
② 그래프의 기울기는 A와 B의 비열과 관계가 있다.
③ A의 온도가 B보다 크게 변한다.
④ 그래프의 기울기가 클수록 비열이 크다.
⑤ 열량은 물질을 가열한 시간에 비례한다.

중요
10 오른쪽 그래프는 뜨거운 물과 차가운 물을 접촉시켰을 때 시간에 따른 온도 변화를 나타낸 것이다. 이에 대한 설명으로 옳지 않은 것은? (단, 외부와의 열 출입은 없다.)
340쪽

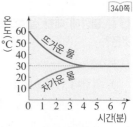

① 열평형 상태가 되었을 때의 온도는 30 ℃이다.
② 뜨거운 물이 차가운 물보다 온도 변화가 크다.
③ 뜨거운 물이 잃은 열량과 차가운 물이 얻은 열량이 같다.
④ 뜨거운 물보다 차가운 물의 질량이 더 작다.
⑤ 뜨거운 물의 양이 300 g이라면 이동한 열량은 9 kcal 이다.

중요
11 그림과 같이 해안 지역에서는 해륙풍이 분다.
340쪽

이와 같은 현상이 나타나는 원인으로 가장 적절한 것은?

① 밤과 낮의 길이가 달라서
② 바다와 육지의 고도가 달라서
③ 바다와 육지의 비열이 달라서
④ 바다와 육지의 부피가 달라서
⑤ 바다와 육지가 햇빛을 받는 양이 달라서

12 비열에 의한 현상이나 이용으로 옳지 않은 것은?
340쪽

① 찜질 팩에는 비열이 큰 물을 넣는 것이 좋다.
② 자동차 엔진의 냉각수는 비열이 작은 오일을 사용한다.
③ 사막 지역은 해안 지역보다 일교차나 연교차가 크다.
④ 바닷가에서 같은 햇빛을 받더라도 낮 동안에는 비열이 작은 모래의 온도가 먼저 상승한다.
⑤ 된장찌개를 오랫동안 따뜻하게 먹기 위해서는 금속 냄비보다 비열이 큰 뚝배기를 사용하는 것이 좋다.

 08 ❶ 그래프에서 같은 시간 동안 A와 B의 온도 변화가 얼마인지 구한다. **❷** 질량과 가해준 열량이 같으므로 비열과 온도 변화의 관계를 이용하여 비열의 비를 구한다. **10 ❶** 뜨거운 물과 차가운 물의 온도 변화를 그래프에서 찾는다. **❷** 질량을 알면 물의 비열을 이용하여 잃거나 얻은 열량을 구할 수 있다.

★
중요
13 열팽창에 대한 설명으로 옳은 것을 모두 고르면?(2개) 342쪽

① 물질의 종류가 달라도 열팽창 정도는 같다.

② 충치를 치료할 때는 치아와 열팽창 정도가 비슷한 재료를 사용한다.

③ 대부분의 물질은 액체보다 고체가 열팽창 정도가 크다.

④ 한 번 열을 받아 팽창한 물질은 온도가 내려가도 부피가 증가한 상태를 계속 유지한다.

⑤ 물질이 열을 받으면 입자 운동이 활발해져서 입자 사이의 거리가 멀어지기 때문에 열팽창한다.

풀이 TIP
14 철, 구리, 알루미늄 막대를 길이 팽창 실험 장치에 연결하고 가열하였더니, 바늘이 오른쪽 그림과 같이 변하였다. 이 실험을 통해 알 수 있는 사실로 옳은 것은?

① 철이 가장 많이 열팽창한다.

② 구리의 열팽창하는 정도는 알루미늄보다 크다.

③ 금속의 온도가 높아지면 길이가 줄어든다.

④ 금속의 종류에 따라 열팽창하는 정도가 다르다.

⑤ 바늘이 움직인 각도로 금속의 비열을 알 수 있다.

풀이 TIP
15 그림과 같이 원형 금속판의 중앙에 구멍이 뚫려 있다. 342쪽

이 금속판을 가열하면 금속판의 바깥쪽 원과 안쪽 원은 각각 어떻게 변하는가?

	바깥쪽	안쪽		바깥쪽	안쪽
①	커진다.	커진다.	②	커진다.	작아진다.
②	작아진다.	커진다.	④	작아진다.	작아진다.
⑤	변화없다.	커진다.			

★
중요
16 액체 A~D를 둥근바닥 플라스크에 같은 높이만큼 넣고 뜨거운 물이 담긴 수조에 넣었더니, 각 액체가 그림과 같이 올라왔다. 342쪽

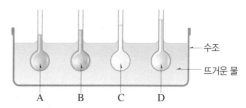

이 실험을 통해 알 수 있는 사실을 모두 고르면?(2개)

① 열은 고온에서 저온으로 이동한다.

② 고체보다 액체의 열팽창하는 정도가 크다.

③ 액체의 종류에 따라 열팽창하는 정도가 다르다.

④ A~D의 액체 중 D의 열팽창하는 정도가 가장 크다.

⑤ 온도가 다른 두 물질을 접촉하면 열평형 상태에 도달한다.

17 오른쪽 그림과 같이 삼각 플라스크에 어떤 액체를 넣고 열을 가하였더니, 액체가 유리관을 따라 올라왔다. 이에 대한 설명으로 옳지 않은 것은? 342쪽

① 액체의 열팽창에 의한 현상이다.

② 삼각 플라스크도 액체와 함께 열팽창한다.

③ 삼각 플라스크 안의 액체는 열을 받아 입자 운동이 활발해진다.

④ 처음 유리관 속 액체의 높이는 약간 낮아졌다가 다시 올라간다.

⑤ 가한 열량이 같다면 액체의 종류에 관계없이 유리관을 따라 올라가는 액체의 높이는 일정하다.

14 ❶ 금속 막대가 열팽창하면 바늘을 밀어내어 바늘이 회전하게 된다. ❷ 바늘이 회전한 정도로 무엇을 알 수 있는지 파악한다. 15 ❶ 금속판을 가열하면 금속판을 구성하는 입자 사이가 어떻게 되는지 생각한다. ❷ 바깥쪽 부분과 안쪽 부분의 입자 사이의 변화를 각각 생각하여 결과를 예상한다.

18 서로 다른 두 금속 A, B를 붙여 만든 바이메탈을 가열 하였더니, 바이메탈의 모양이 그림과 같이 변하였다.

이에 대한 설명으로 옳지 <u>않은</u> 것은?

① 냉각시키면 바이메탈은 A쪽으로 휘어진다.
② 금속 A의 열팽창하는 정도가 금속 B보다 크다.
③ 고체마다 열팽창하는 정도가 다름을 이용한 장치이다.
④ A가 B보다 무겁기 때문에 열을 받으면 휘어진다.
⑤ 자동 온도 조절 장치가 있는 전기다리미, 전기밥솥 등에 이용된다.

19 오른쪽 그림은 바이메탈을 이용한 화재경보기의 구조이다. 이에 대한 설명으로 옳은 것을 보기에서 모두 고르면?

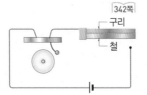

〔 보기 〕
ㄱ. 고체의 열팽창을 이용한 기구이다.
ㄴ. 구리의 열팽창하는 정도가 철보다 크다.
ㄷ. 철의 열팽창하는 정도가 구리보다 크다.
ㄹ. 열을 받으면 구리 쪽으로 휘어진다.

① ㄱ, ㄴ   ② ㄴ, ㄹ   ③ ㄷ, ㄹ
④ ㄱ, ㄴ, ㄹ   ⑤ ㄱ, ㄷ, ㄹ

20 고체의 열팽창과 관련이 <u>없는</u> 것은?

① 여름철에 에펠탑의 높이가 더 높아진다.
② 바이메탈을 이용하여 자동으로 온도를 조절한다.
③ 낮보다 기온이 낮은 밤에 주유하는 것이 이득이다.
④ 전신주의 전선은 겨울보다 여름에 더 많이 늘어진다.
⑤ 포개져서 빠지지 않는 그릇의 위쪽에는 차가운 물을 넣고, 아래쪽은 따뜻한 물에 담근다.

21 오른쪽 그림과 같이 음료수 병에는 음료수가 가득 들어 있지 않고 위쪽에 약간의 빈 공간이 있다. 이러한 까닭과 가장 관계가 깊은 것은?

① 알코올 온도계로 온도를 측정할 수 있다.
② 난로 가까이 있으면 따뜻함을 느낀다.
③ 에어컨은 높은 곳에 설치하는 것이 좋다.
④ 여름철 바닷가에서는 낮에 바닷물보다 모래의 온도가 더 높다.
⑤ 쇠막대의 한쪽 끝을 가열하면 다른 쪽 끝도 점점 뜨거워진다.

22 자동차에 주유를 할 때는 낮보다 밤에 하는 것이 더 효과적이라고 한다. 그 까닭으로 옳은 것은?

① 휘발유의 비열이 물보다 작기 때문에
② 열에 의해 액체의 부피가 팽창하기 때문에
③ 액체는 대류에 의해 열이 잘 전달되기 때문에
④ 고체보다 액체의 열팽창하는 정도가 크기 때문에
⑤ 낮보다 밤에 휘발유의 온도가 더 빨리 내려가기 때문에

23 열팽창으로 설명할 수 있는 현상이 <u>아닌</u> 것은?

① 여름철 온도가 높아지면 철로가 휘어질 수 있다.
② 송유관을 설치할 때는 중간에 구부러진 부분을 만든다.
③ 겨울철 공원에 있는 금속 의자가 나무 의자보다 차갑다.
④ 음료수가 담긴 페트병에 음료수를 가득 채우지 않는다.
⑤ 바닥에 콘크리트를 깔 때 일정한 간격으로 틈을 만든다.

---

 18 ❶ 바이메탈은 두 금속의 길이가 달라지면 휘어지게 된다. ❷ 길이가 짧은 쪽으로 휘어지므로 길이가 짧은 금속의 특징은 무엇인지 생각한다. **21** ❶ 병에 든 음료수의 부피가 달라지는 것을 대비하여 빈 공간을 만들어 놓는다. ❷ 이와 같은 종류의 현상은 무엇인지 찾는다.

24 표는 여러 가지 물질의 비열을 나타낸 것이다.

340쪽

물질	물	알코올	식용유	모래	납
비열	1.00	0.58	0.40	0.19	0.03

[단위 : kcal/(kg · °C)]

(1) 찜질 팩 속에 넣어 사용하기에 가장 적당한 물질을 고르고, 그 까닭을 서술하시오.

------

(2) 납 500 g의 온도를 100 °C만큼 올리는 데 필요한 열량을 풀이 과정과 함께 구하시오.

------

25 ^{풀이 TIP}

340쪽

비커 A에는 물 200 g을 넣고, 비커 B에는 미지의 액체 400 g을 넣은 후 같은 세기의 불꽃으로 가열하였다. 1분 후 비커 A 속 물의 온도는 20 °C, 비커 B 속 액체의 온도는 40 °C 올라갔다면, 미지의 액체의 비열은 몇 kcal/(kg · °C)인지 구하시오. (단, 물의 비열은 1 kcal/(kg · °C)이다.)

------

26 그림은 바닷가와 육지에 있는 도시의 모습이다.

340쪽

해안 도시

내륙 도시

두 도시가 낮 동안 태양으로부터 같은 양의 열을 받았다면, 일교차가 더 큰 도시는 어디인지 고르고, 그 까닭을 서술하시오.

------

27 물체에 열을 가하면 물체의 길이 또는 부피가 증가하는 열팽창이 일어난다. 이와 같은 열팽창이 일어나는 까닭은 무엇인지 서술하시오.

342쪽

------

28 ^{풀이 TIP} 그림은 바이메탈을 이용한 화재경보기의 구조이다.

342쪽

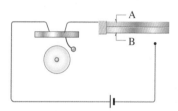

이 구조로 보아 A, B 중 열팽창하는 정도가 큰 금속은 어느 것인지 고르고, 그 까닭을 간단히 서술하시오.

• 금속 :

• 까닭 :

29 오른쪽 그림과 같이 다리나 철로의 이음새 부분에 틈을 만드는 까닭을 열의 현상과 관련하여 서술하시오.

342쪽

------

25 ❶ 비커 A와 B는 같은 세기의 불꽃으로 가열하였으므로 같은 열량을 받았다. ❷ 비열과 온도 변화의 관계, 질량과 온도 변화의 관계를 생각한다.   28 ❶ 화재경보기가 울리기 위해서 바이메탈은 어느 쪽으로 휘어져야 하는지 생각한다. ❷ 바이메탈을 가열할 때는 어떤 금속 쪽으로 휘어지는지 생각한다.

한눈에 보는 대단원

01 열

1. 온도와 입자 운동

(1) **온도** : 물체의 차갑고 뜨거운 정도를 수치로 나타낸 것

(2) **입자의 운동** : 모든 물질은 눈에 보이지 않는 작은 알갱이인 입자로 이루어져 있으며, 입자들은 끊임없이 운동한다.

(3) 입자의 운동이 활발할수록 물체의 온도가 높고, 둔할수록 물체의 온도가 낮다. ➡ 온도는 물체를 구성하는 입자의 운동이 활발한 정도를 나타낸다.

↑ 차가운 물
입자 운동이 둔하다.
➡ 온도가 낮다.

↑ 뜨거운 물
입자 운동이 활발하다.
➡ 온도가 높다.

2. 열의 이동 방법

구분	특징과 예	
전도	고체에서 이웃한 입자들 사이의 충돌에 의해 열이 이동하는 방법 예 뜨거운 국에 숟가락을 담가 두면 손잡이까지 뜨거워진다.	➡ 열의 전달 방향
대류	액체와 기체에서 입자가 직접 이동하면서 열이 이동하는 방법 예 주전자에 든 물을 끓일 때 아래쪽만 가열해도 물이 골고루 데워진다.	
복사	열이 물질의 도움 없이 직접 이동하는 방법 예 햇빛을 쬐거나 난로 가까이 있으면 따뜻함을 느낀다.	

3. 단열

(1) **단열** : 물체와 물체 사이에서 열이 이동하지 못하게 막는 것

① 전도, 대류, 복사에 의한 열의 이동을 모두 막아야 단열이 잘 된다.

② 단열이 잘 될수록 물체의 온도 변화가 적게 일어난다.

(2) 단열의 이용

① 아이스크림을 스타이로폼 상자에 넣어 포장하면 쉽게 녹지 않는다.

② 보온병에 뜨거운 물이나 차가운 물을 보관한다.

③ 집의 단열을 위해 이중창을 설치하거나 벽과 벽 사이에 스타이로폼을 넣는다.

④ 겨울철에 입는 방한복의 솜이나 섬유 속에는 공기가 많아 열의 이동을 막는다.

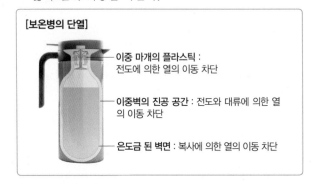

[보온병의 단열]

이중 마개의 플라스틱 : 전도에 의한 열의 이동 차단

이중벽의 진공 공간 : 전도와 대류에 의한 열의 이동 차단

은도금 된 벽면 : 복사에 의한 열의 이동 차단

4. 열평형

(1) **열** : 온도가 높은 물체에서 온도가 낮은 물체로 이동하는 에너지 ➡ 열을 얻으면 입자의 운동이 활발해지고, 열을 잃으면 입자의 운동이 둔해진다.

(2) **열평형** : 온도가 다른 두 물체를 접촉한 후 어느 정도 시간이 지났을 때 두 물체의 온도가 같아진 상태

고온의 물체	저온의 물체
• 온도가 낮아진다. • 입자 운동이 둔해진다.	• 온도가 높아진다. • 입자 운동이 활발해진다.

➡ 열평형 상태가 될 때까지 고온의 물체가 잃은 열량은 저온의 물체가 얻은 열량과 같다.

(3) 열평형의 이용

① 한약 팩을 뜨거운 물에 넣어 데운다.

② 온도계로 온도를 측정할 때 물체와 온도계의 온도가 같아질 때까지 기다린다.

③ 생선을 얼음 위에 놓아 신선하게 유지한다.

02 비열과 열팽창

1. 열량 : 온도가 다른 물체 사이에서 이동하는 열의 양

(1) **단위** : cal(칼로리), kcal(킬로칼로리)

(2) 1 kcal는 물 1 kg의 온도를 1 ℃ 높이는 데 필요한 열량이다.

(3) **열량과 온도 변화** : 물체의 온도 변화는 흡수한 열량이 클수록, 물체의 질량이 작을수록 크다.

물체의 질량이 같을 때	물체에 가한 열량이 클수록 온도 변화가 크다. ➡ 열량 ∝ 온도 변화
온도 변화가 같을 때	물체의 질량이 클수록 물체에 가한 열량이 크다. ➡ 열량 ∝ 질량
같은 열량을 가할 때	물체의 질량이 클수록 온도 변화가 작다. ➡ 온도 변화 ∝ $\frac{1}{질량}$

2. 비열

(1) **비열** : 어떤 물질 1 kg의 온도를 1 ℃ 높이는 데 필요한 열량 [단위 : kcal/(kg·℃)]

$$비열(kcal/(kg·℃))=\frac{열량(kcal)}{질량(kg)×온도 변화(℃)}$$

(2) **비열의 특징**

① 물질의 종류에 따라 비열이 다르다.

② 비열이 큰 물질은 온도가 잘 변하지 않고, 비열이 작은 물질은 온도가 잘 변한다.

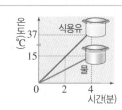

같은 질량의 식용유와 물을 같은 온도만큼 높이는 데 필요한 열량 : 식용유<물 ➡ 비열 : 식용유<물

(3) **비열에 의한 현상과 이용**

현상	이용
• 해안 지역에서 낮에는 해풍, 밤에는 육풍이 분다. • 해안 지방은 내륙 지방보다 일교차가 작다. • 외부 온도의 급격한 변화에도 사람의 체온은 유지된다.	• 가정의 보일러는 비열이 큰 물을 데워 난방을 한다. • 물을 자동차나 발전소의 냉각수로 사용한다. • 뚝배기는 금속 냄비보다 비열이 커서 천천히 뜨거워지고 천천히 식는다.

▲ 낮에 부는 해풍　　▲ 밤에 부는 육풍

3. 열팽창

(1) **열팽창** : 물질에 열을 가할 때 물질의 길이 또는 부피가 증가하는 현상

① 온도 변화가 클수록 열팽창 정도가 크다.

② 물질의 종류와 상태에 따라 열팽창 정도가 다르다.

➡ 열팽창하는 정도 : 고체<액체<기체

(2) **열팽창이 일어나는 까닭** : 물체에 열이 가해지면 물체를 구성하는 입자의 운동이 활발해져 입자 사이의 거리가 멀어지기 때문이다.

4. 열팽창에 의한 현상과 이용

(1) **바이메탈** : 열팽창 정도가 다른 두 금속을 붙여 놓은 장치

① 두 금속의 열팽창 정도 차가 클수록 더 많이 휘어진다.

② 가열할 때와 냉각할 때 반대 방향으로 휘어진다.

• 가열 : 열팽창하는 정도가 작은 쪽으로 휘어진다.
• 냉각 : 열팽창하는 정도가 큰 쪽으로 휘어진다.

(2) **열팽창에 의한 현상과 이용**

현상	• 여름에는 전깃줄이 늘어지고, 겨울에는 팽팽해진다. • 철로 만들어진 에펠탑의 높이는 여름철이 겨울철보다 높다.
이용	• 다리, 철로의 이음새 부분에 틈을 만들어 여름에 열팽창하여 휘는 것을 막는다. • 열팽창에 의해 음료수 병이 터지는 것을 막기 위해 음료수를 가득 채우지 않는다. • 가스관, 송유관은 중간에 구부러진 부분을 만들어 열팽창에 의한 사고를 예방한다. 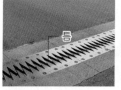  ▲ 다리의 이음새　　▲ 가스관

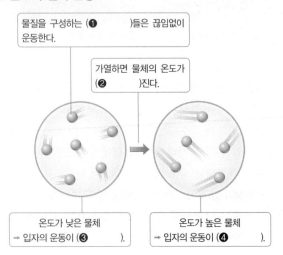

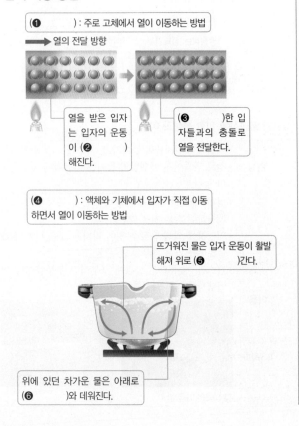

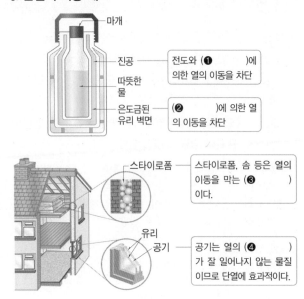

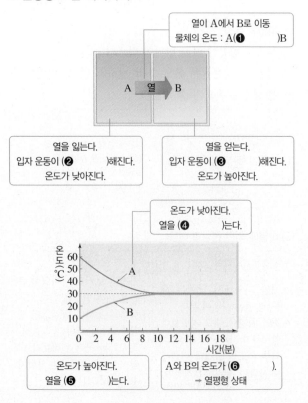

01 열

1. 온도와 입자 운동

물질을 구성하는 (❶   )들은 끊임없이 운동한다.

가열하면 물체의 온도가 (❷   )진다.

온도가 낮은 물체
→ 입자의 운동이 (❸   ).

온도가 높은 물체
→ 입자의 운동이 (❹   ).

2. 열의 이동 방법

(❶   ) : 주로 고체에서 열이 이동하는 방법

→ 열의 전달 방향

열을 받은 입자는 입자의 운동이 (❷   ) 해진다.

(❸   )한 입자들과의 충돌로 열을 전달한다.

(❹   ) : 액체와 기체에서 입자가 직접 이동하면서 열이 이동하는 방법

뜨거워진 물은 입자 운동이 활발해져 위로 (❺   )간다.

위에 있던 차가운 물은 아래로 (❻   )와 데워진다.

3. 단열의 이용 예

마개

진공

따뜻한 물

은도금된 유리 벽면

전도와 (❶   )에 의한 열의 이동을 차단

(❷   )에 의한 열의 이동을 차단

스타이로폼

유리
공기

스타이로폼, 솜 등은 열의 이동을 막는 (❸   )이다.

공기는 열의 (❹   )가 잘 일어나지 않는 물질이므로 단열에 효과적이다.

4. 열평형 그림 해석하기

열이 A에서 B로 이동
물체의 온도 : A(❶   )B

A 열 B

열을 잃는다.
입자 운동이 (❷   )해진다.
온도가 낮아진다.

열을 얻는다.
입자 운동이 (❸   )해진다.
온도가 높아진다.

온도가 낮아진다.
열을 (❹   )는다.

온도가 높아진다.
열을 (❺   )는다.

A와 B의 온도가 (❻   ).
→ 열평형 상태

온도(℃)
60 50 40 30 20 10
A
B
0 2 4 6 8 10 12 14 16 18
시간(분)

02 비열과 열팽창

1. 열량, 질량, 온도 변화의 관계

온도 변화 : 뜨거운 물이 차가운 물보다 (❶   )다.

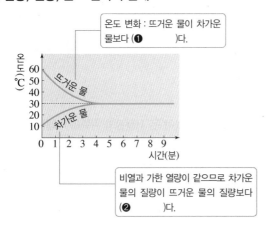

비열과 가한 열량이 같으므로 차가운 물의 질량이 뜨거운 물의 질량보다 (❷   )다.

2. 시간 – 온도 변화 그래프 해석하기

기울기가 클수록 (❶   )이 작다.

같은 시간 동안 온도가 가장 많이 올라갔다.
➡ 비열이 가장 (❷   ).

같은 시간 동안 온도가 가장 적게 올라갔다.
➡ 비열이 가장 (❸   ).

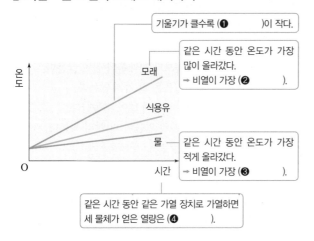

같은 시간 동안 같은 가열 장치로 가열하면 세 물체가 얻은 열량은 (❹   ).

3. 해풍과 육풍의 원리

따뜻해진 공기는 위로 올라가고 차가운 공기는 내려오는 (❶   ) 현상이 일어난다.

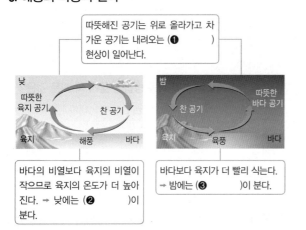

바다의 비열보다 육지의 비열이 작으므로 육지의 온도가 더 높아진다. ➡ 낮에는 (❷   )이 분다.

바다보다 육지가 더 빨리 식는다.
➡ 밤에는 (❸   )이 분다.

4. 고체의 열팽창

가열하면 입자의 운동이 활발해져서 입자 사이의 거리가 (❶   )진다.

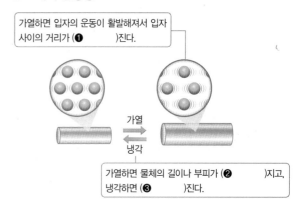

가열하면 물체의 길이나 부피가 (❷   )지고, 냉각하면 (❸   )진다.

5. 액체의 열팽창

액체가 (❶   )하면 유리관을 따라 액체가 올라간다.

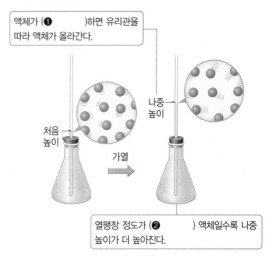

열팽창 정도가 (❷   ) 액체일수록 나중 높이가 더 높아진다.

6. 바이메탈이 휘어지는 방향

가열하면 열팽창 정도가 (❶   ) 쪽으로 휘어진다.

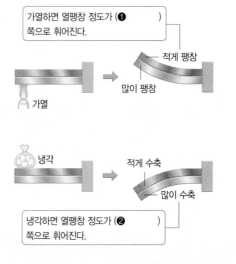

냉각하면 열팽창 정도가 (❷   ) 쪽으로 휘어진다.

시험적중 마무리 문제

이 열

01 온도와 열에 대한 설명으로 옳은 것을 보기에서 모두 고른 것은?

(보기)
ㄱ. 온도가 높을수록 입자 운동이 활발하다.
ㄴ. 온도는 물체의 입자 운동이 활발한 정도를 나타낸다.
ㄷ. 열은 온도가 낮은 물체에서 온도가 높은 물체로 이동한다.
ㄹ. 열은 입자 운동이 둔한 물체에서 입자 운동이 활발한 물체로 이동한다.

① ㄱ, ㄴ ② ㄱ, ㄷ ③ ㄴ, ㄷ
④ ㄴ, ㄹ ⑤ ㄱ, ㄷ, ㄹ

02 오른쪽 그림과 같이 금속 막대에 일정한 간격으로 촛농을 이용하여 나무 막대를 붙인 후 알코올램프로 가열하였다. 이 실험을 통해 알 수 있는 사실과 관련 있는 현상은?

① 에어컨은 위쪽에 설치한다.
② 난로 가까이 있으면 따뜻하다.
③ 여름철에는 흰색 옷을 많이 입는다.
④ 바닷가에서 낮에는 해풍이 불고, 밤에는 육풍이 분다.
⑤ 뜨거운 국을 먹을 때 나무 수저보다 은수저가 더 뜨겁다.

03 추운 겨울 공원에 있는 나무 의자에 앉을 때보다 금속 의자에 앉을 때 더 차갑게 느끼는 까닭을 옳게 설명한 것은?

① 나무가 금속보다 입자 운동이 활발하기 때문이다.
② 금속이 나무보다 열을 잘 전달하기 때문이다.
③ 금속이 나무보다 열을 잘 전달하지 못하기 때문이다.
④ 금속이 나무보다 더 많은 열을 가지고 있기 때문이다.
⑤ 금속 의자의 온도가 나무 의자보다 낮기 때문이다.

04 오른쪽 그림은 주전자에 담긴 물을 끓일 때 주전자 내부에서 일어나는 열의 이동을 나타낸 것이다. 이와 같은 열의 이동 방법을 쓰시오.

05 그림과 같이 물이 든 시험관의 위쪽과 아래쪽에 얼음을 넣고 얼음이 뜨지 않게 고정하였다.

알코올램프로 시험관의 가운데 부분을 가열할 때 나타나는 현상으로 옳은 것을 보기에서 모두 고르시오.

(보기)
ㄱ. 시험관을 가열한 곳보다 아래쪽의 물이 끓는다.
ㄴ. 시험관 아래쪽의 얼음은 잘 녹지 않는다.
ㄷ. 시험관에서는 대류에 의해 열이 이동한다.
ㄹ. (가)의 얼음보다 (나)의 얼음이 더 빨리 녹는다.

06 그림은 겨울에 방 가운데 설치한 난로의 모습이다.

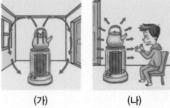

(가) (나) (다)

(가), (나), (다)에서의 열의 이동 방법을 옳게 짝 지은 것은?

	(가)	(나)	(다)
①	전도	대류	복사
②	전도	복사	대류
③	대류	전도	복사
④	대류	복사	전도
⑤	복사	대류	전도

07 오른쪽 그림과 같이 스타이로폼은 내부에 많은 양의 공기를 가지고 있어 단열에 효율적이다. 공기가 단열에 효율적인 까닭으로 옳은 것은?

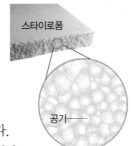

① 공기가 가볍기 때문이다.
② 공기가 비열이 작기 때문이다.
③ 공기가 열팽창을 막기 때문이다.
④ 공기는 대류가 잘 일어나기 때문이다.
⑤ 공기는 열의 전도가 느리게 일어나기 때문이다.

08 오른쪽 그림과 같은 보온병의 구조에서 이중벽 사이에 진공 공간을 만드는 까닭으로 옳은 것은?

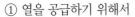

① 열을 공급하기 위해서
② 열의 복사를 막기 위해서
③ 열이 잘 전달되게 하기 위해서
④ 열의 전도와 대류를 막기 위해서
⑤ 보온병 안의 공기를 데우기 위해서

09 온도가 다른 네 물체 A~D 중 두 개를 짝 지어 접촉시켰더니 표와 같이 열이 이동하였다.

접촉한 물체	열의 이동 방향
A와 D	D ➡ A
A와 C	A ➡ C
B와 D	B ➡ D

물체 A~D의 처음 온도를 옳게 비교한 것은?

① A>B>D>C
② A>C>B>D
③ B>C>D>A
④ B>D>A>C
⑤ D>A>C>B

10 오른쪽 그림과 같이 온도가 다른 두 물체 A, B를 접촉시켰더니 A에서 B로 열이 이동하였다. 이에 대한 설명으로 옳지 않은 것은?(단, 외부와 열 출입은 없다.)

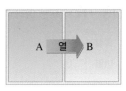

① A의 온도는 점점 낮아진다.
② B의 입자 운동은 점점 둔해진다.
③ 처음 온도는 A가 B보다 높았다.
④ A가 잃은 열량과 B가 얻은 열량은 같다.
⑤ 시간이 충분히 지나면 A와 B의 온도는 같아진다.

[11~12] 온도가 다른 두 물체 A, B를 접촉시켰을 때 각 물체의 온도를 시간에 따라 측정하였더니 그래프와 같았다.

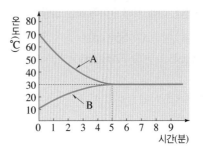

11 이 실험 결과에 대한 설명으로 옳은 것은?(단, 물의 비열은 1 kcal/(kg·℃)이다.)

① 물체 A의 처음 온도는 100 ℃이다.
② 열은 물체 B에서 물체 A로 이동한다.
③ A가 물 200 g이라면 A가 잃은 열량은 8 kcal이다.
④ 두 물체 A, B를 접촉시키면 바로 열평형 상태가 된다.
⑤ 두 물체가 열평형에 도달할 때의 온도는 두 물체 온도의 중간값인 35 ℃이다.

12 이 실험에서 두 물체 A, B의 질량이 같다면, 두 물체의 비열의 비는?

① 1 : 1
② 1 : 2
③ 3 : 7
④ 5 : 2
⑤ 7 : 1

[13~14] 표는 여러 가지 물질의 비열을 나타낸 것이다.

물질	알루미늄	철	구리	은	납
비열	0.21	0.11	0.09	0.06	0.03

[단위 : kcal/(kg·℃)]

13 같은 세기의 불꽃으로 같은 시간 동안 가열할 때, 온도 변화가 가장 클 것으로 예상되는 물질은?(단, 물질의 질량은 모두 같다.)

① 납　　　　② 철　　　　③ 구리
④ 은　　　　⑤ 알루미늄

14 20 ℃의 철 0.1 kg에 열을 가해 온도를 70 ℃까지 올리려고 한다. 이때 가해 주어야 하는 열량은?

① 110 cal　　② 550 cal　　③ 770 cal
④ 550 kcal　　⑤ 770 kcal

15 20 ℃의 모래 2 kg에 4 kcal의 열량을 가했을 때 모래의 온도는?(단, 모래의 비열은 0.2 kcal/(kg·℃)이다.)

① 25 ℃　　② 30 ℃　　③ 35 ℃
④ 45 ℃　　⑤ 50 ℃

16 오른쪽 그래프는 어떤 물체 A와 물을 같은 세기의 열로 가열할 때 시간에 따른 온도 변화를 나타낸 것이다. 물체 A의 비열은 몇 kcal/(kg·℃)인지 쓰시오.(단, 물체 A와 물의 질량은 1 kg으로 같다.)

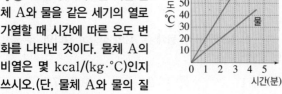

17 온도가 10 ℃인 물 200 g이 들어 있는 열량계에 온도가 70 ℃이고 질량이 200 g인 금속을 넣었더니, 열량계 속 물의 온도가 그래프와 같이 변하였다.

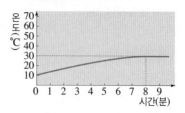

이 금속의 비열은 얼마인가?(단, 열량계 외부로 방출되는 열은 없고, 물의 비열은 1 kcal/(kg·℃)이다.)

① 0.10 kcal/(kg·℃)　　② 0.15 kcal/(kg·℃)
③ 0.20 kcal/(kg·℃)　　④ 0.25 kcal/(kg·℃)
⑤ 0.50 kcal/(kg·℃)

18 오른쪽 그래프는 두 물질 A, B를 같은 세기의 불꽃으로 가열할 때, 가열 시간에 따른 온도 변화를 나타낸 것이다. 이에 대한 설명으로 옳지 않은 것은?

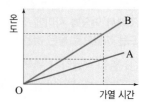

① 같은 시간 동안 A와 B가 얻은 열량은 같다.
② A와 B가 같은 물질이라면 A의 질량이 더 크다.
③ A와 B가 다른 물질이라면 A의 질량이 더 크다.
④ A와 B가 같은 질량이라면 A의 비열이 더 크다.
⑤ 같은 온도만큼 올리는 데 A가 더 많은 열량이 필요하다.

19 비열에 의한 현상 또는 이용에 대한 설명으로 옳은 것은?

① 물보다 모래의 비열이 높아서 낮에 해풍이 분다.
② 물체의 비열이 클수록 이용할 수 있는 곳이 많다.
③ 찜질 팩에 물 대신 식용유를 넣어 사용하면 더 효과적이다.
④ 사람의 몸에는 물이 많이 포함되어 있어 체온 유지에 유리하다.
⑤ 해안 도시가 비슷한 위치에 있는 내륙 도시보다 일교차가 크다.

20 고체에 열을 가했을 때 부피가 팽창하는 까닭으로 옳은 것은?

① 열에 의해 입자의 크기가 커지기 때문에
② 열에 의해 입자가 반으로 나누어지기 때문에
③ 열에 의해 입자의 개수가 증가하기 때문에
④ 열에 의해 입자의 운동이 둔해지기 때문에
⑤ 열에 의해 입자와 입자 사이의 거리가 멀어지기 때문에

21 오른쪽 그림과 같이 수조에 각각 같은 양의 에탄올과 물이 든 삼각 플라스크를 넣고 수조에 뜨거운 물을 천천히 부었더니 유리관의 액체의 높이가 변하였다. 이 실험에 대한 설명으로 옳은 것을 보기에서 모두 고른 것은?

나중 높이
나중 높이
에탄올
물
뜨거운 물

┌ 보기 ┐
ㄱ. 액체의 종류에 따라 열팽창하는 정도가 다르다.
ㄴ. 열팽창하는 정도는 물>에탄올 순이다.
ㄷ. 물과 에탄올의 실제 팽창 정도는 유리관의 높이 변화보다 크다.

① ㄱ   ② ㄴ   ③ ㄱ, ㄷ
④ ㄴ, ㄷ   ⑤ ㄱ, ㄴ, ㄷ

22 열팽창과 관련이 있는 현상은?

① 여름철 시냇가에 과일을 넣어 두면 시원해진다.
② 뚝배기보다 금속 냄비를 써야 라면이 빨리 끓는다.
③ 알루미늄 냄비 위에 언 고기를 놓으면 고기가 빨리 녹는다.
④ 적외선 카메라로 사진을 찍으면 사람이나 동물의 체온 분포를 알 수 있다.
⑤ 유리병의 금속 뚜껑이 잘 열리지 않을 때 뚜껑에 뜨거운 물을 부으면 뚜껑을 쉽게 열 수 있다.

23 치과에서 충치를 치료할 때 금을 사용하는 까닭으로 가장 적절한 것은?

① 금은 열팽창을 하지 않기 때문이다.
② 금은 다른 금속에 비해 독성이 없기 때문이다.
③ 금은 치아와 열팽창하는 정도가 비슷하기 때문이다.
④ 금이 열팽창하는 정도가 다른 금속에 비해 크기 때문이다.
⑤ 금이 열팽창하는 정도가 다른 금속에 비해 작기 때문이다.

24 오른쪽 그림과 같이 구리와 알루미늄을 붙여 만든 바이메탈을 알코올램프로 가열하였다. 이때 나타나는 현상과 그 까닭을 옳게 설명한 것은?(단, 열팽창하는 정도와 비열은 모두 구리보다 알루미늄이 크다.)

구리
알루미늄

① 열평형으로 인해 바이메탈의 길이가 길어진다.
② 열팽창으로 인해 바이메탈이 구리 쪽으로 휘어진다.
③ 열팽창으로 인해 바이메탈이 알루미늄 쪽으로 휘어진다.
④ 두 금속의 비열 차이로 인해 바이메탈이 구리 쪽으로 휘어진다.
⑤ 두 금속의 비열 차이로 인해 바이메탈이 알루미늄 쪽으로 휘어진다.

25 서로 다른 금속 A, B, C를 2개씩 붙여 바이메탈을 만든 후 가열하였더니 그림과 같이 되었다.

A
B
B
C
C
A

세 금속의 열팽창하는 정도를 부등호를 이용하여 옳게 비교한 것은?

① A>B>C   ② A>C>B   ③ B>A>C
④ B>C>A   ⑤ C>A>B

재해 · 재난과 안전

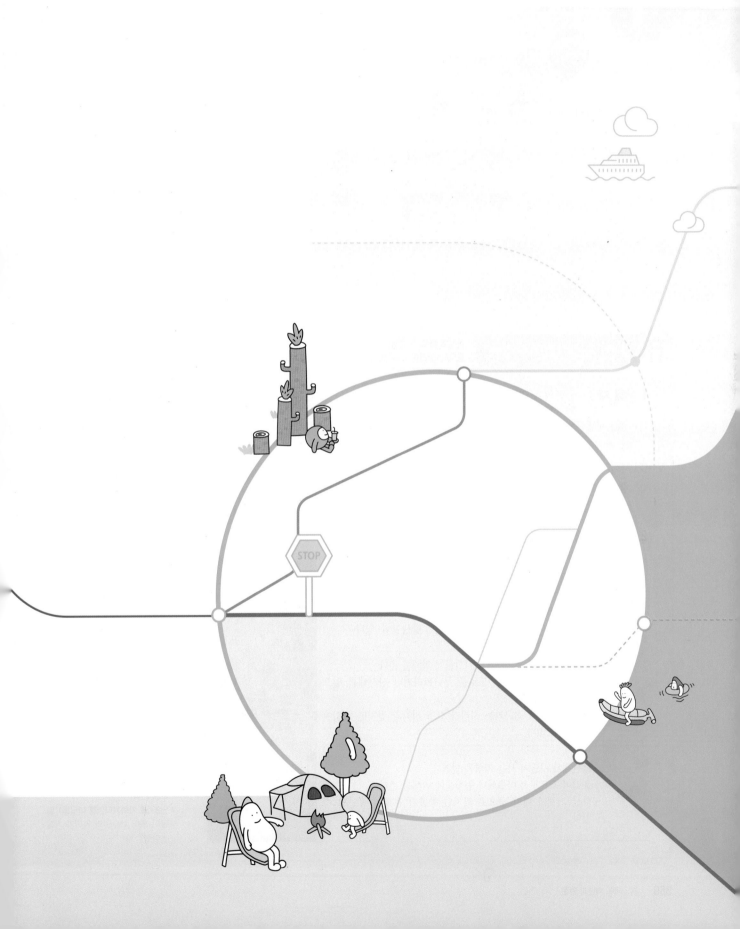

01 재해·재난과 안전

만화 완성하기

다음 만화를 보고 엘리베이터의 말풍선을 완성해 보자.

앗, 지진이다!

흔들림이 멈출 때까지 기다려야 해!

왜 이렇게 안 와. ㅠㅠ

>> 이 단원을 학습한 후 내가 쓴 대사를 수정해 보자.

A 자연 재해·재난의 피해

봄철의 황사, 여름철의 집중 호우나 태풍, 겨울철의 한파 등 우리는 일상생활에서 크고 작은 재해·재난을 경험하게 됩니다. 이러한 재해·재난에는 어떤 것들이 있으며, 우리에게 어떤 피해를 줄까요?

1. 재해·재난 : 국민의 생명, 신체, 재산과 국가에 피해를 주거나 줄 수 있는 것
└─● 원인을 파악하여 과학적으로 대처하면 피해를 줄일 수 있다.

(1) **자연 재해·재난** : 자연 현상으로 발생하는 재해·재난
    ●─ 비상, 미래엔, YBM 교과서에서는 미세먼지를 자연 재해·재난 사례로 제시한다.
    [예] 지진, 태풍, 화산, 홍수, 가뭄, 폭설, 폭염, 황사, 미세먼지 등

(2) **사회 재해·재난** : 인간의 부주의나 기술상의 문제 등 인간 활동으로 발생하는 재해·재난
    [예] 화재, 폭발, 붕괴, 환경 오염, 화학 물질 유출, 감염성 질병 확산, 운송 수단 사고 등

2. 자연 재해·재난의 피해

지진	• 산이 무너지거나 땅이 갈라진다. • 도로나 건물이 무너지고 화재가 발생한다. • 대체로 규모가 큰 지진일수록 피해가 크다.＋ • 해저에서 지진이 일어나면 ●지진해일이 발생할 수 있다. └●지진은 대부분 한 번으로 그치지 않고 여러 번 일어난다.
태풍＋	• 강한 바람으로 농작물이나 시설물에 피해를 준다. • 집중 호우를 동반하여 도로를 무너뜨리거나 산사태를 일으킨다. • 태풍이 해안에 접근하는 시기가 ●만조 시각과 겹치면 해일이 발생할 수 있다.
화산	• 화산재가 사람이 사는 지역을 덮친다. • 용암이 흐르면서 마을이나 농작물에 피해를 준다. • 화산 기체가 대기 중으로 퍼지면 항공기 운행이 중단될 수 있다.

＋ 규모
지진의 세기를 나타내는 방법 중 하나로, 지진 발생 시 방출되는 에너지의 양을 나타낸 것이다.

＋ 태풍의 피해
태풍이 진행하는 방향의 오른쪽 지역은 왼쪽 지역보다 바람이 강하고 강수량도 많아 피해가 크다.

| 용어 |
• 지진해일(海 바닷물, 溢 넘치다)
수십 m 높이의 바닷물이 해안 지역을 덮치는 현상으로, 쓰나미라고도 한다.
• 만조(滿 가득차다, 潮 바닷물) 밀물이 되어 해수면의 높이가 가장 높아졌을 때

한눈에 보기 이 단원의 개념이 어떻게 구성되어 있는지 살펴보고 빈칸을 완성해 보자.

```
                         ┌── 재해·재난의 원인과 피해 ──┬── A  자연 재해·재난의 피해
재해·재난과 안전 ───┤                                      └── B
                         └── 재해·재난의 대처 방안 ──┬── C
                                                       └── D  사회 재해·재난의 대처 방안
```

단어 체크하기 이 단원을 공부하기 전에 미리 알고 있는 단어를 체크해 보자.

☐ 재해·재난 ☐ 지진 ☐ 규모 ☐ 지진해일 ☐ 태풍
☐ 화산 ☐ 화학 물질 유출 ☐ 감염성 질병 ☐ 내진 설계 ☐ 밀도

1 다음은 재해·재난에 대한 설명이다. ( ) 안에 알맞은 말을 쓰시오.

> 재해·재난은 국민의 생명, 신체, 재산과 국가에 피해를 주거나 줄 수 있는 것을 말한다. 자연 현상으로 발생하는 재해·재난을 ㉠( ) 재해·재난이라 하고, 인간의 부주의나 기술상의 문제 등 인간 활동으로 발생하는 재해·재난을 ㉡( ) 재해·재난이라고 한다.

재해·재난의 종류

자연 재해·재난	사회 재해·재난
지진, 태풍, 화산, 홍수, 가뭄, 폭설, 폭염, 황사, 미세먼지 등	화재, 폭발, 붕괴, 환경 오염, 화학 물질 유출, 감염성 질병 확산, 운송 수단 사고 등

2 다음 재해·재난 사례들을 (가) 자연 재해·재난과 (나) 사회 재해·재난으로 구분하시오.

┌─ 보기 ┐
ㄱ. 태풍   ㄴ. 폭발   ㄷ. 운송 수단 사고
ㄹ. 홍수   ㅁ. 환경 오염   ㅂ. 가뭄

3 자연 재해·재난에 대한 설명으로 옳은 것은 ○, 옳지 **않은** 것은 ×로 표시하시오.

(1) 대체로 규모가 작은 지진일수록 피해가 크다. ·············· ( )
(2) 태풍이 해안에 접근하는 시기가 만조 시각과 겹치면 해일이 발생할 수 있다.
      ·· ( )
(3) 태풍이 진행하는 방향의 왼쪽 지역은 오른쪽 지역보다 피해가 크다. ······· ( )
(4) 화산이 폭발하여 화산 기체가 대기 중으로 퍼지면 항공기 운행이 중단될 수 있다.
      ·· ( )

01 재해·재난과 안전

B 사회 재해·재난의 원인과 피해

자연 재해·재난과 달리 사회 재해·재난은 상대적으로 좁은 범위에서, 인간의 활동으로 발생하므로 원인을 알면 예방할 수 있습니다. 사회 재해·재난의 원인과 피해에 대해 알아봅시다.

1. 화학 물질 유출

원인	안전 규정 무시, 작업자의 부주의, 운송 차량 사고, 시설물 노후화 및 결함 등
피해	• 화학 물질이 반응하여 폭발하거나 화재가 발생한다. • 화학 물질이 바다, 토양, 대기 등으로 퍼져 환경이 오염된다. • 피부에 접촉했을 때 수포가 생기거나 호흡했을 때 폐에 손상을 주는 등 각종 질병을 유발한다.

2. 감염성 질병 확산 : 감염성 질병은 *병원체가 동물이나 인간에게 침입하여 발생하는 질병으로, 침, 혈액, 동물, 신체 접촉, 오염된 물 등 다양한 경로를 통해 퍼져 나간다.

예 중동호흡기증후군(메르스), 조류 독감, 유행성 눈병, 독감 등

원인	병원체의 진화, 모기나 진드기와 같은 *매개체 증가, 교통수단 발달, 인구 이동 증가, 무역 증가 등+
피해	• 특정 지역에 그치지 않고 지구적인 규모로 확산하여 큰 피해를 줄 수 있다. • 야생동물에게만 발생하던 질병이 인간에게 감염되어 새로운 감염성 질병이 나타나기도 한다.

+ 교통수단 발달에 따른 감염성 질병 확산

교통수단이 발달함에 따라 인구 이동이 증가하고 무역이 활발해지면서 특정 지역에서 발생한 감염성 질병이 넓은 지역으로 확산할 가능성이 높아졌다.

| 용어 |
- **병원체(病 질병, 原 원인, 體 몸)** 세균, 바이러스 등 질병을 일으키는 원인이 되는 미생물
- **매개체(媒 중매, 介 소개, 體 몸)** 병원체를 지니고 다른 생물로 전파하는 생물

C 자연 재해·재난의 대처 방안

재해·재난은 대부분 예고 없이 발생하지만 과학적 원리를 이용하여 대처 방안을 마련하면 그 피해를 줄일 수 있습니다. 재해·재난에 대비하기 위해 우리가 어떻게 행동해야 하는지 알아볼까요?

지진+	• 땅이 불안정한 지역을 피해 건물을 짓고, 건물을 지을 때 *내진 설계를 한다. • 내진 설계가 되어 있지 않은 건물에는 내진 구조물을 추가로 설치한다. • 큰 가구는 미리 고정하고, 물건을 낮은 곳으로 옮긴다. ─ 집 안의 물건들이 넘어지며 부상을 당할 수 있기 때문 • 화재 발생을 방지하기 위해 가스와 전기를 차단한다. • 건물 밖으로 나갈 때는 승강기를 이용하지 말고 계단을 이용한다. └ 지진으로 전기가 차단되거나 승강기가 고장날 수 있기 때문 
태풍	• 기상 위성 자료 등을 바탕으로 태풍의 이동 경로를 예측하고, 태풍의 예상 진로에 있는 지역에 경보를 내린다. • 해안가에서는 바람막이숲을 조성하거나 제방을 쌓는다. └ 해안가에서 강한 바람의 피해를 막기 위해 만든 숲 • 창문을 고정하고, 배수구가 막히지 않았는지 확인한다. • 감전의 위험이 있으므로 전기 시설을 만지지 않는다. • 선박을 항구에 결박하고, 운행 중에는 태풍의 이동 경로에서 멀리 대피한다.
화산	• 화산 주변을 관측하고, 인공위성으로 자료를 수집하여 화산 분출을 예측한다. • 화산이 폭발하면 외출을 자제하고, 화산재에 노출되지 않도록 주의한다. • 화산이 폭발할 가능성이 있는 지역에서는 방진 마스크, 손전등, 예비 의약품 등 필요한 물품을 미리 준비한다.

+ 지진 발생 시 행동 요령
- 지진으로 흔들릴 때는 튼튼한 탁자 아래로 들어가 몸을 보호한다.
- 흔들림이 멈추면 가스와 전기를 차단하고, 문을 열어 출구를 확보한다.
- 건물 밖에서는 가방 등으로 머리를 보호하고, 건물과 거리를 두고 주위를 살피며 대피한다.
- 운동장이나 공원 등 넓은 공간으로 대피하고, 안내 방송 등에 따라 행동한다.
- 해안가에 있을 때 지진이 발생하거나 지진해일 경보가 발령되면 재빨리 높은 곳으로 대피한다.

| 용어 |
- **내진(耐 참다, 震 지진)** 지진을 견디어 내다.

1 세균, 바이러스 등의 병원체가 동물이나 인간에게 침입하여 발생하는 질병을 무엇이라고 하는지 쓰시오.

감염성 질병 확산의 원인
• 병원체의 진화
• 모기나 진드기와 같은 매개체 증가
• 교통수단 발달
• 인구 이동 증가
• 무역 증가

2 사회 재해·재난에 대한 설명으로 옳은 것은 ○, 옳지 않은 것은 ×로 표시하시오.

(1) 화학 물질 유출 사고의 원인에는 안전 규정 무시, 운송 차량 사고, 시설물 노후화 등이 있다. ······························· (   )

(2) 화학 물질이 유출되어 바다, 토양, 대기 등으로 퍼지면 환경이 오염된다. ··· (   )

(3) 감염성 질병 확산의 원인에는 매개체 증가, 교통수단 발달, 인구 이동 증가 등이 있다. ······························· (   )

(4) 감염성 질병은 특정 지역에만 나타나고 넓은 지역으로 퍼지지는 않는다. (   )

1 지진의 피해를 줄이기 위해서는 건물을 지을 때 지진에 잘 견디도록 (   ) 설계를 해야 한다.

지진의 대처 방안
• 흔들릴 때: 탁자 아래로 들어가 몸을 보호한다.
• 흔들림이 멈추었을 때: 가스와 전기를 차단하고 문을 열어 출구를 확보한다.
• 건물 밖으로 이동할 때: 계단을 이용한다.

2 다음 중 지진의 대처 방안에는 '지진', 태풍의 대처 방안에는 '태풍'을 각각 쓰시오.

(1) 큰 가구는 미리 고정하고, 물건을 낮은 곳으로 옮긴다. ····························· (   )

(2) 창문을 고정하고, 배수구가 막히지 않았는지 확인한다. ····························· (   )

(3) 해안가에서는 바람막이숲을 조성하거나 제방을 쌓는다. ························· (   )

(4) 내진 설계가 되어 있지 않은 건물에 내진 구조물을 추가로 설치한다. ··· (   )

3 재해·재난의 대처 방안에 대한 설명으로 옳은 것은 ○, 옳지 <u>않은</u> 것은 ×로 표시하시오.

(1) 지진으로 흔들릴 때는 즉시 가스와 전기를 차단한다. ····························· (   )

(2) 지진 발생 시 건물 밖으로 나갈 때는 계단을 이용한다. ························· (   )

(3) 태풍 발생 시 감전의 위험이 있으므로 전기 시설을 만지지 않는다. ········· (   )

(4) 화산 주변을 관측하고 인공위성으로 자료를 수집하여 화산 분출을 예측한다. ······························· (   )

360쪽으로 돌아가서 내가 쓴 대사를 점검해 보자.

D **사회 재해 · 재난의 대처 방안** 2015년 우리나라에서 메르스 환자가 처음 발생했을 때는 초기에 신속하게 대처하지 못해 피해가 매우 커졌습니다. 메르스와 같은 감염성 질병이 확산될 때는 어떻게 대처해야 할까요?

화학 물질 유출	• 화학 물질에 직접 노출되지 않도록 주의하고, 최대한 멀리 대피한다. • 유출된 유독가스가 공기보다 밀도가 크면 높은 곳으로 대피하고, 공기보다 밀도가 작으면 낮은 곳으로 대피한다. └ 밀도가 큰 물질은 아래로 가라앉고, 밀도가 작은 물질은 위로 뜬다. • 바람이 사고 발생 장소 쪽으로 불면 바람 방향의 반대 방향으로 대피한다. • 바람이 사고 발생 장소에서 불어오면 바람 방향의 직각 방향으로 대피한다.  ↑ 바람이 사고 발생 장소 쪽으로 불 때 ↑ 바람이 사고 발생 장소에서 불어올 때 • 실내로 대피한 경우 창문을 닫고, 외부 공기와 통하는 에어컨, 환풍기의 작동을 멈춘다. • 화학 물질에 노출되었을 때는 즉시 병원에 가서 진찰받는다.
감염성 질병 확산⁺⁺	• 증상, 감염 경로 등 해당 질병에 대한 정보를 정확하게 알고 대처한다. • 병원체가 쉽게 증식할 수 없는 환경을 만들고, 확산 경로를 차단한다. • 비누를 사용하여 손을 자주 씻고, 식재료를 깨끗이 씻는다. • 식수는 끓인 물이나 생수를 사용하고, 음식물을 충분히 익혀 먹는다. • 기침을 할 경우 코와 입을 가리고, 기침이 계속되면 마스크를 착용한다. • 설사, 발열 및 호흡기 이상 증상이 나타나면 즉시 의료 기관을 방문한다. • 해외 여행객은 귀국 시 이상 증상이 나타나면 검역관에게 신고한다.

┌ 천재 교과서에만 나온다.
✚ 역학 조사
감염자가 사는 장소, 활동 범위를 파악하여 감염자가 접촉했던 사람을 추적하는 것으로, 감염성 질병의 원인을 찾고 확산을 막기 위한 활동이다.

┌ 천재 교과서에만 나온다.
✚ 스노의 콜레라 전염 대처법
예전에는 독성 기체가 공기 중으로 퍼져 콜레라가 전염된다고 생각하였지만, 의사였던 스노는 과학적인 조사를 바탕으로 새로운 대처법을 발견하였다.
❶ 스노는 콜레라의 전염 원인을 알아내기 위해 사망자가 발생한 곳을 지도에 표시하였다.
❷ 표시한 지역에서 특정 급수 펌프를 이용한 사람들만 콜레라에 걸린 것을 발견하고, 지하수가 오염되었다고 결론을 내렸다.
❸ 오염된 지하수 사용을 금지하자 콜레라 확산이 멈추었다.

1 다음은 화학 물질이 유출되었을 때 대피하는 방법에 대한 설명이다. ( ) 안에 알맞은 말을 고르시오.

> 화학 물질이 유출되었을 때 유독가스가 공기보다 밀도가 크면 아래쪽으로 퍼지므로 ㉠(높은, 낮은) 곳으로 대피하고, 유독가스가 공기보다 밀도가 작으면 위쪽으로 퍼지므로 ㉡(높은, 낮은) 곳으로 대피한다.

화학 물질 유출 시 대피 방향
• 유독가스의 밀도를 고려한다.
• 바람의 방향을 고려한다.

2 재해 · 재난의 대처 방안에 대한 설명으로 옳은 것은 ○, 옳지 않은 것은 ✕로 표시하시오.

(1) 감염성 질병을 예방하기 위해 비누를 사용하여 손을 자주 씻는다. .... ( )

(2) 화학 물질이 유출되면 방독면이나 물수건 등으로 호흡기를 보호한다. .... ( )

(3) 화학 물질이 유출되어 대피할 때는 바람의 방향을 고려하지 않아도 된다. .... ( )

(4) 설사, 발열 및 호흡기 이상 증상이 나타날 때는 곧바로 의료 기관을 방문한다. ... ( )

01 재해·재난에 대한 설명으로 옳은 것을 보기에서 모두 고른 것은? [360쪽]

┌ 보기 ┐
ㄱ. 국민의 생명, 신체, 재산과 국가에 피해를 주거나 줄 수 있는 것을 말한다.
ㄴ. 발생 원인에 따라 자연 재해·재난과 사회 재해·재난으로 구분한다.
ㄷ. 언제 발생할지 정확하게 예측하여 대비할 수 있다.
ㄹ. 재해·재난이 발생하는 원인을 과학적으로 이해하면 피해를 줄일 수 있다.

① ㄱ
② ㄱ, ㄴ
③ ㄴ, ㄷ
④ ㄱ, ㄴ, ㄷ
⑤ ㄱ, ㄴ, ㄹ

02 보기에서 사회 재해·재난을 모두 고른 것은? [360쪽]

┌ 보기 ┐
ㄱ. 지진
ㄴ. 화재
ㄷ. 화학 물질 유출
ㄹ. 폭염
ㅁ. 화산
ㅂ. 감염성 질병 확산

① ㄱ, ㄴ, ㄷ
② ㄴ, ㄷ, ㅂ
③ ㄴ, ㄹ, ㅁ
④ ㄷ, ㄹ, ㅂ
⑤ ㄹ, ㅁ, ㅂ

03 지진에 대한 설명으로 옳지 <u>않은</u> 것은? [360쪽]

① 대체로 규모가 큰 지진일수록 피해가 크다.
② 지진이 발생하면 산이 무너지거나 땅이 갈라진다.
③ 해저에서 지진이 일어나면 지진해일이 발생할 수 있다.
④ 최근에는 지진 관측소에서 지진 발생 시각을 정확하게 예측한다.
⑤ 지진의 피해를 줄이기 위해서는 평소에 지진에 대한 행동 요령을 익히는 것이 중요하다.

04 다음은 태풍의 피해에 대한 설명이다. ( ) 안에 알맞은 말을 쓰시오. [360쪽]

태풍은 강한 바람으로 농작물이나 시설물에 피해를 준다. 태풍이 진행하는 방향의 ㉠( ) 지역은 ㉡( ) 지역보다 바람이 강하고 강수량도 많아 피해가 크다. 또한 태풍이 해안에 접근하는 시기가 만조 시각과 겹치면 ㉢( )이 발생할 수 있다.

05 다음 설명에 해당하는 재해·재난으로 가장 적당한 것은? [362쪽]

• 안전 규정 무시, 작업자의 부주의, 시설물 결함 등이 원인이 되어 발생한다.
• 바다, 토양, 대기 등으로 퍼져 환경이 오염된다.
• 피부에 접촉했을 때 수포가 생기거나 호흡했을 때 폐에 손상을 주는 등 각종 질병을 유발한다.

① 가뭄
② 붕괴
③ 황사
④ 운송 수단 사고
⑤ 화학 물질 유출

06 감염성 질병에 대한 설명으로 옳지 <u>않은</u> 것은? [362쪽]

① 병원체에 의해 발생한다.
② 침, 혈액, 동물, 신체 접촉, 오염된 물 등을 통해 전파될 수 있다.
③ 설사, 발열 및 호흡기 이상 증상이 나타나면 감염성 질병이 의심된다.
④ 중동호흡기증후군(메르스), 조류 독감, 유행성 눈병 등이 해당된다.
⑤ 교통수단이 발달함에 따라 감염성 질병이 넓은 지역으로 확산할 가능성이 낮아지고 있다.

02 사회 재해·재난은 인간의 부주의나 기술상의 문제 등 인간 활동으로 발생한다. **06** 교통수단이 발달함에 따라 인구 이동이 증가하고 무역이 증가하는 등 지역 간 교류가 활발해졌다.

07 감염성 질병 확산의 원인으로 적당하지 <u>않은</u> 것은?

① 병원체의 진화   ② 인구 이동 증가

③ 의료 기술 발달   ④ 교통수단 발달

⑤ 모기와 같은 매개체 증가

중요
08 지진의 대처 방안에 대한 설명으로 옳은 것을 보기에서 모두 고른 것은?

보기

ㄱ. 땅이 불안정한 지역을 피해 건물을 짓는다.

ㄴ. 지진해일 경보가 발령되면 해안가에 가까운 저지대로 대피한다.

ㄷ. 내진 설계가 되어 있지 않은 건물에는 내진 구조물을 추가로 설치한다.

ㄹ. 지진은 여러 번에 걸쳐 일어날 수 있으므로 대피 후 안내에 따라 행동한다.

① ㄱ, ㄴ   ② ㄴ, ㄷ   ③ ㄷ, ㄹ

④ ㄱ, ㄷ, ㄹ   ⑤ ㄴ, ㄷ, ㄹ

중요 풀이 TIP
09 태풍의 피해를 줄이기 위한 대처 방안으로 옳지 <u>않은</u> 것은?

① 태풍의 예상 진로에 있는 지역에 경보를 내린다.

② 창문을 고정하고, 배수구가 막히지 않았는지 확인한다.

③ 실내에서는 창문이나 유리문에서 멀리 떨어져 있는다.

④ 해안가에서는 강한 바람을 막기 위해 바람막이숲을 조성한다.

⑤ 태풍의 이동 경로에서 운행 중인 선박은 태풍 진행 방향의 오른쪽 지역으로 대피한다.

10 화산 폭발의 대처 방안에 대한 설명으로 옳은 것을 보기에서 모두 고른 것은?

보기

ㄱ. 화산이 폭발하면 외출을 자제한다.

ㄴ. 화산이 폭발하면 문을 모두 열어 환기한다.

ㄷ. 화산은 주기적으로 폭발하므로 관측하지 않아도 된다.

ㄹ. 화산이 폭발할 가능성이 있는 지역에서는 방진 마스크, 손전등, 예비 의약품 등을 미리 준비한다.

① ㄱ, ㄴ   ② ㄱ, ㄷ   ③ ㄱ, ㄹ

④ ㄴ, ㄷ   ⑤ ㄷ, ㄹ

중요 풀이 TIP
11 지진이 발생했을 때 상황별 행동 요령을 옳게 설명한 학생은?

① 수진 : 지진으로 흔들릴 때는 먼저 문을 열어 출구를 확보해야 해.

② 민우 : 흔들림이 멈추면 가스를 켜서 점검해야 해.

③ 성훈 : 건물 밖으로 나갈 때는 승강기를 타고 빨리 이동해야 해.

④ 지은 : 건물 밖에서는 가방 등으로 머리를 보호해야 해.

⑤ 혜리 : 가능한 한 큰 건물 주변으로 대피하는 것이 안전해.

중요 풀이 TIP
12 화학 물질 유출 사고의 대처 방안으로 옳지 <u>않은</u> 것은?

① 화학 물질에 직접 노출되지 않도록 주의한다.

② 화학 물질에 노출되면 즉시 병원에서 진찰받는다.

③ 외부에서 대피하는 경우 바람의 방향을 고려해야 한다.

④ 실내로 대피한 경우 창문을 닫고, 환풍기를 작동한다.

⑤ 유출된 유독가스가 공기보다 밀도가 크면 높은 곳으로 대피한다.

---

 09 태풍이 진행하는 방향의 오른쪽 지역은 왼쪽 지역보다 피해가 크다. **11** 지진이 발생하면 떨어지는 물건에 맞아 다칠 수 있으므로 주의해야 한다. **12** 환풍기를 작동하면 외부 공기가 실내로 들어올 수 있다.

13 ^{풀이} TIP 화학 물질 유출 사고가 발생한 지역에서 그림과 같이 _{364쪽}
왼쪽에서 오른쪽으로 바람이 불고 있다.

A와 B가 대피해야 하는 방향을 각각 옳게 고른 것은?

	A	B		A	B		A	B
①	㉠	㉢	②	㉠	㉣	③	㉠	㉤
④	㉡	㉣	⑤	㉡	㉤			

14 감염성 질병 확산의 피해를 줄이기 위한 대처 방안으 _{364쪽}
로 옳지 <u>않은</u> 것은?

① 병원체의 확산 경로를 차단한다.

② 기침을 할 경우 코와 입을 가린다.

③ 식수는 끓인 물이나 생수를 사용한다.

④ 해외 여행객은 귀국 시 이상 증상이 나타나면 집에서
충분히 휴식을 취한다.

⑤ 설사, 발열 및 호흡기 이상 증상이 나타나면 즉시 의
료 기관을 방문한다.

15 재해·재난의 대처 방안으로 옳지 <u>않은</u> 것은? _{364쪽}

① 태풍이 올 때는 선박을 항구에 결박한다.

② 화산이 폭발하면 화산재에 노출되지 않도록 주의
한다.

③ 감염성 질병이 발생하면 비누를 사용하여 손을 자주
씻는다.

④ 화학 물질이 유출되면 숨을 편하게 쉴 수 있게 코와
입을 감싸지 않는다.

⑤ 지진에 대비하여 큰 가구는 미리 고정하고, 물건을
낮은 곳으로 옮긴다.

16 지진이 발생했을 때 집 안에 있었다면 다음 상황에서 _{362쪽}
취해야 할 행동 요령을 한 가지씩 서술하시오.(단, 건물이 무
너질 가능성은 없다고 가정한다.)

(가) 지진으로 흔들릴 때 :

(나) 흔들림이 멈췄을 때 :

(다) 건물 밖으로 이동할 때 :

17 ^{풀이} TIP 다음은 화학 물질이 유출되었을 때의 대처 방안에 대 _{364쪽}
한 학생들의 설명이다.

- 지훈 : 화학 물질에 직접 노출되지 않도록 주의하고,
최대한 멀리 대피해야 해.
- 수민 : 유출된 유독가스가 공기보다 밀도가 작으면 높
은 곳으로 대피해야 해.
- 성운 : 바람이 사고 발생 장소에서 불어오면 바람 방
향의 반대 방향으로 대피해야 해.

잘못된 부분 <u>두 곳</u>을 찾아 옳게 고쳐 쓰시오.

학
습
평
가
하
기

정답친해 102쪽으로 가서 문제를 채점한 후 학습 결과를 스스로 평가
해 보세요.

맞춘 개수	15~17개	11~14개	0~10개
평가	잘함	보통	부족

➜ 정답친해에서 그 문제를 왜 틀렸는지 꼭 확인하세요!

➜ 본책에서 해당 쪽으로 돌아가서 부족한 부분을 다시 공부하세요!

13 바람이 사고 발생 장소 쪽으로 부는지, 바람이 사고 발생 장소에서 사람 쪽으로 불어오는지 파악한다. **17** 밀도가 작은 물질은 위로 뜨고, 밀도가 큰 물질은 아래로 가
라앉으므로 유독가스의 밀도를 고려하여 대피한다.

Memo

15개정 교육과정

완벽한 자율학습서

완자

완자네 새주소

자율학습시
비상구
정답친해로
53

정확한 답과 친절한 해설

중등 과학
2

정답친해로
오삼~

책 속의 가접 별책 (특허 제 0557442호)
'정답친해'는 본책에서 쉽게 분리할 수 있도록 제작되었으므로
유통 과정에서 분리될 수 있으나 파본이 아닌 정상제품입니다.

visang

ABOVE IMAGINATION

우리는 남다른 상상과 혁신으로
교육 문화의 새로운 전형을 만들어
모든 이의 행복한 경험과 성장에 기여한다

완벽한 자율학습서

완자

자율학습시
비상구
정답친해로
53

중등 과학 **2**

I. 물질의 구성

01 원소

단원 미리보기
10~11쪽

만화 완성하기 >> [모범 답안] 리튬과 나(스트론튬)는 선 스펙트럼이 다르다구!

한눈에 보기 >> [B] 원소, [D] 불꽃 반응

11~15쪽

Ⓐ **1** (1) ㄱ (2) ㄹ (3) ㄷ (4) ㄴ　**2** (1) ○ (2) ○ (3) × (4) ○ (5) ×

Ⓑ **1** (1) ○ (2) × (3) × (4) ○　**2** (1) ○ (2) × (3) ○ (4) ×　**3** ㄹ, ㅂ

Ⓒ **1** (1)-㉠, ㉣ (2)-㉡, ㉢　**2** (1) 수소 (2) 헬륨 (3) 금

Ⓓ **1** 불꽃 반응　**2** ㉠ 노란색, ㉡ 빨간색, ㉢ 구리, ㉣ 칼륨, ㉤ 빨간색, ㉥ 황록색　**3** ㉠ 칼슘, ㉡ 주황색

Ⓔ **1** (1) 연속 (2) 선　**2** (1) ○ (2) × (3) ○ (4) ○ (5) ○

A-2 바로알기 >> (3) 물이 분해되면 수소 기체와 산소 기체가 발생하므로 물은 원소가 아니다.
(5) 라부아지에는 물 분해 실험을 통해 물이 수소와 산소로 나누어지는 것을 확인하여, 물이 원소가 아님을 증명하였다.

B-1 바로알기 >> (2) 현재까지 알려진 원소의 종류는 120여 가지이다.
(3) 90여 가지의 원소는 자연에서 발견된 것이고, 그 밖의 원소는 인공적으로 만든 것이다.

B-2 바로알기 >> (2) 물은 수소와 산소로 이루어져 있다.
(4) 소금은 나트륨과 염소로 이루어져 있다.

B-3 ㄹ, ㅂ. 다이아몬드와 알루미늄 포일은 모두 한 종류의 원소로 이루어진 물질이다. 다이아몬드는 탄소, 알루미늄 포일은 알루미늄으로 이루어져 있다.
바로알기 >> ㄱ, ㄴ, ㄷ, ㅁ. 설탕, 공기, 바닷물, 나무젓가락은 두 종류 이상의 원소로 이루어져 있다.

C-1 (1) 산소는 지구 대기의 약 21 %를 차지하며, 물질의 연소와 생물의 호흡에 이용된다.
(2) 질소는 다른 물질과 거의 반응하지 않으므로 과자 봉지의 충전제로 이용된다.

D-2 나트륨은 노란색, 리튬은 빨간색, 구리는 청록색, 칼륨은 보라색, 스트론튬은 빨간색, 바륨은 황록색의 불꽃 반응 색이 나타난다.

D-3 물질의 종류가 달라도 같은 금속 원소가 포함되어 있으면 불꽃 반응 색이 같다.

E-2 바로알기 >> (2) 햇빛의 스펙트럼은 연속적인 색의 띠이고, 선 스펙트럼은 특정 부분에만 나타나는 밝은 색 선의 띠이다.

실력탄탄 핵심 문제
17~21쪽

01 ③	02 ①	03 ④	04 ④	05 ④	06 ⑤	07 ⑤
08 ①	09 ②	10 ④	11 ④	12 ③	13 ③	14 ②
15 ③	16 ③	17 ①	18 ⑤	19 ⑤	20 ④	21 ⑤

서술형 문제 **22~26** 해설 참조

01 (가)는 아리스토텔레스, (나)는 탈레스, (다)는 보일의 생각을 나타낸 것이다.

02 문제 분석하기 >>

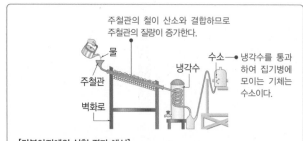

[라부아지에의 실험 결과 해석]
• 물은 산소와 수소로 분해된다. ➡ 물은 원소가 아니다.(ㄴ, ㄷ)
• 아리스토텔레스는 물이 4원소 중 한 가지라고 주장하였지만 이는 옳지 않다.(ㄹ)

03 문제 분석하기 >>

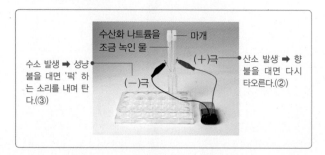

① (+)극에서는 산소 기체, (−)극에서는 수소 기체가 발생한다. 이때 발생하는 기체의 부피는 산소 기체가 수소 기체보다 작다.
⑤ 이 실험에서 물은 수소와 산소로 분해되므로 원소가 아니다.
바로알기 >> ④ 순수한 물은 전류가 흐르지 않으므로 전류가 잘 흐르게 하기 위해 수산화 나트륨을 물에 녹인다.

04 ①, ② 원소는 물질을 이루는 기본 성분이며, 더 이상 분해되지 않는다.
③, ⑤ 지금까지 알려진 원소는 120여 가지이며, 그중에는 인공적으로 만든 것도 있다.
바로알기 » ④ 원소의 종류는 120여 가지이지만, 원소들이 결합하여 수많은 물질이 만들어지므로 물질의 종류는 원소의 종류보다 많다.

05 더 이상 분해되지 않으면서 물질을 이루는 기본 성분은 원소이다.
①, ②, ③, ⑤ 수소, 산소, 구리, 알루미늄은 모두 원소이다.
바로알기 » ④ 물은 수소와 산소로 분해되므로 원소가 아니다.

06 바로알기 » ㄱ, ㄴ, ㄹ, ㅁ. 물은 수소와 산소, 소금은 나트륨과 염소, 설탕은 탄소, 수소, 산소, 이산화 탄소는 탄소와 산소로 이루어진 물질이다.

07 (가)는 수소, (나)는 철, (다)는 산소의 성질과 이를 이용하는 예를 나타낸 것이다.

08 ① 구리는 전기가 잘 통하므로 전선에 이용된다.
바로알기 » ② 금은 산소나 물과 반응하지 않아 광택을 유지하므로, 장신구의 재료로 이용된다. 비행기 동체로 이용되는 것은 알루미늄이다.
③ 질소는 다른 물질과 거의 반응하지 않으므로 과자 봉지의 충전제로 이용된다.
④ 규소는 특정 물질을 첨가하여 반도체 소자에 이용된다.
⑤ 헬륨은 공기보다 가볍고 불에 타지 않아 비행선의 충전 기체로 이용된다.

09 ⑤ 염화 리튬과 염화 스트론튬은 불꽃 반응 색이 빨간색으로 비슷하므로 불꽃 반응 실험으로 구별하기 어렵다.
바로알기 » ② 불꽃 반응 실험을 통해 물질 속에 포함된 일부 금속 원소를 구별할 수 있다.

10 바로알기 » ① 물질의 양이 적어도 불꽃 반응 색을 확인할 수 있다.
② 불꽃 반응으로는 불꽃 반응 색이 나타나는 일부 금속 원소만 확인할 수 있으며, 모든 원소를 확인할 수 있는 것은 아니다.
③ 겉불꽃은 온도가 매우 높고 무색이므로 시료를 묻힌 니크롬선을 겉불꽃에 넣고 불꽃 반응 색을 관찰한다.
⑤ 염화 리튬은 리튬에 의해 빨간색, 염화 나트륨은 나트륨에 의해 노란색의 불꽃 반응 색이 나타난다.

11 ④ 니크롬선을 묽은 염산과 증류수로 씻는 까닭은 니크롬선에 묻은 불순물을 제거하기 위해서이다.

12 ①, ②, ④, ⑤ 불꽃 반응 색은 물질에 포함된 금속 원소 때문에 나타난다. 각 원소의 불꽃 반응 색은 리튬은 빨간색, 칼슘은 주황색, 나트륨은 노란색, 스트론튬은 빨간색이다.
바로알기 » ③ 바륨의 불꽃 반응 색은 황록색이므로 질산 바륨은 황록색의 불꽃 반응 색이 나타난다.

13 ③ 구리의 불꽃 반응 색은 청록색이므로 이 물질에는 구리가 포함되어 있음을 알 수 있다.
바로알기 » ①, ②, ④, ⑤ 각 원소의 불꽃 반응 색은 리튬은 빨간색, 바륨은 황록색, 칼륨은 보라색, 칼슘은 주황색이다.

14 (나), (다) 물질의 종류가 달라도 같은 금속 원소를 포함하면 같은 불꽃 반응 색이 나타난다. 염화 칼슘과 질산 칼슘은 모두 칼슘을 포함하므로 주황색의 불꽃 반응 색이 나타난다.
바로알기 » (가), (라), (마), (바) 염화 리튬은 빨간색, 질산 칼륨은 보라색, 질산 나트륨은 노란색, 염화 바륨은 황록색의 불꽃 반응 색이 나타난다.

15 염화 칼슘은 염소와 칼슘을 포함하고 있으므로 주황색의 불꽃 반응 색이 어느 원소에 의한 것인지 알아보려면 염소와 칼슘이 각각 포함된 물질의 불꽃 반응 색을 비교해야 한다.
③ 염화 칼슘의 불꽃 반응 색은 주황색이고, 염화 나트륨의 불꽃 반응 색은 노란색이다. 두 물질은 염소를 공통으로 포함하지만 불꽃 반응 색이 다르므로 염소에 의해 주황색의 불꽃 반응 색이 나타나는 것이 아님을 알 수 있다. 또 염화 칼슘과 질산 칼슘의 불꽃 반응 색은 모두 주황색이다. 두 물질은 칼슘을 공통으로 포함하므로 칼슘에 의해 주황색의 불꽃 반응 색이 나타남을 알 수 있다.

16 ③ 염화 칼륨은 칼륨을 포함하므로 보라색의 불꽃 반응 색이 나타나고, 염화 리튬은 리튬을 포함하므로 빨간색의 불꽃 반응 색이 나타난다.

17 ② 질산 칼륨 – 보라색, 질산 칼슘 – 주황색
③ 염화 나트륨 – 노란색, 염화 칼륨 – 보라색
④ 질산 나트륨 – 노란색, 질산 칼슘 – 주황색
⑤ 염화 바륨 – 황록색, 염화 구리(Ⅱ) – 청록색
바로알기 » ① 염화 칼륨과 질산 칼륨은 모두 칼륨을 포함하여 보라색의 불꽃 반응 색이 나타나므로 구별할 수 없다.

18 ⑤ 물질에 몇 가지 금속 원소가 섞여 있는 경우 스펙트럼을 관찰하면 각 원소의 선 스펙트럼이 합쳐서 그대로 나타난다.
바로알기 » ①, ③ 햇빛은 연속 스펙트럼, 금속 원소의 불꽃은 선 스펙트럼이 나타난다.
② 원소의 종류에 따라 선의 색깔, 위치, 굵기 등이 다르다.
④ 불꽃 반응 색이 비슷한 원소라도 원소의 종류가 다르면 선 스펙트럼의 모양이 다르게 나타나므로 구별할 수 있다.

19 ① 스트론튬, 칼슘, 리튬, 물질 (가)의 스펙트럼은 모두 선 스펙트럼이다.

② 스트론튬, 칼슘, 리튬의 선 스펙트럼에 나타나는 선의 개수, 위치 등은 모두 다르다.

③ 물질 (가)의 선 스펙트럼에는 스트론튬과 리튬의 선 스펙트럼이 합쳐져서 그대로 나타나므로 물질 (가)는 스트론튬과 리튬을 포함한다.

④ 물질 (가)의 선 스펙트럼에는 칼슘의 선 스펙트럼이 나타나지 않으므로 물질 (가)는 칼슘을 포함하지 않는다.

(바로알기 »») ⑤ 리튬과 스트론튬은 불꽃 반응 색이 비슷하지만 선 스펙트럼의 모양은 서로 다르다. 따라서 질산 리튬과 질산 스트론튬은 선 스펙트럼으로 구별할 수 있다.

20 (문제 분석하기 »»)

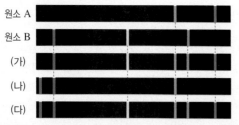

원소의 선 스펙트럼에서 아래로 점선을 그어 일치하는 것을 찾는다.

원소 A
원소 B
(가)
(나)
(다)

• (가), (다)에는 원소 A와 B의 선 스펙트럼이 모두 나타난다. ➡ A, B를 포함한다.
• (나)에는 원소 A와 B의 선 스펙트럼이 나타나지 않는다. ➡ A, B를 포함하지 않는다.

21 ㄴ. A~D는 선 스펙트럼의 위치, 개수, 굵기 등이 다르므로 모두 다른 종류의 원소이다.

ㄹ. 원소 C와 D의 불꽃 반응 색과 선 스펙트럼 비교에서 알 수 있듯이 선 스펙트럼을 비교하면 불꽃 반응 색이 비슷한 원소를 구별할 수 있다.

(바로알기 »») ㄱ. A의 선 스펙트럼은 B와 C에 포함되어 있지 않다.

ㄷ. C와 D는 불꽃 반응 색이 같지만 선 스펙트럼이 다르므로 다른 원소이다.

22 (모범 답안 ►) 물은 수소와 산소로 분해되므로 원소가 아니다.

채점 기준	배점
실험 결과를 바탕으로 물이 원소가 아닌 까닭을 옳게 서술한 경우	100 %
그 외의 경우	0 %

23 (모범 답안 ►) 산소, 알루미늄, 구리, 금, 원소는 더 이상 다른 물질로 분해되지 않으면서 물질을 이루는 기본 성분이다.

채점 기준	배점
원소에 해당하는 것을 모두 고르고, 원소의 구분 기준을 옳게 서술한 경우	100 %
원소만 옳게 고른 경우	50 %

24 (모범 답안 ►) 염화 칼륨과 황산 칼륨, 두 물질은 칼륨을 공통으로 포함하기 때문이다.

채점 기준	배점
같은 불꽃 반응 색이 나타나는 물질의 종류를 모두 고르고, 그 까닭을 옳게 서술한 경우	100 %
같은 불꽃 반응 색이 나타나는 물질의 종류만 옳게 고른 경우	50 %

25 (모범 답안 ►) (1) 빨간색

(2) 선 스펙트럼을 비교한다.

	채점 기준	배점
(1)	두 원소의 불꽃 반응 색을 옳게 쓴 경우	50 %
(2)	두 원소를 구별할 수 있는 방법을 옳게 서술한 경우	50 %

26 (모범 답안 ►) (1) 원소 B와 원소 C

(2) 원소 B와 원소 C의 선 스펙트럼이 물질 X에 모두 합쳐져서 나타나기 때문이다.

	채점 기준	배점
(1)	물질 X에 포함되어 있는 원소를 모두 고른 경우	50 %
(2)	(1)과 같이 답한 까닭을 옳게 서술한 경우	50 %

02 원자와 분자

(단원 미리보기)

22~23쪽

(만화 완성하기 »») [모범 답안] 오존 분자와 산소 분자는 같은 종류의 원자로 이루어져 있지만, 원자의 수가 다르므로 서로 다른 물질이야.

(한눈에 보기 »») [B] 분자, [D] 분자식

23~26쪽

A 1 A : 원자핵, B : 전자 2 (1) ○ (2) × (3) × (4) ○ 3 해설 참조

B 1 분자 2 (1) ○ (2) ○ (3) ○ 3 ㉠ 1, ㉡ 2

C 1 베르셀리우스 2 (1) ○ (2) × (3) ○ 3 (1) H (2) 헬륨 (3) O (4) 나트륨 (5) Mg (6) 염소 (7) K (8) 칼슘 (9) Fe (10) 수은

D 1 분자식 2 (1) 암모니아 (2) 2 (3) 질소(N), 수소(H) (4) 4 (5) 8 3 ㉠ NH_3, ㉡ HCl, ㉢ CH_4, ㉣ O_3, ㉤ H_2O_2

A-2 (바로알기 »») (2) 원자는 종류에 따라 원자핵의 전하량과 전자의 수가 다르다.

(3) 원자핵의 크기는 원자에 비해 매우 작으므로 원자 내부는 대부분 빈 공간이다.

A-3 모범 답안 ▶

질소   네온

B-2 (3) 분자는 물질의 성질을 나타내는 가장 작은 입자로, 원자로 나누어지면 물질의 성질을 잃는다.

B-3 이산화 탄소 분자 1개는 탄소 원자 1개와 산소 원자 2개로 이루어져 있다.

C-2 바로알기 ≫ (2) 원소 기호를 나타낼 때 첫 글자가 같은 경우 중간 글자를 선택하여 첫 글자 다음에 소문자로 나타낸다.

D-2 암모니아 분자의 수가 2개이고, 분자 1개를 이루는 원자의 수는 4개이므로 분자식이 나타내는 원자의 총개수는 8개이다. 분자를 이루는 원자의 종류는 질소(N)와 수소(H)의 2종류이다.

이해 쏙쏙 집중 강의   27쪽

핵심 자료 ❶ **01** ㉠ N, ㉡ Na, ㉢ Ne, ㉣ B, ㉤ Ba, ㉥ Be **02** ㉠ H, ㉡ Al, ㉢ C, ㉣ Cl, ㉤ O, ㉥ Hg, ㉦ P, ㉧ Cu, ㉨ K, ㉩ Ca **03** ㉠ 탄소, ㉡ 마그네슘, ㉢ 질소, ㉣ 규소, ㉤ 플루오린, ㉥ 철, ㉦ 황, ㉧ 은, ㉨ 아이오딘, ㉩ 금

핵심 자료 ❷ **01** ㉠ H_2, ㉡ HCl, ㉢ O_2, ㉣ O_3, ㉤ CO, ㉥ CO_2, ㉦ H_2O, ㉧ H_2O_2, ㉨ NH_3, ㉩ CH_4 **02** ㉠ 2CO, ㉡ CO_2, ㉢ $3H_2$, ㉣ $2H_2O_2$ **03** ㉠ 산소, ㉡ 오존, ㉢ 염화 수소, ㉣ 암모니아, ㉤ 메테인, ㉥ 수소, ㉦ 물, ㉧ 과산화 수소, ㉨ 일산화 탄소, ㉩ 이산화 탄소

실력 탄탄 핵심 문제   28~31쪽

01 ③ **02** ⑤ **03** ③ **04** ④ **05** ⑤ **06** ⑤ **07** ④ **08** ⑤ **09** ㉠ 분자, ㉡ 원자, ㉢ 원자, ㉣ 원소 **10** ④ **11** ③ **12** ③ **13** ⑤ **14** ④ **15** ② **16** ⑤ **17** ③ **18** ④ **19** ⑤

서술형 문제 **20~24** 해설 참조

---

01 ①, ② 원자는 물질을 이루는 기본 입자로, 원자핵과 전자로 이루어져 있다.

④ 원자는 원자핵의 (+)전하량과 전자의 총 (−)전하량이 같으므로 전기적으로 중성이다.
⑤ 원자는 종류에 따라 원자핵의 (+)전하량과 전자의 수가 다르다.
바로알기 ≫ ③ 원자핵은 전자에 비해 질량이 매우 크며, 원자 질량의 대부분을 차지한다.

02 문제 분석하기 ≫

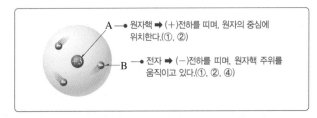

A → 원자핵 ➡ (+)전하를 띠며, 원자의 중심에 위치한다.(①, ②)
B → 전자 ➡ (−)전하를 띠며, 원자핵 주위를 움직이고 있다.(①, ②, ④)

③ 원자핵은 전자에 비해 질량이 매우 크므로 원자핵인 A가 원자 질량의 대부분을 차지한다.
바로알기 ≫ ⑤ 원자는 원자핵(A)의 (+)전하량과 전자(B)의 총 (−)전하량이 같으므로 전기적으로 중성이다.

03 원자는 원자핵의 전하량과 전자의 총 전하량이 같다.

원자	헬륨	리튬	탄소	산소	나트륨
원자핵의 전하량	① +2	+3	③ +6	+8	⑤ +11
전자 수(개)	2	② 3	6	④ 8	11

04 ㄱ, ㄴ, ㄹ. 탄소 원자는 원자핵의 전하량이 +6, 전자의 수가 총 6개이므로 전하의 총합은 0이다.
바로알기 ≫ ㄷ. 전자의 수가 6개이므로 전자의 총 전하량은 6개×(−1)=−6이다.

05 ⑤ 원자는 원자핵의 (+)전하량과 전자의 총 (−)전하량이 같으므로 전기적으로 중성이다.

06 ㄱ, ㄴ. 데모크리토스는 물질은 더 이상 쪼갤 수 없는 입자로 이루어져 있다고 주장하였고, 아리스토텔레스는 물질은 없어질 때까지 계속 쪼개어 나갈 수 있다고 주장하였다.
ㄷ. 돌턴은 모든 물질은 더 이상 쪼개지지 않는 입자인 원자로 이루어져 있다고 주장하였으며, 이는 현대적인 원자 개념을 확립하는 계기가 되었다.

07 ① 분자는 독립된 입자로 존재하여 물질의 성질을 나타내는 가장 작은 입자이다.
②, ③ 분자는 원자가 결합하여 이루어지며, 결합하는 원자의 종류와 수에 따라 분자의 종류가 달라진다.
⑤ 같은 종류의 원자로 이루어진 분자라도 원자의 수가 다르면 다른 물질이다.

바로알기 ≫ ④ 분자는 물질의 성질을 나타내는 가장 작은 입자이며, 원자로 나누어지면 물질의 성질을 잃는다.

08 ①, ② (가)는 일산화 탄소, (나)는 이산화 탄소 분자의 모형으로, 두 물질 모두 독립된 입자로 존재한다.
③, ④ (가)는 탄소 원자 1개와 산소 원자 1개가 결합하여 만들어진 분자이고, (나)는 탄소 원자 1개와 산소 원자 2개가 결합하여 만들어진 분자이다.
바로알기 ≫ ⑤ (가)와 (나)를 이루는 원자의 종류는 탄소와 산소 2가지이다.

09 원소는 물질을 이루는 기본 성분이고, 원자는 물질을 이루는 기본 입자이며, 분자는 원자들이 결합하여 이루어진 입자이다. 물(H_2O)의 성분 원소는 수소와 산소이며, 물 분자는 수소 원자 2개와 산소 원자 1개로 이루어진다.

10 **바로알기 ≫** ④ 원소 기호는 한 글자 또는 두 글자의 알파벳으로 나타낸다. 원소 이름의 알파벳에서 첫 글자를 대문자로 나타내고, 첫 글자가 같을 때는 적당한 중간 글자를 선택하여 소문자로 함께 나타낸다.

11 **바로알기 ≫** ① 칼륨 – K, 칼슘 – Ca
② 수은 – Hg, 수소 – H
④ 탄소 – C, 염소 – Cl
⑤ 은 – Ag, 금 – Au

12 제시된 원소의 기호나 이름은 다음과 같다

원소 이름	원소 기호	원소 이름	원소 기호
헬륨	㉠ He	㉡ 리튬	Li
철	㉢ Fe	㉣ 산소	O
구리	㉤ Cu	마그네슘	Mg

13 **바로알기 ≫** ⑤ 이산화 탄소의 분자식은 CO_2이고, 일산화 탄소의 분자식은 CO이다.

14 **문제 분석하기 ≫**

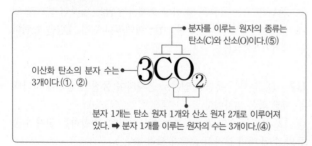

- 분자를 이루는 원자의 종류는 탄소(C)와 산소(O)이다.(⑤)
- 이산화 탄소의 분자 수는 3개이다.(①, ②)
- 분자 1개는 탄소 원자 1개와 산소 원자 2개로 이루어져 있다. ➡ 분자 1개를 이루는 원자의 수는 3개이다.(④)

③ 분자 수가 3개이고, 분자 1개를 이루는 원자의 수는 3개이므로 분자식이 나타내는 원자의 총개수는 9개이다.

15 (가)는 오존 분자 3개, (나)는 염화 수소 분자 2개, (다)는 암모니아 분자 2개를 나타낸다.
① 분자의 개수는 (가) 3개, (나) 2개, (다) 2개이므로 (가)가 가장 많다.
③ 분자 1개를 이루는 원자의 수는 (가) 3개, (나) 2개, (다) 4개이므로 (다)가 가장 많다.
④ (가)~(다) 모두 물질의 성질을 나타내는 분자이다.
⑤ (가)는 산소, (나)는 수소와 염소, (다)는 질소와 수소로 이루어진 물질이다.
바로알기 ≫ ② 원자의 총개수는 (가) 9개, (나) 4개, (다) 8개이므로 (나)가 가장 적다.

16 **바로알기 ≫** ⑤ H_2O_2는 수소 원자 2개와 산소 원자 2개로 이루어진 과산화 수소이다. 수소 원자 2개와 산소 원자 1개로 이루어진 것은 물(H_2O) 분자이다.

과산화 수소(H_2O_2)   물(H_2O)

17 **바로알기 ≫** ③ 분자를 이루는 원자의 배열은 분자식으로는 알 수 없고, 분자 모형을 통해 확인할 수 있다.

18 각 분자식을 이루는 원자의 총개수는 다음과 같다.

구분	분자 1개를 구성하는 원자 수	분자 수	원자의 총개수
① 2HCl	수소 원자 1개 염소 원자 1개	2개	4개
② 3N₂	질소 원자 2개	3개	6개
③ 2H₂O	수소 원자 2개 산소 원자 1개	2개	6개
④ 2CH₄	탄소 원자 1개 수소 원자 4개	2개	10개
⑤ 3CO₂	탄소 원자 1개 산소 원자 2개	3개	9개

19 **문제 분석하기 ≫**

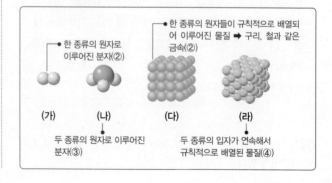

- 한 종류의 원자로 이루어진 분자(②)
- 한 종류의 원자들이 규칙적으로 배열되어 이루어진 물질 ➡ 구리, 철과 같은 금속(②)
- (가) (나) (다) (라)
- 두 종류의 원자로 이루어진 분자(③)
- 두 종류의 입자가 연속해서 규칙적으로 배열된 물질(④)

① (가)와 (나)는 독립된 입자로 존재하는 분자를 모형으로 나타낸 것이다.

바로알기 ≫ ⑤ (다)와 (라)는 독립된 입자로 존재하지 않고 입자들이 연속해서 규칙적으로 배열된 물질이므로 원자의 수를 정해서 분자식으로 나타낼 수 없다.

20 모범 답안 ▶

| 해설 | 리튬은 전자 수가 3개이므로 원자핵의 전하량이 +3이고, 산소는 전자 수가 8개이므로 원자핵의 전하량이 +8이며, 플루오린은 전자 수가 9개이므로 원자핵의 전하량이 +9이다.

채점 기준	배점
각 원자 모형을 모두 그림으로 옳게 나타낸 경우	100 %
원자 모형 두 가지만 그림으로 옳게 나타낸 경우	50 %

21 모범 답안 ▶ 원자핵의 (+)전하량과 전자의 총 (−)전하량이 같기 때문이다.

채점 기준	배점
원자핵과 전자를 포함하여 전하량을 비교한 경우	100 %
(+)전하량과 (−)전하량이 같다고만 서술한 경우	50 %

22 모범 답안 ▶ 수소 분자는 수소 원자 2개로 이루어져 있고, 메테인 분자는 탄소 원자 1개와 수소 원자 4개로 이루어져 있다.

채점 기준	배점
두 분자를 이루는 원자의 종류와 수를 모두 옳게 서술한 경우	100 %
한 분자를 이루는 원자의 종류와 수만 옳게 서술한 경우	50 %

23 모범 답안 ▶ (1) (가) $3HCl$, (나) $2O_2$, (다) CO_2
(2) 분자의 종류, 분자의 수, 분자를 이루는 원자의 종류, 분자 1개를 이루는 원자의 수, 원자의 총개수 중 두 가지

	채점 기준	배점
(1)	(가)~(다)의 분자 모형을 분자식으로 모두 옳게 나타낸 경우	50 %
(2)	분자식으로 분자를 표현했을 때 알 수 있는 사실 두 가지를 모두 옳게 서술한 경우	50 %

24 모범 답안 ▶ 분자를 이루는 원자의 수가 다르기 때문이다.

채점 기준	배점
두 물질이 서로 다른 까닭을 옳게 서술한 경우	100 %
그 외의 경우	0 %

03 이온

단원 미리보기

32~33쪽

만화 완성하기 ≫ [모범 답안] 은 이온과 염화 이온이 반응하면 흰색의 염화 은 앙금이 생성되지.

한눈에 보기 ≫ [B] 이온의 표시와 이름, [D] 앙금 생성 반응

33~37쪽

A 1 이온 2 (1) × (2) ○ (3) ○ 3 (가) 양이온, (나) 음이온, (다) 원자

B 1 ㉠ H^+, ㉡ 산화 2 (가) A^{2-}, (나) B^+ 3 ㉠ Na^+, ㉡ 구리, ㉢ 암모늄, ㉣ Cl^-, ㉤ S^{2-}, ㉥ 탄산

C 1 (1) ○ (2) × (3) ○ 2 ㉠ (−), ㉡ (+)

D 1 앙금 2 염화 은 3 ㉠ $AgCl$, ㉡ PbI_2, ㉢ 노란색, ㉣ 흰색, ㉤ $SO_4{}^{2-}$ 4 (1) × (2) ○ (3) ○ 5 ㄱ, ㄷ, ㅁ 6 ㉠ 은, ㉡ 아이오딘화

A−2 바로알기 ≫ (1) 원자가 전자를 잃으면 양이온이 되고, 원자가 전자를 얻으면 음이온이 된다.

A−3 양이온은 원자핵의 (+)전하량이 전자의 총 (−)전하량보다 많고, 음이온은 원자핵의 (+)전하량이 전자의 총 (−)전하량보다 적다. 원자는 원자핵의 (+)전하량과 전자의 총 (−)전하량이 같아 전기적으로 중성이다.

B−2 (가)에서 A 원자는 전자를 2개 얻어 음이온이 되었고, (나)에서 B 원자는 전자를 1개 잃어 양이온이 되었다.

C−1 바로알기 ≫ (2) 염화 나트륨은 물에 녹아 이온으로 나누어지므로 전류가 흐르지만, 설탕은 물에 녹아도 이온으로 나누어지지 않으므로 전류가 흐르지 않는다.

C−2 이온이 들어 있는 수용액에 전원 장치를 연결하면 양이온은 (−)극으로 이동하고, 음이온은 (+)극으로 이동하므로 전류가 흐른다.

D−2 염화 나트륨 수용액과 질산 은 수용액이 반응하면 흰색 앙금인 염화 은($AgCl$)이 생성된다.

D−4 바로알기 ≫ (1) 특정한 양이온과 음이온이 반응할 때 앙금이 생성된다. 나트륨 이온(Na^+), 질산 이온($NO_3{}^-$) 등은 앙금을 생성하지 않는다.

D−5 ㄱ, ㄷ, ㅁ. 염화 은, 황산 바륨, 황화 구리(Ⅱ)는 물에 녹지 않는 앙금이다.

실력탄탄 핵심 문제   39~43쪽

01 ③   02 ③   03 ③   04 ②   05 ④   06 ③   07 ④

08 ③   09 ③   10 ⑤   11 ④   12 ④   13 ⑤   14 ④

15 ⑤   16 ②, ③   17 ②   18 ④   19 ②   20 ②   21 ④

22 ②   23 ③   24 ⑤

서술형 문제 25~30 해설 참조

01   ③ 양이온은 (+)전하를 띠므로 원자핵의 (+)전하량이 전자의 총 (−)전하량보다 많다.
바로알기 ①, ② 원자가 전자를 잃으면 양이온이 되고, 원자가 전자를 얻으면 음이온이 된다.
④ 나트륨 원자는 전자 1개를 잃고 나트륨 이온(Na^+)이 되므로 나트륨 원자와 나트륨 이온은 전자 수가 다르다.
⑤ 리튬 원자와 리튬 이온의 원자핵의 전하량은 변하지 않는다.

02   문제 분석하기 ≫

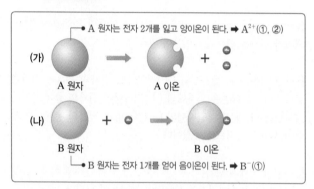

③ A 원자가 전자 2개를 잃고 A 이온이 된다.
바로알기 ④ B 원자가 전자 1개를 얻어 B 이온이 되므로 B 원자는 B 이온보다 전자가 1개 더 적다.
⑤ 원자가 이온이 될 때는 전자의 수만 변하고 원자핵의 (+)전하량은 변하지 않는다.

03   문제 분석하기 ≫

구분	(가)	(나)
모형	(+11)	(+9)
원자핵의 전하량	+11	+9
전자 수	10개	10개

원자가 전자 1개를 잃었다.
➡ (+)전하량이 더 많다.
➡ 양이온(①, ④)

원자가 전자 1개를 얻었다.
➡ (−)전하량이 더 많다.
➡ 음이온(①, ⑤)

04   (가)와 (라)는 (+)전하량이 더 많으므로 양이온이고, (나)와 (다)는 (−)전하량이 더 많으므로 음이온이다.

이온	(가)	(나)	(다)	(라)
원자핵의 전하량	+3	+8	+9	+12
전자 수(개)	2	10	10	10
이온의 종류	양이온	음이온	음이온	양이온

05   ④ 산소 원자는 전자 2개를 얻어 산화 이온(O^{2-})이 된다. 산소 원자의 전자 수가 8개이므로 산화 이온이 가진 전자 수는 10개이다.
바로알기 ①, ② (−)전하를 띠며, 산화 이온이라고 읽는다.
③ 산소 원자가 전자 2개를 얻어 형성된 이온이다.
⑤ (−)전하를 띠므로 전자의 총 (−)전하량이 원자핵의 (+)전하량보다 많다.

06   ③ 황 원자는 전자 2개를 얻어 황화 이온(S^{2-})이 된다.
바로알기 ① $H \longrightarrow H^+ + \ominus$
② $Cl + \ominus \longrightarrow Cl^-$
④ $Cu \longrightarrow Cu^{2+} + 2\ominus$
⑤ $Ca \longrightarrow Ca^{2+} + 2\ominus$

07   ④ Al^{3+} : 알루미늄 원자가 전자 3개를 잃어 형성된다.
$Al \longrightarrow Al^{3+} + 3\ominus$
바로알기 ① K^+ : 칼륨 원자가 전자 1개를 잃어 형성된다.
$K \longrightarrow K^+ + \ominus$
② F^- : 플루오린 원자가 전자 1개를 얻어 형성된다.
$F + \ominus \longrightarrow F^-$
③ S^{2-} : 황 원자가 전자 2개를 얻어 형성된다.
$S + 2\ominus \longrightarrow S^{2-}$
⑤ Cu^{2+} : 구리 원자가 전자 2개를 잃어 형성된다.
$Cu \longrightarrow Cu^{2+} + 2\ominus$

08   모형에서 원자가 전자 2개를 잃고 양이온이 형성된다.
③ 마그네슘 원자는 전자 2개를 잃고 마그네슘 이온(Mg^{2+})이 된다.
바로알기 ①, ② 나트륨 원자와 수소 원자는 각각 전자 1개를 잃고 나트륨 이온(Na^+)과 수소 이온(H^+)이 된다.
④ 산소 원자는 전자 2개를 얻어 산화 이온(O^{2-})이 된다.
⑤ 염소 원자는 전자 1개를 얻어 염화 이온(Cl^-)이 된다.

09   바로알기 ③ 음이온의 이름을 읽을 때 원소 이름이 '소'로 끝나면 '소'를 빼고 '~화 이온'을 붙인다. Cl^-는 염화 이온이다.

10 ⑤ 염화 나트륨은 물에 녹아 이온으로 나누어진다. 염화 나트륨 수용액에 전원을 연결하면 (+)전하를 띠는 나트륨 이온(Na^+)은 (−)극으로 이동하고, (−)전하를 띠는 염화 이온(Cl^-)은 (+)극으로 이동하므로 전류가 흐른다.

11 ①, ② 질산 칼륨 수용액에 전극을 담갔을 때 전구에 불이 켜지므로 질산 칼륨 수용액은 전류가 흐르며, 이온이 들어 있음을 알 수 있다.
③ 질산 칼륨 수용액에서 이온은 전하를 띠므로 반대 전하를 띤 전극으로 이동하여 전류가 흐른다.
⑤ 질산 칼륨은 물에 녹아 이온으로 나누어지기 때문에 전류가 흐르지만, 설탕은 물에 녹아도 이온으로 나누어지지 않기 때문에 전류가 흐르지 않는다.
바로알기 ≫ ④ 질산 이온(NO_3^-)은 (−)전하를 띠는 음이온이므로 (+)극으로 이동하고, 칼륨 이온(K^+)은 (+)전하를 띠는 양이온이므로 (−)극으로 이동한다.

[12~13] 문제 분석하기 ≫

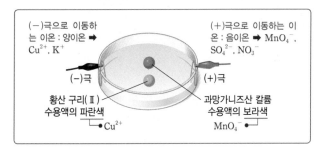

12 ④ (+)전하를 띠는 양이온은 (−)극으로 이동하고, (−)전하를 띠는 음이온은 (+)극으로 이동한다.
바로알기 ≫ ③ 질산 이온(NO_3^-)과 황산 이온(SO_4^{2-})은 (+)극으로 이동한다.
⑤ 질산 칼륨 수용액은 전류를 잘 흐르게 한다. 증류수에는 이온이 들어 있지 않아 전류가 흐르지 않으므로 증류수를 사용하면 실험 결과가 나타나지 않는다.

13 실험에서 사용한 물질은 물에 녹아 이온으로 나누어진다.
질산 칼륨(KNO_3) : K^+, NO_3^-
황산 구리(Ⅱ)($CuSO_4$) : Cu^{2+}, SO_4^{2-}
과망가니즈산 칼륨($KMnO_4$) : K^+, MnO_4^-
전원을 연결하면 양이온인 K^+과 Cu^{2+}은 (−)극으로 이동하고, 음이온인 NO_3^-, SO_4^{2-}, MnO_4^-은 (+)극으로 이동한다.

14 ④ 염화 나트륨($NaCl$) 수용액과 질산 은($AgNO_3$) 수용액을 혼합하면 염화 이온(Cl^-)과 은 이온(Ag^+)이 반응하여 흰색 앙금인 염화 은($AgCl$)이 생성된다. 이때 나트륨 이온(Na^+)과 질산 이온(NO_3^-)은 반응하지 않고 수용액에 남아 있다.

15 ①, ②, ④ 납 이온(Pb^{2+})과 아이오딘화 이온(I^-)이 반응하여 노란색 앙금인 아이오딘화 납(PbI_2)이 생성된다.
$$Pb^{2+} + 2I^- \longrightarrow PbI_2 \downarrow$$
③ A와 B는 앙금 생성 반응에 참여하지 않는 이온이다. A는 양이온이므로 칼륨 이온(K^+)이고, B는 음이온이므로 질산 이온(NO_3^-)이다.
바로알기 ≫ ⑤ 수용액에서 전류가 흐르려면 이온이 들어 있어야 한다. 앙금이 생성된 후 혼합 용액에는 반응에 참여하지 않은 이온이 들어 있으므로 전류가 흐른다.

16 ② 염화 나트륨 수용액과 질산 은 수용액이 반응하면 흰색 앙금인 염화 은($AgCl$)이 생성된다.
③ 질산 바륨 수용액과 황산 칼륨 수용액이 반응하면 흰색 앙금인 황산 바륨($BaSO_4$)이 생성된다.

17 바로알기 ≫

	앙금	색깔
①	염화 은	흰색
③	아이오딘화 납	노란색
④	황화 구리(Ⅱ)	검은색
⑤	황산 바륨	흰색

18 ④ (나)와 (다)에서는 칼슘 이온(Ca^{2+})과 탄산 이온(CO_3^{2-})이 반응하여 흰색 앙금인 탄산 칼슘($CaCO_3$)이 생성된다.
$$Ca^{2+} + CO_3^{2-} \longrightarrow CaCO_3 \downarrow$$
바로알기 ≫ ① (가)에서는 앙금이 생성되지 않는다.
③ (다)에서 생성된 앙금은 탄산 칼슘이다.
⑤ (다)에서 칼슘 이온과 탄산 이온은 반응에 참여하고, 칼륨 이온과 질산 이온은 반응에 참여하지 않는다.

19 ㄴ. 염화 칼슘의 염화 이온(Cl^-)이 은 이온(Ag^+)과 반응하여 염화 은($AgCl$)이 생성된다.
ㄷ. 염화 칼슘의 칼슘 이온(Ca^{2+})이 탄산 이온(CO_3^{2-})과 반응하여 탄산 칼슘($CaCO_3$)이 생성된다.

20 문제 분석하기 ≫

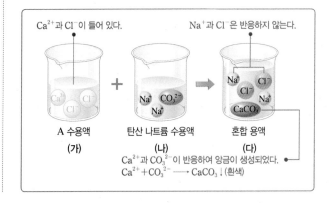

① A 수용액에는 칼슘 이온(Ca^{2+})과 염화 이온(Cl^-)이 들어 있으므로 A는 염화 칼슘이다.
③ (다)에서 나트륨 이온(Na^+)과 염화 이온(Cl^-)이 이온으로 존재하므로 염화 이온과 나트륨 이온은 반응하지 않는다.
④ A 수용액 대신 질산 칼슘 수용액을 사용해도 생성되는 앙금은 흰색의 탄산 칼슘이다.
⑤ (가)~(다) 수용액에는 모두 이온이 들어 있으므로 전류가 흐른다.
바로알기》 ② 생성된 앙금은 탄산 칼슘으로, 앙금의 색깔은 흰색이다.

21 (나), (마) 은 이온(Ag^+)과 염화 이온(Cl^-)이 반응하여 흰색 앙금인 염화 은($AgCl$)이 생성된다.
(바) 바륨 이온(Ba^{2+})과 황산 이온(SO_4^{2-})이 반응하여 흰색 앙금인 황산 바륨($BaSO_4$)이 생성된다.

수용액	염화 칼슘 (Ca^{2+}, Cl^-)	질산 은 (Ag^+, NO_3^-)	황산 나트륨 (Na^+, SO_4^{2-})
염화 나트륨 (Na^+, Cl^-)	(가)	(나) AgCl	(다)
염화 바륨 (Ba^{2+}, Cl^-)	(라)	(마) AgCl	(바) $BaSO_4$

22 ② 아이오딘화 이온(I^-)과 반응하여 노란색 앙금을 생성하는 이온은 납(Pb^{2+}) 이온이다.
$$Pb^{2+} + 2I^- \longrightarrow PbI_2 \downarrow$$

23 • 탄산 칼륨 수용액을 떨어뜨렸을 때 흰색 앙금이 생성되었고, 불꽃 반응 색이 주황색이므로 X 수용액은 칼슘 이온(Ca^{2+})을 포함하고 있다.
$$Ca^{2+} + CO_3^{2-} \longrightarrow CaCO_3 \downarrow$$
• 질산 은 수용액을 떨어뜨렸을 때 흰색 앙금이 생성되었으므로 X 수용액은 염화 이온(Cl^-)을 포함하고 있다.
$$Ag^+ + Cl^- \longrightarrow AgCl \downarrow$$
따라서 물질 X는 염화 칼슘이다.

24 **문제 분석하기》**

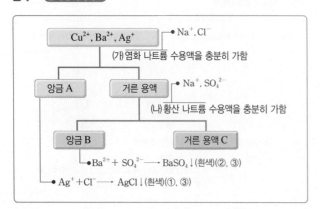

④ (가)에서 염화 나트륨 수용액을 충분히 가하여 반응시켰으므로 은 이온(Ag^+)은 모두 앙금을 생성하여 제거되고, 거른 용액에 들어 있는 양이온은 구리 이온(Cu^{2+}), 바륨 이온(Ba^{2+}), 나트륨 이온(Na^+)이다. (나)에서 황산 나트륨 수용액을 충분히 가하여 반응시켰으므로 바륨 이온(Ba^{2+})은 모두 앙금을 생성하여 제거되고, 거른 용액 C에 들어 있는 양이온은 구리 이온(Cu^{2+}), 나트륨 이온(Na^+)이다.
바로알기》 ⑤ 질산 나트륨 수용액은 구리 이온(Cu^{2+}), 바륨 이온(Ba^{2+})과 모두 앙금을 생성하지 않으므로 (나)에서 황산 나트륨 수용액 대신 사용할 수 없다.

25 **모범 답안》** (나), 전자의 총 (−)전하량이 원자핵의 (+)전하량보다 많아서 (−)전하를 띠기 때문이다.
|해설| (가)는 원자핵의 전하량이 +3, 전자가 2개이므로 (+)전하를 띠는 양이온이다. (나)는 원자핵의 전하량이 +9, 전자가 10개이므로 (−)전하를 띠는 음이온이다. (다)는 원자핵의 전하량이 +11, 전자가 10개이므로 (+)전하를 띠는 양이온이다.

채점 기준	배점
(나)를 고르고, 그 까닭을 옳게 서술한 경우	100 %
(나)만 고른 경우	50 %

26 **모범 답안》** 마그네슘 원자가 전자 2개를 잃고 마그네슘 이온이 된다.

채점 기준	배점
이온이 되는 과정을 전자와 관련지어 옳게 서술한 경우	100 %
그 외의 경우	0 %

27 **모범 답안》** 질산 칼륨 수용액에 전원을 연결하면 칼륨 이온은 (−)극으로 이동하고, 질산 이온은 (+)극으로 이동하여 전류가 흐른다.
|해설| 양이온인 칼륨 이온(K^+)은 (−)극으로 이동하고, 음이온인 질산 이온(NO_3^-)은 (+)극으로 이동한다.

채점 기준	배점
칼륨 이온과 질산 이온의 이동 방향을 밝혀 서술한 경우	100 %
양이온과 음이온의 이동 방향을 밝혀 서술한 경우	70 %
이온이 반대 전하를 띤 전극으로 이동한다고 서술한 경우	50 %

28 **모범 답안》** 파란색은 (−)극으로 이동한다. 황산 구리(Ⅱ) 수용액에서 파란색을 띠는 성분은 양이온인 구리 이온이기 때문이다.
|해설| 양이온인 구리 이온(Cu^{2+})은 (−)극으로 이동하고, 음이온인 황산 이온(SO_4^{2-})은 (+)극으로 이동한다.

채점 기준	배점
파란색의 이동 방향과 그 까닭을 옳게 서술한 경우	100 %
파란색의 이동 방향만 옳게 쓴 경우	50 %

29 모범 답안 ▶ 아이오딘화 이온은 (+)극으로, 납 이온은 (−)극으로 이동하므로 두 이온이 중간에서 만나 노란색 앙금인 아이오딘화 납이 생성되기 때문이다.

해설 아이오딘화 이온(I^-)은 음이온이므로 (+)극으로 이동하고, 납 이온(Pb^{2+})은 양이온이므로 (−)극으로 이동한다.

$$Pb^{2+} + 2I^- \longrightarrow PbI_2 \downarrow (노란색)$$

채점 기준	배점
이온의 이동과 앙금 생성 반응으로 옳게 서술한 경우	100 %
앙금 생성 반응으로만 서술한 경우	50 %

30 모범 답안 ▶ 수돗물에 은 이온을 넣으면 흰색 앙금인 염화 은이 생성되므로 염화 이온을 확인할 수 있다.

채점 기준	배점
염화 이온의 확인 방법을 옳게 서술한 경우	100 %
그 외의 경우	0 %

핵심 자료로 최종 점검
46쪽

01 원소

1 ❶ 빨간색 ❷ 주황색 ❸ 빨간색 ❹ 스트론튬 ❺ 리튬 ❻ 합쳐져서(그대로)

02 원자와 분자

1 ❶ 원자핵 ❷ 전자

2 ❶ +2 ❷ +7 ❸ +10 ❹ 2 ❺ 7 ❻ 10 ❼ −2 ❽ −7 ❾ −10 ❿ 중성

03 이온

1 ❶ 양이온 ❷ > ❸ 음이온 ❹ <

2 ❶ (−)극 ❷ (+)극 ❸ (−) ❹ (+)

3 ❶ K^+ ❷ NO_3^- ❸ Pb^{2+} ❹ I^- ❺ Pb^{2+} ❻ I^- ❼ PbI_2

시험 적중 마무리 문제
47~51쪽

01 ② 02 ①, ⑤ 03 ② 04 ④ 05 ③ 06 ⑤ 07 ③
08 ① 09 ③ 10 ④ 11 ② 12 ①, ⑤ 13 ④ 14 ③,
⑤ 15 ⑤ 16 ③ 17 ③ 18 ④ 19 ② 20 ④ 21 ⑤
22 ⑤ 23 ④ 24 ③ 25 ④ 26 ④, ⑤ 27 ④ 28 ③
29 ⑤ 30 ⑤ 31 ④

---

01 ② (가)는 보일, (나)는 아리스토텔레스의 생각을 나타낸 것이다.

02 ①, ⑤ 라부아지에는 물 분해 실험을 통해 물이 수소와 산소로 분해되는 것을 확인하여 물이 원소가 아님을 증명하였다. 또한 물이 원소라고 주장한 아리스토텔레스의 생각이 옳지 않음을 증명하였다.

03 ② 원소는 더 이상 다른 물질로 분해되지 않으면서 물질을 이루는 기본 성분으로, 우리 주변의 모든 물질은 원소로 이루어져 있다.

04 ㄱ. (+)극에서는 산소 기체가 발생하고, (−)극에서는 수소 기체가 발생한다.
ㄷ. (−)극에서는 수소 기체가 발생하므로 성냥불을 가까이 하면 '퍽' 소리를 내며 탄다.
바로알기 ≫ ㄴ. 발생하는 기체의 부피는 산소보다 수소가 많다.

05 수소, 구리, 나트륨, 알루미늄, 산소는 물질을 이루는 기본 성분인 원소이고, 물, 공기, 염화 수소, 이산화 탄소는 원소가 아니다.

06 ⑤ 알루미늄 포일은 알루미늄으로 이루어진 물질이다.
바로알기 ≫ ① 소금은 염소와 나트륨으로 이루어진 물질이다.
② 설탕은 탄소, 수소, 산소로 이루어진 물질이다.
③ 공기는 질소, 산소, 아르곤, 헬륨, 이산화 탄소 등으로 이루어진 물질이다.
④ 바닷물은 수소, 산소, 염소 등으로 이루어진 물질이다.

07 ③ 헬륨은 공기보다 가볍고 불에 타지 않으므로 비행선의 충전 기체로 이용된다.
바로알기 ≫ ① 철은 건물이나 다리의 철근으로 이용된다.
② 규소는 특정 물질을 첨가하여 반도체 소자에 이용된다.
④ 산소는 생물의 호흡과 물질의 연소에 이용된다.
⑤ 질소는 과자 봉지의 충전제로 이용된다.

08 ① 가장 가벼운 원소이며, 우주 왕복선의 연료로 이용되는 것은 수소이다.

09 ① 불꽃 반응으로는 불꽃 반응 색을 나타내는 일부 금속 원소를 확인할 수 있다.
② 불꽃 반응은 실험 방법이 간단하고, 적은 양의 시료로도 불꽃 반응 색을 관찰할 수 있다.
④ 니크롬선은 묽은 염산과 증류수로 씻어 불순물을 제거해야 한다.
⑤ 칼슘은 주황색의 불꽃 반응 색이 나타나고, 칼륨은 보라색의 불꽃 반응 색이 나타난다.

바로알기 ≫ ③ 불꽃 반응에서 시료를 묻힌 니크롬선은 토치의 겉불꽃에 넣고 불꽃 반응 색을 관찰한다. 겉불꽃은 온도가 매우 높고 무색이므로 불꽃 반응 색을 관찰하기 좋기 때문이다.

10 염화 구리(Ⅱ)와 황산 구리(Ⅱ)는 청록색, 질산 바륨은 황록색, 염화 칼슘과 질산 칼슘은 주황색, 염화 리튬은 빨간색의 불꽃 반응 색이 나타난다.

바로알기 ≫ ④ 노란색은 나트륨의 불꽃 반응 색이며, 나트륨을 포함하는 물질이 없으므로 노란색의 불꽃 반응 색은 관찰할 수 없다.

11 ② 질산 칼륨의 불꽃 반응 색은 보라색이고, 질산 나트륨의 불꽃 반응 색은 노란색이다.

12 ① (가)는 햇빛의 연속 스펙트럼이고, (나)는 금속 원소의 선 스펙트럼이다.

⑤ 원소의 종류에 따라 선 스펙트럼에서 선의 색깔, 개수, 위치 등이 다르게 나타난다.

바로알기 ≫ ②, ③ (가)는 햇빛을 관찰할 때 나타나고, (나)는 금속 원소의 불꽃을 관찰할 때 나타난다.

④ 불꽃 반응 색이 비슷해도 다른 종류의 원소라면 (나)의 선 스펙트럼이 다르게 나타난다.

13 ④ 물질 X의 선 스펙트럼에는 나트륨과 칼슘의 선 스펙트럼이 모두 합쳐져서 나타난다.

14 ③ 원자핵은 원자 질량의 대부분을 차지하고, 전자의 질량은 무시할 수 있을 정도로 작다.

⑤ 원자는 원자핵의 (+)전하량과 전자의 총 (−)전하량이 같으므로 전기적으로 중성이다.

바로알기 ≫ ①, ② 원자핵은 원자의 중심에 위치하고, 전자는 원자핵 주위를 움직이고 있다.

④ 원자의 종류에 따라 원자핵의 전하량과 전자 수가 달라진다.

15 바로알기 ≫ ⑤ 원자핵의 전하량은 +11, 전자의 총 전하량은 −11이므로 원자핵의 (+)전하량과 전자의 총 (−)전하량은 같다.

16 ③ 분자는 독립된 입자로 존재하여 물질의 성질을 나타내는 가장 작은 입자이다.

바로알기 ≫ ① 물질을 이루는 기본 성분은 원소이다.

② 물질을 이루는 기본 입자는 원자이다.

④ 원자가 전자를 잃거나 얻어서 형성된 것은 이온이다.

⑤ 결합하는 원자의 종류가 같아도 원자의 수가 달라지면 다른 물질이므로 서로 다른 성질을 나타낸다.

17 바로알기 ≫ ㄱ. 칼슘 − Ca, 칼륨 − K

ㄴ. 산소 − O, 수소 − H

ㅂ. 금 − Au, 은 − Ag

18 문제 분석하기 ≫

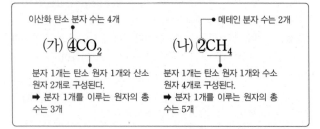

①, ②, ③ (가)는 이산화 탄소이며, 탄소(C)와 산소(O)로 이루어져 있다. (나)는 메테인이며, 탄소(C)와 수소(H)로 이루어져 있다.

⑤ 분자 1개를 이루는 원자 수는 (가)는 3개이고, (나)는 5개이다.

바로알기 ≫ ④ (가)에서 분자 1개를 이루는 원자 수는 3개이고 분자 수는 4개이므로 원자의 총개수는 12개이다. (나)에서 분자 1개를 이루는 원자 수는 5개이고, 분자 수는 2개이므로 원자의 총개수는 10개이다.

19 분자의 분자식과 분자 모형은 다음과 같다.

	분자	분자식	분자 모형
①	물	H_2O	
②	암모니아	NH_3	
③	산소	O_2	
④	염화 수소	HCl	

20 바로알기 ≫ ④ 이온은 원자가 전자를 잃거나 얻어서 형성된다. 따라서 이온이 형성될 때 전자의 수는 변하며, 원자핵의 전하량은 변하지 않는다.

21 문제 분석하기 ≫

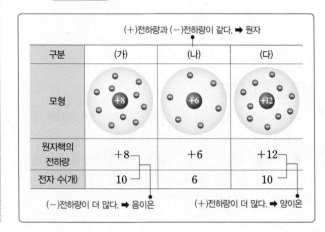

⑤ (다)는 원자핵의 전하량이 +12이므로 원자일 때의 전자 수는 12개이다.

바로알기 >> ① (가)는 음이온, (나)는 원자이다.

② (다)는 (+)전하를 띠는 양이온이다.

③ (가)는 원자가 전자 2개를 얻어 형성된다.

④ (나)는 원자핵의 (+)전하량과 전자의 총 (−)전하량이 같으므로 전기적으로 중성이다.

22 문제 분석하기 >>

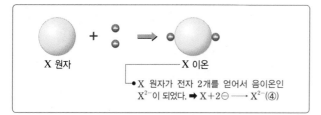

X 원자가 전자 2개를 얻어 음이온인 X^{2-}이 되었다. ➡ $X + 2\ominus \longrightarrow X^{2-}$(④)

①, ③ X 원자가 전자 2개를 얻어 음이온이 되므로 X 원자는 X 이온보다 전자 수가 2개 적다.

② 이온이 형성될 때 전자 수만 변하므로 원자핵의 전하량은 일정하다.

바로알기 >> ⑤ 칼슘 원자는 전자 2개를 잃고 양이온이 된다.

$Ca \longrightarrow Ca^{2+} + 2\ominus$

23 바로알기 >> ㄱ. S^{2-} – 황화 이온

ㄴ. Al^{3+} – 알루미늄 이온

ㅂ. NO_3^- – 질산 이온

24 바로알기 >> ③ 마그네슘 원자가 전자를 2개 잃으면 마그네슘 이온이 형성된다. 따라서 마그네슘 이온은 마그네슘 원자보다 전자가 2개 적다.

25 문제 분석하기 >>

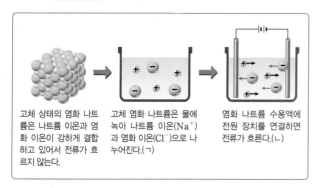

고체 상태의 염화 나트륨은 나트륨 이온과 염화 이온이 강하게 결합하고 있어서 전류가 흐르지 않는다.

고체 염화 나트륨은 물에 녹아 나트륨 이온(Na^+)과 염화 이온(Cl^-)으로 나누어진다.(ㄱ)

염화 나트륨 수용액에 전원 장치를 연결하면 전류가 흐른다.(ㄴ)

바로알기 >> ㄷ. (가)에서 양이온인 나트륨 이온은 (−)극으로, 음이온인 염화 이온은 (+)극으로 이동한다.

26 ①, ② 크로뮴산 칼륨(K_2CrO_4) 수용액에서 노란색을 띠는 크로뮴산 이온(CrO_4^{2-})은 (+)극으로 이동한다.

③ 칼륨 이온(K^+)은 양이온이므로 (−)극으로 이동한다.

바로알기 >> ④ (+)극으로 이동하는 이온은 음이온이므로 질산 이온(NO_3^-)과 크로뮴산 이온 2종류이다.

⑤ 증류수는 전류가 흐르지 않으므로 질산 칼륨 수용액 대신 증류수를 사용하면 실험 결과가 나타나지 않는다.

27 ① 염화 칼륨+질산 은 ➡ 흰색 앙금인 염화 은(AgCl) 생성

② 황산 나트륨+질산 바륨 ➡ 흰색 앙금인 황산 바륨($BaSO_4$) 생성

③ 황화 나트륨+염화 구리(Ⅱ) ➡ 검은색 앙금인 황화 구리(Ⅱ)(CuS) 생성

⑤ 질산 칼슘+탄산 칼륨 ➡ 흰색 앙금인 탄산 칼슘($CaCO_3$) 생성

바로알기 >> ④ 칼륨 이온(K^+)과 질산 이온(NO_3^-)은 앙금을 생성하지 않는 이온이다.

28 ③ 아이오딘화 이온(I^-)과 납 이온(Pb^{2+})이 반응하여 노란색 앙금인 아이오딘화 납(PbI_2)이 생성된다.

$Pb^{2+} + 2I^- \longrightarrow PbI_2 \downarrow$

29 문제 분석하기 >>

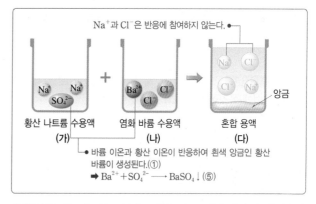

Na^+과 Cl^-은 반응에 참여하지 않는다.

황산 나트륨 수용액 (가)

염화 바륨 수용액 (나)

혼합 용액 (다)

앙금

바륨 이온과 황산 이온이 반응하여 흰색 앙금인 황산 바륨이 생성된다.(①)

➡ $Ba^{2+} + SO_4^{2-} \longrightarrow BaSO_4 \downarrow$ (⑤)

바로알기 >> ② 나트륨 이온(Na^+)은 앙금 생성 반응에 참여하지 않고 수용액 속에 남아 있으므로 이온 수가 일정하다.

③ (나)는 바륨 이온(Ba^{2+})이 들어 있으므로 황록색의 불꽃 반응색이 나타나고, (다)는 나트륨 이온(Na^+)이 들어 있으므로 노란색의 불꽃 반응 색이 나타난다.

④ (다)의 혼합 용액에는 반응에 참여하지 않은 이온이 들어 있으므로 전류가 흐른다.

30 바로알기 >> ⑤ 구리 이온(Cu^{2+})은 황화 이온(S^{2-})과 반응하여 검은색의 황화 구리(Ⅱ)(CuS) 앙금을 생성한다.

$Cu^{2+} + S^{2-} \longrightarrow CuS \downarrow$

31 ④ X 수용액은 불꽃 반응 색이 청록색이므로 양이온은 구리 이온(Cu^{2+})을 포함한다. 또한 X 수용액에 염화 칼슘 수용액을 떨어뜨렸을 때 흰색 앙금이 생성되므로 양이온은 은 이온(Ag^+), 음이온은 탄산 이온(CO_3^{2-})을 포함할 수 있다. 따라서 물질 X로 가장 적당한 것은 탄산 구리(Ⅱ)이다.

II. 전기와 자기

01 전기의 발생

단원 미리보기

54~55쪽

만화 완성하기 ≫ [모범 답안] 볼펜을 옷에 문지른 후에 종이에 가져다 대 봐!

한눈에 보기 ≫ [B] 전기력, [C] 정전기 유도, [E] 검전기로 알 수 있는 사실

55~59쪽

A 1 ㉠ (+), ㉡ (−), ㉢ 중성이다 2 (1) ○ (2) × (3) ○ 3 ㄱ, ㄷ

B 1 ㉠ 전기력, ㉡ 척력, ㉢ 인력 2 (1) 인력 (2) 척력 (3) 척력

C 1 정전기 유도 2 (1) A → B (2) (+)전하 (3) (−)전하 (4) 인력
3 B, D

D 1 (1) ㉠ (+), ㉡ (−) (2) ㉠ 척력, ㉡ 벌어진다 2 (1) × (2) ×
(3) ○

E 1 ㄱ, ㄷ, ㄹ 2 많이 3 (1) ㉠ 인력, ㉡ 금속판 (2) ㉠ 줄어들,
㉡ 더 벌어진다

A-2 바로알기 ≫ (2) 서로 다른 두 물체를 마찰할 때 원자핵은 무거워서 쉽게 움직이지 못하고 전자가 이동한다.

A-3 ㄱ, ㄷ. 마찰한 두 물체가 서로 다른 전하를 띠면서 달라 붙게 되므로 마찰 전기에 의한 현상이다.
바로알기 ≫ ㄴ. 병따개가 냉장고의 문에 달라붙는 것은 자기력에 의한 현상이다.

B-2 다른 종류의 전하를 띤 물체 사이에는 인력이, 같은 종류의 전하를 띤 물체 사이에는 척력이 작용한다.

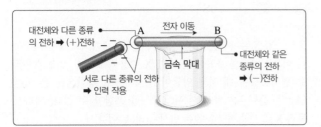

C-2 문제 분석하기 ≫

대전되지 않은 금속 막대에 (−)대전체를 가까이 하면 정전기 유도에 의해 대전체와 가까운 A 부분은 대전체와 다른 종류의 전하인 (+)전하를 띠고, 대전체와 먼 B 부분은 대전체와 같은 종류의 전하인 (−)전하를 띤다. 따라서 A 부분과 (−)대전체 사이에는 인력이 작용한다.

C-3 문제 분석하기 ≫

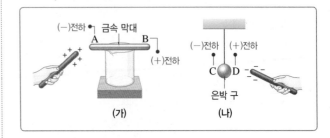

(가)   (나)

D-1 (1) 검전기의 금속판에 대전체를 가까이 하면 대전체와 가까운 금속판은 대전체와 다른 전하를 띠고, 대전체와 먼 금속박은 대전체와 같은 전하를 띤다.
(2) 검전기에 대전체를 가까이 할 때 금속박 두 장은 서로 같은 전하를 띠게 되어 벌어진다.

D-2 (3) 금속판에 (+)대전체를 가까이 하면 금속박에 있던 전자가 인력에 의해 금속판으로 이동한다.
바로알기 ≫ (1) 금속판은 (−)전하로 대전된다.
(2) 금속박은 (+)전하로 대전된다.

E-1 ㄱ. 대전되지 않은 물체를 가까이 하면 금속박에 변화가 없지만 대전체를 가까이 하면 금속박이 벌어진다.
ㄷ. 물체에 대전된 전하의 양이 많을수록 금속박이 많이 벌어진다.
ㄹ. 검전기와 같은 전하를 띤 대전체를 가까이 하면 금속박이 더 벌어지고, 다른 전하를 띤 대전체를 가까이 하면 금속박이 오므라든다.
바로알기 ≫ ㄴ. 대전체에 전자가 몇 개 있는지는 검전기로 알 수 없다.

E-3 검전기에 (+)대전체를 가까이 하면 검전기 내부의 전자들이 대전체로부터 인력을 받아 금속판으로 끌려온다. 금속박에 있던 전자들이 금속판으로 이동하므로 금속박은 더 강하게 (+)전하를 띠게 되어 금속박이 더 많이 벌어진다.

실력 탄탄 핵심 문제

61~65쪽

01 ⑤	02 ④	03 ①	04 ③	05 ①	06 ①	07 ③
08 ②	09 ②	10 ③	11 ②	12 ③	13 ①	14 ①
15 ④	16 ㄱ, ㄴ, ㄹ	17 ⑤	18 ②	19 ②	20 ⑤	21 ③

서술형 문제 22~26 해설 참조

01 ⑤ 원자핵의 (+)전하의 양과 전자의 (−)전하의 양이 같으므로, 원자는 전기적으로 중성이다.

[바로알기 »] ① A는 전자이고, B는 원자핵이다.
② 원자핵인 B는 (+)전하를 띠고, 전자인 A는 (−)전하를 띤다.

③, ④ 원자핵인 B는 무거워서 이동하지 못하지만, 전자인 A는 가벼워서 물체들 사이에서 이동이 가능하다.

02 ① 마찰 전기는 서로 다른 두 물체를 마찰할 때 한 물체에서 다른 물체로 전자가 이동하여 발생한다. 서로 같은 두 물체를 마찰하면 두 물체의 전자를 잃는 정도가 같으므로 전기를 잘 띠지 않는다.
② 서로 다른 두 물체를 마찰하면 한 물체에서 다른 물체로 전자가 이동하므로 한 물체는 전자를 잃고, 다른 물체는 전자를 얻는다. 따라서 두 물체는 각각 다른 종류의 전하를 띤다.
③ 전자를 얻은 물체는 (−)전하의 양이 (+)전하의 양보다 많으므로 (−)전하를 띠고, 전자를 잃은 물체는 (+)전하의 양이 (−)전하의 양보다 많으므로 (+)전하를 띤다.
⑤ 물체를 마찰하였을 때 전자를 잃기 쉬운 정도는 상대적인 것이므로, 같은 물체라도 마찰하는 물체가 전자를 잃기 쉬운 정도에 따라 대전되는 전하의 종류가 달라질 수 있다.

[바로알기 »] ④ 대전된 물체를 공기 중에 오래 두면 공기 중의 전자가 대전체로 들어오거나 빠져나가 전기적 성질을 잃는 방전 현상이 나타난다.

03 ① 플라스틱 막대가 (−)전하, 털가죽이 (+)전하를 띠므로 두 물체를 마찰할 때 털가죽에서 플라스틱 막대로 전자가 이동한다.

[바로알기 »] ② 털가죽의 전자가 플라스틱 막대로 이동한다.
③, ④ 마찰하는 과정에서 (+)전하를 띠는 원자핵은 무거워서 이동하지 못하고 (−)전하를 띠는 전자가 이동한다.
⑤ 서로 다른 두 물체를 마찰하는 과정에서 전하는 새로 만들어지거나 없어지지 않는다.

04 [문제 분석하기 »]

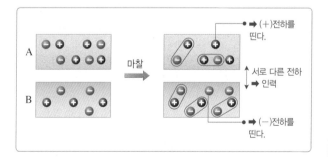

ㄷ. (−)전하를 띠는 물체 B를 공기 중에 오랫동안 놓아 두면 B의 전자가 공기 중으로 빠져나가 전기적 성질을 잃는 방전 현상이 일어난다.

[바로알기 »] ㄱ. A는 (+)전하, B는 (−)전하를 띠므로 A와 B 사이에는 인력이 작용한다.

ㄴ. 마찰 후 A의 전자는 줄어들고 B의 전자는 늘어났으므로, A에 있던 전자가 B로 이동하였다. 따라서 A와 B를 마찰하였을 때 A는 전자를 잃어 (+)전하를 띠고, B는 전자를 얻어 (−)전하를 띠므로, A는 B에 비해 전자를 잃기 쉬운 물체이다.

05 ① 털가죽은 플라스틱보다 전자를 잃기 쉽다. 따라서 털가죽과 플라스틱 빨대를 마찰하면 털가죽은 전자를 잃어 (+)전하를 띠고, 플라스틱 빨대는 전자를 얻어 (−)전하를 띤다.

[바로알기 »] ② (+)전하를 띠는 털가죽과 (−)전하를 띠는 빨대 A를 가까이 하면 서로 다른 종류의 전하를 띠므로 빨대 A는 털가죽 쪽으로 끌려간다.
③ 빨대 B, C를 각각 털가죽으로 마찰하였으므로, 두 빨대 모두 (−)전하로 대전된다. 따라서 빨대 B, C를 가까이 하면 서로 같은 종류의 전하를 띠므로 밀어낸다.
④ 빨대 A, B, C는 모두 털가죽으로 마찰하였으므로 모두 (−)전하를 띤다.
⑤ 빨대 B, C는 같은 물체이므로 전자를 잃는 정도가 같아 잘 대전되지 않는다.

06 ② 스웨터를 벗을 때 생긴 대전체에서 전자가 공기 중으로 빠져나가는 방전 현상이다.
③, ④ 서로 다른 두 물체가 마찰하면 두 물체가 서로 다른 전하를 띠게 되므로 인력이 작용해 달라붙게 된다.
⑤ 마찰로 인해 전자가 이동할 때 찌릿함을 느끼게 된다.

[바로알기 »] ① 나침반 자침의 N극이 북쪽을 가리키는 것은 자기력에 의한 현상이다.

07 [문제 분석하기 »]

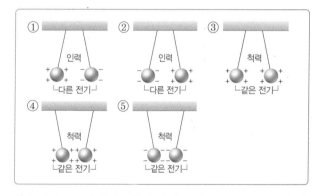

서로 다른 종류의 전하를 띤 물체 사이에는 인력이 작용하고, 서로 같은 종류의 전하를 띤 물체 사이에는 척력이 작용한다.

08 두 고무풍선을 각각 털가죽으로 문지르면 둘 다 (−)전하로 대전된다. 따라서 두 고무풍선은 같은 종류의 전기를 띠므로 가까이 하면 서로 밀어낸다.

09 문제 분석하기 ≫

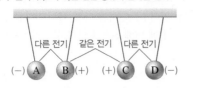

서로 끌어당기는 두 은박 구(A와 B, C와 D)는 다른 종류의 전하를 띠고, 서로 밀어내는 두 은박 구(B와 C)는 같은 종류의 전하를 띤다.

10 ① 정전기 유도에 의해 (+)전하로 대전된 유리 막대와 가까운 금속 막대의 A 부분은 (−)전하로 대전된다.
② 정전기 유도에 의해 (+)전하로 대전된 유리 막대와 먼 금속 막대의 B 부분은 (+)전하로 대전된다.
④ (+)전하로 대전된 유리 막대와의 인력에 의해 금속 막대의 B 부분에 있던 자유 전자가 A 쪽으로 이동한다.
⑤ 금속 막대에서 (+)전하로 대전된 유리 막대와 가까운 A 부분이 (−)전하로 대전되어 유리 막대와 금속 막대 사이에는 인력이 작용한다.
바로알기 ≫ ③ (+)전하를 띠는 원자핵은 이동하지 않고, (−)전하를 띠는 자유 전자가 이동한다.

11 문제 분석하기 ≫

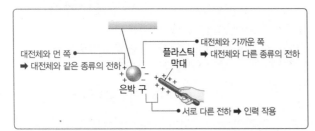

은박 구의 오른쪽은 (−)전하를 띠고 왼쪽은 (+)전하를 띠므로, 은박 구는 플라스틱 막대 쪽으로 끌려간다.

12 문제 분석하기 ≫

정전기 유도에 의해 알루미늄 캔 내부의 전자가 B → A 방향으로 이동한다. 그 결과 (−)대전체와 가까운 부분인 B는 (+)전하로 대전되고, 먼 부분인 A는 (−)전하로 대전된다. 따라서 알루미늄 캔과 (−)대전체 사이에 인력이 작용하므로 알루미늄 캔이 대전체 쪽(A → B)으로 이동한다.

13 문제 분석하기 ≫

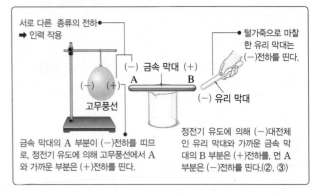

④, ⑤ 금속 막대 내부에서 자유 전자는 B → A로 이동하므로, B 부분에는 (+)전하의 양이 (−)전하의 양보다 많다.
바로알기 ≫ ① 정전기 유도에 의해 고무풍선에서 금속 막대와 가까운 부분이 (+)전하로 대전되어 (−)전하를 띠는 금속 막대의 A 부분과 고무풍선 사이에는 서로 끌어당기는 인력이 작용한다.

14 (−)대전체를 금속 막대 A에 가까이 하면 금속 막대 A의 전자가 금속 막대 B로 이동한다. 따라서 (−)대전체와 가까운 금속 막대 A는 (−)대전체와 다른 종류의 전하인 (+)전하를 띠고, (−)대전체와 먼 금속 막대 B는 (−)대전체와 같은 종류의 전하인 (−)전하를 띤다. 이때 두 금속 막대 A, B를 떼어 놓으면 각각 대전된 전하를 그대로 띠게 되므로 A는 (+)전하, B는 (−)전하를 띤다.

15 문제 분석하기 ≫

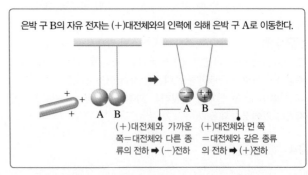

(+)대전체를 접촉해 있는 두 은박 구의 A에 가까이 하면 정전기 유도에 의해 은박 구 A는 (−)전하를, 은박 구 B는 (+)전하를 띠게 된다. 이 상태에서 두 은박 구를 떼어 놓으면 인력이 작용하여 서로 끌어당긴다.

16 ㄱ. 복사기는 정전기 유도를 이용하여 토너의 검은 탄소 가루가 종이에 달라붙게 한다.
ㄴ. 공기 청정기는 공기 중의 작은 먼지를 정전기 유도를 이용하여 끌어당겨 공기를 깨끗하게 한다.
ㄹ. 터치스크린은 화면에 손가락을 대면 정전기 유도에 의해 작동하게 되는 원리를 이용한다.

바로알기 >> ㄷ. 나침반 자침의 바늘은 자석을 이용하므로 정전기 유도가 아니라 자기력을 이용한 예이다.

17 ①, ② 검전기의 금속판에 (+)대전체를 가까이 하였으므로, 정전기 유도에 의해 금속판에는 (−)전하, 금속박에는 (+)전하가 유도된다.
③ (+)대전체와의 인력에 의해 금속박에 있던 전자가 금속판으로 이동한다.
④ 두 금속박은 (+)전하를 띠게 되면서 금속박 사이에 척력이 작용하여 벌어지게 된다.
바로알기 >> ⑤ 대전체를 멀리 하면 금속판의 전자가 다시 금속박으로 내려가므로, 금속박은 처음 상태와 같이 오므라든다.

18 문제 분석하기 >>

대전되지 않은 검전기의 금속판에 (−)대전체를 가까이 하면 금속판은 (+)전하로, 금속박은 (−)전하로 대전된다.

19 문제 분석하기 >>

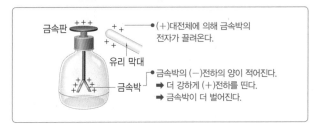

- 금속판
- (+)대전체에 의해 금속박의 전자가 끌려온다.
- 유리 막대
- 금속박의 (−)전하의 양이 적어진다. ➡ 더 강하게 (+)전하를 띤다. ➡ 금속박이 더 벌어진다.
- 금속박

전체가 (+)전하로 대전된 검전기의 금속판에 (+)대전체를 가까이 하면, (+)대전체와의 인력에 의해 금속박에 있던 전자가 금속판으로 이동한다. 따라서 금속박의 (−)전하의 양이 더 줄어들어 더 강하게 (+)전하를 띠게 되므로 금속박은 더 벌어진다.

20 문제 분석하기 >>

- 유리 막대 (+) (−) A 전자 이동 (+) B
- 금속 구 C (−)
- 금속 막대
- 전자 이동
- 금속박 D (+)
- 유리 막대를 명주 헝겊으로 문지르면 (+)전하로 대전된다.

금속 막대는 (+)전하로 대전된 유리 막대에 의해 정전기 유도 현상이 일어나고, 검전기는 (+)전하로 대전된 금속 막대의 B 부분에 의해 정전기 유도 현상이 일어난다.

21 문제 분석하기 >>

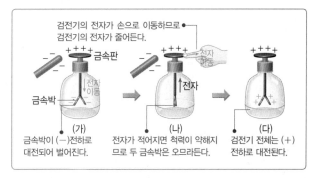

- 검전기의 전자가 손으로 이동하므로 검전기의 전자가 줄어든다.
- 금속판
- 금속박
- (가) 금속박이 (−)전하로 대전되어 벌어진다.
- (나) 전자가 적어지면 척력이 약해지므로 두 금속박은 오므라든다.
- (다) 검전기 전체는 (+)전하로 대전된다.

③ (나)에서 (−)전하로 대전된 금속박의 전자가 손가락을 통해 빠져나가므로 금속박은 오므라든다.
바로알기 >> ①, ② (가)에서 검전기의 금속판에 (−)대전체를 가까이 하였으므로 금속판의 전자가 척력을 받아 금속박으로 이동한다. 따라서 금속박은 (−)전하로 대전되어 벌어진다.
④, ⑤ (나)에서 전자가 손가락을 통해 빠져나갔으므로, (다)의 검전기는 전체가 (+)전하로 대전된 상태이다.

22 모범 답안 > 마찰할 때 A의 전자가 B로 이동한다. 마찰 후 A는 전자를 잃었으므로 (+)전하를 띠고, B는 전자를 얻었으므로 (−)전하를 띤다.

채점 기준	배점
A와 B가 띠는 전하의 종류와 까닭을 옳게 서술한 경우	100 %
A와 B가 띠는 전하의 종류만 옳게 서술한 경우	40 %

23 모범 답안 > 서로 다른 물체끼리 마찰하면 전자가 한 물체에서 다른 물체로 이동하여 두 물체가 서로 다른 전하를 띠게 되어 두 물체 사이에 인력이 작용하기 때문이다.
| 해설 | (가)에서는 빗과 머리카락이 마찰한 후 서로 다른 전하를 띠게 되고, (나)에서는 치마와 스타킹이 마찰한 후 서로 다른 전하를 띠게 된다.

채점 기준	배점
마찰 전기와 두 물체 사이에 작용하는 전기력을 이용하여 옳게 서술한 경우	100 %
마찰 전기가 생겼기 때문이라고만 서술한 경우	60 %

24 모범 답안 > 빨대 A와 B 모두 털가죽에 마찰하였으므로 같은 전하를 띠게 되어 A와 B 사이에 척력이 작용한다.
| 해설 | 플라스틱 빨대를 털가죽에 문지르면 털가죽의 전자가 플라스틱 빨대로 이동하여 플라스틱 빨대는 (−)전하를 띠게 된다.

채점 기준	배점
A와 B 사이에 작용하는 힘의 종류와 까닭을 옳게 서술한 경우	100 %
A와 B 사이에 작용하는 힘의 종류만 옳게 쓴 경우	40 %

25 모범 답안 > (1) (+)대전체로부터 인력을 받아 알루미늄 내부의 자유 전자가 A에서 B 쪽으로 이동한다.

(2) 알루미늄 막대의 A 부분과 고무풍선 사이에 척력이 작용했으므로 고무풍선은 (+)전하를 띠고 있다.

문제 분석하기 》

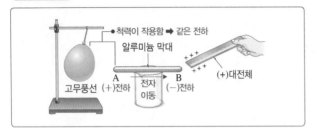

	채점 기준	배점
(1)	전자의 이동 방향을 전기력을 이용하여 옳게 서술한 경우	50 %
	전자의 이동 방향만 쓴 경우	20 %
(2)	고무풍선이 띠는 전하의 종류와 까닭을 옳게 서술한 경우	50 %
	고무풍선이 띠는 전하의 종류만 쓴 경우	20 %

26 **모범 답안 》** (가)의 대전체에 대전된 전하의 양이 (나)의 대전체보다 더 많기 때문이다.
|해설| 물체에 대전된 전하의 양이 많을수록 검전기의 금속박이 더 많이 벌어진다.

채점 기준	배점
(가)와 (나)의 대전체에 대전된 전하의 양을 비교하여 옳게 서술한 경우	100 %
(가)의 대전체가 더 강하게 전기를 띠고 있다고 서술한 경우도 정답 인정	

02 전류, 전압, 저항

단원 미리보기

66~67쪽

만화 완성하기 》 [모범 답안] 전류가 흐르는 것을 방해
한눈에 보기 》 [B] 전류계와 전압계, [C] 전기 저항, [D] 옴의 법칙

67~73쪽

A **1**(1) ○ (2) × (3) ○ **2**(1) (나) (2) D **3**(1) – © (2) – ⊙
(3) – ©

B **1**(1) ○ (2) ×(3) × **2** 0.35 A **3** 15 V

C **1**(1) ○ (2) × (3) ○ (4) ○ **2** ㄴ

D **1**(1) 커진다 (2) 크다 (3) 큰 **2** 8 V **3** 50 Ω

E **1**(1) ○ (2) ○ (3) × **2**(1) 1 : 2 (2) ⊙ 6, © 12 (3) 2 (4) 2

F **1** (1) ○ (2) ○ (3) × **2** (1) ⊙ 18, © 18 (2) ⊙ 6, © 3
(3) 2 : 1

G **1** ⊙ 병렬연결, © 직렬 **2** (1) ○ (2) × (3) ○ (4) ○ (5) ×

A-1 **바로알기 》** (2) 전류가 흐르지 않을 때 전자는 계속 움직이고 있으나, 이동 방향이 일정하지 않다.

A-2 (1) (가)는 전자들이 여러 방향으로 무질서하게 움직이고, (나)는 전자들이 한 방향으로 일정하게 이동하므로 (나)에 전류가 흐르고 있다.
(2) 전류가 흐를 때 전자들은 전지의 (−)극에서 (+)극 쪽으로 이동하므로 D가 전지의 (+)극에 연결되어 있다.

A-3 물의 흐름을 전기 회로에 비유할 때 물의 높이 차(수압)에 의해 물이 흐르면 물레방아가 돌아가는 것처럼, 전압에 의해 전류가 흐르면 전구에 불이 켜진다.

B-1 **바로알기 》** (2) 전류계와 전압계 모두 (+)단자는 전지의 (+)극 쪽에, (−)단자는 전지의 (−)극 쪽에 연결하여 사용한다.
(3) 전류의 세기를 예상할 수 없을 경우, (−)단자 중 최대 전류값이 가장 큰 단자부터 연결한다.

B-2 전류계의 (−)단자를 500 mA에 연결하였으므로 최댓값이 500 mA인 눈금판의 눈금을 읽으면, 이 회로에 흐르는 전류의 세기는 350 mA=0.35 A임을 알 수 있다.

B-3 전압계의 (−)단자를 30 V에 연결하였으므로 최댓값이 30 V인 눈금판의 눈금을 읽으면, 이 회로에 걸리는 전압의 크기는 15 V임을 알 수 있다.

C-1 (1) 전기 저항은 전기 회로에서 전류의 흐름을 방해하는 정도를 나타낸다.
(3), (4) 전기 저항의 크기는 도선의 길이에 비례하고, 도선의 단면적에 반비례한다.
바로알기 》 (2) 물질마다 원자의 배열 상태가 다르므로, 길이와 단면적이 같아도 물질이 다르면 전기 저항이 다르다.

C-2 도선의 길이가 짧을수록, 단면적이 넓을수록 전기 저항이 작다. 보기의 도선들은 모두 길이가 2 m로 같으므로 단면적이 가장 넓은 ㄴ의 전기 저항이 가장 작다.

D-1 (1) 저항이 일정할 때 전압과 전류의 세기는 비례하므로 전압이 커지면 전류의 세기도 커진다.
(2) 전압이 일정할 때 저항과 전류의 세기는 반비례하므로 저항이 작을수록 전류의 세기가 크다.
(3) 전류의 세기가 일정할 때 저항과 전압은 비례하므로 저항이 클수록 큰 전압이 걸린다.

D-2 옴의 법칙에 의해 니크롬선에 걸리는 전압 $V=IR=$ 2 A × 4 Ω=8 V이다.

D-3 그래프에서 전압이 6 V일 때 니크롬선에 흐르는 전류의 세기는 120 mA=0.12 A이다. 따라서 옴의 법칙에 의해 니크롬선의 저항 $R=\dfrac{V}{I}=\dfrac{6\text{ V}}{0.12\text{ A}}=50\ \Omega$이다.

E-1 (1) 저항을 직렬로 연결하면 저항의 길이가 길어지는 효과가 있으므로 많이 연결할수록 전체 저항이 커진다.
(2) 저항이 직렬로 연결되어 있을 때 각 저항에 흐르는 전류의 세기가 일정하므로 저항은 전압과 비례한다. 따라서 저항이 클수록 큰 전압이 걸린다.
바로알기 ≫ (3) 저항이 직렬로 연결되어 있을 때 각 저항에 흐르는 전류의 세기는 일정하다.

E-2 (1) 저항이 직렬로 연결되어 있을 때 전압이 각 저항에 비례하여 나누어 걸리므로 전압의 비는 저항의 비와 같은 1 : 2이다.
(2) 전체 전압 18 V가 저항에 1 : 2로 나누어 걸리므로 3 Ω인 저항에 $18\text{ V}\times\dfrac{1}{3}=6$ V, 6 Ω인 저항에 $18\text{ V}\times\dfrac{2}{3}=12$ V가 걸린다.
(3) 옴의 법칙에 따라 3 Ω인 저항에 흐르는 전류의 세기 $I=\dfrac{V}{R}$ $=\dfrac{6\text{ V}}{3\ \Omega}=2$ A이다.
(4) 저항이 직렬로 연결된 회로에 흐르는 전류의 세기는 항상 일정하므로 전체 전류의 세기도 2 A이다.

F-1 (1) 저항이 병렬로 연결되어 있을 때 각 저항에 전체 전압과 같은 크기의 전압이 걸린다.
(2) 각 저항에 걸리는 전압이 일정하므로 저항과 전류의 세기는 반비례한다. 따라서 저항이 클수록 약한 전류가 흐른다.
바로알기 ≫ (3) 저항을 병렬로 많이 연결할수록 저항의 단면적이 넓어지는 효과가 있으므로 전체 저항이 작아지고, 전체 전류의 세기는 커진다.

F-2 (1) 저항이 병렬로 연결되어 있을 때는 각 저항에 전체 전압과 같은 크기의 전압이 걸리므로 3 Ω과 6 Ω인 저항에 모두 18 V의 전압이 걸린다.
(2) 옴의 법칙에 따라 3 Ω에 흐르는 전류의 세기 $I_{3\Omega}=\dfrac{V}{R_{3\Omega}}=$ $\dfrac{18\text{ V}}{3\ \Omega}=6$ A이고, 6 Ω에 흐르는 전류의 세기 $I_{6\Omega}=\dfrac{V}{R_{6\Omega}}=\dfrac{18\text{ V}}{6\ \Omega}$ $=3$ A이다.
(3) 두 저항에 흐르는 전류의 비는 6 A : 3 A=2 : 1이다. 그러므로 전류의 비는 저항의 비에 반비례한다.

G-1 건물의 전기 배선은 저항의 병렬연결을 이용한 예이고, 퓨즈는 직렬연결을 이용한 예이다.

G-2 (1) 장식용 전구는 직렬연결되어 있으므로 하나의 전구가 꺼지면 나머지 전구들에도 전류가 흐르지 않는다.

(3), (4) 멀티탭은 병렬연결을 이용하므로 멀티탭에 연결한 전기 기구에는 모두 전체 전압과 같은 전압이 걸린다.
바로알기 ≫ (2) 화재 감지 장치와 경보 장치는 직렬로 연결되어 있으므로 두 장치 모두 연결될 때 작동하고, 하나라도 연결이 끊기면 작동하지 않는다.
(5) 가로등은 병렬연결되어 있으므로 각 가로등에 일정한 전압이 걸린다. 하나의 가로등이 꺼져도 각각의 가로등에 걸리는 전압은 일정하게 유지되므로 전류의 세기도 변하지 않는다.

이해 쏙쏙 집중 강의   74쪽

01 (1) A<B<C (2) 4 Ω   **02** 2 : 1

01 (1) 기울기$=\dfrac{\text{세로축}}{\text{가로축}}=\dfrac{\text{전류}}{\text{전압}}=\dfrac{1}{\text{저항}}$이므로 기울기가 작을수록 저항이 크다. 그러므로 A의 저항이 가장 작고 C의 저항이 가장 크다.
(2) 니크롬선 A는 전압이 6 V일 때 전류의 세기가 1.5 A이므로 저항의 크기 $R=\dfrac{V}{I}=\dfrac{6\text{ V}}{1.5\text{ A}}=4\ \Omega$이다.

02 니크롬선 A는 0.2 A의 전류가 흐를 때 전압이 2 V이므로 저항 $R_A=\dfrac{V_A}{I_A}=\dfrac{2\text{ V}}{0.2\text{ A}}=10\ \Omega$이다. 니크롬선 B는 0.2 A의 전류가 흐를 때 전압이 1 V이므로 저항 $R_B=\dfrac{V_B}{I_B}=\dfrac{1\text{ V}}{0.2\text{ A}}$ $=5\ \Omega$이다. 따라서 니크롬선 A와 B의 저항의 비는 10 Ω : 5 Ω $=2 : 1$이다.

실력 탄탄 핵심 문제   75~79쪽

01 ④   **02** ③   **03** ③   **04** ④   **05** ①   **06** ①   **07** 0.4 A
08 ④   **09** ⑤   **10** ②   **11** ②   **12** ①   **13** ②   **14** ②
15 ③   **16** ⑤   **17** A : 15 Ω, B : 5 Ω   **18** ⑤   **19** ⑤   **20** ①   **21** ⑤   **22** ①   **23** ③   **24** ②
서술형 문제 **25~30** 해설 참조

01 ④ 전류는 전지의 (+)극 쪽에서 (−)극 쪽으로 흐른다. 따라서 전지의 극이 반대로 바뀌면 전류의 방향도 반대로 바뀐다.

바로알기 » ① 전류의 흐름에 관계없이 원자는 이동하지 않는다.
② 전자는 전지의 (−)극 쪽에서 (+)극 쪽으로 이동하므로, 전자의 이동 방향은 A이다.
③ 전류의 방향과 전자의 이동 방향은 서로 반대이다.
⑤ 도선에 전류가 흐르지 않을 때 전자는 무질서한 방향으로 운동하고, 도선에 전류가 흐르면 전자는 일정한 방향(전지의 (−)극 → (+)극)으로 이동한다.

02 ③ 전류의 방향은 전자의 이동 방향과 반대 방향으로 전지의 (+)극에서 (−)극 쪽이다.
바로알기 » ① 전자는 (−)전하를 띤다.
②, ④ 전류는 도선을 따라 이동하는 전하의 흐름을 말한다. (−)전기의 성질을 띤 입자는 전자이다.
⑤ 전기 회로가 연결되었을 때 전자들은 전지의 (−)극에서 (+)극 쪽으로 이동한다.

03 문제 분석하기 »

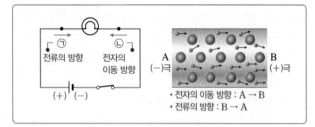

②, ⑤ 전자가 한 방향으로 이동하므로 이 도선에는 전류가 흐르고 있다. 도선에 전류가 흐르지 않으면 전자들은 무질서하게 운동한다.
④ 전자가 A에서 B 방향으로 이동하므로 B는 전지의 (+)극 쪽에 연결되어 있다.
바로알기 » ③ 도선 속 전자가 A → B로 이동하므로 전류는 B → A로 흐른다.

04 문제 분석하기 »

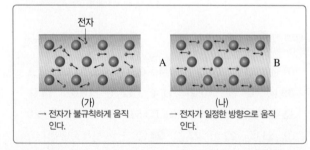

①, ② (가)는 전자들이 불규칙하게 운동하므로 전류가 흐르지 않는 상태이고, (나)는 전자들이 일정한 방향으로 운동하므로 전류가 흐르는 상태이다.
③ 전류의 방향은 전자의 이동 방향과 반대이므로 (나)에서 전류는 A에서 B 쪽으로 흐른다.

⑤ 전류가 흐를 때나 전류가 흐르지 않을 때나 원자는 이동하지 않는다.
바로알기 » ④ (나)에서 전자들이 B에서 A로 이동하므로 A 쪽은 전지의 (+)극에, B 쪽은 전지의 (−)극에 연결되어 있다.

05 ① 전지는 전기 회로에 전압이 생기게 하므로, 물의 높이를 높여 수압이 생기게 하는 펌프에 비유할 수 있다.
바로알기 » ② 도선에 전류가 흐르면 전구에 불이 켜지는 것처럼 수도관을 통해 물이 흐르면 물레방아가 돌아간다.
③ 전기 회로에서 스위치로 전류를 차단하는 것처럼 물의 흐름을 차단하는 것은 밸브이다.
④ 도선을 따라 전자가 이동하면 전류가 흐르는 것처럼 수도관을 통해 물 입자가 움직이면 물이 흐른다.
⑤ 전류를 흐르게 하는 능력인 전압은 물을 흐르게 하는 원인인 물의 높이 차(수압)에 비유할 수 있다.

06 바로알기 » ㄴ. 전압의 단위는 V(볼트)이다. A(암페어)는 전류의 단위이다.
ㄷ. 전자가 이동하면서 원자와 충돌하기 때문에 생기는 것은 전기 저항이다.

07 전류계의 (−)단자는 500 mA에 연결되어 있으므로 최댓값이 500 mA인 눈금판을 읽으면 전류의 세기는 400 mA =0.4 A이다.

08 ④ 전류계의 단자를 50 mA로 바꾸면 측정할 수 있는 전류의 최댓값은 50 mA이다. 그러나 이 회로에는 400 mA의 전류가 흐르므로, 측정하려는 값이 최댓값을 넘어가 전류계의 눈금은 오른쪽 끝으로 회전한다.
바로알기 » ① 전류계는 회로에 직렬로 연결해야 한다.
② 전류계의 (+)단자는 전지의 (+)극 쪽에, (−)단자는 전지의 (−)극 쪽에 연결하여 사용한다.
③ 측정하는 전류의 세기를 예상할 수 없을 때는 (−)단자를 가장 큰 값부터 연결한다.
⑤ 전류계의 (−)단자를 500 mA에서 5 A로 바꾸면 측정하려는 전류의 값 0.4 A가 너무 작아 바늘이 영점에서 오른쪽으로 조금 움직인다.

09 ① 전압계의 (−)단자가 30 V에 연결되어 있으므로 최댓값이 30 V인 눈금을 따라 읽으면 바늘이 가리키는 값은 25 V이다.
② 전압계는 회로에 병렬로 연결해야 하고, 전지에 직접 연결할 수도 있다.
③ 전압계를 사용하기 전에 영점 조정 나사를 이용하여 영점을 조정해야 한다.
④ 전압계의 (+)단자는 전지의 (+)극 쪽에, (−)단자는 전지의 (−)극 쪽에 연결하여 사용한다.

10 전구에 흐르는 전류와 전구에 걸리는 전압을 측정하려면 전류계는 전구와 직렬연결하고, 전압계는 전구와 병렬연결해야 한다. 이때 전류계와 전압계 모두 (＋)단자는 전지의 (＋)극 쪽에, (－)단자는 전지의 (－)극 쪽에 연결한다.

11 회로에 흐르는 전류가 0.3 A＝300 mA 정도라면 전지의 (－)극 쪽인 ㉠은 전류계의 500 mA 단자에 연결하고, 전지의 (＋)극 쪽인 ㉡은 전류계의 (＋)단자에 연결해야 한다.

12 ②, ④ 전기 저항은 전류의 흐름을 방해하는 정도를 나타내는 값으로 전류가 흐를 때 이동하는 전자들이 원자와 충돌하기 때문에 생긴다.
③ 물질마다 원자의 배열이 다르므로 전기 저항도 다르다.
⑤ 전기 회로에 걸리는 전압의 크기가 일정할 때 저항과 전류의 세기는 반비례하므로 저항이 커지면 전류의 세기는 약해진다.
바로알기 >> ① 전기 저항은 도선의 길이에 비례하고, 단면적에 반비례한다.

13 단면적이 같은 도선끼리 비교한 후에 길이를 비교한다.
①과 ②는 단면적이 같으므로 길이가 더 긴 ②의 전기 저항이 더 크다.
③, ④, ⑤ 역시 단면적이 같은데 길이는 ⑤가 가장 길므로 전기 저항이 가장 크다.
②와 ⑤는 길이가 같은데 ②의 단면적이 더 좁으므로 ⑤보다 전기 저항이 더 크다.

14 옴의 법칙에 의해 니크롬선의 저항 $R=\dfrac{V}{I}=\dfrac{3\,\text{V}}{2\,\text{A}}=1.5\,\Omega$이다.

15 문제 분석하기 >>

전기 회로	전류	전압	저항
(가)	(㉠)A	3 V	2 Ω
(나)	300 mA	(㉡)V	15 Ω
(다)	10 A	20 V	(㉢)Ω

㉠ $I=\dfrac{V}{R}=\dfrac{3\,\text{V}}{2\,\Omega}=1.5\,\text{A}$
㉡ $V=IR=0.3\,\text{A}\times15\,\Omega=4.5\,\text{V}$
㉢ $R=\dfrac{V}{I}=\dfrac{20\,\text{V}}{10\,\text{A}}=2\,\Omega$

16 전류계의 (－)단자가 500 mA에 연결되어 있으므로 니크롬선에 흐르는 전류의 세기는 250 mA＝0.25 A이다. 또한 전압계의 (－)단자가 15 V에 연결되어 있으므로 니크롬선에 걸리는 전압은 7.5 V이다. 따라서 옴의 법칙에 의해 니크롬선의 저항 $R=\dfrac{V}{I}=\dfrac{7.5\,\text{V}}{0.25\,\text{A}}=30\,\Omega$이다.

17 문제 분석하기 >>

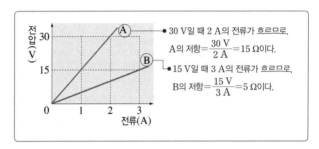

18 ⑤ 그래프에서 기울기는 저항을 의미하므로, 기울기가 큰 A의 저항이 B보다 크다. 두 니크롬선의 단면적이 같다면 저항은 길이에 비례한다. 따라서 A의 길이는 B보다 길다.
바로알기 >> ① A의 저항이 15 Ω, B의 저항이 5 Ω이므로 A와 B의 저항의 비 A : B＝3 : 1이다.
② 전압－전류 그래프에서 그래프의 기울기＝$\dfrac{\text{세로축}}{\text{가로축}}=\dfrac{\text{전압}}{\text{전류}}=$ 저항을 나타낸다.
③ 전압이 같을 때 전류의 세기는 저항에 반비례하므로 같은 전압을 걸었을 때 저항이 작은 B에 더 센 전류가 흐른다.
④ 두 니크롬선의 길이가 같으면 저항은 단면적에 반비례하므로, 저항이 작은 B의 단면적이 A보다 넓다.

19 문제 분석하기 >>

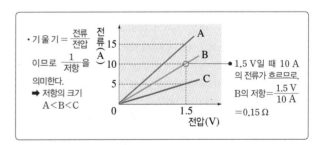

ㄷ. 도선의 재질과 길이가 같을 때 단면적이 좁을수록 저항이 크다. 그러므로 저항이 가장 큰 도선 C의 단면적이 가장 좁다.

20 3 Ω인 저항에 2 A의 전류가 흐르므로 저항에는 옴의 법칙에 의해 전압 $V=2\,\text{A}\times3\,\Omega=6\,\text{V}$가 걸린다. 전체 10 V 중 6 V가 3 Ω에 걸리므로 나머지 4 V는 저항 R에 걸린다. 전류의 세기가 일정할 때 전압의 비＝저항의 비이므로 6 V : 4 V＝3 Ω : R에서 R＝2 Ω이다.

21 문제 분석하기 >>

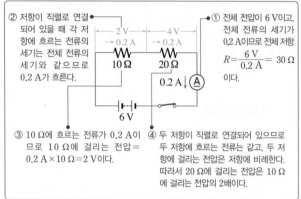

② 저항이 직렬로 연결되어 있어 각 저항에 흐르는 전류의 세기는 전체 전류의 세기와 같으므로 0.2 A가 흐른다.

① 전체 전압이 6 V이고, 전체 전류의 세기가 0.2 A이므로 전체 저항 $R=\dfrac{6 \text{ V}}{0.2 \text{ A}}=30 \text{ }\Omega$ 이다.

③ 10 Ω에 흐르는 전류가 0.2 A이므로 10 Ω에 걸리는 전압= 0.2 A×10 Ω=2 V이다.

④ 두 저항이 직렬로 연결되어 있으므로 두 저항에 흐르는 전류는 같고, 두 저항에 걸리는 전압은 저항에 비례한다. 따라서 20 Ω에 걸리는 전압은 10 Ω에 걸리는 전압의 2배이다.

바로알기 >> ⑤ 두 저항이 직렬연결되어 있으므로 10 Ω과 20 Ω인 저항에 흐르는 전류는 전체 전류와 같은 0.2 A이다.

22 4 Ω인 저항 2개가 병렬로 연결되어 있으므로 4 Ω인 두 저항에 걸리는 전압은 12 V로 같다. 따라서 4 Ω인 저항에 연결된 전류계에 흐르는 전류의 세기 $I=\dfrac{V}{R}=\dfrac{12 \text{ V}}{4 \text{ }\Omega}=3 \text{ A}$이다.

23 바로알기 >> ㄴ. 퓨즈는 회로에 직렬로 연결하여 과도한 전류가 흘렀을 때 끊어져 회로 전체에 더 이상 전류가 흐르지 못하도록 한다.
ㄹ. 화재 감지 장치는 화재 경보 장치와 직렬로 연결하여 열이 가해지면 끊어져 있던 회로를 연결하여 경보가 울리도록 한다.

24 ① 전기 기구들은 병렬연결되어 있다. 따라서 전기 기구에는 모두 같은 크기의 전압이 걸린다.
③ 전기 기구들은 병렬연결되어 있다. 따라서 한 전기 기구의 스위치를 끄더라도 다른 전기 기구는 영향을 받지 않고 사용할 수 있다.
④ 병렬로 연결하는 전기 기구가 많아질수록 도선의 단면적이 넓어지는 효과를 가져오므로 전체 저항은 작아진다.
⑤ 한 콘센트에 너무 많은 전기 기구를 연결하면 전체 저항이 작아진다. 전원의 전압은 일정한데, 전체 저항이 작아지면 회로에 흐르는 전체 전류의 세기는 세진다.
바로알기 >> ② 전기 기구들에는 같은 크기의 전압이 걸리므로 전기 기구에 흐르는 전류는 전기 기구의 저항에 반비례한다.

25 모범 답안 >> A는 전지의 (−)극에서 (+)극을 향하므로 전자의 이동 방향이고, B는 전지의 (+)극에서 (−)극을 향하므로 전류의 방향이다.
|해설| 전자의 이동 방향과 전류의 방향은 반대 방향이다.

채점 기준	배점
주어진 단어를 모두 이용하여 옳게 서술한 경우	100 %
사용한 단어 하나당 부분 배점	25 %

26 모범 답안 >> 전자가 일정한 방향으로 이동하고 있으므로 전류가 흐르고 있는 상태이다.
|해설| 전류가 흐르지 않을 때 전자는 도선 안에서 무질서하게 이동한다.

채점 기준	배점
전류가 흐르고 있는 상태라는 것과 그 까닭을 옳게 서술한 경우	100 %
전류가 흐르고 있다고만 서술한 경우	40 %

27 모범 답안 >> 전류의 세기는 0.2 A이고, 전압의 크기는 5 V이므로 옴의 법칙에 의해 니크롬선의 저항 $R=\dfrac{V}{I}=\dfrac{5 \text{ V}}{0.2 \text{ A}}=25 \text{ }\Omega$이다.
|해설| 전류계의 (−)단자는 500 mA에 연결되어 있으므로 전류의 세기는 200 mA=0.2 A이고, 전압계의 (−)단자는 15 V에 연결되어 있으므로 전압의 크기는 5 V이다.

채점 기준	배점
전류의 세기와 전압을 구하고 옴의 법칙으로 저항을 옳게 구한 경우	100 %
풀이 과정 없이 25 Ω만 쓴 경우	40 %

28 모범 답안 >> 같은 전압을 걸어 주었을 때 A에 흐르는 전류의 세기가 더 크므로 B의 저항이 더 크다. 그러므로 B가 A보다 길다.

문제 분석하기 >>

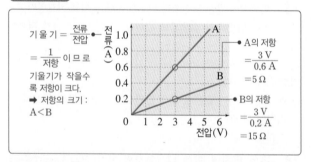

두 니크롬선의 재질과 단면적이 같을 때 길이가 길수록 저항이 크다.

채점 기준	배점
길이 비교와 까닭을 옳게 서술한 경우	100 %
길이 비교만 옳게 한 경우	40 %

29 모범 답안 >> 저항이 직렬로 연결되어 있으므로 각 저항에는 전체 전류와 같은 0.6 A가 흐른다. 그러므로 5 Ω인 저항에 걸리는 전압 $V=IR=0.6 \text{ A}×5 \text{ }\Omega=3 \text{ V}$이다.

채점 기준	배점
전류의 세기와 전압을 풀이 과정과 함께 옳게 서술한 경우	100 %
전류의 세기와 전압만 옳게 쓴 경우	40 %
전류의 세기만 옳게 쓴 경우	20 %

30 【모범 답안】 한 콘센트에 전기 기구를 많이 연결할수록 전체 저항이 감소하여 콘센트에 흐르는 전류의 세기가 증가한다.
|해설| 가정에서 사용하는 전기 기구들은 모두 병렬연결되어 있다. 저항이 병렬연결되어 있으면 각 저항에 걸리는 전압이 일정하다. 전압이 일정할 때 전류와 저항은 서로 반비례한다.

채점 기준	배점
저항과 전류의 세기를 모두 옳게 서술한 경우	100 %
전체 저항의 크기만 작아진다고 서술한 경우	50 %

03 전류의 자기 작용

단원 미리보기
80~81쪽

만화 완성하기 ≫ [모범 답안] 자기장 속에서 전류가 흐를 때 전류가 받는 힘을 이용

한눈에 보기 ≫ [C] 코일 주위의 자기장, [D] 자기장에서 전류가 흐르는 도선이 받는 힘

81~85쪽

A 1 자기장 2 (1) × (2) ○ (3) × 3 ②

B 1 A : 전류의 방향, B : 자기장의 방향 2 (가) 서쪽, (나) 남쪽

C 1 A : 자기장의 방향, B : 전류의 방향 2 A : 동쪽, B : 동쪽 3 ㄴ, ㄷ, ㄹ

D 1 ㉠ 전류, ㉡ 힘, ㉢ 자기장 2 A 3 (1) × (2) ○ (3) ×

E 1 (1) 위쪽 (2) 아래쪽 (3) 시계 방향 2 정류자 3 ④

A-2 (2) 자기력선은 자기장의 모습을 나타낸 선으로, 중간에 끊어지거나 서로 교차하지 않는다.
바로알기 ≫ (1) 자기장의 방향은 나침반 자침의 N극이 가리키는 방향이다.
(3) 자기력선이 촘촘할수록 자기장의 세기가 세다.

A-3 자기력선은 N극에서 나와서 S극으로 들어간다.

B-1 직선 도선 주위의 자기장 방향을 찾을 때 오른손의 엄지손가락은 전류의 방향과 일치시키고, 네 손가락으로 도선을 감아쥔다. 이때 네 손가락이 가리키는 방향이 자기장의 방향이다.

B-2 (가) 오른손의 엄지손가락을 전류의 방향(아래쪽)으로 향하고, 나머지 네 손가락으로 도선을 감아쥐면 도선 위쪽에서 자기장의 방향은 서쪽이 된다. 따라서 나침반 자침의 N극은 서쪽을 가리킨다.
(나) 오른손의 엄지손가락을 전류의 방향으로 향하고, 나머지 네 손가락으로 도선을 감아쥐면 도선의 안쪽에서 자기장의 방향은 남쪽이다. 따라서 나침반 자침의 N극은 남쪽을 가리킨다.

C-1 코일 주위의 자기장 방향을 찾을 때 오른손의 네 손가락을 전류의 방향으로 감아쥘 때, 엄지손가락이 가리키는 방향이 자기장의 방향이다.

C-2 【문제 분석하기 ≫】

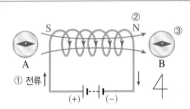

① 전류는 전지의 (+)극에서 (−)극 쪽으로 흐른다.
② 코일의 오른쪽은 N극, 왼쪽은 S극이 된다.
③ A 지점에 놓인 나침반 자침의 N극은 인력에 의해 동쪽을, B 지점에 놓인 나침반 자침의 N극은 척력에 의해 동쪽을 가리킨다.

오른손의 네 손가락을 코일에 흐르는 전류의 방향으로 감아쥐었을 때 엄지손가락이 가리키는 방향이 자기장의 방향, 즉 나침반 자침의 N극의 방향이다.

C-3 전자석은 전류가 흐르는 동안에만 자석의 성질을 띠는 자석으로 자기 부상 열차, 전자석 기중기, 자기 공명 영상 장치(MRI) 등에 이용한다.
바로알기 ≫ ㄱ. 전구는 전기 에너지를 이용해 빛을 내는 도구로 전자석과 관계없다.

D-1 도선에 전류가 흐를 때 오른손을 펴고 엄지손가락을 전류의 방향, 네 손가락을 자기장의 방향으로 향할 때, 손바닥이 가리키는 방향이 힘(자기력)의 방향이다.

D-2 오른손의 엄지손가락을 전류의 방향, 나머지 네 손가락을 자기장의 방향(N극 → S극)으로 향할 때, 손바닥이 위쪽을 향하므로 도선이 받는 힘의 방향은 A이다.

D-3 【바로알기 ≫】 (1) 자기장의 방향이 반대가 되면 힘의 방향도 반대가 된다.
(3) 전류의 방향과 자기장의 방향이 수직일 때 힘이 가장 크다. 전류의 방향과 자기장의 방향이 나란하면 힘은 작용하지 않는다.

E-1 (1) AB 부분에서 전류의 방향은 B → A이고, 자기장의 방향은 오른쪽이므로 힘의 방향은 위쪽이다.
(2) CD 부분에서 전류의 방향은 D → C이고, 자기장의 방향은 오른쪽이므로 힘의 방향은 아래쪽이다.
(3) AB 부분은 위쪽, CD 부분은 아래쪽으로 힘을 받으므로 코일은 시계 방향으로 회전한다.

E-2 코일이 반 바퀴 돌 때마다 절연체 부분이 브러시에 닿아 전류가 흐르지 않게 되고 이후로 전류의 방향이 바뀐다. 따라서 정류자는 코일이 계속 같은 방향으로 회전할 수 있게 해주는 장치이다.

E-3 (바로알기 ≫) ④ 전자석은 코일에 전류가 흐를 때만 자석의 성질을 띠는 것을 이용한다.

실력탄탄 핵심 문제 87~91쪽

01 ⑤ 02 ③ 03 ④ 04 ④ 05 ② 06 ④ 07 ⑤
08 ② 09 ① 10 ① 11 ② 12 ③ 13 ① 14 ②
15 ③ 16 ① 17 ②, ③ 18 ① 19 ① 20 ③ 21 ③, ⑤
22 ②

서술형 문제 23~27 해설 참조

---

01 (바로알기 ≫) ⑤ 자석의 양 극에서 자기장이 가장 세므로 자기력선이 가장 촘촘하다.

02 (문제 분석하기 ≫)

자기력선의 방향은 나침반 자침의 N극이 가리키는 방향이다.

자석의 N극과 서로 밀어내므로 왼(−)쪽을 향한다. ──● A
왼쪽

N   S

자석의 S극이 끌어당기므로 오른(→)쪽을 향한다.
B 오른쪽

03 (문제 분석하기 ≫)

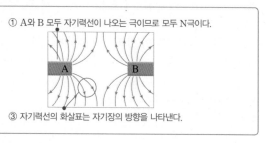

① A와 B 모두 자기력선이 나오는 극이므로 모두 N극이다.

③ 자기력선의 화살표는 자기장의 방향을 나타낸다.

② A와 B는 N극으로 같으므로 두 극 사이에는 척력이 작용한다.
⑤ 자석의 양 극에서 자기장이 가장 세므로 자기력선이 가장 촘촘하다.
(바로알기 ≫) ④ 자기력선은 도중에 끊어지거나 교차하지 않는다.

04 전류는 전원 장치의 (+)극에서 (−)극으로 흐르므로 알루미늄 막대의 아래쪽에서 위쪽으로 흐른다. 오른손의 엄지손가락을 전류의 방향으로 향하고, 나머지 네 손가락으로 도선을 감아 쥐면 자기장은 위에서 볼 때 반시계 방향으로 생긴다.

05 오른손 엄지손가락이 전류의 방향일 때 나머지 네 손가락이 감아쥐는 방향이 자기장의 방향이다. 오른손 엄지손가락을 위쪽으로 향했을 때 도선 위쪽에서 네 손가락이 감아쥐는 방향은 오른쪽이므로 도선 위에서 나침반 바늘의 N극은 오른쪽을 향한다.
(바로알기 ≫) ④, ⑤ 오른손 엄지손가락을 위쪽으로 향했을 때 도선 아래쪽에서 네 손가락이 감아쥐는 방향은 왼쪽이므로 나침반 바늘의 N극도 왼쪽을 향한다.

06 (문제 분석하기 ≫)

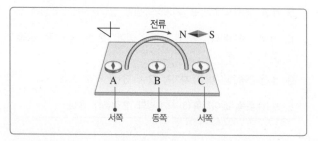

원형 도선을 직선 도선이라 생각하고 오른손의 엄지손가락을 전류의 방향으로 향하게 한 후, 나머지 네 손가락으로 도선을 감아 쥘 때 네 손가락이 가리키는 방향이 자기장의 방향이다.

07 (바로알기 ≫) ⑤ 전류의 방향을 반대로 하면 도선의 위쪽에서 아래쪽으로 전류가 흐른다. 따라서 자기장이 시계 방향으로 형성되므로 나침반 자침의 N극은 시계 방향으로 배열된다.

08 코일에 전류가 흐를 때 생기는 자기장의 방향은 오른손을 이용하여 알아낸다. 오른손의 네 손가락을 전류의 방향으로 감아 쥘 때 엄지손가락이 가리키는 방향이 N극이다.

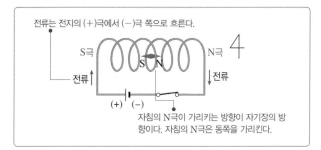

자기장의 방향은 오른손의 네 손가락을 전류의 방향으로 감아쥘 때 엄지손가락이 가리키는 방향이 자기장의 방향이므로 코일의 오른쪽이 N극, 왼쪽이 S극이 된다. 코일의 내부에서 자기장의 방향은 엄지손가락의 방향과 같으므로 S극 → N극이다.

10 문제 분석하기 »

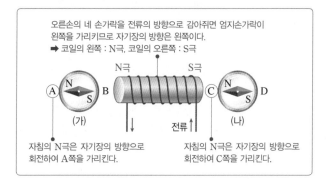

11 문제 분석하기 »

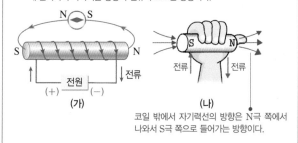

12   전자석은 코일 속에 철심을 넣어 만든 자석으로, 전류가 흐를 때에만 자석이 된다. 또한 영구 자석과는 달리 자석의 극과 세기를 변화시킬 수 있다.
바로알기 » ③ 코일에 전류가 흐를 때 생기는 자기장과 같은 방향으로 자기장이 생긴다. 따라서 자기력선이 전자석 밖으로 나가는 부분에 N극, 전자석 안으로 들어가는 부분에 S극이 생긴다.

13 문제 분석하기 »

전류의 방향으로 오른손 네 손가락을 향하게 하고 감아쥐었을 때 엄지손가락이 가리키는 방향이 전자석의 N극 방향이다. 따라서 전자석의 오른쪽이 S극이다. 이때 자기력선은 막대자석의 N극에서 나와서 전자석의 S극으로 들어간다.

14 문제 분석하기 »

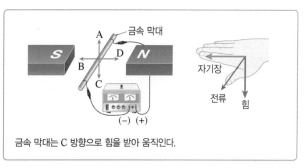

금속 막대는 C 방향으로 힘을 받아 움직인다.

② 금속 막대에 흐르는 전류의 세기가 셀수록, 영구 자석의 자기력이 셀수록 금속 막대는 큰 힘을 받는다.
바로알기 » ① 전류의 방향, 자기장의 방향, 힘의 방향은 모두 서로 수직이다. B 방향은 자기장의 방향과 같다.
③ 전류가 흐르지 않으면 전류에 의한 자기장이 생기지 않으므로 금속 막대는 힘을 받지 않는다.
④ 더 센 자석을 사용하면 금속 막대는 더 큰 힘을 받으므로 더 많이 움직인다.
⑤ 전류의 방향이 달라지면 금속 막대가 힘을 받는 방향도 달라진다.

15 문제 분석하기 »

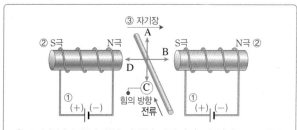

① 두 전자석에서 전류의 방향을 파악한다. 전류는 (+)극에서 (−)극으로 흐른다.
② 오른손의 네 손가락을 전류의 방향으로 감아쥐고 N극을 찾는다. 두 전자석 모두 왼쪽에 S극, 오른쪽에 N극이 생긴다.
③ 두 전자석 사이의 자기장의 방향을 찾는다. 자기장의 방향은 N극 → S극이므로 오른쪽(→) 방향이다.

전류의 방향은 도선의 앞쪽에서 뒤쪽이고 자기장의 방향은 오른쪽을 향하므로 도선은 C 방향으로 힘을 받음을 알 수 있다.

16 문제 분석하기 ≫

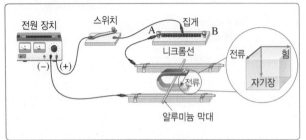

전류는 알루미늄 막대의 뒤쪽에서 앞쪽으로 흐르고, 자기장은 위쪽에서 아래쪽으로 향하는 방향이므로 오른손을 이용하면 알루미늄 막대 받는 힘의 방향은 오른쪽이다.

17 ②, ③ 전류의 방향이나 자기장의 방향을 반대로 하면 알루미늄 막대가 받는 힘의 방향이 반대가 된다.
바로알기 ≫ ① 더 센 말굽 자석으로 바꾸면 자기장의 세기가 세져서 알루미늄 막대가 더 빠르게 움직인다.
④ 집게를 B 쪽으로 옮기면 니크롬선의 길이가 길어져 회로의 전기 저항이 커지므로 전류의 세기가 약해진다. 따라서 알루미늄 막대의 움직임이 느려진다.
⑤ 전류의 방향과 자기장의 방향을 동시에 바꾸면 알루미늄 막대가 받는 힘의 방향은 변하지 않는다.

18 오른손을 펴서 엄지손가락을 전류의 방향으로, 나머지 네 손가락을 자기장의 방향으로 향하게 할 때, 손바닥이 위쪽을 향하므로 알루미늄 포일은 위쪽으로 움직인다.

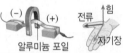

19 문제 분석하기 ≫

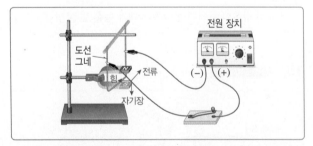

ㄱ. 스위치를 닫으면 도선 그네는 말굽 자석 안쪽으로 움직인다.
ㄴ. 말굽 자석의 극을 반대로 하면 자기장의 방향이 반대가 되므로 도선 그네가 받는 힘의 방향도 반대가 되어 그네는 말굽 자석의 바깥쪽으로 움직인다.
바로알기 ≫ ㄷ. 전원 장치의 (+), (−)극을 바꾸어 연결하면 전류의 방향이 반대가 되므로 도선 그네는 말굽 자석의 바깥쪽으로 움직인다.
ㄹ. 전류의 세기를 증가시키면 도선이 받는 힘의 크기가 증가하여 도선 그네는 말굽 자석의 안쪽으로 더 많이 움직인다. 전류의 세기는 도선이 받는 힘의 방향에는 영향을 미치지 않는다.

20 오른손의 엄지손가락을 전류의 방향으로, 나머지 네 손가락을 자기장의 방향으로 향하게 하면 손바닥이 향하는 방향이 자기력의 방향이므로 A는 위쪽, C는 아래쪽으로 힘을 받는다. B는 자기장과 전류의 방향이 나란하므로 힘을 받지 않는다.

21 에나멜선에 전류가 흐르면 코일이 힘(자기력)을 받아 회전하게 된다.
③, ⑤ 에나멜선을 반만 벗겨낸 것은 코일이 반 바퀴 회전할 때마다 전류를 차단하여 코일이 한 방향으로 회전할 수 있도록 하기 위해서이다.

22 문제 분석하기 ≫

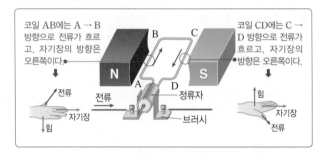

① 자기장의 방향은 왼쪽에서 오른쪽으로 향하는 방향이고, 전류는 도선 AB에서 뒤쪽으로 흐르고 도선 CD에서 앞쪽으로 흐르므로 오른손을 이용하면 도선 AB는 아래쪽으로 힘을 받고, 도선 CD는 위쪽으로 힘을 받는다.
③ 전류의 방향이 반대가 되면 직사각형 코일에 작용하는 힘의 방향도 반대가 되므로 직사각형 코일은 시계 방향으로 회전한다.
④ 정류자는 가운데 부분이 끊어져 있어서 코일이 반 바퀴 돌 때마다 전류의 방향을 바꿔 준다. 따라서 코일은 한쪽 방향으로 계속 회전할 수 있다.
⑤ 자기력을 이용한 기구에는 전동기, 전류계, 전압계, 스피커 등이 있다.
바로알기 ≫ ② 직사각형 코일은 반시계 방향으로 회전한다.

23 모범 답안 ▶ 나침반 A와 B의 자침의 N극은 모두 서쪽을 가리킨다.
| 해설 | 막대자석의 자기력선은 N극에서는 나오는 방향, S극에서는 들어가는 방향으로 나타난다.

채점 기준	배점
A와 B에서 방향을 모두 옳게 서술한 경우	100 %
둘 중 하나만 옳게 서술한 경우	50 %

24 모범 답안 ▶ 전류가 도선의 아래쪽에서 위쪽으로 흘러서 도선 아래에서는 왼쪽 방향으로 향하는 자기장이 형성되기 때문이다.
| 해설 | 직선 도선에 전류가 흐를 때 생기는 자기장의 방향은 오른손의 엄지손가락을 전류의 방향으로 향하게 하고 나머지 네 손가락으로 도선을 감아쥘 때, 네 손가락이 가리키는 방향이다.

채점 기준	배점
직선 도선에 흐르는 전류의 방향과 도선 아래에서 자기장의 방향을 모두 옳게 서술한 경우	100 %
직선 도선에 흐르는 전류의 방향과 도선 아래에서 자기장의 방향 중 한 가지만 옳게 서술한 경우	50 %

25 모범 답안▶ 알루미늄 포일에 흐르는 전류의 방향, 말굽 자석에 의한 자기장의 방향
|해설| 말굽 자석의 두 극 사이에 알루미늄 포일을 놓고 알루미늄 포일에 전류가 흐르게 하면, 자기장 속에서 알루미늄 포일은 힘을 받아 휘어진다.

채점 기준	배점
영향을 주는 요인 두 가지 모두 옳게 서술한 경우	100 %
영향을 주는 요인 두 가지 중 한 가지만 옳게 서술한 경우	50 %

26 모범 답안▶ 전류의 방향과 자기장의 방향이 나란하기 때문에 힘을 받지 않는다.
|해설| 전류의 방향과 자기장의 방향이 나란하면 도선에 힘이 작용하지 않고, 전류의 방향과 자기장의 방향이 수직일 때 도선이 받는 힘이 최대가 된다.

채점 기준	배점
전류와 자기장의 방향이 나란하여 힘이 작용하지 않는다고 옳게 서술한 경우	100 %
도선에 힘이 작용하지 않는다고만 서술한 경우	50 %

27 모범 답안▶ (1) 시계 방향으로 회전하려면 AB 부분이 위쪽으로, CD 부분이 아래쪽으로 힘을 받아야 하므로 D → C → B → A 방향으로 전류가 흐른다.
(2) 더 센 전류가 흐르게 한다. 더 센 자석을 사용한다.

	채점 기준	배점
(1)	전류의 방향을 까닭과 함께 옳게 서술한 경우	50 %
	전류의 방향만 옳게 서술한 경우	20 %
(2)	방법을 두 가지 서술한 경우	50 %
	방법을 한 가지만 서술한 경우	25 %

핵심 자료로 **최종 점검**　　　　94~95쪽

○1 **전기의 발생**
1 ❶ 전자 ❷ (−) ❸ (+) ❹ 인력
2 ❶ 인력 ❷ 척력
3 ❶ 인력 ❷ 척력 ❸ 같은 ❹ 다른
4 ❶ 다른 ❷ 같은 ❸ 벌어진다

○2 **전류, 전압, 저항**
1 ❶ (−) ❷ (+) ❸ (+) ❹ (−)
2 ❶ 흐르지 않을 ❷ 무질서(불규칙) ❸ 흐를 ❹ (−) ❺ (+)
3 ❶ 전지 ❷ 전압
4 ❶ 직렬 ❷ 병렬 ❸ 0.2 ❹ 2
5 ❶ 비례 ❷ 저항
6 ❶ 직렬 ❷ 병렬 ❸ 같다 ❹ 같다

○3 **전류의 자기 작용**
1 ❶ 세다 ❷ N ❸ S
2 ❶ 전류 ❷ 자기장 ❸ 전류 ❹ 자기장
3 ❶ 힘 ❷ 수직

시험적중 **마무리 문제**　　　　96~99쪽

01 ②, ④　02 ④　03 ②　04 ④　05 ④　06 ①　07 ②, ③　08 ③　09 ④　10 ②　11 A　12 ④　13 ②
14 ⑤　15 ②　16 ①　17 ㄴ, ㄷ　18 ①　19 ③　20 ④
21 ③　22 ③

01 ② (−)전하를 띤 전자가 A에서 B로 이동하여 B는 (−)전하를 띤다.
④ 마찰 후 A와 B는 서로 다른 종류의 전하를 띠므로 A와 B 사이에는 인력이 작용한다.
바로알기▶ ① 두 물체를 마찰할 때 원자가 이동하는 것이 아니라 원자 내의 전자가 이동한다.
③ (+)전하를 띠는 원자핵은 이동하지 않는다.
⑤ 공기가 습하면 대전된 물체가 방전되기 쉬우므로 이러한 마찰 전기 현상이 잘 일어나지 않는다.

02 문제 분석하기▶

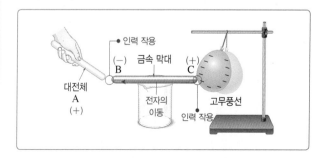

①, ②, ③ (−)전하로 대전된 고무풍선이 금속 막대 쪽으로 끌려간 것으로 보아 금속 막대의 C 부분은 (+)전하, B는 (−)전하를 띤다. 정전기 유도에 의해 금속 막대의 B 부분이 (−)전하를 띠기 위해서는 대전체 A는 (+)전하를 띤다.

⑤ 고무풍선이 금속 막대 쪽으로 끌려가 붙었으므로, 고무풍선과 금속 막대 사이에는 서로 당기는 전기력인 인력이 작용한다.

바로알기 » ④ 금속 막대의 B가 (−)전하를 띠므로, 금속 막대의 C 부분에 있던 전자가 B 쪽으로 이동한다.

03 **문제 분석하기 »**

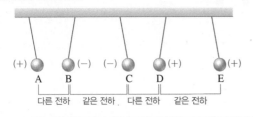

> 서로 밀어내는 두 은박 구는 같은 종류의 전하, 서로 끌어당기는 두 은박 구는 다른 종류의 전하를 띤다. A가 (+)전하를 띤다고 가정하면, 은박 구들은 다음과 같은 전하를 띤다.
>
> (+) A (−) B (−) C (+) D (+) E
> 다른 전하   같은 전하   다른 전하   같은 전하

가까이 했을 때 서로 밀어내려면 두 은박 구는 같은 종류의 전하를 띠어야 한다. 같은 종류의 전하를 띠는 은박 구는 A, D, E와 B, C이다.

04 은박 구에 (+)대전체를 접촉하면 은박 구의 전자가 대전체로 이동하여 두 은박 구는 모두 전자를 잃었으므로 (+)전하를 띠게 된다.

05 **바로알기 »** ④ 물체에 대전된 전하의 양이 많을수록 검전기의 금속박이 많이 벌어진다.

06 ① 전체가 (+)전하로 대전된 검전기의 금속판에 (−)대전체를 가까이 하면 금속판의 전자가 금속박으로 이동하여 금속박의 (+)전하의 양이 감소하여 척력이 약해진다. 따라서 금속박이 오므라든다.

바로알기 » ②, ④ (−)대전체와의 척력에 의해 금속판의 전자가 금속박으로 이동한다.
③ 검전기의 두 금속박은 같은 종류의 전하를 띠므로 조금이라도 벌어져 있는 경우에는 척력이 작용한다.
⑤ (−)대전체와의 인력 때문에 금속판은 (+)전하를 띠고 있다.

07 ② (가)의 경우 전자가 무질서하게 운동하므로 도선에 전류가 흐르지 않는 상태이다.
③ 전자는 (−)극 쪽에서 (+)극 쪽으로 이동하므로 C는 전지의 (−)극 쪽에, D는 전지의 (+)극 쪽에 연결되어 있다.
바로알기 » ① 전류가 흐르지 않을 때 전자가 움직이지 않는 것이 아니라 전자의 이동 방향이 일정하지 않은 것이다.

④, ⑤ 전류의 방향과 전자의 이동 방향은 반대이다. (나)의 경우 전자가 왼쪽에서 오른쪽(C → D)으로 일정하게 움직이므로, 전류는 오른쪽에서 왼쪽(D → C)으로 흐른다.

08 **바로알기 »** ③ 전압계의 (−)단자를 전지의 (+)극에 연결하고, (+)단자를 전지의 (−)극에 연결하면 전압계의 바늘이 왼쪽으로 돌아간다.

09 **문제 분석하기 »**

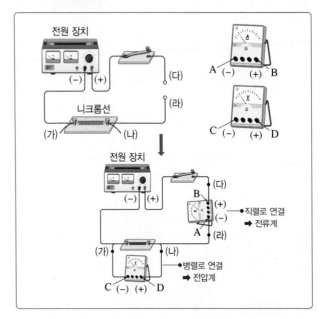

전류계는 회로에 직렬로, 전압계는 병렬로 연결한다. 이때 (+)단자는 전지의 (+)극 쪽에, (−)단자는 전지의 (−)극 쪽에 연결한다.

10 ㄴ. 그래프의 기울기 = $\dfrac{전류}{전압}$ = $\dfrac{1}{저항}$ 이다. 따라서 그래프의 기울기가 작을수록 저항이 크므로 니크롬선 C의 저항이 가장 크다.

바로알기 » ㄱ. 그래프에서 A에 6 V를 걸어 주었을 때 1.5 A가 흐르므로 A의 저항 = $\dfrac{전압}{전류}$ = $\dfrac{6\ V}{1.5\ A}$ = 4 Ω이다.

ㄷ. 도선으로 사용하려면 저항이 작아야 하므로, A~C 중 저항이 가장 작은 A가 도선으로 사용하기 적합하다.

11 옴의 법칙을 이용하여 A~D의 저항을 구하면 다음과 같다.
· A : $R = \dfrac{V}{I} = \dfrac{20\ V}{0.1\ A} = 200\ Ω$
· B : $R = \dfrac{V}{I} = \dfrac{40\ V}{0.5\ A} = 80\ Ω$
· C : $R = \dfrac{V}{I} = \dfrac{30\ V}{0.6\ A} = 50\ Ω$
· D : $R = \dfrac{V}{I} = \dfrac{60\ V}{0.75\ A} = 80\ Ω$

12 전류계의 (−)단자가 500 mA에 연결되어 있으므로 전류의 세기는 200 mA=0.2 A이다. 전압계의 (−)단자가 3 V에 연결되어 있으므로 전압의 크기는 2 V이다.

$$\therefore R=\frac{V}{I}=\frac{2\text{ V}}{0.2\text{ A}}=10\ \Omega$$

13 • ㉠ : 옴의 법칙에 의해 2 Ω인 저항에 흐르는 전류의 세기 $I=\dfrac{V}{R}=\dfrac{12\text{ V}}{2\ \Omega}=6$ A이다.

• ㉡ : 저항이 직렬연결되어 있으므로 각 저항에는 일정한 세기의 전류가 흐른다. 그러므로 3 Ω인 저항에도 6 A가 흐른다. 따라서 3 Ω에 걸리는 전압은 옴의 법칙에 의해 $V=IR=6\text{ A}\times3\ \Omega$ =18 V이다.

• ㉢ : 회로의 전체 전압은 12 V+18 V=30 V이다.

14 ①, ②, ④ 저항이 병렬로 연결되어 있으므로 각 저항에 전체 전압과 같은 12 V가 걸린다. 따라서 3 Ω인 저항에 흐르는 전류의 세기 $I_{3\Omega}=\dfrac{12\text{ V}}{3\ \Omega}=4$ A이고, 6 Ω인 저항에 흐르는 전류의 세기 $I_{6\Omega}=\dfrac{12\text{ V}}{6\ \Omega}=2$ A이다.

③ 전압이 일정할 때 전류의 세기는 저항에 반비례하므로 $\dfrac{1}{3\ \Omega}:\dfrac{1}{6\ \Omega}=2:1$이다.

바로알기 ≫ ⑤ 회로 전체에 흐르는 전류가 병렬연결된 저항에 반비례하여 나누어 흐르므로 전체 전류의 세기는 4 A+2 A =6 A이다.

15 ② 전기 기구들은 병렬로 연결하므로 전기 기구에 걸리는 전압이 일정하다. 많이 연결할수록 전체 저항이 작아지고, 전체 전류는 증가한다.

바로알기 ≫ ① 전압이 일정하므로 전류의 세기는 각 전기 기구의 저항에 따라 달라진다.
③ 전기 기구들은 병렬로 연결되므로 각 전기 기구에 모두 전체 전압과 같은 220 V가 걸린다.
④ 텔레비전의 플러그를 빼도 전기난로에 걸리는 전압과 전기난로의 저항은 변하지 않으므로 전류의 세기도 변하지 않는다.
⑤ 저항이 추가로 연결되어도 각 전기 기구에 걸리는 전압은 일정하다.

16 자기력선은 자석의 N극에서 나와서 S극으로 들어간다.

17 오른손의 엄지손가락을 전류의 방향으로 향하게 하고 나머지 네 손가락으로 도선을 감아쥘 때 네 손가락이 가리키는 방향이 자기장의 방향이다.

18 오른손의 네 손가락을 전류의 방향으로 감아쥘 때 엄지손가락이 가리키는 방향이 전자석의 N극이다.

19 문제 분석하기 ≫

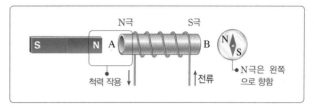

①, ② A 부분이 N극, B 부분이 S극이므로 나침반 자침의 N극은 인력에 의해 왼쪽을 향한다.
④ 전류의 세기가 셀수록 코일에 의한 자기장의 세기가 세다.
⑤ 전류의 방향이 반대로 되면 코일의 B 부분이 N극이 되므로 나침반 자침의 N극은 오른쪽을 향한다.
바로알기 ≫ ③ 코일과 자석 사이에는 척력이 작용한다.

20 ① 스위치를 닫으면 전류는 알루미늄 막대의 뒤쪽에서 앞쪽으로 흐르고 자기장의 방향은 위쪽에서 아래쪽을 향하므로, 오른손을 이용하면 알루미늄 막대에 오른쪽으로 힘이 작용하여 막대는 오른쪽으로 굴러간다.
② 전원 장치의 (+), (−)단자를 반대로 연결하면 전류의 방향이 반대가 되므로 알루미늄 막대에 작용하는 힘의 방향이 반대가 되어 왼쪽으로 굴러간다.
③ 니크롬선에 연결된 집게를 A 쪽으로 옮기면 니크롬선의 길이가 짧아지므로 전기 저항이 작아져서 회로에 흐르는 전류의 세기가 세진다. 따라서 알루미늄 막대는 더 큰 힘을 받게 되므로 움직임이 빨라진다.
⑤ 전류계, 전압계는 자기장 속에서 전류가 흐르는 도선에 작용하는 힘을 이용한다.
바로알기 ≫ ④ 말굽 자석의 극을 바꾸면 자기장의 방향이 반대가 되므로 막대가 움직이는 방향이 반대가 된다.

21 ① 도선 BC에 흐르는 전류의 방향은 자기장의 방향과 나란하므로 힘을 받지 않는다.
② 도선 AB는 위쪽으로 힘을 받는다.
④ 전원 장치의 단자를 바꿔서 연결하면 전류의 방향이 바뀌므로 도선이 받는 힘의 방향이 반대로 되어 회전 방향도 반대가 된다.
⑤ 전압을 높여 주면 도선에 흐르는 전류의 세기가 증가한다. 따라서 도선이 받는 힘의 크기도 증가하여 도선이 회전하는 속력이 빨라진다.
바로알기 ≫ ③ 도선 AB는 위쪽으로, 도선 CD는 아래쪽으로 힘을 받으므로 도선은 시계 방향으로 회전한다.

22 ㄴ, ㄹ, ㅂ. 전동기를 이용한 예이다. 전동기는 자기장 속에서 전류가 흐르는 도선이 받는 힘을 이용해 돌아가는 장치이다.
바로알기 ≫ ㄱ. 전구는 전기 에너지를 이용해 빛을 내는 도구로 전류가 흐르는 도선이 받는 힘과 관계없다.
ㄷ, ㅁ. 전자석과 자기 공명 영상 장치는 전류가 흐르는 도선 주위에 자기장이 생기는 원리를 이용한 예이다.

01 지구

단원 미리보기

102~103쪽

만화 완성하기 >> [모범 답안] 미안, 내가 자전해서 그런 거야.

한눈에 보기 >> [B] 위도 차를 이용한 지구 크기 측정, [C] 지구의 자전과 천체의 일주 운동, [D] 지구의 공전과 태양의 연주 운동

103~107쪽

> **A** 1 ㉠ 구, ㉡ 평행 2 (1) × (2) ○ (3) ○ 3 ㉠ 925 km, ㉡ 7.2 °
>
> **B** 1 ㉠ 223 km, ㉡ 2 °
>
> **C** 1 ㉠ 서→동, ㉡ 동→서 2 (1) ○ (2) × (3) ○ (4) × 3 (가) 남쪽, (나) 서쪽, (다) 북쪽, (라) 동쪽
>
> **D** 1 (1) × (2) ○ (3) × 2 (다)−(나)−(가)
>
> **E** 1 ㉠ 연주, ㉡ 황도 12궁 2 ㉠ 물병자리, ㉡ 전갈자리

A-1 에라토스테네스는 원의 성질과 엇각의 원리를 이용하여 지구의 크기를 구하기 위해 지구의 모양은 완전한 구형이며, 지구로 들어오는 햇빛은 평행하다고 가정하였다.

A-2 (바로알기) >> (1) 시에네와 알렉산드리아 사이의 중심각은 직접 측정하기 어려우므로, 엇각으로 크기가 같은 알렉산드리아에 세운 막대와 그림자 끝이 이루는 각의 크기를 측정하였다.

A-3 원에서 호의 길이는 중심각의 크기에 비례한다. 알렉산드리아와 시에네 사이의 거리(925 km)는 호의 길이에 해당하고, 알렉산드리아에 세운 막대와 그림자 끝이 이루는 각(7.2 °)은 중심각과 엇각으로 같다. 따라서 비례식을 세우면 $2\pi R : 360 ° = 925$ km : $7.2 °$이다.

B-1 A와 B는 경도가 같고 위도가 다르다. 두 지역 사이의 위도 차(37 °−35 °)는 중심각의 크기에 해당하고, 두 지역 사이의 거리(223 km)는 호의 길이에 해당한다. 따라서 비례식을 세우면 $2\pi R : 360 ° = 223$ km : $2 °$이다.

C-2 (바로알기) >> (2) 별의 일주 운동은 지구 자전에 의한 겉보기 운동으로, 별들은 실제로는 움직이지 않는다.
(4) 우리나라 북쪽 하늘에서는 별들이 북극성을 중심으로 시계 반대 방향으로 회전하는 것처럼 보인다.

D-1 (바로알기) >> (1) 지구는 태양을 중심으로 일 년에 한 바퀴씩 공전한다.

(3) 지구의 공전 방향과 태양의 연주 운동 방향은 모두 서에서 동으로 같다.

D-2 태양을 기준으로 할 때 별자리는 동에서 서로 이동하므로 관측 순서는 (다)−(나)−(가)이다.

E-2 황도 12궁에서 3월에 표시된 별자리는 물병자리이므로 태양은 물병자리를 지난다. 6월에 태양은 황소자리를 지나고, 한밤중에 남쪽 하늘에서 보이는 별자리는 태양 반대 방향에 있는 전갈자리이다.

실력탄탄 핵심 문제

109~113쪽

01 ③, ④	02 ④	03 ④	04 ②	05 ①, ⑤	06 ④
07 ③	08 ②	09 ③	10 ②	11 ③	12 ⑤	13 ②
14 ②	15 ②	16 ⑤	17 ⑤	18 ③, ⑤	19 ④	20 ②
21 ③	22 ④	23 ④

(서술형 문제) 24~29 해설 참조

01 (가) 에라토스테네스는 엇각을 이용하여 중심각의 크기를 구하기 위해 지구로 들어오는 햇빛은 평행하다고 가정하였다.
(나) 에라토스테네스는 원에서 호의 길이는 중심각의 크기에 비례한다는 원리를 이용하기 위해 지구는 완전한 구형이라고 가정하였다.

02 지구의 크기는 직접 측정할 수 없으므로 에라토스테네스는 '원에서 호의 길이(l)는 중심각(θ)의 크기에 비례한다'는 원리를 이용하여 간접적으로 구하였다.

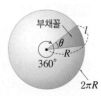

03 (바로알기) >> ㄱ. 알렉산드리아에는 햇빛이 비스듬히 들어와서 그림자가 생긴다. 햇빛이 수직하게 들어오는 곳은 그림자가 생기지 않는 시에네이다.
ㄷ. 에라토스테네스는 알렉산드리아와 시에네 사이의 거리 및 알렉산드리아에 세운 막대와 그림자 끝이 이루는 각의 크기를 측정하였다.

04 알렉산드리아와 시에네 사이의 거리(925 km)는 호의 길이에 해당하고, 알렉산드리아에 세운 막대와 그림자 끝이 이루는 각(7.2 °)은 중심각과 엇각으로 같다. 따라서 비례식을 세우면 $2\pi R : 360 ° = 925$ km : $7.2 °$ 또는 $360 ° : 7.2 ° = 2\pi R : 925$ km이다.

05 에라토스테네스가 구한 지구의 반지름은 오늘날 정확한 관측을 통해 구한 값보다 약 15 % 크다. 이것은 지구의 모양이 완전한 구형이 아니며, 당시 기술로는 알렉산드리아와 시에네 사이의 거리를 정확하게 측정하지 못하였기 때문이다.

06 문제 분석하기 ≫

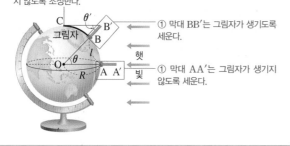

에라토스테네스와 같은 가정과 원리로 지구 모형의 크기를 구한다.
- 지구 모형은 완전한 구형이고, 햇빛은 평행하게 비춘다.
- 원에서 호의 길이는 중심각의 크기에 비례한다.
② 막대 BB'의 그림자는 모형 밖으로 나가지 않도록 조정한다.
① 막대 BB'는 그림자가 생기도록 세운다.
① 막대 AA'는 그림자가 생기지 않도록 세운다.

④ 중심각 ∠AOB의 크기는 직접 측정할 수 없으므로 ∠BB'C를 측정하여 엇각으로 구한다. 막대 AA'와 BB'에 들어오는 햇빛이 평행하므로 θ와 θ'의 크기는 엇각으로 같다.
바로알기 ≫ ③ 호 AB의 길이(l)를 직접 측정한다.
⑤ 원의 성질을 이용하여 비례식을 세우면 '원의 둘레 : 360 °= 호의 길이 : 중심각'이므로 $2\pi R : 360° = l : \theta$이다.

07 측정값을 이용하여 지구 모형의 반지름(R)을 구하는 비례식을 세우면 $2\pi R : 360° = 6\ cm : 20°$이다. 따라서 지구 모형의 반지름($R$) $= \dfrac{360° \times 6\ cm}{2 \times 3 \times 20°} = 18\ cm$이다.

08 위도 차를 이용하여 지구의 크기를 구하기 위해서는 두 지역의 경도가 같고 위도가 달라야 한다. 따라서 (가)와 (다) 지역을 이용할 수 있다.

09 (가)와 (다) 지역 사이의 위도 차(30 °−20 °)는 중심각의 크기에 해당하고, 두 지역 사이의 거리(1120 km)는 호의 길이에 해당한다. 따라서 비례식을 세우면 $2\pi R : 360° = 1120\ km : 10°$이고, 지구의 반지름($R$) $= \dfrac{360° \times 1120\ km}{2\pi \times 10°}$이다.

10 두 지역 사이의 중심각은 위도 차와 같으므로 37.5 °−35.1 °=2.4 °이다. 두 지역 사이의 거리는 280 km이므로 지구의 둘레를 구하는 비례식을 세우면 $2\pi R : 360° = 280\ km : 2.4°$이다. 따라서 지구의 둘레($2\pi R$) $= \dfrac{360° \times 280\ km}{2.4°} = 42000\ km$이다.

11 지구가 서에서 동으로 자전함에 따라 천체의 일주 운동은 동에서 서로 나타난다.

12 바로알기 ≫ ①, ③ 일주 운동하는 별은 한 시간에 15 °씩 동에서 서로 돈다.
② 별 등 천체의 일주 운동은 지구의 자전 때문에 나타난다.
④ 북반구에서 별은 천구 북극(북극성)을 중심으로 돈다.

13 북두칠성은 지구가 자전하기 때문에 일주 운동을 하며 북극성 주변을 도는 것처럼 보인다.

14 북극성이 보이므로 북쪽 하늘을 관측한 것이다.
- 방향 : 북쪽 하늘에서는 별이 시계 반대 방향으로 원을 그리며 회전하므로 북두칠성은 B → A 방향으로 이동한다.
- 시간 : 별들은 1시간에 15 °씩 회전하므로 45 ° 회전하는 데 걸린 시간은 3시간이다.

15 문제 분석하기 ≫

- 북쪽 하늘에서 별들은 북극성을 중심으로 시계 반대 방향으로 회전하므로 일주 운동의 방향은 B이다.(③)
- 별의 일주 운동 속도는 지구 자전 속도와 같은 15 °/1시간이므로 2시간 동안 회전한 각도는 30 °이다.(②)

16 문제 분석하기 ≫

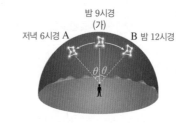

- 남쪽 하늘을 볼 때 별자리는 동 → 서로 이동하므로 밤 12시경에는 B에 위치한다.
- 별자리는 1시간에 15 °씩 이동하므로 밤 12시경까지는 45 ° 이동한다.

17

(가) 북쪽 하늘	(나) 동쪽 하늘	(다) 남쪽 하늘	(라) 서쪽 하늘
북극성을 중심으로 시계 반대 방향으로 회전	오른쪽 위로 비스듬히 떠오름	지평선과 나란하게 동에서 서로 이동	오른쪽 아래로 비스듬히 짐

18 ③, ⑤ 지구가 공전함에 따라 태양은 서에서 동으로 연주 운동을 한다. 태양이 연주 운동하며 지구에서 보이는 위치가 달라짐에 따라 계절별로 볼 수 있는 별자리가 달라진다.

바로알기 ≫ ①, ②, ④ 낮과 밤이 반복되는 현상, 천체의 일주 운동은 지구의 자전에 의해 나타나는 현상이다.

19 문제 분석하기 ≫

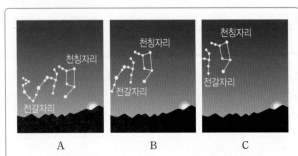

| A | B | C |

• (가) 별자리는 태양을 기준으로 동 → 서로 이동하므로 관측된 순서는 C → B → A이다.
• (나) 별자리를 기준으로 태양은 서 → 동으로 이동한다.

20 바로알기 ≫ ① 태양의 연주 운동을 관측한 것이다.
③ 태양의 연주 운동은 지구의 공전에 의해 나타나는 현상이다.
④ 별자리는 실제로 이동하지 않으며, 지구의 공전에 의해 움직인 것처럼 보이는 겉보기 운동을 한다.
⑤ 태양은 별자리를 기준으로 서에서 동으로 이동한다.

21 문제 분석하기 ≫

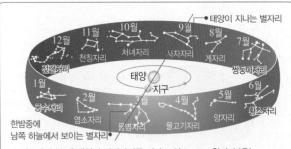

한밤중에 남쪽 하늘에서 보이는 별자리

• 지구에서 볼 때 태양이 사자자리를 지나고 있으므로 9월이다.(①)
• 지구에서 한밤중에 남쪽 하늘에서 보이는 별자리는 태양의 반대 방향에 있는 물병자리이다.(④)
• 지구는 서에서 동으로 공전하고, 태양의 위치 역시 서에서 동으로 이동한다.

③ 태양의 위치가 서에서 동으로 이동함에 따라 한 달 후 태양은 처녀자리를 지난다.

바로알기 ≫ ⑤ 6개월 후에 태양은 물병자리를 지난다. 태양이 지나는 별자리는 지구에서 볼 수 없다.

22 (가) 황도 12궁에서 2월에 표시된 별자리는 염소자리이므로, 태양은 2월에 염소자리를 지난다.
(나) 태양이 황소자리를 지날 때, 한밤중에 남쪽 하늘에서는 태양의 반대 방향에 있는 전갈자리가 보인다.

23 지구의 자전(ㄱ), 지구의 공전(ㄴ), 태양의 연주 운동(ㅁ) 방향은 서에서 동이고, 별의 일주 운동(ㄷ), 태양의 일주 운동(ㄹ) 방향은 동에서 서이다.

24 모범 답안 ▶ • 지구는 완전한 구형이다.
• 지구로 들어오는 햇빛은 평행하다.

채점 기준	배점
가정 두 가지를 모두 옳게 서술한 경우	100 %
가정을 한 가지만 옳게 서술한 경우	50 %

25 모범 답안 ▶ • $2\pi R : 360° = 10$ cm $: 40°$
• $2\pi R : 10$ cm $= 360° : 40°$ • $40° : 10$ cm $= 360° : 2\pi R$
• $360° : 2\pi R = 40° : 10$ cm

채점 기준	배점
비례식을 옳게 세운 경우	100 %

26 모범 답안 ▶ 36000 km
|해설| 두 지역 사이의 중심각은 위도 차(2.5°)와 같고, 두 지역 사이의 거리는 250 km이므로 비례식을 세우면 지구의 둘레 : 360° = 250 km : 2.5°이다.

채점 기준	배점
주어진 값을 이용하여 지구의 둘레를 옳게 구한 경우	100 %

27 모범 답안 ▶ (1) 2시간, (나)
(2) 지구가 자전하기 때문이다.
|해설| 북쪽 하늘에서 일주 운동하는 별들은 북극성을 중심으로 시계 반대 방향으로 이동한다. 또한 별들은 1시간에 15°씩 이동하므로 30°를 이동하려면 2시간이 걸린다.

	채점 기준	배점
(1)	노출 시간과 이동 방향을 모두 옳게 쓴 경우	50 %
	노출 시간과 이동 방향 중 한 가지만 옳게 쓴 경우	25 %
(2)	지구의 자전을 포함하여 까닭을 옳게 서술한 경우	50 %

28 모범 답안 ▶ (다) – (가) – (나), 지구가 태양 주위를 공전하기 때문이다.
|해설| 별자리는 태양을 기준으로 동 → 서로 이동하므로 (다) – (가) – (나)의 순으로 관측된 것이다.

채점 기준	배점
순서를 옳게 나열하고, 까닭을 옳게 서술한 경우	100 %
순서만 옳게 나열한 경우	50 %

29 모범 답안 ▶ (1) 7월
(2) 사자자리, 물병자리

| 해설 | 한밤중에 남쪽 하늘에서 궁수자리가 보일 때 태양은 반대 방향에 있는 쌍둥이자리를 지나므로 7월이다. 지구가 A에 있을 때 태양과 같은 방향에 있는 사자자리가 태양이 지나는 별자리이고, 태양 반대 방향에 있는 물병자리가 한밤중에 남쪽 하늘에 보이는 별자리이다.

	채점 기준	배점
(1)	7월을 쓴 경우	40 %
(2)	별자리 두 개를 순서대로 옳게 쓴 경우	60 %

02 달

114~115쪽

단원 미리보기

만화 완성하기 >> [모범 답안] 내가 태양을 가려서 그래….

한눈에 보기 >> [A] 달의 크기 측정, [C] 달의 위치와 모양 변화, [D] 일식

115~119쪽

A 1 ㉠ 닮음비, ㉡ 시지름 2 (1) ○ (2) × (3) × 3 ㉠ d, ㉡ l

B 1 ㉠ 지구, ㉡ 서, ㉢ 동 2 C, E 3 (1) × (2) ○ (3) × (4) ×

C 1 (1) ○ (2) × (3) × (4) ○ (5) ×

D 1 (1) ○ (2) × (3) × (4) ○ 2 A, B

E 1 (1) ○ (2) × (3) × (4) ○ (5) ×

A-1 시지름은 관측자가 본 천체의 지름을 각도로 나타낸 것으로, 둥근 물체가 달과 같은 크기로 보일 때 둘의 시지름은 같다.

A-2 바로알기 >> (2) L은 지구에서 달까지의 거리로, 미리 알고 있어야 하는 값이다.
(3) d와 D, l과 L이 서로 대응하는 변에 해당한다.

B-2~3 문제 분석하기 >>

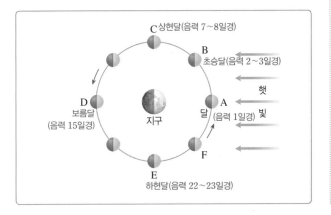

B-3 바로알기 >> (1) 달이 지구 주위를 공전함에 따라 지구에서 보이는 달의 모양이 변한다.
(3) 달이 C에 있을 때는 오른쪽 반달인 상현달로 보이고, 달이 E에 있을 때는 왼쪽 반달인 하현달로 보인다.
(4) 달은 항상 같은 면이 지구를 향하기 때문에 달의 위상이 달라져도 달의 표면 무늬는 변하지 않는다.

C-1 바로알기 >> (2) 달이 서에서 동으로 공전하므로 지구에서 본 달의 위치도 서쪽에서 동쪽으로 이동한다.
(3) 음력 7~8일경에는 상현달이 보인다. 상현달은 해가 진 직후 남쪽 하늘에서 관측된다.
(5) 지구가 자전하는 동안 달이 서에서 동으로 공전한다. 따라서 지구는 달이 공전한 만큼 더 자전해야 하므로 달이 뜨는 시각은 매일 조금씩 늦어진다.

D-1 바로알기 >> (2) 일식은 달이 지구 주위를 공전하며 태양을 가리는 현상이다.

D-2 개기 일식은 달의 본그림자가 닿는 지역(A)에서, 부분 일식은 달의 반그림자가 닿는 지역(B)에서 관측할 수 있다.

E-1 문제 분석하기 >>

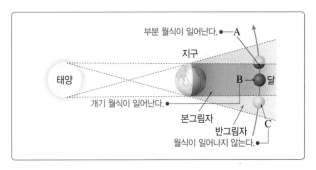

(1) 월식이 일어날 때 달의 위치는 망이므로 달의 위상은 보름달이다.
(4) 개기 월식이 일어나면 달이 붉게 보인다.
바로알기 >> (5) 월식은 달이 지구의 본그림자 안에 들어갈 때 일어난다. 달의 일부가 지구의 본그림자에 가려지면 부분 월식이 일어난다.

이해 쑥쑥 집중 강의

120쪽

유제 1 A : , B : , C :
유제 2 B

유제 1~2 **문제 분석하기 >>**

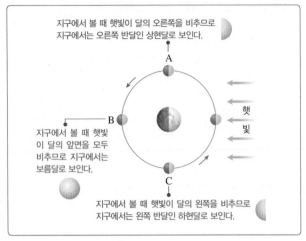

지구에서 볼 때 햇빛이 달의 오른쪽을 비추므로
지구에서는 오른쪽 반달인 상현달로 보인다.

A

지구에서 볼 때 햇빛
이 달의 앞면을 모두
비추므로 지구에서는
보름달로 보인다.
B

햇
빛

C

지구에서 볼 때 햇빛이 달의 왼쪽을 비추므로
지구에서는 왼쪽 반달인 하현달로 보인다.

실력 탄탄 핵심 문제 121~125쪽

01 ㄴ, ㄷ	02 ①	03 ②	04 ③	05 ⑤	06 ④	07 ③
08 ①	09 ⑤	10 ③	11 ③	12 ④	13 ④	14 ④
15 ⑤	16 ③	17 ③	18 ③	19 ④	20 ①	21 ③
22 ②	23 ②					

서술형 문제 24~27 해설 참조

01 **바로알기 >>** ㄱ, ㄹ. 달의 지름(D)은 계산하여 구하는 값이
고, 지구에서 달까지의 거리(L)는 미리 알고 있어야 하는 값이다.

02 ㄱ. 동전과 달이 같은 크기로 보이므로 둘의 시지름은 같다.
바로알기 >> ㄷ. 동전의 지름(d)에 대응하는 변은 달의 지름(D)이다.
ㄹ. 동전의 지름(d)이 작아질수록 동전까지의 거리는 가까워진다.

03 서로 닮은 두 삼각형에서 대응변의 길이의 비는 일정하다.
따라서 비례식을 세우면 $d : D = l : L$이다.

04 **문제 분석하기 >>**

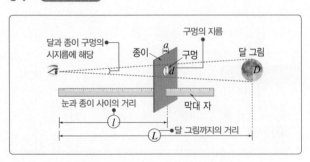

달과 종이 구멍의
시지름에 해당

종이
a
구멍

구멍의 지름

d

달 그림

D

눈과 종이 사이의 거리
l

막대 자

달 그림까지의 거리
L

눈과 구멍의 지름(d)을 연결한 삼각형은 눈과 달 그림의 지름(D)
을 연결한 삼각형과 서로 닮은꼴이다. 삼각형의 닮음비를 이용하
여 달 그림의 지름을 구하는 비례식을 세우면 $d : D = l : L$이고,
$$D = \frac{d \times L}{l} = \frac{0.8 \text{ cm} \times 300 \text{ cm}}{15 \text{ cm}} = 16 \text{ cm}$$이다.

05 달은 지구를 중심으로 약 한 달에 한 바퀴씩 서에서 동으
로 공전한다.
바로알기 >> ⑤ 달은 자전 주기와 공전 주기가 같아 늘 같은 면이
지구를 향한다.

06 달은 스스로 빛을 내지 못하고 햇빛이 비치는 부분만 빛을
반사하여 밝게 보인다. 달의 위상은 지구에서 달을 볼 때 밝게 보
이는 부분의 모양이며, 달이 공전하면서 태양, 달, 지구의 상대적
인 위치가 변하여 이 부분의 모양이 달라진다.

07 **바로알기 >>** ③ 삭은 달이 지구를 기준으로 태양과 같은 방향
에 있을 때로, 달이 햇빛을 반사하는 면을 볼 수 없어 달이 보이지
않는다.

08 그림에 나타난 달은 오른쪽 반달인 상현달로, 달이 A에
위치할 때의 위상이다.

09 달이 D에 있을 때는 지구에서 달이 보이지 않고, A에 있
을 때는 상현달, B에 있을 때는 보름달, C에 있을 때는 하현달로
보인다.

[10~12] **문제 분석하기 >>**

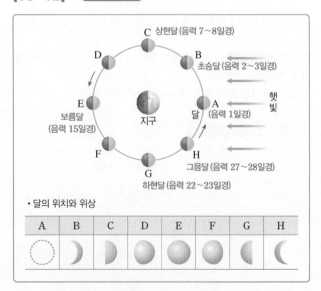

C 상현달 (음력 7~8일경)

D

B
초승달 (음력 2~3일경)

지구

달

A
(음력 1일경)

햇
빛

E
보름달
(음력 15일경)

F

H
그믐달 (음력 27~28일경)

G
하현달 (음력 22~23일경)

• 달의 위치와 위상

	A	B	C	D	E	F	G	H

11 달이 태양을 기준으로 지구의 오른쪽 90°방향에 있을 때
(C)는 오른쪽 반달인 상현달로 보이고, 지구의 왼쪽 90°방향에
있을 때(G)는 왼쪽 반달인 하현달로 보인다.

12 달이 E에 있을 때는 보름달로 보이며, 월식이 일어날 수 있다. 이때 달은 지구를 기준으로 태양 반대 방향에 위치하므로 달과 태양 사이의 거리가 가장 멀다.

바로알기 » ④ 음력 1일경 달의 위치는 A이고, 이때는 달을 볼 수 없다.

13 달은 자전 주기와 공전 주기가 같아 항상 같은 면이 지구를 향한다. 따라서 지구에서 보이는 달의 표면 무늬는 변하지 않는다.

14 **문제 분석하기 »**

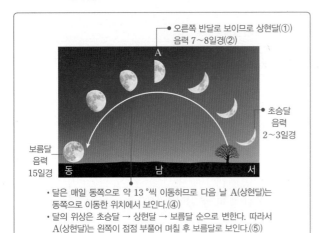

• 오른쪽 반달로 보이므로 상현달(①)
음력 7~8일경(②)

A

초승달
음력
2~3일경

보름달
음력
15일경

동   남   서

• 달은 매일 동쪽으로 약 13 °씩 이동하므로 다음 날 A(상현달)는 동쪽으로 이동한 위치에서 보인다.(④)
• 달의 위상은 초승달 → 상현달 → 보름달 순으로 변한다. 따라서 A(상현달)는 왼쪽이 점점 부풀어 며칠 후 보름달로 보인다.(⑤)

③ 지구가 자전하기 때문에 하루 동안 달은 동에서 서로 일주 운동한다. A(상현달)는 해가 진 직후 남쪽 하늘에 위치하고 있으므로 점차 서쪽으로 이동하여 약 6시간 후인 자정 무렵에 서쪽 지평선 아래로 진다.

15 ⑤ 음력 15일경에는 보름달이 관측된다. 보름달은 초저녁에 동쪽에서 떠오르므로 약 12시간 후인 해 뜰 무렵에 진다. 따라서 밤새도록 관측할 수 있다.

바로알기 » ① 초승달은 초저녁에 서쪽 하늘에서 잠깐 관측된다.
② 달이 하루에 약 13 °씩 서에서 동으로 공전하므로 달의 위치는 매일 서에서 동으로 약 13 °씩 이동한다.
③ 달의 공전 주기가 약 한 달이므로 달은 약 한 달 후에 같은 위치에서 관측된다.
④ 지구가 자전하는 동안 달이 서에서 동으로 하루에 약 13 °씩 공전하므로 달이 뜨려면 지구가 더 많이 자전해야 한다. 따라서 달이 뜨는 시각은 매일 조금씩 늦어진다.

16 지구가 자전하는 동안 달이 약 13 ° 공전하므로, 달이 떠오르기 위해서 지구가 약 13 °를 더 자전해야 한다. 따라서 달이 뜨는 시각이 매일 조금씩 늦어진다.

17 ㄴ. 일식이 일어날 때 달의 위치는 삭으로, 지구에서는 달이 보이지 않는다.

바로알기 » ㄱ. 달이 지구 주위를 공전하며 태양의 앞을 지나거나 지구의 그림자로 들어가 일식과 월식이 일어난다.
ㄹ. 일식과 월식은 달이 각각 삭과 망의 위치에 있을 때 일어날 수 있지만, 지구와 달의 공전 궤도가 같은 평면상에 있지 않으므로 매번 태양, 지구, 달이 일직선상에 놓이지는 않는다. 따라서 일식과 월식이 매달 일어나지는 않는다.

18 일식은 달이 태양과 지구 사이에 있는 삭일 때, 월식은 달이 지구를 기준으로 태양 반대 방향에 있는 망일 때 일어난다.

19 **문제 분석하기 »**

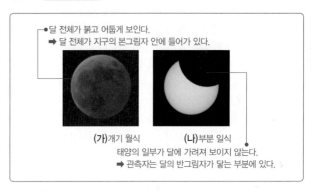

• 달 전체가 붉고 어둡게 보인다.
➡ 달 전체가 지구의 본그림자 안에 들어가 있다.

(가)개기 월식   (나)부분 일식

태양의 일부가 달에 가려져 보이지 않는다.
➡ 관측자는 달의 반그림자가 닿는 부분에 있다.

바로알기 » ② 개기 월식은 달 전체가 지구의 본그림자 안에 들어갈 때 일어난다.
⑤ 일식이 일어날 때는 태양 – 달 – 지구 순으로 일직선을 이루고, 월식이 일어날 때는 태양 – 지구 – 달 순으로 일직선을 이룬다. 따라서 태양과 달 사이의 거리는 월식인 (가)일 때가 일식인 (나)일 때보다 더 멀다.

20 개기 일식은 달의 본그림자가 닿는 곳(A)에서 관측할 수 있고, 부분 일식은 달의 반그림자가 닿는 곳(B)에서 관측할 수 있다.

21 ⑤ 달의 본그림자에 비해 반그림자의 크기가 더 크므로, 개기 일식보다 부분 일식을 관측할 수 있는 지역이 더 넓다.
바로알기 » ③ 달의 반그림자가 닿는 곳에서는 부분 일식을 볼 수 있다.

22 ㄱ. 월식이 일어날 때 달의 위치는 망으로, 달의 위상은 보름달이다.
ㄷ. 달이 서에서 동으로 공전하며 지구 그림자로 들어가므로, 월식이 일어날 때 달은 왼쪽부터 가려진다.
바로알기 » ㄴ. 월식은 달의 일부 또는 전체가 지구의 본그림자에 들어갈 때 일어난다. 따라서 A와 B에 위치할 때 일어난다.
ㄹ. 달이 지구의 반그림자에 들어갈 때는 월식이 일어나지 않는다. 부분 월식은 달의 일부가 지구의 본그림자에 들어갈 때 일어난다.

23 문제 분석하기 »

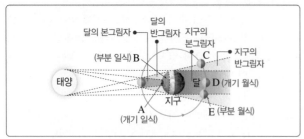

① 달의 본그림자가 닿는 지역(A)에서는 개기 일식이 관측되고, 달의 반그림자가 닿는 지역(B)에서는 부분 일식이 관측된다.
③, ④ 달 전체가 지구의 본그림자에 들어갈 때(D)에는 개기 월식이 일어나며, 달 전체가 붉게 보인다. 달의 일부가 지구의 본그림자를 지나갈 때(E)에는 부분 월식이 일어나고, 달이 지구의 반그림자만 지나갈 때(C)에는 월식이 일어나지 않는다.
⑤ 지구 그림자가 달 그림자보다 크므로 월식은 일식보다 지속 시간이 길다.

바로알기 » ② 일식은 낮이 되는 지역 중 달의 그림자가 지나가는 지역에서만 볼 수 있으며, 월식은 밤이 되는 모든 지역에서 볼 수 있다.

24 모범 답안 ▶ (1) d, l
(2) L
(3) $d : D = l : L$ 또는 $d : l = D : L$

채점 기준		배점
(1)	d와 l을 모두 쓴 경우	40 %
	d와 l 중 한 가지만 쓴 경우	20 %
(2)	L을 쓴 경우	20 %
(3)	비례식을 옳게 세운 경우	40 %

25 모범 답안 ▶ (1) E

(2) ◗

(3) 음력 22~23일, 하현달
|해설| 달이 G에 있을 때는 음력 22~23일경이고, 지구에서는 왼쪽 반달인 하현달이 보인다.

채점 기준		배점
(1)	E를 쓴 경우	30 %
(2)	상현달의 모양을 옳게 그린 경우	30 %
(3)	음력 날짜와 달의 위상을 모두 옳게 쓴 경우	40 %
	음력 날짜와 달의 위상 중 한 가지만 옳게 쓴 경우	20 %

26 모범 답안 ▶ (1) A : 하현달, B : 보이지 않음, C : 상현달, D : 보름달
(2) D, 달과 태양 사이의 거리는 월식이 일어날 때가 일식이 일어날 때보다 더 멀다.

채점 기준		배점
(1)	달이 A~D에 있을 때의 위상을 모두 옳게 쓴 경우	50 %
	달의 위상을 한 가지 옳게 쓴 경우 부분 배점	10 %
(2)	월식이 일어날 때 달의 위치를 옳게 쓰고, 달과 태양 사이의 거리를 옳게 비교하여 서술한 경우	50 %
	월식이 일어날 때의 달의 위치만 옳게 쓴 경우	25 %

27 모범 답안 ▶ (1) 부분 일식, 달의 반그림자가 닿는 곳에서 관측할 수 있다.
(2) A, 일식이 일어날 때는 태양의 오른쪽부터 가려지기 때문이다.

채점 기준		배점
(1)	일식의 종류를 옳게 쓰고, 관측 지역을 옳게 서술한 경우	50 %
	일식의 종류만 옳게 쓴 경우	25 %
(2)	일식의 진행 방향을 옳게 고르고, 까닭을 옳게 서술한 경우	50 %
	일식의 진행 방향만 옳게 고른 경우	25 %

03 태양계의 구성

단원 미리보기

127~127쪽

만화 완성하기 » [모범 답안] 내가 활발하게 활동하니까!
한눈에 보기 » [B] 행성의 분류, [C] 태양의 특징, [E] 천체 망원경과 천체 관측

127~131쪽

Ⓐ **1** (1) − ㉠ (2) − ㉢ (3) − ㉡ (4) − ㉣ **2** (가) 화성, (나) 목성, (다) 토성, (라) 해왕성, (마) 수성 **3** (1) (나) (2) (가) (3) (마) (4) (라) (5) (다)

Ⓑ **1** ㉠ 내행성, ㉡ 외행성 **2** ㉠ 작다, ㉡ 크다, ㉢ 단단한 암석, ㉣ 크다, ㉤ 작다

Ⓒ **1** ㄷ, ㅂ **2** (가) 홍염, (나) 코로나, (다) 쌀알 무늬, (라) 흑점, (마) 채층 **3** (1) ○ (2) ○ (3) ×

Ⓓ **1** (1) × (2) × (3) ○ (4) ×

Ⓔ **1** A : 대물렌즈, B : 경통, C : 보조 망원경(파인더), D : 접안렌즈, E : 균형추 **2** (1) A (2) D (3) E (4) C **3** (라) − (가) − (나) − (다) − (마)

Ⓐ-**1** (1) 수성은 태양에서 가장 가깝고, 크기가 가장 작다.
(2) 화성은 극지방에 얼음과 드라이아이스로 이루어진 흰색의 극관이 있다.
(3) 목성은 태양계 행성 중 크기가 가장 크다.
(4) 토성은 암석 조각과 얼음으로 이루어진 뚜렷한 고리가 있다.

A−2~3 문제 분석하기 »

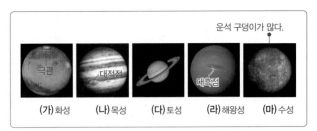

운석 구덩이가 많다.

극관 | 대적점 | | 대흑점 |

(가) 화성　(나) 목성　(다) 토성　(라) 해왕성　(마) 수성

A−3 (1) 표면에 대기의 소용돌이인 붉은 점(대적점)이 나타나는 것은 (나) 목성이다.
(2) 산화철 성분의 토양 때문에 표면이 붉은색을 띠고, 물이 흘렀던 흔적이 있는 것은 (가) 화성이다.
(3) (마) 수성은 대기가 없어 풍화 작용이 거의 일어나지 않기 때문에 표면에 운석 구덩이가 많이 남아 있다.
(4) 파란색을 띠고, 표면에 대기의 소용돌이인 대흑점이 나타나는 것은 (라) 해왕성이다.
(5) (다) 토성은 태양계에서 두 번째로 큰 행성으로, 밀도가 물보다 작다.

B−2 지구형 행성은 질량과 반지름이 작고, 밀도가 크며, 고리가 없고, 표면이 단단한 암석으로 이루어져 있다. 목성형 행성은 질량과 반지름이 크고, 밀도가 작으며, 고리가 있고, 표면이 기체로 이루어져 있다.

C−1 흑점(ㄷ)과 쌀알 무늬(ㅂ)는 태양 표면에서 나타나는 현상이고, 채층(ㄱ)과 코로나(ㄹ)는 태양의 대기이며, 홍염(ㄴ)과 플레어(ㅁ)는 대기에서 일어나는 현상이다.

C−2~3 문제 분석하기 »

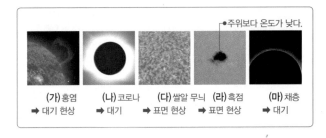

주위보다 온도가 낮다.

(가) 홍염　(나) 코로나　(다) 쌀알 무늬　(라) 흑점　(마) 채층
➡ 대기 현상　➡ 대기　➡ 표면 현상　➡ 표면 현상　➡ 대기

C−3 (2) 태양의 대기 및 대기에서 일어나는 현상은 평소에는 광구가 너무 밝아서 보기 어렵고, 개기 일식 때 볼 수 있다.
바로알기 » (3) (라)는 흑점으로, 광구보다 온도가 낮아서 어둡게 보인다.

D−1 바로알기 » (1) 태양 활동의 변화는 지구에 많은 영향을 미쳐 다양한 현상이 일어나게 한다.
(2) 흑점 수가 많을 때 태양의 활동이 활발하다.

(4) 태양 활동이 활발할 때 지구에서는 오로라 발생 횟수가 증가하고, 더 넓은 지역에서 발생한다.

E−2 (1) 빛을 모으는 역할을 하는 것은 대물렌즈(A)이다.
(2) 상을 확대하여 눈으로 볼 수 있게 하는 것은 접안렌즈(D)이다.
(4) 배율이 낮고 시야가 넓어 관측 대상을 쉽게 찾도록 해 주는 것은 보조 망원경(C)이다.

E−3 망원경의 조립은 (라) 삼각대 세우기 → (가) 가대 끼우기 → (나) 균형추 달기 → (다) 경통 끼우기 → (마) 보조 망원경과 접안렌즈 끼우기의 순서로 한다.

이해 쑥쑥 **집중 강의** ⎯⎯⎯⎯⎯⎯⎯⎯⎯ 132쪽

유제1 (1) A, C 및 B, D (2) B, D (3) A<B
유제2 (1) A : 지구형 행성, B : 목성형 행성 (2) 수성, 금성, 지구, 화성 (3) 목성, 토성, 천왕성, 해왕성 (4) A<B

유제1 (1) 질량과 반지름이 크고 위성 수가 많은 A, C는 목성형 행성이고, 질량과 반지름이 작고 위성 수가 적거나 없는 B, D는 지구형 행성이다.
(3) A는 목성형 행성, B는 지구형 행성이므로 평균 밀도는 B가 A보다 크다.

유제2 (1) 질량과 반지름이 작은 A는 지구형 행성, 질량과 반지름이 큰 B는 목성형 행성이다.
(4) 위성 수는 목성형 행성(B)이 지구형 행성(A)보다 많다.

실력 탄탄 **핵심 문제** ⎯⎯⎯⎯⎯⎯⎯⎯⎯ 133~137쪽

01 ②　02 ⑤　03 ④　04 ⑤　05 ②　06 ⑤　07 ①
08 ④　09 ⑤　10 ⑤　11 (가) B, D (나) A, C　12 ④
13 ③　14 ②　15 ⑤　16 ①　17 ②　18 ⑤　19 ②
20 ②　21 ③　22 ③　23 ④　24 ②
서술형 **문제** 25~30 해설 참조

01 금성은 크기와 질량이 지구와 비슷하며 두꺼운 대기가 햇빛을 잘 반사하여 지구에서 가장 밝게 보인다. 또한, 두꺼운 이산화탄소 대기로 인해 온실 효과가 커서 표면 온도가 매우 높다.

02 바로알기 ⑤ 대흑점이 있는 행성은 해왕성이다.

03 문제 분석하기

가로줄 무늬 : 자전 속도가 빠르기 때문에 나타남

대적점 : 대기의 소용돌이로 나타나는 붉은 점(⑤)

②, ③ 목성은 희미한 고리가 있고, 태양계 행성 중 크기와 질량이 가장 크다.
바로알기 ④ 목성은 단단한 표면이 없으며 기체로 되어 있다.

04 바로알기 ① 지구에서 가장 밝게 보이는 행성은 금성이다.
② 태양계에서 크기가 가장 작은 행성은 수성이다.
③ 태양계에서 크기가 가장 큰 행성은 목성이다.
④ 태양계에서 가장 바깥에 위치한 행성은 해왕성이다.

05 태양에서 가까운 것부터 순서대로 나열하면 다음과 같다.

(가)	대기가 없어 풍화 작용이 거의 일어나지 않으므로 표면에 운석 구덩이가 많다.	수성
(다)	과거에 물이 흘렀던 자국이 있고, 계절 변화가 나타난다.	화성
(라)	뚜렷한 고리가 있으며, 태양계 행성 중 두 번째로 크다.	토성
(나)	대기 중 메테인에 의해 청록색을 띠며, 자전축이 공전 궤도면에 나란하다.	천왕성

06 ㄱ. 지구의 공전 궤도 안쪽에서 공전하는 A는 내행성, 지구의 공전 궤도 바깥쪽에서 공전하는 B는 외행성이다.
ㄷ. 화성은 외행성에 속한다.
바로알기 ㄴ. 목성형 행성은 행성의 물리적 특성에 따라 구분한 것으로, 모든 외행성이 목성형 행성인 것은 아니다.

07 (가)는 지구형 행성이고, (나)는 목성형 행성이다.
① 지구형 행성은 고리가 없고, 목성형 행성은 고리가 있다.
바로알기 ② 지구형 행성 중 수성과 금성은 위성이 없고, 지구는 1개, 화성은 2개로 그 수가 적다. 목성형 행성은 위성이 많다.
③ 목성이나 토성은 자전 속도가 매우 빨라 표면에 줄무늬가 나타난다.
④ 지구형 행성의 표면은 고체 성분인 단단한 암석으로 되어 있고, 목성형 행성은 표면이 기체 성분으로 되어 있다.
⑤ 지구형 행성의 대기 성분은 질소, 산소, 이산화 탄소 등 무거운 기체이고, 목성형 행성은 대기 성분이 주로 수소, 헬륨 등 가벼운 기체이다.

08

구분	지구형 행성	목성형 행성
반지름	크다 ←	→ 작다
질량	크다 ←	→ 작다
고리	있다 ←	→ 없다
위성 수	적거나 없다	많다
표면	기체 ←	→ 단단한 암석

09 반지름이 크고 평균 밀도가 작은 A는 목성형 행성이고, 반지름이 작고 평균 밀도가 큰 B는 지구형 행성이다.
⑤ 목성형 행성(A)은 지구형 행성(B)에 비해 질량이 크다.
바로알기 ③ 목성형 행성(A)의 표면은 기체로 이루어져 있다.
④ 지구형 행성(B)은 위성이 없거나 적다.

10 문제 분석하기

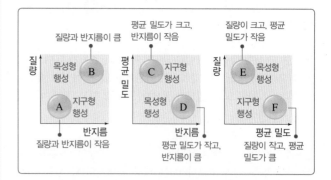

[11~12] 문제 분석하기

행성	태양으로부터의 거리(지구=1)	반지름 (지구=1)	평균 밀도 (g/cm³)	질량 (지구=1)	위성 수 (개)
A	5.2	11.21	1.33	317.92	69
B	1.5	0.53	3.93	0.11	2
C	9.6	9.45	0.69	95.14	62
D	0.4	0.38	5.43	0.06	0

[행성의 특징]

A	반지름이 가장 크고(지구의 약 11배), 위성 수가 가장 많다. ➡ 목성
B	반지름이 지구의 절반 정도이며, 위성 수가 2개이다. ➡ 화성
C	평균 밀도가 물(1 g/cm³)보다 작다. ➡ 토성
D	내행성이며, 반지름과 질량이 지구보다 매우 작다. ➡ 수성

• A, C : 반지름이 크고, 평균 밀도가 작으며, 질량이 크고, 위성 수가 많다. ➡ 목성형 행성
• B, D : 반지름이 작고, 평균 밀도가 크며, 질량이 작고, 위성 수가 적거나 없다. ➡ 지구형 행성

11 태양계 행성의 물리량을 비교하여 두 집단으로 구분할 수 있다. 질량과 반지름이 큰 A, C는 목성형 행성이고, 질량과 반지름이 작은 B, D는 지구형 행성이다.

12 ① 목성(A)은 표면에 가로줄 무늬와 대적점이 있다.
② 화성(B)은 계절 변화가 나타나며 양극에 얼음과 드라이아이스로 된 극관이 있다. 여름에는 극관이 작아지고, 겨울에는 극관이 커진다.
③ 토성(C)은 얼음과 암석으로 이루어진 여러 겹의 뚜렷한 고리가 있다.

13 문제 분석하기 »

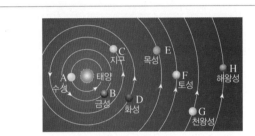

• A, B, C, D : 지구형 행성 / E, F, G, H : 목성형 행성
• A, B : 내행성 / D, E, F, G, H : 외행성

② 지구형 행성에 속하는 B, C는 모두 밀도가 큰 암석으로 이루어져 있다.
⑤ 목성형 행성에 속하는 G, H는 모두 고리가 있다.
바로알기 » ③ 화성은 외행성이면서 지구형 행성에 속한다.

14 태양계의 중심에 있고, 유일하게 스스로 빛을 내는 천체는 태양이다.

15 문제 분석하기 »

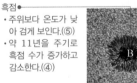

흑점
• 주위보다 온도가 낮아 검게 보인다.(⑤)
• 약 11년을 주기로 흑점 수가 증가하고 감소한다.(④)

쌀알 무늬
• 광구 아래에서 일어나는 대류에 의해 생긴다.(②)
– 고온의 기체가 상승하는 곳은 밝다.(③)
– 냉각된 기체가 하강하는 곳은 어둡다.

16 문제 분석하기 »

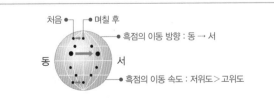

처음   며칠 후
흑점의 이동 방향 : 동 → 서
동   서
흑점의 이동 속도 : 저위도 > 고위도
• 흑점이 이동했다. ➡ 태양 표면이 이동한다. ➡ 태양이 자전한다.

17 개기 일식이 일어날 때는 광구가 달에 의해 가려지므로 태양의 대기 및 대기에서 일어나는 현상을 관측할 수 있다. 흑점(ㄴ)과 쌀알 무늬(ㄹ)는 태양의 표면에서 일어나는 현상이다.

18 바로알기 » ① 흑점은 크기가 불규칙한 어두운색 점으로, 주변보다 온도가 낮아 어둡게 보인다.
② 코로나는 채층 위로 멀리 뻗어 있는 진주색의 대기층이다.
③ 플레어는 흑점 주변의 폭발로, 많은 양의 에너지가 한꺼번에 방출되는 현상이다.
④ 쌀알 무늬는 태양 내부의 대류 현상에 의해 나타나는 작은 쌀알 모양의 무늬이다.

[19~20] 문제 분석하기 »

(가) 채층
태양의 대기
➡ 광구 바로 위

(나) 플레어
태양의 대기에서 나타나는 현상

(다) 코로나
태양의 대기
➡ 채층 위로 뻗어 있음

20 ② (나) 플레어는 흑점 부근의 폭발로, 많은 양의 에너지가 한꺼번에 방출되어 채층의 일부가 일시적으로 매우 밝아진다.
바로알기 » ① 둥글게 보이는 태양의 표면은 광구이며, (가)와 같이 붉은색으로 보이는 층은 광구 바로 위의 대기층인 채층이다.
③ 태양 활동이 활발할 때에는 흑점 수가 많아지고, 이때 코로나의 크기가 커진다.
④ (가)~(다)는 태양의 대기 및 대기에서 나타나는 현상이다.
⑤ (가)~(다)는 광구가 너무 밝아서 평소에는 잘 볼 수 없고, 개기 일식이 일어날 때 볼 수 있다.

21 ①, ② A 시기는 흑점 수가 많은 시기로, 태양 활동이 활발하여 홍염과 플레어가 자주 발생했을 것이다.
바로알기 » ③ 2010년은 흑점의 수가 적은 시기로, 태양 활동이 덜 활발하여 코로나의 크기는 비교적 작았을 것이다.

22 태양 활동이 활발할 때 지구에서는 자기 폭풍 및 델린저 현상이 일어나고, 인공위성의 고장 및 오작동이 일어날 수 있다. 또한 오로라의 발생 횟수가 증가한다.
바로알기 » ③ 화산 폭발은 태양 활동과는 관계가 없다.

23 바로알기 » ① A : 대물렌즈 – 천체로부터 오는 빛을 모은다.
② B : 보조 망원경 – 관측하려는 대상을 쉽게 찾아준다.
③ C : 접안렌즈 – 상을 확대한다.
⑤ E : 균형추 – 망원경의 균형을 잡아주는 역할을 한다. 삼각대는 경통과 가대를 고정시켜 망원경이 흔들리지 않도록 한다.

24 망원경의 설치 방법은 (가) 조립하기 → (다) 균형 맞추기 → (나) 파인더 정렬하기이다.

25 모범 답안 ▶ 금성은 이산화 탄소로 이루어진 두꺼운 대기가 있기 때문이다.

채점 기준	배점
대기의 성분, 두께를 모두 포함하여 옳게 서술한 경우	100 %
대기의 성분과 두께 중 한 가지만 포함하여 서술한 경우	50 %

26 모범 답안 ▶ (1) F, 토성
(2) A, 수성. 수성에는 대기가 없기 때문이다.

	채점 기준	배점
(1)	행성의 기호와 이름을 모두 옳게 쓴 경우	40 %
	행성의 기호 또는 이름 중 한 가지만 옳게 쓴 경우	20 %
(2)	행성의 기호와 이름을 옳게 쓰고, 까닭을 옳게 서술한 경우	60 %
	행성의 기호와 이름만 옳게 쓴 경우	30 %

27 모범 답안 ▶ (1) A : 지구형 행성, B : 목성형 행성
(2) 수성, 금성, 지구, 화성
(3) 밀도가 작다. 가벼운 기체로 이루어져 있다. 고리가 있다. 위성 수가 많다.

	채점 기준	배점
(1)	A, B의 이름을 모두 옳게 쓴 경우	30 %
	A, B 중 하나의 이름만 옳게 쓴 경우	15 %
(2)	지구형 행성 4개를 모두 옳게 쓴 경우	40 %
	지구형 행성 1개당 부분 배점	10 %
(3)	목성형 행성의 특징을 옳게 서술한 경우	30 %

28 모범 답안 ▶ 동 → 서, 태양은 자전한다.
|해설| 흑점은 태양 표면에 나타나는 것으로, 태양이 자전하기 때문에 위치가 변한다.

채점 기준	배점
흑점의 이동 방향을 옳게 쓰고, 태양의 특징을 옳게 서술한 경우	100 %
흑점의 이동 방향만 옳게 쓴 경우	50 %

29 모범 답안 ▶ • 태양에서 나타나는 현상 : 흑점 수가 많아진다. 코로나의 크기가 커진다. 홍염, 플레어가 자주 발생한다. 태양풍이 강해진다.
• 지구에서 나타나는 현상 : 자기 폭풍이 발생한다. 델린저 현상이 나타난다. GPS 수신에 장애가 생긴다. 인공위성이 고장 난다. 송전 시설이 고장 나서 대규모 정전이 일어난다. 오로라가 더 자주 발생하고, 더 넓은 지역에서 발생한다. 등

채점 기준	배점
태양과 지구에서 나타나는 현상을 모두 옳게 서술한 경우	100 %
태양 또는 지구에서 나타나는 현상 한 가지만 옳게 서술한 경우	50 %

30 모범 답안 ▶ E, 보조 망원경(파인더). 배율이 낮아서 시야가 넓기 때문이다.

문제 분석하기 ≫

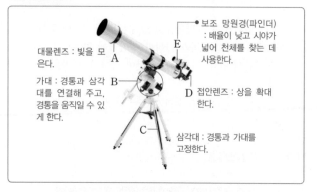

대물렌즈 : 빛을 모은다. ··· A
가대 : 경통과 삼각대를 연결해 주고, 경통을 움직일 수 있게 한다. ··· B
삼각대 : 경통과 가대를 고정한다. ··· C
접안렌즈 : 상을 확대한다. ··· D
보조 망원경(파인더) : 배율이 낮고 시야가 넓어 천체를 찾는 데 사용한다. ··· E

채점 기준	배점
기호와 이름을 옳게 쓰고, 까닭을 옳게 서술한 경우	100 %
기호와 이름만 옳게 쓴 경우	50 %

핵심 자료로 최종 점검
140~141쪽

01 지구

1 ❶ 구형 ❷ 평행 ❸ 호의 길이 ❹ 중심각 ❺ 엇각 ❻ 925 km ❼ 7.2°

2 ❶ 경도 ❷ 위도 ❸ 위도 차 ❹ 280 km ❺ 2.4°

3 ❶ 북극성 ❷ 15 ❸ 2 ❹ B

4 ❶ 동 → 서 ❷ 서 → 동 ❸ 1

5 ❶ 10 ❷ 10 ❸ 태양 반대 ❹ 3

02 달

1 ❶ 시지름 ❷ d ❸ l ❹ L ❺ D ❻ L

2 ❶ 상현달 ❷ 오른 ❸ ⬤ ❹ 22~23

3 ❶ 개기 ❷ 부분 ❸ 개기 ❹ 부분

03 태양계의 구성

1 ❶ 극관 ❷ 대적점 ❸ 화성 ❹ 수성 ❺ 목성 ❻ 토성 ❼ 운석 구덩이 ❽ 얼음

2 ❶ 목성형 ❷ 지구형 ❸ 지구형 ❹ 목성형 ❺ 없 ❻ 많 ❼ 있

3 ❶ 쌀알 무늬 ❷ 대류 ❸ 흑점 ❹ 코로나 ❺ 홍염 ❻ 낮아

4 ❶ 11 ❷ 활발 ❸ 코로나 ❹ 태양풍 ❺ 증가

01 ② 02 ③ 03 ④ 04 ④ 05 ④ 06 ③ 07 ③
08 ④ 09 ㄹ, ㅁ 10 ⑤ 11 ② 12 ④ 13 ① 14 ⑤
15 ⑤ 16 ④ 17 ㄴ, ㄹ 18 ④ 19 ② 20 ③, ⑤
21 ㄷ, ㄹ 22 ⑤ 23 ④ 24 ⑤

01 ⑤ 지구의 크기를 구하기 위한 비례식을 세우면 '원의 둘레 : 360 °=호의 길이(l) : 중심각(θ)'이므로 $2\pi R$: 360 °=925 km : 7.2 ° 또는 $2\pi R$: 925 km=360 ° : 7.2 °이다.

〔바로알기〕》 ② 지구는 완전한 구형이며, 햇빛은 지구에 평행하게 들어온다고 가정하였다.

02 지구 모형의 크기를 구하기 위해 호의 길이와 중심각을 알아야 한다.
• 호의 길이(l) : 막대를 세운 두 지점 사이의 거리 ➡ A와 B 사이의 거리를 측정한다.
• 중심각(θ) : ∠AOB의 크기는 직접 잴 수 없다. ➡ 엇각으로 같은 ∠BB′C의 크기를 측정한다.

03 호의 길이는 l이고 중심각은 θ이므로, 지구 모형의 크기를 구하기 위한 비례식은 다음과 같다.
원의 둘레 : 360 °=호의 길이 : 중심각
$2\pi R$: 360°=l : θ 또는 $2\pi R$: l=360 ° : θ

04 • 지구는 서쪽에서 동쪽으로 하루에 한 바퀴씩 자전하므로 한 시간에는 15 °씩$\left(\dfrac{360°}{24시간}=15°/시간\right)$ 돈다.
• 지구는 서쪽에서 동쪽으로 일 년에 한 바퀴씩 공전하므로 하루에는 약 1 °씩$\left(\dfrac{360°}{365일}≒1°/일\right)$ 돈다.

05 〔문제 분석하기〕》

북쪽 하늘의 모습으로, 북극성을 중심으로 카시오페이아자리가 일주 운동하고 있다.

• a : 시계 반대 방향 ➡ 별자리의 일주 운동 방향(②)

북극성은 움직이지 않는다.(①)

• 60°÷15°/시간 =4시간 관측(④)

④ 별의 일주 운동 속도는 15 °/시간이므로, 60 ° 이동하는 데 걸리는 시간은 4시간이다.

〔바로알기〕》 ① 북극성은 지구의 자전축을 연장한 천구의 북극에 가까이 있어 지구에서 볼 때 거의 움직이지 않는다.
③, ⑤ 별의 일주 운동은 지구 자전에 의한 겉보기 운동으로, 별들은 실제로는 움직이지 않는다.

06 ①은 별이 지평선과 나란하게 동에서 서로 이동하는 남쪽 하늘, ②는 별들이 시계 반대 방향으로 회전하는 북쪽 하늘, ③은 별들이 오른쪽 위로 떠오르는 동쪽 하늘, ⑤는 별들이 오른쪽 아래로 지는 서쪽 하늘에서 별의 일주 운동 모습이다.

07 ② 별자리는 태양을 기준으로 동 → 서로 이동하므로 관측된 순서는 (가) → (나) → (다)이다.
④, ⑤ 별자리를 기준으로 태양은 서 → 동으로 일 년에 한 바퀴씩 돌아 제자리로 돌아오므로 하루에 약 1 °씩 이동한다.

〔바로알기〕》 ③ 지구가 일 년에 한 바퀴 공전하므로 별자리는 이동하여 일 년 후 처음 위치로 돌아온다.

08 〔문제 분석하기〕》

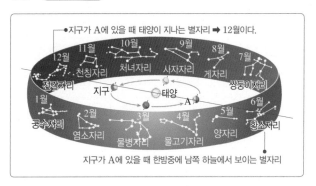

지구가 A에 있을 때 한밤중에 남쪽 하늘에서 보이는 별자리

09 달의 공전(ㄱ), 지구의 공전(ㄴ), 지구의 자전(ㄷ), 태양의 연주 운동(ㅂ) 방향은 모두 서 → 동이다. 별이나 태양과 같은 천체의 일주 운동(ㄹ, ㅁ)은 지구 자전의 반대 방향인 동 → 서이다.

10 ① 작은 물체와 달의 크기가 같게 보일 때(=시지름이 같을 때) 삼각형의 닮음비를 이용하여 달의 크기를 구하는 방법이다.
③ 물체의 지름(d)과 물체까지의 거리(l)는 직접 측정해야 하는 값이고, 달까지의 거리(L)는 미리 알아야 하는 값이다.

〔바로알기〕》 ⑤ 지름(d)이 더 큰 물체로 바꾸면 물체까지의 거리 (l)가 멀어진다.

11 삼각형의 닮음비를 이용하여 비례식을 세운다. 구멍 지름 (d)의 대응변은 공의 지름(D)이고, 구멍까지의 거리의 대응변은 눈에서 공까지의 거리이다.
$$0.5\,\text{cm} : D=10\,\text{cm} : 600\,\text{cm}$$
$$\therefore D=\dfrac{0.5\,\text{cm}\times600\,\text{cm}}{10\,\text{cm}}=30\,\text{cm}$$

12 ①, ② 그림에 나타난 달은 왼쪽 반달인 하현달로, 음력 22~23일경에 보인다.

③ 달의 위치는 하현으로 태양, 달, 지구가 직각을 이루어 달의 왼쪽 반원이 밝게 보인다.

⑤ 달의 위상 변화 순서는 초승달 → 상현달 → 보름달 → 하현달 → 그믐달이므로 며칠 뒤 달은 그믐달로 보일 것이다.

바로알기 ④ 하루 동안 관측 가능한 시간이 가장 긴 것은 초저녁에 떠올라 해뜰 무렵 지는 보름달이다.

[13~14] 문제 분석하기 ≫

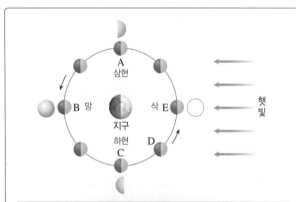

위치	A	B	C	D	E
달 모양	상현달	보름달	하현달	그믐달	보이지 않음
관측일 (음력)	7~8일경	15일경	22~23 일경	27~28 일경	1일경

13 달의 위치가 A일 때는 태양이 달의 오른쪽 절반을 비추므로 오른쪽 반달인 상현달로 보이고, C일 때는 태양이 달의 왼쪽 절반을 비추므로 왼쪽 반달인 하현달로 보인다.

14 바로알기 ② B는 망일 때로, 월식이 일어날 수 있다.
④ 달을 밤새도록 볼 수 있는 위치는 B이다.

15 ① A는 초승달, B는 상현달, C는 보름달이다.
② 상현달은 음력 7~8일경 볼 수 있다.
③ 달의 위상은 초승달 → 상현달 → 보름달 순서로 변한다. 따라서 관측 순서는 A → B → C이다.

바로알기 ⑤ 달은 서 → 동으로 공전하며, 하루에 약 13°씩 이동한다.

16 ①, ② 일식이 일어날 때는 태양 – 달 – 지구 순서로 일직선을 이루는 삭일 때로, 달이 보이지 않는다.
⑤ 월식이 일어날 때는 태양 – 지구 – 달 순서로 일직선을 이루므로 태양과 달 사이의 거리가 가장 멀다.

바로알기 ④ 달그림자에 비해 지구 그림자의 크기가 크기 때문에 일식보다 월식을 관측할 수 있는 시간이 더 길다.

17 문제 분석하기 ≫

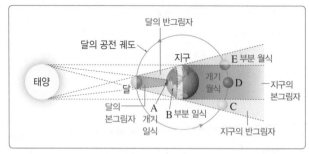

ㄹ. 달이 서에서 동으로 공전하며 지구 그림자로 들어가므로, 월식이 일어날 때는 달의 왼쪽부터 가려진다.

바로알기 ㄷ. 월식은 달이 지구의 본그림자 안에 들어갈 때 일어난다.

18 ④ 천왕성은 청록색을 띠고, 자전축이 공전 궤도면에 거의 나란하다.

바로알기 ① 수성은 대기가 없어 낮과 밤의 기온 차가 매우 크다. 표면 온도가 약 470°C로 높게 유지되는 행성은 두꺼운 이산화 탄소 대기가 있는 금성이다.

② 금성은 두꺼운 대기가 햇빛을 잘 반사하여 태양계 행성 중 지구에서 가장 밝게 보인다.

③ 산화 철이 많이 포함된 토양으로 덮여 있어 붉게 보이는 행성은 화성이다.

⑤ 해왕성은 표면에 대기의 소용돌이인 대흑점이 나타나기도 한다. 대적점이 나타나는 행성은 목성이다.

19 문제 분석하기 ≫

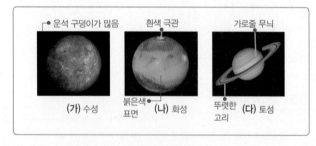

① (가) 수성은 대기와 물이 없어서 풍화 작용이 거의 일어나지 않으므로 표면에 운석 구덩이가 많다.

③ (다) 토성은 태양계 행성 중 평균 밀도가 가장 작은 행성으로 물보다 밀도가 작으며, 뚜렷한 고리가 있다.

④ (가) 수성과 (나) 화성은 크기와 질량이 작은 지구형 행성이고, (다) 토성은 목성형 행성이다.

⑤ (가) 수성은 위성이 없고, (나) 화성은 2개의 위성(포보스, 데이모스)이 있으며, (다) 토성은 수많은 위성이 있다.

바로알기 ② (나) 화성은 대기가 희박하여 온실 효과가 약하므로 표면 온도가 낮다. 두꺼운 이산화 탄소 대기가 있어 온실 효과가 크고 표면 온도가 높은 행성은 금성이다.

20 A는 질량과 반지름이 작은 지구형 행성, B는 질량과 반지름이 큰 목성형 행성이다.

구분	A	B
행성	목성, 토성 ←→	지구, 화성
평균 밀도	작다 ←→	크다
표면	단단한 암석	가벼운 기체
위성 수	많다 ←→	없거나 적다
고리	없다	있다

21 태양을 비롯하여 이를 중심으로 공전하는 행성 및 작은 천체들과 이들이 차지하는 공간을 태양계라고 한다.

바로알기 >> ㄱ. 태양계에는 8개의 행성이 있다.

22 (가)는 쌀알 무늬, (나)는 홍염이다.
② 쌀알 무늬는 태양 내부의 대류 현상에 의해 나타난다. 밝은 부분은 뜨거운 기체가 상승하는 곳이고, 어두운 부분은 냉각된 기체가 하강하는 곳이다.
③, ④ 홍염은 태양의 대기에서 나타나는 현상으로, 태양 활동이 활발할 때 자주 일어난다.

바로알기 >> ⑤ 개기 일식이 일어나면 달이 태양을 가리므로 태양 표면에서 나타나는 쌀알 무늬는 볼 수 없다.

23 A는 흑점 수가 많은 극대기이며, 이때는 태양 활동이 활발하다.
① 오로라는 태양에서 날아오는 전기를 띤 입자들이 지구의 상층 대기와 충돌하여 빛을 내는 현상이다. 태양 활동이 활발해지면 오로라가 자주 발생하고, 극지방에서 주로 발생하는 오로라가 중위도 지방에서 관측되기도 한다.
② 태양 활동이 활발할 때는 태양에서 홍염이나 플레어가 자주 발생한다.
③ 태양 활동이 활발해지면 전리층이 교란되어 무선 통신이 끊기는 델린저 현상이 발생하기도 한다.
⑤ 태양 활동이 활발해지면 지구의 자기장이 급격히 변하는 자기 폭풍이 일어나 나침반이 잘못된 방향을 가리키기도 한다.

바로알기 >> ④ 태양 활동이 활발해지면 태양에서 날아오는 전기를 띤 입자들의 흐름(=태양풍)이 강해진다.

24 ⑤ 관측하려는 천체를 쉽게 찾을 수 있도록 도와주는 것은 보조 망원경(E)이다. 보조 망원경은 배율이 낮지만 시야가 넓어서 천체를 찾기 쉽다.

바로알기 >> ① A는 대물렌즈로, 빛을 모은다.
② B는 가대로, 경통과 삼각대를 연결한다.
③ C는 삼각대로, 망원경이 흔들리지 않게 경통과 가대를 고정한다.
④ D는 접안렌즈로, 상을 확대하고 배율을 조절한다.

Ⅳ. 식물과 에너지

01 광합성

단원 미리보기

148~149쪽

만화 완성하기 >> [모범 답안] 물은 뿌리에서 흡수해서 물관을 통해 잎까지 운반해.

한눈에 보기 >> [B] 광합성에 영향을 미치는 환경 요인, [D] 증산 작용

149~152쪽

A 1 ㉠ 이산화 탄소, ㉡ 산소 2 엽록체 3 (1) ○ (2) ○ (3) ○ (4) ×

B 1 ㉠ 증가, ㉡ 감소 2 ②, ⑤

C 1 기공 2 A : 공변세포, B : 기공, C : 표피 세포 3 (1) ○ (2) × (3) × (4) ×

D 1 증산 작용 2 (1) ○ (2) × (3) × (4) ○ (5) ○ 3 ㉠ 낮, ㉡ 밤, ㉢ 낮

A-3 바로알기 >> (4) 광합성 결과 처음으로 만들어지는 양분은 포도당이다. 포도당은 곧 물에 잘 녹지 않는 녹말로 변하여 엽록체에 저장된다.

B-2 빛의 세기가 셀수록, 이산화 탄소의 농도가 높을수록 광합성량이 증가하며, 빛의 세기와 이산화 탄소의 농도가 일정 정도 이상이 되면 광합성량이 더 이상 증가하지 않는다.

C-3 바로알기 >> (2) 공변세포(A)는 안쪽(기공 쪽) 세포벽이 바깥쪽(기공 반대쪽) 세포벽보다 두꺼워 진하게 보인다.
(3) 기공(B)은 일반적으로 잎의 앞면보다 뒷면에 더 많다.
(4) 표피 세포(C)에는 엽록체가 없어 광합성이 일어나지 않는다.

D-2 바로알기 >> (2) 증산 작용은 습도가 낮을 때 잘 일어난다.
(3) 증산 작용은 뿌리에서 흡수한 물이 잎까지 이동하는 원동력이 된다.

실력탄탄 핵심 문제

155~159쪽

01 ② 02 ② 03 ④ 04 ③ 05 ①, ③ 06 ③ 07 ⑤
08 ③ 09 ⑤ 10 ③ 11 ③ 12 ②, ⑤ 13 ② 14 ①
15 ② 16 ② 17 ② 18 ③ 19 ② 20 (가) 21 ①
22 ⑤ 23 ②

서술형 문제 24~27 해설 참조

01 광합성은 식물이 빛에너지를 이용하여 이산화 탄소와 물을 원료로 양분을 만드는 과정이다. 광합성이 일어나면 양분과 함께 산소도 발생한다.

(바로알기) ② 광합성은 빛이 있을 때(낮) 일어난다.

[02~03] (문제 분석하기)

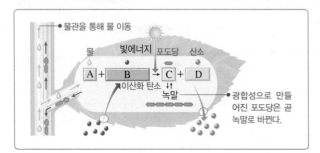

02 물관을 통해 이동하는 A는 물, 잎의 기공을 통해 흡수하는 B는 이산화 탄소, 녹말로 바뀌어 저장되는 C는 포도당이다. D는 광합성으로 발생하는 기체인 산소이다.

03 ㄱ. 물(A)은 뿌리에서 흡수하여 물관을 통해 운반된다.
ㄴ. BTB 용액 속에 이산화 탄소(B)가 많으면 용액이 산성이 되어 노란색을 띠고, 이산화 탄소(B)가 적으면 용액이 염기성이 되어 파란색을 띤다.
ㄷ. 광합성으로 만들어지는 포도당(C)은 곧 물에 잘 녹지 않는 녹말로 변하여 엽록체에 저장된다.

(바로알기) ㄹ. 산소(D)는 식물의 호흡에 사용되거나 공기 중으로 방출되어 다른 생물의 호흡에 사용된다.

04 (바로알기) ① 시험관 A는 정확한 실험 결과를 비교하기 위해 장치한 대조군으로, 아무런 처리도 하지 않았으므로 색깔이 변하지 않는다(노란색).
② 시험관 B에서는 빛을 받은 검정말이 광합성을 하면서 이산화 탄소를 흡수하고, 산소를 방출한다. BTB 용액의 색깔은 이산화 탄소가 감소함에 따라 파란색으로 변한다.
④, ⑤ 시험관 C에서는 알루미늄 포일에 의해 빛이 차단되어 검정말이 광합성을 하지 않는다. 따라서 이산화 탄소가 감소하지 않으므로 BTB 용액의 색깔이 변하지 않는다(노란색).

05 빛을 받은 시험관 B에서는 검정말이 광합성을 하여 이산화 탄소를 사용하였고, 빛을 받지 않은 시험관 C에서는 검정말이 광합성을 하지 않았다.

(바로알기) ④, ⑤ 광합성으로 산소와 포도당이 발생하지만, 이 실험에서는 확인할 수 없다.

06 광합성으로 발생하는 기체는 산소이다. 산소는 물질을 태우는 성질이 있다.

(바로알기) ②, ④ 기체를 석회수에 통과시키는 것은 이산화 탄

소의 발생을 확인하는 방법이다. 석회수에 이산화 탄소를 통과시키면 석회수가 뿌옇게 변한다.

[07~09] (문제 분석하기)

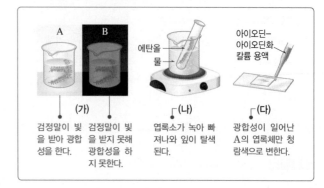

07 검정말을 에탄올에 넣고 물중탕하는 (나) 과정은 잎을 탈색하는 과정이다. 잎을 탈색하면 (다) 과정에서 색깔 변화를 뚜렷하게 관찰할 수 있다.

08 아이오딘-아이오딘화 칼륨 용액은 녹말 검출 용액으로, 녹말과 반응하여 청람색으로 변한다.

09 ㄴ. 광합성이 일어난 A의 엽록체에는 녹말이 있고, 광합성이 일어나지 않은 B의 엽록체에는 녹말이 없다. 따라서 (다) 과정에서 A의 엽록체만 청람색으로 변한다.
ㄷ. (다) 과정에서 청람색으로 변하는 부분이 엽록체인 것을 통해 광합성이 엽록체에서 일어나는 것을 알 수 있다.

(바로알기) ㄱ. (가)에서 빛을 받은 A는 광합성을 하고, 빛을 받지 않은 B는 광합성을 하지 않는다.

10 탄산수소 나트륨을 물에 녹이면 이산화 탄소가 발생하므로, 시금치의 광합성에 필요한 이산화 탄소를 공급하기 위해 탄산수소 나트륨 수용액을 사용한다.

11 시금치 잎 조각이 빛을 받으면 광합성을 하여 산소가 발생하며, 이 때문에 잎 조각이 떠오른다. 광합성량이 증가하면 산소 발생량이 증가하며, 산소 발생량이 증가하면 잎 조각이 모두 떠오르는 데 걸리는 시간이 짧아진다.

(바로알기) ③ 전등이 켜진 개수가 늘어나면 빛의 세기가 세지므로 광합성량이 증가한다. 광합성량은 빛의 세기가 셀수록 증가하며, 일정 세기 이상이 되면 더 이상 증가하지 않는다.

12 ② 빛의 세기가 셀수록, 이산화 탄소의 농도가 높을수록 광합성량이 증가하며, 빛의 세기와 이산화 탄소의 농도가 일정 정도 이상이 되면 광합성량이 더 이상 증가하지 않는다.
⑤ 온도가 높을수록 광합성량이 증가하며, 일정 온도 이상에서는 광합성량이 급격하게 감소한다.

13 검정말에서 발생하는 기포는 광합성으로 생성되는 산소이다. 전등 빛의 밝기를 조절하면서 검정말에서 발생하는 기포 수를 세었으므로 빛의 세기와 광합성량의 관계를 알아보는 실험이다.

14 ① 광합성량이 증가하면 검정말에서 발생하는 산소의 양이 증가하므로 기포 수가 증가한다.

바로알기 ② 탄산수소 나트륨 수용액은 광합성에 필요한 이산화 탄소를 공급하기 위해 사용한다.
③ 광합성량이 증가할 때 기포 수가 증가하며, 광합성량은 일정 온도까지는 온도가 높을수록 증가한다. 따라서 표본병에 얼음을 넣으면 기포 수가 감소할 것이다.
④ 검정말에서 발생하는 기포는 광합성 결과 생성되는 산소이다.
⑤ 전등을 표본병에서 멀리 이동하는 것은 빛의 세기를 약하게 만드는 것이다.

15 문제 분석하기 ≫

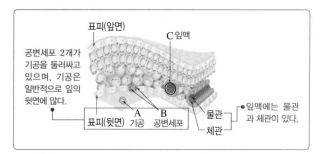

바로알기 ② 기공(A)은 일반적으로 잎의 앞면보다 뒷면에 더 많다.

16 문제 분석하기 ≫

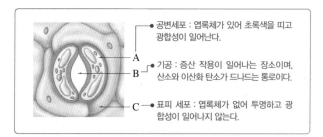

17 ㄴ. 증산 작용은 식물체 속의 물이 수증기로 변하여 잎의 기공(B)을 통해 공기 중으로 빠져나가는 현상이다.

바로알기 ㄱ. 공변세포(A)는 안쪽 세포벽이 바깥쪽 세포벽보다 두꺼워 진하게 보인다.
ㄷ. 공변세포(A)에는 엽록체가 있고, 표피 세포(C)에는 엽록체가 없다.

18 ③ 증산 작용은 식물체 속의 물이 수증기로 변하여 잎의 기공을 통해 공기 중으로 빠져나가는 현상이므로, 기공이 열렸을 때 활발하게 일어난다.

바로알기 ① 기공은 주로 낮에 열리고 밤에 닫히므로 증산 작용은 낮에 활발하게 일어난다.
② 증산 작용은 잎의 기공을 통해 일어난다.
④ 식물체 속의 물이 수증기로 변하여 나간다.
⑤ 일반적으로 기공은 잎의 앞면보다 뒷면에 많으므로 증산 작용은 잎의 뒷면에서 더 활발하게 일어난다.

19 바로알기 ㄷ. 증산 작용이 일어나면 물이 증발하면서 주변의 열을 흡수하므로 식물과 주변의 온도를 낮추는 효과가 있다.

[20~22] 문제 분석하기 ≫

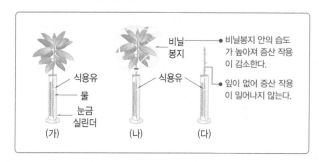

20 증산 작용이 일어나면 나뭇가지 안으로 물이 흡수되어 수면의 높이가 낮아진다. 즉, 증산 작용이 활발하게 일어날수록 수면의 높이가 많이 낮아진다. (가)~(다) 중 증산 작용이 가장 활발하게 일어나는 것은 (가)이다.

21 식용유는 눈금실린더 속 물의 증발을 막기 위해 떨어뜨린다.

22 ㄱ. 잎이 달렸고, (나)보다 습도가 낮은 (가)에서 증산 작용이 가장 활발하게 일어난다.
ㄴ. (나)에서는 비닐봉지 안에 물방울이 맺히며, 비닐봉지 안의 습도가 높아져 증산 작용이 감소한다.
ㄷ. 실험을 통해 증산 작용은 식물의 잎에서 일어나며, 습도가 낮을 때 잘 일어나는 것을 확인할 수 있다.

23 기공이 열릴 때 증산 작용이 활발하게 일어난다. 증산 작용이 잘 일어나는 조건은 햇빛이 강할 때, 온도가 높을 때, 습도가 낮을 때, 바람이 잘 불 때이다.

24 모범 답안 ▶ (1) 엽록체
(2) 광합성은 엽록체에서 일어나며, 광합성으로 녹말이 만들어진다.

	채점 기준	배점
(1)	엽록체라고 옳게 쓴 경우	30 %
(2)	광합성이 일어나는 장소와 광합성 산물을 모두 옳게 서술한 경우	70 %
	광합성이 일어나는 장소와 광합성 산물 중 한 가지에 대해서만 옳게 서술한 경우	30 %

25 모범 답안 ▶ (1) 빛을 받은 시금치 잎 조각이 광합성을 하여 산소가 발생하기 때문이다.

(2) 전등이 켜진 개수가 늘어날수록 시금치 잎 조각이 모두 떠오르는 데 걸리는 시간이 짧아진다.

	채점 기준	배점
(1)	광합성으로 산소가 발생하기 때문이라고 옳게 서술한 경우	50 %
	산소가 발생하기 때문이라고만 서술한 경우	30 %
(2)	전등이 켜진 개수가 늘어날수록 시금치 잎 조각이 모두 떠오르는 데 걸리는 시간이 짧아진다고 옳게 서술한 경우	50 %

26 모범 답안 (1) 온도
(2) 광합성량은 온도(가)가 높을수록 증가하며, 일정 온도(가) 이상에서는 급격하게 감소한다.

	채점 기준	배점
(1)	온도라고 옳게 쓴 경우	40 %
(2)	광합성량과 온도의 관계를 옳게 서술한 경우	60 %
	온도가 높을수록 광합성량이 증가한다고만 서술한 경우	0 %

27 모범 답안 (1) (다)
(2) 증산 작용은 습도가 낮을 때 잘 일어난다.

	채점 기준	배점
(1)	(다)라고 옳게 쓴 경우	40 %
(2)	증산 작용은 습도가 낮을 때 잘 일어난다고 옳게 서술한 경우	60 %

02 식물의 호흡

단원 미리보기

160~161쪽

만화 완성하기 ≫ [모범 답안] 밤에는 빛이 없어서 광합성을 하지 않고, 호흡만 하거든.
한눈에 보기 ≫ [B] 식물의 기체 교환

161~163쪽

> **A** 1 ㉠ 포도당, ㉡ 에너지 2 (1) × (2) ○ (3) ○ (4) × 3 (1) A (2) 이산화 탄소
>
> **B** 1 (1) (가) 광합성, (나) 호흡 (2) A : 이산화 탄소, B : 산소 2 ㉠ 합성, ㉡ 분해, ㉢ 저장, ㉣ 생성, ㉤ 빛이 있을 때, ㉥ 항상, ㉦ 이산화 탄소, ㉧ 산소
>
> **C** 1 ㉠ 포도당, ㉡ 설탕, ㉢ 체관 2 (1) - ㉡ (2) - ㉢ (3) - ㉠

A - 2 바로알기 ≫ (1) 식물의 호흡은 낮과 밤에 관계없이 항상 일어난다.

(4) 호흡으로 생성된 이산화 탄소는 광합성에 이용되거나 공기 중으로 방출된다.

A - 3 빛이 없을 때 시금치(A)에서는 호흡만 일어나 이산화 탄소가 방출된다. 석회수는 이산화 탄소와 만나면 뿌옇게 변한다.

B - 1 (1) 낮에는 광합성(가)과 호흡(나)이 모두 일어나고, 밤에는 호흡(나)만 일어난다.
(2) 낮에는 광합성량이 호흡량보다 많아 광합성에 필요한 이산화 탄소(A)가 흡수되고, 광합성으로 발생한 산소(B)가 방출된다.

실력탄탄 핵심 문제

164~167쪽

01 ⑤ 02 ㉠ 산소, ㉡ 이산화 탄소 03 ⑤ 04 ④
05 ①, ④ 06 ③ 07 ② 08 (가) 광합성, (나) 호흡
09 ③ 10 ⑤ 11 ⑤ 12 ① 13 ①, ④ 14 ② 15 ②
16 ②, ④ 17 ④ 18 ①
서술형 문제 19~20 해설 참조

01 바로알기 ≫ ①, ③ 호흡은 양분을 분해하여 에너지를 얻는 과정이다.
② 호흡은 빛의 유무와 관계없이 항상 일어난다.
④ 호흡에는 산소가 사용되고, 이산화 탄소가 발생한다.

02 식물 세포에서는 광합성으로 만들어진 양분이 산소와 반응하여 이산화 탄소와 물로 분해되면서 에너지가 방출된다.

03 ㄴ. 호흡으로 발생하는 이산화 탄소(㉡)는 광합성에 이용된다.
ㄷ. 호흡에 필요한 포도당은 광합성으로 만들어진다.
ㄹ. 호흡은 양분을 분해하여 생명 활동에 필요한 에너지를 얻는 과정이다.
바로알기 ≫ ㄱ. 석회수를 뿌옇게 변하게 하는 기체는 이산화 탄소(㉡)이다.

04 시금치가 들어 있는 페트병 B에서는 시금치의 호흡에 의해 이산화 탄소가 발생하였다.
ㄴ. 석회수는 이산화 탄소와 반응하여 뿌옇게 변한다.
ㄷ. BTB 용액에 이산화 탄소가 많아지면 용액이 산성이 되어 노란색을 띠게 된다.
바로알기 ≫ ㄱ. 페트병 A에서는 기체가 소모되거나 발생하지 않는다.

05 바로알기 ②, ③ 빛이 강하여 광합성량이 호흡량보다 많을 때 식물에서는 산소가 방출된다. 빛이 없으면 식물에서 호흡만 일어나 이산화 탄소가 방출된다.
⑤ 광합성에는 이산화 탄소가 사용되고, 산소가 발생한다.

[06~07] 문제 분석하기 »

• 낮 : 광합성량 > 호흡량 ➡ 광합성에 필요한 이산화 탄소(A)가 흡수되고, 광합성으로 발생한 산소(B)가 방출된다.
• 밤 : 호흡만 일어남 ➡ 호흡에 필요한 산소(D)가 흡수되고, 호흡으로 발생한 이산화 탄소(C)가 방출된다.

06 빛이 강한 낮에는 광합성이 호흡보다 많이 일어나고, 빛이 없는 밤에는 호흡만 일어난다.

07 ① A는 광합성에 필요한 이산화 탄소이다.
③ B는 광합성으로 발생한 산소이다. 산소(B)는 물질을 태우는 성질이 있다.
④ C는 호흡으로 발생한 이산화 탄소이다. BTB 용액에 이산화 탄소(C)가 많아지면 용액이 산성이 되어 노란색을 띤다.
⑤ D는 호흡에 필요한 산소이다.
바로알기 » ② B는 광합성으로 발생한 산소이고, C는 호흡으로 발생한 이산화 탄소이다.

[08~09] 문제 분석하기 »

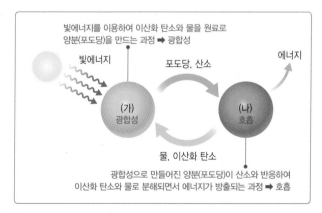

08 (가)는 광합성, (나)는 호흡이다.

09 ㄱ. 광합성(가)으로 발생한 산소는 호흡(나)에 이용되거나 공기 중으로 방출된다.

ㄷ. 광합성(가)은 양분을 만들어 에너지를 저장하는 과정이고, 호흡(나)은 양분을 분해하여 에너지를 얻는 과정이다.
바로알기 » ㄴ. 광합성(가)은 빛이 있을 때(낮)만 일어나고, 호흡(나)은 빛의 유무에 관계없이 항상 일어난다.

10 • 빛을 비출 때 : 식물이 광합성을 하여(광합성량 > 호흡량) 이산화 탄소를 흡수하고 산소를 방출한다. ➡ (가)가 (나)보다 촛불이 빨리 꺼진다.
• 빛을 비추지 않을 때 : 식물이 호흡만 하여 산소를 흡수하고 이산화 탄소를 방출한다. ➡ (나)가 (가)보다 촛불이 빨리 꺼진다.
바로알기 » ⑤ 빛을 비추지 않으면 (나)의 식물에서 호흡만 일어난다.

11 바로알기 » ⑤ 광합성은 양분을 만들어 에너지를 저장하는 과정이고, 호흡은 양분을 분해하여 에너지를 얻는 과정이다.

[12~13] 문제 분석하기 »

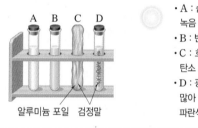

• A : 숨 속의 이산화 탄소가 녹음 ➡ 노란색
• B : 변화 없음 ➡ 초록색
• C : 호흡만 일어나 이산화 탄소 방출 ➡ 노란색
• D : 광합성량이 호흡량보다 많아 이산화 탄소 흡수 ➡ 파란색

알루미늄 포일 검정말

12 검정말의 호흡으로 이산화 탄소가 방출된 시험관 C에서 BTB 용액의 색깔이 노란색으로 변한다.

13 ① BTB 용액에 이산화 탄소가 많아지면 용액이 산성이 되어 노란색을 띤다.
④ 호흡은 빛의 유무와 관계없이 항상 일어난다.
바로알기 » ② 시험관 B에서 BTB 용액의 색깔은 초록색으로 변화 없다. 시험관 C에서는 검정말의 호흡으로 이산화 탄소가 방출되어 BTB 용액의 색깔이 노란색으로 변한다. 즉, 시험관 C의 BTB 용액은 시험관 B가 아니라 시험관 A의 BTB 용액과 같은 색깔로 변한다.
③ 시험관 C에서는 빛이 차단되었으므로 광합성은 일어나지 않고 호흡만 일어난다.
⑤ 시험관 D에서는 광합성과 호흡이 모두 일어난다.

14 광합성으로 처음 만들어지는 양분은 포도당이며, 포도당은 곧 녹말로 바뀌어 엽록체에 저장된다. 물에 잘 녹지 않는 녹말은 주로 물에 잘 녹는 설탕으로 바뀌어 밤에 체관을 통해 식물의 각 기관으로 운반된다.
바로알기 » ② 광합성으로 만들어진 양분은 물에 잘 녹는 설탕 형태로 이동한다.

15 〔바로알기 >〕 ㄷ. 여러 가지 생명 활동에 사용되고 남은 양분은 식물의 종류에 따라 녹말, 설탕, 포도당, 단백질, 지방 등 다양한 물질로 바뀌어 뿌리, 줄기, 열매, 씨 등에 저장된다. 양분이 열매에 저장될 때 항상 녹말 형태로 저장되는 것은 아니다. 옥수수는 양분을 열매에 녹말 형태로 저장하지만, 포도는 양분을 열매에 포도당 형태로 저장한다.

16 〔문제 분석하기 >〕

체관이 제거되면 껍질을 벗겨 낸 부분(A)의 ● 위쪽에서 만들어진 양분이 아래쪽으로 이동하지 못하여 A 부분의 위쪽이 부풀어 오른다.

● A

나무줄기의 바깥쪽 껍질을 벗겨 내면 광합성 ● 으로 만들어진 양분이 이동하는 통로인 체관이 제거된다.

〔바로알기 >〕 ② A의 위쪽에서 광합성으로 만들어진 양분이 A의 아래쪽으로 이동하지 못하므로 A의 위쪽에 열리는 열매가 A의 아래쪽에 열리는 열매보다 크게 자란다.
④ 나무줄기의 바깥쪽 껍질을 벗겨 내면 체관이 제거되며, 물관은 제거되지 않는다.

17 ①, ③ 광합성으로 만들어진 포도당은 곧 녹말로 바뀌어 엽록체에 저장된다. 오후 2시에 잎에 녹말이 많은 것은 광합성이 활발하게 일어나기 때문이다.
⑤ 낮에는 잎에 녹말이 많고, 밤에는 줄기에 설탕이 많은 것으로 보아 양분은 주로 밤에 이동한다는 것을 알 수 있다.
〔바로알기 >〕 ④ 오후 8시에 줄기에 설탕이 많은 것은 잎에 녹말 형태로 저장되었던 양분이 밤에 설탕으로 바뀌어 식물의 각 기관으로 이동하기 때문이다.

18 〔바로알기 >〕 ②, ③ 포도와 양파는 포도당으로, ④ 고구마는 녹말로, ⑤ 사탕수수는 설탕으로 양분을 저장한다.

19 〔모범 답안 >〕 (1) (가)
(2) A : 이산화 탄소, B : 산소, C : 이산화 탄소, D : 산소
(3) 낮(가)에는 광합성량이 호흡량보다 많아 이산화 탄소(A)를 흡수하고 산소(B)를 방출한다. 밤(나)에는 호흡만 일어나 산소(D)를 흡수하고 이산화 탄소(C)를 방출한다.

채점 기준	배점
(1)	(가)라고 옳게 쓴 경우	20 %
(2)	A~D를 모두 옳게 쓴 경우	30 %
	A~D 중 하나라도 틀리게 쓴 경우	0 %
(3)	광합성량과 호흡량을 비교하여 (가)와 (나) 시기에 일어나는 기체 교환을 옳게 서술한 경우	50 %
	광합성량과 호흡량의 비교 없이 (가)와 (나) 시기에 일어나는 기체 교환에 대해서만 서술한 경우	20 %

20 〔모범 답안 >〕 광합성은 빛이 있을 때(낮)만 일어나고, 호흡은 낮과 밤에 관계없이 항상 일어난다. 광합성은 엽록체가 있는 세포에서만 일어나고, 호흡은 모든 살아 있는 세포에서 일어난다. 등

채점 기준	배점
광합성과 호흡의 차이점을 두 가지 모두 옳게 서술한 경우	100 %
광합성과 호흡의 차이점을 한 가지만 옳게 서술한 경우	50 %

〔핵심 자료로 최종 점검〕 170쪽

01 광합성

1 ❶ 뿌리 ❷ 엽록소 ❸ 녹말

2 ❶ 빛의 세기 ❷ 온도

3 ❶ 기공 ❷ 공변세포 ❸ 엽록체

4 ❶ 공변세포 ❷ 기공 ❸ 표피 세포 ❹ 낮

02 식물의 호흡

1 ❶ 이산화 탄소 ❷ 산소 ❸ 산소 ❹ 이산화 탄소 ❺ 광합성 ❻ 호흡 ❼ 광합성 ❽ 호흡

2 ❶ 녹말 ❷ 포도당 ❸ 단백질

〔시험적중 마무리 문제〕 171~175쪽

01 ④ 02 ㉠ 이산화 탄소, ㉡ 엽록체, ㉢ 산소 03 ⑤
04 ③ 05 ③ 06 ① 07 ② 08 ④ 09 ⑤ 10 ②
11 ⑤ 12 ① 13 ② 14 ① 15 ③ 16 ④ 17 ① 18
B, D 19 ①, ④ 20 ② 21 B, C, D 22 ④ 23 ③
24 ③ 25 ④ 26 ③

01 ㄱ, ㄹ. 광합성은 식물이 빛에너지를 이용하여 이산화 탄소와 물을 원료로 양분을 만드는 과정이다.
ㄷ. 광합성은 빛의 세기, 이산화 탄소의 농도, 온도와 같은 환경 요인의 영향을 받는다.
〔바로알기 >〕 ㄴ. 광합성량은 온도가 높을수록 증가하며, 일정 온도 이상에서는 급격하게 감소한다.

02 광합성은 식물이 빛에너지를 이용하여 이산화 탄소(㉠)와 물을 원료로 양분을 만드는 과정이다. 광합성이 일어나면 양분과 함께 산소(㉢)가 발생한다. 광합성은 식물 세포에 들어 있는 초록색의 작은 알갱이인 엽록체(㉡)에서 일어난다.

03 ① 광합성에 필요한 이산화 탄소(㉠)는 호흡으로 발생하거나 잎의 기공을 통해 공기 중에서 흡수한다.
② 엽록체(㉡)에 들어 있는 엽록소에서 빛을 흡수한다.
③ 광합성으로 발생한 산소(㉢)는 식물의 호흡에 쓰이거나 공기 중으로 방출되어 다른 생물의 호흡에 쓰인다.
④ 광합성에 필요한 물은 뿌리에서 흡수하여 물관을 통해 잎까지 운반된다.
바로알기 ⑤ 포도당은 곧 녹말로 바뀌어 엽록체에 저장된다. 설탕은 광합성으로 만들어진 양분이 이동하는 형태이다.

[04~05] 문제 분석하기 »

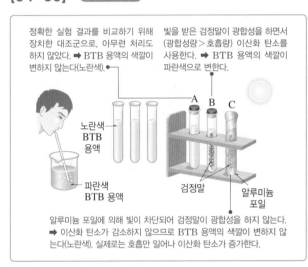

정확한 실험 결과를 비교하기 위해 장치한 대조군으로, 아무런 처리도 하지 않았다. ➡ BTB 용액의 색깔이 변하지 않는다(노란색).

빛을 받은 검정말이 광합성을 하면서 (광합성량>호흡량) 이산화 탄소를 사용한다. ➡ BTB 용액의 색깔이 파란색으로 변한다.

노란색 BTB 용액
파란색 BTB 용액
검정말
알루미늄 포일

알루미늄 포일에 의해 빛이 차단되어 검정말이 광합성을 하지 않는다.
➡ 이산화 탄소가 감소하지 않으므로 BTB 용액의 색깔이 변하지 않는다(노란색). 실제로는 호흡만 일어나 이산화 탄소가 증가한다.

04 ③ 시험관 B에서는 검정말이 광합성을 하면서 이산화 탄소를 사용하므로 BTB 용액 속의 이산화 탄소 양이 감소하여 BTB 용액의 색깔이 파란색으로 변한다.
바로알기 ① 시험관 A에서는 BTB 용액의 색깔이 변하지 않는다.
② 시험관 B에서 빛을 받은 검정말은 광합성과 호흡을 모두 한다.
④ 시험관 C에서 빛을 받지 못한 검정말은 호흡만 한다.
⑤ 숨을 불어넣으면 숨 속의 이산화 탄소 때문에 파란색 BTB 용액이 노란색으로 변한다.

05 빛을 받은 검정말(B)에서만 광합성이 일어나 이산화 탄소가 사용되었다.

06 광합성으로 발생하는 기체는 산소이다. 산소는 다른 물질을 태우는 성질이 있다.

07 문제 분석하기 »

빛을 받아 광합성이 일어나므로 녹말이 만들어진다. ➡ 아이오딘-아이오딘화 칼륨 용액을 떨어뜨렸을 때 청람색으로 변한다.

빛을 받지 않아 광합성이 일어나지 않는다. ➡ 아이오딘-아이오딘화 칼륨 용액을 떨어뜨렸을 때 청람색으로 변하지 않는다.

빛을 받아 광합성이 일어난 A 부분에서만 녹말이 만들어진다.

08 (가) 햇빛을 받은 A에서는 광합성이 일어나 녹말이 만들어지고, 햇빛을 받지 못한 B에서는 광합성이 일어나지 않는다.
(나) 잎 세포 속 엽록체에서 엽록소가 녹아 빠져나와 잎이 탈색된다.
(다) A와 B에 녹말 검출 용액인 아이오딘-아이오딘화 칼륨 용액을 떨어뜨리면 녹말이 만들어진 A에서만 엽록체가 청람색으로 변한다.
바로알기 ④ 광합성에 이산화 탄소가 필요한 것은 이 실험을 통해 확인할 수 없다.

09 문제 분석하기 »

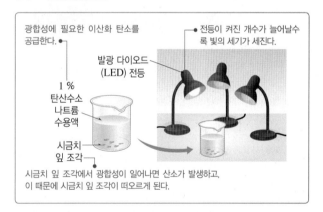

광합성에 필요한 이산화 탄소를 공급한다.

전등이 켜진 개수가 늘어날수록 빛의 세기가 세진다.

1 % 탄산수소 나트륨 수용액
발광 다이오드 (LED) 전등
시금치 잎 조각

시금치 잎 조각에서 광합성이 일어나면 산소가 발생하고, 이 때문에 시금치 잎 조각이 떠오르게 된다.

바로알기 ㄱ. 빛의 세기와 광합성량의 관계를 알아보는 실험이다.

10 ㄱ, ㄴ. 빛의 세기가 셀수록, 이산화 탄소의 농도가 높을수록 광합성량이 증가하며, 빛의 세기와 이산화 탄소의 농도가 일정 정도 이상이 되면 광합성량이 더 이상 증가하지 않는다.
바로알기 ㄷ. 온도가 높을수록 광합성량이 증가하며, 일정 온도 이상에서는 광합성량이 급격하게 감소한다.

11 A는 공변세포이고, 공변세포(A) 2개가 둘러싸고 있는 B는 기공이다. C는 표피 세포이다.
②, ④ 기공(B)은 주로 잎의 뒷면에 많으며, 산소와 이산화 탄소, 수증기 등과 같은 기체가 드나드는 통로 역할을 한다.
③ 공변세포(A)는 엽록체가 있어 초록색을 띤다.
바로알기 ⑤ 표피 세포(C)는 엽록체가 없어 색깔을 띠지 않고 투명하며, 광합성이 일어나지 않는다.

12 ③ 증산 작용은 온도가 높을 때, 습도가 낮을 때, 햇빛이 강할 때, 바람이 잘 불 때 잘 일어난다.

④ 증산 작용이 일어나는 기공이 잎의 뒷면에 많으므로, 증산 작용은 잎의 앞면보다 뒷면에서 더 활발하게 일어난다.

⑤ 증산 작용으로 물이 빠져나가면 잎에서는 줄어든 물을 보충하기 위해 잎맥과 줄기, 뿌리 속의 물을 연속적으로 끌어올린다.

바로알기 >> ① 기공은 주로 낮에 열리고 밤에 닫히므로, 증산 작용은 낮에 활발하게 일어난다.

13 잎이 달린 나뭇가지에 비닐봉지를 씌우면 증산 작용으로 잎에서 빠져나온 수증기가 비닐봉지에 닿아 액화되어 비닐봉지 안에 물방울이 맺힌다.

바로알기 >> ㄷ. 증산 작용은 습도가 낮을 때 잘 일어나므로 비닐봉지를 씌우면 비닐봉지를 씌우지 않았을 때보다 증산 작용이 덜 일어난다.

14 문제 분석하기 >>

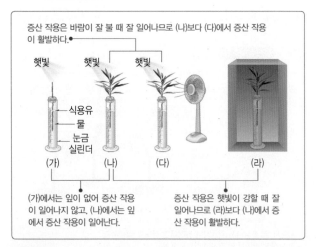

증산 작용은 바람이 잘 불 때 잘 일어나므로 (나)보다 (다)에서 증산 작용이 활발하다.

햇빛　　햇빛　　햇빛

식용유
물
눈금
실린더

(가)　　(나)　　(다)　　(라)

(가)에서는 잎이 없어 증산 작용이 일어나지 않고, (나)에서는 잎에서 증산 작용이 일어난다.

증산 작용은 햇빛이 강할 때 잘 일어나므로 (라)보다 (나)에서 증산 작용이 활발하다.

바로알기 >> ① 증산 작용은 햇빛이 강하고 바람이 잘 불 때 잘 일어나므로 (가)~(라) 중 증산 작용이 가장 활발하게 일어나는 것은 (다)이다.

15 바로알기 >> ㄱ. 호흡은 모든 살아 있는 세포에서 일어난다.
ㄷ. 호흡에는 산소가 사용되고, 이산화 탄소가 발생한다.

16 시금치가 들어 있는 페트병 B에서는 시금치의 호흡에 의해 이산화 탄소가 발생하며, 석회수는 이산화 탄소와 반응하여 뿌옇게 변한다.

17 바로알기 >> ㄴ, ㄷ. 빛이 없는 암실에서 시금치는 광합성을 하지 않고 호흡만 하였다.

18 낮에는 광합성으로 발생한 산소(B)가 방출되고, 밤에는 호흡에 필요한 산소(D)가 흡수된다.

19 빛이 강한 낮에는 광합성량이 호흡량보다 많으므로 광합성에 필요한 이산화 탄소(A)를 흡수하고, 광합성으로 발생한 산소(B)가 방출된다. 빛이 없는 밤에는 호흡만 일어나므로 호흡에 필요한 산소(D)를 흡수하고, 호흡으로 발생한 이산화 탄소(C)가 방출된다.

20 바로알기 >> ㄱ, ㄷ. 유리종에 빛을 비추지 않으면 식물이 호흡만 하여 산소를 흡수하고 이산화 탄소를 방출한다. 따라서 촛불만 있는 (가)보다 식물과 촛불이 함께 있는 (나)에서 촛불이 더 빨리 꺼진다.

[21~22] 문제 분석하기 >>

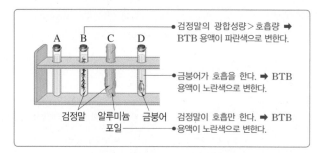

검정말의 광합성량 > 호흡량 ➡ BTB 용액이 파란색으로 변한다.

A　B　C　D

금붕어가 호흡을 한다. ➡ BTB 용액이 노란색으로 변한다.

검정말　알루미늄　금붕어
포일

검정말이 호흡만 한다. ➡ BTB 용액이 노란색으로 변한다.

21 호흡은 빛의 유무에 관계없이 항상 일어난다.

22 이산화 탄소가 감소한 시험관 B에서는 BTB 용액의 색깔이 파란색으로 변하고, 이산화 탄소가 증가한 시험관 C와 D에서는 BTB 용액의 색깔이 노란색으로 변한다.

바로알기 >> ⑤ BTB 용액의 색깔을 변하게 하는 기체는 산소가 아니라 이산화 탄소이다.

23 바로알기 >> ① 호흡은 낮과 밤에 관계없이 항상 일어난다.
② 광합성은 양분을 만들어 에너지를 저장하는 과정이다.
④ 광합성 과정에서는 이산화 탄소를 흡수하고 산소를 방출하며, 호흡 과정에서는 산소를 흡수하고 이산화 탄소를 방출한다.
⑤ 광합성은 빛이 있을 때 엽록체가 있는 세포에서 일어난다.

24 광합성으로 만들어진 포도당은 녹말 형태로 엽록체에 저장되었다가 주로 물에 잘 녹는 설탕으로 바뀌어 밤에 체관을 통해 식물의 각 기관으로 운반된다.

바로알기 >> ③ 광합성으로 만들어진 양분은 식물의 몸을 구성하는 성분이 되어 식물이 생장하는 데 사용된다.

25 바로알기 >> ④ 옥수수는 양분을 열매에 녹말로 저장한다.

26 바로알기 >> ①, ② 나무줄기의 바깥쪽 껍질을 벗겨 내면 광합성으로 만들어진 양분이 이동하는 통로인 체관이 제거된다.
④, ⑤ 체관이 제거되면 껍질을 벗겨 낸 부분(A)의 위쪽에서 만들어진 양분이 아래쪽으로 이동하지 못한다. 따라서 A의 위쪽이 부풀어 오르고, 아래쪽보다 위쪽에 달린 열매가 더 크게 자란다.

V. 동물과 에너지

01 소화

단원 미리보기

178~179쪽

만화 완성하기 ≫ [모범 답안] 그럼 넌 순환계로 가야지!
한눈에 보기 ≫ [C] 영양소 검출, [F] 녹말, 단백질, 지방의 소화 과정, [G] 영양소의 흡수

179~185쪽

A **1** (가) 세포, (나) 조직, (다) 기관, (라) 기관계, (마) 개체 **2** (1) ○ (2) × (3) × (4) ○ **3** (1) – ㉡ (2) – ㉢ (3) – ㉠ (4) – ㉣

B **1** 탄수화물, 단백질, 지방 **2** (1) ○ (2) ○ (3) × (4) × (5) × **3** (1) – ㉡ (2) – ㉣ (3) – ㉠ (4) – ㉢

C **1** ㉠ 아이오딘 – 아이오딘화 칼륨, ㉡ 베네딕트, ㉢ 5 % 수산화 나트륨, ㉣ 선홍색 **2** 녹말

D **1** 소화 효소 **2** (1) A : 입, B : 식도, C : 간, D : 위, E : 이자, F : 소장, G : 대장 (2) ㉠ D, ㉡ F, ㉢ G

E **1** (1) ㉠ 녹말, ㉡ 엿당 (2) ㉠ 펩신, ㉡ 단백질 (3) ㉠ 녹말, ㉡ 단백질, ㉢ 라이페이스 **2** (1) D (2) E (3) ㉠ A, ㉡ B, ㉢ C

F **1** (1) A : 아밀레이스, B : 펩신, C : 트립신, D : 라이페이스 (2) (가) 포도당, (나) 아미노산, (다) 모노글리세리드

G **1** ㉠ 많고, ㉡ 융털, ㉢ 넓혀 **2** (1) A : 모세 혈관, B : 암죽관 (2) 포도당, 아미노산, 무기염류 (3) ㉠ 지용성, ㉡ 거치지 않고

A-2 (바로알기 ≫) (2) 모양과 기능이 비슷한 세포가 모여 조직을 이루고, 여러 조직이 모여 기관을 이룬다.
(3) 위, 폐, 간, 심장 등은 기관에 해당한다. 기관계에는 소화계, 순환계, 호흡계, 배설계, 신경계 등이 있다.

B-2 (바로알기 ≫) (3) 나트륨, 철, 칼슘 등은 무기염류에 해당한다. 바이타민에는 바이타민 A, B₁, C, D 등이 있다.
(4) 단백질과 탄수화물은 약 4 kcal/g, 지방은 약 9 kcal/g의 에너지를 낸다.
(5) 무기염류는 몸을 구성하거나 몸의 기능을 조절한다.

C-2 아이오딘 – 아이오딘화 칼륨 용액은 녹말 검출 용액이다.

D-2 음식물은 입(A) – 식도(B) – 위(D) – 소장(F) – 대장(G) – 항문으로 연결된 소화관을 따라 이동한다. 간(C), 이자(E), 쓸개에는 음식물이 직접 지나가지 않는다.

E-2 A는 간, B는 쓸개, C는 소장(십이지장), D는 위, E는 이자이다.

---

(2) 이자(E)에서 만들어져 분비되는 이자액에는 녹말 소화 효소인 아밀레이스, 단백질 소화 효소인 트립신, 지방 소화 효소인 라이페이스가 들어 있다.

F-1 녹말은 침과 이자액 속의 아밀레이스(A)와 소장의 탄수화물 소화 효소에 의해 포도당(가)으로 최종 분해된다. 단백질은 펩신(B), 트립신(C), 소장의 단백질 소화 효소에 의해 아미노산(나)으로 최종 분해된다. 지방은 라이페이스(D)에 의해 지방산과 모노글리세리드(다)로 최종 분해된다.

G-2 수용성 영양소인 포도당, 아미노산, 무기염류는 융털의 모세 혈관(A)으로 흡수되고, 지용성 영양소인 지방산과 모노글리세리드는 융털의 암죽관(B)으로 흡수된다. 모세 혈관(A)으로 흡수된 영양소는 간을 거쳐 심장으로 이동하고, 암죽관(B)으로 흡수된 영양소는 간을 거치지 않고 심장으로 이동한다.

실력 탄탄 핵심 문제

187~191쪽

01 ③	**02** (가) → (다) → (나) → (라) → (마)		**03** (라)	**04** ②
05 ①	**06** 에너지원	**07** ④	**08** ③	**09** ③	**10** ③
11 ④	**12** ④	**13** ①	**14** ⑤	**15** ①	**16** ②	**17** ②
18 (가) A, (나) B	**19** ③, ⑤	**20** ④	**21** ②	**22** ④
23 (가) 녹말, (나) 단백질, (다) 지방	**24** ②	**25** ⑤	

(서술형 문제) **26 ~ 30** 해설 참조

---

01 동물의 몸은 세포 → 조직 → 기관 → 기관계 → 개체의 단계를 거쳐 이루어진다.
(바로알기 ≫) ②, ⑤ 조직계는 동물의 몸에는 없고, 식물의 몸에만 있는 단계이다.

[02~04] (문제 분석하기 ≫)

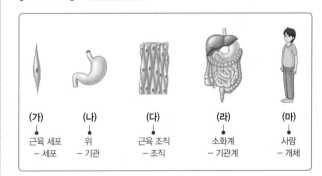

(가)	(나)	(다)	(라)	(마)
근육 세포 – 세포	위 – 기관	근육 조직 – 조직	소화계 – 기관계	사람 – 개체

02 동물의 몸은 세포(가) → 조직(다) → 기관(나) → 기관계(라) → 개체(마)의 단계를 거쳐 이루어진다.

03 기관계(라)는 식물의 몸에는 없고, 동물의 몸에만 있는 단계이다.

04 ① 생물의 몸을 구성하는 기본 단위는 세포(가)이다.
③ 콩팥, 방광, 심장은 기관(나)에 해당한다.
④ 상피 조직은 조직(다)에 해당한다.
⑤ 기관계(라)는 관련된 기능을 하는 몇 개의 기관(나)이 모여 유기적 기능을 수행하는 단계이다.
바로알기 » ② 모양과 기능이 비슷한 세포(가)들의 모임은 조직(다)이다. (나)는 여러 조직(다)이 모여 이루어진 기관이다.

05 ① 입, 위, 소장, 대장, 간 등은 양분을 소화하여 흡수하는 소화계를 구성하는 기관이다.
바로알기 » ② 순환계는 심장, 혈관 등으로 구성된다.
③ 호흡계는 폐, 기관 등으로 구성된다.
④ 배설계는 콩팥, 방광 등으로 구성된다.
⑤ 신경계는 뇌, 척수 등으로 구성된다.

06 탄수화물, 단백질, 지방(가)은 에너지원으로 이용되는 3대 영양소이다. 바이타민, 무기염류, 물(나)은 에너지원으로 이용되지 않는다.

07 ④ 에너지원으로 이용되는 영양소는 탄수화물, 단백질, 지방이다. 탄수화물은 주로 에너지원으로 이용되며, 밥, 국수, 빵, 감자, 고구마 등에 많이 들어 있다.
바로알기 » ①, ③, ⑤ 물, 바이타민, 무기염류는 에너지원으로 이용되지 않는다.
② 단백질은 주로 몸을 구성한다.

08 ④ 주로 몸을 구성하는 단백질은 성장기인 청소년에게 특히 많이 필요하다.
바로알기 » ③ 단백질은 몸의 기능을 조절하기도 한다.

09 문제 분석하기 »

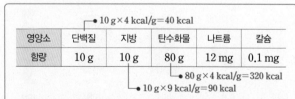

영양소	단백질	지방	탄수화물	나트륨	칼슘
함량	10 g	10 g	80 g	12 mg	0.1 mg

• 10 g×4 kcal/g=40 kcal
• 80 g×4 kcal/g=320 kcal
• 10 g×9 kcal/g=90 kcal

단백질과 탄수화물은 1 g당 약 4 kcal의 에너지를 내고, 지방은 1 g당 약 9 kcal의 에너지를 낸다.
➡ 40+90+320=450 (kcal)

에너지를 내는 영양소는 단백질, 지방, 탄수화물이다. 무기염류에 속하는 나트륨과 칼슘은 에너지를 내지 않는다.

10 바로알기 » ㄴ. 무기염류는 뼈, 이, 혈액 등을 구성하며, 몸의 기능을 조절한다.

11 ① 바이타민이 부족하면 결핍증이 나타난다.
• 바이타민 A 결핍증 : 야맹증 – 어두운 곳에서 잘 보이지 않는다.
• 바이타민 B_1 결핍증 : 각기병 – 다리가 공기가 든 것처럼 붓는다.
• 바이타민 C 결핍증 : 괴혈병 – 잇몸이 붓고 피가 난다.
• 바이타민 D 결핍증 : 구루병 – 뼈가 약해져 뼈의 변형 등이 나타난다.
바로알기 » ④ 우리 몸의 구성 성분 중 가장 많은 것은 물이다. 물은 우리 몸의 약 60 %~70 %를 차지한다.

12 문제 분석하기 »

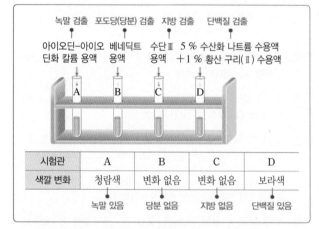

시험관	A	B	C	D
색깔 변화	청람색	변화 없음	변화 없음	보라색

녹말 있음 / 당분 없음 / 지방 없음 / 단백질 있음

아이오딘 반응(A) 결과 청람색이 나타났고, 뷰렛 반응(D) 결과 보라색이 나타났으므로 이 음식물에는 녹말과 단백질이 들어 있다.

13 A+B의 혼합 용액과 B+C의 혼합 용액에서 공통적으로 수단 Ⅲ 반응이 일어났으므로 두 혼합 용액에는 모두 지방이 들어 있다. 따라서 두 혼합 용액에 공통으로 들어 있는 용액 B에 지방이 들어 있다.
• A+B의 혼합 용액에서 아이오딘 반응이 일어났으므로 용액 A에는 녹말이 들어 있다.
• B+C의 혼합 용액에서 뷰렛 반응이 일어났으므로 용액 C에는 단백질이 들어 있다.

14 음식물 속의 크기가 큰 영양소를 크기가 작은 영양소로 분해하는 과정을 소화라고 한다. 소화가 일어나야 하는 까닭은 영양소를 세포로 흡수하려면 영양소의 크기가 세포막을 통과할 수 있을 만큼 작아야 하기 때문이다.
바로알기 » ② 영양소는 순환계에 의해 온몸으로 운반된다.
③ 영양소를 분해하여 에너지를 얻는 과정은 호흡이다.
④ 소화계에서 흡수되지 않은 물질은 대변으로 나간다.

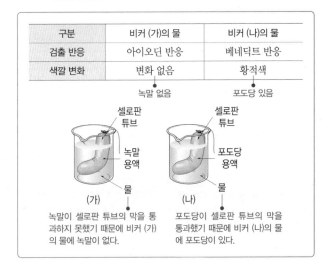

구분	비커 (가)의 물	비커 (나)의 물
검출 반응	아이오딘 반응	베네딕트 반응
색깔 변화	변화 없음	황적색

녹말 없음   포도당 있음

셀로판 튜브 / 녹말 용액 / 물 / (가)

셀로판 튜브 / 포도당 용액 / 물 / (나)

녹말이 셀로판 튜브의 막을 통과하지 못했기 때문에 비커 (가)의 물에 녹말이 없다.

포도당이 셀로판 튜브의 막을 통과했기 때문에 비커 (나)의 물에 포도당이 있다.

⑤ 셀로판 튜브의 막을 세포막이라고 생각하면, 크기가 큰 녹말은 셀로판 튜브의 막을 통과하지 못하고, 크기가 작은 포도당만 셀로판 튜브의 막을 통과하는 것을 통해 소화가 일어나야 하는 까닭을 알 수 있다.

바로알기 » ① 비커 (가)의 물에 아이오딘 반응을 한 결과 색깔 변화가 나타나지 않았으므로 비커 (가)의 물에는 녹말이 없다.

16 음식물은 입 → 식도 → 위 → 소장 → 대장 → 항문의 경로로 이동한다.

17 ㄱ. 침 속에는 녹말을 엿당으로 분해하는 아밀레이스가 들어 있다.
ㄴ. 이로 음식물을 잘게 부수면 소화액과 닿는 음식물의 표면적이 넓어져 소화가 잘 일어날 수 있다.
바로알기 » ㄷ. 아밀레이스는 녹말을 엿당으로 분해한다. 엿당은 소장의 탄수화물 소화 효소에 의해 포도당으로 분해된다.

18 • 시험관 A(묽은 녹말 용액＋증류수)에서는 녹말이 분해되지 않는다. ➡ 녹말이 있는 시험관 A의 용액은 아이오딘 반응 결과 청람색을 띠고, 베네딕트 반응에서는 색깔 변화가 나타나지 않는다.
• 시험관 B(묽은 녹말 용액＋침 용액)에서는 녹말이 엿당으로 분해된다. ➡ 엿당이 있는 시험관 B의 용액은 베네딕트 반응 결과 황적색을 띠고, 아이오딘 반응에서는 색깔 변화가 나타나지 않는다.

19 ③ 침 속에는 녹말을 엿당으로 분해하는 소화 효소인 아밀레이스가 있다.
⑤ 시험관을 35 ℃~40 ℃의 물에 넣어 두는 까닭은 소화 효소가 체온 범위에서 가장 활발하게 작용하기 때문이다.
바로알기 » ①, ②, ④ 시험관 A에서는 녹말이 분해되지 않았고,

시험관 B에서는 침 속의 아밀레이스에 의해 녹말이 엿당으로 분해되었다.

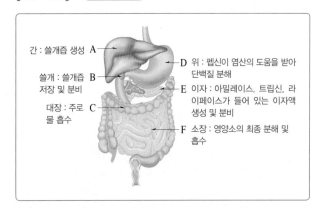

간 : 쓸개즙 생성 A
쓸개 : 쓸개즙 저장 및 분비 B
대장 : 주로 물 흡수 C
위 : 펩신이 염산의 도움을 받아 단백질 분해 D
이자 : 아밀레이스, 트립신, 라이페이스가 들어 있는 이자액 생성 및 분비 E
소장 : 영양소의 최종 분해 및 흡수 F

20 이자(E)에서 만들어져 분비되는 이자액에는 녹말 소화 효소인 아밀레이스, 단백질 소화 효소인 트립신, 지방 소화 효소인 라이페이스가 모두 들어 있다.

21 ① 간(A)에서 만들어지는 쓸개즙에는 소화 효소가 없다. 쓸개즙은 지방 덩어리를 작은 알갱이로 만들어 지방이 잘 소화되도록 돕는다.
④ 음식물은 입 – 식도 – 위(D) – 소장(F) – 대장(C) – 항문으로 연결된 소화관을 따라 이동한다. 간(A), 쓸개(B), 이자(E)에는 음식물이 직접 지나가지 않는다.
바로알기 » ② 소화된 영양소는 소장(F) 융털의 모세 혈관과 암죽관으로 흡수된다.

22 크기가 작은 무기염류나 바이타민은 소화 과정을 거치지 않고 바로 흡수될 수 있다.
④ 포도당은 녹말의 최종 소화 산물이다.
바로알기 » ①, ②, ③ 무기염류인 칼슘, 칼륨, 나트륨은 소화 과정을 거치지 않고 바로 흡수될 수 있지만, 녹말과 지방은 소화 과정을 거쳐야 흡수될 수 있다.

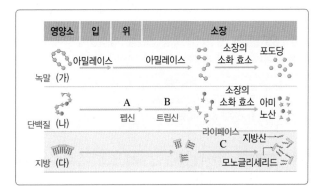

영양소	입	위	소장
녹말 (가)	아밀레이스	아밀레이스	소장의 소화 효소 → 포도당
단백질 (나)		A 펩신	B 트립신 → 소장의 소화 효소 → 아미노산
지방 (다)			C 라이페이스 → 지방산 / 모노글리세리드

23 입에서 처음으로 분해되고, 최종 소화 산물이 포도당인 (가)는 녹말이다. 위에서 처음으로 분해되고, 최종 소화 산물이 아미노산인 (나)는 단백질이다. 소장에서 처음으로 분해되고, 최종 소화 산물이 지방산과 모노글리세리드인 (다)는 지방이다.

24 (바로알기 ≫) ② 단백질(나)은 위액 속의 펩신(A), 이자액 속의 트립신(B), 소장의 단백질 소화 효소에 의해 분해된다. 침 속의 아밀레이스는 녹말(가)을 분해한다.

25 (문제 분석하기 ≫)

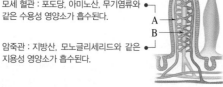

모세 혈관 : 포도당, 아미노산, 무기염류와 같은 수용성 영양소가 흡수된다.

A
B

암죽관 : 지방산, 모노글리세리드와 같은 지용성 영양소가 흡수된다.

(바로알기 ≫) ⑤ 암죽관(B)으로 흡수된 영양소는 간을 거치지 않고 심장으로 이동한다. 소장 융털의 모세 혈관(A)과 암죽관(B)으로 흡수된 영양소는 서로 다른 경로를 거쳐 심장으로 이동한 후 온몸의 조직 세포로 운반된다.

26 (모범 답안 ▶) (1) 지방
(2) 지방이 들어 있는 음식물에 수단 Ⅲ 용액을 넣으면 선홍색으로 변한다.

	채점 기준	배점
(1)	지방이라고 옳게 쓴 경우	30 %
(2)	지방을 검출하는 방법을 검출 용액과 색깔 변화를 모두 포함하여 옳게 서술한 경우	70 %
	검출 용액만 옳게 서술한 경우	30 %

27 (모범 답안 ▶) 침 속의 **아밀레이스**에 의해 단맛이 나지 않는 **녹말**이 단맛이 나는 **엿당**으로 분해되기 때문이다.

채점 기준	배점
단어를 모두 포함하여 옳게 서술한 경우	100 %
침 속의 아밀레이스에 의해 녹말이 분해되기 때문이라고만 서술한 경우	60 %

28 (모범 답안 ▶) 펩신의 작용을 돕는다. 음식물에 섞여 있는 세균을 제거하는(살균) 작용을 한다.

채점 기준	배점
염산의 기능을 두 가지 모두 옳게 서술한 경우	100 %
염산의 기능을 한 가지만 옳게 서술한 경우	50 %

29 (모범 답안 ▶) (1) 아밀레이스는 녹말, 트립신은 단백질, 라이페이스는 지방을 분해한다.

(2) 쓸개즙은 A에서 생성되어 B에 저장되었다가 F로 분비된다.

	채점 기준	배점
(1)	소화 효소의 이름과 각 소화 효소가 분해하는 영양소의 종류를 모두 옳게 서술한 경우	50 %
	소화 효소의 이름만 옳게 서술한 경우	20 %
(2)	쓸개즙의 생성, 저장, 분비에 대해 모두 옳게 서술한 경우	50 %
	쓸개즙의 생성, 저장, 분비 중 두 가지에 대해서만 옳게 서술한 경우	30 %

30 (모범 답안 ▶) 주름과 융털은 영양소와 닿는 소장 안쪽 벽의 표면적을 넓혀 영양소를 효율적으로 흡수할 수 있게 한다.

채점 기준	배점
표면적 증가와 영양소의 효율적 흡수를 모두 포함하여 옳게 서술한 경우	100 %
표면적 증가와 영양소의 효율적 흡수 중 한 가지만 포함하여 서술한 경우	50 %

02 순환

(단원 미리보기)

192~193쪽

만화 완성하기 ≫ [모범 답안] 난 이렇게 상처가 났을 때 출혈을 막는 역할을 해.
한눈에 보기 ≫ [C] 혈액의 구성, [E] 혈액 순환

193~197쪽

A 1 순환계 2 (1) ◯ (2) × (3) × (4) ◯ (5) ◯ 3 (1) 우심방 – ⓒ
(2) 우심실 – ⓔ (3) 좌심방 – ⓓ (4) 좌심실 – ⓐ

B 1 (1) A : 동맥, B : 모세 혈관, C : 정맥 (2) 판막 (3) A → B →
C (4) B 2 (1) × (2) × (3) ◯ (4) × (5) ◯

C 1 (1) A : 혈장, B : 혈구 (2) 액체 성분 : A, 세포 성분 : B (3) 물
2 (1) A : 적혈구, B : 백혈구, C : 혈소판, D : 혈장 (2) A, C

D 1 (1) A (2) B (3) D (4) C 2 ⓐ 많은, ⓑ 적은

E 1 (1) ⓐ D, ⓑ B (2) ⓐ (나), ⓑ (다) (3) ⓐ 산소, ⓑ 동맥혈 →
정맥혈 2 (1) ⓐ 많이, ⓑ 적게 (2) 폐정맥, 대동맥 (3) 우심방,
우심실

A-2 (바로알기 ≫) (2) 심장에서 혈액은 심방 → 심실 → 동맥 방향으로 흐른다.
(3) 심장에서 판막은 심방과 심실 사이, 심실과 동맥 사이에 있다.

B-2 바로알기 >> (1) 혈액이 흐르는 속도는 동맥에서 가장 빠르고, 모세 혈관에서 가장 느리다.

(2) 혈압은 동맥에서 가장 높고, 정맥에서 가장 낮다. 혈압이 매우 낮은 정맥에는 혈액이 거꾸로 흐르는 것을 막기 위해 판막이 있다.

(4) 혈액이 모세 혈관을 지날 때 혈액 속의 산소와 영양소가 조직 세포로 전달되고, 조직 세포에서 발생한 이산화 탄소와 노폐물이 혈액으로 이동한다.

C-1 혈액은 액체 성분인 혈장(A)과 세포 성분인 혈구(B)로 이루어져 있다.

D-1 A는 산소 운반 작용을 하는 적혈구, B는 식균 작용을 하는 백혈구, C는 혈액 응고 작용을 하는 혈소판, D는 물질을 운반하는 혈장이다.

E-1 A는 폐동맥, B는 대정맥, C는 폐정맥, D는 대동맥이다. (가)는 우심방, (나)는 우심실, (다)는 좌심방, (라)는 좌심실이다.

E-2 (2) 폐의 모세 혈관을 지나면서 산소를 받으므로 폐정맥 → 좌심방 → 좌심실 → 대동맥에는 동맥혈이 흐른다.

(3) 온몸의 모세 혈관을 지나면서 조직 세포에 산소를 공급하므로 대정맥 → 우심방 → 우심실 → 폐동맥에는 정맥혈이 흐른다.

실력 탄탄 핵심 문제   199~203쪽

01 ③   02 ③   03 ①   04 ④   05 (가) A, (나) C   06 ②
07 ②   08 ④   09 ③   10 ④   11 ③, ⑤   12 ④, ⑤
13 ③   14 ④   15 B   16 ④   17 ④   18 ①   19 적혈구
20 ⑤   21 ①   22 ①   23 ②   24 ⑤   25 ④

서술형 문제 26~30 해설 참조

---

01 ④ 온몸으로 혈액을 내보내는 좌심실에는 대동맥이, 폐로 혈액을 내보내는 우심실에는 폐동맥이 연결되어 있다. 온몸을 지나온 혈액을 받아들이는 우심방에는 대정맥이, 폐를 지나온 혈액을 받아들이는 좌심방에는 폐정맥이 연결되어 있다.

⑤ 판막은 우심방과 우심실 사이, 좌심방과 좌심실 사이, 우심실과 폐동맥 사이, 좌심실과 대동맥 사이에 있다.

바로알기 >> ③ 심실은 심방보다 두껍고 탄력성이 강한 근육으로 이루어져 있어 강하게 수축하여 혈액을 내보내기에 알맞다.

[02~06] 문제 분석하기 >>

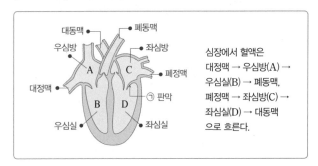

심장에서 혈액은 대정맥 → 우심방(A) → 우심실(B) → 폐동맥, 폐정맥 → 좌심방(C) → 좌심실(D) → 대동맥으로 흐른다.

02 A는 우심방, B는 우심실, C는 좌심방, D는 좌심실이다.

03 ② 우심방(A)은 온몸을 지나온 혈액을 받아들이고, 좌심방(C)은 폐를 지나온 혈액을 받아들인다.

③ 우심실(B)은 폐로 혈액을 내보내고, 좌심실(D)은 온몸으로 혈액을 내보낸다.

④ 온몸으로 혈액을 내보내는 좌심실(D)이 가장 두꺼운 근육으로 이루어져 있다.

⑤ 판막은 우심방(A)과 우심실(B) 사이, 좌심방(C)과 좌심실(D) 사이, 우심실(B)과 폐동맥 사이, 좌심실(D)과 대동맥 사이에 있다.

바로알기 >> ① 우심방(A)에는 대정맥이, 좌심방(C)에는 폐정맥이 연결되어 있다.

04 ④ 좌심실(D)은 대동맥을 통해 온몸으로 혈액을 내보낸다.

바로알기 >> ① 우심방(A)은 대정맥을 통해 온몸을 지나온 혈액을 받아들인다.

② 우심실(B)은 폐동맥을 통해 폐로 혈액을 내보낸다.

③ 좌심방(C)은 폐정맥을 통해 폐를 지나온 혈액을 받아들인다.

05 우심방(A)은 온몸을 지나온 혈액을 받아들이고, 좌심방(C)은 폐를 지나온 혈액을 받아들인다.

06 바로알기 >> ㄴ. 우심실(B)은 폐동맥을 통해 폐로 혈액을 내보낸다.

ㄷ. 심장에서 혈액은 대정맥 → 우심방(A) → 우심실(B) → 폐동맥, 폐정맥 → 좌심방(C) → 좌심실(D) → 대동맥으로 흐른다.

07 바로알기 >> ① 정맥에는 심장으로 들어가는 혈액이 흐른다.

③ 동맥은 혈관 벽이 두껍고 탄력성이 강하여 심실에서 나온 혈액의 높은 압력을 견딜 수 있다. 혈관 벽의 두께는 동맥 > 정맥 > 모세 혈관 순으로 두껍다.

④ 모세 혈관은 혈관 벽이 매우 얇고 혈액이 흐르는 속도가 느려 물질 교환이 일어나기에 알맞다. 혈액이 흐르는 속도는 동맥 > 정맥 > 모세 혈관 순으로 빠르다.

⑤ 심장에서 나온 혈액은 동맥 → 모세 혈관 → 정맥 방향으로 흐른다.

08 심장에서 판막은 우심방과 우심실 사이, 좌심방과 좌심실 사이, 우심실과 폐동맥 사이, 좌심실과 대동맥 사이에 있다. 판막이 있는 혈관은 정맥이다.

[09~10] 문제 분석하기 ≫

· 혈관 벽 두께 : 동맥(A) > 정맥(C) > 모세 혈관(B)
· 혈압 : 동맥(A) > 모세 혈관(B) > 정맥(C)
· 혈액이 흐르는 속도 : 동맥(A) > 정맥(C) > 모세 혈관(B)

09 ① 동맥(A)에는 심장에서 나오는 혈액이 흐른다.
② 모세 혈관(B)에서 조직 세포와 물질 교환이 일어난다.
④ 심장에서 나온 혈액은 동맥(A) → 모세 혈관(B) → 정맥(C) 방향으로 흐른다.
⑤ 혈압이 매우 낮은 정맥(C)에만 혈액이 거꾸로 흐르는 것을 막는 판막(D)이 있다.
바로알기 ≫ ③ 정맥(C)에 항상 정맥혈만 흐르는 것은 아니다. 폐정맥에는 동맥혈이 흐른다.

10 바로알기 ≫ ㄷ. 혈액이 흐르는 속도는 동맥(A) > 정맥(C) > 모세 혈관(B) 순으로 빠르다.

11 혈액이 모세 혈관을 지날 때 혈액 속의 산소와 영양소가 조직 세포로 전달되고(B), 조직 세포에서 발생한 이산화 탄소와 노폐물이 혈액으로 이동한다(A).

$$모세 혈관 \underset{\text{이산화 탄소, 노폐물}}{\overset{\text{산소, 영양소}}{\rightleftarrows}} 조직 세포$$

12 ④ 혈장(A)은 영양소, 이산화 탄소, 노폐물 등의 물질을 운반한다.
⑤ 혈구(B)에는 적혈구, 백혈구, 혈소판이 있다.
바로알기 ≫ ① 혈액을 분리했을 때 위로 뜨는 성분 A는 혈장이고, 아래로 가라앉는 성분 B는 혈구이다.
② 혈장(A)은 액체 성분이고, 혈구(B)는 세포 성분이다.
③ 적혈구는 혈구(B)에 해당한다.

13 그림은 가운데가 오목한 원반 모양의 적혈구를 나타낸 것이다. 적혈구는 헤모글로빈이 있어 붉은색을 띠며, 산소 운반 작용을 한다.
바로알기 ≫ ③ 혈구 중 크기가 가장 큰 것은 백혈구이다. 혈구의 크기는 백혈구 > 적혈구 > 혈소판 순으로 크다.

[14~16] 문제 분석하기 ≫

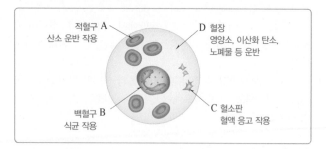

적혈구 A
산소 운반 작용

D 혈장
영양소, 이산화 탄소, 노폐물 등 운반

백혈구 B
식균 작용

C 혈소판
혈액 응고 작용

14 바로알기 ≫ ④ 혈구 수는 적혈구(A)가 가장 많고, 백혈구(B)가 가장 적다.

15 · 혈구의 크기는 백혈구(B) > 적혈구(A) > 혈소판(C) 순으로 크다.
· 적혈구(A)와 혈소판(C)에는 핵이 없고, 백혈구(B)에는 핵이 있다.
· 백혈구(B)는 몸속에 침입한 세균 등을 잡아먹는 식균 작용을 한다.

16 상처 부위에서 혈액을 응고시켜 딱지를 만들고 출혈을 막는 것은 혈액 응고 작용을 하는 혈소판(C)이다.

17 헤모글로빈은 폐와 같이 산소가 많은 곳에서는 산소와 결합하고(가), 조직 세포와 같이 산소가 적은 곳에서는 산소와 분리되는(나) 성질이 있다. 헤모글로빈의 이러한 성질 때문에 적혈구가 산소 운반 작용을 한다.
바로알기 ≫ ④ 헤모글로빈은 산소가 많은 곳에서 산소와 결합한다.

[18~19] 문제 분석하기 ≫

(가) 받침유리에 혈액을 떨어뜨리고, 생리 식염수를 떨어뜨려 혈액을 희석한다.
(나) 다른 받침유리로 혈액을 밀어 혈액을 얇게 편다.
➡ 혈액이 있는 반대 방향으로 밀어야 혈액이 얇게 펴지고, 혈구가 터지지 않는다.
(다) 혈액에 에탄올을 떨어뜨린다.
➡ 에탄올 : 세포의 모양이 변형되지 않고 살아 있을 때와 같이 유지되게 한다(고정).
(라) 혈액에 김사액을 떨어뜨린다.
➡ 김사액 : 백혈구의 핵을 보라색으로 염색하여 관찰이 잘 되게 한다.
(마) 덮개유리를 덮어 현미경으로 관찰한다.
➡ 혈구 중 수가 가장 많은 적혈구가 가장 많이 관찰된다.

18 바로알기 ≫ ㄴ, ㄷ. 백혈구의 핵을 보라색으로 염색하는 것은 김사액이고, 혈구를 고정하는 것은 에탄올이다.

19 현미경으로 혈액을 관찰하면 혈구 중 수가 가장 많은 적혈구가 가장 많이 관찰된다.

20 ⑤ 학생 A의 적혈구 수와 백혈구 수는 정상인과 비슷하지만, 혈소판 수가 정상인보다 크게 적다. 혈액 응고 작용을 하는 혈소판 수가 적으면 출혈이 생겼을 때 혈액이 잘 응고되지 않는다.
바로알기 ≫ ②, ④ 산소를 운반하는 적혈구가 부족할 때 나타나는 현상이다.
③ 몸에 세균이 침입하여 염증이 있으면 식균 작용을 하는 백혈구의 수가 크게 증가한다.

21 ② 혈액이 온몸의 모세 혈관을 지나는 동안 조직 세포에 산소와 영양소를 공급하고, 조직 세포에서 이산화 탄소와 노폐물을 받는다.
③ 혈액이 폐의 모세 혈관을 지나는 동안 이산화 탄소를 내보내고 산소를 받는다.
④, ⑤ 폐순환 경로는 우심실 → 폐동맥 → 폐의 모세 혈관 → 폐정맥 → 좌심방이고, 온몸 순환 경로는 좌심실 → 대동맥 → 온몸의 모세 혈관 → 대정맥 → 우심방이다.
바로알기 ≫ ① 혈액이 온몸의 모세 혈관을 지날 때 조직 세포에 산소를 공급하면 혈액의 산소 양이 줄어든다. 즉, 동맥혈이 정맥혈로 바뀐다.

22 ① 혈액이 폐의 모세 혈관을 지나는 동안 이산화 탄소를 내보내고 산소를 받는다. 따라서 (나)에 흐르는 혈액에는 (가)에 흐르는 혈액에 비해 산소의 양이 많다.

[23~25] 문제 분석하기 ≫

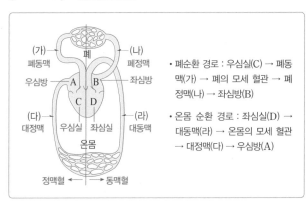

• 폐순환 경로 : 우심실(C) → 폐동맥(가) → 폐의 모세 혈관 → 폐정맥(나) → 좌심방(B)
• 온몸 순환 경로 : 좌심실(D) → 대동맥(라) → 온몸의 모세 혈관 → 대정맥(다) → 우심방(A)

23 ①, ④ (가)와 (다)에는 조직 세포에 산소를 공급한 정맥혈이 흐르고, (나)와 (라)에는 폐에서 산소를 받은 동맥혈이 흐른다.
바로알기 ≫ ② (나)는 폐정맥이다. 혈관 벽이 한 층의 세포로 되어 있는 것은 모세 혈관이다.

24 온몸 순환은 좌심실(D)에서 나간 혈액이 온몸의 모세 혈관을 지나는 동안 조직 세포에 산소와 영양소를 공급하고, 조직 세포에서 이산화 탄소와 노폐물을 받아 우심방(A)으로 돌아오는 순환이다.

25 • 온몸의 모세 혈관을 지난 후 폐의 모세 혈관을 지나기 전인 (다) → A → C → (가)에는 산소를 적게 포함한 정맥혈이 흐른다.
• 폐의 모세 혈관을 지난 후 온몸의 모세 혈관을 지나기 전인 (나) → B → D → (라)에는 산소를 많이 포함한 동맥혈이 흐른다.

26 모범 답안 ▶ (1) B
(2) 판막, 혈액이 거꾸로 흐르는 것을 막는다.

	채점 기준	배점
(1)	B라고 옳게 쓴 경우	30 %
(2)	판막이라고 쓰고, 그 기능을 옳게 서술한 경우	70 %
	판막이라고만 쓴 경우	30 %

27 모범 답안 ▶ 모세 혈관은 혈관 벽이 한 층의 세포로 되어 있어 매우 얇고, 혈관 중 혈액이 흐르는 속도가 가장 느리기 때문에 조직 세포와 물질 교환을 하기에 유리하다.

채점 기준	배점
두 가지 내용을 모두 포함하여 옳게 서술한 경우	100 %
두 가지 내용 중 한 가지만 포함하여 서술한 경우	50 %

28 모범 답안 ▶ (1) B
(2) 혈구 중 적혈구(A)와 혈소판(C)에는 핵이 없고, 백혈구(B)에만 핵이 있기 때문이다.

	채점 기준	배점
(1)	B라고 옳게 쓴 경우	30 %
(2)	핵의 유무를 포함하여 옳게 서술한 경우	70 %
	핵의 유무를 포함하지 않은 경우	0 %

29 모범 답안 ▶ (1) (나)
(2) (나)의 몸에서 식균 작용을 하는 백혈구의 수가 정상인에 비해 크게 증가하였기 때문이다.

	채점 기준	배점
(1)	(나)라고 옳게 쓴 경우	30 %
(2)	식균 작용을 하는 백혈구의 수가 많기 때문이라는 내용을 포함하여 옳게 서술한 경우	70 %
	백혈구의 수가 많기 때문이라고만 서술한 경우	50 %

30 모범 답안 ▶ (1) (나) → A → 폐의 모세 혈관 → C → (다)
(2) 산소 양이 증가한다. 혈액이 폐의 모세 혈관을 지날 때 이산화 탄소를 내보내고 산소를 받기 때문이다.

	채점 기준	배점
(1)	폐순환 경로를 옳게 쓴 경우	40 %
(2)	산소 양의 변화를 옳게 쓰고, 그 까닭을 옳게 서술한 경우	60 %
	산소 양의 변화만 옳게 쓴 경우	30 %

03 호흡

만화 완성하기 >> [모범 답안] 난 근육이 없어서 갈비뼈랑 가로막이 움직일 때 같이 커졌다 작아졌다 해.

한눈에 보기 >> [C] 호흡 운동, [D] 기체 교환

205~208쪽

A	1 호흡계 2 A : 코, B : 기관, C : 기관지, D : 폐, E : 갈비뼈, F : 가로막 3 (1) A (2) D 4 ㉠ 기관지, ㉡ 폐
B	1 (1) 이산화 탄소 (2) 산소 2 (1) (나) (2) 이산화 탄소
C	1 ㉠ 근육, ㉡ 갈비뼈 2 ㉠ 내려간다, ㉡ 낮아진다, ㉢ 커지고, ㉣ 올라간다, ㉤ 높아진다, ㉥ 작아지고
D	1 ㉠ 확산, ㉡ 높은, ㉢ 낮은 2 (1) ㉠ A, ㉡ B (2) ㉠ 모세 혈관, ㉡ 폐포 (3) ㉠ 정맥혈, ㉡ 동맥혈

A-3 (1) 코(A)에서 차고 건조한 공기가 따뜻하고 축축해진다. (2) 폐(D)는 수많은 폐포로 이루어져 있어 공기와 닿는 표면적이 매우 넓기 때문에 기체 교환이 효율적으로 일어난다.

A-4 숨을 들이쉬면 공기가 콧속을 지나 기관과 기관지를 거쳐 폐 속의 폐포로 들어간다.

B-1 날숨에는 들숨보다 산소는 적게 들어 있고, 이산화 탄소는 많이 들어 있다.

B-2 초록색 BTB 용액에 이산화 탄소가 많아지면 용액이 산성이 되어 용액의 색깔이 노란색으로 변하고, 이산화 탄소가 적어지면 용액이 염기성이 되어 용액의 색깔이 파란색으로 변한다. 날숨에는 들숨보다 이산화 탄소가 많이 들어 있으므로 날숨을 불어 넣은 (나)에서 BTB 용액의 색깔이 노란색으로 더 빨리 변한다.

C-1 폐는 근육이 없기 때문에 스스로 수축하거나 이완할 수 없고, 갈비뼈와 가로막의 움직임에 따라 그 크기가 변한다.

C-2 흉강과 폐의 부피가 커져 폐 내부 압력이 대기압보다 낮아질 때 들숨이 일어나고, 흉강과 폐의 부피가 작아져 폐 내부 압력이 대기압보다 높아질 때 날숨이 일어난다.

D-2 (1), (2) 산소 농도는 폐포>모세 혈관, 모세 혈관>조직 세포이고, 이산화 탄소 농도는 폐포<모세 혈관, 모세 혈관<조직 세포이다. 따라서 산소는 폐포에서 조직 세포 쪽으로 이동하고(A), 이산화 탄소는 조직 세포에서 폐포 쪽으로 이동한다(B). (3) 폐에서의 기체 교환 결과 혈액에 산소가 많아지고, 이산화 탄소가 적어진다.

실력 탄탄 핵심 문제

210~213쪽

01 ①	**02** ④	**03** ③	**04** ㉠ B, ㉡ E	**05** ②	**06** ④
07 A : 산소, B : 이산화 탄소		**08** ②	**09** ④	**10** ③	
11 ③	**12** ①	**13** ③	**14** ②	**15** ④	**16** ④ **17** ③, ⑤
18 A : 이산화 탄소, B : 산소		**19** ①	**20** ⑤		

서술형 문제 **21~23** 해설 참조

01 바로알기 >> ① 호흡계는 산소를 흡수하고 이산화 탄소를 배출하는 기능을 담당한다.

[02~04] 문제 분석하기 >>

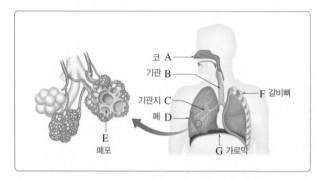

코 A
기관 B
기관지 C
폐 D
E 폐포
F 갈비뼈
G 가로막

02 ①, ② 콧속(A)은 가는 털과 끈끈한 액체로 덮여 있고, 기관(B)의 안쪽 벽에는 섬모가 있어 먼지나 세균 등을 거른다.
③ 기관(B)은 두 개의 기관지(C)로 갈라져 좌우 폐(D)와 연결되며, 기관지(C)는 폐(D) 속에서 더 많은 가지로 갈라져 폐포(E)와 연결된다.
⑤ 폐(D)는 갈비뼈(F)와 가로막(G)의 움직임에 따라 그 크기가 변한다.
바로알기 >> ④ 폐(D)는 근육이 없어 스스로 커지거나 작아지지 못한다.

03 폐포(E)는 폐(D)를 구성하는 작은 공기주머니로, 폐포(E)와 폐포(E)를 둘러싼 모세 혈관 사이에서 산소와 이산화 탄소가 교환된다.

04 숨을 들이쉬면 공기가 콧속(A)을 지나 기관(B)과 기관지(C)를 거쳐 폐(D) 속의 폐포(E)로 들어간다.

05 공기가 몸 안으로 들어왔다 나가는 동안 몸에서 산소를 받아들이고 이산화 탄소를 내보내기 때문에 날숨에는 들숨보다 산소는 적게 들어 있고, 이산화 탄소는 많이 들어 있다.

06 날숨에는 들숨보다 이산화 탄소가 많이 들어 있다. 따라서 공기(들숨)를 넣은 (가)보다 입김(날숨)을 불어넣은 (나)에서 BTB 용액의 색깔이 노란색으로 더 빨리 변한다.

바로알기 》 ㄷ. BTB 용액의 색깔 변화를 일으킨 것은 이산화 탄소이다. 초록색 BTB 용액에 이산화 탄소가 많아지면 용액이 산성이 되어 색깔이 노란색으로 변하고, 이산화 탄소가 적어지면 용액이 염기성이 되어 색깔이 파란색으로 변한다.

07 산소(A)는 날숨보다 들숨에 많고, 이산화 탄소(B)는 들숨보다 날숨에 많다. 들숨과 날숨에서 모두 산소(A)가 이산화 탄소(B)보다 많다.

[08~09] 문제 분석하기 》

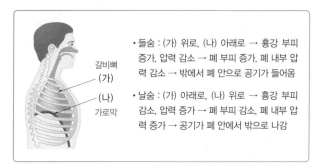

들숨 : (가) 위로, (나) 아래로 → 흉강 부피 증가, 압력 감소 → 폐 부피 증가, 폐 내부 압력 감소 → 밖에서 폐 안으로 공기가 들어옴

날숨 : (가) 아래로, (나) 위로 → 흉강 부피 감소, 압력 증가 → 폐 부피 감소, 폐 내부 압력 증가 → 공기가 폐 안에서 밖으로 나감

08 바로알기 》 ② 갈비뼈(가)와 가로막(나)은 반대 방향으로 움직인다.

09 갈비뼈(가)가 위로 올라가고 가로막(나)이 아래로 내려갈 때 흉강의 부피가 증가하고 압력이 감소하며, 갈비뼈(가)가 아래로 내려가고 가로막(나)이 위로 올라갈 때 흉강의 부피가 감소하고 압력이 증가한다.

10 • 들숨 : 갈비뼈가 올라가고, 가로막이 내려간다. → 흉강의 부피가 커지고, 압력이 낮아진다. → 폐의 부피가 커지고, 폐 내부 압력이 대기압보다 낮아진다. → 밖에서 폐 안으로 공기가 들어온다.
• 날숨 : 갈비뼈가 내려가고, 가로막이 올라간다. → 흉강의 부피가 작아지고, 압력이 높아진다. → 폐의 부피가 작아지고, 폐 내부 압력이 대기압보다 높아진다. → 폐 안에서 밖으로 공기가 나간다.

11 호흡 운동 모형에서 빨대는 우리 몸의 기관과 기관지, 컵 속의 공간은 흉강, 작은 고무풍선은 폐, 고무 막은 가로막에 해당한다.

12 ① 고무 막을 아래로 잡아당기면 고무풍선이 부풀고, 고무 막을 위로 밀어 올리면 고무풍선이 줄어든다.
바로알기 》 ②, ③, ④ 고무 막을 아래로 잡아당기면 컵 속의 부피가 커지고, 압력이 낮아져 공기가 밖에서 고무풍선으로 들어온다.
⑤ 고무 막을 아래로 잡아당기는 것은 우리 몸에서 들숨이 일어날 때에 해당한다.

13 (가)의 A는 갈비뼈, B는 가로막, C는 폐이다. (나)의 고무 막은 (가)의 가로막(B), 고무풍선은 폐(C)에 해당한다. (가)에서는 갈비뼈(A)와 가로막(B)의 움직임에 의해 공기가 드나들지만, (나)에서는 고무 막의 움직임에 의해서만 공기가 드나든다.
(나)에서 고무 막을 밀어 올렸을 때는 (가)에서 날숨이 일어날 때에 해당한다. 날숨이 일어날 때는 갈비뼈(A)가 내려가고 가로막(B)이 올라가 흉강과 폐(C)의 부피가 작아지고, 폐(C) 내부 압력이 높아져 폐(C)에서 몸 밖으로 공기가 나간다.
바로알기 》 ③ 날숨이 일어날 때는 폐(C)의 부피가 작아진다.

14 문제 분석하기 》

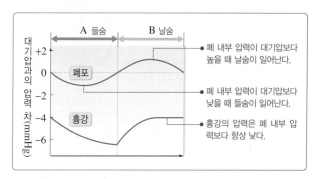

폐 내부 압력이 대기압보다 높을 때 날숨이 일어난다.

폐 내부 압력이 대기압보다 낮을 때 들숨이 일어난다.

흉강의 압력은 폐 내부 압력보다 항상 낮다.

바로알기 》 ㄷ. 흉강의 압력은 폐 내부 압력보다 항상 낮다.

[15~16] 문제 분석하기 》

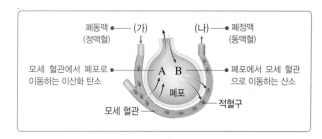

15 혈액은 동맥 → 모세 혈관 → 정맥 방향으로 흐른다. 따라서 폐의 모세 혈관으로 들어오는 혈액이 흐르는 (가)는 폐동맥이고, 폐의 모세 혈관에서 산소와 이산화 탄소를 교환한 후 나가는 혈액이 흐르는 (나)는 폐정맥이다. A는 호흡계에서 몸 밖으로 배출하는 이산화 탄소이고, B는 호흡계에서 몸속으로 흡수하는 산소이다.

16 ㄴ. 이산화 탄소(A)의 농도는 조직 세포>모세 혈관, 모세 혈관>폐포이다. 따라서 이산화 탄소(A)는 조직 세포 → 모세 혈관, 모세 혈관 → 폐포로 이동한다.
ㄷ. 적혈구는 헤모글로빈이 있어 산소(B)를 운반하는 작용을 한다.
바로알기 》 ㄱ. (나)에는 폐의 모세 혈관에서 이산화 탄소를 내보내고 산소를 받은 혈액이 흐른다. 따라서 산소는 (가)에서 들어오는 혈액보다 (나)로 나가는 혈액에 더 많다.

17 폐와 조직 세포에서 기체 교환이 일어나는 원리는 농도 차이에 따른 확산이다.

바로알기 ≫ ①, ②, ④ 증발의 예이다.

18 • 이산화 탄소의 농도 : 조직 세포>모세 혈관 ➡ 이산화 탄소의 이동 : 조직 세포 → 모세 혈관(A)
• 산소의 농도 : 모세 혈관>조직 세포 ➡ 산소의 이동 : 모세 혈관 → 조직 세포(B)

[19~20] 문제 분석하기 ≫

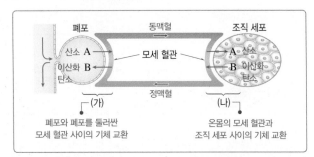

19 • 산소의 농도 : 폐포>모세 혈관, 모세 혈관>조직 세포 ➡ 산소의 이동 : 폐포 → 모세 혈관, 모세 혈관 → 조직 세포(A)
• 이산화 탄소의 농도 : 조직 세포>모세 혈관, 모세 혈관>폐포 ➡ 이산화 탄소의 이동 : 조직 세포 → 모세 혈관, 모세 혈관 → 폐포(B)

20 ⑤ (가)에서 산소(A)는 폐포 → 모세 혈관으로 이동하고, 이산화 탄소(B)는 모세 혈관 → 폐포로 이동한다. 따라서 (가)에서의 기체 교환 결과 혈액에 산소(A)가 많아지고, 이산화 탄소(B)가 적어진다.

바로알기 ≫ ① 폐포에서 조직 세포 쪽으로 이동하는 A는 산소이고, 조직 세포에서 폐포 쪽으로 이동하는 B는 이산화 탄소이다.
② 대동맥에는 폐에서 산소(A)를 받은 동맥혈이 흐르고, 대정맥에는 조직 세포에 산소(A)를 공급한 정맥혈이 흐른다.
③ 호흡계에서는 산소(A)를 흡수하고, 이산화 탄소(B)를 배출한다.
④ 기체 교환은 농도 차이에 따른 확산에 의해 일어난다. 즉, 기체의 농도가 높은 쪽에서 낮은 쪽으로 기체가 이동한다.

21 모범 답안 ▶ 폐는 수많은 폐포로 이루어져 있어 공기와 닿는 표면적이 매우 넓기 때문에 기체 교환이 효율적으로 일어날 수 있다.

채점 기준	배점
표면적 증가와 기체 교환의 효율성을 모두 포함하여 옳게 서술한 경우	100 %
표면적 증가와 기체 교환의 효율성 중 하나만 포함하여 서술한 경우	50 %

22 모범 답안 ▶ 폐는 근육이 없어 스스로 커지거나 작아지지 못하기 때문이다.

채점 기준	배점
폐는 근육이 없어 스스로 커지거나 작아지지 못하기 때문이라고 옳게 서술한 경우	100 %
폐는 근육이 없어 스스로 수축하거나 이완할 수 없기 때문이라고 서술한 경우도 정답 인정	100 %

23 모범 답안 ▶ 가로막이 내려가고 갈비뼈가 올라가면, 폐의 부피가 커지고 폐 내부 압력이 대기압보다 낮아져, 공기가 밖에서 폐 안으로 들어온다.

채점 기준	배점
세 가지 내용을 모두 포함하여 옳게 서술한 경우	100 %
두 가지 내용만 포함하여 서술한 경우	60 %
한 가지 내용만 포함하여 서술한 경우	30 %

04 배설

단원 미리보기

215~215쪽

만화 완성하기 ≫ [모범 답안] 난 크기가 너무 커서 보먼주머니로 갈 수 없나 봐.
한눈에 보기 ≫ [A] 노폐물의 생성과 배설, [D] 혈액, 여과액, 오줌의 성분

215~219쪽

Ⓐ **1** 배설 **2** (1) ○ (2) × (3) ○ (4) ○ **3** ㉠ 간, ㉡ 요소, ㉢ 콩팥

Ⓑ **1** (1) D, 요도 (2) B, 오줌관 (3) C, 방광 (4) A, 콩팥 **2** (1) × (2) × (3) ○ **3** 사구체, 보먼주머니, 세뇨관

Ⓒ **1** (1) ㉠ A, ㉡ B (2) ㉠ C, ㉡ D (3) ㉠ D, ㉡ C **2** ㄴ, ㄷ

Ⓓ **1** (가) 여과, (나) 재흡수, (다) 분비 **2** (1) ㄷ, ㄹ (2) ㅁ, ㅅ (3) ㄱ, ㄴ, ㅂ

Ⓔ **1** ㉠ 산소, ㉡ 이산화 탄소 **2** (1) × (2) ○ (3) × (4) ○

A-2 바로알기 ≫ (2) 질소를 포함하는 노폐물인 암모니아는 단백질이 분해될 때만 만들어진다. 탄수화물과 지방은 질소를 포함하지 않고, 단백질은 질소를 포함하고 있다.

B-2 A는 콩팥 깔때기, B는 콩팥 속질, C는 콩팥 겉질, D는 콩팥 동맥, E는 콩팥 정맥이다.
(3) 콩팥 정맥(E)에는 노폐물이 걸러진 혈액이 흐르므로 콩팥 정맥(E)보다 콩팥 동맥(D)에 노폐물이 더 많다.
바로알기 ≫ (1) 네프론은 콩팥 겉질(C)과 콩팥 속질(B)에 있다.
(2) 네프론에서 만들어진 오줌은 콩팥 깔때기(A)에 모인다.

C-1 A는 사구체, B는 보먼주머니, C는 세뇨관, D는 모세 혈관이다. 여과는 사구체(A) → 보먼주머니(B), 재흡수는 세뇨관(C) → 모세 혈관(D), 분비는 모세 혈관(D) → 세뇨관(C) 방향으로 일어난다.

C-2 ㄴ, ㄷ. 혈구나 단백질과 같이 크기가 큰 물질은 여과되지 않는다.

D-2 (1) 크기가 커서 여과되지 않는 물질은 여과액에 없다.
(2) 여과된 후 전부 재흡수되는 물질은 여과액에는 있지만 오줌에는 없다.
(3) 여과된 후 전부 재흡수되지 않는 물질은 오줌에 있다.

E-2 바로알기 ≫ (1), (3) 호흡계에서 산소(㉠)를 흡수하고 이산화 탄소(㉡)를 내보낸다.

220~223쪽

01 ⑤	02 ②	03 ④	04 ④	05 A : 콩팥, B : 오줌관,
C : 방광, D : 요도	06 ④	07 ⑤	08 ⑤	09 ②	10 ①
11 ⑤	12 ①	13 ④	14 ⑤	15 ⑤	16 ④	17 ②
18 ①	19 ①	20 ②	21 ③		

서술형 문제 **22~23** 해설 참조

01 바로알기 ≫ ① 암모니아가 배설되는 과정 중 일부이다.
② 세포 호흡에 대한 설명이다.
③ 배설이 아닌 배출에 대한 설명이다.
④ 조직 세포에서의 기체 교환에 대한 설명이다.

02 탄수화물, 지방, 단백질이 분해될 때 공통적으로 만들어지는 노폐물은 이산화 탄소와 물이다. 단백질이 분해되면 이산화 탄소와 물 외에 암모니아가 만들어진다.

03 문제 분석하기 ≫

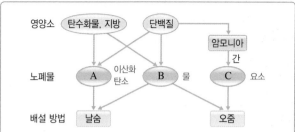

· 이산화 탄소(A) : 폐에서 날숨으로 나간다.
· 물(B) : 폐에서 날숨으로 나가거나 콩팥에서 오줌으로 나간다.
· 암모니아 : 간에서 요소(C)로 바뀐 후 콩팥에서 오줌으로 나간다.

이산화 탄소(A)와 물(B)은 탄수화물, 지방, 단백질이 분해될 때 공통적으로 만들어지는 노폐물이고, 요소(C)는 단백질이 분해될 때만 만들어지는 암모니아가 바뀐 것이다.

04 단백질(㉠)이 분해될 때 만들어지는 암모니아는 간(㉡)에서 독성이 약한 요소(㉢)로 바뀐 후 콩팥에서 오줌으로 나간다.

[05~06] 문제 분석하기 ≫

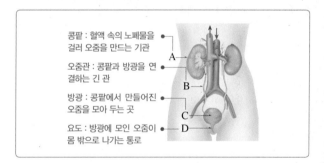

콩팥 : 혈액 속의 노폐물을 걸러 오줌을 만드는 기관
오줌관 : 콩팥과 방광을 연결하는 긴 관
방광 : 콩팥에서 만들어진 오줌을 모아 두는 곳
요도 : 방광에 모인 오줌이 몸 밖으로 나가는 통로

05 A는 콩팥, B는 오줌관, C는 방광, D는 요도이다.

06 바로알기 ≫ ㄴ. 네프론은 사구체, 보먼주머니, 세뇨관으로 이루어진다.

[07~08] 문제 분석하기 ≫

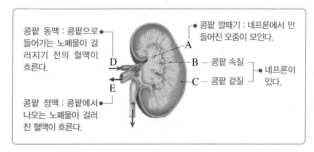

콩팥 동맥 : 콩팥으로 들어가는 노폐물이 걸러지기 전의 혈액이 흐른다.
콩팥 정맥 : 콩팥에서 나오는 노폐물이 걸러진 혈액이 흐른다.
콩팥 깔때기 : 네프론에서 만들어진 오줌이 모인다.
B — 콩팥 속질
C — 콩팥 겉질
네프론이 있다.

07 콩팥 가장 안쪽의 빈 공간인 A는 콩팥 깔때기이다. B는 콩팥 속질, C는 콩팥 겉질이다.

08 ②, ③ 콩팥 겉질(C)과 콩팥 속질(B)에 있는 네프론에서 만들어진 오줌이 콩팥 깔때기(A)에 모인다.
④ D는 콩팥으로 들어가는 혈액이 흐르는 콩팥 동맥이고, E는 콩팥에서 나오는 혈액이 흐르는 콩팥 정맥이다.
바로알기 ≫ ⑤ 콩팥 정맥(E)에는 노폐물이 걸러진 혈액이 흐른다. 콩팥 깔때기(A)에 모인 오줌은 오줌관을 통해 방광으로 이동한다.

09 네프론은 사구체(A), 보먼주머니(B), 세뇨관(C)으로 이루어진다.

10 여과는 크기가 작은 물질이 사구체(A) → 보먼주머니(B)로 이동하는 현상이다. 재흡수는 몸에 필요한 물질이 세뇨관(C) → 모세 혈관(D)으로 이동하는 현상이고, 분비는 미처 여과되지 못한 노폐물의 일부가 모세 혈관(D) → 세뇨관(C)으로 이동하는 현상이다.

11 ㄴ, ㄷ. 크기가 큰 단백질과 혈구는 여과되지 않으므로 보먼주머니(B)와 세뇨관(C)에 들어 있지 않다.
ㄹ. 세뇨관(C)과 세뇨관(C)을 둘러싼 모세 혈관(D) 사이에서 재흡수와 분비가 일어난다.
바로알기 ≫ ㄱ. 여과되지 않는 물질은 보먼주머니(B)에 들어 있지 않다. A에는 혈구, 단백질, 물, 요소, 포도당, 아미노산, 무기염류 등이 들어 있고, B에는 물, 요소, 포도당, 아미노산, 무기염류 등이 들어 있다.

12 ① E에는 노폐물(요소)이 걸러지기 전의 혈액이 흐르고, F에는 노폐물(요소)이 걸러진 후의 혈액이 흐른다.
바로알기 ≫ ②, ⑤ 포도당과 아미노산은 여과된 후 전부 재흡수된다.
③, ④ 크기가 큰 단백질과 적혈구는 여과되지 않는다.

13 콩팥 동맥을 통해 콩팥으로 들어온 혈액이 사구체(㉠)를 지나는 동안 크기가 작은 물질이 보먼주머니로 빠져나가는 여과가 일어난다. 보먼주머니 속의 여과된 액체는 세뇨관(㉡)을 지나는데, 이 과정에서 세뇨관(㉡)과 모세 혈관 사이에 재흡수와 분비가 일어난다. 재흡수와 분비를 거친 액체는 오줌이 되어 콩팥 깔때기에 모이고, 콩팥 깔때기 속 오줌은 오줌관(㉢)을 지나 방광에 모인 다음 요도를 거쳐 몸 밖으로 나간다.

[14~15] 문제 분석하기 ≫

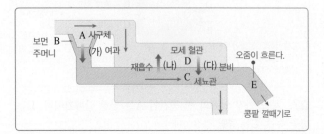

14 사구체(A)에서 보먼주머니(B)로 물질이 이동하는 과정인 (가)는 여과이다. 혈구와 단백질은 크기가 커서 여과되지 않는다.

15 ② 무기염류는 여과(가)된 후 대부분 재흡수(나)된다.
③ 포도당은 사구체(A)에서 보먼주머니(B)로 여과(가)된다.
④ 아미노산은 여과(가)된 후 전부 재흡수(나)되므로 오줌에 들어 있지 않다.
바로알기 ≫ ⑤ 여과(가)된 물의 대부분이 재흡수(나)되기 때문에 요소의 농도는 여과액보다 오줌에서 훨씬 높다.

16 콩팥은 몸속 물의 양(체액의 농도)을 일정하게 유지하는 기능도 한다. 물을 많이 마시면 재흡수되는 물의 양이 감소하여 오줌의 양이 늘어나고, 땀을 많이 흘리면 재흡수되는 물의 양이 증가하여 오줌의 양이 줄어든다.

17 A는 여과액에 없으므로 크기가 커서 여과되지 않는 단백질이다. B는 여과액보다 오줌에서 농도가 훨씬 높은 것으로 보아 요소이다. C는 여과액에는 있고 오줌에는 없으므로 여과 후 전부 재흡수되는 포도당이다.

18 ① A는 여과되지 않기 때문에 여과액에 없다.
바로알기 ≫ ② 여과된 후 전부 재흡수되는 물질은 오줌에 들어 있지 않다. B는 오줌에 들어 있다.
③ 오줌에서 가장 많은 성분은 물이다.
④, ⑤ C는 여과된 후 전부 재흡수되어 오줌에 들어 있지 않다.

19 세포 호흡은 세포에서 영양소(㉠)와 산소가 반응하여 물과 이산화 탄소(㉡)로 분해되면서 에너지를 얻는 과정이다. 세포 호흡에 필요한 영양소(㉠)는 소화계에서 흡수하고, 산소는 호흡계에서 흡수한다.
바로알기 ≫ ㄴ. 이산화 탄소(㉡)는 호흡계에서 배출한다.
ㄷ. 세포 호흡으로 얻은 에너지는 체온 유지, 두뇌 활동, 소리 내기, 근육 운동, 생장 등 여러 가지 생명 활동에 이용되거나 열로 방출된다.

20 순환계는 조직 세포에 산소와 영양소를 운반해 주고, 조직 세포에서 발생한 이산화 탄소와 노폐물을 운반해 온다.

21 문제 분석하기 ≫

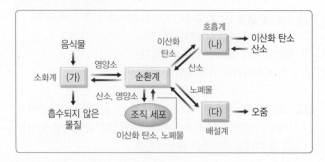

바로알기 >> ③ 위, 소장, 대장은 소화계(가)를 구성하는 기관이다. 배설계(다)를 구성하는 기관에는 콩팥, 방광 등이 있다.

22 모범 답안 > (1) A : 단백질, B : 포도당, C : 요소
(2) 크기가 커서 여과되지 않기 때문이다.
(3) 여과된 후 전부 재흡수되기 때문이다.

	채점 기준	배점
(1)	A~C를 모두 옳게 쓴 경우	30 %
	A~C 중 하나라도 틀리게 쓴 경우	0 %
(2)	크기가 커서 여과되지 않기 때문이라고 옳게 서술한 경우	30 %
	여과되지 않기 때문이라고만 서술한 경우	20 %
(3)	여과된 후 전부 재흡수되기 때문이라고 옳게 서술한 경우	40 %
	여과된 후 재흡수되기 때문이라고만 서술한 경우	0 %

23 모범 답안 > 세포 호흡에 필요한 영양소는 **소화계**에서 흡수되고, 산소는 **호흡계**에서 흡수된다. 흡수된 영양소와 산소는 **순환계**를 통해 조직 세포로 운반된다.

채점 기준	배점
세 가지 단어를 모두 포함하여 옳게 서술한 경우	100 %
순환계의 작용을 언급하지 않은 경우	50 %

핵심 자료로 최종 점검

226~227쪽

01 소화

1 ❶ 조직 ❷ 세포 ❸ 기관 ❹ 조직 ❺ 기관계 ❻ 기관
2 ❶ 쓸개즙 ❷ 쓸개즙 ❸ 녹말 ❹ 단백질
3 ❶ 모세 혈관 ❷ 수용성 ❸ 암죽관 ❹ 지용성

02 순환

1 ❶ 우심실 ❷ 폐 ❸ 좌심실 ❹ 온몸
2 ❶ 적혈구 ❷ 혈장 ❸ 백혈구 ❹ 혈소판
3 ❶ 폐동맥 ❷ 폐정맥 ❸ 대동맥 ❹ 대정맥

03 호흡

1 ❶ 기관 ❷ 섬모 ❸ 기관지 ❹ 폐 ❺ 폐포
2 ❶ 낮아진다 ❷ 커진다 ❸ 높아진다 ❹ 작아진다
3 ❶ 정맥 ❷ 동맥 ❸ 동맥 ❹ 정맥

04 배설

1 ❶ 이산화 탄소 ❷ 암모니아 ❸ 간 ❹ 요소
2 ❶ 세뇨관 ❷ 오줌관 ❸ 요도
3 ❶ 세뇨관 ❷ 모세 혈관 ❸ 모세 혈관 ❹ 세뇨관

시험 적중 마무리 문제

228~231쪽

01 ② 　02 ② 　03 ⑤ 　04 ④ 　05 ① 　06 ① 　07 ②
08 (가) 녹말, (나) 단백질, (다) 지방, (라) 모노글리세리드　09 ③
10 ① 　11 ③ 　12 ② 　13 C → (가) → 폐의 모세 혈관 →
(나) → B　14 ⑤ 　15 ② 　16 ④ 　17 ⑤ 　18 ④ 　19 ④
20 ⑤ 　21 (가) 여과, (나) 재흡수, (다) 분비　22 ① 　23 ⑤

01 (가)는 근육 세포(세포), (나)는 위(기관), (다)는 근육 조직(조직), (라)는 소화계(기관계), (마)는 사람(개체)이다. 동물 몸은 세포(가) → 조직(다) → 기관(나) → 기관계(라) → 개체(마)의 단계를 거쳐 이루어진다.

02 빵, 밥, 국수, 감자, 고구마 등에 많이 들어 있는 영양소는 탄수화물이다. 탄수화물은 주로 에너지원으로 사용되는데, 1 g당 약 4 kcal의 에너지를 낸다.
바로알기 >> ㄷ. 주로 몸을 구성하여 성장기인 청소년에게 특히 많이 필요한 영양소는 단백질이다.

03 ④ 에너지원으로 사용되는 영양소는 탄수화물, 단백질, 지방이다. 탄수화물과 단백질은 1 g당 약 4 kcal의 에너지를 내고, 지방은 1 g당 약 9 kcal의 에너지를 낸다.
바로알기 >> ⑤ 우리 몸의 구성 성분 중 가장 많은 것은 물이다. 물은 우리 몸의 60 %~70 %를 차지한다.

04 아이오딘 반응(가)은 녹말 검출 반응, 베네딕트 반응(나)은 포도당(당분) 검출 반응, 뷰렛 반응(다)은 단백질 검출 반응, 수단 Ⅲ 반응(라)은 지방 검출 반응이다. 실험 결과 아이오딘 반응(가), 뷰렛 반응(다), 수단 Ⅲ 반응(라)이 일어났으므로 이 음식물에는 녹말, 단백질, 지방이 들어 있다.

05 문제 분석하기 >>

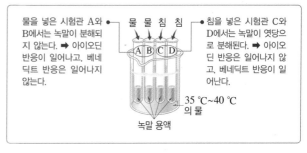

물을 넣은 시험관 A와 B에서는 녹말이 분해되지 않는다. ➡ 아이오딘 반응이 일어나고, 베네딕트 반응은 일어나지 않는다.

침을 넣은 시험관 C와 D에서는 녹말이 엿당으로 분해된다. ➡ 아이오딘 반응은 일어나지 않고, 베네딕트 반응이 일어난다.

35 °C~40 °C 의 물
녹말 용액

• 아이오딘 반응 : 녹말이 그대로 있는 시험관 A에서는 청람색이 나타나고, 녹말이 엿당으로 분해된 시험관 C에서는 색깔 변화가 나타나지 않는다.
• 베네딕트 반응 : 녹말이 그대로 있는 시험관 B에서는 색깔 변화가 나타나지 않고, 녹말이 엿당으로 분해된 시험관 D에서는 황적색이 나타난다.

06 A는 간, B는 쓸개, C는 대장, D는 위, E는 이자, F는 소장이다.
(가) 쓸개즙은 간(A)에서 만들어져 쓸개(B)에 저장되었다가 소장(F)으로 분비된다.
(나) 쓸개즙은 지방 덩어리를 작은 알갱이로 만들어 지방이 잘 소화되도록 하므로, 쓸개즙이 정상적으로 분비되지 않으면 지방의 소화가 잘 일어나지 못한다.

07 ② 위(D)에서 작용하는 펩신은 염산의 도움을 받아 단백질을 분해한다.
바로알기 ≫ ① 대장(C)에서는 소화액이 분비되지 않고 주로 물이 흡수된다.
③ 이자(E)에서 분비하는 이자액에는 트립신, 아밀레이스, 라이페이스가 들어 있다. 펩신은 위액에 들어 있다.
④ 단백질은 위(D)에서 처음으로 분해된다.
⑤ 소장(F)에서 탄수화물, 단백질, 지방이 최종 산물로 분해되어 흡수된다.

08 입에서 처음으로 분해되고 최종 산물이 포도당인 (가)는 녹말이다. 위에서 처음으로 분해되고 최종 산물이 아미노산인 (나)는 단백질이다. 소장에서 처음으로 분해되고 최종 산물이 지방산과 모노글리세리드(라)인 (다)는 지방이다.

09 ① A는 녹말을 엿당으로 분해하는 아밀레이스이다.
② 위에서 단백질을 분해하는 B는 펩신이다.
④ 소장에서 단백질을 분해하는 C는 트립신이고, 지방을 분해하는 D는 라이페이스이다. 트립신(C)과 라이페이스(D)는 이자액에 들어 있다.
⑤ 수용성 영양소인 포도당과 아미노산은 소장 융털의 모세 혈관으로 흡수된다.
바로알기 ≫ ③ 트립신(C)은 단백질을 중간 산물로 분해한다. 펩신(B)과 트립신(C)에 의해 분해된 단백질의 중간 산물은 소장의 단백질 소화 효소에 의해 아미노산으로 분해된다.

10 A는 우심방, B는 우심실, C는 좌심방, D는 좌심실이다.
② 우심실(B)이 수축하면 폐동맥을 통해 혈액이 폐로 나간다.
③, ④ 폐의 모세 혈관을 지나면서 산소를 받은 혈액(동맥혈)이 폐정맥을 통해 좌심방(C)으로 들어온다.
⑤ 온몸으로 혈액을 내보내는 좌심실(D)의 근육이 가장 두껍다.
바로알기 ≫ ① 우심방(A)은 대정맥과 연결되어 있다. 대동맥은 좌심실(D)에 연결되어 있다.

11 ③ 심실에서 멀어질수록 혈압이 낮다.
바로알기 ≫ ① A는 동맥, B는 모세 혈관, 판막이 있는 C는 정맥이다.
② 모세 혈관(B)에는 판막이 없다.
④ 혈관 벽의 두께는 동맥(A)>정맥(C)>모세 혈관(B) 순으로 두껍다.

⑤ 혈액이 흐르는 속도는 동맥(A)>정맥(C)>모세 혈관(B) 순으로 빠르다.

12 A는 적혈구, B는 백혈구, C는 혈소판, D는 혈장이다.
① 산소 운반 작용을 하는 적혈구(A)가 부족하면 빈혈이 생길 수 있다.
③ 혈구 수는 적혈구(A)>혈소판(C)>백혈구(B) 순으로 많다.
바로알기 ≫ ② 헤모글로빈은 적혈구(A)에 있다.

13 A는 우심방, B는 좌심방, C는 우심실, D는 좌심실, (가)는 폐동맥, (나)는 폐정맥, (다)는 대정맥, (라)는 대동맥이다.
폐순환은 우심실(C) → 폐동맥(가) → 폐의 모세 혈관 → 폐정맥(나) → 좌심방(B)의 경로로 일어난다.

14 ㄱ. 폐동맥(가)과 대정맥(다)에는 조직 세포에 산소를 공급한 정맥혈이 흐른다.
ㄴ. 좌심방(B)과 좌심실(D)에는 폐에서 산소를 받은 동맥혈이 흐른다.
ㄷ. 온몸 순환은 좌심실(D) → 대동맥(라) → 온몸의 모세 혈관 → 대정맥(다) → 우심방(A)의 경로로 일어난다.

15 A는 코, B는 기관, C는 기관지, D는 폐, E는 갈비뼈, F는 가로막이다.
① 코(A)에서는 차고 건조한 공기를 따뜻하고 축축하게 만든다.
③ 폐(D)는 수많은 폐포로 이루어져 있어 표면적이 매우 넓기 때문에 기체 교환이 효율적으로 일어난다.
④ 숨을 들이쉬면 공기가 콧속(A)을 지나 기관(B)과 기관지(C)를 거쳐 폐(D) 속의 폐포로 들어간다.
⑤ 폐(D)는 근육이 없어 스스로 커지거나 작아지지 못하기 때문에 갈비뼈(E)와 가로막(F)의 움직임에 의해 호흡 운동이 일어난다.
바로알기 ≫ ② 기관(B)의 안쪽 벽에는 섬모가 있어 먼지나 세균 등을 걸러 낸다.

16 ④ 날숨에는 들숨보다 산소는 적고, 이산화 탄소는 많다.
바로알기 ≫ ① 날숨에도 산소가 있다. 들숨과 날숨에서 모두 산소가 이산화 탄소보다 많다.
② 날숨보다는 적지만 들숨에도 이산화 탄소가 있다.
③ 산소는 날숨보다 들숨에 많다.
⑤ 초록색 BTB 용액에 이산화 탄소가 많아지면 용액의 색깔이 노란색으로 변한다.

17 ②, ③ 고무 막(B)을 잡아당기면 유리병 속의 부피가 커지고 압력이 낮아져 밖에서 고무풍선(A)으로 공기가 들어온다. 이것은 우리 몸에서 들숨이 일어날 때에 해당한다.
바로알기 ≫ ⑤ 고무 막(B)을 밀어 올리면 유리병 속의 부피가 작아지고 압력이 높아져 고무풍선(A)에서 밖으로 공기가 나간다.

18 들숨이 일어나는 과정은 다음과 같다.
갈비뼈가 올라가고, 가로막이 내려간다. → 흉강의 부피가 커지고, 압력이 낮아진다. → 폐의 부피가 커지고, 폐 내부 압력이 대기압보다 낮아진다. → 밖에서 폐 안으로 공기가 들어온다.

19 기체 교환은 기체의 농도 차이에 따른 확산에 의해 일어난다. 즉, 농도가 높은 쪽에서 낮은 쪽으로 기체가 이동한다.
• 산소의 농도 : 폐포>모세 혈관, 모세 혈관>조직 세포 ➡ 산소의 이동 : 폐포 → 모세 혈관(A), 모세 혈관 → 조직 세포(C)
• 이산화 탄소의 농도 : 조직 세포>모세 혈관, 모세 혈관>폐포 ➡ 이산화 탄소의 이동 : 조직 세포 → 모세 혈관(D), 모세 혈관 → 폐포(B)
(바로알기) ④ 온몸의 모세 혈관과 조직 세포 사이(나)에서 산소는 모세 혈관 → 조직 세포(C)로 이동한다. 그 결과 혈액의 산소 농도가 낮아진다.

20 (바로알기 >>) ⑤ 단백질이 분해될 때만 만들어지는 암모니아는 간에서 독성이 약한 요소로 바뀐 다음 콩팥에서 오줌으로 나간다.

21 (가) 크기가 작은 물질이 사구체(A) → 보먼주머니(B)로 이동하는 현상 ➡ 여과
(나) 몸에 필요한 물질이 세뇨관(C) → 모세 혈관(D)으로 이동하는 현상 ➡ 재흡수
(다) 미처 여과되지 못한 노폐물의 일부가 모세 혈관(D) → 세뇨관(C)으로 이동하는 현상 ➡ 분비

22 ㄱ. 포도당은 여과(가)되는 물질이므로 사구체(A)의 혈액과 보먼주머니(B)의 여과액에 모두 있다.
(바로알기 >>) ㄴ. 모세 혈관(D)의 혈액에는 단백질과 혈구가 있다.
ㄷ. 무기염류는 여과(가)된 후 대부분 재흡수(나)된다. 즉, 전부 재흡수(나)되지 않으므로 E에 흐르는 오줌에 들어 있다.

23 (문제 분석하기 >>)

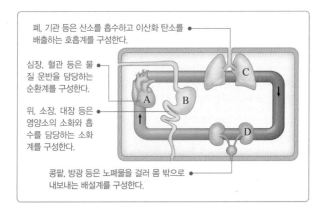

폐, 기관 등은 산소를 흡수하고 이산화 탄소를 배출하는 호흡계를 구성한다.
심장, 혈관 등은 물질 운반을 담당하는 순환계를 구성한다.
위, 소장, 대장 등은 영양소의 소화와 흡수를 담당하는 소화계를 구성한다.
콩팥, 방광 등은 노폐물을 걸러 몸 밖으로 내보내는 배설계를 구성한다.

(바로알기 >>) ⑤ 세포 호흡으로 발생한 이산화 탄소는 폐(C), 기관 등이 구성하는 호흡계를 통해 날숨 형태로 몸 밖으로 나간다.

Ⅵ. 물질의 특성

01 물질의 특성 (1)

(단원 미리보기)
234~235쪽

만화 완성하기 >> [모범 답안] 주스 자체가 물을 비롯한 여러 가지 물질이 섞인 혼합물이고, 주스를 만들 때에도 합성 첨가물이 들어가잖아.
한눈에 보기 >> [C] 순물질과 혼합물의 구별, [D] 끓는점, [E] 녹는점과 어는점

235~239쪽

A **1** (1) ○ (2) ○ (3) × **2** (1) 순 (2) 순 (3) 혼 (4) 혼 (5) 순 (6) 혼 **3** 균일 혼합물 : ㄱ, ㄷ, 불균일 혼합물 : ㄴ, ㄹ, ㅁ, ㅂ

B **1** ㄱ, ㄹ, ㅂ, ○ **2** (1) ○ (2) × (3) ×

C **1** ㉠ 순물질, ㉡ 혼합물 **2** (1) B (2) A **3** (1) ㉠ 끓는점, ㉡ 높 (2) ㉠ 어는점, ㉡ 낮 (3) ㉠ 녹는점, ㉡ 낮

D **1** 끓는점 **2** (1) × (2) ○ (3) × (4) × **3** A<B<C

E **1** (1) 녹는점 : 53 ℃, 어는점 : 53 ℃ (2) (가) 고체, (나) 고체+액체, (다) 액체, (라) 액체+고체, (마) 고체 **2** 액체

A-1 (바로알기 >>) (3) 혼합물은 성분 물질의 성질을 그대로 가진다.

A-3 합금과 설탕물은 성분 물질이 고르게 섞여 있는 균일 혼합물이고, 우유, 암석, 흙탕물, 과일 주스는 성분 물질이 고르지 않게 섞여 있는 불균일 혼합물이다.

B-1 물질을 구별할 수 있는 성질은 물질의 특성이다. 색깔, 녹는점, 끓는점, 용해도는 물질의 특성이다.
(바로알기 >>) 온도, 길이, 질량, 부피는 물질의 특성이 아니다.

B-2 (바로알기 >>) (2) 같은 물질인 경우 물질의 양에 관계없이 물질의 특성이 일정하다.
(3) 순물질은 물질의 특성이 일정하지만, 혼합물은 성분 물질의 비율에 따라 물질의 특성이 달라진다.

C-2 (1) 순물질인 물은 끓는점이 100 ℃로 일정하다.
(2) 혼합물인 소금물은 100 ℃보다 높은 온도에서 끓기 시작하며, 끓는 동안 온도가 계속 높아진다.

D-2 (바로알기 >>) (1) 끓는점은 물질의 종류에 따라 다르므로 물질의 특성이다.
(3) 같은 종류의 물질은 양에 관계없이 끓는점이 일정하다.

(4) 외부 압력이 높아지면 끓는점이 높아진다.

D-3 같은 물질인 경우 끓는점은 양에 관계없이 일정하며, 양이 많을수록 끓는점에 늦게 도달한다.

E-1 〔문제 분석하기 ≫〕

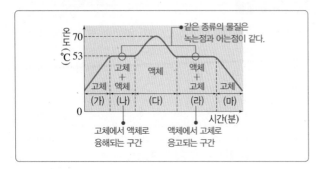

E-2 녹는점과 끓는점 사이의 온도 구간에서 물질은 액체 상태로 존재한다. 따라서 녹는점이 −114 ℃이고 끓는점이 78 ℃인 물질은 실온(약 20 ℃)에서 액체 상태로 존재한다.

실력탄탄 핵심 문제　　　　　240~243쪽

01 ③　02 ②　03 ②　04 ④　05 ③　06 ⑤　07 ④
08 ④　09 ②　10 ③　11 ⑤　12 ②　13 ⑤　14 ⑤
15 ①　16 ①　17 ②, ⑤　18 ②

〔서술형 **문제**〕 **19~24** 해설 참조

01 〔바로알기 ≫〕 ③ 순물질은 물질의 고유한 성질을 가지며, 혼합물은 성분 물질의 성질을 그대로 지닌다.

02 〔문제 분석하기 ≫〕

03 물, 철, 산소, 설탕, 소금, 에탄올, 이산화 탄소는 순물질이고, 공기, 간장, 바닷물, 흙탕물, 땜납은 혼합물이다.

04 〔문제 분석하기 ≫〕

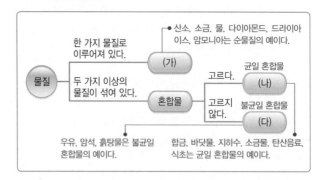

05 ①, ② (가)는 두 종류의 원소로 이루어진 순물질로, 가열 구간에서 수평한 구간이 나타난다.
④, ⑤ (나)는 두 가지 이상의 순물질이 고르게 섞여 있는 균일 혼합물이고, (다)는 두 가지 이상의 순물질이 고르지 않게 섞여 있는 불균일 혼합물이다.
〔바로알기 ≫〕 ③ (나)는 성분 물질의 성질을 그대로 지닌다.

06 밀도, 용해도, 끓는점, 어는점, 녹는점은 물질의 특성이고, 온도, 질량, 부피, 길이는 물질의 특성이 아니다.

07 〔바로알기 ≫〕 ④ 색깔, 맛, 냄새 등은 물질의 특성이다.

08 〔문제 분석하기 ≫〕

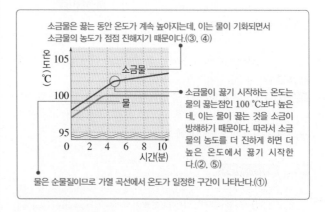

09 〔문제 분석하기 ≫〕

물의 냉각 곡선에서는 온도가 일정한 구간이 나타나지만, 소금물의 냉각 곡선에서는 온도가 일정한 구간이 나타나지 않는다.

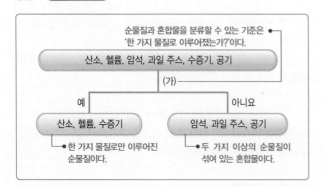

② 염화 칼슘이 녹은 물은 순수한 물보다 어는점이 낮으므로 겨울철 도로가 어는 것을 방지할 수 있다.

바로알기 ① 순수한 물의 끓는점은 100 °C이지만, 김치찌개는 물에 여러 가지 물질이 포함되어 있으므로 물보다 끓는점이 높다.

③ 국수를 삶을 때 물에 소금을 조금 넣으면 물의 끓는점이 높아져 국수가 빠르게 잘 익어 붇지 않는다.

④ 납의 녹는점은 328 °C인데 땜납의 녹는점은 183 °C 정도로 낮아지므로, 땜납은 금속을 붙일 때 사용한다.

⑤ 납에 주석을 섞어 만든 퓨즈는 순물질보다 녹는점이 낮아진다. 따라서 전기 기구에 허용 전류 이상의 전류가 흘러 열이 발생하면 퓨즈가 쉽게 녹아 끊어지므로 전류를 차단하여 화재를 방지할 수 있다.

10 〔문제 분석하기 ≫〕

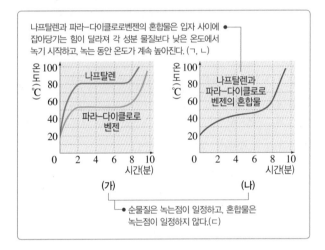

나프탈렌과 파라-다이클로로벤젠의 혼합물은 입자 사이에 잡아당기는 힘이 달라져 각 성분 물질보다 낮은 온도에서 녹기 시작하고, 녹는 동안 온도가 계속 높아진다. (ㄱ, ㄴ)

순물질은 녹는점이 일정하고, 혼합물은 녹는점이 일정하지 않다. (ㄷ)

11 ⑤ 액체가 끓는 것은 액체를 이루고 있는 입자들이 입자 사이에 잡아당기는 힘을 끊고 기체 상태로 되는 것인데, 입자 사이에 잡아당기는 힘이 약한 물질은 열에너지를 조금만 가해도 입자 사이에 잡아당기는 힘을 이겨 내고 쉽게 기체 상태로 되므로 끓는점이 낮다. 반면, 입자 사이에 잡아당기는 힘이 강한 물질은 입자 사이에 잡아당기는 힘을 이겨 내고 기체 상태로 되는 데 열에너지가 많이 필요하기 때문에 끓는점이 높다.

바로알기 ① 끓는점은 물질의 상태가 액체에서 기체로 변할 때 일정하게 유지되는 온도로, 끓는점에서는 액체와 기체가 함께 존재한다.

② 물의 끓는점은 외부 압력에 따라 달라진다. 외부 압력이 낮아지면 물의 끓는점이 낮아지고, 외부 압력이 높아지면 물의 끓는점이 높아진다.

③, ④ 끓는점은 물질의 종류에 따라 다르며, 같은 물질에서 물질의 양이 많아지면 끓는점에 도달하는 데 걸리는 시간이 길어질 뿐 끓는점은 변하지 않는다.

12 〔문제 분석하기 ≫〕

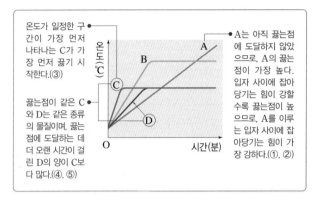

온도가 일정한 구간이 가장 먼저 나타나는 C가 가장 먼저 끓기 시작한다. (③)

A는 아직 끓는점에 도달하지 않았으므로, A의 끓는점이 가장 높다. 입자 사이에 잡아당기는 힘이 강할수록 끓는점이 높으므로, A를 이루는 입자 사이에 잡아당기는 힘이 가장 강하다. (①, ②)

끓는점이 같은 C와 D는 같은 종류의 물질이며, 끓는점에 도달하는 데 더 오랜 시간이 걸린 D의 양이 C보다 많다. (④, ⑤)

13 ①, ②, ③ A~C는 끓는점이 같으므로 모두 같은 종류의 물질이며, 녹는점도 모두 같다.

바로알기 ⑤ A~C 중 A가 가장 빨리 끓으므로 액체 물질의 질량은 A가 가장 작다.

14 ㄱ, ㄷ. 메탄올과 에탄올은 끓는점이 다르므로 끓는점을 측정하면 메탄올과 에탄올을 구별할 수 있다.

ㄴ. 부피가 달라도 메탄올의 끓는점은 65 °C, 에탄올의 끓는점은 78 °C로 일정한 것으로 보아 같은 물질의 끓는점은 양에 관계없이 일정함을 알 수 있다.

15 ① 압력솥으로 밥을 지으면 압력솥 내부의 수증기가 밖으로 빠져나가지 못하므로 압력이 높아져 물이 100 °C보다 높은 온도에서 끓기 때문에 밥이 빨리 된다.

16 ⑤ 입자 사이에 잡아당기는 힘이 강할수록 입자 사이에 잡아당기는 힘을 끊는 데 많은 에너지가 필요하기 때문에 녹는점이 높다.

바로알기 ① 액체가 고체로 변할 때의 온도는 어는점이다.

17 〔문제 분석하기 ≫〕

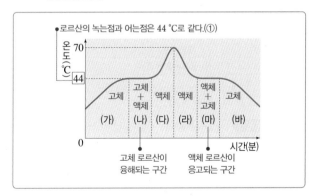

로르산의 녹는점과 어는점은 44 °C로 같다. (①)

고체 로르산이 융해되는 구간

액체 로르산이 응고되는 구간

② (나) 구간에서 로르산은 흡수한 열에너지를 모두 상태 변화에 사용하기 때문에 온도가 일정하게 유지된다.

바로알기 ③ (마) 구간에서 로르산은 액체에서 고체로 상태가 변한다.

18 실온(약 20 °C)에서 A~D의 상태는 다음 표와 같다.

물질	A	B	C	D
녹는점(°C)	1084	−210	0	−38.8
끓는점(°C)	2562	−195.8	100	356.6
실온(약 20 °C)에서의 상태	고체	기체	액체	액체

바로알기 ≫ ④, ⑤ 입자 사이에 잡아당기는 힘이 클수록 녹는점과 끓는점이 높다. 따라서 입자 사이에 잡아당기는 힘은 A가 가장 크고, B가 가장 작다.

19 모범 답안 ▶ (1) 순물질 : (가), (나), 혼합물 : (다), (라)
(2) 순물질은 한 가지 물질로 이루어진 물질이고, 혼합물은 두 가지 이상의 순물질이 섞여 있는 물질이기 때문이다.

	채점 기준	배점
(1)	순물질과 혼합물을 옳게 구분한 경우	50 %
(2)	(1)과 같이 답한 까닭을 옳게 서술한 경우	50 %

20 모범 답안 ▶ 밀도, 녹는점, 끓는점, 용해도, 다른 물질과 구별되는 그 물질만이 나타내는 고유한 성질이다.

채점 기준	배점
물질의 특성을 모두 고르고, 물질의 특성이 어떤 성질인지 옳게 서술한 경우	100 %
물질의 특성만 옳게 고른 경우	50 %

21 모범 답안 ▶ (1) A : 소금물, B : 물
(2) A는 끓는점이 일정하지 않고, B는 끓는점이 일정하기 때문이다.

	채점 기준	배점
(1)	A와 B를 옳게 나타낸 경우	50 %
(2)	(1)과 같이 답한 까닭을 옳게 서술한 경우	50 %

22 모범 답안 ▶ A와 B, 끓는점이 같기 때문이다.

채점 기준	배점
같은 물질을 고르고, 그 까닭을 옳게 서술한 경우	100 %
같은 물질만 옳게 고른 경우	50 %

23 모범 답안 ▶ 높은 산에서는 기압이 낮으므로 물의 끓는점이 낮아지기 때문이다.

채점 기준	배점
높은 산에서 밥을 지을 때 쌀이 설익는 까닭을 옳게 서술한 경우	100 %
그 외의 경우	0 %

24 모범 답안 ▶ (1) 로르산의 녹는점과 어는점 : 44 °C, 팔미트산의 녹는점과 어는점 : 62 °C

(2) 녹는점(어는점)은 물질의 종류에 따라 다르고, 같은 종류의 물질은 양에 관계없이 일정하기 때문이다.

	채점 기준	배점
(1)	로르산과 팔미트산의 녹는점과 어는점을 옳게 쓴 경우	50 %
(2)	물질의 종류, 양과 관련지어 옳게 서술한 경우	50 %
	물질의 종류 또는 양 중 한 가지만 옳게 서술한 경우	25 %

02 물질의 특성 (2)

단원 미리보기

244~245쪽

만화 완성하기 ≫ [모범 답안] 내가 너보다 밀도가 크니까!
한눈에 보기 ≫ [A] 부피와 질량, [C] 밀도와 관련된 생활 속 현상, [D] 고체의 용해도, [E] 기체의 용해도

245~250쪽

A 1 ㉠ 부피, ㉡ 질량 2 (1) 부 (2) 질 (3) 부 (4) 질 3 B

B 1 (1) × (2) × (3) × (4) ○ 2 2.0 g/cm³ 3 0.79 g/mL 4 C − B − A

C 1 ㉠ 큰, ㉡ 작은 2 밀도

D 1 A : 용질, B : 용매, C : 용해, D : 용액 2 (1) × (2) ○ (3) × (4) × 3 204 4 ㉠ 포화, ㉡ 불포화 5 (1) 질산 칼륨 (2) 염화 나트륨

E 1 (가) 기포 발생량 : A<B, 용해도 A>B, (나) 기포 발생량 : A<B, 용해도 A>B 2 ㉠ 낮, ㉡ 증가

A−2 (1), (3) 부피의 단위는 cm³, mL, L 등이 사용되며, 눈금실린더나 피펫 등을 이용하여 측정한다.
(2), (4) 질량의 단위는 mg, g, kg 등이 사용되며, 전자저울이나 윗접시저울을 이용하여 측정한다.

A−3 눈금실린더 속 액체의 부피는 눈의 높이가 액체의 표면과 수평이 되도록 한 후 최소 눈금의 $\frac{1}{10}$까지 어림하여 읽는다.

B−1 (4) 물질의 상태가 기체인 경우 온도가 증가하면 부피가 크게 증가하여 밀도가 크게 감소하며, 압력이 증가하면 부피가 크게 감소하여 밀도가 크게 증가한다. 이처럼 기체는 온도와 압력의 영향을 크게 받으므로 밀도를 나타낼 때 반드시 온도와 압력을 함께 표시해야 한다.
바로알기 ≫ (1) 밀도는 물질의 질량을 부피로 나눈 값, 즉 단위 부피당 질량이다.

(2) 일반적인 물질의 부피는 액체가 고체보다 크므로, 일반적인 물질의 밀도는 고체가 액체보다 크다. 그러나 예외적으로 물의 부피는 고체가 액체보다 크므로, 물의 밀도는 액체가 고체보다 크다.

(3) 밀도는 단위 부피당 질량이고, 물질의 종류가 같은 경우 질량이 커지면 부피도 커지게 된다. 따라서 같은 물질인 경우 밀도는 변하지 않고 일정하다.

B-2 밀도 $= \dfrac{질량}{부피} = \dfrac{돌의\ 질량}{(돌+물)의\ 부피-물의\ 부피}$

$\qquad = \dfrac{20\ g}{60.0\ mL-50.0\ mL} = \dfrac{20\ g}{10.0\ mL}$

$\qquad = 2.0\ g/mL = 2.0\ g/cm^3 \Leftarrow 1\ mL = 1\ cm^3$

B-3 밀도 $= \dfrac{질량}{부피} = \dfrac{액체가\ 담긴\ 비커의\ 질량-빈\ 비커의\ 질량}{액체의\ 부피}$

$\qquad = \dfrac{65\ g-33.4\ g}{40.0\ mL} = \dfrac{31.6\ g}{40.0\ mL} = 0.79\ g/mL$

B-4 밀도가 서로 다른 액체 물질을 섞었을 경우 밀도가 큰 물질은 밀도가 작은 물질 아래로 가라앉고, 밀도가 작은 물질은 밀도가 큰 물질 위로 뜨게 된다. 따라서 제일 위에 뜬 물질 A의 밀도가 가장 작고, 바닥에 가라앉은 물질 C의 밀도가 가장 크다.

C-2 • 공기보다 밀도가 작은 헬륨을 채운 풍선은 위로 떠오른다.

• 가스 누출 경보기를 설치할 때 공기보다 밀도가 작은 LNG의 경우 천장 쪽에 설치하고, 공기보다 밀도가 큰 LPG의 경우 바닥 쪽에 설치한다.

D-1 황산 구리(Ⅱ)(A)와 같이 다른 물질에 녹아 들어가는 물질은 용질, 물(B)과 같이 다른 물질을 녹이는 물질은 용매, 황산 구리(Ⅱ) 수용액(D)과 같이 용질과 용매가 서로 고르게 섞인 혼합물은 용액이다. 이때 황산 구리(Ⅱ)와 물이 고르게 섞이는 현상(C)과 같이 용질과 용매가 고르게 섞이는 현상을 용해라고 한다.

D-2 바로알기 ≫ (1) 용해도는 어떤 온도에서 용매 100 g에 최대로 녹을 수 있는 용질의 g수이다.

(3) 용해도는 온도에 따라 다른 값을 나타낸다.

(4) 일반적으로 고체의 용해도는 온도가 높을수록 증가하고, 압력의 영향은 거의 받지 않는다.

D-3 용해도는 어떤 온도에서 용매 100 g에 최대로 녹을 수 있는 용질의 g수를 나타낸 것이다. 20 ℃에서 물 25 g에 고체 물질 51 g(=60 g−9 g)이 녹았으므로, 물 100 g에는 204 g(25 : 51=100 : x, x=204)이 녹을 수 있다. 따라서 20 ℃에서 물에 대한 이 물질의 용해도는 204이다.

D-4 불포화 용액은 포화 용액보다 용질이 적게 녹아 있는 용액으로, 용질이 더 녹을 수 있다.

D-5 (1) 온도에 따른 용해도 변화가 가장 큰 물질은 용해도 곡선의 기울기가 가장 큰 질산 칼륨이다.

(2) 질량이 가장 적게 석출되는 물질은 80 ℃와 20 ℃ 사이에서 용해도 곡선의 기울기가 가장 작은 염화 나트륨이다.

E-1 (가) A는 얼음물, B는 뜨거운 물에 담겨 있으므로 기포는 A보다 B에서 더 많이 발생한다. 따라서 기체의 용해도는 A가 B보다 크다.

(나) A는 뚜껑이 닫혀 있고, B는 뚜껑이 열려 있으므로 A의 압력이 B의 압력보다 높다. 따라서 A보다 B에서 기포가 더 많이 발생하고, 기체의 용해도는 A가 B보다 크다.

이해 쏙쏙 집중 강의 *252쪽*

유제 1 138.4 g   유제 2 11.05 g   유제 3 64.2 g

유제 1 80 ℃에서 고체 물질의 용해도가 170.3이므로, 80 ℃의 물 100 g에 170.3 g을 녹이면 포화 수용액 270.3 g이 만들어진다.

20 ℃에서 고체 물질의 용해도는 31.9이므로, 20 ℃의 물 100 g에는 최대 31.9 g이 녹을 수 있다. 따라서 80 ℃의 포화 수용액을 20 ℃로 냉각할 때 석출되는 고체의 질량은 170.3 g −31.9 g=138.4 g이다.

유제 2 80 ℃에서 염화 나트륨의 용해도는 37.9이므로, 80 ℃의 물 100 g에 염화 나트륨은 최대 37.9 g이 녹을 수 있다. 용매의 양에 따라 최대로 녹을 수 있는 용질의 양이 달라지므로, 80 ℃의 물 50 g에는 최대 18.95 g(100 : 37.9=50 : x, x=18.95)이 녹을 수 있다. 따라서 80 ℃의 물 50 g에 염화 나트륨 30 g을 녹일 때 녹지 않고 남는 염화 나트륨의 질량은 30 g−18.95 g=11.05 g이다.

유제 3 80 ℃에서 황산 구리(Ⅱ)의 용해도는 57.0이므로, 80 ℃의 물 100 g에 최대로 녹을 수 있는 황산 구리(Ⅱ)는 57.0 g이다. 용매의 양에 따라 최대로 녹을 수 있는 용질의 양이 달라지므로, 80 ℃의 물 150 g에 최대로 녹을 수 있는 황산 구리(Ⅱ)는 85.5 g(100 : 57.0=150 : x, x=85.5)이며, 이때 만들어지는 80 ℃의 황산 구리(Ⅱ) 포화 수용액이 235.5 g(=물 150 g+황산 구리(Ⅱ) 85.5 g)이다.

0 ℃에서 황산 구리(Ⅱ)의 용해도는 14.2이므로, 0 ℃의 물 150 g에 최대로 녹을 수 있는 황산 구리(Ⅱ)는 21.3 g(100 : 14.2=150 : x, x=21.3)이다. 따라서 80 ℃의 황산 구리(Ⅱ) 포화 수용액을 0 ℃로 냉각할 때 석출되는 황산 구리(Ⅱ)의 질량은 85.5 g −21.3 g=64.2 g이다.

01 ②　02 ④　03 ④　04 ③　05 ⑤　06 ④　07 ③

08 ⑤　09 ㄴ　10 ④　11 ④　12 ①　13 ③　14 ⑤

15 ④　16 ③　17 ②　18 ②　19 ⑤　20 ③　21 ②

22 ①, ③

서술형 문제　23~28 해설 참조

01 ③ 액체 물질은 눈금실린더를 이용하여 부피를 측정할 수 있다.

④ 물에 뜨는 고체는 가는 철사를 이용하여 고체를 눌러서 물속에 넣은 후 부피를 측정한다.

바로알기 ② 소금은 물에 녹으므로 소금의 부피를 측정할 때는 소금을 녹이지 않는 에탄올이나 기름과 같은 액체 물질을 이용해야 한다.

02 그림에 주어진 눈금실린더의 최소 눈금 단위는 1 mL이므로 0.1 mL 단위까지 눈금을 읽어야 한다. 액체 표면의 오목한 아랫부분이 25 mL 눈금에 정확히 일치하므로 25.0 mL로 읽는다.

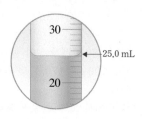

03 ①, ③ 질량의 단위는 g, kg 등이며, 전자저울이나 윗접시저울을 이용하여 측정할 수 있다.

⑤ 질량은 어떤 물질이 가지는 고유한 양으로, 측정 장소가 달라지더라도 그 값이 변하지 않는다.

바로알기 ④ 질량은 물질의 양에 따라 달라지므로 물질의 특성에 해당하지 않는다.

04 ①, ② 밀도$=\dfrac{질량}{부피}$으로 계산한다. 밀도는 물질의 종류에 따라 다르며, 물질의 종류가 같은 경우 물질의 양에 관계없이 일정하므로 물질마다 고유한 값을 가진다.

④ 밀도$=\dfrac{질량}{부피}$이므로, 두 물질의 질량이 같은 경우 부피가 작을수록 밀도가 크다.

⑤ 밀도가 다른 두 물질을 섞으면 밀도가 큰 물질이 아래에 위치하고, 밀도가 작은 물질이 위에 위치한다.

바로알기 ③ 두 물질의 부피가 같은 경우 질량이 클수록 밀도가 크다.

05 밀도는 단위 부피당 질량이다. 돌의 부피는 늘어난 물의 부피와 같으므로 25.0 mL−22.0 mL=3.0 mL이고, 질량은 33 g이다. 따라서 돌의 밀도는 $\dfrac{33\,g}{3.0\,mL}$=11.0 g/mL=11.0 g/cm³이다.

06 문제 분석하기 ≫

물질	돌	스타이로폼 조각	고무 지우개	나무 도막	물
질량(g)	85	6.5	75	85	40
부피(cm³)	5	10	5	100	40
밀도(g/cm³)	17	0.65	15	0.85	1

└● 물의 밀도는 1 g/cm³이므로, 물에 뜨는 물질은 물보다 밀도가 작은 스타이로폼 조각과 나무 도막이다.(④)

07 문제 분석하기 ≫

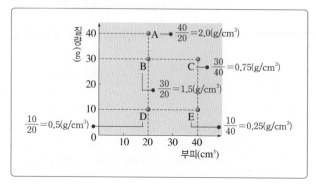

① A의 밀도가 2.0 g/cm³로 가장 크다.

② 밀도$=\dfrac{질량}{부피}$이므로 질량이 같을 때 부피가 클수록 밀도가 작다. 따라서 같은 질량일 때 부피가 가장 큰 물질은 밀도가 가장 작은 E이다.

④, ⑤ 물의 밀도인 1 g/cm³보다 밀도가 작은 C, D, E는 물 위에 뜨고, 물보다 밀도가 큰 A, B는 물에 가라앉는다.

바로알기 ③ 밀도가 같으면 같은 종류의 물질이다. A~E는 밀도가 모두 다르므로 A~E 중 같은 종류의 물질은 없다.

08 ⑤ 금속 조각의 밀도$=\dfrac{질량}{부피}=\dfrac{54\,g}{20\,cm^3}$=2.7 g/cm³이다. 액체보다 밀도가 큰 물체는 액체 아래로 가라앉고 액체보다 밀도가 작은 물체는 액체 위로 뜨게 된다. 금속의 밀도는 액체 B보다 크고 액체 C보다 작으므로, 금속은 B와 C의 경계면에 있게 된다.

09 문제 분석하기 ≫

밀도가 같으므로 같은 물질이다.(ㄴ) ┐

물질	A	B	C	D
질량(g)	22	45	75	68
부피(cm³)	20	30	50	85
밀도(g/cm³)	1.1	1.5	1.5	0.8

└● A의 밀도가 D의 밀도보다 크다.(ㄱ)

바로알기 ≫ ㄷ. 밀도가 $1.2\,g/cm^3$인 액체에 뜨기 위해서는 $1.2\,g/cm^3$보다 밀도가 작아야 하므로 A와 D가 이에 해당한다. B와 C는 액체에 가라앉는다.

10 기체의 부피는 온도와 압력의 영향을 크게 받으므로 기체의 부피를 나타낼 때는 온도와 압력을 함께 표시해야 한다. 산소, 수소, 질소, 이산화 탄소는 모두 $20\,℃$에서 기체 상태의 물질이고, 탄소는 $20\,℃$에서 고체 상태의 물질이다.

11 ④ 밀도$=\dfrac{질량}{부피}$이므로, 부피가 증가할수록 밀도는 감소한다.

12 【문제 분석하기 ≫】

질량이 같은 순금과 왕관을 각각 물이 가득 든 항아리에 넣었을 때 넘친 물의 양을 비교하면 밀도를 알 수 있다.

순금   왕관

넘친 물의 양 : 순금<왕관 ➡ 넘친 물의 양은 물질의 부피를 의미하며(ㄱ),

밀도$=\dfrac{질량}{부피}$이므로 부피가 클수록 밀도는 작다. ➡ 밀도 : 순금>왕관(ㄴ)

바로알기 ≫ ㄷ. 왕관의 넘친 물의 부피가 더 많은 것으로 보아 왕관의 밀도가 더 작다는 것을 알 수 있다. 따라서 왕관은 순금보다 밀도가 작은 물질을 섞어 만들어졌다.

13 【바로알기 ≫】 ③ 겨울철에 자동차의 냉각수에 부동액을 넣는 것은 혼합물의 어는점이 순물질보다 낮아지는 원리를 이용한 것이다.

14 ①, ②, ③, ④ 물에 설탕을 넣어 설탕물을 만들 때 물은 용매, 설탕은 용질, 설탕물은 용액이다. 이때 설탕이 물에 녹아 고르게 섞이는 현상은 용해이다.

바로알기 ≫ ⑤ 용액은 용매와 용질이 고르게 섞여 있는 물질이므로, 균일 혼합물이다.

15 ④ 일반적으로 고체의 용해도는 온도가 높을수록 증가하고, 압력의 영향은 거의 받지 않는다.

바로알기 ≫ ① 용해도는 어떤 온도에서 용매 $100\,g$에 최대로 녹을 수 있는 용질의 g수이다.

② 용해도는 용질이나 용매의 종류에 따라 달라진다.

③ 일정한 온도에서 같은 용매에 대한 용해도는 물질의 종류에 따라 다르므로 물질의 특성이다.

⑤ 기체의 용해도는 온도가 낮을수록 증가하고, 압력이 높을수록 증가한다.

16 ③ $40\,℃$에서 물 $20\,g$에 고체 물질이 $5\,g$ 녹으므로 $40\,℃$에서 물 $100\,g$에는 최대 $25\,g$ 녹을 수 있다. 따라서 $40\,℃$에서 이 고체 물질의 용해도는 25이다.

17 【문제 분석하기 ≫】

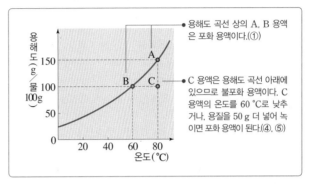

• 용해도 곡선 상의 A, B 용액은 포화 용액이다.(①)

• C 용액은 용해도 곡선 아래에 있으므로 불포화 용액이다. C 용액의 온도를 $60\,℃$로 낮추거나, 용질을 $50\,g$ 더 넣어 녹이면 포화 용액이 된다.(④, ⑤)

③ $80\,℃$에서 물 $100\,g$에 최대 $150\,g$ 녹을 수 있으므로, $80\,℃$에서 이 고체 물질의 용해도는 150이다.

바로알기 ≫ ② A 용액에 들어 있는 고체 물질의 질량은 $150\,g$이고, B 용액에 들어 있는 고체 물질의 질량은 $100\,g$이다.

18 ② 물 $100\,g$에 최대로 녹을 수 있는 질산 나트륨은 $80\,℃$에서 $147.5\,g$, $40\,℃$에서 $104.1\,g$이다. 따라서 $80\,℃$의 질산 나트륨 포화 수용액을 $40\,℃$로 냉각할 때 석출되는 질산 나트륨의 질량은 $147.5\,g-104.1\,g=43.4\,g$이다.

19 ⑤ $20\,℃$에서 황산 구리(Ⅱ)의 용해도가 20이므로, $60\,℃$ 물 $100\,g$에 황산 구리(Ⅱ) $35\,g$을 녹인 후 $20\,℃$로 냉각하면 $35\,g-20\,g=15\,g$이 결정으로 석출된다.

바로알기 ≫ ① 온도가 높을수록 고체 물질의 용해도가 증가한다.

② 온도에 따른 용해도 변화가 가장 큰 것은 질산 칼륨이다.

③ $80\,℃$ 물 $100\,g$에 이 물질들을 각각 포화 상태로 녹인 후 $20\,℃$로 냉각할 때 결정이 가장 많이 석출되는 것은 용해도 곡선에서 기울기가 가장 큰 질산 칼륨이다.

④ $40\,℃$에서 물 $100\,g$에 질산 칼륨 $63\,g$이 녹아 있는 용액이 포화 용액이다.

20 ② $24.7\,℃$에서 $10\,g$의 물에 녹은 질산 칼륨의 질량이 $4\,g$이므로 용해도는 $40(10:4=100:x,\ x=40)$이다. 따라서 $24.7\,℃$에서 물 $50\,g$에 질산 칼륨 $40\,g$을 녹이면 $20\,g(100:40=50:x,\ x=20)$만 녹고, 나머지 $20\,g$은 녹지 않고 남는다.

④ $63.9\,℃$에서 $10\,g$의 물에 녹은 질산 칼륨의 질량이 $12\,g$이다. 따라서 $63.9\,℃$에서 물 $100\,g$에 최대로 녹을 수 있는 질산 칼륨의 질량은 $120\,g(10:12=100:x,\ x=120)$이다.

⑤ $72.6\,℃$에서 $10\,g$의 물에 녹은 질산 칼륨의 질량이 $16\,g$이므로 용해도는 $160(10:16=100:x,\ x=160)$이다.

바로알기 ≫ ③ $46.5\,℃$에서 물 $10\,g$에 질산 칼륨 $8\,g$이 녹아 있는 수용액은 포화 용액이다.

21 문제 분석하기 ≫

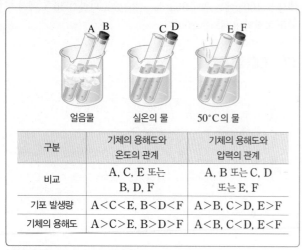

구분	기체의 용해도와 온도의 관계	기체의 용해도와 압력의 관계
비교	A, C, E 또는 B, D, F	A, B 또는 C, D 또는 E, F
기포 발생량	A<C<E, B<D<F	A>B, C>D, E>F
기체의 용해도	A>C>E, B>D>F	A<B, C<D, E<F

바로알기 ≫ ② 기체의 용해도가 가장 큰 것은 온도가 가장 낮고, 압력이 높은 B이다.

22 감압 용기에 탄산음료를 넣고 공기를 빼내면 용기 속의 압력이 낮아져 이산화 탄소 기체의 용해도가 감소하므로 기포가 발생한다.
① 탄산음료의 마개를 열면 병 내부의 압력이 낮아져 탄산음료에 녹아 있던 이산화 탄소 기체의 용해도가 감소하므로 거품이 발생한다.
③ 깊은 바다에서 갑자기 물 위로 올라오면 압력이 빠르게 낮아지므로 혈액 속에 녹아 있던 질소 기체의 용해도가 급격히 감소하여 잠수병에 걸릴 수 있다.
바로알기 ≫ ② 염소로 소독한 수돗물을 끓이면 물에 녹아 있던 염소 기체의 용해도가 감소하므로 염소 냄새가 사라진다.
④ 공장에서 사용한 냉각수는 하천보다 온도가 높아 하천에 녹아 있던 산소 기체의 용해도가 감소하므로 물고기들이 피해를 입을 수 있다.
⑤ 컵에 물을 담아 햇빛이 잘 드는 창가에 두면 물의 온도가 높아지므로 물속에 녹아 있던 기체의 용해도가 감소하여 공기 방울이 생긴다.

23 모범 답안 ▶ A와 C, 밀도가 2 g/cm^3로 같기 때문이다.
문제 분석하기 ≫

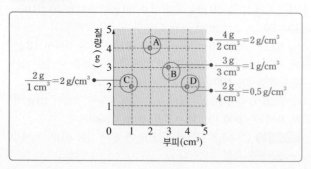

채점 기준	배점
같은 종류의 물질을 고르고, 그 까닭을 옳게 서술한 경우	100 %
같은 종류의 물질만 옳게 고른 경우	50 %

24 모범 답안 ▶ (1) (가) 돌, (나) 나무
(2) 밀도가 큰 물질은 아래로 가라앉고, 밀도가 작은 물질은 위로 뜨기 때문이다.
문제 분석하기 ≫

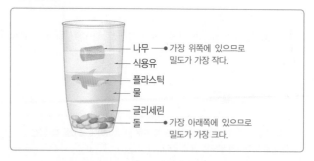

	채점 기준	배점
(1)	(가)와 (나)를 옳게 쓴 경우	50 %
(2)	(1)과 같이 답한 까닭을 옳게 서술한 경우	50 %

25 모범 답안 ▶ LNG는 공기보다 밀도가 작으므로 가스 누출 경보기를 천장 쪽에 설치하고, LPG는 공기보다 밀도가 크므로 가스 누출 경보기를 바닥 쪽에 설치한다.

채점 기준	배점
경보기의 설치 위치를 그 까닭과 함께 모두 옳게 서술한 경우	100 %
경보기의 설치 위치만 옳게 서술한 경우	50 %

26 모범 답안 ▶ 0 ℃에서 질산 칼륨의 용해도는 13.6이므로 석출량은 $100 \text{ g} - 13.6 \text{ g} = 86.4 \text{ g}$이다.

채점 기준	배점
풀이 과정을 포함하여 석출되는 질산 칼륨의 질량을 옳게 구한 경우	100 %
풀이 과정을 포함하지 않고 석출되는 질산 칼륨의 질량만 옳게 쓴 경우	50 %

27 모범 답안 ▶ 용질을 더 넣어 녹인다. 용액의 온도를 낮춘다.

채점 기준	배점
두 가지 방법을 모두 옳게 서술한 경우	100 %
한 가지 방법만 옳게 서술한 경우	50 %

28 모범 답안 ▶ 탄산음료 병의 마개를 열면 압력이 낮아져 기체의 용해도가 감소하므로 녹아 있던 기체가 빠져나와 거품이 발생한다.
[해설] 기체의 용해도는 온도가 높을수록, 압력이 낮을수록 감소한다.

채점 기준	배점
압력에 따른 기체의 용해도 변화를 이용하여 옳게 서술한 경우	100 %
그 외의 경우	0 %

03 혼합물의 분리 (1)

단원 미리보기

258~259쪽

만화 완성하기 >> [모범 답안] 바닷물을 가열하면 끓는점이 낮은 물이 기화하여 수증기로 끓어 나오고, 이 수증기를 냉각하면 순수한 물을 얻을 수 있지.

한눈에 보기 >> [B] 끓는점 차를 이용한 분리의 예, [D] 밀도 차를 이용한 분리−액체 혼합물, [E] 밀도 차를 이용한 분리의 예

259~264쪽

A 1 증류 2 ㉠ 끓는점, ㉡ 끓는점, ㉢ 클 3 (1) × (2) ○ (3) ○

B 1 증류 2 낮 3 (가) 에탄올, (나) 물 4 휘발유 5 끓는점

C 1 ㉠ 중간, ㉡ 액체 2 밀도 3 스타이로폼<물<모래

D 1 ㄱ, ㄹ 2 밀도 3 (1) 식용유 (2) 에테르 (3) 참기름 (4) 물

E 1 기름<바닷물 2 (1) ○ (2) × (3) × (4) ○ (5) ○ (6) ○ (7) ○ (8) ○ (9) × (10) ×

A−3 (바로알기 >>) (1) 혼합물을 가열하면 끓는점이 낮은 물질이 먼저 끓어 나온다.

B−1 바닷물을 가열하여 식수를 얻는 것이나 곡물을 발효하여 만든 술을 소줏고리에 넣고 가열하여 소주를 얻는 것은 증류를 이용한 분리 방법이다.

B−2 곡물을 발효한 탁한 술을 소줏고리에 넣고 끓이면 끓는점이 낮은 에탄올이 먼저 끓어 나오다가 찬물에 의해 냉각되어 맑은 소주를 얻을 수 있다.

B−3 (문제 분석하기 >>)

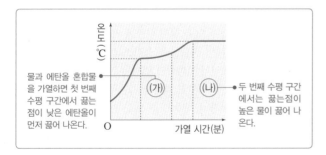

물과 에탄올 혼합물을 가열하면 첫 번째 수평 구간에서 끓는점이 낮은 에탄올이 먼저 끓어 나온다.

두 번째 수평 구간에서는 끓는점이 높은 물이 끓어 나온다.

B−4 끓는점이 낮은 성분일수록 증류탑의 위쪽에서 분리되므로 표의 물질 중에서는 휘발유가 가장 윗부분에서 분리되어 나온다.

C−2 물질이 뜨고 가라앉는 현상은 밀도와 관련이 있다.

C−3 스타이로폼과 모래의 혼합물을 물에 넣으면 밀도가 물보다 작은 스타이로폼은 물 위에 뜨고, 물보다 밀도가 큰 모래는 가라앉으므로 분리할 수 있다.

D−1 ㄱ, ㄹ. 서로 섞이지 않으면서 밀도가 다른 액체 물질들이 섞인 혼합물은 분별 깔때기를 이용하여 분리할 수 있다.

E−2 (바로알기 >>) (2), (3), (9), (10) 원유의 분리, 물과 에탄올 분리, 바닷물에서 식수 얻기, 탁한 술에서 맑은 소주 얻기는 끓는점 차를 이용하여 혼합물을 분리하는 경우이다.

실력탄탄 핵심 문제

266~269쪽

01 ④　02 ②　03 ⑤　04 ③　05 ㄴ, ㄷ　06 ②　07 ⑤
08 ③　09 ㄴ　10 ④　11 ②　12 ①　13 ③　14 ⑤
15 ③　16 ③　17 ④　18 ④
서술형 문제 19~24 해설 참조

01 ①, ②, ③ 이 실험 장치는 서로 잘 섞이는 액체 상태의 혼합물을 끓는점 차를 이용하여 분리하는 증류 장치이다.
⑤ 끓임쪽을 넣으면 액체 물질이 갑자기 끓어오르는 것을 방지할 수 있다.
(바로알기 >>) ④ 혼합물을 가열하면 끓는점이 낮은 물질이 먼저 끓어 나온다.

02 ② 곡물을 발효하여 얻은 탁한 술을 소줏고리에 넣고 가열하면 끓는점이 낮은 에탄올이 먼저 끓어 나오며, 끓어 나온 에탄올이 찬물이 담긴 그릇에 의해 냉각되면 맑은 소주를 얻을 수 있다. 이는 끓는점 차를 이용한 증류로 분리하는 예이다.

03 ⑤ 바닷물을 가열하면 액체 상태인 물이 먼저 수증기로 끓어 나오며, 물속에 녹아 있던 고체 성분이나 끓는점이 물보다 높은 액체 성분은 남아 있다. 이때 끓어 나오는 수증기를 냉각하면 순수한 물을 얻을 수 있다.
(바로알기 >>) ① 사금이 섞인 모래를 그릇에 담아 물속에서 흔들면 밀도가 작은 모래는 씻겨 나가고 밀도가 큰 사금은 남아 있다.
② 볍씨를 소금물에 넣으면 속이 찬 좋은 볍씨는 밀도가 크므로 가라앉고, 쭉정이는 밀도가 작으므로 뜬다.
③ 달걀을 소금물에 넣으면 오래된 달걀은 밀도가 작으므로 위로 뜨고, 신선한 달걀은 밀도가 크므로 가라앉는다.
④ 모래와 스타이로폼을 물에 넣으면 물보다 밀도가 큰 모래는 가라앉고, 물보다 밀도가 작은 스타이로폼은 위로 뜬다.

04 〔문제 분석하기 〉〉〕

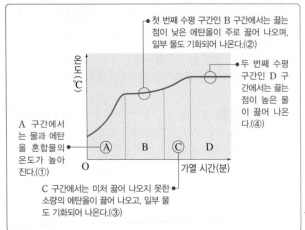

A 구간에서는 물과 에탄올 혼합물의 온도가 높아진다.(①)

첫 번째 수평 구간인 B 구간에서는 끓는점이 낮은 에탄올이 주로 끓어 나오며, 일부 물도 기화되어 나온다.(②)

두 번째 수평 구간인 D 구간에서는 끓는점이 높은 물이 끓어 나온다.(④)

C 구간에서는 미처 끓어 나오지 못한 소량의 에탄올이 끓어 나오고, 일부 물도 기화되어 나온다.(③)

(세로축) 온도(℃) / (가로축) 가열 시간(분)

⑤ 물질을 이루는 입자 사이에 잡아당기는 힘이 강할수록 끓는점이 높으므로, 입자 사이에 잡아당기는 힘은 끓는점이 높은 물이 에탄올보다 강하다.

05 ㄴ. (나)의 A 구간에서는 에탄올이 끓는점보다 약간 높은 온도에서 끓어 나온다. 그 까닭은 물이 에탄올의 기화를 방해하고, 에탄올이 끓어 나올 때 끓는점이 높은 물이 조금 포함되어 있기 때문이다.
ㄷ. (나)의 B 구간에서는 물이 끓어 나온다. 따라서 끓어 나오는 기체를 냉각하면 순수한 물을 얻을 수 있다.
〔바로알기 〉〉〕 ㄱ. (가)는 서로 잘 섞이는 액체 혼합물을 분리할 때 이용하는 증류 장치이다.

06 이 실험 장치는 끓는점 차를 이용하여 혼합물을 분리하는 증류 장치이다.
② 물과 메탄올 혼합물은 서로 잘 섞이며 끓는점이 다르므로 증류 장치를 이용하여 분리한다.
〔바로알기 〉〉〕 ①, ③, ⑤ 물과 참기름 혼합물, 물과 에테르 혼합물, 물과 사염화 탄소 혼합물은 밀도가 다르고 서로 섞이지 않으므로 분별 깔때기를 이용하여 분리한다.
④ 톱밥과 모래의 혼합물은 밀도가 다르므로, 두 물질을 녹이지 않고 중간 정도의 밀도를 가지는 액체에 넣어 분리한다.

07 〔문제 분석하기 〉〉〕

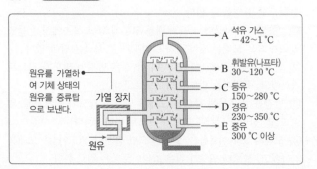

원유를 가열하여 기체 상태의 원유를 증류탑으로 보낸다.

가열 장치

원유

A 석유 가스 −42~1 ℃
B 휘발유(나프타) 30~120 ℃
C 등유 150~280 ℃
D 경유 230~350 ℃
E 중유 300 ℃ 이상

⑤ 원유는 끓는점 차를 이용한 증류로 분리하며, 물과 에탄올 혼합물도 같은 원리로 분리한다.
〔바로알기 〉〉〕 ① 물질의 끓는점 차를 이용한 장치이다.
② 원유는 여러 물질로 분리되므로 혼합물임을 알 수 있다.
③, ④ 증류탑은 위로 올라갈수록 온도가 낮아진다. 따라서 A는 B보다 끓는점이 낮음을 알 수 있다.

08 끓는점이 낮은 물질일수록 증류탑의 위쪽에서 분리되므로 A에서는 석유 가스, B에서는 휘발유, C에서는 등유, D에서는 경유, E에서는 중유가 분리된다.

09 〔문제 분석하기 〉〉〕

물과 B는 서로 섞이지 않으므로 증류로 분리하기에 적당하지 않다.(ㄷ)

물질	밀도(g/cm³)	끓는점(℃)	용해성
물	1.0	100	A와 잘 섞인다.
A	0.79	78.3	B와 섞이지 않는다.
B	0.88	80.1	물과 섞이지 않는다.

A와 B는 서로 섞이지 않으므로 증류로 분리하기에 적당하지 않다.(ㄱ)

물과 A는 끓는점 차가 크고 서로 잘 섞이므로 증류로 분리하기에 적당하다.(ㄴ)

〔바로알기 〉〉〕 ㄹ. 물, A, B는 물과 B가 서로 섞이지 않고 A와 B도 서로 섞이지 않으므로 증류로 분리하기에 적당하지 않다.

10 ④ 증류탑에서는 끓는점이 낮은 물질일수록 위쪽에서 분리된다. 따라서 프로페인, 뷰테인, 산소, 질소, 아르곤의 혼합물을 −200 ℃로 냉각한 후 증류탑으로 보내 온도를 올리면 끓는점이 가장 낮은 질소가 증류탑의 가장 높은 곳에서 분리된다.

11 ① 원유를 가열하여 증류탑으로 보내면 끓는점에 따라 석유 가스, 휘발유, 등유, 경유, 중유 등으로 분리된다.
③ 소금물을 가열하면 끓는점이 낮은 물이 기화하여 수증기가 되고, 이것을 액화하면 물을 얻을 수 있다.
④ 물과 에탄올 혼합물을 가열하면 끓는점이 낮은 에탄올이 먼저 기화하고, 끓는점이 높은 물이 나중에 기화한다.
⑤ 뷰테인과 프로페인 혼합물을 플라스크 속에 넣고 냉각하면 끓는점이 높은 뷰테인이 액화하여 먼저 분리된다.
〔바로알기 〉〉〕 ② 불순물이 섞인 곡물을 키에 넣고 까부르면 밀도가 작은 쭉정이는 날아가고, 밀도가 큰 돌은 키의 안쪽에 남아 분리된다.

12 ②, ④ 볍씨를 소금물에 담그면 소금물보다 밀도가 작은 쭉정이는 위로 뜨고 소금물보다 밀도가 큰 좋은 볍씨는 가라앉는다. 따라서 밀도는 쭉정이<소금물<좋은 볍씨 순이다.
③ 쭉정이가 뜨지 않을 때는 소금을 더 녹여 소금물의 농도를 진하게 한다.
⑤ 같은 원리로 오래된 달걀과 신선한 달걀을 구별할 수 있다.

바로알기 >> ① 좋은 볍씨와 쭉정이를 분리하는 것은 밀도 차를 이용한 분리 방법이다.

13 • 기름은 바닷물과 섞이지 않고 바닷물보다 밀도가 작아 바다에 기름이 유출되면 기름이 물 위에 뜨므로 흡착포를 이용하여 제거한다.
• 스타이로폼과 모래의 혼합물을 물에 넣으면 물보다 밀도가 작은 스타이로폼은 위로 뜨고, 물보다 밀도가 큰 모래는 가라앉는다. 따라서 공통적으로 이용되는 물질의 특성은 밀도이다.

14 문제 분석하기 >>

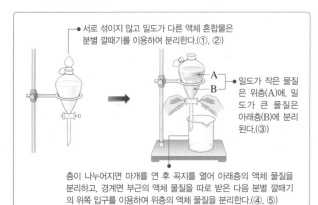

• 서로 섞이지 않고 밀도가 다른 액체 혼합물은 분별 깔때기를 이용하여 분리한다.(①, ②)

A
B

밀도가 작은 물질은 위층(A)에, 밀도가 큰 물질은 아래층(B)에 분리된다.(③)

층이 나누어지면 마개를 연 후 꼭지를 열어 아래층의 액체 물질을 분리하고, 경계면 부근의 액체 물질을 따로 받은 다음 분별 깔때기의 위쪽 입구를 이용하여 위층의 액체 물질을 분리한다.(④, ⑤)

15 분별 깔때기는 서로 섞이지 않고 밀도가 다른 액체 혼합물을 분리할 때 이용하는 실험 기구이다.
바로알기 >> ㄴ, ㄷ. 물과 소금, 물과 에탄올은 서로 잘 섞이므로 분별 깔때기를 이용하여 분리할 수 없다.

16 문제 분석하기 >>

• 물과 글리세린의 혼합물을 분별 깔때기에 넣으면 물은 위층, 글리세린은 아래층으로 분리된다. ─ 밀도 비교 : 물<글리세린 ─┐
• 물과 에테르의 혼합물을 분별 깔때기에 넣으면 에테르는 위층, 물은 아래층으로 분리된다. ─ 밀도 비교 : 에테르<물 ─┘
➡ 따라서 세 물질의 밀도를 비교하면 에테르<물<글리세린 순이다.

17 밀도가 다른 고체 혼합물은 고체 물질을 모두 녹이지 않으면서 밀도가 두 고체 물질의 중간 정도인 액체에 넣어 분리한다.
바로알기 >> ①, ③ 고체 A와 B를 물이나 에탄올에 넣으면 모두 액체 아래로 가라앉는다.
②, ⑤ 고체 A와 B를 수은이나 사염화 탄소에 넣으면 모두 액체 위에 뜬다.

18 ① 사금이 섞여 있는 모래를 쟁반에 담아 흐르는 물속에서 흔들면 밀도가 작은 모래는 물에 씻겨 나가 사금과 분리된다.

② 혈액을 원심 분리기에 넣고 고속으로 회전시키면 밀도가 큰 혈구가 아래로 가라앉아 혈장과 분리된다.
③ 볍씨를 소금물에 넣으면 속이 꽉 찬 좋은 볍씨는 물보다 밀도가 크므로 가라앉고 밀도가 작은 쭉정이는 물 위에 뜬다.
⑤ 플라스틱의 종류에 따라 밀도가 달라 에탄올 수용액보다 밀도가 큰 것은 가라앉고, 에탄올 수용액보다 밀도가 작은 것은 위로 뜨므로 분리할 수 있다.
바로알기 >> ④ 공기를 분리하는 것은 끓는점 차를 이용한 혼합물의 분리 방법이다.

19 모범 답안 > B, 물질이 끓는 동안에는 온도가 거의 변하지 않으며, 끓는점이 낮은 에탄올이 물보다 먼저 끓어 나오기 때문이다.

채점 기준	배점
기호를 옳게 쓰고, 그 까닭을 옳게 서술한 경우	100 %
기호만 옳게 쓴 경우	50 %

20 모범 답안 > (1) A
(2) 끓는점이 낮은 물질일수록 증류탑의 위쪽에서 분리되기 때문이다.
|해설| 끓는점이 낮은 물질은 증류탑 안에서 기체 상태로 위로 올라가지만, 끓는점이 높은 물질은 중간에 식어 바닥에 모이기 때문에 끓는점이 낮은 물질일수록 증류탑의 위쪽에서 분리된다.

채점 기준	배점
(1)	기호를 옳게 쓴 경우	50 %
(2)	(1)과 같이 답한 까닭을 옳게 서술한 경우	50 %

21 모범 답안 > B, 물에 섞이면서 끓는점이 다르므로 끓는점 차를 이용하여 증류로 분리할 수 있다.

채점 기준	배점
물질을 옳게 고르고, 그 까닭을 물에 대한 용해성과 끓는점 차를 이용하여 옳게 서술한 경우	100 %
물질만 옳게 고른 경우	50 %

22 모범 답안 > 두 고체 물질을 모두 녹이지 않아야 한다. 두 고체 물질의 중간 정도의 밀도를 가져야 한다.

채점 기준	배점
액체의 조건을 두 가지 모두 옳게 서술한 경우	100 %
액체의 조건을 한 가지만 옳게 서술한 경우	50 %

23 모범 답안 > ㄱ, A와 B의 밀도가 모두 액체 X의 밀도보다 작기 때문이다.
|해설| 액체에 넣어 두 고체 물질을 분리하려면 액체의 밀도는 두 고체 물질의 중간 정도여야 한다.

채점 기준	배점
ㄱ을 고르고, 까닭을 밀도를 이용하여 옳게 서술한 경우	100 %
ㄱ만 고른 경우	50 %

24 모범 답안 A<B, 밀도가 큰 물질은 아래로 가라앉고, 밀도가 작은 물질은 위로 뜨기 때문이다.

채점 기준	배점
밀도를 옳게 비교하고, 그 까닭을 옳게 서술한 경우	100 %
밀도만 옳게 비교한 경우	50 %

04 혼합물의 분리 (2)

단원 미리보기

270~271쪽

만화 완성하기 》》 [모범 답안] 잉크의 색소 분리 결과가 저 서류들과 다르잖아!

한눈에 보기 》》 [B] 크로마토그래피

271~273쪽

Ⓐ **1** 재결정 **2** 붕산, 5.0 g **3** 용해도

Ⓑ **1** 크로마토그래피 **2** (1) × (2) ○ (3) ○ (4) × **3** 3종류 **4** C
5 크로마토그래피

A-2 붕산은 온도에 따른 용해도 차가 크고, 염화 나트륨은 온도에 따른 용해도 차가 작으므로 재결정으로 분리할 수 있다. 20 °C 물 100 g에 붕산은 최대 5 g 녹을 수 있고, 염화 나트륨은 최대 35.9 g 녹을 수 있다. 따라서 20 °C로 냉각하면 붕산은 5.0 g만 녹고 나머지 5 g(=10 g−5 g)은 결정으로 석출되며, 염화 나트륨 1 g은 모두 녹아 있다.

B-2 바로알기 》》 (1) 크로마토그래피는 성분 물질이 용매를 따라 이동하는 속도가 다른 것을 이용하여 혼합물을 분리하는 방법이다.
(4) 성질이 비슷하거나 복잡한 혼합물도 한 번에 분리할 수 있다.

B-3 사인펜 잉크의 색소가 용매를 따라 이동하여 A~C의 3종류 성분으로 분리되었다.

B-4 높이 올라갈수록 이동 속도가 빠르므로 C의 이동 속도가 가장 빠르다.

01 ③ **02** ④, ⑤ **03** ③ **04** ③ **05** ③ **06** ④ **07** ④
08 ⑤ **09** ⑤ **10** ⑤ **11** ② **12** ④ **13** ② **14** ②
서술형 문제 15 ~ 16 해설 참조

01 ③ 용해도 차를 이용한 재결정으로 분리한다. 재결정은 소량의 불순물이 포함된 고체를 높은 온도의 용매에 녹인 후 냉각하거나 용매를 증발시켜 순수한 고체 물질을 얻는 방법이다.

02 ④, ⑤ 붕산과 염화 나트륨, 질산 칼륨과 황산 구리(Ⅱ)는 용해도 차를 이용한 재결정으로 분리한다.
바로알기 》》 ① 물과 에탄올의 혼합물은 서로 잘 섞이는 액체 혼합물이므로 끓는점 차를 이용하여 분리한다.
② 물과 식용유의 혼합물은 밀도가 다르고 서로 섞이지 않는 액체 혼합물이므로 밀도 차를 이용하여 분리한다.
③ 스타이로폼과 모래를 물속에 넣으면 밀도가 작은 스타이로폼은 물 위로 뜨고 밀도가 큰 모래는 아래로 가라앉으므로, 밀도 차를 이용하여 분리한다.

03 문제 분석하기 》》

100 °C의 물 50 g에 질산 칼륨은 121.25 g, 염화 나트륨은 19.5 g이 녹을 수 있다.		
온도(°C)	20	100
질산 칼륨	31.9	242.5
염화 나트륨	35.9	39.0

20 °C의 물 50 g에 질산 칼륨은 15.95 g, 염화 나트륨은 17.95 g이 녹을 수 있다.

③ 100 °C에서 물 50 g에 질산 칼륨 100 g과 염화 나트륨 15 g은 모두 녹을 수 있다. 20 °C에서 물 50 g에 질산 칼륨은 15.95 g만 녹을 수 있고, 염화 나트륨은 17.95 g만 녹을 수 있다. 따라서 석출되는 질산 칼륨은 100 g−15.95 g=84.05 g이므로 거름종이로 거르면 질산 칼륨 84.05 g이 거름종이 위에 남는다.

04 ① 질산 칼륨 100 g과 황산 구리(Ⅱ) 10 g의 혼합물은 60 °C의 물에 모두 녹는다.
② 용액을 20 °C로 냉각하면 온도에 따른 용해도 차가 큰 질산 칼륨이 결정으로 석출된다.
④ 20 °C에서 황산 구리(Ⅱ)의 물에 대한 용해도는 20이므로, 20 °C로 냉각해도 황산 구리(Ⅱ) 10 g은 모두 물에 녹아 있다.
⑤ 질산 칼륨과 황산 구리(Ⅱ) 혼합물을 물에 넣고 가열하여 모두 녹인 다음 온도를 낮추어 순수한 질산 칼륨을 얻는 방법을 재결정이라고 한다.
바로알기 》》 ③ 20 °C에서 질산 칼륨의 물에 대한 용해도는 31.9이므로, 20 °C로 냉각하면 질산 칼륨은 31.9 g만 녹고 나머지 68.1 g(=100 g−31.9 g)이 결정으로 석출된다.

05 ③ 80 °C에서 물 50 g에 질산 칼륨 50 g과 황산 구리(Ⅱ) 5 g은 모두 녹을 수 있다. 20 °C에서 물 50 g에 질산 칼륨은 15.95 g만 녹을 수 있고, 황산 구리(Ⅱ)는 10.0 g만 녹을 수 있다. 따라서 석출되는 질산 칼륨은 50 g − 15.95 g = 34.05 g이며, 황산 구리(Ⅱ) 5 g은 모두 녹아 있다.

06 ①, ② 매우 적은 양의 혼합물도 분리할 수 있고, 성질이 비슷한 혼합물도 한 번에 분리할 수 있다.
③ 크로마토그래피는 혼합물을 이루는 성분 물질이 용매를 따라 이동하는 속도가 다른 것을 이용하여 분리한다.
바로알기 》 ④ 같은 혼합물이라도 용매의 종류에 따라 분리되는 성분 물질의 수 또는 이동한 거리가 달라진다.

07 문제 분석하기 》

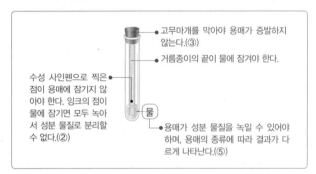

고무마개를 막아야 용매가 증발하지 않는다.(③)
거름종이의 끝이 물에 잠겨야 한다.
수성 사인펜으로 찍은 점이 용매에 잠기지 않아야 한다. 잉크의 점이 물에 잠기면 모두 녹아서 성분 물질로 분리할 수 없다.(②)
물
용매가 성분 물질을 녹일 수 있어야 하며, 용매의 종류에 따라 결과가 다르게 나타난다.(⑤)

바로알기 》 ④ 가장 아래쪽에 분리되는 색소의 이동 속도는 가장 느리며, 가장 위쪽에 분리되는 색소의 이동 속도가 가장 빠르다.

08 문제 분석하기 》

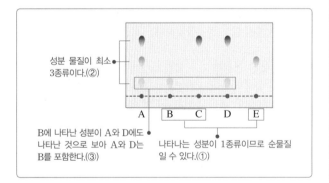

성분 물질이 최소 3종류이다.(②)
A B C D E
B에 나타난 성분이 A와 D에도 나타난 것으로 보아 A와 D는 B를 포함한다.(③)
나타나는 성분이 1종류이므로 순물질일 수 있다.(①)

④ C의 결과가 E의 결과보다 더 높이 올라간 것으로 보아 C가 E보다 용매를 따라 이동하는 속도가 더 빠르다는 것을 알 수 있다.
바로알기 》 ⑤ D는 2종류의 성분 물질로 분리되었으므로, D를 이루는 성분 물질은 최소 2종류이다.

09 ⑤ A를 이루는 성분 물질은 최소 3종류이다. B, C, E에 나타난 성분이 A에도 나타난 것으로 보아 A는 성분 B, C, E를 포함한다.

10 ㄱ. 잎의 색소는 A~C로 분리되었으므로 색소를 이루는 성분은 최소 3종류이다.
ㄴ. 올라간 높이는 성분의 이동 속도와 같으므로, 각 성분의 이동 속도는 A<B<C이다.
ㄷ. 용매가 달라지면 용매에 녹는 정도와 용매를 따라 이동하는 속도가 다르므로 분리되는 성분 물질의 수나 이동 거리가 달라진다.

11 크로마토그래피는 혼합물의 각 성분 물질이 용매를 따라 이동하는 속도가 다른 것을 이용하여 분리하는 방법이다. 크로마토그래피를 이용하는 예로는 잎의 색소 분리, 단백질 성분의 검출, 운동선수의 도핑 테스트(약물 검사), 식품 속 농약 성분의 검출 등이 있다.
바로알기 》 ② 간장과 참기름의 혼합물은 서로 섞이지 않고 밀도가 다르므로 분별 깔때기를 이용하여 분리한다.

12 ④ 질산 칼륨과 염화 나트륨은 용해도 차를 이용한 재결정으로 분리한다.
바로알기 》 ① 물과 에탄올은 서로 잘 섞이며 끓는점이 다르므로 끓는점 차를 이용한 증류로 분리한다.
② 톱밥과 모래는 밀도 차를 이용하여 두 물질을 모두 녹이지 않으면서 밀도가 두 물질의 중간 정도인 액체에 넣어 분리한다.
③ 사인펜 잉크의 색소는 성분 물질이 용매를 따라 이동하는 속도 차를 이용한 크로마토그래피로 분리한다.
⑤ 물과 에테르는 서로 섞이지 않고 밀도가 다르므로 밀도 차를 이용한 분별 깔때기로 분리한다.

13 ① 사인펜 잉크의 색소는 크로마토그래피로 분리한다.
③ 물과 사염화 탄소는 분별 깔때기를 이용하여 분리한다.
④ 천일염을 물에 녹인 다음 거름 장치로 거르면 정제 소금을 얻을 수 있다.
⑤ 소금물을 증류 장치에 넣고 가열하여 끓어 나오는 수증기를 냉각하면 순수한 물을 얻을 수 있다.
바로알기 》 ② 원유는 증류탑을 이용하여 분리한다. 스포이트는 서로 섞이지 않고 밀도가 다른 액체 혼합물을 분리할 때 이용하는 실험 기구이다.

14 ㉠ 소금은 물에 녹지만 모래는 물과 에탄올에 모두 녹지 않으므로, 거름종이로 거르면 모래만 거름종이 위에 남아 분리된다. ➡ 용해도 차 이용
㉡ (물+에탄올+소금)이 섞여 있는 혼합물을 증류 장치에 넣고 가열하면 끓는점이 낮은 에탄올이 가장 먼저 끓어 나와 분리된다. ➡ 끓는점 차 이용

15 모범 답안 》 (1) 붕산, 20 °C
(2) 재결정, 온도에 따른 용해도 차를 이용한 혼합물의 분리 방법이다.

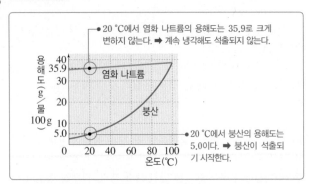

- 20 °C에서 염화 나트륨의 용해도는 35.9로 크게 변하지 않는다. ➡ 계속 냉각해도 석출되지 않는다.

- 20 °C에서 붕산의 용해도는 5.0이다. ➡ 붕산이 석출되기 시작한다.

	채점 기준	배점
(1)	물질과 그 온도를 옳게 쓴 경우	50 %
(2)	분리 방법을 옳게 쓰고, 물질의 특성을 온도를 포함하여 서술한 경우	50 %
	분리 방법만 옳게 쓴 경우	20 %

16 모범 답안 ▶ 성분 물질이 용매를 따라 이동하는 속도가 다른 것을 이용한다.

채점 기준	배점
분리 방법의 원리를 용어를 모두 포함하여 옳게 서술한 경우	100 %
용어를 한 가지라도 포함하지 않은 경우	0 %

핵심 자료로 최종 점검

280~281쪽

01 물질의 특성 (1)

1 ❶ 순물질 ❷ 균일 혼합물 ❸ 불균일 혼합물

2 ❶ 높은 ❷ 높아 ❸ 일정 ❹ 일정 ❺ 낮은 ❻ 낮아

3 ❶ 다르 ❷ 일정

02 물질의 특성 (2)

1 ❶ 질량 ❷ 부피 ❸ 밀도 ❹ 밀도 ❺ < ❻ =

2 ❶ 큰 ❷ 작은 ❸ 증가 ❹ 포화 ❺ 석출

3 ❶ < ❷ > ❸ < ❹ >

03 혼합물의 분리 (1)

1 ❶ 에탄올 ❷ 물 ❸ 끓는점 ❹ 증류

2 ❶ 등유 ❷ 경유 ❸ 중유 ❹ 낮다 ❺ 높다 ❻ 낮

3 ❶ 작은 ❷ 중간 ❸ 큰 ❹ < ❺ <

4 ❶ 작은 ❷ 큰 ❸ <

04 혼합물의 분리 (2)

1 ❶ 용해 ❷ 냉각 ❸ 거름

2 ❶ 순물질 ❷ 혼합물 ❸ B(D) ❹ D(B) ❺ 속도

시험 적중 마무리 문제

282~285쪽

01 ①	02 C, D, G	03 ⑤	04 ②	05 ②	06 ④	07 ⑤
08 ④	09 ②	10 ⑤	11 ④	12 ⑤	13 ②	14 ⑤
15 ③	16 ④	17 ①	18 ㄱ, ㄴ, ㄹ, ㅅ	19 ④	20 ③
21 ③	22 ②	23 (다), (라)	24 A : 모래, B : 에탄올, C : 소금

01 (가), (마) 공기는 질소, 산소, 이산화 탄소 등 여러 가지 기체가 고르게 섞여 있고, 사이다는 물, 설탕, 이산화 탄소 등이 고르게 섞여 있는 균일 혼합물이다.
(나), (바) 질소와 에탄올은 순물질이다.
(다), (라) 우유는 유지방, 유당, 유단백질 등 여러 가지 물질이 고르지 않게 섞여 있고, 화강암은 석영과 장석 등 여러 가지 암석 성분이 고르지 않게 섞여 있는 불균일 혼합물이다.

02 C, D, G는 온도가 일정한 구간이 없으므로 혼합물을 나타낸다. C와 D는 혼합물의 가열 곡선, G는 혼합물의 냉각 곡선이다.
바로알기 » A, B, E, F는 온도가 일정한 구간이 한 군데 있으므로 순물질을 나타낸다. A, B, E는 순물질의 가열 곡선, F는 순물질의 냉각 곡선이다.

03 (다)는 순물질과 혼합물의 냉각 곡선을 비교한 것으로, F는 어는점이 일정한 물의 냉각 곡선이고, G는 어는점이 순물질보다 낮고 일정하지 않은 소금물의 냉각 곡선이다. ①~④는 모두 순물질보다 혼합물의 어는점이 낮아서 일어나는 현상들이다.
바로알기 » ⑤ 국수를 소금물에 삶으면 짧은 시간에 삶을 수 있어서 국수가 불지 않고 쫄깃쫄깃하다.

04 ② 같은 물질인 경우 물질의 양에 관계없이 끓는점은 항상 일정하며, 물질의 양이 많아질수록 끓는점에 도달하는 데 걸리는 시간이 길어진다. 따라서 200 mL의 액체가 끓는점에 도달하는 데 걸리는 시간이 더 짧으므로 액체 200 mL의 가열 곡선이 액체 400 mL의 가열 곡선보다 기울기가 급하며, 두 액체의 끓는점은 같다.

05 ② 액체의 가열 곡선에서 끓는점이 같은 B와 C는 같은 물질이다.
바로알기 » ① B가 C보다 빨리 끓기 시작했으므로 B는 C보다 양이 적다.
③ C와 D는 끓는점이 다르므로 서로 다른 물질이다.
④ 끓는점이 가장 높은 물질은 끓기 시작하는 온도가 가장 높은 A이다.
⑤ 가장 빨리 끓기 시작하는 물질은 끓기 시작하는 온도가 일정한 구간이 가장 빨리 시작되는 B이다.

06 ④ 같은 종류의 순물질은 녹는점과 어는점이 항상 같다.

바로알기 ≫ ① 고체 파라-다이클로로벤젠의 가열·냉각 곡선에서 (라)는 액체에서 고체로 응고되고 있는 구간으로, 이때의 온도가 어는점이다. 따라서 어는점은 53 ℃이다.

② 온도가 일정하게 유지되는 구간인 (나)와 (라)에서 상태 변화가 일어난다.

③ 가열·냉각 곡선에서 (나)와 (라) 구간은 고체와 액체가 함께 존재하고 (다) 구간은 액체만 존재한다. 따라서 고체가 존재하는 구간은 (가), (나), (라), (마)이다.

⑤ 온도의 변화가 없는 (나)와 (라) 구간은 각각 녹는점과 어는점을 나타내며, 녹는점과 어는점은 물질의 양과 불꽃의 세기에 관계없이 일정하다.

07 돌의 질량은 56 g이고, 돌의 부피는 (돌을 넣은 후 늘어난 물의 부피)−(처음 물의 부피)=28.0 mL−20.0 mL=8.0 mL

이므로 밀도는 $\frac{56\,g}{8.0\,mL}$=7.0 g/mL=7.0 g/cm³이다.

08 문제 분석하기 ≫

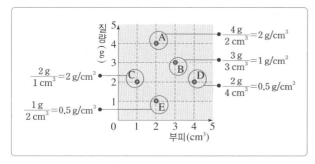

② C의 밀도는 2 g/cm³로, 물보다 밀도가 크므로 물에 넣으면 가라앉는다.

③ D의 밀도는 0.5 g/cm³로, 물보다 밀도가 작으므로 물에 넣으면 물 위에 뜬다.

⑤ A와 C는 밀도가 같고, D와 E는 밀도가 같다. 따라서 물질의 종류는 (A, C), B, (D, E)의 3가지이다.

바로알기 ≫ ④ A와 E는 밀도가 다르므로 서로 다른 물질이다.

09 ① 열기구 풍선 내부의 공기를 가열하여 부피가 증가하면 열기구의 밀도가 공기보다 작아져 하늘 위로 올라간다.

③ LNG는 공기보다 밀도가 작아서 누출되면 위로 올라가므로 경보기를 천장에 설치한다.

④ 구명조끼에는 물보다 밀도가 작은 공기가 들어 있어 구명조끼를 착용하면 밀도가 물보다 작아져 물 위에 뜨게 된다.

⑤ 잠수부가 잠수를 할 때 납덩어리를 허리에 차면 물보다 밀도가 커져서 쉽게 가라앉는다.

바로알기 ≫ ② 금속을 붙일 때 땜납을 사용하는 것은 고체 혼합물의 녹는점이 낮아지는 성질을 이용한 것이다.

10 바로알기 ≫ ⑤ 소금이 물에 녹아 고르게 섞이는 현상은 용해이고, 고르게 섞인 소금물은 용액이다.

11 문제 분석하기 ≫

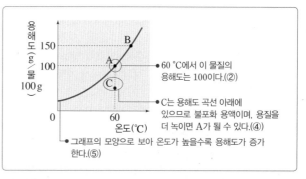

바로알기 ≫ ① A는 포화 용액이다.

③ A에는 물 100 g 속에 고체 물질이 100 g 녹아 있고, B에는 물 100 g 속에 고체 물질이 150 g 녹아 있다.

12 ① 60 ℃에서 염화 나트륨의 용해도는 37.0이므로, 60 ℃ 물 10 g에는 3.7 g이 녹을 수 있다. 따라서 염화 나트륨 10 g−3.7 g=6.3 g은 녹지 않고 가라앉는다.

② 60 ℃의 물 10 g에 최대로 녹아 포화 상태가 될 수 있는 염화 나트륨의 질량은 3.7 g이므로, 60 ℃의 물 10 g에 염화 나트륨 10 g을 넣은 용액은 포화 상태이다.

③ 60 ℃에서 질산 칼륨의 용해도는 109.2이므로 물 10 g에는 최대 10.92 g의 질산 칼륨이 녹을 수 있다. 따라서 60 ℃의 물 10 g에 질산 칼륨 10 g을 녹이면 불포화 상태가 된다. 60 ℃에서 질산 칼륨 불포화 용액 20 g을 포화 용액으로 만들려면 용액을 냉각하거나 질산 칼륨 0.92 g을 더 녹여야 한다.

바로알기 ≫ ⑤ 걸러진 염화 나트륨 수용액에는 3.7 g의 염화 나트륨이 녹아 있다. 20 ℃에서 물 10 g에는 3.59 g의 염화 나트륨이 녹을 수 있으므로 3.7 g −3.59 g=0.11 g이 석출된다.

13 문제 분석하기 ≫

• 압력에 따른 기체의 용해도 비교(온도는 같고 압력이 다를 때)			
압력	A<B	C<D	E<F
기포 발생 정도	A>B	C>D	E>F
기체의 용해도	A<B	C<D	E<F

• 온도에 따른 기체의 용해도 비교(압력은 같고 온도가 다를 때)		
온도	A<C<E	B<D<F
기포 발생 정도	A<C<E	B<D<F
기체의 용해도	A>C>E	B>D>F

① 고무마개를 빼면 압력이 낮아지면서 기체의 용해도가 감소하므로 기포가 더 많이 발생한다.

③ 고무마개를 한 시험관과 고무마개를 하지 않은 시험관을 비교하면 압력에 따른 기체의 용해도 변화를 알 수 있다. 압력이 높을수록 발생하는 기포의 양이 적은 것으로 보아 기체의 용해도는 압력이 높을수록 커진다는 것을 알 수 있다.

④ A, C, E에서 온도가 높을수록 사이다에서 발생하는 기포의 양이 많은 것으로 보아 온도가 높을수록 기체의 용해도가 작아진다는 것을 알 수 있다.

⑤ 기체의 용해도는 온도가 높을수록, 압력이 낮을수록 감소한다. 따라서 발생하는 기포의 양은 시험관 E에서 가장 많고, 시험관 B에서 가장 적다.

바로알기 » ② 발생하는 기포의 양은 시험관 B에서 가장 적으므로, 기체의 용해도는 시험관 B에서 가장 크다.

14 탄산음료 병의 마개를 열면 압력이 낮아져 이산화 탄소의 용해도가 감소하므로 거품이 발생하게 된다. 이 현상은 압력에 따른 기체의 용해도를 나타낸 예이다.

⑤ 깊은 물속은 압력이 높아 기체의 용해도가 증가하여 혈관 속에 질소가 많이 녹아 있다. 이때 잠수부가 갑자기 수면으로 올라오면 압력이 낮아지면서 기체의 용해도가 감소하여 혈액 속에 녹아 있던 질소 기체가 빠져나오며 잠수병을 일으킬 수 있다.

바로알기 » ① 사이다를 뜨거운 컵에 따르면 온도가 높아져서 기체의 용해도가 감소하므로 기포가 많이 발생한다. ➡ 온도의 영향
② 콜라에 얼음을 넣으면 온도가 낮아지면서 기체의 용해도가 증가하므로 이산화 탄소가 많이 녹아 있을 수 있어 톡 쏘는 맛이 오래 간다. ➡ 온도의 영향
③ 수돗물을 끓이면 정수 과정에서 쓰인 염소 기체의 용해도가 감소하므로 염소가 날아간다. ➡ 온도의 영향
④ 여름철에는 수온이 높아 기체의 용해도가 감소하여 물에 녹아 있는 산소의 양이 줄어들어 물고기들이 호흡하기 어려우므로 수면 위로 입을 내밀고 뻐끔거린다. ➡ 온도의 영향

15 ③ 바닷물에서 물을 얻는 것은 끓는점 차를 이용한 증류로 분리한다.

16 **문제 분석하기 »**

가열 곡선에서 수평한 구간이 두 군데이다. ➡ 물과 에탄올의 혼합물과 같이 두 종류의 액체가 섞여 있는 혼합물의 가열 곡선이다.(③, ⑤)

- 끓는점이 높은 성분이 나중에 끓어 나오는 구간이다.(②)

세로축: 온도(°C)
가로축: 가열 시간(분)

(가) (나) (다) (라)

- 끓는점이 낮은 성분이 먼저 끓어 나오는 구간이다.(①)

바로알기 » ④ 염화 나트륨 수용액은 100 °C보다 높은 온도에서 끓기 시작하여 끓는 동안 온도가 계속 올라가므로 수평한 구간이 나타나지 않는다.

17 ① 원유는 끓는점 차를 이용한 증류로 분리한다.
바로알기 » ②, ⑤ 원유는 혼합물의 끓는점이 다른 것을 이용하여 분리한다.
③, ④ 증류탑의 위쪽으로 갈수록 온도가 낮으므로, A~D 중 끓는점이 가장 낮은 물질은 A이다.

18 ㄱ. 바닷물을 가열하면 끓는점이 낮은 물이 증발하여 수증기가 되고 이것을 액화하면 식수를 얻을 수 있다.
ㄴ. 산소와 질소의 혼합물을 액화시킨 후 천천히 온도를 높이면 끓는점이 낮은 질소가 기체 상태로 먼저 분리된다.
ㄹ. 뷰테인과 프로페인의 혼합물을 플라스크 속에 넣고 냉각하면 끓는점이 높은 뷰테인이 액화되어 먼저 분리된다.
ㅅ. 소줏고리에 탁한 술을 넣고 끓이면 끓는점이 낮은 에탄올이 먼저 끓어 나오다가 찬물에 의해 냉각되어 맑은 소주를 얻을 수 있다.

바로알기 » ㄷ. 모래와 스타이로폼을 물속에 넣으면 물보다 밀도가 큰 모래는 바닥으로 가라앉고, 물보다 밀도가 작은 스타이로폼은 위로 뜬다.
ㅁ. 혈액을 원심 분리기에 넣고 고속으로 회전시키면 밀도가 큰 혈구가 가라앉아 혈액이 분리된다.
ㅂ. 검은색 사인펜 잉크의 색소는 색소 성분이 용매를 따라 이동하는 속도가 다른 것을 이용하여 분리한다.

[19~20] **문제 분석하기 »**

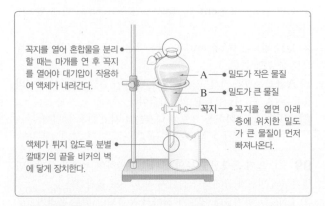

꼭지를 열어 혼합물을 분리할 때는 마개를 연 후 꼭지를 열어야 대기압이 작용하여 액체가 내려간다.

A — 밀도가 작은 물질
B — 밀도가 큰 물질
꼭지 — 꼭지를 열면 아래층에 위치한 밀도가 큰 물질이 먼저 빠져나온다.

액체가 튀지 않도록 분별 깔때기의 끝을 비커의 벽에 닿게 장치한다.

19 **바로알기 »** ④ 분별 깔때기는 서로 섞이지 않고 밀도가 다른 액체 혼합물을 밀도 차를 이용하여 분리할 때 이용하는 실험 기구이다.

20 서로 섞이지 않고 밀도가 다른 액체 혼합물을 분별 깔때기에 넣은 후 일정 시간이 지나면 밀도가 큰 물질은 아래층, 밀도가 작은 물질은 위층으로 분리된다.

구분	①	②	④	⑤
위층	석유	식용유	물	참기름
아래층	물	물	사염화 탄소	간장

(바로알기 ≫) ③ 물과 에탄올의 혼합물은 서로 잘 섞이는 액체 혼합물이므로 분별 깔때기로 분리할 수 없다.

21 ㄱ. 불순물이 섞인 곡물을 키에 넣고 까부르면 쭉정이는 날아가거나 앞에 남고, 돌은 안쪽에 모인다.
ㄷ. 물과 식용유 혼합물을 분별 깔때기에 넣고 일정 시간이 지나면 밀도가 작은 식용유는 위층, 밀도가 큰 물은 아래층에 위치하여 분리된다.
ㄹ. 사금이 섞여 있는 모래를 쟁반에 담아 흐르는 물속에서 흔들면 밀도가 큰 사금은 쟁반 아래에 가라앉고 밀도가 작은 모래는 물에 씻겨 나간다.
ㅁ. 달걀을 소금물에 넣으면 오래된 달걀은 소금물보다 밀도가 작아 위로 뜨고, 소금물보다 밀도가 큰 신선한 달걀은 가라앉아 분리된다.
(바로알기 ≫) ㄴ. 흙이 섞인 소금을 물에 녹여 분리하는 것은 용해도 차를 이용한 것이다.
ㅂ. 곡물을 발효하여 얻은 탁한 술을 소줏고리에 넣고 가열하여 맑은 소주를 얻는 것은 끓는점 차를 이용한 것이다.

22 20 ℃에서 질산 칼륨의 용해도는 31.9이고, 질산 나트륨의 용해도는 87.3이다. 따라서 질산 칼륨과 질산 나트륨이 각각 80 g씩 섞인 혼합물을 80 ℃의 물 100 g에 녹인 후 20 ℃로 냉각하면 질산 칼륨은 31.9 g만 녹고 48.1 g($= 80\,\mathrm{g} - 31.9\,\mathrm{g}$)이 석출되며, 질산 나트륨은 모두 녹아 있다.

23 (나) 잉크를 찍은 점이 용매에 잠기면 잉크가 용매에 녹기 때문에 성분 물질로 분리할 수 없다.
(바로알기 ≫) (다) 용기의 마개를 열어 두면 용매가 증발하여 성분 물질이 잘 이동하지 않으므로 마개를 닫아 둔다.
(라) 같은 물질이라도 용매의 종류에 따라 분리되는 결과가 다르다.

24 (문제 분석하기 ≫)

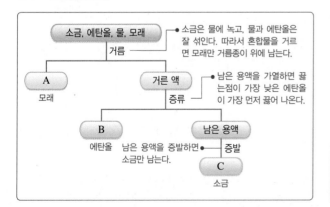

Ⅶ. 수권과 해수의 순환

01 수권의 분포와 활용

(단원 미리보기)

288~289쪽

만화 완성하기 ≫ [모범 답안] 담수이고, 액체 상태라 쉽게 활용할 수 있기 때문이야.
한눈에 보기 ≫ [A] 수권의 분포, [C] 수자원의 가치와 관리

289~291쪽

A 1 (1) ○ (2) × (3) ○ (4) ×   2 해수, 빙하, 지하수, 호수와 하천수   3 A : 해수, B : 빙하

B 1 ㉠ 수자원, ㉡ 호수와 하천수   2 (1) – ㉢ (2) – ㉡ (3) – ㉣ (4) – ㉠   3 농업

C 1 증가   2 지하수   3 (1) × (2) × (3) ○ (4) ○ (5) ×

A–1 (바로알기 ≫) (2) 지구 표면은 약 70 %가 물로 덮여 있다. (4) 빙하는 주로 고산 지대나 극 지역에 분포한다.

A–3 수권에서 가장 많은 양을 차지하는 A는 해수, 두 번째로 많은 양을 차지하는 B는 빙하이다.

B–1 수권의 물 중 쉽게 활용할 수 있는 것은 호수와 하천수 및 지하수이다. 우리는 주로 호수와 하천수를 이용하며, 부족한 경우 지하수를 이용한다.

C–3 (바로알기 ≫) (1) 수자원의 양은 매우 적고 한정되어 있다. (2) 해수는 바로 활용하기는 어렵지만, 담수가 부족한 지역에서는 짠맛을 제거하여 활용하기도 한다. (5) 지하수를 무분별하게 개발할 경우 지반이 무너지거나 지하수가 고갈될 수 있으므로 주의해야 한다.

(실력탄탄 핵심 문제)

292~295쪽

01 ⑤   02 ③   03 ②   04 ④   05 ③   06 ③   07 ③
08 ④   09 ②   10 ③, ④   11 ③   12 ③   13 ①   14 ⑤
15 ④   16 ①, ③   17 ③   18 ④   19 ②
(서술형 문제) 20~25 해설 참조

01 기체 상태의 수증기는 수권에 포함되지 않는다.

02 (바로알기 ≫) ③ 빙하는 짠맛이 나지 않는 담수에 해당한다.

03 해수는 바다에 있는 물로 짠맛이 난다. 담수는 짠맛이 나지 않는 물로 빙하, 지하수, 호수와 하천수를 포함한다.

04 (바로알기) ① 육지에 분포하는 물 중 가장 많은 양을 차지하는 빙하는 고체 상태이지만, 지하수 및 호수와 하천수는 액체 상태이다.
② 지구 표면의 약 70 %는 물로 덮여 있고, 그중 대부분을 차지하는 것은 해수이다.
③ 지하수는 땅속 지층의 틈을 채우고 있거나, 틈 사이를 천천히 흐르는 물이다.
⑤ 빙하는 고체 상태이므로 수자원으로 바로 이용하기 어렵다.

05 수권을 이루는 물 중 대부분을 차지하는 것은 해수이고, 빙하, 지하수, 호수와 하천수 순서로 양이 적어진다.

[06~07] (문제 분석하기 »)

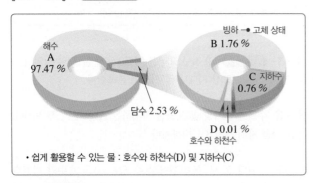

ㄱ. 쉽게 활용할 수 있는 물 : 호수와 하천수(D) 및 지하수(C)

07 (바로알기 ») ㄴ. B는 빙하로, 고체 상태이다.
ㄷ. C는 지하수로, 땅속 지층의 틈을 채우고 있거나 틈 사이를 천천히 흐르는 물이다.

08 담수 중 두 번째로 많은 양을 차지하는 (가)는 지하수, 가장 많은 양을 차지하는 (나)는 빙하이다.
(바로알기 ») ③ 지하수는 담수이며 액체 상태이므로, 쉽게 활용할 수 있다.
⑤ 지하수는 액체, 빙하는 고체 상태의 물이다.

09 (바로알기 ») ①, ④ 하천수는 주로 빗물이 모여 지표를 따라 흐르는 것이므로 강수량의 영향을 많이 받는다.
③ 수권을 이루는 물 중 가장 많은 양을 차지하는 것은 해수이다.
⑤ 하천수가 부족하면 주로 지하수를 개발하여 이용한다.

10 우리가 수자원으로 주로 이용하는 물은 호수와 하천수이고, 부족한 경우 지하수를 이용한다.

11 우리가 쉽게 활용할 수 있는 물은 호수와 하천수 및 지하수이며, 부피비는 0.76 %+0.01 %=0.77 %이다. 수권 전체의

물을 1 L로 놓고 비례식을 세우면 1000 mL : x=100 : 0.77 이므로 $x=1000 \text{ mL} \times \dfrac{0.77}{100} = 7.7 \text{ mL}$이다.

12 (바로알기 ») ③ 해수는 그대로 이용할 수 없고, 짠맛을 제거한 후 이용한다.

13 마시는 물, 요리나 청소에 이용하는 물 : 생활용수
농사를 짓거나 가축을 키우는 데 이용하는 물 : 농업용수
공장에서 제품을 만들거나 세척하는 데 이용하는 물 : 공업용수
하천이 정상적인 기능을 유지하는 데 필요한 물 : 유지용수

14 (문제 분석하기 »)

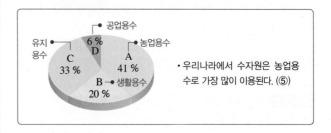

ㄱ. 우리나라에서 수자원은 농업용수로 가장 많이 이용된다.(⑤)

15 ㄱ, ㄴ. 지하수는 담수로 생활이나 농업에 바로 이용할 수 있고, 빗물이 스며들어 채워지므로 지속적으로 활용할 수 있어 수자원으로서 가치가 높다.
(바로알기 ») ㄷ. 지하수 시설을 제대로 관리하지 않으면 지하수가 오염될 수 있다.

16 인구 증가, 산업 발달, 문명 발달 및 이로 인한 삶의 질 향상에 따라 수자원 이용량이 늘어나고 있다.

17 (바로알기 ») ③ 수권의 물 중 수자원으로 쉽게 이용되는 것은 호수와 하천수 및 지하수로, 양은 전체의 0.77 % 정도이다.

18 (문제 분석하기 »)

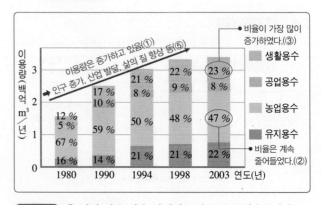

(바로알기 ») ③ 가장 많은 양을 차지하는 용도는 농업용수이다.
⑤ 인구가 증가하면 농업용수 등의 이용량이 증가한다.

19 (바로알기 ≫) ① 한번 이용한 물을 청소 등에 재사용하면 물을 절약할 수 있다.
③ 오염된 물은 정수 시설을 거쳐 하천이나 바다로 흘려 보내야 물의 오염을 방지할 수 있다.
④ 지하수를 무분별하게 개발하면 지반 침하, 지하수 고갈 등의 문제가 생길 수 있다.
⑤ 설거지나 빨래는 한 번에 모아서 한다.

20 (모범 답안 ≫) 해수, 빙하

채점 기준	배점
해수와 빙하를 순서대로 옳게 쓴 경우	100 %

21 (모범 답안 ≫) (1) A : 해수, B : 지하수, C : 빙하, D : 호수와 하천수
(2) B와 D, 0.77 %

	채점 기준	배점
(1)	A~D의 이름을 모두 옳게 쓴 경우	40 %
	A~D 중 하나의 이름을 옳게 쓴 경우 부분 배점	10 %
(2)	기호와 비율을 모두 옳게 쓴 경우	60 %
	기호만 옳게 쓴 경우	30 %

22 (모범 답안 ≫) (가) : 생활용수, (나) : 농업용수, (다) : 공업용수

채점 기준	배점
(가)~(다)의 용도를 모두 옳게 쓴 경우	100 %
(가)~(다) 중 하나의 용도를 옳게 쓴 경우 부분 배점	30 %

23 (모범 답안 ≫) 농업용수, 농사를 짓는다. 가축을 기른다. 등

채점 기준	배점
용도를 옳게 쓰고, 활용 예를 옳게 서술한 경우	100 %
용도만 옳게 쓴 경우	50 %

24 (모범 답안 ≫) (1) 도로 청소에 이용한다. 농작물을 재배하는 데 이용한다. 제품을 생산하는 데 이용한다. 온천을 개발하여 관광 자원으로 이용한다. 등
(2) 지하수는 담수이고, 호수나 하천수에 비해 양이 많으며 빗물이 스며들어 채워지므로 지속적으로 활용할 수 있기 때문이다.

	채점 기준	배점
(1)	활용 예를 옳게 서술한 경우	40 %
(2)	지하수의 양 및 지속 가능성을 모두 포함하여 까닭을 옳게 서술한 경우	60 %
	지하수의 양 또는 지속 가능성 중 한 가지만 포함하여 까닭을 서술한 경우	30 %

25 (모범 답안 ≫) • (가) 댐을 건설한다. 지하수를 개발한다. 해수를 담수화한다. 등

• (나) 빗물을 모아서 이용한다. 빨랫감은 모아서 세탁한다. 절수형 수도꼭지를 사용한다. 양치나 설거지를 할 때 물을 받아서 사용한다. 한번 이용한 허드렛물을 재활용한다. 등

채점 기준	배점
(가), (나)를 모두 옳게 서술한 경우	100 %
(가), (나) 중 한 가지만 옳게 서술한 경우	50 %

02 해수의 특성

만화 완성하기 ≫ [모범 답안] 해수가 순환하며 골고루 섞였기 때문이지!
한눈에 보기 ≫ [B] 해수의 연직 수온 분포, [C] 염류와 염분, [E] 염분비 일정 법칙

297~301쪽

A **1** 태양 에너지 **2** ㉠ 적어, ㉡ 낮아 **3** (1) × (2) × (3) ○

B **1** 태양 에너지, 바람 **2** (1) A, 혼합층 (2) C, 심해층 (3) B, 수온 약층 **3** A : 저위도 해역, B : 중위도 해역, C : 고위도 해역

C **1** ㉠ 염류, ㉡ 염화 나트륨 **2** (1) × (2) × (3) ○ (4) ○

D **1** ㄴ, ㄷ, ㄹ, ㅁ **2** (1) 낮 (2) 낮 (3) 높 (4) 낮 (5) 높 **3** (1) ○ (2) × (3) ○ (4) × (5) ○

E **1** 염분비 일정 **2** 7 : 1

A-2 해수는 태양 에너지를 흡수하여 수온이 높아진다. 저위도에서 고위도로 갈수록 들어오는 태양 에너지양이 적어지므로, 해수의 표층 수온은 고위도로 갈수록 낮아진다.

A-3 (바로알기 ≫) (1) 해수의 표층 수온은 계절에 따라 다르게 나타난다.
(2) 위도가 같은 곳에서는 대체로 표층 수온이 비슷하게 나타난다.

B-2 (1) 혼합층(A)은 바람의 혼합 작용에 의해 수온이 일정하게 나타나는 층이다. 따라서 바람이 강할수록 두께가 두꺼워진다.
(2) 심해층(C)은 태양 에너지가 거의 도달하지 않아 수온이 낮고, 위도나 계절에 관계없이 수온이 거의 일정하다.
(3) 수온 약층(B)은 깊이가 깊어질수록 수온이 급격하게 낮아지는 층이다.

VII. 수권과 해수의 순환 **83**

B-3 표층 수온이 가장 높아 심해층과 수온 차이가 가장 큰 A는 저위도 해역이고, 혼합층이 가장 두껍게 나타나는 B는 중위도 해역이다. C는 표층 수온이 낮고 층상 구조가 나타나지 않으므로 고위도 해역이다.

C-2 (바로알기 ≫) (1) 염분은 해수 1000 g에 녹아 있는 염류의 총량을 g 수로 나타낸 것이다.
(2) 염분의 단위로는 psu(실용염분단위) 또는 ‰(퍼밀)을 사용한다.

D-1 염분은 증발량과 강수량, 담수의 유입량, 해수의 결빙과 해빙 정도에 영향을 받아 달라진다.

D-2 (1), (2), (4) 빙하가 녹거나, 담수인 강물이 많이 유입되거나, 강수량이 증발량보다 많은 바다는 물의 양이 많아져 염분이 낮아진다.
(3), (5) 해수가 얼거나, 증발량이 강수량보다 많은 바다는 물의 양이 줄어들어 염분이 높아진다.

D-3 (3) 위도 30° 부근은 건조하여 증발량이 강수량보다 많기 때문에 염분이 높다.
(5) 우리나라는 여름철에 강수량이 많기 때문에 여름철보다 겨울철에 염분이 더 높다.
(바로알기 ≫) (2) 적도 부근의 해역은 증발량보다 강수량이 많아서 염분이 낮다.
(4) 우리나라는 담수가 대부분 황해로 흘러 들어가기 때문에 황해보다 동해의 염분이 더 높다.

E-2 염분비 일정 법칙에 따라 염분이 달라도 각 염류의 비율은 일정하다. 따라서 염분이 40 psu인 홍해에 녹아 있는 염화 나트륨과 염화 마그네슘의 비율도 약 7 : 1로 동해와 같다.

실력탄탄 핵심 문제   303~307쪽

01 ③   02 ①, ③   03 ③   04 ①   05 ④   06 ⑤   07 ③
08 ⑤   09 ②   10 ②   11 ④   12 ②   13 100 g   14 ③
15 ①   16 ④   17 ⑤   18 ⑤   19 ⑤   20 ①   21 ②
22 ④   23 ②   24 ⑤   25 ③

(서술형) 문제 26~30 해설 참조

---

01 해수의 표층 수온은 태양 에너지양의 차이에 따라 저위도에서는 높고 고위도에서는 낮다. 이에 따라 등온선이 대체로 위도와 나란하게 나타난다.

02 해수는 태양 에너지를 흡수하여 수온이 높아지고, 바람에 의해 혼합되어 수온이 일정해진다.

[03~05] (문제 분석하기 ≫)

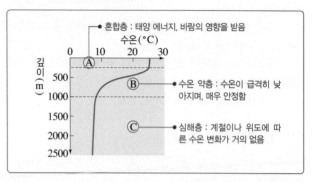

04 혼합층(A)은 태양 에너지에 의해 가열되고 바람의 혼합 작용을 받아 수온이 높고 일정하게 나타나는 층이다.

05 (바로알기 ≫) ① 혼합층(A)은 바람에 의해 해수가 혼합되어 수온이 일정한 층이므로 바람이 강하게 불수록 두꺼워진다.
②, ③ 수온 약층(B)은 깊이가 깊어짐에 따라 수온이 급격하게 낮아지는 층이다. 즉, 찬 해수는 아래쪽에, 따뜻한 해수는 위쪽에 있으므로 안정하여 해수의 혼합 작용이 일어나지 않는다.
⑤ 태양 에너지는 해수의 표층에서 대부분 흡수되어 심해층(C)에는 태양 에너지가 거의 도달하지 않는다.

06 A는 저위도, B는 중위도, C는 고위도 해역이다.
ㄷ. 고위도 해역(C)은 태양 에너지를 적게 받으므로 표층 수온이 가장 낮다.
(바로알기 ≫) ㄱ. 저위도 해역(A)은 바람이 약하게 불기 때문에 혼합층이 얇다.
ㄴ. 중위도 해역(B)은 바람이 가장 강하게 불어 혼합층이 두껍다. 수온 약층에서 수온 변화의 정도가 가장 큰 것은 표층 수온이 높은 저위도 해역(A)이다.

07 혼합층은 바람의 혼합 작용에 의해 수온이 일정하게 나타나는 층이므로, 바람이 강할수록 두께가 두꺼워진다. 적도 해역에 비해 중위도 해역에서 바람이 강하므로 혼합층은 적도보다 중위도 해역에서 더 두껍게 나타난다.

[08~09] (문제 분석하기 ≫)

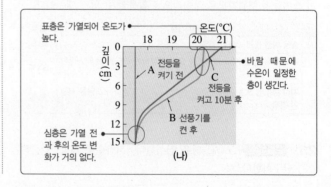
(나)

09 ① 전등은 해수의 수온을 높이는 태양에, 선풍기는 해수를 섞어주는 바람에 해당한다.
③ 선풍기를 켜기 전에는 2개 층으로, 선풍기를 켠 후에는 3개 층으로 구분된다.
④ 깊이가 깊어질수록 태양 에너지가 들어오는 양은 적어진다.
바로알기 >> ② 선풍기를 켜면 바람에 의해 물이 섞여 수온이 일정한 층이 나타난다.

10 문제 분석하기 >>

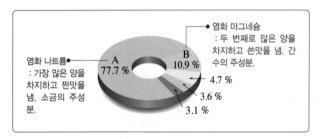

11 ④ 염분은 % 농도로 나타내기에는 적은 양이므로 단위로 psu나 ‰을 사용한다.
바로알기 >> ① 해수 1000 g에 녹아 있는 염류의 총량을 염분이라고 한다.
② 강물이 유입되면 물의 양이 많아지므로 염분은 낮아진다.
③ 해수 1 kg에 녹아 있는 염류의 총량이 염분이다. 염분은 해역에 따라 다르다.
⑤ 전 세계 해수의 평균 염분은 35 psu로, 이는 해수 1000 g에 35 g의 염류가 녹아 있는 것이다.

12 해수 2 kg에 녹아 있는 전체 염류의 양은 64 g(=49.8 g +7.0 g+3.0 g+2.2 g+1.6 g+0.4 g)이다. 염분은 해수 1 kg에 녹아 있는 염류의 양이므로 32 psu이다.

13 염분이 200 psu이므로 해수 1000 g에 염류 200 g이 녹아 있다. 따라서 해수 500 g에는 100 g의 염류가 녹아 있고, 가열하여 얻을 수 있는 염류의 양은 100 g이다.

14 염분이 40 psu인 해수 1 kg에는 염류 40 g이 녹아 있으므로, 해수 3 kg에는 염류 120 g이 녹아 있다. 해수는 물과 염류의 양을 합한 것이므로, 3000 g(해수의 양)−120 g(염류의 양)=2880 g이 물의 양이 된다.

15 염분에 영향을 주는 요인은 강수량과 증발량, 담수의 유입량, 해빙과 결빙의 정도이다.

16 염류가 일정할 때, 물의 양이 많아지면 염분이 낮아진다. 따라서 빙하가 녹는 양(ㄴ) 또는 담수인 하천수의 유입량(ㄹ)이 많아질수록 염분은 낮아진다.

17 ⑤ 증발량이 강수량보다 많은 해역, 건조한 해역, 해수가 어는 해역은 염분이 높다.
바로알기 >> ①, ②, ③, ④ 빙하가 녹는 해역, 비가 많이 내리는 해역, 강물의 유입량이 많은 해역, 강수량이 증발량보다 많은 해역은 물의 양이 증가하기 때문에 염분이 낮다.

18 문제 분석하기 >>

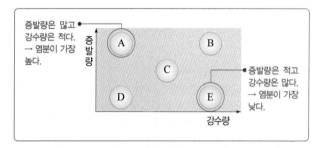

증발량이 적고 강수량이 많은 해역일수록 염류의 양은 일정하나 물의 양이 증가하기 때문에 염분이 낮게 나타난다.

19 ② 극 해역의 염분은 해빙과 결빙에 의한 영향을 많이 받는다.
바로알기 >> ⑤ 대륙에서 먼 바다는 담수의 유입이 적기 때문에 대륙에 가까운 곳보다 대체로 염분이 더 높다.

20 문제 분석하기 >>

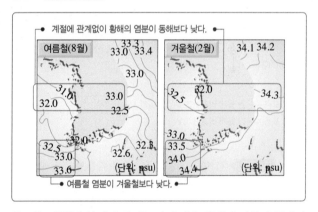

②, ④ 강물(담수)이 유입되는 양이 많은 황해의 염분이 동해의 염분보다 낮다.
⑤ 우리나라 주변 바다의 염분은 약 33 psu로 전 세계 평균 염분인 35 psu보다 낮다.
바로알기 >> ① 우리나라 주변 바다의 염분은 위도에 따른 경향을 나타내지 않는다.

21 염분비 일정 법칙에 따라 해수의 염분은 달라도 각 염류들 사이의 비율은 일정하다. 따라서 염분이 30 psu인 해수에 두 염류 A와 B가 1 : 2로 녹아 있다면, 염분이 90 psu인 해수에 녹아 있는 A와 B의 비율도 1 : 2이다.

22 해수의 염분이 다르더라도 해수 속에 포함된 염화 나트륨의 비율은 일정하다. 두 해수의 염분이 주어져 있으므로 염분을 기준으로 비례식을 세워 계산하면 다음과 같다.

$32\,\text{psu} : 24.8\,\text{g} = 34\,\text{psu} : A$, $A = \dfrac{24.8\,\text{g} \times 34\,\text{psu}}{32\,\text{psu}} ≒ 26.4\,\text{g}$

23 염분은 해수 1000 g에 녹아 있는 염류의 총량을 g 수로 나타낸 것이다. 전체 염류에서 각 염류가 차지하는 비율이 일정하므로 염류 중 한 가지의 양만 비교해도 염류 전체의 많고 적음을 알 수 있다. 따라서 염분은 홍해>지중해>북극해 순이다.

24 ⑤ 염류의 비율은 어느 해역에서나 일정하다.
바로알기≫ ① 강수량과 증발량은 해역에 따라 다르게 나타난다. ② 육지에 가까울수록 해수로 유입되는 담수의 양이 많아진다. ③, ④ 해수 1 kg에 녹아 있는 염류의 총량은 염분으로, 해역마다 다르다. 전체 염류 중 염화 나트륨의 비율은 일정하므로, 염분이 높을수록 양이 많아진다.

25 염분비 일정 법칙에 의해 각 염류 사이의 비율은 일정하므로, 이미 알고 있는 염류의 양을 기준으로 비례식을 세운다. A는 지중해(또는 북극해)와 홍해의 염화 나트륨과 염화 마그네슘 비율을 이용하여 구할 수 있고, B는 북극해와 지중해(또는 홍해)의 염화 나트륨과 황산 마그네슘 비율을 이용하여 구할 수 있다.
• $29.5\,\text{g} : 4.1\,\text{g} = 31.1\,\text{g} : A$ ∴ $A ≒ 4.3\,\text{g}$
• $4.1\,\text{g} : 1.8\,\text{g} = 3.2\,\text{g} : B$ ∴ $B ≒ 1.4\,\text{g}$

26 모범 답안 ▶ 저위도에서 고위도로 갈수록 표층 수온이 낮아진다. 저위도에서 고위도로 갈수록 들어오는 태양 에너지양이 적어지기 때문이다.

채점 기준	배점
위도별 표층 수온을 옳게 비교하고, 까닭을 옳게 서술한 경우	100 %
위도별 표층 수온만 옳게 비교한 경우	50 %

27 모범 답안 ▶ (1) A : 혼합층, B : 수온 약층, C : 심해층
(2) 두께가 두꺼워진다. 혼합층은 바람의 혼합 작용으로 수온이 일정해지기 때문에 바람이 강할수록 두껍게 발달한다.
(3) 심해층에는 태양 에너지가 거의 도달하지 않기 때문이다.

	채점 기준	배점
(1)	A~C의 이름을 모두 옳게 쓴 경우	30 %
	A~C 중 하나의 이름을 옳게 쓴 경우 부분 배점	10 %
(2)	두께 변화를 옳게 서술하고, 혼합층 생성 원리를 포함하여 까닭을 옳게 서술한 경우	40 %
	두께 변화만 옳게 서술한 경우	20 %
(3)	태양 에너지의 도달 정도를 포함하여 까닭을 옳게 서술한 경우	30 %

28 모범 답안 ▶ (1) 34 psu
(2) 68 g

해설 ▶ 이 해수 500 g에 녹아 있는 총 염류의 양이 17 g이므로 해수 1000 g에는 염류 34 g이 녹아 있다. 따라서 이 해수의 염분은 34 psu이고, 해수 2 kg을 가열하여 얻을 수 있는 총 염류의 질량은 34 g×2=68 g이다.

	채점 기준	배점
(1)	해수의 염분을 옳게 구한 경우	50 %
(2)	염류의 양을 옳게 구한 경우	50 %

29 모범 답안 ▶ 여름철보다 겨울철에 염분이 더 높다. 우리나라는 여름철에 강수량이 더 많기 때문이다.

채점 기준	배점
여름철과 겨울철의 염분을 옳게 비교하고, 강수량을 언급하여 까닭을 옳게 서술한 경우	100 %
여름철과 겨울철의 염분만 옳게 비교한 경우	50 %

30 모범 답안 ▶ • A : 4.4
• B : 200
해설 ▶ 문제 분석하기 ≫

$31.0 : A = 155.0 : 22.0$, $A = \dfrac{31.0 \times 22.0}{155.0} = 4.4$

해역	염분(psu)	염화 나트륨(g)	염화 마그네슘(g)
홍해	40	31.0	A
사해	B	155.0	22.0

$40 : 31.0 = B : 155.0$, $B = \dfrac{40 \times 155.0}{31.0} = 200$

채점 기준	배점
A와 B를 모두 옳게 구한 경우	100 %
A 또는 B 중 하나만 옳게 구한 경우	50 %

03 해수의 순환

단원 미리보기

308~309쪽

만화 완성하기 ≫ [모범 답안] 우리가 함께 있는 곳이라면 동해지!
한눈에 보기 ≫ [B] 우리나라 주변 해류, [C] 조석

309~311쪽

Ⓐ **1** ㉠ 지속적, ㉡ 바람 **2** ㉠ 저위도 → 고위도, ㉡ 따뜻한, ㉢ 고위도 → 저위도, ㉣ 차가운 **3** (1) × (2) ○ (3) ○ (4) ×

Ⓑ **1** A: 황해 난류, B: 북한 한류, C: 동한 난류, D: 쿠로시오 해류 **2** (1) A, C, D (2) B **3** (1) ○ (2) × (3) ×

Ⓒ **1** (가) 만조, (나) 간조 **2** (1) ○ (2) ○ (3) × (4) × (5) ○

A-3 (2) 주변 해수와의 수온을 비교하여 해류를 구분할 수 있다. 난류는 비교적 따뜻한 해류, 한류는 비교적 차가운 해류이다.
바로알기» (1) 해류는 일정한 방향으로 나타나는 지속적인 해수의 흐름이다. 계절에 따라 해류의 세력이 약간씩 달라질 수는 있으나 방향은 일정하다.
(4) 난류가 강하게 흐르는 지역은 그렇지 않은 지역에 비해 대체로 기온이 높다.

B-1~2 A는 황해 난류, B는 북한 한류, C는 동한 난류이다. D는 우리나라 주변을 흐르는 난류의 근원이 되는 쿠로시오 해류이다. A, C, D는 저위도에서 고위도로 흐르는 난류이고, B는 고위도에서 저위도로 흐르는 한류이다.

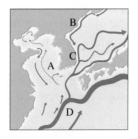

B-3 **바로알기»** (2) 북한 한류와 동한 난류가 동해안에서 만나서 조경 수역을 형성한다.
(3) 조경 수역의 위치는 계절에 따라 조금씩 달라진다. 난류의 세력이 강한 여름에는 북상하고, 한류의 세력이 강한 겨울에는 남하한다.

C-2 (2) 밀물로 해수면 높이가 가장 높을 때가 만조, 썰물로 해수면 높이가 가장 낮을 때가 간조이다. 만조와 간조는 하루에 약 두 번씩 일어난다.
(5) 조석으로 나타나는 조차나 조류를 이용하여 조력 발전이나 조류 발전을 한다.
바로알기» (3) 조차는 만조와 간조 때 해수면 높이 차를 말한다. 한 달 중 조차가 가장 크게 나타나는 시기를 사리, 조차가 가장 작게 나타나는 시기를 조금이라고 한다.
(4) 우리나라에서 조차는 서해안에서 가장 크고, 동해안에서 가장 작게 나타난다.

실력 탄탄 핵심 문제   312~315쪽

01 ②   02 ⑤   03 ⑤   04 ④   05 ②   06 D, 쿠로시오
해류   07 ③   08 ①, ③   09 ②   10 ③   11 (가)   12 ④
13 ③   14 ④   15 B   16 ④   17 ⑤   18 ④
서술형 문제 19~24 해설 참조

01 지속적으로 부는 바람이 해수의 표층에 해류를 일으킨다.

02 **바로알기»** ㄱ. 해류는 일정한 방향으로 나타나는 지속적인 해수의 흐름이다.
ㄴ. 난류는 저위도에서 고위도로 흐르는 비교적 따뜻한 해류이고, 한류는 고위도에서 저위도로 흐르는 비교적 차가운 해류이다. 난류와 한류는 계절에 따라 세력이 변할 수는 있으나 계절에 따라 종류가 변하는 것은 아니다.

03 ②, ③ 해수의 표층에서 해류가 발생하는 원인을 알아보는 실험으로, 지속적인 바람에 의해 물과 종이 조각이 움직이는 것을 알 수 있다.
바로알기» ⑤ 헤어드라이어로 바람을 계속 불어주면 종이 조각은 바람을 따라 수평 방향으로 움직인다.

04 ⑤ 계절에 따라 해류의 세력이 달라져 조경 수역의 위치가 달라진다.
바로알기» ④ 황해 난류와 동한 난류는 모두 쿠로시오 해류에서 갈라져 나온 해류이다.

[05~07] **문제 분석하기»**

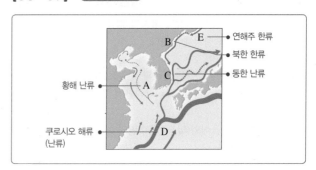

06 쿠로시오 해류(D)는 우리나라 주변을 흐르는 황해 난류와 동한 난류의 근원이 되는 해류로, 저위도에서 고위도로 흐르는 난류이다. 검푸른 빛을 띠어 흑조라고도 부른다.

07 **바로알기»** ① 해류 A, C, D는 난류이고, 해류 B, E는 한류이다.
② 해류 A는 쿠로시오 해류(D)에서, 해류 B는 연해주 한류(E)에서 각각 갈라져 나왔다.
④ 해류 D는 우리나라 주변을 흐르는 난류의 근원이다.
⑤ 겨울철 동해안의 기온이 높은 데 영향을 주는 해류는 동한 난류(C)이다.

08 우리나라는 동해에서 동한 난류와 북한 한류가 만나서 조경 수역을 형성한다.

09 ③, ⑤ 조경 수역에는 영양 염류와 플랑크톤이 풍부하고, 한류성 어종과 난류성 어종이 함께 분포하여 좋은 어장이 만들어진다.

④ 조경 수역의 위치는 난류의 세력이 강한 여름에는 북상하고, 한류의 세력이 강한 겨울에는 남하한다.

바로알기 ▷▷ ② 우리나라에서 조경 수역은 동한 난류와 북한 한류가 만나는 동해에 형성되어 있다.

10 문제 분석하기 ▷▷

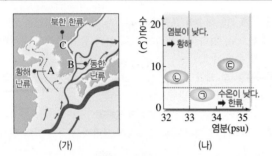

(가)   (나)

- 한류는 난류보다 수온이 낮다. ➡ ⊙은 C가 흐르는 해역의 측정값이다.
- 우리나라는 강물이 황해로 주로 흘러들어가므로 서해안의 염분이 동해안보다 낮다. ➡ ⓒ은 A, ⓒ은 B가 흐르는 해역의 측정값이다.

11 우리나라의 남해 부근에서는 동해 쪽으로 북상하는 동한 난류가 흐른다. 따라서 기름이 퍼지지 않게 하기 위해서는 (가) 방향에 오일 펜스를 설치해야 한다.

12 바로알기 ▷▷ ㄱ. 조석은 밀물과 썰물로 해수면의 높이가 주기적으로 변하는 현상이다. 우리나라에서 밀물과 썰물은 약 두 번씩 반복된다.
ㄷ. 바닷물이 밀려들어와(밀물) 해수면의 높이가 가장 높아졌을 때를 만조라고 한다.

13 해수면의 높이가 낮아져 바닥이 드러난 (가)는 간조이고, (나)는 해수면의 높이가 높은 만조이다. 간조 때 갯벌이 드러나 조개를 잡을 수 있고, 바다 갈라짐 현상이 나타나 섬까지 걸어갈 수 있다.

바로알기 ▷▷ ⑤ 간조와 만조 때 해수면 높이 차(조차)는 매일 조금씩 달라진다. 한 달 중 조차가 가장 큰 시기를 사리, 가장 작은 시기를 조금이라고 한다.

[14~15] 문제 분석하기 ▷▷

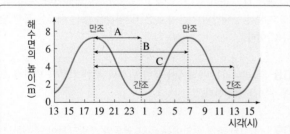

- 조차는 만조와 간조 때 해수면의 높이 차이므로 약 6 m이다.
- 조석의 주기 : B(만조에서 다음 만조까지 걸리는 시간) ➡ 약 12시간 25분

16 바로알기 ▷▷ ①, ② A와 C는 한 달 중 조차가 가장 작은 조금이고, B와 D는 조차가 가장 큰 사리이다.
③ 바다 갈라짐 현상은 조차로 바다의 바닥이 드러나는 현상이므로 B, D와 같이 조차가 큰 시기에 간조가 되면 잘 나타난다.
⑤ 사리와 조금은 각각 한 달에 약 두 번씩 나타난다.

17 ②, ③ 바닷물이 바다 쪽으로 빠져 나가는 것은 썰물, 육지 쪽으로 들어오는 것은 밀물이다.
④ 조석의 주기는 간조에서 다음 간조 또는 만조에서 다음 만조까지 걸리는 시간을 뜻하며, 우리나라에서는 약 12시간 25분이다. 따라서 밀물이 시작되어 만조가 된 후 다시 간조가 되기까지는 6시간 이상이 걸린다.

바로알기 ▷▷ ⑤ 동해안은 조차가 가장 작다. 우리나라에서는 서해안에서 조차가 가장 커서 조력 발전을 하기에 좋다.

18 바로알기 ▷▷ ④ 바다 갈라짐 현상은 조차가 큰 곳에서 잘 나타난다. 동해안은 조차가 작고 수심이 깊어 바다 갈라짐 현상이 잘 나타나지 않고, 주로 조차가 큰 서해안에서 체험할 수 있다.

19 모범 답안 ▷ 해수면 위로 지속적인 바람이 불기 때문이다.

채점 기준	배점
지속적인 바람을 포함하여 까닭을 옳게 서술한 경우	100 %

20 모범 답안 ▷ (1) A : 황해 난류, B : 북한 한류, C : 동한 난류, D : 쿠로시오 해류
(2) A, C, D. 난류는 저위도에서 고위도로 이동하며 비교적 수온이 높다.
(3) B, C

	채점 기준	배점
(1)	A~D의 이름을 모두 옳게 쓴 경우	40 %
	A~D 중 하나의 이름을 옳게 쓴 경우 부분 배점	10 %
(2)	A~D 중 난류를 옳게 쓰고, 난류의 특징을 옳게 서술한 경우	40 %
	A~D 중 난류만 옳게 쓴 경우	20 %
(3)	해류 두 가지를 옳게 쓴 경우	20 %

21 모범 답안 ▷ 동해안, 동해안에는 난류(동한 난류)가 강하게 흐르기 때문이다.

채점 기준	배점
동해안을 쓰고, 기온이 높은 까닭을 옳게 서술한 경우	100 %
동해안만 쓴 경우	50 %

22 모범 답안 ▷ 여름철에는 난류의 세력이 강하므로 조경 수역의 위치가 북상하고, 겨울철에는 한류의 세력이 강하므로 조경 수역의 위치가 남하한다.

채점 기준	배점
조경 수역의 위치를 옳게 비교하고, 까닭을 옳게 서술한 경우	100 %
조경 수역의 위치만 옳게 비교한 경우	50 %

23 ▶ 3월 16일, 17 : 22

|해설| 바다 갈라짐 현상은 조차로 바다의 바닥이 드러나는 현상이므로, 조차가 큰 시기에 해수면 높이가 가장 낮은 간조가 되면 잘 일어난다.

채점 기준	배점
날짜와 시각을 옳게 쓴 경우	100 %

24 ▶ • 간조 때 갯벌에서 조개를 캔다.
• 바다에 돌담이나 그물을 세우고 조류를 이용하여 물고기를 잡는다.
• 조차나 조류를 이용하여 전기를 생산한다.
• 조차가 큰 시기에 간조가 되어 바닷길이 열리면 섬까지 걸어갈 수 있다. 등

채점 기준	배점
예 두 가지를 모두 옳게 서술한 경우	100 %
예를 한 가지만 옳게 서술한 경우	50 %

핵심 자료로 최종 점검 318~319쪽

01 수권의 분포와 활용

1 ❶ 짠 ❷ 해수 ❸ 고체 ❹ 빙하 ❺ 지하수 ❻ 호수와 하천수 ❼ 해수 ❽ 호수와 하천수 ❾ 지하수

2 ❶ 공업용수 ❷ 농업용수 ❸ 하천

3 ❶ 농업 ❷ 증가

02 해수의 특성

1 ❶ 낮아 ❷ 적

2 ❶ 혼합층 ❷ 수온 약층 ❸ 심해층 ❹ 바람 ❺ 태양 에너지

3 ❶ 고위도 ❷ 중위도 ❸ 저위도 ❹ 강

4 ❶ 35 ❷ 짠 ❸ 염화 나트륨 ❹ 쓴 ❺ 염화 마그네슘

5 ❶ 해빙 ❷ 낮 ❸ 많아 ❹ 적어

6 ❶ 겨울 ❷ 여름 ❸ 낮 ❹ 낮 ❺ 강수량 ❻ 낮

03 해수의 순환

1 ❶ 황해 난류 ❷ 북한 한류 ❸ 조경 수역 ❹ 동한 난류 ❺ 쿠로시오 해류

2 ❶ 만조 ❷ 밀물 ❸ 간조 ❹ 썰물 ❺ 2

3 ❶ 조금 ❷ 작은 ❸ 사리 ❹ 큰 ❺ 2

시험 적중 마무리 문제 320~323쪽

01 ③	02 ②	03 ④	04 ④	05 ⑤	06 ⑤	07 ①
08 ③	09 ③	10 ②	11 ④	12 ①	13 ④	14 ③
15 30 psu	16 ②	17 ⑤	18 ②	19 ⑤	20 ②	21 ②
22 ③	23 ③	24 ①				

01 바로알기 ▶ ③ 빙하는 수권에 포함되며, 해수 다음으로 많은 양을 차지한다.

02 수권은 해수(ㄴ)가 대부분을 차지하고, 두 번째로 빙하(ㄱ), 그 다음으로 지하수(ㄷ)가 많은 양을 차지한다. 우리가 주로 사용하는 호수와 하천수(ㄹ)는 가장 양이 적다.

03 수자원이란 수권의 물 중 자원으로 활용하는 물로, 주로 담수이고 액체 상태인 호수와 하천수 및 지하수를 이용한다. 빙하는 담수이지만 얼어 있는 상태이므로 바로 이용하기 어렵다.

04 ② 지하수는 식수, 농작물 재배, 제품 생산 등 다양한 용도로 이용할 수 있다.
바로알기 ▶ ④ 우리나라는 수자원을 농업용수로 가장 많이 활용한다.

05 바로알기 ▶ ① 오염된 물은 정수 시설을 거쳐 하천으로 흘려보내야 한다.
② 수자원으로 주로 이용하는 물은 수권 전체의 0.77 % 정도로 매우 적고, 한정되어 있다.
③ 기후 변화로 가뭄, 홍수가 잦아져 수자원을 안정적으로 확보하고 관리하는 것이 어려워지고 있다.
④ 수자원의 양은 한정되어 있으나, 인구가 증가하고 산업이 발달하면서 물 사용량이 증가하고 있다.

06 문제 분석하기 ▶

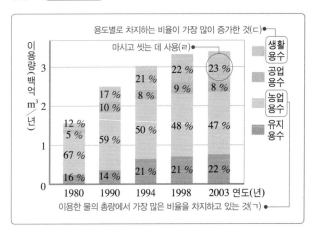

ㄴ. 수자원으로 주로 이용하는 물은 수권 전체에서 0.77 % 정도로 매우 적고 한정되어 있으나 인구 증가와 산업 발달 등으로 물의 이용량은 꾸준히 증가하고 있다.

[07~08] 문제 분석하기 >>

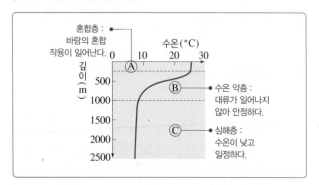

07 바로알기 >> ㄷ, ㄹ. 심해층(C)은 태양 에너지가 거의 도달하지 않아 위도나 계절에 관계없이 수온이 거의 일정하다.

08 혼합층(A)은 해수의 표층으로 태양 에너지를 많이 받아 수온이 높고, 바람에 의해 해수가 혼합되어 수온이 일정하다.

09 ③ 여름철은 겨울철보다 들어오는 태양 에너지양이 많으므로 표층 수온이 높아져 표층과 심해층의 수온 차이가 커진다. 따라서 수온 약층의 수온 변화폭이 커진다.

10 문제 분석하기 >>

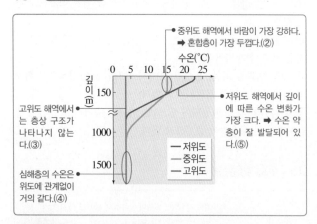

바로알기 >> ④, ⑤ 심해층의 수온은 위도에 관계없이 거의 같고, 저위도 지역에서 표층 수온이 가장 높으므로 수온 약층에서 깊이에 따른 수온 변화가 가장 큰 해역은 저위도이다.

11 바로알기 >> ① 전 세계 해수의 평균 염분은 약 35 psu이다.
② 염류 중 가장 많은 것은 염화 나트륨이다.
③ 염류는 해수에 녹아 있는 여러 가지 물질을 말한다. 염류에는 짠맛이 나는 염화 나트륨, 쓴맛이 나는 염화 마그네슘 등이 있다.
⑤ 염분이 35 psu인 해수는 물 965 g에 35 g의 염류가 녹아 있는 것이다.

12 문제 분석하기 >>

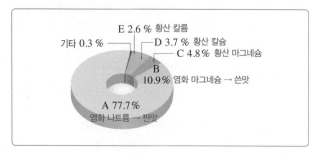

A는 소금의 주성분인 염화 나트륨이고, B는 두부를 굳히는 간수의 주성분인 염화 마그네슘이다.

13 해수를 가열하여 남은 찌꺼기가 염류이므로 해수 500 g에 녹아 있는 염류의 양은 18 g이다. 염분은 해수 1000 g에 녹아 있는 염류의 총량이므로 이 해수의 염분은 36 psu이다.

14 염분은 강수량, 증발량, 담수의 유입량, 결빙, 해빙 등에 따라 달라진다.
ㄱ. 빙하가 녹는 해역 : 빙하가 녹으면(해빙) 물의 양이 많아지기 때문에 염분이 낮다.
ㄷ. 강물이 많이 흘러드는 해역 : 담수인 강물이 많이 흘러들어오면 물의 양이 많아져 염분이 낮다.
ㅁ. 강수량>증발량인 해역 : 비 오는 양이 증발되는 양보다 많으면 물의 양이 많아져 염분이 낮다.
바로알기 >> ㄴ. 해수가 어는 해역 : 해수가 얼면(결빙) 물의 양이 줄어들어 염분이 높다.
ㄹ. 증발량>강수량인 해역 : 비 오는 양보다 증발되는 양이 많으면 물의 양이 줄어들어 염분이 높다.

[15~16] 문제 분석하기 >>

염류	A	B	
염화 나트륨	24.9 g	23.3 g	→ 구하는 방법
염화 마그네슘	(가)	3.3 g	염분비 일정 법칙을 이용
황산 마그네슘	1.5 g	1.4 g	하고, 염분이 없으므로
기타	2.1 g	2.0 g	염류들 사이에 비례식을 세워 구한다.

→ 염류의 총합=염분

15 B 해수 1 kg에 들어 있는 총 염류의 양은 23.3 g+3.3 g+1.4 g+2.0 g=30 g이다. 따라서 염분은 30 psu이다.

16 염분비 일정 법칙에 의해 A 해수와 B 해수에서 각 염류들이 차지하는 비율은 같다. 양쪽에 모두 주어진 염화 나트륨을 기준으로 비례식을 세우면 24.9 g : (가)=23.3 g : 3.3 g이므로 (가)≒3.5 g이다.

17 전 세계 바다의 표층 염분은 다양하다. 그러나 바닷물이 오랜 시간 순환하면서 서로 섞였기 때문에 각 염류들이 차지하는 비율은 거의 같다.

18 그림은 바다의 표층에서 해류가 발생하는 원리를 알아보는 실험이다. 헤어드라이어로 물 위에 바람을 일으키면 종이 조각은 바람의 방향을 따라 움직인다.

19 (바로알기 ≫) ⑤ 난류가 강하게 흐르는 곳은 주변에 비해 기온이 높다.

[20~21] (문제 분석하기 ≫)

- 북한 한류(C)는 연해주 한류(B)에서, 황해 난류(A)와 동한 난류(D)는 쿠로시오 해류(E)에서 갈라져 나온 것이다.
- 조경 수역은 한류와 난류가 만나는 곳에 형성된다. ➡ 북한 한류(C)와 동한 난류(D)가 만나는 ㉠에 형성된다.

22 (바로알기 ≫) ① 조석은 계절과는 관계없이 밀물과 썰물에 의해 해수면의 높이가 주기적으로 변하는 현상이다.
② 밀물로 해수면의 높이가 가장 높아질 때를 만조라고 한다.
④ 만조와 간조는 하루에 약 두 번씩 일어난다.
⑤ 조차는 지역에 따라 다르게 나타난다.

23 (문제 분석하기 ≫)

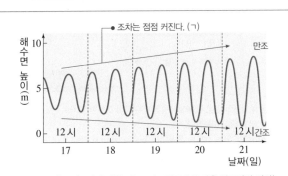

- 조석의 주기는 간조에서 다음 간조 또는 만조에서 다음 만조까지 걸리는 시간이다. ➡ 약 12시간 25분
- 해수면 높이가 낮은 간조 때(예 21일 11시 무렵) 갯벌이 드러난다.

24 (바로알기 ≫) ① 바다 갈라짐 현상은 조차가 큰 시기에 간조가 되면 바다 바닥이 드러나는 것이다.

VIII. 열과 우리 생활

01 열

(단원 미리보기)

326~327쪽

만화 완성하기 ≫ [모범 답안] 우리 몸에서 나오는 복사 열 때문이야.
한눈에 보기 ≫ [A] 온도와 입자의 운동, [D] 열평형

327~331쪽

(A) **1** (1) ○ (2) × (3) ○ **2** (나) **3** ㉠ 높을수록, ㉡ 뜨거운 물

(B) **1** (1) × (2) ○ (3) ○ (4) ○ (5) × **2** 대류 **3** (1) ㉠ 뜨거운 물, ㉡ 차가운 물 (2) ㉠ 위쪽, ㉡ 아래쪽 **4** (1) (다) (2) (나) (3) (가) **5** (1) 전도 (2) 대류 (3) 복사

(C) **1** (1) ○ (2) ○ (3) × (4) × **2** 공기 **3** ③

(D) **1** (1) 높다 (2) A → B (3) ㉠ 둔, ㉡ 활발 **2** (1) 열평형 (2) 300 kcal

A-1 (바로알기 ≫) (2) 온도가 높은 물체의 입자 운동은 온도가 낮은 물체의 입자 운동보다 활발하다.

A-2 (가)와 (나) 중 입자의 운동이 활발한 것은 (나)이다. 물체의 온도가 높을수록 입자의 운동이 활발하므로 (나)의 온도가 더 높다.

B-1 (바로알기 ≫) (1) 전도는 열을 받은 입자들이 활발하게 움직여 이웃한 입자와 충돌하여 열을 전달하는 방법으로 입자가 직접 이동하지는 않는다.
(5) 전도는 접촉한 물체 사이에서만 일어난다.

B-3 (1) 뜨거운 물은 부피가 커져 밀도가 작아지므로 위로 올라가고, 위에 있던 차가운 물은 뜨거운 물보다 밀도가 크므로 아래로 내려간다.
(2) 차가운 공기는 아래로 내려가고, 따뜻한 공기는 위로 올라가므로 냉방기인 에어컨은 위쪽에 설치하고, 난방기인 난로는 아래쪽에 설치해야 효과적으로 방 전체를 시원하게 하거나 따뜻하게 할 수 있다.

B-4 (1) 물질의 도움 없이 열이 직접 이동하는 방법은 복사로 모닥불의 열이 손으로 전달되는 (다)의 경우이다.
(2) 물질이 직접 이동하여 열을 전달하는 방법은 대류로 물을 끓이는 (나)이다.
(3) 열을 받은 입자가 움직이면서 이웃한 입자와 충돌하여 열을 전달하는 방법은 전도로 모닥불에 금속 막대를 넣어 막대가 뜨거워지는 (가)이다.

B-5 (1) 프라이팬을 가열하면 전도로 열이 전달되어 프라이팬 위의 소시지까지 전달된다.
(2) 찌개를 끓이면 대류로 열이 전달되어 찌개가 골고루 데워진다.
(3) 토스터는 복사로 열을 전달하여 빵을 굽는다.

C-1 바로알기 》 (3) 전도, 대류, 복사에 의한 열의 이동 모두 막아야 단열을 효과적으로 할 수 있다.
(4) 은도금은 복사에 의한 열을 반사시켜 차단하는 역할을 한다.

C-2 공기를 많이 포함하는 물질일수록 열의 이동이 천천히 일어나므로 좋은 단열재가 된다.

C-3 단열은 물체 사이의 전도, 대류, 복사에 의한 열의 이동을 최소화하는 것이다. 생활에서는 보온병, 아이스박스, 이중창, 방한복 등에 단열을 이용하고 있다.
바로알기 》 ③ 냄비 바닥은 열을 잘 전달하는 금속으로 만들어 음식물이 잘 익을 수 있게 한다.

D-1 (1) 그림에서 A의 입자 운동이 B보다 활발하므로, 처음에는 A의 온도가 B보다 높다.
(2) 열은 고온의 물체에서 저온의 물체로 이동한다. 따라서 열은 A → B로 이동한다.
(3) 고온의 물체인 A와 저온의 물체인 B를 접촉시키면, A(고온)의 입자 운동은 둔해지고 B(저온)의 입자 운동은 활발해진다.

D-2 (1) C에서 두 물체의 온도가 같으므로 열평형 상태이다.
(2) 열평형 상태가 될 때까지 고온의 물체가 잃은 열량과 저온의 물체가 얻은 열량은 같다. 따라서 B가 얻은 열량은 A가 잃은 열량과 같은 300 kcal이다.

실력 탄탄 핵심 문제

333~337쪽

01 ③ 02 ② 03 ③, ⑤ 04 ① 05 ⑤ 06 ④ 07 ②
08 ③ 09 ④ 10 ⑤ 11 ⑤ 12 ② 13 ④ 14 ②
15 ⑤ 16 ③ 17 ③ 18 ⑤ 19 ④ 20 ② 21 ⑤
22 ①

서술형 문제 23~27 해설 참조

---

01 ① 사람의 감각은 주관적이어서 물체의 온도를 객관적으로 정확하게 측정할 수 없다.
② °C는 섭씨온도의 단위이고, K은 절대 온도의 단위이다.
④, ⑤ 온도는 물체를 이루는 입자 운동의 활발한 정도를 나타내는 물리량으로, 물체의 온도가 높을수록 입자 운동이 활발하다. 따라서 100 °C 물의 입자 운동이 30 °C 물의 입자 운동보다 활발하다.

바로알기 》 ③ 절대 온도는 −273 °C를 0 K으로, 0 °C를 273 K으로 정한 온도이다. 따라서 0 °C와 0 K은 같은 온도가 아니다.

02 문제 분석하기 》

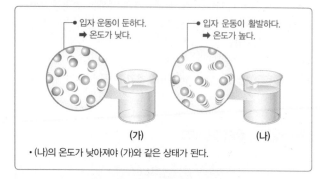

• 입자 운동이 둔하다. ➡ 온도가 낮다.
• 입자 운동이 활발하다. ➡ 온도가 높다.
(가) (나)
• (나)의 온도가 낮아져야 (가)와 같은 상태가 된다.

03 ③ 뜨거운 국에 숟가락을 넣으면 열이 전도되어 손잡이가 뜨거워진다.
⑤ 프라이팬에 소시지를 놓고 아래쪽을 가열하면 전도에 의해 열이 프라이팬 위쪽으로 전달되어 소시지가 익는다.
바로알기 》 ① 모닥불 옆에 있으면 복사의 형태로 열이 전달되어 얼굴이 뜨거워진다.
② 방의 한쪽에 난로를 켜 두면 대류에 의해 따뜻해진 공기는 위로 올라가고, 위쪽에 있던 차가운 공기는 아래로 내려오면서 난로에 의해 공기가 데워지므로 방 전체가 따뜻해진다.
④ 주전자에 물을 넣고 끓이면 대류에 의해 뜨거워진 바닥 부분의 물은 위로 올라가고, 위에 있던 차가운 물은 아래로 내려오면서 물이 전체적으로 뜨거워진다.

04 문제 분석하기 》

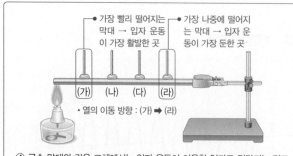

• 가장 빨리 떨어지는 막대 → 입자 운동이 가장 활발한 곳
• 가장 나중에 떨어지는 막대 → 입자 운동이 가장 둔한 곳
(가) (나) (다) (라)
• 열의 이동 방향 : (가) ➡ (라)

④ 금속 막대와 같은 고체에서는 입자 운동이 이웃한 입자로 전달되는 전도에 의해 열이 이동한다.
⑤ 열이 전도되는 정도는 물체마다 다르다. 따라서 금속 막대가 달라지면 나무 막대가 떨어지는 빠르기도 달라진다.

05 금속, 나무, 플라스틱으로 만든 국자에 버터를 올려놓고 뜨거운 물이 들어 있는 수조에 넣으면 전도에 의해 열이 전달되어 세 국자의 버터가 녹는다. 이때 국자를 만든 재질에 따라 열이 전도되는 빠르기가 다른데, 금속으로 만든 국자 위의 버터가 가장 빨리 녹는다.

06 차가운 물은 상대적으로 밀도가 커서 아래로 내려가고, 뜨거운 물은 상대적으로 밀도가 작아서 위로 올라간다. 이렇게 액체 상태의 입자가 직접 이동하면서 열이 이동하는 방법을 대류라고 한다.

07 물의 한 부분만을 가열해도 물 전체가 뜨거워지는 것은 대류에 의해 열이 이동하였기 때문이다. 따라서 보기에서 대류에 의해 열이 이동하는 현상을 찾는다.
② 에어컨을 위쪽에 설치해야 대류에 의해 차가워진 공기가 아래로 내려와 집 안 전체가 시원해진다.
바로알기 ① 찬물에 손을 담그면 손과 찬물이 열평형 상태가 되어 손이 차가워진다.
③ 햇빛을 쬐면 복사의 형태로 열이 이동하여 몸이 따뜻해진다.
④ 추운 곳에 오래 있으면 몸에서 열이 빠져나가 체온이 낮아진다.
⑤ 방바닥의 한쪽만 가열해도 열이 전도되어 방바닥 전체가 뜨겁다.

08 태양에서 지구로 열이 물질의 도움 없이 직접 전달되는 것은 복사에 의한 열의 이동 방법이다.
③ 뜨거운 여름날 모자로 태양열을 차단하면 복사에 의한 열의 이동을 막을 수 있다.
바로알기 ① 석빙고 천장에는 환기 구멍이 있어 더운 공기가 위로 올라가는 대류 현상을 이용하여 안을 시원하게 유지한다.
② 방 안에 보일러를 틀면 대류에 의해 열이 이동하여 방 전체가 따뜻해진다.
④ 뜨거운 물이 담긴 유리컵을 만지면 유리컵에서 손으로 열이 전도되어 따뜻하다.
⑤ 체온계를 입에 물고 있으면 몸에서 체온계로 열이 전도되어 체온계의 온도가 높아진다.

09 **문제 분석하기 ≫**

난로는 아래쪽에 설치한다.
· 따뜻한 공기가 위로 올라가 대류에 의해 방 전체가 따뜻해진다.

④ 따뜻한 공기는 밀도가 작아져서 위로 올라가고, 차가운 공기는 아래로 내려오는 대류 현상이 일어나므로 난로는 방의 아래쪽, 에어컨은 위쪽에 설치한다. 대류는 입자들이 직접 이동하면서 열을 전달하는 방법이다.
바로알기 ① 대류에 의해 열이 이동한다.
②, ③ 대류는 물체를 구성하는 입자들이 직접 이동하면서 열을 전달하며 주로 액체나 기체에서 일어난다.

⑤ 금속이 나무보다 열전도가 잘되는 물질이므로 금속으로 된 의자에 앉을 때 열을 빠르게 빼앗겨서 더 차갑게 느끼게 된다. 따라서 전도와 관련된 현상이다.

10 ㄷ. 전도는 주로 고체에서 일어나는 열의 이동 방법으로 두 물체가 서로 접촉해 있을 때 입자의 운동을 이웃한 입자로 전달하면서 열이 이동한다.
ㄹ. 대류는 주로 액체와 기체에서 일어나는 열의 이동 방법으로 입자가 직접 이동하면서 열을 전달한다.
바로알기 ㄱ. 전도는 주로 고체에서 잘 일어난다.
ㄴ. 물질의 도움 없이 열이 전달되는 방법을 복사라고 한다.

11 ⑤ 조리 기구의 손잡이는 열의 전도를 막기 위해 열을 잘 전달하지 않는 플라스틱이나 나무로 만든다.
바로알기 ①, ② 햇빛을 쬐거나 난로 가까이 있을 때 따뜻한 것은 복사의 형태로 열이 전달되기 때문이다. − 복사
③ 프라이팬의 바닥 부분을 가열하면 전도에 의해 프라이팬 위로 열이 전달되어 소시지를 익힌다. − 전도
④ 방 안의 한 곳에 난로를 켜 두면 대류에 의해 난로 주위의 따뜻한 공기는 위로 올라가고, 위에 있던 차가운 공기는 아래로 내려와 난로에 의해 데워지므로 방 전체가 따뜻해진다. − 대류

12 보온병은 이중벽으로 만드는데, 벽과 벽 사이의 공기를 최대한 빼내 진공 공간을 두어 전도와 대류에 의한 열의 이동을 막는다. 또한, 벽면은 은도금되어 있어 빛을 반사시켜 복사에 의한 열의 이동을 막는다.

13 ④ 실험은 효율적으로 열의 이동을 막는 단열재를 알아보기 위한 것이다. 실험 결과 모래＞신문지＞솜 순으로 온도 변화가 큰 것으로 보아, 공기를 많이 포함하는 물질일수록 열의 이동을 막는 효율적인 단열재임을 알 수 있다.
바로알기 ① 솜의 온도 변화가 가장 작으므로 열의 이동이 느린 물질이다.
② 모래의 온도 변화가 가장 큰 것으로 보아 열의 이동이 가장 많이 일어났으므로 효율적인 단열재가 아니다.
③ 내부에 공기가 많은 물질일수록 열의 이동이 천천히 일어난다. 모래를 채울 때보다 솜을 채울 때 온도 변화가 작게 나타므로, 솜이 모래보다 공기를 포함하는 공간이 많다.
⑤ 온도 변화가 작을수록 효율적으로 열의 이동을 막은 것이다. 따라서 온도 변화를 고려하여 비교해 보면 시험관 B(솜)＞A(신문지)＞C(모래) 순으로 열의 이동을 효율적으로 막았다.

14 얼음을 덜 녹게 하려면 외부에서 얼음으로 이동하는 열을 차단해야 한다. 스타이로폼은 내부에 공기를 포함하는 공간이 많아 금속보다 열의 전도가 느리다. 따라서 얼음을 스타이로폼으로 만든 상자에 넣는 경우가 금속으로 만든 상자에 넣는 경우에 비해 얼음이 덜 녹을 수 있다.

15 단열은 물체 사이의 열의 이동을 막아 열이 잘 빠져나가거나 들어오지 못하게 하는 것이다. 생활에서는 이중창, 집의 벽과 벽 사이의 스타이로폼, 보온병, 소방복 등을 이용하여 단열하고 있다.

바로알기 ⑤ 온돌방에 불을 지피면 전도에 의해 열이 이동하여 방바닥이 따뜻해진다.

16 문제 분석하기 ≫

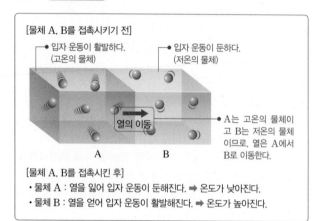

[물체 A, B를 접촉시키기 전]
• 입자 운동이 활발하다. (고온의 물체)
• 입자 운동이 둔하다. (저온의 물체)
열의 이동
A는 고온의 물체이고 B는 저온의 물체이므로, 열은 A에서 B로 이동한다.

[물체 A, B를 접촉시킨 후]
• 물체 A : 열을 잃어 입자 운동이 둔해진다. ➡ 온도가 낮아진다.
• 물체 B : 열을 얻어 입자 운동이 활발해진다. ➡ 온도가 높아진다.

17 ①, ② 열을 잃은 물체는 입자 운동이 둔해져 온도가 낮아지고, 열을 얻은 물체는 입자 운동이 활발해져 온도가 높아진다.
④ 열은 항상 온도가 높은 물체에서 온도가 낮은 물체로 이동한다.
⑤ 열량의 단위로는 kcal(킬로칼로리), cal(칼로리), J(줄) 등을 사용한다.

바로알기 ③ 열은 물체의 온도를 변하게 하는 에너지이고, 온도는 물체의 차갑고 뜨거운 정도를 수치로 나타낸 것이다.

18 문제 분석하기 ≫

• 열의 이동 방향 : D ➡ C	C ➡ B	B ➡ A
• 온도 비교 : D > C	C > B	B > A

열은 온도가 높은 물체에서 온도가 낮은 물체로 이동한다. 따라서 물체 A~D의 처음 온도는 D>C>B>A 순으로 높다.

19 ④ 온도 변화 표를 보면 실험을 시작하고 A와 B의 온도는 6분 후부터 같아져 변하지 않으므로, 열평형에 도달하는 데는 6분이 걸린다.

바로알기 ① 열은 온도가 높은 물체에서 온도가 낮은 물체로 이동한다. 따라서 열은 B(60 °C)에서 A(20 °C)로 이동한다.
② 온도가 다른 두 물체를 접촉시키면 고온의 물체는 열을 잃어 입자 운동이 둔해지므로, B의 입자 운동은 점점 둔해진다. 반대로 저온의 물체는 열을 얻어 입자 운동이 활발해지므로, A의 입자 운동은 점점 활발해진다.

③ 열평형 온도는 A와 B의 온도가 같아진 상태의 온도이므로 26 °C이다.
⑤ 열평형 상태가 될 때까지 고온의 물체가 잃은 열량은 저온의 물체가 얻은 열량과 같다. 따라서 고온의 물체인 B가 잃은 열량이 1300 kcal이라면, 저온의 물체인 A가 얻은 열량은 1300 kcal이다.

20 문제 분석하기 ≫

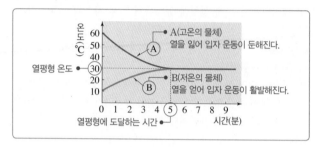

A(고온의 물체) 열을 잃어 입자 운동이 둔해진다.
B(저온의 물체) 열을 얻어 입자 운동이 활발해진다.
열평형 온도
열평형에 도달하는 시간
시간(분)

① 열은 고온의 물체에서 저온의 물체로 이동하므로 A에서 B로 이동한다.

바로알기 ② 두 물체의 온도가 같아지는 순간부터 열평형에 도달한 것이므로 A와 B는 5분 후부터 열평형에 도달한다.

21 수박을 차가운 계곡물에 담가 두면 수박에서 계곡물로 열이 이동하여 온도가 같아지는 열평형이 일어나기 때문에 수박이 시원해진다.

22 ② 생선을 얼음 위에 놓으면 생선과 얼음이 열평형을 이루어 생선이 차가워지므로 신선한 상태를 유지할 수 있다.
③ 한약 팩을 뜨거운 물에 넣으면 한약과 뜨거운 물이 열평형 상태가 되어 한약이 따뜻해진다.
④ 냉장고에 음식을 넣으면 냉장고 속의 공기와 음식이 열평형 상태가 되어 음식이 차가운 상태를 유지할 수 있다.
⑤ 체온을 측정할 때는 입안이나 겨드랑이에 체온계를 넣고 몇 분 기다려야 몸과 체온계가 열평형을 이루게 된다. 그러면 몸과 체온계의 온도가 같아져 체온을 측정할 수 있다.

바로알기 ① 국자의 손잡이를 나무로 만들어 뜨겁지 않게 하는 것은 열의 전도와 관련이 있다.

23 모범 답안 ▶ 바닥 부분은 음식을 익힐 수 있도록 열이 잘 전도되는 금속으로 만들고, 손잡이는 열이 잘 전도되지 않도록 플라스틱으로 만든다.

|해설| 이용하는 목적에 따라 열의 전도가 잘 되어야 좋은 경우가 있고, 전도가 잘 되지 않아야 좋은 경우가 있으므로 다른 물질을 사용한다.

채점 기준	배점
열이 전도되는 정도의 차이와 함께 까닭을 옳게 서술한 경우	100 %
뜨거워져야 하는 부분과 뜨거워지면 안되는 부분이라고만 구분하여 서술한 경우	60 %

24 모범 답안 ▶ 대류에 의해 차가운 공기는 아래로 내려가므로 에어컨은 위쪽에 설치해야 방 전체가 시원해진다. 또, 대류에 의해 따뜻한 공기는 위로 올라가므로 난로는 아래쪽에 설치해야 방 전체가 따뜻해진다.

|해설| 공기는 차가워지면 부피가 작아져 밀도가 커지므로 아래쪽으로 내려가고 뜨거워지면 부피가 커져 밀도가 작아지므로 위쪽으로 올라간다. 따라서 에어컨은 위쪽에, 난로는 아래쪽에 설치해야 좋다.

채점 기준	배점
에어컨과 난로를 설치하는 까닭을 모두 대류에 의한 열의 이동과 관련하여 옳게 서술한 경우	100 %
에어컨과 난로 중 하나만 대류에 의한 열의 이동과 관련하여 서술한 경우	50 %

25 모범 답안 ▶ 이중창의 유리와 유리 사이의 공기가 단열재의 역할을 하여 열을 잘 전달하지 않으므로, 집의 단열이 잘 된다.

|해설| 공기는 열의 전도가 잘 일어나지 않으므로, 공기를 많이 포함할수록 단열에 효과적이다.

채점 기준	배점
공기가 있어 열의 이동이 잘 일어나지 않아 단열이 잘 된다는 것을 옳게 서술한 경우	100 %
공기는 설명하지 못하고 열의 이동이 일어나지 않는다고만 서술한 경우	50 %

26 모범 답안 ▶ 체온을 측정할 때는 입안이나 겨드랑이에 체온계를 넣고 몇 분 기다려야 몸과 체온계가 열평형을 이루게 된다. 그러면 몸과 체온계의 온도가 같아져 체온을 측정할 수 있다.

|해설| 몸과 체온계가 열평형을 이루어야 체온을 정확히 측정할 수 있다. 몸에서 체온계로 열이 이동하는 데 시간이 걸리므로 체온계를 몸에 접촉한 상태로 기다려야 한다.

채점 기준	배점
몸과 체온계가 열평형을 이루게 한다고 까닭을 옳게 서술한 경우	100 %
열평형이란 말을 쓰지 않고 몸과 체온계의 온도를 같게 한다고 서술한 경우	70 %

27 모범 답안 ▶ (1) A는 온도가 높았다가 낮아지므로 달걀의 온도 변화를, B는 온도가 낮았다가 높아지므로 물의 온도 변화를 나타낸다.

(2) 물과 달걀의 온도가 같아지는 10분 후부터 열평형을 이룬다.

|해설| (1) A는 60 °C에서 30 °C로 온도가 변하고, B는 10 °C에서 30 °C로 온도가 변한다. 따라서 A가 뜨거운 달걀, B가 차가운 물의 온도 변화를 나타낸 것이다.

(2) 두 물체는 10분 후부터 온도가 30 °C로 같아지므로 이때부터 열평형을 이룬다.

	채점 기준	배점
(1)	A와 B를 짝 짓고 까닭을 옳게 서술한 경우	50 %
	A가 달걀, B가 물이라고만 쓴 경우	20 %
(2)	10분 후라고 쓰고 온도가 같아지는 시간임을 서술한 경우	50 %
	10분 후라고만 쓴 경우	20 %

02 비열과 열팽창

단원 미리보기

338~339쪽

만화 완성하기 » [모범 답안] 온도가 높아지면 유리 입자 사이의 거리가 멀어져서 유리가 팽창하기 때문이야.

한눈에 보기 » [A] 열량, [B] 비열, [D] 열팽창

339~343쪽

A 1 (1) ○ (2) × (3) ○ (4) ○ 2 (1) (나) (2) (가) (3) 5 °C

B 1 비열 2 작은 3 5 kcal/(kg·°C) 4 물

C 1 (1) ○ (2) × (3) × (4) × 2 ㉠ 작은, ㉡ 대류, ㉢ 해풍

D 1 열팽창 2 ㉠ 활발, ㉡ 멀어

E 1 바이메탈 2 (1) B (2) B 쪽 3 (1) × (2) ○ (3) × (4) ○

A-1 (1) 열은 물체의 온도를 변화시킬 수 있는 에너지를 말한다. 그리고 열량은 물체로 이동한 열의 양을 말한다. 온도가 다른 물체가 접촉하면 고온의 물체에서 저온의 물체로 열이 이동하며 이때 이동한 열의 양을 열량이라고 한다.

(3) kcal는 열량의 단위이며, 1 kcal는 물 1 kg의 온도를 1 °C 높이는 데 필요한 열량이다.

(4) 물체의 온도 변화는 물체가 흡수한 열량이 클수록, 물체의 질량이 작을수록 크다. 그러므로 질량이 같을 때 물의 온도 변화는 가한 열량에 비례한다.

바로알기 » (2) 같은 물질, 같은 질량에 같은 열량을 가해야 온도 변화가 같다. 질량이 얼마나 다른지 알 수 없으면 온도 변화를 비교할 수 없다.

A-2 (1) 온도 변화가 같을 때 물체의 질량이 클수록 물체에 가한 열량이 크므로 (나)에 더 많은 열량이 필요하다.

(2) 같은 가열 장치로 같은 시간 동안 가열하면 가해 준 열량이 같다. 같은 열량을 가할 때 온도 변화는 질량에 반비례하므로 (가)의 온도 변화가 더 크다.

(3) 같은 열량을 가할 때 온도 변화는 질량에 반비례하므로 질량이 두 배가 되면 온도 변화는 $\frac{1}{2}$배로 줄어든다. 따라서 물 800 g의 온도는 5 °C 올라간다.

B-2 비열은 어떤 물질 1 kg의 온도를 1 °C 올리는 데 필요한 열량이므로 질량과 가해준 열량이 같을 때 비열이 클수록 온도 변화가 작고, 비열이 작을수록 온도 변화가 크다.

B-3 비열 = $\dfrac{열량}{질량 \times 온도 변화}$

$= \dfrac{500 \text{ kcal}}{5 \text{ kg} \times (30 \text{ °C} - 10 \text{ °C})} = 5 \text{ kcal/(kg·°C)}$

B-4 모래, 식용유, 물의 질량이 같고 가한 열량이 같을 때 같은 시간 동안 온도 변화가 작을수록 비열이 크다. 그래프를 보면 온도 변화는 모래>식용유>물 순이므로, 비열은 물>식용유>모래 순으로 크다. 따라서 세 물질 중 비열이 가장 큰 것은 물이다.

C-1 (1) 물의 비열이 크기 때문에 바다와 가까운 해안 지방은 낮과 밤의 기온 변화가 크지 않으므로 일교차가 내륙 지방보다 더 작다.

〔바로알기〕 (2) 찜질 팩 속에는 비열이 큰 물질을 넣어야 오랫동안 따뜻하게 사용할 수 있다. 모래는 물보다 비열이 작은 물질이므로 찜질 팩 속에 넣기에 적당하지 않다.

(3) 낮에는 비열이 작은 육지의 온도가 더 빠르게 올라가 육지의 공기가 따뜻해져 상승하고, 빈 자리로 바다의 공기가 이동하여 해풍이 분다.

(4) 음식을 오랫동안 따뜻하게 유지할 때는 비열이 큰 뚝배기를 사용하는 것이 좋다.

D-1 물질에 열을 가하면 물질을 이루는 입자의 운동이 활발해지면서 입자 사이의 거리가 멀어지기 때문에 물질의 길이나 부피가 증가하는 열팽창을 한다. 물질의 종류에 따라 열팽창하는 정도가 다르며, 물질의 상태에 따라서는 기체>액체>고체 순으로 열팽창하는 정도가 크다.

D-2 물체에 열이 가해지면 물체의 온도가 올라가고, 물체를 구성하는 입자의 운동이 활발해진다. 따라서 입자 사이가 멀어지므로 물체의 길이나 부피가 증가하는 열팽창이 일어난다.

E-2 (1) 바이메탈을 가열한 경우 열팽창이 잘 되는 금속이 더 길어져 열팽창이 잘 되지 않는 금속 쪽으로 휘어진다. 그러므로 A와 B 중 열팽창이 더 잘 되는 금속은 B이다.

(2) 바이메탈을 냉각시키면 열팽창이 잘 되는 금속이 더 많이 수축해 짧아지므로 그쪽으로 휘어지게 된다. 그러므로 냉각하면 바이메탈은 B 쪽으로 휘어진다.

E-3 (2) 다리의 이음새 부분에는 틈을 만들어 온도 변화에 따라 열팽창으로 다리가 휘어지거나 파손되는 것을 막는다.

(4) 유리병의 금속으로 만든 뚜껑이 열리지 않을 때 뚜껑 부분에 뜨거운 물을 부어 주면 열을 받은 금속 뚜껑이 열팽창하여 크기가 늘어나므로, 뚜껑과 유리병 사이가 헐거워져서 뚜껑을 쉽게 열 수 있다.

〔바로알기〕 (1) 기온이 높은 여름철에는 열팽창에 의해 전깃줄이 늘어지고, 겨울에는 팽팽해진다.

(3) 기온이 높은 낮에는 열팽창으로 기름의 부피가 증가한다. 같은 부피만큼 주유하면 낮보다 밤에 기름의 질량이 더 크다. 따라서 자동차에 주유를 할 때는 기온이 높은 낮보다 기온이 낮은 밤에 하는 것이 더 이득이다.

01 ③	02 ②	03 ⑤	04 ④	05 ②	06 ①	07 ③
08 ①	09 ④	10 ④	11 ③	12 ②	13 ②, ⑤	14 ④
15 ①	16 ③, ④	17 ⑤	18 ④	19 ①	20 ③	21 ①
22 ②	23 ③					

〔서술형 문제〕 **24~29 해설 참조**

01 〔바로알기〕 ㄱ. 열량의 단위는 cal, kcal, J(줄) 등이다. kcal/(kg·°C)는 비열의 단위이다.

ㄹ. 같은 물질을 같은 온도만큼 올릴 때 열량은 질량에 비례하므로 물질의 질량이 작을수록 더 적은 열량이 필요하다.

02 〔문제 분석하기〕

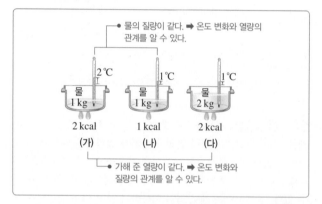

② 온도 변화와 열량의 관계를 알려면 물질의 양은 일정해야 한다. 그러므로 (가)와 (나)를 비교하면 열량을 많이 가할수록 온도 변화가 큰 것을 알 수 있다.

〔바로알기〕 ①, ⑤ 온도 변화와 물질의 양의 관계를 알려면 가해 준 열량이 같은 (가)와 (다)를 비교해야 한다. 물질의 양이 많을수록 온도 변화가 적으므로 온도 변화와 물질의 양은 반비례한다.

③, ④ 다른 물질을 이용하지 않고 물만 가열하여 비교하였으므로 온도 변화와 비열의 관계는 이 실험으로 알 수 없다.

03 ① 비열은 물질의 종류에 따라 고유한 값을 가지는 물질의 특성이므로, 비열이 다르면 서로 다른 물질이다.

② 비열이 크면 온도가 천천히 변하고, 비열이 작으면 온도가 빨리 변한다. 따라서 비열이 크면 온도를 변화시키기 어렵다.

③ 비열은 어떤 물질 1 kg의 온도를 1 °C 높이는 데 필요한 열량이다. 따라서 비열은 물질의 온도를 얼마만큼 쉽게 변화시킬 수 있는지를 나타내는 물리량이다.

④ 일반적으로 액체의 비열이 고체의 비열보다 크며, 물의 비열이 1 kcal/(kg·°C)로 가장 크다.

〔바로알기〕 ⑤ 같은 태양열을 받아도 모래가 바닷물보다 비열이 더 작으므로 빨리 온도가 높아져 뜨거운 것이다.

04 ④ 비열이 클수록 온도를 높이는 데 더 많은 열량이 필요하다. 따라서 표에서 비열이 가장 큰 물이 다른 물질에 비하여 같은 온도를 높이는 데 많은 열량이 필요하다.

바로알기 >> ① 같은 열량을 가할 때 비열이 클수록 온도 변화가 작고, 비열이 작을수록 온도 변화가 크다. 따라서 물의 온도 변화가 가장 작고, 납의 온도 변화가 가장 크다.
② 여러 가지 물질의 비열이 모두 다르므로 같은 온도만큼 높이는 데 필요한 열량은 모두 다르다.
③ 표에서 물, 식용유 등 액체의 비열이 구리, 납 등 고체의 비열보다 크다. 따라서 고체와 액체를 동시에 가열하면 액체의 온도가 더 천천히 높아진다.
⑤ 비열이 클수록 온도 변화가 작다. 구리가 납보다 비열이 3배 크므로 같은 열을 받았을 때 온도 변화는 $\frac{1}{3}$배이다. 따라서 구리의 온도가 9 ℃ 높아졌다면 납의 온도는 27 ℃ 높아질 것이다.

05 열량=비열×질량×온도 변화
=0.40 kcal/(kg·℃)×0.5 kg×(40 ℃−10 ℃)
=6 kcal

06 비열=$\frac{열량}{질량 × 온도 변화}$=$\frac{100\ kcal}{5\ kg × 10\ ℃}$
=2 kcal/(kg·℃)

07 ㄱ, ㄴ. 같은 열량을 가했을 때 식용유의 온도 변화가 크므로 식용유보다 물의 비열이 더 크다. 따라서 식용유보다 물이 같은 온도를 높이는 데 시간이 더 오래 걸린다.

바로알기 >> ㄷ. 비열이 크면 온도 변화가 작으므로, 식을 때도 물이 식용유보다 온도가 더 천천히 낮아진다.

[08~09] **문제 분석하기 >>**

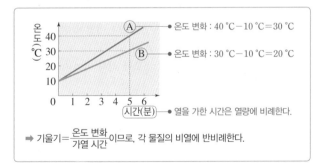

08 질량이 같고 가한 열량이 같을 때 온도 변화는 비열에 반비례한다. 그래프에서 온도 변화의 비가 A : B=3 : 2이므로 비열의 비는 A : B=$\frac{1}{3}$: $\frac{1}{2}$=2 : 3이다.

09 **바로알기 >>** ④ 질량이 같은 물질 A와 B에 같은 열량을 가했으므로 온도−시간 그래프의 기울기는 비열에 반비례한다. 따라서 기울기가 작을수록 비열이 크다.

10 **문제 분석하기 >>**

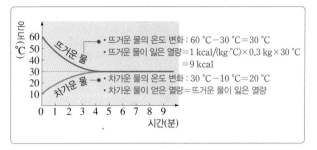

③ 외부와 열 출입이 없을 때 뜨거운 물이 잃은 열량과 차가운 물이 얻은 열량은 같다.

바로알기 >> ④ 뜨거운 물이 잃은 열량과 차가운 물이 얻은 열량은 같고, 비열도 같으므로 온도 변화는 질량에 반비례한다. 차가운 물의 온도 변화가 뜨거운 물보다 작으므로 차가운 물의 질량이 더 크다.

11 바닷물이 육지보다 비열이 크므로 같은 태양열을 받아도 낮에는 육지의 온도가 빨리 높아져 바다에서 육지로 해풍이 분다. 밤에는 육지의 온도가 빨리 낮아져 육지에서 바다로 육풍이 분다. 따라서 해안 지역에서는 바다와 육지의 비열 차이로 낮과 밤에 부는 바람의 방향이 달라지는 해륙풍이 분다.

12 ① 찜질 팩에는 비열이 큰 물을 넣어야 온도 변화가 작으므로 따뜻함이나 시원함을 오랫동안 유지할 수 있다.
③ 해안 지역은 사막 지역보다 상대적으로 비열이 큰 물이 많아 온도 변화가 작다. 따라서 사막 지역이 해안 지역보다 일교차나 연교차가 크게 나타난다.
④ 바닷가에서 같은 햇빛을 받아도 모래의 비열이 바닷물보다 작기 때문에 모래의 온도가 더 빨리 높아져 바닷물보다 뜨겁다.
⑤ 뚝배기는 금속 냄비보다 비열이 커서 천천히 뜨거워지고 천천히 식으므로 된장찌개를 오랫동안 따뜻하게 먹을 수 있다.

바로알기 >> ② 자동차 엔진의 냉각수는 엔진의 열을 낮추어야 하므로 온도 변화가 작은 물질을 사용해야 한다. 따라서 비열이 커서 온도 변화가 작은 물을 사용하는 것이 좋다.

13 ② 충치가 생겼을 때 치아가 썩은 부분을 제거하고 넣는 충전재로는 주로 금을 사용하는데, 이는 금이 치아와 열팽창하는 정도가 비슷하기 때문이다.
⑤ 물체가 열팽창하는 까닭은 물질을 이루는 입자에 열이 가해지면 입자 운동이 활발해져서 입자 사이의 거리가 멀어지기 때문이다.

바로알기 >> ①, ③ 열팽창하는 정도는 물질의 종류에 따라서도 다르고, 물질의 상태에 따라서도 달라진다. 물질의 상태에 따라서는 고체<액체<기체 순으로 열팽창하는 정도가 크다.
④ 열팽창으로 부피가 증가한 물질은 온도가 내려가면 입자 운동이 둔해지면서 입자 사이의 거리가 가까워지므로 팽창했던 부분이 수축하여 원래 상태로 돌아온다.

14 문제 분석하기 »

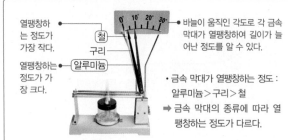

열팽창하는 정도가 가장 작다. → 철

구리

열팽창하는 정도가 가장 크다. → 알루미늄

바늘이 움직인 각도로 각 금속 막대가 열팽창하여 길이가 늘어난 정도를 알 수 있다.

• 금속 막대가 열팽창하는 정도 : 알루미늄>구리>철
➡ 금속 막대의 종류에 따라 열팽창하는 정도가 다르다.

• 금속 막대를 가열하면 열에 의해 입자 운동이 활발해지기 때문에 막대의 길이가 길어지면서 막대에 연결된 바늘이 움직인다.

15 문제 분석하기 »

가열 → 처음 부피

가운데에 원형 구멍이 뚫려 있는 금속판을 가열하면 금속판의 바깥쪽 원과 안쪽 원이 모두 열팽창하여 커진다.

16 둥근바닥 플라스크를 뜨거운 물이 담긴 수조에 넣으면 플라스크 안의 액체의 높이가 달라지므로 액체의 종류에 따라 열팽창하는 정도가 다름을 알 수 있다. A~D 중 액체의 높이는 D가 가장 높으므로 D의 열팽창하는 정도가 가장 크다.

17 ①, ③ 열을 가할 때 액체가 유리관을 따라 올라간 것은 열을 받아 액체의 입자 운동이 활발해지면서 액체가 열팽창하기 때문이다.

②, ④ 액체가 담긴 삼각 플라스크에 열을 가하면 액체와 함께 고체인 삼각 플라스크도 같이 팽창하므로 처음에 유리관 속 액체의 높이는 약간 낮아졌다가 다시 올라간다.

바로알기 » ⑤ 액체의 종류에 따라 열팽창하는 정도가 다르다. 따라서 가한 열량이 같아도 액체의 종류가 다르면 유리관을 따라 올라가는 액체의 높이도 달라진다.

18 문제 분석하기 »

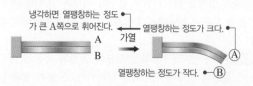

냉각하면 열팽창하는 정도가 큰 A쪽으로 휘어진다.

A
B

가열 →

열팽창하는 정도가 크다. → A
열팽창하는 정도가 작다. → B

• 바이메탈은 금속(고체)마다 열팽창하는 정도가 다른 것을 이용하여 만든 장치이다.
• 바이메탈은 온도 변화에 따라 휘어지는 방향이 달라지는 것을 이용하여 자동 온도 조절 장치에 사용한다. 예 전기다리미, 전기밥솥, 전기 주전자 등

19 문제 분석하기 »

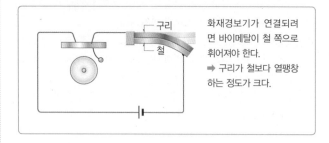

구리
철

화재경보기가 연결되려면 바이메탈이 철 쪽으로 휘어져야 한다.
➡ 구리가 철보다 열팽창하는 정도가 크다.

20 ① 여름철에는 에펠탑이 열팽창하여 높이가 더 높아진다.
② 바이메탈은 온도 변화에 따라 붙여 놓은 두 금속이 열팽창하여 휘어지는 방향이 달라지므로 자동 온도 조절 장치에 사용한다.
④ 전신주의 전선은 겨울보다 더운 여름에 더 많이 늘어지는데, 이는 여름이 겨울보다 기온이 높아 열팽창이 일어나기 때문이다.
⑤ 위쪽 그릇에 차가운 물을 부으면 위쪽 그릇은 수축하고, 아래쪽 그릇을 따뜻한 물에 담그면 고체의 열팽창에 의해 아래쪽 그릇의 부피가 커지면서 빠지지 않던 그릇을 빼낼 수 있다.

바로알기 » ③ 기온이 높은 낮에 기름이 열팽창하여 부피가 커지므로, 같은 부피를 주유할 때 밤에 주유하는 것이 낮에 주유하는 것보다 질량이 커져 이득이다. 이는 액체의 열팽창과 관련 있다.

21 음료수가 열팽창하여 음료수 뚜껑이 열리거나 병이 깨지지 않게 하기 위해 음료수 병에 음료수를 가득 채우지 않는다.
① 알코올 온도계는 온도 변화에 따라 알코올의 부피가 열팽창하는 원리를 이용하여 온도를 측정한다.

바로알기 » ② 난로 가까이 있으면 따뜻함을 느끼는 것은 복사에 의해 열이 전달되기 때문이다.
③ 에어컨을 높은 곳에 설치하면 대류에 의해 에어컨 주위의 차가운 공기가 아래로 내려가므로 방 전체가 시원해진다.
④ 여름철 바닷가에서는 낮에 바닷물보다 비열이 작은 모래의 온도가 더 높다.
⑤ 쇠막대의 한쪽 끝을 가열하면 전도에 의해 열이 이동하여 다른 쪽 끝도 뜨거워진다.

22 액체가 열을 받으면 열팽창으로 부피가 증가한다. 따라서 자동차에 주유를 할 때 같은 부피를 주유하더라도 밤에 주유를 하면 낮에 주유한 휘발유보다 질량이 커져 효과적이다.

23 ① 기온이 높은 여름철에는 열팽창에 의해 철로 사이의 틈이 좁아져 철로가 휘어질 수도 있다.
② 송유관은 중간에 구부러진 부분을 만들거나 지그재그로 설치하여 열팽창에 의한 사고를 예방한다.
④ 음료수가 열팽창하면 부피가 증가하여 페트병의 뚜껑이 열릴 수 있으므로 페트병에는 음료수를 가득 채우지 않는다.

⑤ 콘크리트로 바닥을 깔 때는 일정한 간격으로 틈을 만들어 열 팽창에 의해 바닥이 깨지는 것을 예방한다.

바로알기 》 ③ 겨울철 공원에 있는 나무 의자에 앉는 것보다 금속 의자에 앉을 때 더 차갑게 느끼는 것은 나무 의자보다 금속 의자에서 전도가 잘 일어나 몸 밖으로 열이 더 빨리 빠져나가기 때문이다.

24 모범답안 (1) 물, 비열이 큰 물질을 넣으면 온도가 잘 변하지 않아 오랫동안 따뜻하게 사용할 수 있기 때문이다.
(2) 필요한 열량＝비열×질량×온도 변화＝0.03 kcal/(kg·℃) ×0.5 kg×100 ℃＝1.5 kcal이다.
|해설| 비열이 클수록 온도 변화가 잘 일어나지 않는다.

	채점 기준	배점
(1)	물을 고르고 까닭을 옳게 서술한 경우	50 %
	물만 쓴 경우	20 %
(2)	열량을 풀이 과정과 함께 옳게 구한 경우	50 %
	풀이 과정 없이 열량만 옳게 구한 경우	20 %

25 모범답안 물보다 질량이 두 배 큰데 온도 변화도 두 배로 올라갔으므로 비열은 물의 $\frac{1}{4}$ 배이다. 따라서 미지의 액체의 비열은 0.25 kcal/(kg·℃)이다.
|해설| 같은 시간 동안 같은 세기의 불꽃으로 가열했으므로 비커 A의 물이 얻은 열량과 비커 B의 미지의 액체가 얻은 열량은 같다. 물이 얻은 열량＝1 kcal/(kg·℃)×0.2 kg×20 ℃＝4 kcal이므로, 미지의 액체의 비열을 c라고 하면 다음과 같이 구할 수 있다.
$$\therefore c = \frac{4 \text{ kcal}}{0.4 \text{ kg} \times 40 \text{ ℃}} = 0.25 \text{ kcal/(kg·℃)}$$

채점 기준	배점
비열을 옳게 구한 경우	100 %

26 모범답안 육지가 바다보다 비열이 작아 온도 변화가 크게 일어나므로 내륙 도시의 일교차가 더 크다.
|해설| 일교차는 하루 중 가장 높은 기온과 가장 낮은 기온의 차이이다. 비열이 작으면 빨리 뜨거워지고, 빨리 식으므로 비열이 작은 내륙 도시의 일교차가 더 크다.

채점 기준	배점
내륙 도시를 쓰고 까닭을 옳게 서술한 경우	100 %
내륙 도시만 쓴 경우	40 %

27 모범답안 열을 가하면 물체를 구성하는 입자의 운동이 활발해져서 입자 사이의 거리가 멀어지기 때문이다.

채점 기준	배점
입자 운동과 입자 사이의 거리 변화를 모두 옳게 서술한 경우	100 %
입자 운동이 활발해져서라고만 서술한 경우	50 %

28 모범답안 • 금속 : A
• 까닭 : 불이 나서 화재경보기에 열이 가해지면 회로가 연결되어야 하므로 A의 열팽창하는 정도가 B보다 더 크다.

문제 분석하기 》

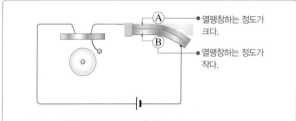

• 화재경보기가 가열되면 회로가 연결된다.
• 회로가 연결되려면 바이메탈이 B 쪽으로 휘어져야 한다.
➡ A가 B보다 더 많이 팽창해야 한다.

채점 기준	배점
금속의 종류와 까닭을 모두 옳게 서술한 경우	100 %
까닭만 옳게 서술한 경우	60 %
금속의 종류만 옳게 쓴 경우	30 %

29 모범답안 다리나 철로가 여름에 열팽창하여 휘는 것을 막기 위해서이다.
|해설| 고체는 열을 받으면 길이와 부피가 팽창한다.

채점 기준	배점
열팽창과 관련하여 까닭을 옳게 서술한 경우	100 %
휘는 것을 막기 위해서라고만 서술한 경우	50 %

핵심 자료로 최종 점검
352~353쪽

01 열
1 ① 입자 ② 높아 ③ 둔하다 ④ 활발하다
2 ① 전도 ② 활발 ③ 이웃 ④ 대류 ⑤ 올라 ⑥ 내려
3 ① 대류 ② 복사 ③ 단열재 ④ 전도
4 ① > ② 둔 ③ 활발 ④ 잃 ⑤ 얻 ⑥ 같다

02 비열과 열팽창
1 ① 크 ② 크
2 ① 비열 ② 작다 ③ 크다 ④ 같다
3 ① 대류 ② 해풍 ③ 육풍
4 ① 멀어 ② 커 ③ 작아
5 ① 열팽창 ② 큰
6 ① 작은 ② 큰

01 ①　02 ⑤　03 ②　04 대류　05 ㄴ, ㄷ　06 ④　07 ⑤
08 ④　09 ④　10 ②　11 ③　12 ②　13 ①　14 ②
15 ②　16 0.5 kcal/(kg·℃)　17 ⑤　18 ③　19 ④　20 ⑤
21 ③　22 ⑤　23 ③　24 ②　25 ③

01 ㄱ, ㄴ. 온도가 높은 물체는 입자 운동이 활발하고, 온도가 낮은 물체는 입자 운동이 둔하다. 따라서 온도는 물체를 이루는 입자 운동의 활발한 정도를 나타낸다고 할 수 있다.

바로알기 >> ㄷ, ㄹ. 열은 온도가 높은 물체에서 온도가 낮은 물체로 이동한다. 온도가 높은 물체의 입자 운동은 활발하고, 온도가 낮은 물체의 입자 운동은 둔하다. 따라서 열은 입자 운동이 활발한 물체에서 입자 운동이 둔한 물체로 이동한다.

02 금속 막대의 한쪽을 가열하면 금속 막대에서 전도에 의해 열이 전달되기 때문에 금속 막대를 가열한 부분과 가까운 곳의 나무 막대부터 차례대로 떨어진다.
⑤ 뜨거운 국에 수저를 넣으면 뜨거운 국에서 수저로 열이 전도되어 손잡이가 뜨거워진다. 이때 나무 수저보다 은수저가 열을 잘 전달하므로 더 뜨겁다.

바로알기 >> ① 에어컨을 위쪽에 설치하는 것은 대류에 의해 열이 이동하여 방 안의 공기를 시원하게 하기 위해서이다.
② 난로 가까이 있으면 열이 복사의 방법으로 전달되기 때문에 따뜻하다.
③ 여름철에 빛을 반사하는 흰색 옷을 입으면 복사에 의한 열을 덜 받으므로 검은색 옷을 입었을 때보다 덜 덥다.
④ 바닷가에서는 바닷물의 비열이 육지의 비열보다 크다. 이 때문에 낮에는 육지의 온도가 바다보다 빨리 높아져 해풍이 분다. 밤에는 육지의 온도가 바다보다 빨리 낮아져 육풍이 분다.

03 추운 겨울 공원에 있는 나무 의자보다 금속 의자에 앉을 때 더 차갑게 느끼는 것은 금속이 나무보다 열을 잘 전달하여 우리 몸의 열이 빠르게 빠져나가기 때문이다.

04 온도가 높은 아래쪽의 물은 부피가 커져 밀도가 작아지므로 위쪽으로 이동하고, 상대적으로 온도가 낮은 위쪽의 물은 부피가 작아 밀도가 크므로 아래쪽으로 이동하여 데워지면서 주전자 안의 물이 골고루 뜨거워진다. 이렇게 액체나 기체 상태의 입자들이 직접 이동하면서 열을 전달하는 방법을 대류라고 한다.

05 ㄴ, ㄷ. 시험관을 가열하면 시험관 속 물의 대류에 의해 열이 이동한다. 이때 시험관의 중간 부분을 가열하면 뜨거운 물은 위쪽으로 올라가고 상대적으로 차가운 물은 아래쪽으로 내려가므로, 아래쪽의 얼음은 잘 녹지 않는다.

바로알기 >> ㄱ. 시험관을 가열하면 대류에 의해 뜨거운 물은 위로 올라가므로 가열한 곳보다 위쪽의 물이 끓는다.
ㄹ. 시험관 속 물의 온도는 대류에 의해 아래쪽보다 위쪽이 더 높으므로 (나)에 있는 아래쪽 얼음보다 (가)에 있는 위쪽 얼음이 더 빨리 녹는다.

06 문제 분석하기 >>

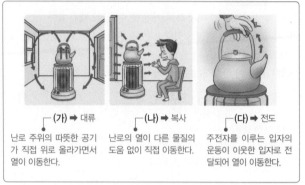

(가) ➡ 대류   (나) ➡ 복사   (다) ➡ 전도
난로 주위의 따뜻한 공기가 직접 위로 올라가면서 열이 이동한다. / 난로의 열이 다른 물질의 도움 없이 직접 이동한다. / 주전자를 이루는 입자의 운동이 이웃한 입자로 전달되어 열이 이동한다.

07 공기는 열의 전도가 느린 물질이다. 따라서 내부에 공기를 많이 가지고 있는 물질이 단열에 효율적이다. 대표적인 단열재로는 스타이로폼, 솜, 털 등이 있다.

08 보온병은 물질에 의해 열이 이동하는 방법인 전도와 대류를 막기 위해 안쪽 벽과 바깥쪽 벽 사이에 비어 있는 진공 공간을 두어 이중벽 구조로 만든다.

09 열은 온도가 높은 물체에서 온도가 낮은 물체로 이동한다. 그러므로 열의 이동 방향에 따라 각각의 온도를 비교하면 다음과 같다.

접촉한 물체	열의 이동 방향	온도 비교
A와 D	D ➡ A	D > A
A와 C	A ➡ C	A > C
B와 D	B ➡ D	B > D

따라서 물체 A~D의 처음 온도는 B > D > A > C 순으로 높다.

10 ① A는 열을 잃으므로 온도가 점점 낮아진다.
③ 열은 온도가 높은 물체에서 온도가 낮은 물체로 이동하므로 처음 온도는 A > B이다.
④ 외부와 열 출입이 없으므로 A가 잃은 열량과 B가 얻은 열량은 같다.
⑤ 시간이 지난 후 두 물체의 온도가 같아지는 열평형 상태에 이른다.

바로알기 >> ② B는 열을 얻어 온도가 점점 높아지고, 입자 운동이 점점 활발해진다.

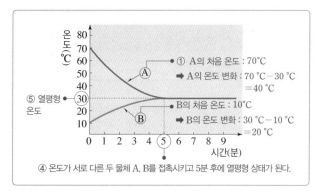

④ 온도가 서로 다른 두 물체 A, B를 접촉시키고 5분 후에 열평형 상태가 된다.

11 ③ A가 잃은 열량＝비열×질량×온도 변화＝1 kcal/(kg·℃)×0.2 kg×(70 ℃−30 ℃)＝8 kcal이다.

바로알기 >> ② 온도가 서로 다른 두 물체를 접촉시키면 고온의 물체에서 저온의 물체로 열이 이동하므로 물체 A에서 물체 B로 이동한다.

④ 두 물체가 접촉하면 열이 이동하는 데 시간이 걸린다. 어느 정도 시간이 지난 후 두 물체는 열평형에 이른다.

12 질량이 같고 열량이 같을 때 온도 변화는 비열에 반비례한다. 그래프에서 온도 변화의 비가 A : B＝40 ℃ : 20 ℃＝2 : 1 이므로, 비열의 비는 A : B＝$\frac{1}{2}$: 1＝1 : 2이다.

13 같은 세기의 불꽃으로 같은 시간 동안 가열하였으므로, 가한 열량이 같다. 물질의 질량이 같으므로 비열이 가장 작은 납의 온도 변화가 가장 크다.

14 철의 비열은 0.11 kcal/(kg·℃)이므로, 열량＝비열 × 질량×온도 변화＝0.11 kcal/(kg·℃)×0.1 kg×(70 ℃−20 ℃)＝0.55 kcal＝550 cal이다.

15 모래의 나중 온도를 t라고 하면 온도 변화 (t−20 ℃)＝$\frac{열량}{비열×질량}$＝$\frac{4 \text{ kcal}}{0.2 \text{ kcal/(kg·℃)}×2 \text{ kg}}$＝10 ℃이다. 따라서 4 kcal의 열량을 가했을 때 모래의 온도는 t−20 ℃＝10 ℃에서 t＝30 ℃이다.

16 문제 분석하기 >>

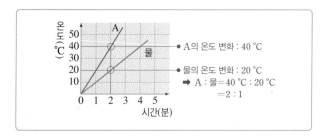

A의 온도 변화 : 40 ℃
물의 온도 변화 : 20 ℃
➡ A : 물＝40 ℃ : 20 ℃ ＝2 : 1

질량이 같고 가한 열량이 같을 때 온도 변화는 비열에 반비례하므로 물체 A의 비열은 0.5 kcal/(kg·℃)이다.

17 문제 분석하기 >>

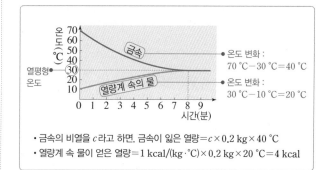

온도 변화 : 70 ℃−30 ℃＝40 ℃
온도 변화 : 30 ℃−10 ℃＝20 ℃

· 금속의 비열을 c라고 하면, 금속이 잃은 열량＝c×0.2 kg×40 ℃
· 열량계 속 물이 얻은 열량＝1 kcal/(kg·℃)×0.2 kg×20 ℃＝4 kcal

금속이 잃은 열량은 열량계 속 물이 얻은 열량과 같다.
c×0.2 kg×40 ℃＝4 kcal에서 금속의 비열
c＝$\frac{4 \text{ kcal}}{0.2 \text{ kg}×40 ℃}$＝0.50 kcal/(kg·℃)이다.

18 문제 분석하기 >>

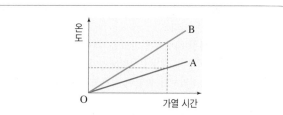

· 같은 시간 동안 같은 세기의 불꽃으로 가열 ➡ 가한 열량이 같다.
· 같은 시간 동안 A보다 B의 온도 변화가 더 크다.
  ➡ A와 B가 같은 물질이라면 A가 질량이 더 크다.
  ➡ A와 B가 같은 질량이라면 A의 비열이 더 크다.

⑤ 같은 온도만큼 올리는 데 A가 더 오래 가열해야 한다. 그러므로 A가 더 많은 열량이 필요하다.

바로알기 >> ③ A와 B가 다른 물질이라면 비열을 모르기 때문에 두 물질의 질량을 비교할 수 없다.

19 ④ 물은 비열이 크기 때문에 온도가 잘 변하지 않는다. 사람의 몸은 약 70 %가 물로 이루어져 있어서 온도가 잘 변하지 않는다.

바로알기 >> ① 모래보다 물의 비열이 높아서 모래의 온도가 더 높이 올라가므로 육지의 공기가 상승하여 낮에 해풍이 분다.

② 찜질 팩이나 냉각수 등은 비열이 큰 물질을 사용하는 것이 좋지만 냄비나 주전자 등은 비열이 작은 물질을 사용하는 것이 편리할 수 있다. 이처럼 용도에 따라 이용할 수 있는 물질이 모두 다르다.

③ 찜질 팩에는 비열이 큰 물질을 넣어야 오랫동안 따뜻함을 유지할 수 있다. 식용유는 물보다 비열이 작은 물질이므로 찜질 팩에 사용하기에 적당하지 않다.

⑤ 해안 도시는 비열이 큰 물 때문에 내륙 도시보다 일교차가 작다.

20 고체에 열을 가하면 고체를 이루는 입자들이 열을 얻어 온도가 높아지고 입자 운동이 활발해진다. 이로 인해 입자 사이의 거리가 멀어지므로 고체의 길이 또는 부피가 증가하는 열팽창이 일어난다.

21 ㄱ. 에탄올과 물을 담은 삼각 플라스크를 수조에 넣고 뜨거운 물을 천천히 부었을 때 각 액체는 열팽창하여 유리관을 따라 액체의 높이가 올라간다. 이때 유리관을 올라오는 액체의 높이가 다른 까닭은 액체의 종류에 따라 열팽창하는 정도가 다르기 때문이다.
ㄷ. 유리인 삼각 플라스크도 액체와 함께 뜨거운 물로부터 열을 얻어 열팽창하므로, 실제 액체의 팽창은 유리관의 높이가 변한 것보다 크다.
(바로알기)» ㄴ. 물보다 에탄올이 유리관을 따라 더 높이 올라가므로, 열팽창하는 정도는 에탄올이 물보다 크다.

22 ⑤ 유리병의 금속 뚜껑이 열리지 않을 때 뚜껑 부분에 뜨거운 물을 부으면 금속 뚜껑이 열팽창하여 부피가 늘어나므로 헐거워져 뚜껑을 열 수 있다.
(바로알기)» ① 여름철 시냇가에 과일을 넣어 두면 시냇가의 물과 과일이 열평형을 이루어 과일이 시원해진다.
② 금속 냄비는 뚝배기보다 비열이 작으므로 라면을 끓일 때 더 빨리 끓는다.
③ 알루미늄 냄비 위에 언 고기를 놓으면 알루미늄 냄비에서 고기로 열이 이동한다. 그후 알루미늄 냄비와 언 고기가 열평형을 이루어 고기를 빨리 녹일 수 있다.
④ 사람이나 동물도 복사의 형태로 열을 내보내고 있으므로 적외선 카메라로 사진을 찍으면 체온 분포를 알 수 있다.

23 금은 치아와 열팽창하는 정도가 비슷하므로 충전재로 사용했을 때 열팽창으로 치아가 깨지거나 치료한 부분이 떨어져 나가는 것을 예방할 수 있다.

24 바이메탈을 가열하면 열팽창하는 정도가 작은 금속 쪽으로 휘어진다. 그러므로 알루미늄의 열팽창하는 정도가 구리보다 크므로 가열하면 바이메탈은 열팽창으로 인해 구리 쪽으로 휘어진다.

25 (문제 분석하기)»

• 바이메탈을 가열하면 열팽창하는 정도가 작은 금속 쪽으로 휘어진다.

    A   B   C
    B   C   A

• 열팽창하는 정도 : B>A   B>C   A>C
   따라서 금속 A~C의 열팽창하는 정도는 B>A>C 순으로 크다.

Ⅸ. 재해·재난과 안전

01 재해·재난과 안전

단원 미리보기

360~361쪽

만화 완성하기» [모범 답안] 엘리베이터는 고장날 수 있으니까 계단으로 이동해!
한눈에 보기» [B] 사회 재해·재난의 원인과 피해, [C] 자연 재해·재난의 대처 방안

361~364쪽

Ⓐ **1** ㉠ 자연, ㉡ 사회 **2** (가) ㄱ, ㄹ, ㅂ (나) ㄴ, ㄷ, ㅁ **3** (1) × (2) ○ (3) × (4) ○

Ⓑ **1** 감염성 질병 **2** (1) ○ (2) ○ (3) ○ (4) ×

Ⓒ **1** 내진 **2** (1) 지진 (2) 태풍 (3) 태풍 (4) 지진 **3** (1) × (2) ○ (3) ○ (4) ○

Ⓓ **1** ㉠ 높은, ㉡ 낮은 **2** (1) ○ (2) ○ (3) × (4) ○

A-3 (바로알기)» (1) 규모는 지진의 세기를 나타내는 방법 중 하나이다. 대체로 규모가 큰 지진일수록 피해가 크다.
(3) 태풍이 진행하는 방향의 오른쪽 지역은 왼쪽 지역보다 바람이 강하고 강수량도 많아 피해가 더 크다.

B-2 (바로알기)» (4) 감염성 질병은 어느 한 지역에 그치지 않고 지구적인 규모로 퍼져 나가 수많은 사람과 동물에게 큰 피해를 줄 수 있다.

C-3 (바로알기)» (1) 지진으로 흔들릴 때는 탁자 아래로 들어가 몸을 보호한다. 흔들림이 멈추면 가스와 전기를 차단하고, 문을 열어 출구를 확보한다.

D-1 밀도가 작은 물질은 위로 뜨고, 밀도가 큰 물질은 아래로 가라앉는다.

D-2 (바로알기)» (3) 화학 물질이 유출되었을 때 바람이 불면 바람의 방향에 따라 화학 물질이 퍼질 수 있으므로 바람의 방향을 고려하여 대피한다.

실력탄탄 핵심 문제

365~367쪽

01 ⑤ **02** ② **03** ④ **04** ㉠ 오른쪽, ㉡ 왼쪽, ㉢ 해일
05 ⑤ **06** ⑤ **07** ③ **08** ④ **09** ⑤ **10** ③ **11** ④
12 ④ **13** ③ **14** ④ **15** ④ (서술형 문제) **16~17** 해설 참조

01 ㄹ. 재해·재난의 발생 원인을 과학적으로 이해하면 대비책을 세우고 사전 경보를 발령하여 피해를 줄일 수 있다.

바로알기 » ㄷ. 재해·재난의 발생에는 여러 가지 요인이 관련되어 있으므로 언제 발생할지 정확하게 예측할 수는 없다.

02 **바로알기 »** 지진과 화산은 지각 변동이고, 폭염은 기상재해이다.

03 **바로알기 »** ④ 과학자들은 지진이 자주 발생하는 지역의 기록을 연구하여 예보 체계를 갖추려고 노력하고 있지만, 지진 발생 시각을 정확하게 예측하기는 어렵다.

06 **바로알기 »** ⑤ 교통수단이 발달함에 따라 인구 이동이 증가하고 무역이 활발해지면서 특정 지역에서 발생한 감염성 질병이 넓은 지역으로 확산할 가능성이 높아졌다.

08 ㄹ. 지진으로 땅이 흔들리는 시간은 길어야 1~2분이지만, 대부분 한 번에 그치지 않고 여러 번 일어나므로 안전한 장소로 대피한 후 안내에 따라 행동한다.

바로알기 » ㄴ. 지진해일 경보가 발령되면 해안가에서 멀리 피하고 높은 곳으로 대피한다.

09 ③ 강한 바람으로 유리가 깨질 수 있으므로 실내에서는 창문이나 유리문에서 멀리 떨어져 있는 것이 안전하다.

바로알기 » ⑤ 태풍이 진행하는 방향의 오른쪽 지역은 왼쪽 지역보다 피해가 크다. 따라서 태풍의 이동 경로에서 운행 중인 선박은 태풍 진행 방향의 왼쪽 지역으로 대피한다.

10 **바로알기 »** ㄴ. 화산이 폭발하면 화산재에 노출되지 않도록 문이나 창문을 모두 닫는다. 또 물을 묻힌 수건으로 문의 빈틈이나 환기구를 막는다.

ㄷ. 화산 분출 시기를 정확히 알 수는 없으므로 평소에 화산 주변을 관측하고, 인공위성으로 자료를 수집하여 화산 분출을 예측해야 한다.

11 ④ 물건이 떨어져 다칠 수 있으므로 건물 밖에서는 가방 등으로 머리를 보호한다.

바로알기 » ① 지진으로 흔들릴 때는 먼저 튼튼한 탁자 아래로 들어가 몸을 보호한다. 잠시 후 흔들림이 멈추면 문을 열어 출구를 확보한다.

② 흔들림이 멈추면 화재 발생을 방지하기 위해 가스와 전기를 차단한다.

③ 지진으로 승강기가 고장나거나 전기가 차단되어 위험할 수 있다. 건물 밖으로 나갈 때는 승강기를 이용하지 말고 계단을 이용한다.

⑤ 건물 주변에 있으면 떨어지는 물건에 맞아 다칠 수 있으므로 운동장이나 공원 등 넓은 공간으로 대피한다.

12 **바로알기 »** ④ 실내로 대피한 경우 외부 공기를 차단해야 하므로 창문을 닫고 외부 공기와 통하는 환풍기의 작동을 멈춘다.

13 • A : 바람이 사고 발생 장소 쪽으로 불어오므로 바람 방향의 반대 방향인 ㉠ 쪽으로 대피한다.

• B : 바람이 사고 발생 장소에서 불어오므로 바람 방향의 직각 방향인 ㉣ 쪽으로 대피한다.

14 **바로알기 »** ④ 해외 여행객은 귀국 시 이상 증상이 나타나면 검역관에게 신고한다.

15 ⑤ 지진이 발생하면 물건이 넘어져 다칠 수 있으므로 큰 가구는 미리 고정하고, 높은 곳에 있는 물건을 낮은 곳으로 옮긴다.

바로알기 » ④ 화학 물질이 유출되면 흡입하지 않도록 옷이나 손수건 등으로 코와 입을 감싸고 멀리 대피한다.

16 **모범 답안 ▶** (가) 지진으로 흔들릴 때 : 튼튼한 탁자 아래로 들어가 몸을 보호한다.

(나) 흔들림이 멈췄을 때 : 가스와 전기를 차단한다. 문을 열어 출구를 확보한다.

(다) 건물 밖으로 이동할 때 : 계단을 이용하여 침착하게 이동한다.

채점 기준	배점
(가)~(다) 모두 옳게 서술한 경우	100 %
(가)~(다) 중 두 가지를 옳게 서술한 경우	60 %
(가)~(다) 중 한 가지만 옳게 서술한 경우	30 %

17 **모범 답안 ▶** • 수민 : 유출된 유독가스가 공기보다 밀도가 작으면 낮은 곳으로 대피해야 해.

• 성운 : 바람이 사고 발생 장소에서 불어오면 바람 방향의 **직각** 방향으로 대피해야 해.

채점 기준	배점
잘못된 부분 두 곳을 모두 옳게 고친 경우	100 %
잘못된 부분 한 곳만 옳게 고친 경우	50 %

Memo

완자 시·리·즈   친절한 개념설명으로 완벽한 자율학습이 가능하여 공부의 자신감을 갖게 합니다.

대표전화 1544-0554
주소 서울특별시 구로구 디지털로33길 48 대륭포스트타워 7차 20층
협의 없는 무단 복제는 법으로 금지되어 있습니다.

내신 만점을 위한 공부 방법의 힘을 키운다!

빠르게 **내신 실력**을 키운다!

- 짧은 시간에 **핵심만 쏙쏙** 뽑아 중요 내용을 한눈에!
- 수준별, 유형별로 구성한 **적중률 높은 문제**로 내신 만점 달성!
- **출제율** 높은 문제로 한 번 더 ~ **마무리**까지 완벽하게!

중등 1~3학년 | 수학 / 사회 / 역사 / 과학

http://book.visang.com/

발간 이후에 발견되는 오류 비상교재 누리집 〉 학습자료실 〉 중등교재 〉 정오표
본 교재의 정답 비상교재 누리집 〉 학습자료실 〉 중등교재 〉 정답・해설

교재 설문에
참여해보세요

중)완자 과학2

(QR 코드
스캔하기)

(의견 남기기)

(선물 받기!)

53400

ISBN 979-11-6227-728-7

정가 22,000원

품질혁신코드 VS01QI23_10